Compendium des Enseignements Divins des
Révélations contenues dans les douze tomes du
"Livre de la Vie Véritable", que selon ses propres paroles
Notre Père nous a livré sous le titre de :

LE TROISIEME TESTAMENT

*

« Ma parole, Ma chaire, en apparence aujourd'hui est seulement pour vous, mais en vérité elle est pour Tous, parce que sa sagesse et son amour englobe tout l'Univers, unifiant à tous les Mondes, et tous les esprits incarnés ou désincarnés. Approchez vous si vous avez besoin de Moi, recherchez Moi si vous vous sentez perdus. » (Chap. 63, 30)

*

« Croyez-vous que tout ce qui a été dit, est seulement pour ceux qui ont entendu? Non, peuple aimé, car Ma Parole est destiné aux présents et aux absents, pour aujourd'hui, demain et pour toujours; pour les défunts, pour les vivants et ceux qui vont naître. » (Chap. 7, 13)

L`œuvre originale «Le Livre de la Vie Véritable», de laquelle ce livre a été
extrait qui a été enregistré à Mexique par
ASOCIACIÓN DE ESTUDIOS ESPIRITUALES
VIDA VERDADERA A.C
Apartado Postal 888
México D.F. – C.P.06000
México

La traduction en francaise a été faite par:
Philippe Podevyn

Voir la page web: www.le-troisieme-testament.com

Achevé d'imprimer en Juillet 2005
Editorial Gráfica Mercurio S.A.
Tel.: (595-21) 290 895
Asunción-Paraguay

INDEX

Les textes des versets de ce livre ont été extraits de l'œuvre manuscrite : «Le Livre de la Vie Véritable» composée de douze tomes, afin de présenter une composition thématique, sous forme d'un compendium qui garantit sa transcription orale originale, tout en facilitant une introduction moins volumineuse de cette œuvre Divine.

Les douze tomes se divisent en 366 Enseignements portant tous un numéro différent, énumères séparément en verset.

Ce livre, divisé en chapitres thématiques, les versets possèdent leur propre numération, pour une identification rapide et une comparaison dans les traductions avec les autres langues. Mais aussi ils s'identifient seuls ou dans une série continue a la fin du thème faisant référence a l'œuvre originale, pour tout lecteur ayant le désir d'amplifier le contenu de un ou plusieurs versets.

Par exemple, une mention numérique comme (356, 4-5) signifie: Enseignement 356, verset 4 et 5 dans la version originale. Ainsi vous trouverez ci-joint une petite table du contenu du numéro des enseignements dans chacun des 12 tomes:

Tome 1	1 - 28	Tome 7	175 - 207
Tome 2	29 - 54	Tome 8	208 - 241
Tome 3	55 - 82	Tome 9	242 - 276
Tome 4	83 - 110	Tome 10	277 - 309
Tome 5	111 - 142	Tome 11	310 - 338
Tome 6	143 - 174	Tome 12	339 - 366

Pour acheter ces livres en Espagnol, se diriger à l`Association:
Orinoco No. 54 Interior 5
Col. Zacahuitzco
03550 Mèxico, D.F.
México

12 Tomes «Libro de la Vida Verdadera»
Antecedentes del Libro de la Vida Verdadera
Apocalipsis y su Interpretación Espiritual
Biografía de Roque Rojas
Consejos del Mundo Espiritual de Luz
Diccionario de Términos Espirituales
María (La Ternura Divina) Elías (El Precursor)
Profecías y otros temas
Humanidad I Temas del "Libro de la Vida Verdadera"
Humanidad II Temas del "Libro de la Vida Verdadera"
La Reencarnación
Tercer Tiempo
El Tercer Testamento

Tomes «Livre de la Vie Véritable» dans les autres langues:

I, II, III, VII et X en Anglais et «The Third Testament»

De I à VI en Allemand et «Das Dritte Testament»

I en Roumain

9

14

Observations du Seigneur

... "Avec ce Livre*, que l'humanité arrivera à reconnaître comme **Le Troisième Testament**, vous défendrez Ma cause Divine. L'humanité seulement reconnaît la Loi du Premier Temps et ce qui est écrit dans l'Ancien et le Nouveau Testament, mais le Troisième viendra pour unifier et corriger ce que les hommes ont altéré par manque de préparation et de compréhension." (Chap. 6, 9 - 10)

"Ma parole demeurera écrite pour tous les temps, grâce à elle vous formerez le livre du Troisième Temps, **Le Troisième Testament**, le dernier message du Père, parce que, pendant les trois ères Dieu a utilisé sa plume d'or pour léguer sa sagesse à l'humanité." (Chap. 6, 37)

"Formez un livre, de ma parole. Extrayez l'essence de ma parole, pour parvenir à cerner le véritable concept de la pureté de ma Doctrine. Vous pouvez trouver des erreurs dans la parole transmise par le porte-parole, mais pas dans son essence. Mes interprètes n'ont pas toujours été préparés; c'est pourquoi Je vous ai dit de ne pas la considérer superficiellement, sinon que vous pénétriez son sens afin de pouvoir trouver sa perfection. Priez et méditez pour que vous puissiez la comprendre." (Chap. 59, 2 - 3)

... "Je souhaite que vous autres, à l'aide de cette parole que je vous ai transmise, et dans l'accomplissement de Mes prophéties, vous rassembliez ces écrits en volumes, qu'ensuite des extraits et des analyses en soient sortis afin de faire connaître mon Œuvre à vos frères." (Chap. 59, 1)

---

* Lorsqu'à maintes reprises, le Seigneur mentionne "Le Livre de la Vie" ou simplement "Mon Livre", il ne se réfère à aucun livre matériel tel celui-ci, mais plutôt à l'ensemble de sa Doctrine et de ses Enseignements du Troisième Temps, légués à l'humanité au Mexique, depuis sa première chaire en 1884 jusque 1950. Dans ce Livre, il nous a apporté son **Troisième Testament**, comme il nous l'explique souvent expressément en d'innombrables mots.

Préface

Le présent ouvrage contient une sélection résumée de citations textuelles des 12 tomes des Manifestations Divines, publiées au Mexique entre 1956 et 1962, sous le titre «Livre de la Vie Véritable». Dans ces Manifestations ou Enseignements, Dieu se révéla en tant que Créateur, Juge et Père. Le Christ s'y révéla en tant que Sa Parole et Maître Divin de la Sagesse de Dieu, dans l'Unité du Saint-Esprit avec Lui.

La tâche ne fut pas aisée de trouver et de choisir, parmi l'infinité (grand nombre) de textes d'Enseignements, ceux qui, pour une publication extraite, en ce qui fait référence à une représentation, la plus achevée possible, des mêmes, résultent, en ce qui concerne le contenu et le langage, les plus adéquats et les plus indispensables aux thèmes respectifs. De plus, le besoin se fit évident, au nom d'une déclaration déterminée dans un verset de l'édition originale, d'inclure dans le compendium divers versets analogues liés.

En d'autres parties du texte, il fut impérieux de n'inclure qu'une partie d'un verset original plus étendu, avec des contenus thématiques différenciés.

Lors de la traduction du texte original espagnol des Manifestations, la reproduction précise du sens constitua le principe directeur, puisque le même est l'essence de la Parole Divine. Toujours, lorsque ce fut possible, le mot espagnol se reproduisit fidèlement en tant que tel, de manière qu'éventuellement, dans ces textes, apparaissent des termes déterminés, des concepts un tantinet particuliers et inhabituels. C'est pourquoi, dans quelques cas, il fallut insérer une note en bas de page, visant à une explication plus approfondie. Cependant, il s'accorda aussi une importance fondamentale à une modalité d'expression compréhensible et agréable, et en vertu de ce critère, il se renonça, avec fréquence, à une traduction littérale, quand celle-ci eût été peu heureuse au point de vue linguistique, et lorsque le sens de la portion respective du texte pouvait, par ailleurs, être exprimé en bon Français.

Bien que les porte-paroles, en état d'extase, ne prirent pas, consciemment, part à la formulation des Manifestations et, à cet égard, ne mirent qu'à disposition, comme instrument pour la Manifestation Divine, que leur capacité idiomatique et de conceptualisation relativement développée, et bien que le pouvoir des mots des Manifestations dépassait largement leur capacité normale d'expression, la clarté idiomatique et la capacité expressive des Manifestations dépendait également de la préparation spirituelle et de la richesse de vocabulaire du transmetteur respectif de la Parole.

19

La traduction correcte du sens des concepts «conscience», «esprit» et «âme» constitua un problème de caractère particulier, étant donné que, dans les éditions en espagnol, les concepts d'«âme» ne figurent pas comme tel et le concept d'«esprit» est utilisé comme son équivalent. La raison de ces acceptions utilisées ne résidait aucunement dans les Manifestations divines en elle-mêmes, mais était due aux concepts idiomatiques des transmetteurs respectifs et à une décision erronée, au cours de la compilation postérieure et la première publication du «Livre de la Vie Véritable» au Mexique.

Le présent compendium, classé thématiquement, a la prétention de servir le lecteur intéressé, de même que toutes ces personnes qui se trouvent en quête de bon sens et de vérité, à se forger une vision intégrale quant à ce qu'a révélé l'Esprit Divin, tout au long de nombreuses Manifestations au Mexique, antérieures à l'année 1950, autrement-dit, durant le laps s'écoulant de 1884 à 1950, en tant que nouveau Message et Enseignement pour l'humanité.
Mais il a surtout la mission de faciliter et de promouvoir l'étude exhaustive et l'approfondissement de l'Enseignement de l'Esprit, de la nouvelle Parole Spirituelle.

Grâce à la disposition méthodique des thèmes, en recourant à l'index, une rapide découverte des mêmes et des fragments textuels qui, à un moment déterminé, intéressent le lecteur, est possible, ou que le même lecteur nécessite en vue de sa discussion avec des personnes d'une opinion distincte, ou encore pour en faire mention auprès de frères spirituels.

La tâche et l'autorisation pour l'élaboration de ce compendium, de cette manière et sous ce titre, furent confiées par le Christ Lui-Même dans sa nouvelle Parole. Les chapitres individuels du livre traitent d'un seul thème à la fois (exception faite des chapitres 61 à 63), et résultent compréhensibles, y compris par celui qui, même sans connaître les chapitres précédents, est spécialement intéressé. Néanmoins, en vue d'une compréhension approfondie de la Doctrine Spiritualiste, il est recommandable et se requiert une étude systématique de l'œuvre, dès le premier jusqu'à son dernier chapitre, et au travers de sa lecture expérimenter un profond bonheur et un éclairement pour l'esprit et le cœur. Que cela soit accordé à tous les hommes de bonne volonté!

20

Introduction

Indépendamment de la religion ou de la foi qu'ils professent, la majorité des chrétiens considèrera le titre de cette œuvre, "**Le Troisième Testament**", comme une présomption, du au fait qu'avec tel titre cette œuvre de révélation récente est mise sur un pied d'égalité avec l'Ancien et le Nouveau Testament de la Bible connus par tous comme Ecritures Sacrées et fondement de la foi, et qui sont considérés comme achevés, sans possibilité aucune de les continuer ou de les étendre.

Néanmoins, le vrai connaisseur de la Bible saura que cette position traditionnelle ne se fonde pas sur les enseignements classiques de Jésus, tels qu'ils nous furent transmis dans les Evangiles du "Nouveau Testament". Bien au contraire! Dans ses prêches d'adieu, Jésus se référa, en maintes occasions, a sa seconde venue, et en relation a celle-ci, fit allusion à l' "Esprit de la Vérité", ou l' "Esprit Réconfortant", ou au "Saint-Esprit", qui, par la suite, nous "introduira a la vérité absolue".

Cette introduction fournit au chrétien croyant, ainsi qu'à tous les lecteurs intéressés par ce livre, une vraie connaissance de sa création; de quelle manière et sous quelles conditions exogènes la promesse de Jésus à propos de sa seconde venue est devenue réalité, puisque, malgré les déclarations à ce sujet contenues dans les révélations mêmes, plusieurs questions pourraient demeurer sans réponse et semer des doutes et fausses conjectures. Cette introduction essaye donc de faciliter la compréhension de ce que l'Esprit Divin, dans sa nouvelle révélation, a légué à l'humanité, comme son Troisième Testament.

Tout comme chaque lecteur de cette nouvelle Parole de Dieu pourra le vérifier par lui-même, elle irradie suprême autorité, sagesse et amour. Elle est l'accomplissement de la promesse de Jésus de revenir "sur un nuage" (Luc 21,27), ce qui - exprimé en langage symbolique de l'Esprit - signifie: sous forme spirituelle.

D'où, ce Troisième Testament de Dieu, en tant que résumé ordonné par thèmes des révélations divines au Mexique, constitue un véritable témoignage de la seconde venue du Christ "en Esprit"; c'est son message et son enseignement actualisés pour l'humanité, en version condensée.

Cette parole cherche à être, pour l'homme d'aujourd'hui, une aide pour l'orienter et le conduire à une meilleure et plus ample compréhension de Dieu, de lui-même, du sens de son existence dans ce monde et des événements qui lui succèdent dans sa vie personnelle, ainsi que des faits et transformations qui accompagnent nécessairement les débuts de "l'Ere du Saint-Esprit".

L'Evêque médiéval Joaquin de Fiore et plusieurs de ses successeurs firent déjà référence à cette ère. C'est le Royaume de Paix du Christ sur la Terre qui, depuis les temps des Prophètes, avait été promis à l'humanité.

Avec la deuxième venue du Christ dans la parole, cette ère de l'Esprit et de la Spiritualité de l'être humain a déjà commencé, et le Christ, avec son nouveau message d'amour, nous a montré le chemin qui mène à lui.

Contrairement à toutes les expectatives de la chrétienté, l'événement principal dans la seconde venue du Christ n'est pas à venir, sinon qu'il s'est déjà produit. Dans la période comprise entre 1866 et 1950, il s'est accompli dans le silence, invisible et ignoré par "le grand monde" et la chrétienté! Il ne s'est pas protagonisé au centre du christianisme occidental, à Rome, ni au centre de la foi orthodoxe, au mont Athos, ni, comme beaucoup l'espéraient, dans l'antique Jérusalem judéo-chrétienne, ou encore dans l'enceinte de la Théologie et Philosophie théologale protestante, mais dans un pays du dénommé tiers-monde: le Mexique!! Et là, non pas au milieu de la puissance et de la splendeur de la dominante église catholique, mais bien dans un environnement de pauvreté et d'insignifiance, parmi la population simple et humble des faubourgs ou zones marginales de Mexico City, là elle a commencé a s'irradier et et se diffuser dans le pays. Qui l'aurait prévu?

Le retour du Christ est devenu réalité sous forme de révélations reçues spirituellement par des personnes choisies par Lui parmi les humbles, en état d'extase.

Au cours des dernières années qui ont précédé 1950, une partie considérable de ces révélations a été gardée sous forme tachygraphique, rédigée et, plus tard, éditée en douze volumes sous le titre "Libro de la Vida Verdadera" ou "Livre de la Vie Véritable". Des copies en ont été faites durant ces dernières années, ainsi que des extraits de thèmes, dans le but de pouvoir étudier et approfondir son Enseignement Divin. Le livre actuel contient une sélection de textes de la-dite oeuvre, lesquels font référence à certains thèmes qui y sont abordés.

Tous les enseignements du Christ, comme les sujets traités, furent conçus par le Seigneur, en tant que son "Troisième Testament pour l'humanité", et particulièrement pour le peuple d'"'Israël par l'esprit".Cette introduction a pour objet d'élucider la véracité de cette transcendantale manifestation auprès du lecteur.

Le choix du Mexique comme terre prédestinée à la seconde venue du Christ en tant qu'esprit, selon les paroles du Seigneur, est du au fait que les ancêtres indigènes des actuels habitants furent martyrisés et "christianisés", en son nom, et par la force, par les conquérants espagnols. D'autre part, ces peuples et leurs actuels descendants, ayant été soumis et humiliés durant des siècles, ont développé un esprit de fraternité, solidarité, humilité de l'âme, et de tolérance plus profond que d'autres peuples de la Terre. Et c'est ainsi que beaucoup d'âmes plus mûres de l'antique et élu "peuple d'Israël" sont nées actuellement au sein du peuple mexicain, constituant les témoins de l'accomplissement des promesses faites à l' "Israël spirituel".

La naissance de Jésus, la première venue du Christ au monde, ne se produisit pas non plus au cœur de la puissance et de la civilisation de Rome ou de la Grèce, ni même au centre culturel juif de Jérusalem, mais bien dans un endroit éloigné, aux conditions précaires, la Galilée, désapprouvée par les juifs de Jérusalem, laquelle allait se convertir en patrie et zone d'influence de Jésus. Les érudits de l'époque, imbus de sentiment de supériorité, s'exprimèrent, à ce propos, de la manière suivante: Que peut-on être en mesure d'attendre de bon de Nazareth? Les théologiens d'aujourd'hui ne devraient pas commettre la même erreur, en pensant secrètement à partir d'un sentiment de supériorité intellectuelle: Que peut-il bien venir de bon et transcendant du Mexique?

Quelles sont les raisons qui plaident en faveur de l'origine divine des révélations spirituelles reçues au Mexique? Par-dessus tout, les révélations en soi qui, sans équivoque, sont imprégnées de l'esprit et la foi du Christ, de l'amour et la miséricorde du Père Céleste. Quel cœur humain pourrait-il demeurer insensible à tout cela? La sagesse et la profondeur des réflexions, révélations, avertissements, et enseignements sont également un témoignage éloquent du Créateur. Quel esprit fallacieux, aux intentions retorses, prétendrait seulement simuler tout ceci? Et en quoi consisteraient-elles, puisque ces enseignements ne peuvent être utiles qu'à l'exaltation, au développement, et à l'anoblissement de la race humaine?

En outre, ce qui soutient l'authenticité de ces révélations comme Nouvelle Parole de Dieu, est le fait qu'elles aient eu lieu en de nombreux sites de révélations et qu'elles aient été diffusées par de si nombreux portes-paroles, conservant malgré tout une unité en son esprit et son caractère, qui montre clairement une essence unique et une seule source de révélation. Quelle obscure force pourrait organiser un tel jeu illusoire et séducteur durant des décennies dans un pays entier, seulement pour railler Dieu? Cette idée n'est simplement pas viable, et Dieu, en tant que père affectueux de ses enfants humains et conducteur suprême des événements terrestres, jamais ne le permettrait.

D'autres facteurs importants soutenant l'authenticité de ces révélations comme témoignage du retour spirituel du Christ dans la parole, sont les coïncidences entre les promesses de Jésus au sujet de son retour et les signes de ces mêmes promesses, et les événements au Mexique pendant une période où le monde a éprouvé des événements tumultueux et changeants, incluant deux guerres mondiales.

En référence à cette région du continent américain, et donc au Mexique, au 19ème siècle un témoignage significatif du retour spirituel du Christ fut légué à la chrétienté par le dénommé "Scribe de Dieu", Jacob Lorber, en Autriche. Dans un extrait de son prodigieux ouvrage de révélation, le Christ parle de son retour spirituel qui se produira dans une nation au delà du grand océan, c'est-à-dire, l'Océan atlantique. Pour ceux qui, par l'intermédiaire de Lorber, croient en les révélations, ne serait-ce pas un motif de se demander si cette prophétie ne s'est pas déjà accomplie, et de rechercher si, dans l'un des pays du continent américain, un quelconque événement s'est produit, qui puisse corroborer ce fait et lui rendre justice. Le facteur de détermination pour pouvoir juger l'authenticité ne devrait pas, cependant, être seulement la richesse Divine révélée, mais par-dessus tout, l'amour et la sagesse que transmet son enseignement.

Un tel événement s'est certainement produit, et il a commencé dans les premières années de la décennie de 1860. Un humble homme du peuple, appelé Roque Rojas, le 23 de juin 1861, a eu une première expérience de sa mission au travers de l'Archange Gabriel ainsi qu'une vision au cours de laquelle sa mission de précurseur terrestre du Seigneur lui fut annoncée. Lorsque, après une nouvelle et plus puissante vision, il fut convaincu de l'authenticité de son appel divin, il commença de relater, à d'autres, les messages et visions qu'il recevait dans un état d'extase, et graduellement, par son pouvoir de conviction et sa crédibilité, rassembla autour de lui une communauté de croyants. Pour le don de guérison spirituelle qui se développa en lui, il fut très bien connu et considérablement estimé de tous ceux qui recouraient à lui en quête d'aide et de conseil.

Il fonda un premier point de réunion où, le premier septembre 1866, Elie, par son intermédiaire, parla pour la première fois, sept hommes et femmes y furent consacrés chefs de communautés qui devaient se créer, les sept symbolisant les Sept Sceaux des ères respectives de l'Histoire Sacrée. Quand, pendant la semaine sainte de 1869, les participants à une réunion ne firent pas montre de la révérence et la dévotion que Roque Rojas attendait d'eux, une fureur sainte s'empara de lui, et il détruisit les révélations divines que, jusqu'alors, il avait reçues par le biais d'Elie. Il déclara fermé l'endroit de réunion, mettant un terme prématuré à son action charitable. Mais la bonne graine qu'il avait semée germa et fleurit dans d'autres endroits. Après quelques années, en 1884, dans l'une des communautés des Sept Sceaux, pour la première fois le Christ lui-même s'exprima par l'entremise d'un porte-parole qui était resté fidèle à sa mission. A partir de ce moment, les révélations divines se succédèrent sans discontinuer, pour l'espace de générations, jusqu'à la fin de l'année 1950. Le nombre des communautés et des croyants s'est accru considérablement pendant ce temps, de manière telle que ce mouvement christiano-spiritualiste, désigné par le Christ comme son Oeuvre Spirituelle, finalement inclut plusieurs centaines de communautés et des milliers de croyants dans tout le pays.

Les croyants se réunissaient régulièrement le dimanche matin dans leurs austères salles communautaires ou même dans des demeures privées, et dans ces lieux, où on trouvait un ou plusieurs orateurs de la Parole, l'Esprit Divin se manifestait selon les besoins et la réceptivité des auditeurs.

Une fois par semaine, on s'occupait des malades qui venaient chercher la guérison de leurs maux physiques et spirituels, pendant ces cessions le Monde Spirituel de Dieu se manifestait spirituellement en enseignant, conseillant, et guérissant. Nombreuses furent les guérisons spirituelles du corps et de l'âme mais, malheureusement, celles-ci n'ont pas été transcrites, ni considérées extraordinaires, ni dignes d'être rapportées, ne laissant aucun témoignage aux générations futures.

Avec la finalisation des Révélations Divines et de ce Monde d'Esprits de Lumière vers la fin de 1950, laquelle avait déjà été annoncée et établie longtemps auparavant, se produisit une faillite profonde au sein de l'Oeuvre Spirituelle, un schisme entre ces communautés, les unes qui s'en tenaient à l'ordre du Christ de respecter le terme de ses révélations, et renonçaient à d'ultérieures manifestations spirituelles, et les autres communautés et leurs chefs qui ne s'y conformaient pas, et induisaient leurs orateurs à un état de transe, ouvrant ainsi les portes au monde des esprits ignobles et trompeurs, pour recevoir les fallacieuses manifestations des Esprits impurs.

Hélas, plusieurs guides de ces communautés désobéirent et trompèrent le peuple en lui disant que Dieu, dans sa charité divine, continuerait de se manifester de la même manière. Peu nombreux furent ceux qui demeurèrent fidèles. Leurs membres, pour la plupart, se dispersèrent en petits groupes et continuèrent de se réunir pour étudier, analyser, et mettre en pratique les Enseignements reçus. Les autres, par habitude, continuèrent de concourir à ces lieux, où ne se manifestait déjà plus la vérité, mais bien la duperie. En outre, vinrent beaucoup d'innocents, qui ignoraient que Dieu avait précédemment proclamé, à maintes reprises, qu'au terme de l'année 1950, cette forme de manifestation se terminerait, afin de céder la place à la communication parfaite et directe avec Lui, c'est-à-dire, d'Esprit à esprit. Ces innocents, dans leur nécessité spirituelle et matérielle, furent attirés à ces endroits par l'anxiété humaine de recevoir réconfort et guérison; d'autres préférèrent continuer d'assister à ces lieux, appelés temples, plutôt qu'aux endroits où se lisaient quelques paragraphes de son Enseignement, s'échangeaient des opinions, où l'on méditait, priait, intercédait en faveur de la paix dans le monde, pour les malades et délaissés et où l'on tentait de mettre sa Doctrine en pratique.

Malgré ces circonstances défavorables, après 1950, un groupe d'hommes et de femmes, anciens orateurs pour la plupart, commença à recueillir les révélations qui avaient été dispersées dans tout le pays, afin de les publier dans un grand ouvrage, pour que l'humanité puisse en avoir connaissance. Pour ce faire, ils durent se baser sur des copies des manuscrits tapés à la machine, lesquels avaient été réalisés par les mêmes scribes, après les annotations tachygraphiques des enseignements, pour être transmises postérieurement sous forme de copies, selon la demande. Un nombre considérable de manuscrits des révélations ont été recueillis, desquels quelques-uns furent choisis pour former les 366 enseignements qui composent les douze volumes du "Libro de la Vida Verdadera", ou "Livre de la Vie Véritable".

Ceci ne représentait seulement qu'une partie de toutes les révélations, particulièrement celles des dernières années avant 1950. A la vue de ce grand nombre de révélations parmi lesquelles ces 366 enseignements, considérées comme un tout, et qui comprennent la plus grande partie des thèmes que le Saint-Esprit a souhaité apporter à l'humanité, et à propos desquels Il souhaitait se manifester Lui-même, pour que cette humanité trouve le chemin d'un futur plus prometteur.

Dans les années 1970, dans la ville de Mexique, fut fondée l'"Asociación de Estudios Espirituales Vida Verdadera, A.C." ou "Association des Etudes Spirituelles Vie Véritable" qui se fixa comme but la conservation de l'essence de la parole Divine, sa diffusion, étude et analyse, administration et conservation des manuscrits des enseignements, et la publication de nouvelles éditions des douze volumes arrangés en série, de Marie la Tendresse Divine, des conseils du Monde Spirituel de Lumière, et d'Elie le Précurseur, ainsi que des extraits de thèmes. Aujourd'hui encore, l'Association considère cela son but premier, lequel se base sur la responsabilité personnelle de l'individu à la lumière de sa conscience, plutôt que la conduction centrale d'un mouvement spirituel.

En ouvrant cet ouvrage actuel à n'importe quelle page, nous lisons et sentons spirituellement les paroles et révélations convaincantes, sages et affectueuses du Christ, grâce à des êtres humains préparés comme des instruments pour cette fin, certains d'entre eux n'avaient aucune instruction académique et souvent, de ce fait, ne maîtrisaient pas parfaitement la langue qui coulait d'entre leurs lèvres, et encore moins son contenu, la sagesse et l'autorité Divine qui émanaient de ces paroles.

La nouvelle Parole de Dieu consiste en partie d'affirmations et de considérations liées aux événements et révélations de l'époque du peuple de l'antique Israël, et durant la vie et l'œuvre terrestres de Jésus; et d'autre part, présente un ensemble de nouvelles connaissances spirituelles, dont une partie constituent des corrections pointues de la conception chrétienne traditionnelle du monde. Ceci concerne l'image de Dieu, la nature divine de Jésus et de Marie, l'être humain avec une étincelle divine dans l'âme, et son développement éternel, les concepts du ciel et de l'enfer, le jugement dernier, l'enseignement du salut et la rémission des péchés, la "résurrection des morts" et la vie éternelle.

Egalement en ce qui concerne la pratique de la foi chrétienne et les formes d'adoration, de nouveaux objectifs s'établissent dans certains cas, qui mettent en question ou écartent le désuet, affectant principalement les formes du culte rendu à Dieu et les édifications sacrées.

Le message central correspond à celui que Jésus nous livra: en remplacement des pratiques religieuses extroverties et de dévotion montrée publiquement, la prière en silence permet à nos actes d'être guidés par notre conscience; au lieu de chercher un bien-être tant spirituel que matériel aux motivations égoïstes, agir avec désintéressement et spontanément de manière altruiste par amour pour Dieu, l'homme et la nature, la création divine, où l'"amour" se manifeste et s'exprime de différentes manières: Considération, respect, solidarité, affection, consolation, aide et appui; au lieu d'une foi facile et aveugle, une foi vivante et attentionnée, basée sur la reconnaissance et la sagesse spirituelle.

Lors de ses manifestations, le Seigneur, au commencement, adressait ses paroles aux croyants présents, à ceux qu'il appelait "(Mon) peuple", "disciples" ou "paysans", parfois aussi "(cher) Israël". Cependant, sauf exceptions, dans un plus large sens il s'adressait à tout l'Israël spirituel, à tout le peuple de Dieu dans le monde entier, et à tous les hommes de tous les peuples, races, et credos. Mais, reconnaîtront-ils et approuveront-ils cette nouvelle Parole de Dieu?

Ceci ne devrait et ne devra pas constituer un motif de fonder une nouvelle communauté religieuse, église, ou secte. C'est l'appel de Dieu à la rénovation et la spiritualité de l'être humain et de toutes ses associations sociales et religieuses. Celui qui rejette Son Troisième Testament pour l'humanité, rejette Dieu lui-même, et le Saint-Esprit qui s'y révèle. Nous espérons que cette parole admonitrice du message-même de l'amour de Dieu serve à la réflexion, et soit considérée par chacun, tout comme ces admonitions contenues dans les paraboles des "vierges prudente et présomptueuses" (Mat. 25:1-13) et du "mariage royal" (Mat. 22:2-14). Parce que cette parole est l'huile sacrée pour illuminer l'existence de l'esprit, elle est le pain et le vin de la table du Seigneur, l'aliment éternel et la récréation de l'esprit.

I. LA SECONDE VENUE DU CHRIST – TROISIEME REVELATION

Chapitre 1 - Dans l'attente de la seconde venue du Christ

Perspective introductrice à l'Evénement Sacré

1. A l'aube des temps, le monde manquait d'amour, les premiers hommes étaient loin de sentir et de comprendre cette force divine, cette essence de l'esprit, principe de toute la création.

2. Les hommes croyaient en Dieu, mais seulement lui attribuaient force et justice. Ils pensaient comprendre le langage divin au travers des éléments de la Nature; ainsi, lorsqu'ils voyaient ceux-ci paisibles et sereins, pensaient-ils que le Seigneur félicitait les œuvres des hommes, mais si les éléments se démontaient, alors croyaient-ils voir ainsi se manifester la colère de Dieu.

3. Le cœur de l'homme s'était forgé à l'idée d'un Dieu terrible, qui pouvait éprouver les sentiments de rancœur et de vengeance. Pour cela même, lorsqu'ils pensaient avoir offensé Dieu, ils lui offraient des holocaustes et des sacrifices, dans l'espoir de l'apaiser.

4. Moi je vous dis que ces offrandes-là ne s'inspirèrent pas de l'amour à Dieu. C'étaient plutôt la peur de la justice divine et la crainte du châtiment qui motivaient les premiers peuples a offrir des tributs a leur Seigneur.

5. L'Esprit Divin, ils le nommèrent tout simplement Dieu; mais jamais Père, ni Maître.

6. Ce furent les patriarches et les premiers prophètes qui commencèrent à faire comprendre à l'homme que Dieu était justice, oui, mais justice parfaite, qu'il était avant tout Père et qu'en tant que Père, il aimait ses enfants.

7. Pas à pas, en parcourant lentement le sentier de l'évolution spirituelle, l'humanité continua son pèlerinage, en passant d'une ère à l'autre et en apprenant à connaître un peu plus le Secret Divin, par le biais des révélations que Dieu faisait à ses enfants à chaque époque.

8. Toutefois, l'homme ne parvenait pas encore à une connaissance complète de l'amour divin; parce qu'il n'aimait pas vraiment Dieu en tant que Père, et ne savait sentir en son cœur l'amour que son Seigneur lui offrait à chaque pas.

9. Il était nécessaire que l'amour parfait se fût homme, que le Verbe s'incarnât et se transformât en matière tangible et visible pour les hommes, afin que ceux-ci sachent, enfin, a quel

point et de quelle manière Dieu les aimait.

10. Tous ne reconnurent pas en Jésus la présence du Père! Comment allaient-ils le reconnaître, si Jésus était humble, compatissant, affectueux même à l'égard de ceux qui l'offensaient? Eux croyaient en un dieu puissant et coléreux devant ses ennemis, justicier et terrible envers ceux qui l'offensaient.

11. Mais, de même que beaucoup la rejetèrent, beaucoup aussi crurent cette parole qui les pénétrait jusqu'au plus profond du cœur. Cette forme de guérir infirmités y maladies incurables, juste d'une caresse, d'un regard d'infinie compassion, d'une parole d'espérance; cet enseignement qui était la promesse d'un monde nouveau, d'une vie de lumière et de justice, ne put disparaître de bon nombre de cœurs, lesquels comprirent que cet homme divin était la vérité du Père, l'Amour Divin de Celui que les hommes ne connaissaient pas et, par conséquent, ne pouvaient aimer.

12. La graine de cette suprême vérité resta pour toujours semée dans le cœur de l'humanité. Christ en fut le semeur et poursuit encore la culture de sa semence; plus tard il viendra chercher son fruit, pour s'en délecter éternellement, et jamais il redira: «J'ai faim ou j'ai soif» parce qu'enfin ses enfants l'aimeront comme lui les a aimés depuis le début.

13. Disciples, qui vous parle du Christ, sinon Lui-même?

14. C'est Moi, le Verbe, qui vous parle à nouveau, humanité; reconnaissez-moi, ne doutez pas de ma présence parce que je me manifeste à vous avec humilité, sans ostentation.

15. Souvenez-vous de moi par le biais de mon passage sur terre en ce temps-là; rappelez-vous que je mourus aussi humblement que le fut ma naissance et ma vie. (296, 4 – 16)

Espérances et expectatives

16. Après mon départ à la Seconde Epoque, de génération en génération, ceux qui maintenaient la foi en Moi attendaient mon arrivée. De pères en fils, ils transmettaient la divine promesse et ma parole maintenait vif le désir de contempler mon retour.

17. Chaque génération croyait être la favorisée, espérant que s'accomplisse, en elle, la parole de son Seigneur.

18. Ainsi passèrent les temps et les générations. Ils oublièrent la prière et la vigile et, de leur cœur, s'effaça ma promesse. (356, 4-5)

19. Le monde est soumis à des épreuves, les nations sentent peser sur elles tout le poids de ma justice. Et ma lumière, ma voix qui vous appelle, se fait sentir dans toute l'humanité.

20. Les hommes sentent ma présence, perçoivent mon rayon universel qui descend et se repose sur eux; ils me pressentent, sans connaître cette Œuvre*, sans avoir écouté ma

---

* 1,20 La parole et révélation du Christ de sa Seconde Venue sous forme Spirituelle, qui débuta au Mexique en 1866, par Elie, qui "prépara le chemin du Seigneur". (Voir Introduction).

parole et tournent vers Moi leur esprit afin de Me demander: Seigneur, en quelle époque sommes-nous? Père, que signifient ces épreuves et amertumes qui ont frappés les hommes? Peut-être n'as-tu pas entendu le cri de ce monde? Tu as dit que tu reviendrais. Quand viendras-tu, O Seigneur? Et, dans chaque secte et religion, s'élève l'esprit de mes enfants. Ils me cherchent, m'invoquent, m'interrogent et m'attendent. (222, 29)

21. Les hommes m'interrogent et me disent: Seigneur, si tu existes, pourquoi ne te manifestes-tu pas à nous si, en d'autres temps, tu es descendu jusque dans nos demeures? Pourquoi ne venez-vous pas vous manifester aujourd'hui? Notre iniquité est-elle si grande qu'elle t'empêche de venir nous sauver? Toujours tu as cherché l'égaré, l'aveugle, le lépreux, le monde en regorge à présent. Par hasard, ne t'inspirons-nous déjà plus aucune pitié?

22. Tu as dit à tes apôtres que tu reviendrais parmi les hommes et que tu donnerais des signes de ton arrivée, que nous croyons contempler. Pourquoi ne nous montres-tu pas ton visage?

23. Voici les hommes en train de m'attendre sans sentir que je suis parmi eux. Je suis devant leurs yeux et ils ne me voient pas, je leur parle et ils n'entendent pas ma voix et, lorsque l'espace d'un instant ils en arrivent à me regarder, ils me renient, mais Moi, je poursuis Mon témoignage et

continue d'attendre ceux qui m'attendent.

24. Et, en vérité, grands ont été les signes de ma manifestation au cours de cette ère; le même sang des hommes versé à torrents, détrempant la terre, a marqué le temps de ma présence entre vous comme Saint-Esprit. (62, 27-29)

25. Nul ne devrait se surprendre de ma présence, déjà par le biais de Jésus je vous ai signalé les événements qui annonceraient ma manifestation en tant qu'Esprit de Vérité; de même vous ai-je dit que mon arrivée serait en tant qu'esprit, afin que nul n'attende de manifestations matérielles qui ne se produiront jamais.

26. Voyez le peuple juif attendant encore toujours le Messie, sans pour autant que celui-ci arrive sous la forme imaginée par eux, parce que le vrai a déjà été parmi eux, et ils ne l'ont pas reconnu.

27. Humanité, voulez-vous ignorer ma nouvelle manifestation pour continuer de m'attendre selon votre croyance et qui n'est pas conforme à ce que Je vous ai promis? (99, 2)

28. Que le monde n'attende pas un nouveau Messie; si je vous ai promis de revenir, je vous ai aussi laissé entendre que ma venue serait spirituelle, mais l'humanité jamais n'a su se préparer pour me recevoir.

29. En ce temps-là les hommes doutèrent de ce que Dieu pût se cacher en Jésus, qu'ils considéraient

un homme égal aux autres et aussi pauvre qu'eux. Cependant, par la suite, et en présence des puissantes œuvres du Christ, l'humanité se convint que cet homme qui naquit, grandît, et mourut dans le monde était la Parole de Dieu. Et cependant, en ce moment, beaucoup n'accepteraient ma venue que si elle était humanisée comme elle le fut à la Seconde Ere.

30. Tous n'accepteront pas les preuves de ma venue sous forme d'Esprit pour me communiquer avec l'humanité, parce que le matérialisme constituera un bandeau d'obscurité devant les yeux de certains.

31. Combien souhaiteraient revoir le Christ souffrir dans le monde et recevoir de Lui le miracle, pour croire en sa présence ou son existence; pour sûr je vous dis que cette Terre ne contera plus ni crèche qui me voie naître en tant qu'homme, ni autre Golgotha qui me voie expirer. Maintenant, tous ceux qui ressuscitent à la vraie vie me sentiront naître dans leur cœur, tout comme ceux qui s'obstinent dans le péché me sentiront mourir dans leur cœur. (88, 27-29)

32. Voyez, en cette époque, tous les gens qui examinent en détail les écritures des temps passés, méditant les prophètes et essayant de pénétrer les promesses que le Christ avait faites de revenir.

33. Ecoutez-les dire: «Le Maître est proche», «Le Seigneur est déjà là» ou encore «il ne tarde pas à arriver», et d'ajouter: «des signes de son retour son clairs et palpables».

34. Les uns me cherchent et m'appellent, d'autres sentent ma présence, d'autres encore pressentent davantage ma venue sous forme d'Esprit.

35. Ah, si seulement tous avaient déjà, en eux, cette soif de connaissances, si tous avaient ce désir ardent de connaître la suprême vérité! (239, 68-71)

36. Voyez comment, dans toutes religions et sectes, les hommes passent au crible le temps, la vie et les faits, dans l'espoir de découvrir les signes annonciateurs de mon arrivée. Ce sont les naïfs qui ignorent que je me manifeste depuis un temps déjà, et que cette forme de communication arrive à son terme.

37. Mais je vous dis également que bon nombre de ceux qui m'attendent avec tant d'anxiété ne me reconnaîtraient pas ou plutôt me renieraient catégoriquement, s'ils étaient les témoins de la forme que j'ai prise pour venir communiquer.

38. A ceux-là seulement leur parviendront les témoignages grâce auxquels ils croiront que j'aie bien été au milieu de mes enfants.

39. Vous aussi, intimement, m'attendiez avec impatience, mais Je savais que vous me reconnaîtriez et seriez mes cultivateurs en cette époque. (255, 2-4)

Promesses bibliques

40. Lorsque je me suis manifesté par Jésus, je vous ai annoncé la venue du Saint-Esprit, et les hommes

pensèrent qu'il s'agissait d'une divinité que, étant en Dieu, ils ne connaissaient pas, sans pouvoir comprendre qu'en vous parlant du Saint-Esprit, je vous parlais de l'unique Dieu, qui était en train de préparer le temps propice pour se communiquer spirituellement avec les hommes, par le biais de l'intelligence humaine. (8, 4)

41. Pourquoi se sentir surpris par mes nouvelles révélations? En vérité, je vous le dis, les patriarches des temps passés eurent connaissance de l'arrivée de cette Ere, les voyants d'autres époques la contemplèrent et les prophètes l'annoncèrent. Ce fut une promesse divine faite aux hommes, bien avant que Moi je ne vienne au monde, par Jésus.

42. Lorsque je fis l'annonce de ma nouvelle venue à mes disciples et leur laissai entrevoir la forme sous laquelle je me manifesterais aux hommes, la promesse vous avait été faite depuis bien longtemps. (12, 98)

43. Vous l'avez devant vous, ce déroulement du temps, ici s'accomplissent ces prophéties. Qui peut s'en étonner? Seulement ceux qui ont dormi dans les ténèbres* ou encore ceux qui ont effacé mes promesses d'eux-mêmes. (12, 99)

---

* 1,43 Le mot "ténèbres", ici et dans d'autres paragraphes, signifie méconnaissance, ignorance – par opposition à "lumière" qui, symboliquement représente la compréhension et l'illumination.

44. Moi qui savais le peu que vous approfondiriez mes enseignements, et les erreurs que vous commettriez en interprétant mes révélations, je vous annonçai mon retour, disant que je vous enverrais l'Esprit de la Vérité pour éclaircir beaucoup de mystères et vous expliquer ce que vous n'auriez pas compris.

45. Parce que, au plus profond de mes paroles prophétiques, je vous laissai entendre que, cette fois, je ne viendrais pas en homme, entre foudre et tonnerre, comme jadis au Sinaï, humanisant mon amour et mes paroles, comme dans le Second Temps; mais je toucherai à votre esprit dans la splendeur de ma sagesse, le surprenant par la lumière de l'inspiration, appelant à la porte de votre cœur, avec une voix que votre esprit perçoit. Ces prédictions et promesses-là sont maintenant en train de s'accomplir.

46. Il suffit de vous préparer un peu pour regarder ma lumière et sentir la présence de mon Esprit, le même qui vous annonça qu'il viendrait pour vous enseigner et vous dévoiler la vérité. (108, 22-23)

47 Beaucoup n'ont pas évolué en raison de la crainte ou d'un manque d'étude. Ils pratiquent seulement la loi de Moïse sans reconnaître la venue du Messie; d'autres, croyant en Jésus, n'ont pas attendu l'Esprit Consolateur promis. Quant à Moi, Je suis descendu pour la troisième fois et ils ne m'attendaient plus.

48. Les anges ont annoncé ces révélations et sa voix a retenti dans tous l'espace. Les avez-vous reconnues? Le monde spirituel est venu pour vous offrir le témoignage de ma présence. Toutes les prophéties seront accomplies, la destruction effrénée vaincra l'orgueil et la vanité de l'homme, une fois humble, il me cherchera pour m'appeler Père. (179, 38-39)

49. Ainsi vous le dis-je en ce temps-là: Ce que je vous ai dit n'est pas tout ce que je dois vous enseigner. Pour que vous sachiez tout, d'abord il me faudra m'en aller et vous envoyer l'Esprit de la Vérité, pour éclairer ce que j'ai dit et ce que j'ai fait. Je vous promets le Consolateur dans les temps d'épreuve. Et ce Consolateur, cet Educateur sera ma transmission directe qui revient pour vous illuminer et vous aider à comprendre les leçons passées et la nouvelle que je vous apporte maintenant. (339, 26)

50. C'est la sagesse qui est le baume et la consolation que votre cœur désire ardemment; pour cela je vous promis, à ce moment-là, l'Esprit de Vérité comme Esprit de Consolation. Mais il est indispensable d'avoir la foi pour ne pas s'arrêter en chemin, ni avoir peur devant les épreuves. (263, 10-11)

Signes précurseurs accomplis
51. Peu nombreux sont les hommes qui connaissent les signes indiquant qu'une nouvelle ère a commencé et que je me manifeste spirituellement à l'humanité. La majorité consacrent sa vie et ses efforts au progrès matériel et, dans cette lutte âpre et parfois sanglante pour atteindre leur objectif, ils marchent comme des aveugles, perdent leur chemin, ne sachant pas où ils vont. Ils ne réussissent pas à voir la clarté de la prochaine aurore, ne perçoivent pas les signes, et sont très loin d'atteindre la connaissance de mes révélations.

52. Cette humanité a cru davantage les doctrines et les mots des hommes que les révélations que je lui ai concédées au fil des temps. D'aventure, attendez-vous du Père, dans sa justice, qu'il vous envoie de plus grands signes encore que ceux que vous voyez à chaque pas, pour que vous puissiez enfin sentir et croire que c'est le moment de prédilection de ma manifestation en tant qu' Esprit de Vérité? Oh hommes de peu de foi! Maintenant, disciples, vous comprenez pourquoi je vous dis parfois que ma voix prêche dans le désert, parce que personne ne l'écoute ni s'en préoccupe vraiment. (93, 27-28)

53. Pour que tous les hommes de la Terre puissent témoigner de la véracité de ce message, Moi j'ai fait en sorte que ces signes prophétisés dans les temps anciens, ceux qui traitaient de ma nouvelle venue, soient ressentis dans le monde entier.

54. Et ainsi, quand cette bonne nouvelle parviendra aux nations, les hommes examineront et étudieront tout ce qui a été dit alors et, étonnés et

heureux, ils constateront que tout ce qui fut annoncé et promis au sujet de ma nouvelle venue, s'est fidèlement accompli, comme il se doit pour qui ne compte qu'une volonté, une parole et une loi. (251, 49)

55. Au cours de la Seconde Ere*, je fis l'annonce à mes apôtres de ma nouvelle manifestation et, lorsque ceux-ci m'interrogèrent sur les signes annonciateurs de cette période, je les leur énumérai un à un, de même que les preuves que je leur fournirais.

56. Les signes sont apparus jusqu'au dernier; ils annoncèrent que ceci est le temps prédit par Jésus, et Je vous demande: Si cette manifestation que je vous donne n'était pas la vérité, pourquoi le Christ n'est-il pas apparu, en dépit des signes? Ou croyez-vous que le tentateur a également le pouvoir sur la création et les éléments pour vous tromper?

57 Je vous ai prévenu pendant longtemps pour que vous ne laissiez pas séduire par de faux prophètes, de faux Christs et de faux rédempteurs; mais maintenant je vous dis que l'esprit incarné est si lumineux en raison de son évolution, sa lumière et son expérience, qu'il est impossible de changer l'obscurité pour la lumière, quels que soient ses grands artifices.

58. C'est pourquoi je vous ai dit: Avant de vous livrer avec une foi aveugle sur cette voie, investiguez à discrétion. Voyez que cette parole a été donnée à tous et que jamais je n'en ai réservé seulement une partie pour des êtres déterminés. Voyez que, dans cette Œuvre, il n'y a aucun livre dans lequel je prétende vous cacher quelque enseignement.

59. Mais, en ce Deuxième Temps-là, vous ai-je aussi dit, par les lèvres de mon apôtre Jean: «Si quelqu'un entend ma voix et m'ouvre la porte, alors j'entrerai en lui et dînerai avec lui et lui avec Moi». Je vous ai également enseigné la parabole des vierges pour que vous vous en souveniez, en ce temps. (63, 79-80)

60. Si les signes et les épreuves ont été accomplis et que je n'ai pas apparu dans la synagogue, ni dans aucune église, le monde ne pressent-il pas que je dois être en train de me manifester quelque part, puisque je ne puis manquer à ma parole? (81, 41)

---

* 1,55 L'évolution de l'œuvre de rédemption est subdivisée par le Christ en trois grandes époques, ères ou "temps", le "Second Temps" constituant celui de la révélation Divine par Jésus-Christ, pour les siècles suivants (jusqu'à son terme au XIXeme siècle – Voir chapitre 38).

Chapitre 2 - L'aurore du Troisième Temps

La Première Révélation

1. C'est un jour d'anniversaire; c'est à cette date comme celle-ci que je me suis consacré à mes premiers portes-paroles pour qu'ils fassent connaître mes nouveaux commandements et mes nouvelles révélations. L'esprit d'Elie faisait vibrer celui de Roque Rojas, pour vous rappeler le chemin qu'est la loi de Dieu.

2. Le moment fut solennel, l'esprit des gens présents trembla de peur et de joie, à l'instar du cœur d'Israël, sur le Mont Sinaï, lorsque la Loi fut promulguée. Tout comme les disciples qui, sur le Mont Tabor, contemplèrent la transfiguration de Jésus, alors que Moïse et Elie apparurent spirituellement à la droite et à la gauche du maître.

3. Ce premier jour de septembre 1866 fut la naissance d'une nouvelle ère, l'aurore d'un nouveau jour: Le Troisième Temps, qui s'ouvrait à l'humanité.

4. Depuis cet instant, et sans cesser, beaucoup de prophéties et de promesses, faites par Dieu aux hommes il y a des milliers d'années, ont été accomplies. Elles sont venues s'accomplir en vous, hommes et femmes qui habitez ce monde en cette époque. Qui parmi vous était sur la Terre lorsque ces prophéties furent exprimées et ces promesses faites? Je suis le seul à le savoir, mais l'important est que vous sachiez ce que je vous promis et que je suis en train de l'accomplir.

5. Vous rappelez-vous ce nuage sur lequel mes disciples me virent m'élever, la dernière fois que je me manifestai à eux? Puisqu'en réalité il fut écrit que je viendrais à nouveau sur ce nuage, et cela je l'ai accompli. Le premier septembre 1866, mon Esprit vint dans le nuage symbolique pour vous préparer à recevoir la nouvelle leçon. Plus tard, en 1884, j'ai commencé à vous donner mon enseignement.

6. Je ne suis pas arrivé en tant qu'homme, mais en tant qu'Esprit contenu dans un rayon de lumière pour le déposer sur l'intelligence humaine. C'est le moyen choisi par ma volonté pour vous parler en ce temps, et Je tiendrai compte de la foi que vous déposez dans ce mot.

7. Car, cette fois, ce ne sera pas Moïse qui vous guidera à travers le désert à la recherche de la Terre Promise, ni le Christ fait homme, celui qui vous fait comprendre sa parole comme un chemin de salut et de liberté; c'est à présent la voix humaine de ces enfants qui vous vient à l'oreille, et il est nécessaire de se spiritualiser pour trouver l'essence divine dans laquelle je suis présent. Pour cela, je vous dis qu'il y a mérite à ce que vous croyiez en cette parole, parce qu'elle est révélée par le biais d'êtres imparfaits. (236, 46-50)

37

8. En 1866 naquit la première congrégation de spiritualistes, disciples de cette Œuvre. Illuminés de mon Esprit et orientés par Elie, ces premiers enfants commencèrent de recevoir les fragments du message que maintenant, finalement, vous recevez en totalité. (255, 10)

Messages et signes dans le monde entier

9. Elie devait venir le premier pour préparer la voie du Seigneur, il se manifesta pour la première fois en 1866, au travers de l'intelligence humaine. Voulez-vous consacrer quelques instants à étudier les signes et les événements qui eurent lieu dans tous les domaines et coïncidèrent avec la période de cette manifestation? Ce seront à nouveau les hommes de science qui étudient les étoiles, ceux-là même que l'on nommait mages, dans l'Antiquité, qui témoignent de ce que le ciel a donné des signes qui sont des voix divines. (63, 81)

10. Ne vous imaginez pas que cet endroit sur la Terre où s'écoute cette parole, soit le seul lieu où je me présente à mes enfants, parce que, en vérité, je vous le dis ma manifestation est universelle, et elle se matérialise sous des formes les plus diverses.

11. Elie, qui s'est manifesté à vous en tant que précurseur de ma communication par l'intelligence humaine, ne vint pas seulement dans votre pays; il alla d'un endroit à l'autre de la terre annonçant l'arrivée du temps nouveau et aussi de la proximité du Royaume des Cieux.

12. De toutes parts s'élevèrent des voix qui vous annonçaient mon arrivée: la nature, bouleversée, ébranla la Terre; la science se confondit devant de nouvelles révélations; un courant* spirituel se rua sur les hommes; et malgré tout cela, l'humanité demeura sourde devant ces voix, hérauts d'une ère nouvelle.

13. Un torrent de lumière divine descendit pour sauver les hommes de leurs ténèbres, mais ceux-ci, égoïstes et matérialistes**, bien loin d'aspirer au perfectionnement de l'esprit et à l'amélioration morale de leur vie sur la Terre, utilisèrent cette lumière pour se façonner trônes et gloires, commodités et plaisirs matériels et, lorsqu'ils le jugèrent nécessaire, des armes pour détruire la vie de leurs semblables. Leurs yeux devinrent aveugles sous l'intensité de ma lumière, et leur vanité les a perdus. Mais Moi je vous dis que, grâce à cette même lumière, ils trouveront la vérité, découvriront le chemin et se sauveront.

14. Ceux qui ont su recevoir cette lumière en leur esprit et l'ont considérée comme un message divin, ceux-là ont réussi à ce que leur

---

* 2, 12 Cette expression se réfère a des êtres élevés de l'Au-delà, les "esprits de lumière" du Royaume de Dieu.
** 2,13 Signifie le contraire de "spiritualisé", ou en d'autres termes, une vie et des pensées exclusivement axées sur les plans matériel et corporel.

conscience guide leurs pas et normalise leurs œuvres, parce qu'ils ont eu le pressentiment de ce que «Le Seigneur est revenu et qu'il est parmi les hommes».

15. Les représentants des diverses sectes et religions n'ont pas voulu me recevoir. Leur cœur, leur dignité, et leur fausse grandeur les empêchent de m'accepter en Esprit. Pour cette raison, en cette époque, sur toute la Terre se sont formés des groupes, des confréries et des congrégations réunissant ceux qui sentent la présence du temps nouveau et ceux qui recherchent la solitude pour prier et recevoir les inspirations du Seigneur. (37, 76-81)

16. Il y a des religions qui essayent de se préparer pour ma nouvelle venue, sans savoir que je suis déjà en train de me retirer.

17. Je les ai tous appelé. Et il est vrai que mon appel et la rumeur de ma communication avec les hommes ont aboutis à tous les coins de la Terre, accompagnés de témoignages et preuves qui parlent de Moi: pécheurs rachetés, non-croyants convertis, morts qui ressuscitent, malades condamnés qui guérissent et possédés qui se libèrent de leur mal.

18. Mais j'en ai rencontré beaucoup de sourds, d'autres enorgueillis par leur gloire terrestre, et d'autres, enfin, craintifs de faire connaître ma manifestation comme Esprit de Vérité. J'ai reçu et instruit tous ceux qui sont arrivés jusqu'à Moi, confiant en mon amour. (231, 17-19)

19. Des multitudes de gens d'autres pays viendront jusqu'à cette ville; des multitudes anxieuses de vous interroger au sujet des événements spirituels dont vous avez été les témoins en cette époque, ainsi qu'à propos des révélations et prophéties que je vous ai livrées.

20. Parce que de très nombreuses régions du monde ont reçu mes messages qui indiquent qu'en un endroit de l'Occident (Ouest), mon rayon divin est descendu pour parler à l'humanité de ce temps.

21. Vous verrez comment, le moment venu, d'autres peuples et nations, ils viendront vous chercher. Et alors les hommes des grandes religions s'étonneront de ce que ce n'est pas eux que je suis venu chercher. (276, 45)

22. Malheureusement, ma nouvelle manifestation aura tellement peu d'écho dans ce monde! Combien peu sont ceux en Vigile qui m'attendent, et combien nombreux sont ceux qui dorment!

23. De ceux qui vivent dans mon attente, je puis vous dire que pas tous perçoivent la véritable forme de ma présence en ce temps. Il en est qui, influencés par de vieilles croyances, pensent que je reviendrai sur Terre sous dans un corps d'homme. D'autres croient que je dois venir sous quelconque forme visible à tout œil humain. Très peu s'approchent de la vérité, pressentant que ma venue est spirituelle.

24. Pendant que les uns s'interrogent sur la forme que j'adopterai, sur l'heure et le jour de ma venue sur la Terre, et sur l'endroit de mon apparition, d'autres, sans penser à des formes matérielles ni en des endroits déterminés, se disent à eux-mêmes: «Le Maître est déjà parmi nous et sa lumière, qui est son Esprit, est en train de nous éclairer».

25. Lorsque ce message parviendra à tous les cœurs, il sera un véritable présent de joie pour certains, parce qu'ils confirmeront, en lui, tous leurs pressentiments et leur foi; en revanche, d'autres nieront la vérité de mon message, en le trouvant en désaccord avec ce qu'ils croyaient qu'il serait et la forme sous laquelle il se manifesterait. (279, 41-44)

Elie, précurseur du Seigneur

26. Je fis retourner Elie dans le Troisième Temps*, et ainsi l'avais-Je annoncé comme Maître dans le Deuxième Temps, en déclarant: En vérité, Elie a déjà été parmi vous et vous ne l'avez pas perçu. Moi, Je reviendrai au monde, mais en vérité, Je vous le dis: Avant Moi, ce sera Elie.

27. Et comme toute parole du Maître s'accomplit, au Troisième Temps Elie est allé avant Moi pour réveiller les esprits, leur faire pressentir que l'heure du Saint-Esprit ouvrait ses portes, pour dire a tout esprit d'ouvrir les yeux et de préparer

sa cale pour franchir le seuil et passer de la Seconde Ere à la Troisième. Et, afin de rendre davantage concrète palpable, la manifestation d'Elie en ce Troisième Temps, Je l'ai fait communiquer par le biais d'un homme juste: Roque Rojas.

28. Elie, depuis l'Au-delà, illumina spirituellement l'homme, l'inspira, le fortifia et le guida dans tous ses pas, du début jusqu'à la fin.

29. Mais, en vérité, je vous le dis: Je ne suis pas venu pour choisir Roque Rojas d'entre les hommes. Je l'ai envoyé, J'ai envoyé son esprit déjà préparé par ma charité. Je lui ai livré la matière que J'avais préparée. Et vous savez qu'il fut humble et que, grâce à son humilité et sa vertu, le Père a pu manifester de grandes œuvres.

30. Il fut prophète, orateur, voyant et guide. De tout cela il laissa un brillant exemple au peuple. Il fut raillé et ridiculisé par son propre peuple, tout comme le fut Moise dans le désert; il fut persécuté à l'instar d'Elie, le prophète, et dut rechercher les sommets des montagnes pour y prier et veiller pour son peuple.

31. Il fut bafoué et jugé par des prêtres et des scribes, comme le fut son Maître; il fut cru, suivi et entouré par quelques-uns, tout comme son Maître; ses mains répartirent le baume, firent des prodiges qui élevaient la foi chez les uns et provoquaient la confusion chez d'autres. Ses lèvres parlaient de leçons prophétiques qui se réalisaient au pied de la lettre; ses lèvres savaient

---

* 2,26 Le 1er septembre 1866 – Voir chapitre 38.

prononcer des conseils pleins de soulagement pour les cœurs malades.

32. Son esprit savait concevoir de grandes inspirations et s'élever avec l'extase des justes, des apôtres, des prophètes; son esprit* savait se détacher de ce monde et sa chair, pour pénétrer la vallée spirituelle et arriver, en toute humilité, aux portes de l'Arcane du Seigneur, et par cette élévation, l'esprit d'Elie se manifesta aux premiers témoins, avant que vienne le rayon du Maître. (345, 57-58)

33. Roque Rojas réunit un groupe d'hommes et de femmes de foi et de bonne volonté, et là, au sein de ses premières réunions, Elie se manifesta au travers de l'intelligence de l'Envoyé, en disant: "C'est Moi, Elie le Prophète, celui de la transfiguration sur le Mont Tabor". Et il donna les premières instructions aux premiers disciples, en même temps qu'il leur

---

* 2,32 **Ame:** il est curieux de noter qu'en aucun moment, tout au long de l'œuvre, il ne soit fait mention du mot «âme». Cela attira l'attention des premiers traducteurs (vers l'allemand), mais ils notèrent que les copies des écrits originaux en espagnol, présentèrent la même caractéristique. Cependant, les éditeurs mexicains de jadis s'aperçurent que la mention de cet «être» est pertinente en des situations définies, lequel dirige le corps humain et l'ensemble de ses sens, mais qui ne peut s'agir de l'«esprit». C'est pourquoi ils choisirent de circonscrire les facultés de **l'âme** au lieu de la nommer, comme «matière, corps, enveloppe, sens, cœur, intelligence» etc. Ils protégeaient, de la sorte, l'essence exprimée dans les paroles du Seigneur où elle agissait.

annonçait l'Ere de la Spiritualité et leur prophétisait l'arrivée, sous peu, du Rayon du Divin Maître, pour se communiquer avec son peuple. (1, 6)

34. Un jour que l'humble enceinte de Roque Rojas était pléthorique d'adeptes qui confiaient en la parole de cet homme, Elie descendit pour illuminer l'esprit de son porte-parole et, inspiré par Moi, oignit sept de ces croyants auxquels il leur donna la représentation ou le symbolisme des Sept Sceaux.

35. Plus tard, quand arriva l'instant promis de ma communication, observai-je que, de ces sept élus, un seul veillait dans l'attente de l'arrivée du Chaste Epoux, et ce cœur était celui de Damiana Oviedo, la demoiselle dont l'esprit fut le premier à recevoir la lumière du Rayon Divin en récompense pour sa persévérance et sa préparation.

36. Damiana Oviedo représentait le Sixième Sceau*. Ce fut une preuve de plus que la lumière du Sixième Sceau est celle qui illumine cette Ere. (1, 6-9)

37. Très peu purent, en vérité, sentir la présence de l'envoyé divin! Une fois de plus, il fut la voix qui prêchait dans le désert et, à nouveau, prépara le cœur des hommes pour l'imminente arrivée du Seigneur. Ainsi s'ouvrit le

---

* 2,36 Fait référence à la révélation de l'Apôtre Jean et désigne l'avant-dernier des Sept Sceaux, symboles de tant d'autres époques, qui forment le grand plan de rédemption du Seigneur. (Voir chapitre 38)

Sixième Sceau, en laissant contempler son contenu et débordant comme un torrent de justice et de lumière sur l'humanité. De nombreuses promesses et prophéties demeurèrent ainsi accomplies.

38. Elie, à l'instar de Jésus et Moïse, vint pour illuminer les yeux de votre esprit pour que vous contempliez le Père. Moïse vous enseigna: «Tu aimeras ton prochain comme toi-même». Jésus vous dit: «Aimez-vous les uns les autres». Elie vous commanda la «charité et davantage de charité envers vos frères» et, ensuite, ajouta: «et vous verrez mon Père dans toute sa splendeur». (81, 36-37)

39. Quand l'obscurité qui a enveloppé l'humanité se dissipera et que la lumière se fera dans les esprits, vous sentirez la présence d'une nouvelle ère, parce qu'Elie est retourné parmi les hommes.

40. Mais, comme ceux-ci n'ont pas su le voir, il a été nécessaire qu'il manifeste son esprit par le biais de l'entendement humain et qu'il apparaisse aux voyants sous la forme de cette vision du prophète Elisée: Au-dessus des nuages, sur un chariot de feu.

41. Elie est venu comme un précurseur en ce temps pour préparer mon arrivée. Il est venu en tant que prophète pour vous annoncer la nouvelle ère, avec ses batailles et ses épreuves, mais aussi avec la sagesse de ses révélations. Il vient avec son chariot de lumière pour vous inviter à

y entrer, vous élever au-dessus des nuages et vous conduire à la mansion spirituelle dans laquelle règne la paix. Confiez en lui comme dans le bon pasteur, suivez-le spirituellement comme le peuple suivit Moise au Premier Temps, priez pour qu'il vous aide dans votre accomplissement et, si vous souhaitez l'imiter, faites-le. (31, 58-59)

42. Elie, Esprit de grande puissance et qui n'a pas été reconnu par l'humanité, a toujours été mon précurseur. Aujourd'hui, il est venu, une fois de plus, pour préparer ceux qui ont été marqués*, ceux qui m'ont servi de portes-paroles et toute l'humanité.

43. Si vous préparez et étudiez mon enseignement afin d'arriver à connaître ma volonté, Elie vous viendra en aide et sera votre soutien et ami.

44. Elie est un rayon divin qui illumine et guide tous les êtres et les conduit jusqu'à moi. Aimez-le et honorez-le en tant que précurseur et votre médiateur. (53, 42-44)

45. Elie, le prophète, le précurseur, l'envoyé du Troisième Temps, intercède en faveur de son troupeau, prient pour ceux qui ne savent pas prier, et cache, sous son manteau, la tache du pécheur dans l'attente de son

* 2,42 Les "marqués ou signalés" (selon révélation de Jean, chap. 14, 1-5) sont les élus du Christ. Ils reçurent de Lui, sur le front, la marque de la Divine Trinité. (Voir chapitre 39, derniers paragraphes).

rachat. Elie prépare ses multitudes, ses armées, pour combattre les ténèbres formées par l'ignorance, le péché, le fanatisme et le matérialisme de l'humanité. (67, 60)

46. Maintenant il correspond à tous ceux qui déjà sont préparés et réveillés, d'annoncer la libération du monde. Rappelez vous qu'Elie, le promis pour ce temps met tout en œuvre dans sa préparation pour délivrer, de l'autorité du Pharaon, les nations de la Terre, réduites en esclavage par le matérialisme, tout comme Moise l'avait déjà fait, en son temps, en Egypte, avec les tribus d'Israël.

47. Dites à vos frères qu'Elie se manifesta déjà par l'entendement humain, que sa présence a été en esprit, et qu'il continuera d'illuminer le chemin à tous les peuples qui viendront à l'avenir.

48. La mission de votre Berger consiste à remettre toutes les créatures sur leur véritable chemin, qu'il soit d'ordre spirituel, moral ou matériel. Pour cette raison, je vous dis que les nations qui reçoivent l'appel de leur Seigneur, au travers d'Elie, seront bienheureuses parce qu'elles resteront unies par la loi de la justice et de l'amour, qui leur apportera la paix comme fruit de leur compréhension et de leur fraternité. Ainsi unies, elles seront emmenées au champ de bataille où elles combattront le mal, le matérialisme et le mensonge.

49. Dans cette lutte, les hommes de ce temps verront les nouveaux miracles et comprendront le sens spirituel de la vie, celui qui leur parle d'immortalité et de paix. Ils cesseront de se tuer l'un l'autre, reconnaissant que ce qu'il leur faut détruire, c'est leur ignorance, leur égoïsme et les passions démentes, lesquelles ont engendré leurs faux pas et leurs misères, tant matérielles que spirituelles. (160, 34-36)

50. Elie est le rayon de Dieu, avec cette lumière il vient pour dissiper vos ténèbres et ainsi vous libérer de l'esclavagisme de ce temps, qui est celui du péché, et qui guidera votre esprit à travers du désert jusqu'à ce que vous arriviez à la Terre Promise, au sein de Dieu. (236, 68)

Chapitre 3 – Le soleil spirituel de la seconde venue du Christ

La venue du Seigneur

1. Je me présente devant l'humanité, à une époque à laquelle de nouvelles révélations ont transformé la vie des hommes; et ainsi, je fais acte de présence parmi vous, avec la même humilité que celle que vous M'avez connue en ce temps-là.

2. Ce n'est pas que le Verbe de Dieu soit né, à nouveau, dans la pauvreté d'une crèche; non, parce qu'il n'est déjà plus indispensable que le pouvoir de Dieu se matérialise. Si les hommes croient que cette matière représente la venue de Dieu au monde, il en est autrement, la présence de Dieu est spirituelle, universelle, infinie.

3. Si toutes les luttes des hommes en ce temps s'étaient inscrites dans un cadre juste, licite et bon, il n'aurait pas été nécessaire que Je descende pour vous parler à nouveau; mais, toutes les œuvres que me présente cette humanité ne sont pas bonnes. Il y a beaucoup d'erreurs, d'injustices, de déviations et de méchancetés, par conséquent, il fallait que ma charité réveille l'homme au moment précis où il était le plus dévoué à son œuvre, ceci afin de lui rappeler les devoirs oubliés: A qui il doit tout ce qu'il est et ce qu'il doit être.

4. Afin de me faire entendre d'une humanité matérialisée, laquelle n'avait pu m'écouter d'esprit à Esprit, je dus utiliser les dons et facultés, pour me communiquer à l'homme par le biais de l'intelligence humaine.

5. L'explication de ma «descente», pour me communiquer avec vous, est la suivante: Ne pouvant vous élever pour que vous communiquiez avec votre Seigneur, d'esprit à Esprit, il m'a fallu descendre jusqu'à vous un échelon de plus, en d'autres termes, du spirituel, du divin, auquel vous ne pouvez encore accéder, capter alors votre entendement, lequel réside dans le cerveau de l'homme, et traduire mon inspiration divine en parole humaine et en transmission orale.

6. L'homme a besoin de connaissance supplémentaire et c'est Dieu qui vient à lui pour lui confier la sagesse. Si le moyen que j'ai choisi pour ma brève communication, par le biais de la compréhension de ces porte-paroles, ne vous semble pas digne, en vérité je vous le dis le message livré par eux, quant à lui, est d'une très grande importance. Vous auriez souhaité que ma manifestation devant l'homme se réalise en grande pompe et cérémonies impressionnantes, mais qui sont vaines devant l'esprit, parce qu'en réalité elles manquent de lumière véritable.

7. J'aurais pu venir entre éclairs et tempêtes, pour faire sentir mon pouvoir, mais alors, combien aurait-il été facile que l'homme confesse l'arrivée de la présence du Seigneur!

Ne croyez-vous pas que la crainte se serait à nouveau emparée de votre cœur, ainsi que d'ailleurs l'idée de l'incompréhensible?Ne croyez-vous pas que tout sentiment d'amour pour le Père se serait converti seulement en un sentiment de crainte de sa justice? Et, bien qu'il soit une force omnipotente, il faut que vous sachiez qu'il ne vous vaincra pas par elle, il ne fera pas usage d'elle pour s'imposer mais utilisera une autre puissance, celle de l'amour.

8. C'est l'Esprit Divin lui-même qui s'adresse à présent à l'Univers; c'est Lui qui vient faire la lumière en tout ce que vous ne voyiez pas clairement auparavant. C'est l'aurore d'un jour nouveau pour tous les hommes parce qu'Il vient vous libérer de fausses craintes et détruire vos doutes. Pour qu'enfin vous ayez la liberté d'esprit et de compréhension.

9. Une fois connue l'essence de mes enseignements et la justice de mes lois, Je vous dis que vous prendrez conscience également des limites des concepts qui vous avaient établis et vous empêchent ainsi d'aller plus loin qu'une timide connaissance de la vérité.

10. Ni la peur ni la crainte du châtiment vous arrêteront désormais pour faire des recherches et des découvertes; ce n'est que, lorsque vous serez véritablement désireux de connaître l'impénétrable, votre conscience vous interdira de franchir ce pas, parce que vous devez savoir que toute la vérité ne correspond pas à l'homme, et que la partie qui lui est destinée devra être utilisée par lui.

11. Peuple, si ma venue fut annoncée au milieu de guerres, d'éléments déchaînés, d'épidémies et chaos, ce n'est pas parce que Je vous ai apporté tout cela; mais bien parce que, précisément, ma présence devait être opportune en cette heure de crise pour l'humanité.

12. C'est justement au moment où le monde agonise et que par ses râles, il fait frémir et secoue la Terre, qu'il est temps de céder le pas à une nouvelle humanité; pour cela, l'appel de l'amour, un amour qui renferme et inspire: justice, fraternité et paix.

13. La parole du Christ germa en ses disciples et sa semaille crût en le peuple qui le suivit, son enseignement s'étendit et son essence se répandit dans le monde entier; de même s'étendra cet enseignement actuel, qui sera reçu par tous ceux qui seront qualifiés pour le sentir et le comprendre. (296, 17-27 et 35)

«Tout œil me verra»

14. Jésus dit à ses disciples: «Pour un temps, Je m'absenterai de vous. Je reviendrai». Plus tard il leur fut révélé que leur Maître viendrait sur un nuage, entouré d'anges, en lançant des rais de lumière en direction de la terre.

15. Et Me voici sur ce nuage, entouré d'anges, ces êtres spirituels qui sont venus se manifester parmi vous comme les messagers de ma Divinité et vos bons conseillers. Les rais de lumière sont ma Parole qui vous entretient de nouvelles

révélations et déborde de sagesse en tout entendement.

16. Bienheureux ceux qui, sans voir, ont cru, parce que ce sont eux qui sentent ma présence. (142, 50-52)

17. L'homme, par le biais de son esprit, trouvera la vérité, et tous palperont ma présence, parce que, déjà en ce temps-là, je vous avais dit que tous me verraient, le moment venu.

18. Donc ce temps que vous vivez est précisément celui qui fut annoncé par ma parole et mes prophètes des temps passés, afin que tous les hommes me perçoivent par les sens et les puissances de leur esprit.

19. Il ne sera pas nécessaire de me contempler de manière limitée et représenté sous forme humaine, pour pouvoir dire que vous m'avez déjà vu, mais il suffira que votre esprit me sente et que votre intelligence me comprenne, pour affirmer en toute vérité que vous m'avez vu.

20. L'amour et la foi, tout comme l'intelligence, peuvent regarder infiniment plus loin que le peuvent vos propres yeux; pour cette raison, je vous dis qu'il ne me sera pas indispensable de limiter ma présence à une quelconque forme humaine ou symbolique pour en arriver à ce que vous me voyiez.

21. Combien, au cours de cette Seconde Ere, me regardèrent ou passèrent à mon côté sans savoir qui J'étais! En revanche, combien d'autres, qui ne surent même pas quand je naquis en tant qu'homme, me regardèrent en esprit, me reconnurent par ma lumière et jouirent de ma présence par le biais de leur foi!

22. Ouvrez les yeux et justifiez, par votre foi, que vous êtes les fils de la lumière. Tous pouvez me regarder mais, pour cela, il est indispensable que vous en ayez la volonté et la foi. (340, 45-51)

23. Je vous dis que, lorsque cette humanité me sera davantage opposée par son impiété et son éloignement de la justice et du bien. Alors Je me présenterai sur son chemin, plein de splendeur, comme jadis Je le fis devant Saul, et lui ferai écouter ma voix.

24. Alors vous verrez combien beaucoup de ceux qui, sans s'en rendre compte, m'ont persécuté, se lèveront, transformés et illuminés, pour me suivre sur les chemins du bien, de l'amour et de la justice.

25. A ceux-là, je leur dirai: «Arrêtez-vous, pèlerins, et buvez de cette fontaine d'eaux cristallines. Reposez-vous de la dure journée a laquelle je vous ai soumis. Confiez-moi vos peines et laissez mon regard pénétrer très profondément votre esprit, parce que je veux vous consoler et vous emplir de grâce.» (82, 46)

26. Mon amour émouvra vos fibres les plus sensibles, et sera l'harmonie de votre conscience, celle qui vous invite à écouter mon divin concert. Et,

nombreux, vous me contemplerez dans la douce silhouette de Jésus.

27. Je me dois de vous avertir que la silhouette de Jésus ne représente pas la forme parfaite sous laquelle vous me contemplerez. Si, jadis, je vous dis: «Tout œil me verra», je vous laissai entendre que tous connaîtriez la vérité, bien que je doive ajouter que Je l'adapterai en fonction de l'évolution de chaque esprit. C'est lors de votre ascension sur l'échelle de la perfection que vous me contemplerez dans toute ma splendeur.

28. Pour le moment, ne tentez pas de m'imaginer sous quelque forme possible, méditez: «Si votre esprit, bien que limité, est essence et lumière, quelle forme pourra revêtir l'Esprit Universel de Votre Seigneur, qui n'a ni commencement ni fin? Laissez l'insondable appartenir à l'intimité de mon arcane.» (314, 69-70)

29. Lors de mon message au cours du Second Temps, je vous ai fait savoir que Je reviendrais à nouveau parmi vous, accompagné de mes troupes spirituelles. Mais l'humanité n'a pas compris ni interprété convenablement le sens de ma parole.

30. C'est pour cela que chaque religion m'attend en son sein, pour cela, ils attendent de me voir avec leurs yeux de mortels; et ceux qui m'attendent aujourd'hui sont les mêmes qui, en son temps, nièrent que Jésus fut le Messie, et le jugèrent comme un rêveur.

31. Aujourd'hui, à vous mes disciples, je dis: «Viendra le moment auquel vous me verrez dans toute ma splendeur. A ce moment-là, la terre et ses habitants auront été purifiés, et la vertu et la grâce de l'esprit restaurées. La douleur disparaîtra et tout sera bonheur. Ce sera un jour infini, interminable, pour vous. Ne voulez-vous pas contempler ces merveilles? Ne souhaitez-vous pas que vos fils entrent en communication avec mon Esprit et que, libres du péché, ils puissent former un monde de paix?» (181, 74 et 81)

32. Si l'humanité avait su analyser les prophéties du Premier et du Second Temps, elle ne se confondrait pas aujourd'hui face à leur réalisation; ce qui fut le cas, au cours de la Seconde Ere, lorsque le Messie naquit entre les hommes, et ce qui a lieu maintenant que je suis venu en Esprit.

33. Le sens de mon enseignement est identique dans les deux ères; il vous prépare à faire de cette vie un aimable foyer, bien que momentané, où les hommes se regardent et se traitent comme des frères et dans lequel apparaît, des uns envers les autres, la chaleur de la vraie fraternité.

34. Préparez également l'esprit à pénétrer, après cette vie, ces mondes ou demeures que le Seigneur a réservées pour ses enfants. Je souhaite que vous ne vous y rendiez pas en éprouvant un sentiment étrange, mais bien que votre spiritualité et votre intuition vous fassent sentir tout ce que vous rencontrez, comme si

auparavant vous aviez déjà été là. Vous y trouverez beaucoup de vérité, et c'est à partir d'ici que vous saurez être en contact avec le spirituel, au moyen de la prière. (82, 9-10)

35. Je suis le voyageur qui frappe aux portes de votre cœur. J'appelle et vous ignorez qui je suis, vous ouvrez et ne me reconnaissez pas, à l'instar du voyageur qui arrive dans un village où personne ne le connaît; comme l'étranger foulant une Terre étrangère et qui n'est compris par personne, dans sa langue. Ainsi Je me présente à vous. Quand sentirez-vous ma présence? Oh humanité! Quand me reconnaîtrez-vous, tout comme Joseph fut reconnu, en ces temps-là, par ses frères en Egypte? (90,1)

Chapitre 4 - L'enseignement par le biais de la Doctrine Divine

Origine des révélations

1. C'est le Verbe qui vous parle, celui qui a toujours été en Dieu, le même qui fut en Christ et que vous connaissez, aujourd'hui, par le Saint-Esprit; parce que le Verbe est parole, Loi, message, révélation et sagesse. Si vous entendez le Verbe au travers de la parole du Christ et que, maintenant, vous la recevez par le biais de l'inspiration du Saint-Esprit, en vérité, je vous le dis c'est bien la voix de Dieu que vous avez écoutée, parce qu'il n'existe qu'un seul Dieu, un seul Verbe et un seul Saint-Esprit. (13, 19)

2. Connaissez-vous l'origine de cette lumière que contient la parole diffusée par les lèvres des orateurs? Elle trouve son origine dans le bien, l'amour divin et la lumière universelle qui émane de Dieu. Elle est un rayon ou un éclair de ce Tout lumineux qui vous donne la vie, elle fait partie de la force infinie qui meut tout et qui fait en sorte que tout vibre, palpite et tourne sans arrêt. C'est ce que vous appelez irradiation divine, c'est la lumière du Saint-Esprit qui illumine et vivifie les esprits. (329, 42)

3. Celui qui vous parle en cet instant est Celui qui est toujours venu pour vous sauver; le Christ, la divine promesse humanisée en Jésus au cours de la Seconde Ere, Le Verbe Divin fait parole humaine, l'Esprit de l'Amour, de la lumière, de la sagesse, limité en un rayon qui, par la conscience, touche l'esprit et la pensée de l'homme pour lui enseigner à transmettre ma pensée. (90, 33)

4. Je suis le Christ, celui-là même qui a été persécuté, blasphémé et converti en prisonnier dans ce monde. Je viens à vous après ce que vous m'avez fait subir, au cours de la Seconde Ere, en Jésus, pour vous fournir, une foi de plus, la preuve que je vous ai pardonnés et que je vous aime.

5. Vous m'avez conduit, dénudé, à la croix, et je reviens parmi vous de la même manière, parce que je ne cache pas mon Esprit ni ma vérité à vos yeux, derrière le tissu de l'hypocrisie ou du mensonge. Mais, pour que vous puissiez me regarder, il vous faudra auparavant vous purifier le cœur. (29, 27-28)

6. Aujourd'hui, je vous le dis: "Voici le Maître, que les multitudes ont surnommé Le Rabbin de Galilée. Le banquet auquel je vous invite aujourd'hui est spirituel, le pain et l'eau le sont aussi. Mais, aujourd'hui comme hier et comme toujours, Je suis le Chemin, la Vérité et la Vie." (68, 33)

Lieux de révélation et bénéficiaires

7. Souvenez-vous que Je suis le Verbe du Père, que l'essence divine que vous recevez en cette parole est lumière de cet Esprit Créateur, et qu'en chacun de vous, j'ai laissé une partie de mon Esprit.

8. Mais, en observant la pauvreté qui entoure le groupe, qui m'écoute à présent, ainsi que l'humilité de la demeure dans laquelle vous vous réunissez, en silence, vous m'interrogez: «Maître, pourquoi n'as tu pas choisi, pour ta manifestation en cette époque, l'un de ces grands temples ou églises, où l'on aurait pu t'offrir de somptueux autels ainsi que des cérémonies solennelles dignes de Toi?»

9. A ces cœurs qui pensent ainsi de leur Maître, Je réponds: Ce ne sont pas les hommes qui m'ont conduit jusqu'à cette pauvreté, c'est moi qui ai choisi l'humble demeure dans le faubourg pauvre de votre ville pour ma manifestation, afin de vous faire comprendre ainsi que Je ne viens pas rechercher le tribut matériel, ni l'offrande extérieure. Bien au contraire, la raison de mon retour est de prêcher, une fois de plus, humilité, afin qu'en elle vous trouviez la spiritualité. (36, 24-25)

10. Il y en a qui ne croient pas en ma présence, parce qu'ils ne s'arrêtent que sur la pauvreté et humilité de ces murs et l'insignifiance des orateurs au travers desquels je me communique. Mais, si ceux qui doutent ainsi étudiaient la vie du Christ, ils se rendraient compte qu'Il n'a jamais cherché de galas, honneurs ou richesses.

11. Ces lieux peuvent être aussi pauvres et humbles, comme le furent jadis l'étable et la paille où je naquis. (226, 38-39)

12. N'imaginez pas que, pour me manifester à vous, je choisis cette nation (*Mexique*) au dernier moment, au contraire, tout avait été prévu depuis l'éternité. J'avais préparé cette terre, cette race et vos esprits, tout comme j'avais volontairement exprimé le temps de ma présence.

13. J'ai désiré commencer mes manifestations parmi les plus humbles, ceux qui maintenaient immaculés l'intelligence et l'esprit. Par la suite, je laissai venir tout le monde à Moi, parce qu'à ma table il n'existe aucune distinction ni préférence. Ma parole, répandue sur ce peuple, a été simple et humble en sa forme, à votre portée; et son sens, débordant de clarté, s'est révélé profond pour votre esprit, parce que, bien que je sois l'Arcane, Je me manifeste et m'exprime toujours avec simplicité et clarté. Je ne suis un secret pour personne; le secret et le mystère sont les fruits de votre ignorance. (87, 11-12)

14. Les premiers qui m'écoutèrent assimilèrent mon Œuvre à un arbre, en lui coupant les premières branches, pour ensuite les planter dans différentes régions. Les uns interprétèrent correctement mes

enseignements, d'autres se trompèrent de chemin.

15. Peu nombreux étaient les groupes qui se réunissaient à l'ombre de ces pauvres murs, mais, lorsqu'ils se multiplièrent, les multitudes grandirent. Je leur lançai un appel à s'unifier, afin que tous se reconnaissent en tant que disciples d'un seul Maître et qu'ils pratiquent la leçon de la même manière, pour que la graine soit semée, non selon le libre arbitre des cultivateurs*, mais bien selon la volonté divine.

16. Devant l'Arche Spirituelle de la Nouvelle Alliance, les multitudes firent promesse de soumission, obéissance et bonne volonté mais, lorsque les ouragans et tourbillons soufflèrent avec force et s'abattirent sur les branches de l'arbre, beaucoup faiblirent, tandis que d'autres, impassibles, se maintinrent firmes en enseignant aux nouveaux paysans comment cultiver leurs terres.

17. Il en est qui, reconnaissant la grandeur de cette révélation, ont tenté de pénétrer dans mes arcanes, en bravant ma volonté, avec l'intention de s'approprier d'un savoir et d'un pouvoir qui les rende supérieurs aux autres, mais ils n'ont pas tardé à se retrouver face à ma justice.

18. D'autres encore, ne sachant découvrir la grandeur de cette Œuvre par sa pureté et sa simplicité, ont copié de sectes et religions, rites, symboles et cérémonies, croyant ainsi

conférer la solennité à mes manifestations. (234, 27-30)

19. Depuis les prémices de la manifestation de cette communication, votre esprit s'illumina par mon enseignement, bien que par ailleurs surgirent également les incrédules, tant au sein des gens cultes que des grossiers et ignorants.

20. Combien d'arguments pour démentir cette révélation! Combien de tentatives pour détruire cette parole! Mais rien n'a pu arrêter le cours de mon message. Bien au contraire, plus on a combattu cette Œuvre, plus la foi des multitudes s'est incendiée; et, plus le temps s'est écoulé, plus grand a été le nombre de ceux par qui je transmets ma parole.

21. Quelle en est la signification? Jamais le pouvoir humain ne parviendra à empêcher le pouvoir divin de réaliser ses desseins.

22. Le Peuple s'est toujours réuni entre ces murs sans éprouver de crainte du monde, mais toujours débordant de confiance en ma présence et ma protection; et Je lui ai prouvé que sa foi a été placée dans la vérité. (329, 28-30 et 37)

23. Un nouvel apostolat surgit d'entre ce peuple, constitué de cœurs simples et humbles, mais pleins d'amour et de foi pour me suivre. Il ne pouvait cependant manquer, entre eux, un nouveau Thomas qui doive voir pour croire en ma présence, un nouveau Pierre qui, croyant en Moi,

* 4,15 Faites référence à une parabole du Christ: des "cultivateurs dans mon vignoble".

me renie par crainte de l'humanité, et enfin un nouveau Judas l'Iscariote qui me trahisse en échangeant ma parole et ma vérité pour quelques monnaies et flatteries.

24. Les multitudes qui constituent ce peuple ne cessèrent d'augmenter et de se ramifier par les villes, régions et villages et, de ce peuple, furent issus les apôtres de la vérité et de la droiture, les cultivateurs dévoués et inconditionnels de la Doctrine de leur Seigneur, et les prophètes au cœur sans tache qui ont exprimé la vérité (213, 72-73)

25. J'ai tout changé pour ma nouvelle manifestation: les lieux et moyens de communication, afin de détruire l'ignorance, la confusion et la mauvaise interprétation qui a été faite de mes précédentes révélations. A l'instar du soleil qui se lève à l'est et que vous voyez au zénith à midi, pour ensuite le contempler se cacher à l'ouest, la lumière de mon Esprit est venue, avançant avec le temps d'Orient en Occident, pour que vous ne limitiez pas ma grandeur ni mon pouvoir à des lieux géographiques, des hommes, des nations ou des races. (110, 9)

26. Il me suffit que quelques-uns m'écoutent, parce que ce sont eux qui demain témoigneront à leurs frères; je sais que, si je les appelais tous, la majorité d'entre eux ne viendrait pas parce que trop occupée par les affaires du monde. Ils me renieraient et empêcheraient l'homme de bonne volonté de s'approcher pour m'écouter.

27. Ici, dans le recueillement de ces humbles lieux où je me manifeste, je suis en train de faire que germe ma semence. Je réunis en groupes les cœurs simples et, une fois éloignés du tumulte de la vie matérialiste, je leur parle de l'amour, de l'éternel, de l'esprit, des vraies valeurs humaines et spirituelles, en leur faisant contempler la vie par le biais de la conscience et non de la perception.

28. Ces petits, je les appelle disciples. Et eux, qui jamais n'ont rien possédé, qui n'ont jamais été considérés par leurs semblables, se sont emplis de satisfaction lorsque je les ai appelés et ont ressuscité à une vie nouvelle. Ils se sont levés avec la conviction et la joie de pouvoir être utiles à leurs semblables, parce que le Seigneur a déposé en eux ses révélations et leur a fait découvrir le chemin de l'amour.

29. Il y en aura qui les renieront et se moqueront d'eux, parce qu'ils se disent les disciples de Jésus, mais, en vérité je vous dis que, bien que leur soit refusée cette grâce, ils resteront mes disciples. (191, 33-36)

30. Le monde attend que ma voix l'appelle. Le cœur de humanité, bien qu'éteint à la foi, attend que s'approche la voix du Christ lui disant: «Lève-toi et marche».

31. Les morts, les aveugles, les malades et les parias constituent un très grand peuple. J'irai à eux car ceux qui souffrent de l'esprit ou du corps

sont les plus sensibles à ma présence Les grands du monde, ceux qui détiennent le pouvoir, les richesses et les gloires mondaines, ne croient pas avoir besoin de moi et ne m'attendent pas: Que peut leur apporter le Christ, s'ils disent tout posséder? D'aventure quelques biens spirituels ou un espace dans l'éternité? Cela ne les intéresse pas.

32. Voici le motif pour lequel j'ai recherché ces multitudes de pauvres et malades du corps et de l'esprit pour leur montrer ma Doctrine: ils me désiraient et me cherchaient. Il était tout naturel que ce soient eux qui sentent ma présence une fois venu le temps de me montrer, une fois de plus, à l'humanité. (291, 32-34)

La transmission des manifestations Divines

33. Quiconque doute de cette communication au travers de l'intelligence humaine renierait sa condition d'être supérieur aux autres créatures; c'est comme s'il reniait son propre esprit sans se rendre compte du niveau spirituel et mental qu'il a atteint, après d'interminables épreuves, des amertumes et des luttes.

34. Nier que Je me communique par la voie de votre intelligence ou de votre esprit est vous renier vous-mêmes et vous mettre au niveau des créatures inférieures.

35. Qui ignore que l'homme est fils de Dieu? Qui ne sait qu'il a, en lui, un esprit? Alors, pourquoi ne pas penser qu'entre le Père et ses enfants il doive exister une ou l'autre forme de communiquer entre eux?

36. Si Je suis intelligence, je vous cherche au moyen de votre intelligence; si je suis Esprit, je vous cherche par le biais de votre esprit. Mais, comment ceux qui nient ma communication vont-ils comprendre et accepter cette vérité, si jamais ils n'ont souhaité me voir et me connaître en tant qu'esprit? Dans leur cœur, ils ont façonné maintes croyances erronées, parmi elles, celle de penser que Je suis un être divin à forme humaine, qu'il faut représenter par des symboles et images et que, pour se communiquer avec moi, il faudrait le faire au travers de ces mêmes images.

37. Au cours des siècles, l'humanité qui m'a cherché de la sorte s'est habituée au mutisme de ses images et formes, devant lesquelles elle prie et offre des rites. Et elle en est arrivée à se forger, dans son coeur, l'idée que personne n'est digne de voir, entendre ni sentir Dieu. En disant que Je suis infiniment haut pour m'approcher des hommes, ils ont la ferme conviction de me rendre un hommage d'admiration. Et ils ont tort! Parce que celui qui affirme que Je suis trop grand pour m'intéresser à de si petites créatures telles que l'homme, est un ignorant, qui renie le concept le plus magnifique que mon Esprit vous a révélé: l'humilité.

38. Si vous croyez en le Christ, si vous soutenez être chrétiens, alors vous ne devez pas vous alimenter d'idées aussi absurdes que celles qui consistent à penser que vous êtes

indignes d'être approchés par votre Seigneur. Oubliez-vous que, précisément, votre foi chrétienne est cimentée dans cette preuve d'amour divin, en transmettant le Verbe de Dieu par l'homme? Quel rapprochement plus tangible et humain pouviez-vous me demander? Ma communication peut-elle être plus à portée des hommes, pécheurs, charnels, à l'esprit obscur et à l'intelligence limitée, que celle dans laquelle je vous faisait écouter ma voix divine traduite en parole humaine?

39. Celle-là fut la plus grande preuve d'amour, d'humilité et de pitié envers les hommes, celle que je vins sceller avec le sang, pour que vous ayez éternellement présent à l'esprit que personne n'est indigne de Moi. Pour les plus égarés qui se retrouvaient dans la fange, les ténèbres et les vices, je vins humaniser ma Parole et répandre la sève de mon sang.

40. Pourquoi, dès lors, les mêmes qui croient en tout cela renient-ils maintenant ma présence et ma communication? Pourquoi essaient-ils de soutenir que cela n'est pas possible, parce que Dieu est infini et l'homme très bas, très petit et très indigne? En vérité je vous le dis quiconque nie ma communication de ce temps, reniera ma présence dans le monde au cours de la Seconde Ere, et reniera, également, mon amour et mon humilité.

41. Vous, les pécheurs, il est normal que, dans votre péché, vous vous sentiez éloignés de Moi; en revanche, Je sens que, plus vous commettiez d'erreurs et que plus vous tachiez davantage votre esprit, plus j'éprouve la nécessité de me rapprocher de vous, pour vous éclairer, vous tendre la main, vous soigner et vous protéger.

42. Je savais que, lorsque je reviendrais me communiquer avec mes enfants, beaucoup me renieraient et, pour cette raison, j'annonçai, déjà en cette époque-là, mon retour. Mais, en même temps, je laissai entendre que ma présence serait sous forme d'esprit. Et, si vous en doutez, ayez recours au témoignage de ces quatre disciples qui écrivirent mes paroles, dans les Evangiles.

43. Me voici, en esprit, depuis le nuage de lumière, qui vous envoie ma parole, en l'humanisant par l'intermédiaire de ces porte-paroles, comme une leçon préparatoire pour cette communication à laquelle tous devrez parvenir: la communication d'esprit à Esprit. (331, 1-10 et 13)

44. La pensée divine, par mes orateurs en extase, s'est traduite en mots qui, unis sous forme de phrases, ont formé une doctrine spirituelle pleine de révélations et d'enseignements parfaits.

45. Celui-ci est le Consolateur promis, cet Esprit de Vérité annoncé qui viendrait tout vous dire. La préparation va déjà commencer, les temps viennent où vous avez besoin de celui qui peut, grâce à la force de son esprit, vous guider avec la

noblesse et la simplicité de son cœur, avec sagesse et charité. (54, 51-52)

46. Mon enseignement vient pour éclairer les intelligences, mais ne vous étonnez pas de la forme sous laquelle je suis venu à vous en ce temps; ne vous confondez pas, ni ne vous familiarisez.

47. Lorsque ma lumière divine parvient à l'intelligence de l'homme qui me sert de porte-parole, elle se limite en vibrations qui se traduisent en paroles de sagesse et d'amour. Combien d'échelons de l'échelle mon Esprit doit-il descendre pour aboutir ainsi à vous! Et j'ai même du vous envoyer à mon Monde Spirituel pour que celui-ci vous donne une ample explication de mes enseignements. (168, 48)

48. Moi je me communique par l'intelligence humaine, parce que le cerveau est le parfait appareil conçu par le créateur, afin qu'en lui se manifeste l'intelligence qui est la lumière de l'esprit.

49. Cet appareil est le modèle que, malgré toute votre science, vous ne pourrez jamais égaler. Vous vous inspirerez de sa forme et sa construction comme modèle pour vos créations mais, jamais ne parviendrez à la perfection des œuvres de votre Père Pourquoi doutez-vous que je puisse utiliser ce que j'ai créé? (262, 40-41)

50. En tous temps, mon amour de Maître a été en attente de la leçon que les hommes nécessitent et, je suis toujours arrivé à eux pour leur parler en accord avec leur élévation d'esprit et leur évolution mentale.

51. Je suis venu à vous parce que j'ai vu que la parole humaine et les doctrines que vous avez créées n'apaisent pas la soif ardente de votre esprit; la soif de lumière, de vérité, éternité et d'amour. Pour cela, je me suis présenté à vous, en m'appuyant sur des hommes humbles, ignorants et à l'intelligence grossière, les faisant pénétrer dans l'extase de l'esprit, afin que le message du Troisième Temps jaillisse de leurs bouches.

52. Ceux-là, pour être dignes de recevoir et transmettre mes divines pensées, durent lutter contre la matérialité et les tentations du monde. En renonçant ainsi à leur propre personnalité et en châtiant leur vanité, ils ont livré totalement leur être pour prêter attention à l'inspiration divine, permettant que, de leurs lèvres, jaillisse une parole pleine de sagesse, de tendresse, de baume et de paix.

53. Il y en aura toujours pour ne pas réussir à comprendre comment, sans descendre mon Esprit jusqu'à ces cerveaux et juste en les illuminant d'un rayon de ma lumière, ils peuvent exprimer autant de connaissance de la parole et répandre autant d'essence sur l'esprit des multitudes. A ceux-là, Je dis que l'Astre Roi, ainsi nommez-vous le soleil, n'a pas non plus besoin d'arriver jusqu'à la Terre pour éclairer; il lui suffit d'envoyer, à distance, la lumière à votre planète,

pour la baigner de clarté, de chaleur et de vie.

54. Ainsi, l'Esprit du Père, à l'instar d'un soleil au pouvoir infini, illumine et vivifie tout par la lumière qu'il envoie en direction de toutes les créatures, tant spirituelles que matérielles.

55. Comprenez, dès lors, que là où il y a ma lumière, mon Esprit s'y trouve présent. (91, 12-16)

56. Une étincelle de lumière de mon Esprit, un éclair du Verbe Divin, est ce qui se pose en la conscience du porte-parole par intermédiaire duquel je vous fais écouter mon message. Quel orateur humain pourrait-il recevoir toute la puissance du Verbe? Aucun. Et, en vérité je vous le dis: Vous ne savez pas encore ce qu'est le Verbe.

57. Le Verbe est la Vie, l'Amour, la Parole de Dieu; mais, de tout cela, le porte-parole ne peut qu'en recevoir un atome; mais là, dans ce rai de lumière, dans cette essence, vous pourrez trouver l'infini, l'absolu et éternel.

58. Pour vous parler de Moi, je peux le faire au travers de grandes œuvres, et aussi par des manifestations petites et limitées. Je suis en tout, tout parle de Moi. Tout est aussi parfait, le grand comme le petit. Il ne manque seulement que l'homme sache observer, méditer et étudier. (284, 2-3)

59. Mon verbe ne vint pas pour s'incarner une nouvelle fois. Je suis dans ce temps par-dessus le nuage, symbole de l'Au-Delà, d'où jaillit mon Rayon qui illumine l'esprit du porte-parole.

60. Il m'a plu de communiquer avec l'homme et ma détermination est parfaite. Je connais l'homme parce que J'en suis son créateur. Je peux me servir de lui parce que je l'ai formé dans ce dessein. Je peux manifester ma gloire par son intermédiaire, parce que je l'ai créé pour me glorifier en lui.

61. L'homme! Il est mon image, parce qu'il est intelligence, vie, conscience, volonté, parce qu'il possède quelque chose de tous mes attributs et que son esprit appartient à l'éternité.

62. Souvent vous êtes plus petits que ce que vous avez cru et, souvent, vous êtes bien plus grands que vous ne pouvez l'imaginer. (217, 15-18)

63. Si vous méditez quelque peu et étudiez les écritures, vous verrez comment, au travers de tous les prophètes, ceux-ci livrèrent aux hommes, par leur parole, une essence unique. Ils donnèrent, à l'humanité, réprimandes, révélations et messages, sans toutefois les erreurs que le culte matérialisé exerçait sur le peuple, en ces temps-là. Par leur enseignement d'obéissance à la Loi et du respect à la Parole de Dieu, ils aidèrent l'humanité à entrer en contact avec son Père Céleste.

64. Peuple: Ne trouvez-vous pas une grande similitude entre ces prophètes-là et ces orateurs-ci, par le biais desquels je m'adresse à vous en

ce moment? Je dépose également, sur les lèvres de ces derniers, l'essence de ma Loi, tout comme, d'ailleurs, mon inspiration vous parvient par leurs paroles, desquelles surgit le vibrant enseignement qui invite les multitudes à chercher leur Seigneur, par les voies les plus pures. Ils s'expriment sans craindre que, parmi les multitudes qui les écoutent, n'existent des curieux ou des fanatiques. Ils accomplissent leur mission en se dédiant au service de leur Père pour que, par leur entremise, Il s'adresse à l'humanité et offre ces leçons qui ouvriront, aux hommes, de nouveaux chemins de lumière.

65. Peuple: Il existe peut-être non seulement une grande ressemblance entre ces prophètes-là et ces porte-paroles-ci, mais aussi une parfaite relation entre eux: les premiers annoncèrent les seconds et, ce que ceux-là pronostiquèrent il y a longtemps, ces serviteurs-ci le contemplent à présent. (162, 9-11)

66. Tous mes prédicateurs n'ont pas su ou n'ont pas souhaité se mettre à ma disposition pour me servir et, à maintes reprises, j'ai du envoyer ma lumière vers leurs entendements impurs, occupés dans la voie du superficiel, voire dans celle du péché. Dans leur faute ils ont connu ma justice, parce que leur esprit s'est vu privé de toute inspiration et leurs lèvres, de toute éloquence, pour exprimer le divin message.

67. Dans ces cas, la multitude s'est bouchée l'oreille devant ces pauvres manifestations, mais en revanche a

ouvert son esprit pour sentir en lui ma présence et recevoir mon essence. Le peuple alimenta l'essence que ma charité lui envoya en cet instant, mais la base retint un message qui ne jaillît pas de ses lèvres, obligeant la multitude à se communiquer d'esprit en Esprit avec son Maître, alors qu'elle était pas encore prête à recevoir mon inspiration de cette manière. (294, 49)

La forme des manifestations

68. La leçon du Maître commence toujours de la même manière, parce qu'elle recèle le même amour. Elle commence par l'amour et termine par la charité, deux mots dans lesquels se renferme tout mon enseignement. Ces sentiments élevés sont ceux qui donnent force à l'esprit pour atteindre les régions de la lumière et de la vérité. (159, 26)

69. Vous pouvez rétorquer que la forme extérieure du langage que j'ai exprimé au Second Temps est différente de celle que j'utilise à présent et, vous aurez raison en partie; parce que Jésus vous parla en son temps dans le cadre des termes et coutumes des peuples parmi lesquels il vécut, comme je le fais aujourd'hui, selon la mentalité de ceux qui écoutent ma parole, adaptant mon message aux époques. Ainsi l'essence qui découle de cette parole livrée en l'un et l'autre temps, est une seule et est inaltérable. Cependant, ceci est passé inaperçu de beaucoup car ils ont

le cœur endurci et l'esprit fermé. (247, 56)

70. Oh incrédules! Venez écouter fréquemment, et ma parole vaincra votre doute. Si la forme de ma parole vous paraît différente de celle que j'eus en ce temps, Je vous dis de ne pas vous arrêter devant la forme, l'aspect extérieur, mais bien que vous en recherchiez le sens qui, lui, est resté le même.

71. L'essence et le sens sont toujours un tout, parce que le divin est éternel et immuable; mais la forme sous laquelle vous parvient la révélation ou par laquelle je vous fais connaître une autre partie de la vérité, celle-là se présente toujours en accord avec la capacité ou l'évolution que vous avez atteinte. (262, 45)

La présence d'êtres de l'Au-Delà dans les enseignements du Christ

72. En vérité je vous dis que dans les moments où ma parole vibre pour l'entendement de l'homme, des milliers et des milliers d'êtres désincarnés assistent, ici, à ma manifestation et écoutent ma voix; leur nombre est toujours supérieur à celui des hommes qui se présentent sous forme de matière. Tout comme vous, ils sont en train de sortir lentement des ténèbres pour entrer au Royaume de la lumière. (213, 16)

73. Ma parole, vous l'écoutez sur la Terre, par le biais de l'entendement humain et, à un niveau supérieur, d'autres esprits habitants de celle-ci

l'écoutent également De même qu'à d'autres niveaux supérieurs, les esprits qui y résident l'entendent; parce que ce concert, que le Père commence avec les esprits au Troisième Temps, est universel.

74. Je l'ai dit: Mon rayon est Universel, ma parole et mon essence le sont aussi et, depuis le niveau le plus élevé qu'aient atteint les esprits, ils écoutent là-bas. Quant à vous, vous m'entendez maintenant en cette communication diffusée de la forme la plus imparfaite, puisque par intermédiaire de l'homme.

75. C'est pour cela que je vous prépare à des communications supérieures et pour que, lors de votre pénétration en esprit, quittant cette Terre, vous puissiez alors vous réunir dans une nouvelle dimension pour écouter le concert que le Père entable avec votre esprit.

76. Aujourd'hui, vous existez sous forme de matière, récréant votre cœur et votre esprit à l'aide de cette parole et, ces êtres qui vous appartinrent sur la Terre, ceux que vous appelez encore père, époux, épouse, frère, enfants, parent ou ami se trouvent aujourd'hui à d'autres niveaux, écoutent aussi la même parole. Mais, pour eux, son sens est différent, tout comme son essence, même lorsqu'ils expérimentent la même joie, le même agrément, le même souffle, le même pain. (345, 81-82)

77. Pour chaque monde, J'envoie un rayon spécifique de ma lumière; à vous, j'ai fait parvenir cette lumière

sous forme de parole humaine et, à d'autres demeures, ma lumière parvient par l'inspiration.

78. Tous les esprits s'uniront dans la lumière de ce rayon divin, le convertissant en une échelle qu'ils graviront marche après marche vers une même destination, le royaume spirituel promis à vous tous, particule spirituelle de ma Divinité. (303, 13-14)

Exhortations et promesses

79. Mon royaume descend sur l'humanité souffrante et ma parole résonne par le biais des élus de ce temps, afin que ceux qui écoutent se convertissent en la consolation des humains.

80. En tous temps j'ai eu des intermédiaires entre les hommes et ma Divinité; je me suis servi des paisibles au cœur humble. Je prépare des nouveaux messagers de mes enseignements, afin que cette bonne nouvelle représente, pour les hommes, le réveil à la vie spirituelle.

81. Combien de ceux qui sont qualifiés pour accomplir une noble mission spirituelle sont endormis, disséminés de par le monde! Beaucoup, un jour, se réveilleront, et manifesteront leur progrès spirituel en se convertissant en êtres utiles pour leurs semblables, dans la noblesse de leurs sentiments. Ils seront humbles et jamais ne se vanteront de quelconque supériorité. (230, 61-63)

82. Mon Œuvre doit parvenir propre et immaculée à l'humanité, afin que celle-ci se lève pour accomplir ma Loi, en embrassant la croix de sa rédemption.

83. J'ai promis aux hommes et à toute l'humanité (et je l'accomplirai, parce que ma parole est royale) que je leur enverrai le blé doré de ma parole par intermédiaire de mes disciples et elle leur servira de préparation pour qu'ils puissent très vite se réjouir de la communication d'esprit à Esprit, ainsi conclue, je ne reviendrai plus me communiquer, ni ici ni ailleurs, par l'entendement d'un prédicateur. (291, 43-44)

Chapitre 5 – Le motif de la nouvelle Révélation Divine

Volonté de Dieu pour la rédemption

1. S'il n'y avait pas d'ignorance dans le monde, si le sang ne se répandait pas, si la souffrance et la misère n'existaient pas, il n'y aurait aucune raison pour que mon Esprit se matérialise en se rendant perceptible par vos sens. Mais, vous avez besoin de moi! Et je sais qu'en ces instants seul mon amour peut vous sauver, et c'est pour cela que je suis venu.

2. Si je ne vous aimais pas, que m'importerait que vous vous perdiez et que m'importerait votre douleur? Mais, je suis votre Père, un Père qui ressent en lui la douleur de ses enfants, parce que chaque enfant est une émanation de Lui. Pour ceci je viens vous donner, dans chacune de mes paroles et inspirations, la lumière de la vérité qui représente la vie pour l'esprit. (178, 79-80)

3. Et me voici parmi vous, qui appelle votre cœur. Croyez-vous que ma paix est totale lorsque je vous vois constamment en guerres? Pour cela, je suis venu comme un grand guerrier, afin de lutter contre les ténèbres et le mal. Et les esprits du bien, le Monde Spirituel, m'ont aussi accompagné, pour achever mon œuvre. Combien de temps cette lutte durera-t-elle? Jusqu'à ce que tous mes enfants soient sauvés. Je n'ai pas apporté la douleur souffrance, je veux juste vous transformer avec amour. (268, 31)

4. Ma parole, une fois de plus et comme jadis, incommodera les hommes, mais je leur dirai la vérité. Sans dénoncer personne, j'ai traité d' «hypocrite» l'hypocrite, appelé « adultère » l'adultère et nommé l'inique «l'inique». La vérité avait été maltraitée et il est impérieux qu'elle resplendisse. Comme aujourd'hui où la vérité a été cachée, et pour ce motif elle doit surgir à nouveau devant les yeux des hommes.

5. Ma nouvelle venue, je l'annonçai et la promis à mes disciples, non pas une seule fois, sinon en maintes occasions et sous diverses formes. Je leur prophétisai les signes annonciateurs de mon arrivée: signes de la nature, événements parmi l'humanité, guerres mondiales, et le péché à son point culminant. Afin que le monde ne se confonde pas en m'attendant à nouveau en tant qu'homme, je leur fis savoir que le Christ viendrait au-dessus du nuage, comme aérien, c'est-à-dire, sous forme d'Esprit.

6. Cette promesse a été accomplie; voici le Maître en Esprit qui s'adresse au monde. Voici celui qui possède la paix et le royaume de lumière, qui vient construire une arche immensément grande, dans laquelle les hommes puissent trouver refuge et se sauver, comme dans les premiers temps, lorsque Noé construisit l'arche

pour recueillir la semence humaine. (122, 52-53)

7. La forme que J'ai adoptée pour venir me manifester en cette époque-ci est différente à celle du Deuxième Temps, mais mon dessein est le même: Sauver l'humanité, l'éloigner de ce tourbillon qu'elle a rencontré au passage et duquel elle n'a pu se libérer.

8. La tentation s'est déchaînée avec toute sa force et l'homme, comme un enfant trop faible, y a succombé et connu de grandes souffrances. Il boit son calice d'amertume et, au beau milieu de sa confusion, me réclame, alors que le Père est à son côté.

9. Dans ce calice subsiste encore la lie, mais Moi je vous aiderai à supporter ces douleurs, conséquence de votre désobéissance. Bienheureux vous qui m'écoutez, parce que vous serez forts! Mais, que feront les autres lorsque cette grande douleur les atteindra? Leur esprit succombera-t-il par manque de foi? La prière d'Israël* doit les soutenir. (337, 38)

10. Je viens vous chercher avec un amour infini. J'ai déposé en votre esprit tant de grâce et de dons, que je ne suis pas disposé à perdre aucun de mes enfants. Vous faites partie de mon Esprit, vous représentez quelque chose de mon être. Celui qui vous

cherche avec autant d'effort et autant d'amour, est-il mauvais?

11. Chaque fois que je descends pour vous livrer ma parole, je rencontre des derniers parmi les multitudes, ce sont ceux qui me questionnent le plus dans leur cœur, et Je les complais en répondant toujours à leurs interrogations.

12. Aujourd'hui, les derniers m'interrogent sur la finalité de ma nouvelle venue, à laquelle je réponds que le but est de former l'homme pour qu'il retourne par même à sa pureté originale. (287, 19-20)

Elimination d'erreurs et cultes superficiels

13. Le Troisième Temps est arrivé en force pour l'humanité. Deux mille ans environ se sont écoulés depuis que je vins vous offrir ma parole, et cette Doctrine, malgré le temps passé, n'a pas encore été reconnue par toute l'humanité, parce que je ne suis pas aimé de tous mes enfants; cependant, tous me rendent le culte, tous recherchent un seul Esprit Divin: le Mien. Mais je ne vois pas d'unification entre les hommes, je ne vois pas la même foi en eux, la même élévation et la même connaissance, et c'est pour cela que je viens comme Saint-Esprit afin de les unifier en Moi, pour les perfectionner au moyen de ma Doctrine de vérité, avec ma parole immuable, avec ma Loi de justice et d'amour. (316, 4)

14. L'aveuglement de la pensée, le manque de foi, l'ignorance de la

---

* 5,9 Dans cette oeuvre, le Seigneur dénomme "Israël" le nouveau peuple de Dieu, l'"Israël Spirituel", et non les habitants de l'actuel état d'Israël, ni le peuple juif en général. (Voir chapitre 39)

vérité constituent des ténèbres pour l'esprit, à cause desquelles l'humanité, aujourd'hui, se retrouve perdue. Combien se sont multipliés les hommes qui marchent sans savoir où ils vont, et sans d'ailleurs que cela les préoccupe!

15. Je savais que, pour les hommes, un tel temps devait arriver, plein de douleur, de confusion, d'incertitude et de méfiance. Je vous promis de venir vous sauver de ces ténèbres et, me voici: c'est Moi l'Esprit de vérité. Pourquoi me souhaitez-vous de nouveau en homme? Ne vous souvenez-vous pas que je mourus en tant qu'homme et que je vous dis que je vous espérais en mon Royaume? Ainsi vous laissais-je entendre que l'esprit est éternel et immortel.

16. Ma parole en ce temps vient pour vous rappeler le passé, pour vous révéler les mystères et vous annoncer l'avenir. Elle corrigera tout ce que les hommes ont faussé et dénaturé, parce que Moi, jaloux de la vérité, je viens muni de l'épée de ma jalousie et ma justice pour démolir tout ce qui est faux, détruire l'hypocrisie et le mensonge, et pour expulser à nouveau les marchands du temple de la vérité.

17. Comprenez que, pour atteindre votre salut, vous ne devez pas chercher la vérité dans des livres, dans des conseils ou les commandements des hommes.

18. Tous vous devez être sauvés, car je n'en rencontre aucun qui soit déjà sur la terre ferme. Vous êtes tous des naufragés au beau milieu d'une nuit de tempête, au cours de laquelle chacun lutte pour soi sans penser à son frère, parce que sa propre vie est en danger.

19. Et, en vérité je vous le dis: Je suis votre unique Sauveur, celui qui, une fois de plus, vient à la recherche de ceux qui se sont perdus, parce qu'ils s'éloignèrent de la route de la Loi; je viens illuminer votre chemin pour que vous arriviez à terre, cette terre bénite qui vous attend, parce qu'en son sein, elle garde des trésors infinis pour l'esprit. (252, 37-40)

20. Si, en ce temps-là, on interpréta mal les commandements divins, on y faussa également ma Doctrine. Il fut nécessaire que le Maître vienne à nouveau pour vous aider à sortir de vos erreurs, puisque par vous-mêmes, peu sont ceux qui parviennent à se libérer des confusions.

21. Il est vrai que Je vous promis, depuis ce temps-là, de revenir; mais je dois aussi vous ajouter que cette promesse, Je la fis parce que je savais qu'un jour, l'humanité, en croyant vivre dans le cadre de mes enseignements, en serait, au contraire, très éloignée. Et c'est ce temps que j'annonçai pour mon retour. (264, 35-36)

22. Au cours du Second Temps, le Christ, celui-là même qui vous parle en cet instant, se fit homme et habita la Terre. Mais, à présent, il est parmi vous en Esprit, accomplissant de la sorte une promesse qu'il avait faite à l'humanité, celle de venir à une nouvelle époque, pour apporter le

suprême soulagement et la lumière de la vérité, éclaircissant et expliquant aux hommes tout ce qui leur avait été révélé. (91, 33)

23. L'humanité est désorientée, mais Moi je suis venu pour la guider avec la lumière du Saint-Esprit, et afin qu'elle reconnaisse ma parole en son essence.

24. Au fil du temps, ces écrits, que laissèrent mes disciples, ont été altérés par les hommes, c'est pour ce motif que les religions sont divisées. Mais, Je suis venu clarifier tous mes enseignements pour unifier l'humanité dans une seule lumière et une seule volonté. (361, 28-29)

25. Aujourd'hui, une nouvelle étape s'ouvre au monde, au cours de laquelle l'homme recherchera une plus grande liberté de pensée, il luttera pour briser les chaînes de l'esclavagisme que son esprit a traînées. C'est le temps où vous verrez les peuples franchir les barrières du fanatisme en quête d'aliment spirituel et de véritable lumière. Et Je vous dis que celui qui parvient, l'espace d'un instant, à faire l'expérience du bonheur en se sentant libre pour méditer, analyser et mettre en pratique, jamais ne retournera de son plein gré à sa captivité. Parce que, désormais, ses yeux virent la lumière, et son esprit s'extasia devant les révélations divines. (287, 51)

26. Je savais qu'au fil des générations, les hommes mystifieraient ma Doctrine, adultéreraient ma Loi et falsifieraient la vérité; je savais que les hommes oublieraient ma promesse de revenir et qu'ils cesseraient de se considérer frères en se tuant les uns les autres avec les armes les plus cruelles, lâches et perverses.

27. Mais, voilà enfin le temps arrivé et le jour promis. Me voici! Ne jugez pas la forme que j'ai choisie pour me communiquer avec vous; ce n'est pas le monde qui me va me juger, sinon Moi qui jugerai l'humanité, parce qu'à présent est arrivé le temps de son jugement.

28. Je viens établir un royaume dans le cœur de l'humanité, non pas un royaume matériel, comme beaucoup l'attendent, mais plutôt spirituel, dont la force provient de l'amour et la justice, et non des pouvoirs avides du monde.

29. Je vois qu'il y en a qui s'étonnent en m'écoutant parler de la sorte, mais, Moi je vous demande: Pourquoi devez-vous toujours m'imaginer revêtu de soies, d'or et de pierreries? Pourquoi, en toutes époques, voulez-vous que mon Royaume soit de ce monde, alors que je vous révélai le contraire? (279, 61-64)

30. Je vous ai prédit que la lutte sera intense, parce que chacun a la firme conviction que sa religion est parfaite et que sa manière de la pratiquer est impeccable. Mais laissez-moi vous dire que, s'il en était ainsi, Je n'aurais

aucune raison de venir m'adresser à vous maintenant.

31. Je suis en train de vous inspirer une Doctrine profondément spirituelle, parce que je vois que le paganisme domine en vos cultes, et que la mauvaise graine du fanatisme vous a envenimé d'ignorance et de haines.

32. J'ai dans la main droite, mon épée de lumière; je suis le guerrier et le Roi qui vient détruire tout ce qui est défavorable, tout le mal qui existe et tout ce qui est faux. Lorsque mon combat aura cessé et que les cœurs auront appris à s'unir pour prier et pour vivre, alors le regard de votre esprit découvrira ma présence dans la lumière infinie et la paix éternelle. Je vous dirai: «Ceci est mon Royaume, et Je suis votre Roi, parce que pour cela j'existe et pour cela, je vous ai créés: pour régner». (279, 72-74)

Eclaircissement à propos de la vie véritable

33. Tous les hommes savent que je suis le Père de toute la création et que le destin des êtres est en Moi; cependant, je n'ai reçu d'eux, ni leur attention, ni leur respect. Parce qu'ils créent, ils s'imaginent être des seigneurs, convaincus de leur pouvoir sur le destin de leurs semblables. Ainsi, pourquoi s'inclineraient-ils devant Moi?

34. En agissant de la sorte, l'homme a mis ma patience à l'épreuve et a défié ma justice. Je lui ai laissé le temps de trouver la vérité, mais il n'a rien voulu de Moi. Je vins en tant que

Père et on ne m'aima pas; par la suite, je vins en tant que Maître et on ne me comprit pas. Mais, étant donnée la nécessite de sauver l'humanité, cette fois, je viens en tant que juge. Je sais que l'homme reniera ma justice parce qu'il ne me comprendra pas non plus en tant que juge, et il dira que Dieu s'est vengé.

35. Je voudrais que tous comprennent que Dieu ne peut encourager des sentiments vindicatifs parce que son amour est parfait et qu'il ne peut envoyer la douleur souffrance. Vous vous attirez, vous-mêmes, la souffrance, par votre péché. Ma justice divine est bien au-dessus de votre douleur et bien au-delà de votre mort. La douleur, les fautes, obstacles, difficultés, les échecs sont les épreuves que l'homme se crée, et il récolte les fruits de sa semence. En chacun de ces moments critiques, il Me suffit de faire parvenir ma lumière jusqu'à votre esprit pour qu'il puisse se sauver. (90, 5-7)

36. L'esprit de Vérité descend pour déchiffrer les mystères et vous révéler les connaissances nécessaires afin de jouir de la vie véritable. Il est le soulagement divin qui se répand sur vos souffrances, pour vous témoigner que le jugement divin n'est ni un châtiment, ni une vengeance, mais bien un jugement d'amour pour vous emmener à la lumière, à la paix et au bonheur. (107, 24)

37. Sachez que celui qui parvient à comprendre et connaître un peu de ce

qui est réservé à ceux qui s'élèvent, ne pourra désormais plus éloigner son esprit de cette lumière qui lui fut révélée. Ainsi qu'il pénètre des demeures inconnues ou retourne une et autre fois de plus à la Terre, ce qu'un jour il reçut comme un éclair divin, surgira à chaque pas, de son être le plus pur, comme pressentiment, comme un doux réveil ou comme un cantique céleste qui inondera le cœur de bonheur, comme un désir ardent de retourner à la mansion spirituelle. C'est la signification de ma Doctrine pour les esprits qui retournent à cette vie. Apparemment, l'esprit oublie son passé mais, en réalité, il ne perd pas la connaissance de mon enseignement.

38. A ceux qui doutent de ce que ce soit le Verbe Divin qui vous parle en ce même instant et de cette manière, je leur dis que, s'ils ne souhaitent pas me dénommer ainsi, que s'ils ne désirent pas attribuer cette parole au divin Maître, alors qu'ils considèrent l'essence de cette leçon et qu'ils en analysent chaque pensée. Et si, en méditant ce qu'ils ont écouté, ils n'en concluent pas qu'elle renferme lumière et vérité pour l'humanité, qu'ils la considèrent simplement comme principe de vie sur la Terre, cela les aidera à transformer leur vie.

39. Je sais que je vous offre la véritable sagesse. Ce que les hommes créent n'affecte en rien ma vérité, mais il est nécessaire que l'homme soit certain de ce qu'il croit, de ce qu'il sait et de ce qu'il aime. C'est pour cela que j'en arrive quelquefois,

dans mes manifestations, à me mettre au niveau de l'humanité, pour parvenir à ce qu'elle me reconnaisse. (143, 54-56)

40. Le concept que se font de Moi les hommes est très limité. Leur connaissance du spirituel très faible et leur foi est très petite.

41. Les religions s'endorment dans le sommeil des siècles, sans progresser et, lorsqu'elles se réveillent, seulement elles s'agitent intérieurement sans oser briser la clôture qu'elles se sont créées avec leurs traditions.

42. Ce seront les humbles, les pauvres, les gens simples et ignorés qui quitteront cette orbite, en quête de lumière, d'atmosphère pure, de vérité et de progrès. Ce seront eux qui agiteront la cloche en sonnant l'alerte, lorsqu'ils percevront arrivée des temps de mes nouvelles révélations, au cours de l'Ere de Spiritualité.

43. L'humanité souhaite découvrir le mystère de la vie spirituelle, de cette existence qu'il faudra irrémissiblement pénétrer et qui, pour cette même raison, l'intéresse de connaître.

44. Les hommes interrogent, supplient, implorent, demandant la lumière par charité, car ils ressentent la nécessite de se préparer mais, pour toute réponse, on leur dit que la vie spirituelle est un mystère et que prétendre en lever le voile constitue une témérité et un blasphème.

45. En vérité je vous dis que ces assoiffés de vérité et de lumière ne

trouveront pas dans le monde la fontaine dont les eaux apaisent leur soif. Je serai Celui qui, depuis les cieux, répandra ces eaux de sagesse que les esprits sont tant avides de boire. J'inonderai de ma fontaine de vérité tout esprit et toute intelligence afin de détruire les mystères car, une fois de plus, je vous dis que ce n'est pas Moi le responsable des mystères pour les hommes, sinon que ce sont les hommes eux-mêmes qui les ont créés.

46. C'est bien qu'il existe toujours quelque chose en votre Père que jamais vous ne découvrirez, si vous considérez que Dieu est infini et que vous-autres ne représentez que des particules; néanmoins, Je n'ai pas prescrit que vous deviez ignorer qui vous êtes, dans l'éternité, ou que vous deviez représenter un mystère impénétrable pour vous-mêmes, ou encore qu'il vous faille attendre d'entrer dans cette vie spirituelle pour la connaître.

47. Il est vrai que, dans les temps passés, on ne parla pas de cette manière, ni que l'on vous invitât à pénétrer la lumière des connaissances spirituelles; mais antérieurement, l'humanité n'éprouva pas le besoin impérieux de comprendre ce qu'elle ressent à présent. Elle n'était pas formée ni spirituellement ni mentalement pour savoir, et si on s'est toujours interrogé, ce fut davantage par curiosité que par véritable soif de lumière.

48. Pour que les hommes trouvent le chemin qui les mène à cette lumière et pour qu'ils soient en conditions de recevoir ces eaux de la fontaine de la vie et de la sagesse, ils devront, auparavant, abandonner tout culte extérieur et effacer tout fanatisme de leur cœur. Lorsqu'ils commenceront à sentir en leur cœur la présence du Dieu vivant et omnipotent, alors ils sentiront échapper, du plus profond de leur être, une prière nouvelle, inconnue, pleine de sentiment et de sincérité, d'élévation et de tendresse. Elle sera la véritable prière, révélée par l'esprit.

49. Ce sera le début de son élévation vers la lumière, le premier pas sur le chemin de la spiritualité. Si l'esprit peut révéler à l'homme la véritable prière, il pourra également lui révéler tous les dons qu'il possède, aussi bien que la manière de les développer et les mettre sur la voie de l'amour. (315, 66-75)

50. Vous pourrez rencontrer, dans ma manifestation, les mêmes enseignements du Second Temps. Mais, en cette ère, je suis venu avec la lumière de mon Esprit-Saint, pour vous révéler l'insondable et, dans la communication d'esprit à Esprit, je continuerai de vous révéler des leçons nouvelles et importantes. Je vous ferai connaître tout le contenu du Sixième Sceau, c'est cette phase de révélations qui vous préparera pour le moment auquel j'ouvrirai le Septième Sceau. Ainsi connaîtrez-vous l'insondable, ainsi vous rendrez-vous compte que la vallée spirituelle est la demeure de tous les esprits, la mansion infinie et

merveilleuse qui vous attend dans l'Au-Delà, où vous serez récompensés pour les œuvres d'amour et de charité que vous aurez prodiguées à vos frères. (316, 16)

Le développement, la spiritualité et le salut de l'homme

51. Je ne vous prodigue pas mon enseignement seulement pour freiner moralement votre matière, si ce n'est que, grâce à lui, vous pourrez escalader les plus hauts sommets de votre perfection spirituelle.

52. Je ne viens pas parmi vous en créant une nouvelle religion. Cette Doctrine ne vient pas désavouer les religions existantes lorsque celles-ci sont basées sur ma vérité. Ceci est un message d'amour divin à l'égard de tous, un appel à toutes les institutions. Qui comprendra le propos divin et suivra mes préceptes se sentira guidé vers le progrès et l'élévation de son esprit.

53. Tant que l'homme ne comprendra la spiritualité qu'il doit avoir dans sa vie, la paix dans le monde sera très loin d'être une réalité. En revanche, celui qui accomplira ma Loi d'amour ne craindra ni la mort, ni le jugement de son esprit. (23, 12-13)

54. Je ne suis pas venu vous faire ces révélations uniquement pour vous apporter la paix du monde et alléger les souffrances par le baume corporel. En me manifestant, Je suis venu vous livrer les grandes leçons qui ont trait à votre évolution spirituelle. Parce qu'en réalité je vous le dis, si j'étais venu seulement pour vous dévoiler les biens du monde, il m'aurait suffit d'en charger les scientifiques, que j'aurais illuminés par le biais de l'intuition, leur révélant les secrets de la Nature, pour qu'ils puissent appliquer le baume pour guérir vos maladies corporelles.

55. Mon Œuvre vient vous montrer de bien plus amples horizons, bien au-delà de votre planète, de ce nombre infini de mondes qui vous entourent; des horizons sans fin qui vous montrent le chemin de l'éternité qui vous appartient. (311, 13-14)

56. Ma Doctrine spirituelle a plusieurs objectifs ou missions: la première de ces missions est de consoler l'esprit dans son exil en lui faisant comprendre que le Dieu qui le forma l'attend éternellement en son Royaume de Paix; l'autre mission consiste en lui faisant prendre conscience des nombreux dons et facultés dont il peut disposer pour atteindre son salut et son élévation dans le perfectionnement.

57. Cette parole apporte le message de spiritualité qui ouvre les yeux aux hommes afin qu'ils regardent, en face, la réalité qu'ils croient trouver seulement dans ce qu'ils voient, touchent ou démontrent au moyen de leur science humaine, sans se rendre compte qu'ils dénomment « réalité » ce qui en fait n'est qu'une vision passagère et illusoire. En même temps ils méconnaissent et renient l'«éternel», porteur de la véritable réalité.

58. Laissez ce message se transmettre de nation en nation, de maison en maison, en laissant sa semence de lumière, de consolation et de paix, pour que les hommes s'arrêtent quelques instants et concèdent une trêve à leur esprit, trêve indispensable pour que celui-ci médite et se souvienne que n'importe quel instant peut lui signifier son retour à la vallée spirituelle et que, de ses œuvres et semailles dans le monde, dépend le fruit qu'il cueillera, à son arrivée dans la vie spirituelle. (322, 44-46)

Chapitre 6 – Le Troisième Testament et le Grand Livre de la Vie

Le livre de l'amour, la vérité et la sagesse de Dieu

1. Le livre de ma parole est le livre de l'amour divin et véritable. En lui vous trouverez la vérité immuable. Recourez à lui et vous rencontrerez la sagesse qui vous aide à évoluer et atteindre la paix éternelle. Il ne faudra pas que quelqu'un en altère ou modifie son essence, et enfreigne gravement ma Loi en quittant ou ajoutant un seul mot qui soit en désaccord avec ma Doctrine parfaite.

2. Maintenez cette parole dans sa pureté originale, parce qu'elle est le plus bel héritage que je léguerai à l'homme. Ecrivez mon enseignement et faites-le connaître à vos frères, conservez-le fidèlement parce que vous en êtes les héritiers, responsables.

3. Demain, l'homme trouvera en elle l'essence de ma révélation, laquelle le mènera, à la lumière de ses enseignements, sur le chemin de la vérité.

4. Ces écritures seront léguées de pères en fils, comme une source d'eau vive, dont le courant jaillira inépuisable, allant de cœur en cœur. Etudiez, dans le grand Livre de la Vie, le livre de la spiritualité, celui qui vous expliquera les révélations divines que vous avez reçues au fil des temps.

5. Ne vous ai-je pas promis que toute connaissance serait restituée à sa vérité première? Eh bien! voici venu le temps qui vous fut annoncé!

6. En vérité, je vous le dis: Qui médite et analyse les enseignements de mon Livre, avec le véritable désir d'élever ses connaissances, acquerra la lumière pour son esprit et me sentira plus proche de lui.

7. Les mythes d'hier et d'aujourd'hui disparaîtront, le médiocre et le faux s'effondreront parce que viendra l'instant auquel vous ne pourrez déjà plus vous alimenter des imperfections. Alors s'élèvera l'esprit en quête de la vérité, pour que celle-ci lui serve d'unique «aliment», soutien.

8. Dans ces enseignements, l'humanité trouvera l'essence de mes révélations que, jusqu'à présent, elle n'a comprise par carence de spiritualité Depuis les temps anciens, je vous l'ai confiée par le biais de mes envoyés, mes émissaires, mes interprètes, et elle ne vous a servi que pour en former mythes et traditions. Méditez et étudiez cette leçon avec respect et amour si vous souhaitez éviter des siècles de confusion et d'amertume; mais souvenez-vous que vous n'accomplirez pas votre mission, si seulement vous vous limitez à posséder le livre. Bien au contraire, il doit vous réveiller et vous prodiguer ses enseignements, si réellement vous brûlez d'envie d'être mes disciples. Instruisez avec l'exemple, l'amour et

la charité que je vous ai enseignés. (20, 1-8)

9. Le livre de mon enseignement se compose des leçons qu'en son temps, je vous ai dictées par le biais de l'entendement humain. Avec ce Livre, l'humanité arrivera à reconnaître qu'avec «Le Troisième Testament», vous défendrez ma cause divine.

10. L'humanité seulement reconnaît la Loi du Premier Temps et ce qui est écrit dans l'Ancien et le Nouveau Testament, mais le Troisième viendra pour unifier et corriger ce que les hommes ont altéré par manque de préparation et de compréhension. L'humanité devra étudier mon message pour trouver, en pénétrant au fond de chaque mot, un seul idéal, une seule vérité, une même lumière qui la guidera vers la spiritualité. (348, 26)

11. Je viens vous révéler ce que l'homme de science ne peut vous enseigner, parce qu'il ne se connaît pas, il a dormi sur ses lauriers et ne s'est pas élevé vers Moi, à la recherche de ma sagesse.

12. Dans différentes sectes et religions, les cœurs des pasteurs se sont fermés, et ils ne purent enseigner la science spirituelle qui représente grandeur et richesse pour l'esprit.

13. J'ai vu que la Loi et les Doctrines, que je léguai jadis à humanité, sont occultées et ont été substituées par des rites, des cultes extérieurs et des traditions.

14. Mais vous, qui reconnaissez intimement que l'essence de cette parole est identique à celle que reçut Israël sur le Mont Sinaï est la même que les multitudes écoutèrent des lèvres de Jésus au Second Temps, vous serez ceux qui, par votre culte et vos œuvres, enseignerez qu'il ne faut pas oublier la Loi divine, en accordant la préférence à de sottes traditions qui ne bénéficient pas à l'esprit. (93, 10-13)

15. Je vous ai rappelé les noms de mes envoyés, par lesquels vous avez reçu messages, commandements, prophéties et leçons.

16. Ainsi, en une seule leçon, les ai-je toutes résumées.

17. Le Spiritualisme est l'héritage qui unit les Trois Testaments en un seul livre spirituel. (265, 62-64)

18. Cette Doctrine, qui par le fait de révéler le spirituel s'appelle spiritualiste, est la voie tracée pour l'homme, par laquelle il en arrivera à connaître, servir et aimer son Créateur. C'est le livre qui enseigne aux hommes d'aimer le Père en leurs propres semblables. Le Spiritualisme est une loi qui dicte ce qui est bon, pur et parfait.

19. Obéir à cette loi est le devoir de tous. Cependant elle ne contraint personne à la respecter, parce que chaque esprit jouit de liberté dans sa volonté, afin que sa lutte et tous ses actes puissent être considérés en tant que mérites propres, à l'heure du jugement.

20. Considérez alors cette Doctrine comme la flamme de l'amour divin

qui a illuminé et réchauffé chacun de mes enfants, du premier au dernier. (236, 20-22)

La relation entre le Spiritualisme et la doctrine de Jésus-Christ

21. La Doctrine Spiritualiste n'est pas une théorie. Elle constitue un enseignement pratique, tant pour la vie humaine que pour la vie de l'esprit. Il n'existe aucun enseignement plus complet et plus parfait qu'elle. Elle vous accompagne depuis bien avant votre arrivée sur la Terre, vous suit tout au long de votre passage dans ce monde et se fond avec votre esprit lorsque celui-ci retourne à sa première demeure.

22. Je ne serai pas Celui qui écarte la liturgie et les traditions de vos cultes, ce sera plutôt l'esprit de l'homme qui, sans s'en rendre compte, s'élèvera au-dessus de ses conceptions anciennes, devant la nécessité de plus de lumière pour éclairer le sentier de son évolution. Très vite l'homme comprendra qu'il ne peut présenter, à Dieu, que la pratique de l'amour, puisque prononcer l'amour est prononcer le bien, la charité, la sagesse et la justice.

23. Le Spiritualisme ne vient effacer aucune des paroles que le Christ prêcha en son temps, dans le cas contraire, il ne pourrait se dénommer ainsi puisqu'il s'opposerait à la vérité. Comment les deux paroles pourraient-elles s'opposer puisqu'elles furent prononcées par le même Maître? Si vous pénétrez vraiment le sens de cette Doctrine, vous vous rendrez compte de ce que ma parole d'aujourd'hui est l'explication ou la clarification de ce que je dis en ce temps-là. Pour cela, l'humanité actuelle et celle du futur remplissent les conditions pour comprendre davantage que les générations antérieures, et par conséquent, obéir à la Loi de manière plus pure, élevée et véritable.

24. Si vous observez, avec attention, vos frères en leur culte, vous verrez à quel point ce qui fut jadis objet de leur adoration, ils le considèrent aujourd'hui avec indifférence. C'est le réveil de l'esprit par lui-même et qui recherche ce qui réellement peut l'alimenter, c'est pourquoi je vous dis que le culte externe de cette humanité est voué à disparaître. (283, 27-30)

25. Dans ce livre humble et simple, mais débordant de lumière divine, les hommes trouveront l'explication de tous leurs doutes; ils trouveront le complément des enseignements qui, aux temps passés, ne furent révélés qu'en partie, et trouveront la forme claire et simple d'interpréter tout ce qui était occulté au sens figuré dans les textes anciens.

26. Celui qui, à la réception de cette missive spirituelle, se persuade de la véracité de son contenu et se lève pour combattre sa matérialité, son idolâtrie et son fanatisme, en nettoyant son entendement et son cœur de toutes ces impuretés, libérera son esprit en lui proportionnant bonheur et paix, parce qu'il pourra désormais lutter pour conquérir

l'éternité qui l'attend. Mais, ceux qui persistent dans leur culte externe, ceux qui s'obstinent à aimer tous les plaisirs du monde au lieu de croire en le développement de l'esprit, en vérité, je vous le dis ils resteront en arrière et pleureront lorsqu'ils se rendront compte de leur retard et de leur ignorance. (305, 4-5)

Discussions à propos de la Nouvelle Parole

27. Si ma Doctrine vous parait étrange, au point de penser que, Me connaissant, jamais vous n'aviez entendu ces paroles, je vous dis que votre étonnement sera le résultat de votre négligence pour n'avoir pas voulu pénétrer le fond de ce que je vous révélai aux temps passés. Pour cela, cette Doctrine vous paraîtra étrange ou nouvelle, alors qu'en réalité, cette lumière a toujours été présente dans votre vie. (336, 36)

28. A l'instar du Second Temps, ma Doctrine émouvra également l'humanité en ce temps actuel. Les hypocrites devront s'affronter à la sincérité. Le masque de la fausseté tombera et la vérité brillera. La vérité s'imposera face au mensonge qui enveloppe le monde.

29. L'homme sera qualifié pour comprendre et reconnaître tout ce qui renferme raison et vérité, et, tout ce qu'il fut obligé de croire, même sans le comprendre, il le rejettera. Pour cela, ma Doctrine se répandra, parce qu'elle déborde de la lumière dont les hommes ont besoin. Vous aurez un grand rôle à jouer dans cette oeuvre, en révélant à vos frères leur principe et leur fin. (237, 28-29)

30. L'humanité est avide de ma parole, de ma vérité; les hommes réclament et désirent ardemment que la lumière parvienne à leur entendement, ils crient justice et attendent une consolation. Ce temps-ci est décisif; en vérité, je vous le dis beaucoup d'idées, de théories et jusqu'à des dogmes, considérés durant des siècles comme des vérités, s'effondreront et seront laissés pour compte. Le fanatisme et l'idolâtrie seront combattus et exterminés par ceux-là mêmes qui y étaient le plus mêlés et attachés; les enseignements de Dieu seront entendus, sa lumière, son contenu et son essence seront compris et ressentis.

31. Les hommes de science, après un temps d'expériences au cours duquel ils souffriront de très grandes confusions, découvriront ce qu'ils n'avaient jamais osé rêver, parce que se fera la lumière dans leur esprit et qu'ils écouteront la voix de leur conscience.

32. Une nouvelle fois, je vous le dis: veillez, parce qu'en temps de luttes de croyances et de doctrines, de religions et de sciences, beaucoup d'hommes croiront que leur savoir, issu des livres, sera l'arme avec laquelle ils peuvent vaincre mes nouveaux disciples. Sachant que vous, vous n'emportez pas de livres. (150, 11-13)

33. Disciples, je vous ai dit que vous devrez vous regarder face à face avec les grandes religions et avec les sectes mineures; mais, en présence des unes et des autres, n'ayez aucune crainte. La vérité que je vous ai confiée est diaphane, la parole que je vous ai enseignée est claire et simple en surface, mais profonde jusqu'à l'infini quant à son contenu. Elles représentent des armes puissantes avec lesquelles vous combattrez et grâce auxquelles vous vaincrez.

34. Cependant, je vous le dis: Un peuple de la Terre se lèvera, plein de matérialisme et d'incrédulité, qui vous niera le droit de vous appeler Israël, qui reniera votre témoignage d'avoir reçu la nouvelle venue du Messie. Et ce peuple est le peuple juif. N'avez-vous pas songé à lui? Ce peuple attend, en son sein, l'arrivée de son Messie, de son Sauveur, de celui qui lui rende justice et le repositionne à nouveau au-dessus de tous les peuples de la Terre. Ce peuple sait que toujours je suis venu à lui et, en ce Troisième Temps, dira: "Pourquoi Dieu devait-il venir à un autre peuple?" Mais, voici mes enseignements. (332, 10)

35. Ce peuple spiritualiste vit ignoré. Le monde ne connaît pas votre existence, les grands ne vous remarquent pas, mais il se précise une lutte entre spiritualistes et chrétiens, entre spiritualistes et juifs. Cette lutte est nécessaire à l'établissement de ma Doctrine dans toute l'humanité. Alors s'uniront, en une seule et unique essence l'Ancien Testament, le Second et le Troisième.

36. Pour beaucoup d'entre-vous, cela paraîtra impossible; pour Moi, c'est ce qu'il y a de plus naturel, juste et parfait. (235, 63-64)

Le Grand Livre de la Vie Véritable

37. Ma parole demeurera écrite pour tous les temps, grâce à elle vous formerez le livre du Troisième Temps, Le Troisième Testament, le dernier message du Père, parce que, pendant les trois ères Dieu a utilisé sa plume d'or* pour léguer sa sagesse à l'humanité.

38. Moise fut la première plume d'or. Le Père s'en servit pour graver en lettres caractères ineffaçables, dans un livre, les faits du Premier Temps: Moise fut la plume d'or de Jéhovah.

39. Parmi mes apôtres et partisans du Second Temps, Jésus eut quatre plumes; ce furent: Mathieu, Marc, Luc et Jean. Elles furent reconnues comme les plumes d'or du Divin Maître, lorsque arriva le moment d'unir le Premier Testament au Second, avec des liens d'amour, de reconnaissance et de progrès spirituel, alors un seul livre se forma.

40. A présent, au Troisième Temps, où vous entendez à nouveau ma parole, j'ai aussi nommé les plumes d'or pour que le message demeure écrit.

---

* 6, 37 Ainsi sont désignés ces participants dans les chaires Divines, dont la tâche consistait à prendre note de la parole du Seigneur, sous forme tachygraphique et mécanographique.

41. Une fois le moment venu, vous constituerez un seul livre. Le Livre du Troisième Temps, demeurera également, une fois le moment propice, uni au Livre des Second et Premier Temps et, de la sorte, regroupant les révélations, prophéties et paroles des Trois Temps, se constituera le grand Livre de la Vie, pour l'agrément de tous les esprits.

42. Alors vous reconnaîtrez que, depuis la première jusqu'à la dernière parole, toutes se sont accomplies en vérité et en esprit; que toutes les prophéties traduisirent l'histoire anticipée que le Père révéla à humanité. Parce que seul Dieu peut écrire les événements qui vont se produire. Lorsque les prophètes se sont exprimés, ce ne furent pas eux, mais bien Dieu qui s'est exprimé, par leur entremise.

43. J'ai suffisamment préparé mes nouveaux élus, comme le furent Moise et les quatre disciples du Second Temps, afin que ma parole soit gravée en toute limpidité, clarté et vérité, parce qu'elle est destinée aux générations de demain, et si quelqu'un voulait ajouter ou effacer quelque élément de ce livre, Moi, Je vous le réclamerai.

44. A présent, mes très chers enfants bien aimés: Qui attache de l'importance au Livre que vous êtes en train de former? Personne, en vérité! Mais, l'instant viendra où humanité, pleine d'anxiété, de curiosité, vous demande votre Livre et alors, cette même humanité se réveillera, analysera ma parole en profondeur et en débattra; au cours de cette lutte idées, se lèveront des factions, hommes de science, théologiens et philosophes. Le témoignage de votre parole et du Livre de la Sagesse sera présenté aux nations et tous parleront de ma Doctrine. Cela signifiera le début de la nouvelle bataille, de la guerre des mots, des pensées, des idées et, en fin de compte, lorsque tous auront reconnu, en vérité et en esprit, que le grand livre de la Vie a bien été écrit par le Seigneur, alors ils se rapprocheront avec fraternité et s'aimeront selon ma volonté.

45. Pourquoi la parole de Jehova au cours du Premier Temps n'a-t-elle pas suffi pour unifier le monde, ni d'ailleurs la Doctrine de Jésus au cours du Second? Pourquoi, en ce temps, n'a-t-il pas suffi que, depuis 1866, je me trouve en train de livrer ma parole, afin que les nations s'aiment et vivent en paix? Il est impérieux que les trois livres n'en forment qu'un seul, pour que cette parole illumine l'Univers. Alors, humanité tournera autour de cette lumière et la malédiction de Babel sera effacée à tout jamais, parce que tous les hommes liront le Grand Livre de la Vie Véritable, tous pratiqueront la même Doctrine et s'aimeront comme enfants de Dieu, en esprit et en vérité. (358, 58-66)

Chapitre 7 – Influence et signification de l'enseignement spirituel

L'effet des Révélations

1. Ici, devant cette parole, il n'existe aucun homme qui entremêle le dedans et le dehors de son être, autrement dit, dans l'esprit et dans la chair. C'est ici, en m'écoutant, qu'il pense à la vie, la mort, la justice divine, le bien et le mal.

2. C'est ici où, quand il entend ma voix, qu'il sent en lui la présence de son esprit, et qu'il se souvient de son origine.

3. En m'écoutant, il s'identifie, dans ces moments, à tous ses semblables, en les reconnaissant, dans son for intérieur, comme ses véritables frères. Frères dans l'éternité spirituelle bien plus proches que ceux qui le sont sur le plan matériel unis seulement par la chair, car celle-ci n'est que passagère sur la Terre.

4. Il n'existe d'homme ou de femme qui, en m'écoutant, ne sente que Je les observe, et par conséquent, personne n'ose cacher ou dissimuler ces taches, en ma présence; et Moi je les montre, mais sans signaler personne publiquement, parce que Je suis le Juge qui jamais ne dénonce.

5. Je vous dis découvrir, entre vous, adultères, infanticides, vols, vices et tares qui sont comme la lèpre dans l'esprit de ceux qui ont péché. Mais je ne viens pas seulement vous fournir la preuve de la véracité de ma parole en vous démontrant que je puis découvrir les fautes de votre cœur, je souhaite également vous prouver le pouvoir de mes leçons, en vous fournissant les armes afin de vaincre le mal et les tentations, par mon enseignement de parvenir à la régénération, en réveillant, en votre être, un désir ardent du bien, de l'élevé et du pur, en même temps qu'une absolue répulsion de tout ce qui est ignoble, faux et malin pour l'esprit. (145, 65-68)

6. Aujourd'hui encore vous vivez les jours sombres qui précéderont la lumière. Cependant, cette lumière, profitant des quelques jours clairs de votre ciel nébuleux, le traverse avec des rayons fugaces qui aboutissent en quelques points de la Terre, touchent des cœurs, se dispersent et réveillent les esprits.

7. Tous ceux qui ont été étonnés par cette lumière se sont arrêtés en chemin pour me demander qui J'étais. Et je leur ai répondu: «Je suis la lumière du Monde, je suis la lumière de l'éternité, je suis la vérité et l'amour. Je suis Celui qui fit la promesse de revenir vous parler, Celui qui fut qualifié de Verbe de Dieu».

8. A l'instar de Saul sur la route de Damas, vous avez rabaissé votre arrogance, démonté votre orgueil et m'avez incliné humblement votre visage, pour me dire avec le langage du cœur: «Mon Père et mon Seigneur, pardonnez-moi, à présent je

comprends que, sans m'en rendre compte, je vous cherchais».

9. Depuis ce moment, ces cœurs se sont convertis en de petits suiveurs, parce qu'en ce Troisième Temps jusqu'en cet instant, n'a pas apparu, entre mes nouveaux disciples, cet apôtre de l'élévation qui me poursuivit autant, pour m'aimer par la suite aussi intensément. (279, 21-24)

10. Les religions s'engourdissent dans un sommeil de siècles de routine et de stagnation, ainsi la vérité est demeurée occulte. Mais ceux qui connaissent les commandements de Jehova et la parole du Divin Maître devront reconnaître en cette voix, qui vous parle aujourd'hui, celle de l'Esprit de Vérité, qui avait été promises en ces temps. (92, 71)

11. Je sais que beaucoup se scandaliseront lorsqu'ils connaîtront cette parole, mais il s'agira de ceux qui, dans leur confusion, ne veulent admettre que dans l'homme, en plus de sa nature humaine, existe aussi une partie spirituelle. Ce seront également ceux qui, croyant en l'esprit humain, obstinés dans la routine de leurs traditions et croyances, nient, que pour l'esprit, existe un chemin d'évolution infinie. (305, 65)

12. Je laisserai ces paroles par écrit. Elles parviendront à mes disciples de demain qui, en les étudiant, les considéreront fraîches et vives, et leur esprit s'emplira de joie lorsqu'ils

sentiront que c'est leur Maître qui leur parle à ce moment-là.

13. Pensez-vous que tout ce que vous aie dit soit seulement destiné à ceux qui m'ont écouté? Non, peuple bien aimé, par cette parole, je m'adresse aux personnes présentes ainsi qu'aux absents; je parle pour le jour d'aujourd'hui, demain et toujours; pour ceux qui moururent, les vivants et ceux qui vont naître. (97, 45-46)

Compréhension et espérance de la Nouvelle Parole

14. Je suis le Verbe d'Amour qui vient soulager celui qui souffre, celui qui est troublé, le pécheur et celui qui m'a cherché. Et dans ces cœurs, ma parole est le fleuve de la vie dans lequel ils apaisent leur soif et se débarrassent de leurs impuretés. Elle est aussi le chemin qui conduit à la demeure éternelle du repos et de la paix.

15. Comment osez-vous imaginer que la lutte de la vie, ses sacrifices, ses vicissitudes et ses épreuves terminent par la mort, sans aucune récompense juste et méritée dans l'éternité? Pour cela, ma Loi et ma Doctrine, avec leurs révélations et promesses, sont, en votre cœur, l'attrait, la caresse et le baume de la journée. Vous êtes affamés et faibles lorsque vous vous éloignez de mes enseignements. (229, 3-4)

16. Dans mon divin amour pour les créatures humaines, je les autorisai à analyser mes œuvres en profondeur et

prendre tout ce qui fut créé, afin que jamais ils ne puissent dire que Dieu est injuste parce qu'il cache sa sagesse à ses enfants.

17. Oui, Je vous façonnai et vous offris le don du libre-arbitre, que j'ai d'ailleurs respecté, malgré que l'homme, en abusant de cette liberté, m'ait offensé en profanant ma Loi.

18. Aujourd'hui je viens lui faire sentir la caresse de mon pardon en lui illuminant l'esprit de la lumière de ma sagesse, pour que chacun de mes enfants reprenne le sentier de la vérité.

19. L'Esprit de Vérité, ma lumière, brille dans les consciences, parce que vous vous trouvez dans les temps prédits où tout mystère vous sera éclairci, afin que vous compreniez ce qui, jusqu'ici, n'a pas été convenablement interprété. (104, 9-10)

20. Je suis venu en cet endroit de la Terre pour me communiquer et offrirai ma parole comme un don pour tous les hommes. Ce don éloignera la pauvreté spirituelle de l'humanité. (95, 58)

21. A tous, j'inspirerai la véritable forme d'adorer Dieu, ainsi que la manière de vivre en accord avec la loi divine, dont l'accomplissement est le seul que le Seigneur reconnaîtra à chacun d'entre vous.

22. Vous connaîtrez enfin le contenu ou l'essence de ma parole, O humanité! Alors vous réaliserez que ma Doctrine n'est pas seulement la voix divine qui s'adresse aux hommes, mais aussi l'expression de tous les esprits.

23. Ma parole est la voix qui anime, elle est le cri de la liberté et l'ancre du salut. (281, 13-15)

Le pouvoir de la Parole de Dieu

24. Ma doctrine développe l'homme dans toutes ses étapes, sensibilise et ennoblit le cœur, réveille, approfondit, perfectionne et élève l'esprit.

25. Etudiez ma doctrine en profondeur pour comprendre la manière correcte de mettre mes enseignements en pratique, afin d'harmoniser votre développement; ne développez pas uniquement l'intelligence sans vous préoccuper des idéaux de l'esprit qu'il vous faut encourager.

26. Toutes les forces de votre être peuvent trouver, en ma parole, le chemin de lumière par lequel elles pourront croître et se perfectionner à l'infini. (176, 25-27)

27. Ma Doctrine es essentiellement spirituelle. Elle est la lumière et la force qui descendent et pénètrent votre esprit, pour l'aider à vaincre dans son combat contre le mal. Ma parole n'est pas seulement destinée à la recréation de l'ouie, elle est surtout la lumière de l'esprit.

28. Voulez-vous m'écouter avec l'esprit, pour que celui-ci s'alimente et profite de l'essence de cet enseignement? Nettoyez votre cœur, dégagez-vous l'esprit et laissez-vous guider par votre conscience. Vous

verrez, alors, commencer de s'opérer, en votre être, une transformation, non seulement spirituelle, mais aussi morale et corporelle. Cette élévation, que l'esprit acquiert par la connaissance, et cette limpidité atteinte, se reflèteront au travers des sentiments du cœur et la santé du corps.

29. Les passions s'affaibliront, les vices commenceront à disparaître, le fanatisme et l'ignorance céderont la place à la foi véritable et aux connaissances profondes de ma Loi.

30. Cette Doctrine, connue de quelques uns et ignorée de humanité, viendra prochainement comme un baume sur tous ceux qui souffrent, pour consoler, illuminer la foi, détruire les ténèbres et insuffler l'espoir. Elle vous élève au-dessus du péché, de la misère, de la souffrance et de la mort.

31. Il n'en pourrait être autrement parce que c'est Moi, le Divin Docteur, le Consolateur promis, qui suis venu vous la révéler.

32. Lorsque vous serez spiritualisés et que vous rencontrerez des gens qui souffrent et se désespèrent parce qu'ils ne peuvent posséder tout ce qu'ils ambitionnent dans le monde, alors vous réaliserez combien leur matérialité contraste avec la très conforme élévation de mes disciples, parce que leurs ambitions et désirs ardents seront nobles et basés sur la firme conviction de ce que tout est éphémère en cette vie.

33. Mes disciples s'adresseront au monde avec des exemples de

spiritualité, par le biais d'une vie qui lutte pour rapprocher l'esprit de la Divinité, en lieu et place de l'enchaîner aux fausses richesses du monde.

34. Je sais que les êtres matérialisés, dans les époques futures, se scandaliseront en connaissant cette Doctrine; mais leur conscience leur dira que ma parole parle uniquement de la vérité. (275, 5-7)

35. En cette nouvelle étape qui vous attend, Je serai votre Cirinée. Ma Doctrine causera de grandes révolutions dans le monde, il y aura d'importantes transformations dans les idées et coutumes; même dans la nature s'opéreront des changements. Tout ceci signalera l'entrée d'une nouvelle ère pour humanité, et les esprits, que j'enverrai sous peu vers la Terre, parleront de ces prophéties pour aider à restaurer et élever ce monde; ils expliqueront ma parole et analyseront les faits. (216, 27)

36. Ce Troisième Temps est celui de la résurrection. Les esprits ressemblaient à des morts et leurs corps à leurs tombeaux; mais, le Maître est arrivé devant eux et sa parole de vie s'adressa à eux en ces termes: « Sortez, et élevez-vous vers la lumière, vers la liberté ».

37. Celui qui, en ouvrant les yeux à la vérité, sait élever sa vie, ses œuvres et ses sentiments d'amour envers ses frères, cessera de regarder ce monde comme un désert ou une vallée de larmes et d'expiation, parce qu'il

commencera de sentir le délice de la véritable paix, porteuse de sérénité.

38. Cet état élévation dans cette vie sera un reflet de la paix et de lumière parfaite dont l'esprit jouira en de meilleures demeures, où Moi-même le recevrai pour lui offrir une hospitalité digne de ses mérites. (286, 13)

Réactions de Théologiens et Matérialistes

39. Ne soyez pas troublés quand l'on vous dit que ce fut le tentateur qui vous parla en ce temps, et qu'il était prédit qu'il ferait aussi des prodiges pour troubler et confondre les mêmes élus. En vérité, je vous dis que beaucoup de ceux qui considèrent ainsi ma manifestation feront partie de ceux qui réellement sont au service du mal et des ténèbres, même si leurs lèvres tentent d'assurer que ce sont elles qui répandent toujours la vérité.

40. N'oubliez pas que l'on reconnaît un arbre à son fruit, et Moi je vous dis: Le fruit est cette parole que je suis venu faire vibrer par les esprits de ces porte-paroles, hommes et femmes au cœur simple. L'humanité me reconnaîtra dans cet arbre, pour le fruit et l'avance spirituelle de ceux qui l'ont savouré.

41. L'œuvre Spiritualiste Trinitaire Marianne commencera à s'étendre, provoquant une véritable alarme pour un grand nombre qui, croyant avoir étudié et compris les leçons qu'auparavant ils reçurent du Père, s'étaient enorgueillis de leur connaissance dans leurs philosophies et dans leurs sciences, mais sans pour autant se rendre compte de l'évolution spirituelle atteinte par humanité.

42. Au réveil de leur léthargie, ils se rendront compte de la manière de penser et de sentir de l'esprit des hommes. Ils lanceront des anathèmes contre ce qu'ils dénommeront «les idées nouvelles» et propageront la rumeur que ce mouvement a été provoqué par l'Antéchrist.

43. Alors, ils auront recours aux écritures, aux prophéties et à ma parole que je vous léguai au Second Temps, pour tenter de combattre ma nouvelle manifestation, mes nouvelles leçons et tout ce que je vous avais promis et qu'aujourd'hui je suis en train d'accomplir.

44. Ma parole, des lèvres de mes disciples et par le biais d'écrits, aboutira même à ceux qui n'admettent rien qui soit au-delà du matériel ou qui échappe à leurs connaissances et concepts pré-établis, et ils m'appelleront faux Dieu pour vous avoir livré cette parole.

45. Mais à l'écoute de ceci, bien que votre cœur se sente blessé, votre foi ne se brisera pas, en se souvenant avec émotion que votre Maître déjà vous l'avait annoncé et qu'il vous avait fortifié par sa parole, pour résister à ces épreuves.

46. En revanche je vous dis que, malgré que vous alliez rencontrer l'imposture, l'hypocrisie, la superstition, le fanatisme religieux et l'idolâtrie, vous ne devrez juger personne pour ses erreurs. Endoctrinez-les de ma parole et laissez-Moi la cause, parce que Je suis

l'unique qui doit vous juger et qui connaisse le faux Dieu, le faux Christ, le mauvais apôtre et le pharisien hypocrite. (27, 32-35)

47. Viendra la guerre idées, credos, religions, doctrines, philosophies, théories et sciences, et mon nom et ma Doctrine seront présents sur toutes les lèvres. Ma nouvelle venue sera discutée et jugée, et, de là, les grands croyants se lèveront en proclamant que le Christ a été à nouveau parmi les hommes. En ces moments précis, depuis l'infini j'animerai ces cœurs et ferai des prodiges à leur intention pour fortifier leur foi. (146, 8)

L'effet du Spiritualisme
48. Ma lumière, en se diffusant à travers tout l'Univers, a été à l'origine de la recherche de ma vérité dans chaque doctrine; c'est la raison de l'attitude des hommes en leurs croyances distinctes.
49. C'est l'accomplissement de ce qui avait été prophétisé. Qui possède la vérité? Qui est celui qui, à la peau de brebis, enferme le loup affamé? Qui est celui qui, vêtu proprement, assure une pureté absolue en même?
50. Vous devez pratiquer le Spiritualisme pour trouver ma vérité; parce que l'humanité s'est divisée en tellement de croyances et idées, et a évolué par le développement du cerveau de l'homme.
51. Ainsi sont venues se former sectes et religions, et il vous sera très difficile de juger quant à la part de vérité contenue dans chacune d'elles.

52. Ma Doctrine illumine les pensées et idées de l'homme. Petit à petit, chacun comprendra les bases indispensables pour perfectionner ses œuvres, en les orientant vers un chemin de perfection et d'élévation.
53. Le moment viendra où chaque secte et religion s'analysera en profondeur afin de rechercher ce qui appartient à mon Œuvre mais, pour découvrir ce trésor, il sera impérieux qu'elles élèvent leur esprit et qu'elles écoutent la voix de la conscience. (363, 4-8 et 29)

54. Il existe beaucoup de religions sur cette Terre, mais aucune d'elles n'unira les hommes ni ne fera en sorte qu'ils s'aiment les uns les autres. Ce sera ma Doctrine spirituelle qui accomplira cette œuvre. Le monde s'opposera, en vain, à l'avance de cette lumière.
55. Au moment le plus intense de la persécution de mes disciples, les éléments se déchaîneront mais, grâce à la prière de ces paysans, ils s'apaiseront aussitôt, afin que humanité contemple une preuve du pouvoir que je leur ai conféré. (243, 30)

56. Le monde tremblera lorsque les nations entendront ma parole, parce que l'esprit de humanité, qui est prêt pour cette révélation, vibrera à la fois de bonheur et de crainte; alors, que celui qui souhaite connaître la vérité s'affranchisse de l'esclavagisme de ses idées matérielles et se réjouisse face aux horizons lumineux qui se

présentent à sa vue. Quant à celui qui persiste dans son aveuglement, à lutter contre cette lumière, il reste entièrement libre d'en disposer.

57. La conversion à la spiritualité attirera l'amitié et la fraternité entre les nations, mais il vous faudra vous préparer, car le conflit sera important. Les hommes se font la guerre, non pas par ma volonté, mais bien parce qu'ils n'ont pas compris la Loi de Dieu. (249, 47-48)

58. Le temps du Jugement Universel est arrivé, et Je jugerai toutes les œuvres et toutes les religions. Une clameur surgira de l'esprit de l'homme, puisque tout ce qui est faux sera découvert, il ne brillera plus que la vérité, l'humanité se réveillera et les hommes me diront alors: «Père, donnez-nous votre appui, donnez-nous une vraie lumière qui nous guide». Cette lumière et cet appui, ce sera la Doctrine du Saint-Esprit; ce sera l'enseignement que je vous ai prodigué et qui appartient également à ceux-là comme, d'ailleurs, à tous, parce que je suis Père d'un et de tous. (347, 27)

La transcendance de la nouvelle Révélation

59. Apparemment, cette révélation ne renferme aucune grandeur, mais vous observerez déjà dans le futur la transcendance qu'elle aura pour sur l'humanité.

60. Parmi ce peuple, il se trouve des disciples de tout type; les uns entrevoient la magnitude de cette œuvre et pressentent la commotion que son apparition provoquera dans le monde. D'autres se conforment en pensant qu'il s'agit d'un bon chemin, et il y a enfin ceux qui ne parviennent pas à découvrir la grandeur de cette Doctrine et doutent de son triomphe et de son établissement dans le cœur des hommes. Moi, je vous dis que je vous ai confié un véritable joyau, dont vous n'avez pas voulu voir les divins scintillements, parce que vous n'avez pas analysé mon enseignement.

61. N'oubliez pas qu'en ce temps-là, déjà, l'on mit en doute la parole du Christ, parce que les hommes se limitèrent à juger l'origine et l'aspect vestimentaire de Jésus, et lorsqu'ils apprirent qu'il était le fils d'un charpentier nazaréen et d'une humble femme, et que plus tard il devrait rassembler un groupe de pauvres pêcheurs galiléens pour prêcher une Doctrine qui leur paraissait étrange, ils ne pouvaient croire que ce voyageur à pied qui allait de village en village en montrant l'humilité de ses habits, fut le Roi qui avait été promis par le Seigneur au peuple d'Israël.

62. Je vous donne ces explications, pour croire en la grandeur de ce qui ne doit se regarder et se sentir qu'avec l'esprit, parce que les hommes sont enclins à rechercher l'éclat extérieur qui aveugle les sentiments.

63. Je dus verser mon sang, livrer ma vie et ressusciter pour que les hommes ouvrent enfin les yeux. Quel calice souhaitez-vous que boive, à présent, mon Esprit, pour enfin me

croire? Humanité: Que ne ferais-Je pas pour vous voir sauvée? (89, 68-69 et 71-73)

64. Quiconque en arrivera à dire que ma Doctrine constitue un danger pour le progrès matériel de l'humanité commet, là, une grave erreur. Moi, le Maître des maîtres, je viens montrer à humanité le chemin de son évolution et du véritable progrès. Ma parole ne s'adresse pas seulement à l'esprit, elle parle également à l'intelligence, à la raison et fait appel toujours aux mêmes sentiments. Ma Doctrine ne vient pas uniquement vous inspirer et vous enseigner la vie spirituelle, sinon qu'elle vient aussi faire la lumière dans toutes les sciences et dans toutes les directions. Parce que mon enseignement ne se limite pas à diriger tous les esprits vers la mansion qui est au-delà de cette existence, il touche aussi le cœur de l'homme pour lui inspirer de vivre, sur cette planète, une vie agréable, digne et profitable. (173, 44)

65. Le Troisième Temps, dans lequel vous vivez, est le temps de l'éclaircissement des grands mystères. Sages et théologiens devront rectifier leurs connaissances devant la vérité que je vous révèle.

66. C'est le Temps au cours duquel l'humanité ouvrira les yeux à la lumière de ma sagesse, lumière que j'ai convertie en Doctrine pour que,

grâce à elle, vous ressuscitiez spirituellement à la vraie vie. (290, 51-52)

67. Les hommes essaieront de nier la véracité de ma révélation mais, les faits, les preuves, les événements donneront de la voix et témoigneront de la vérité qui arrivera aux lèvres de mon peuple, comme le grand message du Troisième Temps. Ma Doctrine, au moyen écrits, s'étendra également de par le monde, parce qu'ils constituent un moyen licite que j'ai inspiré, depuis les premiers temps, à mes envoyés. Je souhaite seulement que vous jalousiez ma vérité et que vous la guidiez aux cœurs de la manière la plus propre et simple. (258, 6)

68. Lors du Second Temps, ma venue en tant qu'homme ne fut crue que par quelques cœurs, cependant l'humanité par la suite considéra la naissance du Sauveur comme le commencement d'une nouvelle ère. Il en va de même en ce qui concerne ce temps-ci, où le début de ma communication avec vous, ou encore mon avènement en tant que Saint-Esprit, sera considéré demain comme la naissance d'une ère nouvelle.

69. Ecoutez ce que vous dit le Christ, la manifestation de l'amour divin. Paix aux hommes de bonne volonté, à ceux qui aiment la vérité et qui sèment la graine de l'amour. (258, 41-43)

Chapitre 8 – La nouvelle communauté du Christ, Disciples, Apôtres, Envoyés Divins

Lumière et ombre dans les congrégations de la Révélation

1. Si j'avais porté ma parole auprès de toutes les nations, la majorité l'aurait rejetée, parce que la vanité, le matérialisme et la fausse grandeur des hommes n'auraient pas accepté une doctrine qui traite de spiritualité, d'humilité et de fraternité. Le monde n'est pas encore prêt pour comprendre l'amour, par conséquent tous n'auraient pas été sensibles à ma présence sous cette forme.

2. A l'instar du Christ qui, en son temps, chercha le creux de la roche pour naître comme homme, aujourd'hui j'ai trouvé ce coin de terre disposé à m'écouter, lequel présente des similitudes avec la grotte et la crèche qui accueillirent, en cette nuit bénite, le Fils de Dieu. (124, 13-14)

3. L'exemple de cet humble peuple qui mène ses pas sans ministres pour le guider et qui me rend le culte sans cérémonies ni symboles, sera un appel à réveiller ceux qui dorment leur nuit séculaire, et constituera un stimulant pour la régénération et l'épuration de bon nombre de mes enfants. (94, 39)

4. A l'ombre de ma Doctrine on ne construira pas de trônes, du haut desquels les hommes agrandis puissent dominer les esprits de leurs frères. Personne ne se couronnera ni revêtira de manteau de pourpre, essayant d'occuper la place du Seigneur; n'apparaîtront pas non plus de confesseurs qui jugent, pardonnent, condamnent ou prononcent des sentences à propos des actes de l'humanité. Juger un esprit, depuis un tribunal juste et parfait, n'appartient qu'à Moi, car Je suis le seul à pouvoir le faire.

5. Si Je puis envoyer ceux qui corrigent, enseignent et guident, je n'enverrai pas ceux qui jugent et sanctionnent. J'ai envoyé ceux qui ont été des pasteurs de humanité, mais non des seigneurs ou des pères. C'est Moi qui suis l'unique Père pour l'esprit. (243, 13-14)

6. Je formerai, en ce temps-ci, un peuple qui soit jaloux de ma Loi, amant de la vérité et de la charité. Ce peuple sera comme un miroir dans lequel les autres pourront voir se refléter les erreurs qu'ils auront commises. Il ne sera le juge de personne, mais ses virtus, ses œuvres et son dévouement toucheront l'esprit de tous ceux qui croiseront son chemin et ils feront observer leurs erreurs à tous ceux qui manquent à ma Loi.

7. Lorsque ce peuple sera fort et nombreux, il attirera, sur lui, l'attention de ses semblables, parce que la limpidité de ses œuvres et la

sincérité de son culte devront surprendre humanité Alors, les hommes s'interrogeront: Qui sont-ils, eux qui, sans posséder de temple, savent prier de cette manière? Qui a enseigné la prière à ces multitudes, adorant leur Dieu sans ressentir la nécessite d'élever des autels pour lui rendre le culte? D'où proviennent-ils, ces pèlerins et missionnaires qui, à l'instar des oiseaux, ne sèment pas, ne font pas la récolte, ni ne filent et qui, pourtant, subsistent?

8. Et Moi je leur dirai: ce peuple pauvre et humble, mais jaloux de ma Loi et fort contre les passions du monde, n'a été préparé par aucun homme. Ces multitudes qui jouissent en faisant le bien, que l'inspiration illumine et qui savent faire parvenir aux cœurs le message de paix et la goutte de baume, ces multitudes n'ont pas été formées par des maîtres ou ministres d'aucun des cultes de la Terre. Car, en vérité je vous dis qu'en ce temps, il n'existe pas un seul homme dans votre monde qui sache ou puisse enseigner le culte de Dieu, dans une spiritualité véritable. Ce n'est pas dans la splendeur des rites ou des cérémonies, ni dans la richesse ou le pouvoir terrestre que réside la vérité. Cette vérité, humble, recherche comme temple les cœurs propres, nobles, sincères et amants de ce qui est pur. Où sont ces cœurs? (154, 12-14)

9. J'ai appelé beaucoup de mes enfants pour leurs confier différentes charges et diverses missions dans le cœur de cette Œuvre. Je vous les ai distribuées selon votre degré d'avancement et vos dons. Avec vous tous j'ai formé mon peuple, mon nouvel apostolat.

10. Aux uns j'ai donné des postes de guides et, afin que leur tache ne soit ni dure ni pénible, j'ai divisé le peuple en congrégations.

11. A d'autres, je leur ai confié le don de porte-parole, afin qu'ils transmettent mon inspiration sous forme de parole humaine à ces multitudes qui se réunissent pour recevoir ce prodige.

12. J'ai donné à quelques-uns le privilège de la voyance pour vous convertir en prophètes et annoncer par ce moyen ce qui doit arriver.

13. Ils ont également reçu la mission d'être des piliers, ceux qui se doivent d'aider le peuple en son pèlerinage et qui doivent être parmi les guides, comme un cirenee qui aide à supporter le poids de la croix de ses multitudes.

14. D'autres ont été favorisés par le don de faculté et ceux-ci, comme instruments du Monde Spirituel, ont été préparés pour transmettre leurs messages, l'analyse de mon Œuvre et aussi, comme détenteurs du baume de guérison, du soulagement pour les malades, pour qu'unis, ils répandent la charité envers les nécessiteux, par le biais de saines émanations spirituelles.

15. J'ai nommé plume d'or celui qui doit imprimer mes révélations, enseignements et prophéties de ce

temps, dans le Livre que je dois vous laisser.

16. La charge de Pierre Fondamentale, je l'ai confiée a ceux qui doivent être un exemple de fermeté, de stabilité et de force parmi le peuple. Chez eux, leur parole, leur consolation et leur exemple sera invariable, tout comme l'est la roche.

17. A présent que cette étape de ma communication en est arrivée à son terme, je suis en train de juger toutes les charges ainsi que tous ceux qui furent choisis pour se voir confier de si grandes missions. Je leur lance un appel pour qu'ils entrent dans une très profonde étude et qu'ils connaissent le résultat de leurs œuvres. Je les accompagne tous en cette heure de méditation. (335, 27-28)

18. Comme toujours, nombreux furent les appelés et bien peu nombreux le furent les élus, parce que je ne choisis seulement que ceux qui sont prêts à accomplir leur mission; quant aux autres, je leur donne une lumière afin qu'ils sachent attendre le moment auquel ils seront élus à leur tour.

19. Combien d'entre ceux qui seulement furent appelés, sans que ce fut le moment de les choisir pour une charge, ont participé entre mes disciples et semeurs, sans que leur esprit n'ait atteint l'indispensable degré d'évolution pour supporter le poids de cette croix, ni que leur entendement n'ait la lumière nécessaire pour laisser passer mon inspiration! Qu'ont-ils fait, ceux-là,

une fois dans les rangs des élus? Profaner, envenimer l'atmosphère, contaminer les autres, de leurs mauvaises inclinaisons, en mentant, en semant la discorde, et en profitant de mon nom et des dons que j'ai déposés en mes disciples.

20. Que personne ne tente de les démasquer, parce que vous ne le pourriez pas. Seul mon regard pénétrant de Juge ne les perd pas de vue et, à leur conscience, je fais parvenir ma parole qui leur dit: Veillez et priez, pour que vous puissiez vous repentir à temps de vos fautes, et que s'il en est ainsi, Je vous promets de vous asseoir très vite spirituellement à ma table et de faire une fête de réconciliation et de pardon. (306, 53-55)

21. Il est vrai que pas tous ne s'aiment dans mon œuvre, même lorsqu'ils se retrouvent en elle. Tous ne sont parvenus à la comprendre, ce qui me permet de vous dire que les uns font partie de mon œuvre, tandis que d'autres font la leur.

22. Ceux qui me viennent par amour aiment ma parole, parce qu'ils savent qu'elle les corrige sans jamais les blesser et qu'elle leur montre leurs défauts, sans les dénoncer. Cela les motive à persévérer le perfectionnement de leurs pratiques.

23. Ceux qui, au lieu de tenter d'atteindre ce niveau de perfectionnement, convoitent uniquement l'adulation, la supériorité, la flatterie ou le moyen de vivre au lieu de rechercher le perfectionnement

de l'esprit, ceux-là ne résistent pas à ma parole lorsqu'elle leur signale leur défauts; alors, ils doivent créer une œuvre différente de la mienne, dans laquelle ils soient libres de faire ce qu'ils veulent. Les multitudes ne sont pas parvenues à comprendre qu'elles devaient uniquement m'écouter avec la pus grande élévation, durant le temps que dure ma manifestation, pour ensuite pouvoir analyser mon message. (140, 72-74)

24. J'ai annoncé que viendra le temps de la confusion, de la désobéissance, au cours duquel le cultivateur se lèvera en disant que ma communication au travers de l'entendement humain ne cessera pas, mais il faudra qu'arrive l'instant d'accomplir ma parole, bien que l'homme veuille s'interposer à ma volonté.

25. Combien d'erreurs ont commis, en chemin, beaucoup de ceux auxquels j'ai confié une charge et une grâce! Quelle incompréhension vois-je exploser en mes enfants après l'an 1950!

26. Par l'incompréhension et la bêtise, l'homme retient ma charité, la pouvoir et la grâce; il se retrouve loin du véritable chemin de la Loi, de l'harmonie et de la vérité.

27. Une fois encore, Israël sera méconnu, de tribu en tribu; une fois de plus il se déchirera et voudra piétiner la Loi immaculée et pure que je lui offris en mains propres. Une fois encore, Israël recherchera les chemins d'autrefois pour sombrer dans l'idolâtrie et le fanatisme; il recherchera les sectes et entrera en confusion, dans les ténèbres, et se divertira avec la parole fleurie et fausse que l'homme lui offrira.

28. En voyant Israël se diviser, se méconnaître et s'affaiblir, les hommes des religions et sectes chercheront des motifs pour enlever ce joyau de valeur incalculable: l'arche de l'alliance nouvelle et prétendre le jour de demain, que ce sont eux les vrais envoyés, entre l'humanité et les représentants de ma Divinité. (363, 47-49; 51; 57)

Paroles d'avertissement aux écoutes de l'œuvre spiritualiste

29. Je souhaite que, lorsque ma communication soit terminée, vous ayez une idée bien définie de ce que représente cette Doctrine, pour la mettre en pratique comme il se doit. Parce que jusqu'à présent, d'entre les multitudes qui ont écouté ma parole, n'ont pas encore surgi de véritables spiritualistes. Jusqu'à maintenant ce n'est pas le Spiritualisme que vous avez pratiqué, mais une forme, conçue par vous, de ce qu'est mon Oeuvre, et qui diffère beaucoup de la véritable spiritualité.

30. Vous devez vous revêtir de force pour accepter le fait que vous vous soyez confondus; vous devez vous lever pour amender vos pratiques, en cherchant avec acharnement que brille la vérité et la pureté de cette Doctrine.

31. N'ayez crainte de changer la forme extérieure de vos pratiques et

de votre culte, tant que vous n'altérez pas l'essence de mes enseignements. (252, 28-30)

32. Profitez du temps qu'il vous reste pour prêter attention à mon enseignement, afin qu'il vous emplisse de lumière et de grâce pour faire un grand pas vers la spiritualité, pas que vous n'avez pas accompli en raison de votre continuation au sein d'un culte rempli de matérialisme et d'erreurs.

33. Jusqu'à présent la foi vous a fait défaut pour renoncer à vos formes, rites et symboles et me chercher spirituellement dans l'infini. Vous avez manqué de valeur pour être spiritualistes et avez imaginé une forme de feindre la spiritualité, en cachant derrière elle votre matérialité et vos erreurs.

34. Je ne vous veux pas hypocrites, mais sincères et amants de la vérité; c'est pour cela que je vous parle avec la plus grande clarté, afin que vous épuriez votre vie et que vous montriez, au monde, la vérité de cette Oeuvre. Vous prétendez-vous spiritualistes? Bien, alors soyez le vraiment! Ne parlez pas de ma Doctrine alors que vous faites tout le contraire, parce qu'ainsi, par vos actes, vous ne réussirez seulement qu'à confondre l'humanité.

35. Avant tout, prenez connaissance de ce qu'est mon Oeuvre, de ce que signifie ma Loi, quelle est votre mission et comment l'accomplir, pour que si, sur votre chemin, vous ne disposez pas d'un guide digne de conduire vos pas, vous vous guidiez par la conscience et la connaissance que vous aurez acquises dans ma Doctrine. De cette manière, vous ne pourrez rendre personne responsable un quelconque faux-pas ou d'une quelconque erreur. (271, 27-30)

36. Depuis le début de ma communication par le biais de l'entendement humain, je voulus que vous mettiez en pratique vos dons et que vous débutiez votre mission spirituelle pour qu'au jour de mon départ vous ayez déjà parcouru un bout de chemin et que vous ne vous sentiez pas faibles pour commencer à accomplir un ordre aussi délicat.

37. Quelques-uns ont su interpréter idée divine et se sont efforcé pour la mener à son accomplissement. Mais il y en a aussi, et ceux-là constituent le plus grand nombre, qui ont faussé le sens de cette Oeuvre.

38. Voici les erreurs que je viens réclamer à ce peuple, parce que je ne souhaite pas que l'humanité vienne se moquer de ceux qui ont été aussi longtemps endoctrinés. (267, 65-67)

39. Tandis que les uns ne s'intéressèrent seulement qu'à l'essence de ma parole et aspirèrent toujours au progrès et à l'évolution de leur esprit, d'autres préférèrent le culte extérieur. Ainsi, pendant que les premiers se délectaient en recevant les enseignements à propos de spiritualité, les autres se sentaient profondément dérangés que l'on fasse mention de leurs erreurs.

40. Je suis le seul à savoir qui sont ceux qui me répondront de tout ce qui a été retenu, bien qu'ayant du être informé par le biais de mes porte-paroles. (270, 8-9)

41. Méditez et vous comprendrez que l'unification, dont vous avez besoin, est spirituelle. Vous l'atteindrez en vous élevant au-dessus de vos passions et de vos fanatismes.

42. Comment pourrez-vous créer une paix si tout un chacun s'en va proclamant sa cause comme l'unique et véritable, tout en combattant, en même temps, celle des autres en la considérant fausse?

43. Le fanatisme es ténèbres, cécité et ignorance et ses fruits jamais ne pourront être fruits de lumière. (289, 8-10)

44. Très certainement je vous dis que, si vous ne vous unifiez pas selon ma volonté, l'humanité vous dispersera et vous expulsera de son sein si elle se rend compte que votre vie s'écarte de ce que vous prêchez.

45. Que se passera-t-il si les hommes découvrent qu'en chaque enceinte il existe un culte différent et une manière différente de pratiquer ma Doctrine?

46. Je vous confie les trois dernières années de ma communication afin que vous mettiez tout en œuvre pour l'union de ce peuple, unification qui comprenne le spirituel comme l'extérieur, pour que votre labeur, plein d'harmonie et d'équité, soit la plus grande preuve que vous tous, en différents lieux et régions, ayez été endoctrinés par un seul Maître: DIEU. (252, 69-71)

Apostolat véritable – nouveaux Apôtres

47. Ne tentez pas de limiter cette Œuvre, qui est universelle et infinie, ni de fixer des limites à votre développement spirituel, parce que plus vous approfondissez le chemin des bonnes actions et d'étude, plus nombreuses seront les révélations que vous recevrez. Vous verrez surgir l'Oeuvre divine de la plus grande simplicité, vous la verrez présente en toute la création et la sentirez battre en votre être.

48. Elle est la simplicité avec laquelle je viens endoctriner le disciple spiritualiste, pour que lui aussi soit simple, à l'instar de son Maître. Que le disciple sache persuader et convertir avec la vérité de ses paroles et la force de ses actions, sans prétendre surprendre personne avec des pouvoirs mystérieux ou des facultés extraordinaires!

49. Le vrai disciple sera grand par sa simplicité Il comprendra son Maître et, à la fois, se fera comprendre de ses frères.

50. Le disciple de Jésus est celui qui subjugue par la parole qui persuade et console, qui lève et ressuscite, en transformant un vaincu en vainqueur, qui le sera aussi devant l'adversité.

51. L'apôtre du Christ ne peut pas héberger l'égoïsme en son cœur, en pensant seulement en ses propres

souffrances ou préoccupations. Il s'oublie lui-même pour ne penser qu'aux autres, avec l'absolue confiance que rien n'a été négligé, parce qu'immédiatement le Père prête assistance a celui qui s'est effacé pour s'occuper d'un enfant du Seigneur qui a besoin de l'aliment de l'esprit. Et celui qui sut apporter, à un semblable, un sourire d'espoir, une consolation à sa tristesse, une goutte de baume à sa douleur, celui-là, au retour dans son foyer, le trouve illuminé d'une lumière qui est bénédiction, joie et paix. (293, 32-33)

52. A ma table de ce temps, tant l'homme que la femme seront apôtres; et à cette table, j'assoirai votre esprit.

53. Ce furent les femmes qui, en ce temps, ont levé l'étendard spiritualiste au-devant des multitudes; en chemin, elles ont laissé l'empreinte d'apôtre jaloux de la Loi du Seigneur.

54. La femme, dans mon nouvel apostolat, sera au côté de l'homme et il n'y aura pas de limite d'âge pour me servir; l'adulte le fera aussi bien que l'enfant ou la personne âgée, la vierge que la mère, parce que je vous répète que c'est votre esprit que je recherche et celui-ci, il y a déjà bien longtemps qu'il a quitté l'enfance. (69, 16-17)

55. Si je vous ai dit au cours de la Deuxième Ere que mon Royaume n'est pas en ce monde, je vous dis à présent que le vôtre ne se trouve pas non plus ici, parce que cette demeure, comme vous le savez déjà, est transitoire pour l'homme.

56. Je viens vous enseigner la vraie vie, celle qui jamais n'a été basée sur le matérialisme. Pour cela, à nouveau on s'opposera à ma Doctrine éternelle et à mon enseignement de toujours qui est d'amour, sagesse et justice, cependant, elle ne sera pas comprise immédiatement. L'humanité, une fois de plus, me jugera et me recrucifiera, mais je sais que mon enseignement devra passer au-dessus de tout cela, pour être, par la suite, reconnu et aimé. Je sais que mes persécuteurs les plus tenaces seront ensuite mes semeurs les plus fidèles et les plus dévoués, parce que je leur fournirai de très importantes preuves de ma vérité.

57. Ce Nicodème du Second Temps, prince entre les prêtres, qui chercha Jésus pour converser avec Lui d'enseignements sages et profonds, poursuivra en ce temps-ci, pour analyser sereinement mon Œuvre et s'y convertir.

58. Saul, appelé Paul, celui qui, après m'avoir persécuté avec acharnement, se convertit en l'un de mes plus grands apôtres, apparaîtra à nouveau sur mon chemin, et de toutes parts surgiront mes nouveaux disciples, fervents pour les uns, dévoués pour les autres. L'heure actuelle est de grande transcendance, le temps duquel je vous parle se rapproche de vous. (173, 45-48)

59. Les multitudes ont besoin de ceux qui savent se montrer firmes dans les épreuves, de ceux qui ont

l'habitude des grandes luttes du monde et de l'esprit. Ils sont ceux qui pourront orienter et guider l'humanité, car en leur cœur il n'y aura pas le désir d'opprimer ni de dominer personne. Ils ne pourront héberger égoïsme parce que, dans leurs moments d'élévation, ils auront ressenti la charité du Seigneur les comblant d'amour, pour qu'ils l'offrent à leurs frères. (54, 53)

Les envoyés de Dieu dans le monde entier et tous les temps

60. Les peuples de la Terre jamais n'ont été nécessiteux de lumière spirituelle. Pour sûr, je vous dis que ce peuple n'est pas le seul à avoir eu des prophètes et des envoyés. J'ai envoyé des émissaires à tous les peuples pour les réveiller.

61. Par la lumière et la vérité de leurs doctrines, ainsi que par la ressemblance avec ce que je vous ai révélé, vous pourrez juger leurs paroles.

62. Les uns arrivèrent avant la venue du Messie, les autres après ma présence en tant qu'homme, mais tous ont été les porteurs d'un message spirituel à l'intention des hommes.

63. Ces doctrines, à l'instar de la mienne, ont souffert de profanations, parce que, lorsque l'on n'en a pas altéré son essence, on les a mutilées ou cachées aux hommes affamés de vérité.

64. Une seule vérité et une seule morale ont été révélées aux hommes par le biais d'envoyés, de prophètes et de serviteurs. Pourquoi les peuples nourrissent-ils des concepts différents à propos de la vérité, de la morale et de la vie?

65. Cette vérité, faussée par humanité au fil des temps, sera rétablie et sa lumière resplendira avec une telle force qu'elle paraîtra comme quelque chose de nouveau aux hommes, bien qu'étant la même lumière qui toujours a illuminé le chemin de l'évolution aux enfants de ma Divinité.

66. Nombreux sont ceux qui sont morts pour dire la vérité, nombreux sont également ceux qui ont été tourmentés pour ne pas vouloir taire la voix qui parlait en eux.

67. N'imaginez pas que le ciel a seulement envoyé ceux qui vous ont parlé d'esprit, d'amour et de morale. Non! il a aussi envoyé ceux qui vous ont offert de bons fruits à la science, ces connaissances qui éclairent la vie des hommes, qui allègent leurs charges, soulagent leurs peines. Tous ceux-là ont été mes envoyés.

68. Il en existe également d'autres qui, sans apporter de doctrines de morale spirituelle ni de révélations scientifiques, sont les porteurs du message qui enseigne à sentir et admirer les beautés de la création; ils sont mes messagers chargés d'apporter délectation et baume au cœur de ceux qui pleurent.

69. Eux tous ont bu l'amertume en se rendant compte de l'incompréhension d'un monde aveugle à la vérité, et d'une humanité insensible à la beauté et la bonté. Cependant, si je vous ai dit qu'en

cette ère tout sera restauré, si je vous ai annoncé que tout reprendra son cours et que l'essence originale sera restituée à tous mes enseignements, il vous est loisible de croire qu'un temps de splendeur spirituelle dans ce monde soit proche, même si vous ne devez oublier qu'avant cet avènement, tout sera jugé et purifié. (121, 9-16)

70. Chaque fois qu'une quelconque révélation est en passe d'arriver pour illuminer les hommes, je leur ai envoyé des précurseurs ou des prophètes pour les préparer afin qu'ils puissent contempler cette lumière; mais ne croyez pas que ces envoyés porteurs de messages pour l'esprit soient uniquement les miens. Non! Quiconque sème le bien parmi humanité sous n'importe quelle forme est mon envoyé.
71. Vous pouvez croisez ces émissaires sur tous les chemins de votre vie. Il en est de même dans les religions, les sciences, parmi les gouvernants ou ceux qui impartissent de bons enseignements.
72. Mon vrai serviteur jamais ne écarte du chemin qu'il doit parcourir, il préfère mourir en chemin que reculer. Son exemple constitue une graine de lumière dans la vie de ses semblables et ses actions sont autant d'exemples pour les autres. Ah! Si l'humanité pouvait comprendre les messages que je lui envoie par leur intermédiaire! Mais il n'en est rien, parce qu'il existe beaucoup d'hommes qui, ayant de délicates missions dans le monde, devient leurs regards de ces

grands exemples, pour prendre la voie qui leur convient le mieux. (105, 13-15)

73. Mais, qu'avez-vous fait, humanité, de ces hommes que je vous ai envoyés pour qu'ils vous rappellent mon chemin, le chemin de la foi, celui de la sagesse, de l'amour et de la paix?
74. Vous n'avez rien voulu savoir de leurs messages, en les combattant avec votre foi hypocrite en vos théories et religions.
75. Vos yeux ne souhaitèrent pas contempler la lumière qu'apportèrent chacun de mes envoyés, comme un message d'amour, mes envoyés que vous appelez aussi prophètes, voyants, illuminés, docteurs, philosophes, scientifiques ou pasteurs.
76. Ces hommes ont brillé et vous n'avez pas voulu voir leur lumière, ils sont allés à votre rencontre et vous n'avez pas voulu suivre leurs pas.
77. Ils vous laissèrent l'exemple du chemin du sacrifice, de la douleur, de la charité, et vous avez eu peur de les imiter, sans savoir que la douleur de ceux qui me suivent est une joie de l'esprit, un chemin de fleurs et un horizon plein de promesses.
78. Ils ne vinrent pas pour aspirer l'arôme des fleurs de la Terre, ni d'ailleurs se griser des plaisirs fugaces du monde, parce que l'aspiration de leur esprit n'était déjà plus dirigée vers l'impur, sinon en direction de ce qui est élevé.
79. Ils souffrirent, mais ne cherchèrent pas à être consolés, parce

qu'ils savaient qu'ils étaient venus pour consoler. Ils n'attendaient rien du monde parce qu'ils attendaient, après la lutte, le bonheur de contempler les esprits ressusciter à la foi et à la vie et toux ceux qui étaient morts pour la vérité.

80. Qui sont ces êtres dont je vous parle? Je vous dis qu'il s'agit de tous ceux qui vous ont apporté des messages de lumière, d'amour, d'espoir, de santé, de foi et de salut. Peu importe leur nom, ni le chemin sur lequel vous les ayez vu apparaître, ni le titre qu'ils aient montré sur la Terre. (263, 18-24)

81. Il est nécessaire que je vous dise une fois encore que ce peuple que vous composez autour de ma manifestation n'est pas un peuple que le Père distingue, par son amour, des autres peuples de la Terre. Si le Seigneur a posé son regard sur lui, c'est parce qu'il l'a formé avec des esprits qui ont été dans le monde chaque fois qu'est descendue une nouvelle révélation divine. Ils sont enfants spirituels de ce peuple d'Israël: un peuple de prophètes, d'envoyés, de voyants et de patriarches.

82. Qui de mieux qualifié qu'eux pourrait me recevoir en cette époque, comprendre la nouvelle forme de ma manifestation et témoigner de l'accomplissement de mes promesses? (159, 51-52)

83. Je suis descendu au cœur du peuple Israël en établissant le plus

grand nombre dans cette nation (*Mexique*), les autres étant dispersés dans toutes les nations, envoyés par Moi, et avec eux, je me communique spirituellement. Ceux-ci sont mes élus, ceux qui Me sont restés fidèles; leur cœur n'a pas été contaminé et leur esprit peut percevoir mes inspirations. Par leur intermédiaire je lègue, au monde, une fortune de sagesse. (269, 2)

84. Mes enfants bien aimés, qui êtes venus en petit nombre, en vérité je vous le dis: Mon regard perspicace découvre mes élus partout, lesquels sentent, en leur esprit, qu'est déjà arrivé le temps de ma présence. Eux n'ont pas écouté ma parole comme vous mais, en leur esprit, ils entendent une voix qui leur dit que je suis de nouveau parmi l'humanité, que je suis venu spirituellement au-dessus du nuage. Aux uns je leur concéderai de me regarder avec les yeux de leur esprit, par le pressentiment pour d'autres, et à ceux qui restent, je leur fais sentir très fort mon amour pour qu'ils sentent la présence de mon Esprit. (346, 13)

85. Très rapidement se lèveront les intuitifs, les inspirés, ceux à l'esprit sensible, rendant témoignage, devant les nations, de ce qu'ils voient avec l'esprit, ce qu'ils sentent, écoutent et reçoivent. Je vous dis, une fois de plus, que mon peuple ne se réduit pas au nombre de ceux qui m'ont écouté par le biais de ces porte-paroles, si ce n'est que j'ai envoyé mes serviteurs

en divers points de la Terre pour préparer les chemins et nettoyer les champs, dans lesquels, plus tard, devront arriver les semeurs.

86. Je les fortifie et les bénis, parce que leur labeur est lourd et leur chemin hérissé d'épines. La moquerie, l'outrage, la calomnie et l'impiété les suivent partout; mais eux, intuitifs et inspirés, savent que Je les ai envoyés et sont disposés à parvenir au bout du chemin en accomplissement de leur mission.

87. Je vous invite à pénétrer dans mon Royaume. Je lance un appel à tous les peuples de la Terre, sans distinction aucune mais, je sais que tous ne m'écouteront pas.

88. L'humanité a éteint sa lampe et marche dans les ténèbres, mais là où s'observe la confusion, surgira un de mes illuminés qui fera la lumière autour de lui, un gardien spirituel qui veille et attend mon signal pour donner la voix d'alerte qui réveille et émeut.

89. Laissez l'amour de ces envoyés être la semence fructueuse en votre cœur. Ne les désavouez pas s'ils se présentent à vous avec une apparence extérieure de pauvreté, écoutez-les parce qu'ils vont vous livrer, en mon nom, la prière parfaite, vous libèreront des pièges du matérialisme auquel vous êtes liés, et vous aideront à parvenir à la liberté spirituelle qui vous élève jusqu'à Moi. (281, 33)

90. S'il devait apparaître un homme qui prétende être le Christ réincarné, ne le croyez pas, parce qu'en vous annonçant que je reviendrais, je vous ai laissé entendre que ce serait en esprit. Si quelqu'un vous disait: Je suis l'envoyé de Dieu, méfiez-vous de lui, parce que les vrais émissaires ne se vantent pas, ni ne claironnent la mission que Je leur assigne; ils fournissent uniquement des preuves par leurs actions. Correspond-il aux hommes de dire que l'arbre serait reconnu pour ses fruits?

91. Je ne vous interdit pas de goûter les fruits des arbres, mais il est impérieux que vous soyez preparés afin de savoir distinguer le bon fruit du mauvais.

92. Ceux qui aiment la vérité, je les disposerai comme lampes afin qu'ils éclairent le sentier de leurs frères. (131, 5-7)

93. Les temps où vous aviez besoin d'un guide spirituel dans le monde appartiennent au passé; désormais, quiconque pénètre ce sentier n'aura d'autre chemin que celui de ma Loi, ni d'autre guide que sa propre conscience.

94. Ce n'est pas pour cela qu'il cessera d'y avoir des hommes et des femmes de grande lumière et de grande force pour aider les multitudes, par leur exemple et leur inspiration.

95. S'il en était autrement, je vous aurais déjà envoyé sur Terre des esprits comme Moise ou Elie, pour vous tracer le chemin et vous rappeler la Loi, en chacun de vos pas. Ils vous aident, vous surveillent et vous accompagnent, mais non plus au

travers d'une forme humaine, mais plutôt depuis le spirituel.

96. Qui les voit? Personne! Mais si vous vous préparez, vous sentirez au-dessus de votre être la présence des grands esprits qui ont toujours maintenu une relation avec l'humanité et y ont accompli de grandes missions. (255, 40-41)

II. RETROSPECTIVE DES PREMIERE ET
SECONDE REVELATIONS

Chapitre 9 – Faits et personnages du peuple d'Israël

L'histoire du péché originel

1. L'histoire des premiers hommes qui habitèrent la Terre se raconta de génération en génération jusqu'à ce qu'elle se retrouve écrite dans le livre du Premier Temps. Les premiers êtres habitant la Terre constituent une parabole vivante. Leur pureté et leur innocence leur permirent de sentir la caresse de Mère Nature, un climat chaleureux d'amitié existait entre tous les êtres ainsi qu'une complète fraternité entre toutes les créatures.

2. Dans une parabole divine, j'inspirai les premiers hommes pour qu'ils commencent à prendre connaissance de leur destin. Hélas, le sens de mes révélations fut mal interprété.

3. Lorsque l'on vous parla de l'arbre de la vie, de la science du Bien et du Mal, duquel se nourrit l'homme, on voulut seulement vous laisser entendre que, lorsque l'homme parvint à avoir une connaissance suffisante pour faire la distinction entre le juste et l'injuste et qu'il commença de se montrer responsable de ses actes, depuis ce moment-là il commença à récolter le fruit de ses actions actes.

4. Vous savez que Dieu dit aux hommes: croissez et multipliez-vous et peuplez la terre. Ce fut la loi primitive que l'on vous donna. Oh peuple! Plus tard, le Père ne demandera plus seulement aux hommes de se multiplier et de continuer de faire croître l'espèce, sinon que leurs sentiments soient chaque fois plus élevés et que leur esprit entreprenne un franc développement. Mais si la première loi eut pour objet la propagation de la race humaine, comment concevez-vous que le même Père vous applique une sanction pour obéir et accomplir son commandement? Peuple, est-il possible qu'en votre Dieu existe une telle contradiction?

5. Voyez l'interprétation tellement matérielle que les hommes attribuèrent à une parabole dans laquelle on vous parle seulement du réveil de l'esprit en l'homme. Par conséquent, analysez mon enseignement et cessez de dire que vous continuez de payer la dette que les premiers habitants, à cause de leur désobéissance, contractèrent envers votre Père. Ayez une idée plus élevée de la justice divine. (105, 45-46)

6. Voici le temps où vous pouvez me comprendre lorsque je vous dis: Croissez et multipliez-vous et que vous devez remplir l'Univers de vos bonnes œuvres et de vos pensées élevées. Je donne la bienvenue à tous ceux qui souhaitent s'approcher de Moi, à tous ceux qui recherchent la perfection. (150, 48-49)

Libre arbitre et péché originel

7. Vous me dites que vous avez commis des fautes et des erreurs à cause du libre arbitre. Je vous rétorque qu'avec ce don vous pouvez vous élever infiniment plus haut que le point de départ au début de votre évolution.

8. En plus du libre arbitre, j'offris, à chaque esprit, ma lumière en sa conscience, afin que personne ne se perde, mais ceux qui ne voulurent écouter ma voix ou qui ne souhaitèrent entrer en eux-mêmes à la recherche de la lumière spirituelle, très vite se laissèrent séduire par les innombrables plaisirs de la vie humaine. Ils perdirent le soutien de ma Loi à leur esprit pour, finalement, trébucher et tomber.

9. Une seule faute entraîna beaucoup de conséquences pénibles. L'imperfection n'est pas du tout en harmonie avec l'amour divin.

10. Les soumis et repentis qui retournèrent immédiatement auprès du Père et lui demandèrent, avec douceur, de leur quitter leurs taches et de les libérer des fautes qu'ils venaient de commettre, furent reçus, avec amour et charité infinis, par le Seigneur qui réconforta leur esprit, les envoya réparer leurs fautes et les raffermit dans leur mission.

11. Ne croyez pas que tous retournèrent paisibles et repentis, après la première désobéissance. Non! Beaucoup arrivèrent pleins d'orgueil ou de rancœur. D'autres, honteux, reconnurent leur culpabilité, voulurent justifier leurs fautes devant Moi et, loin, au contraire de se purifier par le repentir et l'amendement, qui sont autant de preuves d'humilité, ils optèrent pour créer, pour eux-mêmes, une vie à leur manière, en dehors des lois dictées par mon amour.

12. Alors se présenta ma justice, mais non pas pour les punir, sinon les corriger, non pour les détruire sinon pour les conserver éternellement en leur prodiguant une vaste opportunité de se perfectionner.

13. Combien de ces premiers pécheurs n'arrivent toujours pas à s'ôter leurs taches, parce que, de chute en chute, ils descendirent toujours davantage au plus profond de l'abîme, duquel seulement la pratique de ma Loi pourra les sauver. (20, 40-46)

Le déluge

14. Dans les premiers temps de humanité, l'innocence et la simplicité existaient entre les hommes. Mais, à mesure que ceux-ci se multipliaient, en raison de leur évolution et de leur libre arbitre, leurs péchés augmentaient aussi et, non pas leurs vertus mais, au contraire, leurs faiblesses se développèrent plus vite encore, devant ma Loi.

15. Alors, Moi, Je préparai Noé, avec lequel je me communiquai d'Esprit à esprit, parce que j'ai établi cette communication avec les hommes depuis le début de l'humanité.

16. Je dis à Noé: «Je purifierai l'esprit des hommes de tous leurs péchés et, pour ce faire, enverrai un grand déluge. Prépare une arche et, en elle, fais-y entrer tes enfants, leurs épouses, les enfants de tes enfants et fais-y pénétrer aussi un couple de chaque espèce du règne animal.»

17. Noé obéit à mon commandement et le cataclysme survint, pour accomplir ma parole. La mauvaise graine fut coupée de la racine et la bonne semence conservée dans mes granges, grâce à laquelle je formai une nouvelle humanité qui emporta la lumière de ma justice et sut accomplir ma Loi et vivre en pratique des bonnes coutumes.

18. Pensez-vous peut-être que ces êtres, qui trouvèrent une mort aussi douloureuse, périrent en matière et en esprit? Pour sûr, je vous le dis: Non, mes enfants, Je conservai leurs esprits, ils se réveillèrent devant le juge de leur propre conscience et furent préparés à retourner à nouveau, sur le sentier de la vie, pour y découvrir le progrès spirituel. (302, 14-16)

L'abnégation d'Abraham

19. Il ne vous sera pas toujours nécessaire de boire jusqu'à la lie le calice de l'amertume, parce qu'il suffira de regarder votre foi, votre obéissance, votre propos et l'intention d'obéir à mon commandement, afin que Je vous exempte de connaître l'instant le plus dur de votre épreuve.

20. Souvenez-vous qu'il fut demandé à Abraham la vie de son fils Isaac qu'il aimait beaucoup. Rappelez-vous que le patriarche, en surmontant sa douleur et passant au-dessus de l'amour à son fils, s'apprêta à le sacrifier, dans une preuve d'obéissance, de foi, d'amour et humilité que vous ne pouvez encore concevoir. Mais il ne lui fut pas permis de consommer le sacrifice de son fils, parce que déjà, au fond de son cœur, il avait fournit la preuve de son obéissance devant la volonté divine, et cela était suffisant. Combien grand fut le bonheur d'Abraham, lorsque sa main fut retenue par une force supérieure l'empêchant le sacrifice d'Isaac! Comme il bénit le nombre de son Seigneur et s'émerveilla de sa sagesse! (308, 11)

21. En Abraham et son fils Isaac, je vous donnai une image de ce que serait le sacrifice du Rédempteur, lorsque je mis à l'épreuve l'amour qu'Abraham me professait, en lui demandant de sacrifier, de sa propre main, un fils, son très aimé Isaac.

22. Si vous savez méditer, vous trouverez dans cet acte une ressemblance avec ce qui, plus tard, fut le sacrifice du Fils de Dieu pour le salut du monde.

23. Abraham fut la représentation de Dieu, et Isaac l'image de Jésus; en ce moment, le patriarche pensait que le Seigneur lui demandait la vie de

son fils pour que le sang de l'innocent lave les fautes du peuple et, malgré qu'il aime profondément celui qui était chair de sa chair, obéissance envers son Dieu, la charité et l'amour pour son peuple étaient plus forts que la vie de son fils bien aimé.

24. L'obéissant Abraham fut sur le point d'assener le coup mortel à son fils; à l'instant où, transi de douleur, il levait le bras pour le sacrifier, mon pouvoir l'arrêta et lui ordonna d'immoler un agneau, en lieu et place de son fils, afin que ce symbole subsiste comme un témoignage d'amour et d'obéissance. (119, 18-19)

Echelle vers le ciel dans le rêve de Jacob

25. Savez-vous la signification de cette Echelle que Jacob vit dans ses rêves? Cette Echelle représente la vie et évolution des esprits.

26. Le corps de Jacob dormait au moment de la révélation, mais son esprit était éveillé. Il était élevé vers le Père en cherchant la prière comme moyen d'y parvenir et, au moment où son esprit pénétra les régions de lumière, parvint à recevoir un message céleste qui resterait comme un testament de révélations et vérités spirituelles pour son peuple, c'est-à-dire toute humanité, parce qu'Israël n'est pas un nom matériel mais bien spirituel.

27. Jacob voyait que cette échelle était appuyée sur la Terre et que son sommet touchait le ciel; ceci indique le chemin d'élévation spirituelle qui commence sur la Terre, par la chair, et

termine en fondant sa lumière et son essence à celle de son Père, loin de toute influence matérielle.

28. Le patriarche vit que des anges montaient et descendaient cette échelle, représentant en cela les incessantes incarnation et désincarnation, l'aller et retour continu des esprits à la recherche de lumière, ou aussi en mission de se restituer et se purifier, pour s'élever un peu plus en retournant dans le monde spirituel. Cette échelle est le chemin de évolution spirituelle qui conduit au perfectionnement.

29. Pour cela, Jacob contempla au sommet de échelle la forme représentative de Jéhovah, indiquant en cela que Dieu est l'objectif de votre perfection, de vos aspirations et la récompense suprême de jouissances infinies, comme compensation de luttes ardues, aux souffrances prolongées et à la persévérance pour aboutir au sein du Père.

30. Dans les vicissitudes et les épreuves, l'esprit toujours trouva l'opportunité de faire du zèle pour s'élever. Là, en chaque épreuve, l'Echelle de Jacob a toujours été représentée, vous invitant à gravir un échelon de plus.

31. O disciples, quelle grande révélation fut celle-là, parce qu'en elle on vous parla de la vie spirituelle, à une époque à laquelle débutait à peine le réveil de l'esprit pour le culte au divin, à l'élevé, au pur, bon et véritable.

32. Ce message ne pouvait être destiné qu'à une seule famille, ni

d'ailleurs à un seul peuple; son essence était spirituelle et, par conséquent, revêtait une dimension d'universalité. Pour cela même, la voix du Père dit à Jacob: «Je suis Jehova, le Dieu d'Abraham et le Dieu d'Isaac, je vous donnerai à vous et votre semence la terre sur laquelle vous vous trouvez. Et cette semence sera comme la poussière du monde, et vous vous étendrez vers l'occident, l'orient, le nord et le sud et toutes les familles de la Terre seront bénites en vous et en votre semence». (315, 45-50)

Joseph et ses frères

33. Joseph, fils de Jacob, avait été vendu par ses propres frères à quelques marchands qui se dirigeaient vers l'Egypte. Joseph, bien qu'encore jeune, avait déjà fait montre d'un grand don de prophétie; l'envie s'empara de ses frères qui se défirent de lui en ne croyant jamais le revoir. Mais le Seigneur, qui veillait son serviteur, le protégea et le rendit grand devant le Pharaon d'Egypte.

34. De nombreuses années plus tard, lorsque le monde fut frappé par la sécheresse et la famine, l'Egypte, quant à elle, guidée par les conseils et inspirations de Joseph, accumula des provisions suffisantes pour lui permettre de résister à épreuve.

35. Ce fut alors que les fils de Jacob vinrent en Egypte pour y chercher des aliments. Enorme fut leur ahurissement lorsqu'ils reconnurent leur frère Joseph converti en ministre et conseiller du Pharaon. En le voyant,

ils tombèrent à genoux à ses pieds, repentis de leur faute et reconnurent que les prophéties de leur frère étaient réalisées. Celui qu'ils considéraient mort se dressait là, devant eux, immense de pouvoir, de vertu et de sagesse. Le prophète qu'ils avaient vendu leur démontrait la vérité de la prophétie que le Seigneur avait déposée sur ses lèvres depuis qu'il était enfant. Le frère qu'ils avaient brimé, en le vendant, leur pardonnait. Comprenez-vous, peuple? A présent vous savez pourquoi je vous ai dit en ce jour: Lorsque vous me reconnaîtrez comme ses frères reconnurent Joseph? (90, 2)

La pérégrination du peuple Israël avec Moise, au travers du désert

36. Au Premier Temps, Moise se trouva à la tête du peuple d'Israël pour le guider à travers le désert, durant 40 ans, en direction des terres de Canaan. Mais, par désobéissance, incrédulité et matérialisme, les uns blasphémèrent, les autres renièrent et d'autres encore se soulevèrent. Moise, face à une telle situation, leur parla avec prudence et patience pour qu'ils n'offensent pas la volonté suprême et soient humbles et obéissants devant ce Père qui, sans voir sa désobéissance fit descendre la manne des cieux et jaillir l'eau de la roche. (343, 53)

37. Moise avait donné des preuves suffisantes de ce que le vrai Dieu l'accompagnait, mais le peuple voulait davantage de témoignages et l'envoyé, emmenant les multitudes

jusqu'aux flancs du mont Sinaï, invoqua le pouvoir de Jehova et Lui, en l'écoutant, lui concéda de grandes preuves et de grands prodiges.

38. Le peuple voulut entendre et voir Celui que Moise écoutait et voyait au travers de sa foi et je me manifestai au peuple dans le nuage et lui laissai entendre ma voix des heures durant, mais elle était tellement puissante que les hommes se sentaient mourir de crainte; leur corps tremblait et leur esprit frissonnait devant cette voix de justice. Alors le peuple supplia Moise d'implorer Jéhovah de ne plus s'adresser à lui, parce qu'ils ne pouvaient l'écouter. Il reconnut par ailleurs qu'il était encore bien trop petit pour pouvoir se communiquer directement avec l'Eternel. (29, 32+34)

39. Forgez votre esprit dans les grands combats de la vie, à l'instar de ce peuple Israël dans le désert. Savez-vous combien le désert est vaste, qu'il ne paraît avoir de fin, avec un soleil inclément et des sables brûlants? Savez-vous ce qu'est la solitude et le silence et le fait de devoir rester en vigile, parce que les ennemis guettent? En vérité, je vous dis que là, dans le désert, ce peuple sut combien il est grand de créer en Dieu, et apprit à l'aimer. Que pouvait attendre ce peuple du désert? Et cependant il eut tout: le pain, l'eau, un foyer pour se reposer, une oasis et un sanctuaire où élever son esprit reconnaissant à l'égard de son Père et Créateur. (107, 28)

La lutte d'Elie pour le véritable Dieu

40. Elie vint à la Terre au Premier Temps, parvint au cœur de humanité et la trouva en proie au paganisme et l'idolâtrie. Le monde était gouverné par des rois et des prêtres et, les uns comme les autres s'étaient apartés de l'accomplissement des lois divines et guidaient leurs peuples sur des chemins de confusion et de fausseté. Ils avaient érigé des autels en l'honneur de dieux distincts, auxquels ils rendaient le culte.

41. Elie apparut en cette époque et s'adressa à ceux-là en des termes justiciers: «Ouvrez les yeux et voyez que vous avez profané la loi du Seigneur, vous avez oublié l'exemple de ses envoyés et vous êtes tombés en proie à des cultes indignes du Dieu vivant et puissant. Il est impérieux de vous réveiller, de le regarder et de le reconnaître. Détruisez votre idolâtrie et élevez vos yeux sur toute la forme sous laquelle vous l'ayez représenté».

42. Elie entendit ma voix qui lui disait: «Eloignez-vous de ce peuple inique, dites-lui qu'il ne pleuvra plus, pour bien longtemps, jusqu'à ce que vous en donniez l'ordre en mon nom».

43. Elie s'exprima: «Il ne pleuvra plus jusqu'à ce que mon Seigneur en décide l'heure et ma voix en donne l'ordre»; et, en ces termes il se retira.

44. Depuis ce jour la terre fut sèche, les saisons propices à la pluie passèrent, sans qu'il ne pleuve. Dans le ciel, on ne voyait aucun signe d'eau, les champs ressentirent la

sécheresse, le bétail commença de périr, les hommes commençaient à creuser la terre, à la recherche d'eau pour les désaltérer, mais ce fut en vain; les fleuves s'asséchèrent, l'herbe succomba sous les rayons d'un soleil brûlant et les hommes réclamaient à leurs dieux, demandant que cet élément leur revienne pour semer et en récolter la graine qui les alimentera.

45. Elias s'était éloigné sur ordre divin, priait et attendait la volonté de son Seigneur. Les hommes et les femmes commencèrent à quitter leurs terres en quête de nouveaux villages où ils ne manqueraient pas d'eau; l'on voyait des caravanes partout et, en tous lieux la terre était sèche.

46. Les années passèrent et un jour qu'Elie élevait son Esprit vers le Père, il entendit sa voix qui lui disait: «Recherchez le roi, et lorsque Je vous en donne le signal, les eaux tomberont à nouveau sur cette terre».

47. Elie, humble et très obéissant, s'en alla devant le roi de ce peuple et montra son pouvoir en présence des adorateurs du faux dieu; ensuite, il parla du Père et de son pouvoir et, alors, apparurent les signes, éclairs, coups de tonnerre et feu servirent dans le ciel, après quoi l'eau vivifiante tomba à torrents. A nouveau les champs se vêtirent de verdure et les arbres se remplirent de fruits et il y eu prospérité.

48. Devant cette épreuve, le peuple se réveilla et se souvint de son Père qui l'appelait et le réprimandait par l'intermédiaire d'Elie. En ce temps-là, nombreux et très grands furent les prodiges d'Elie pour émouvoir l'humanité. (53, 34-40)

Les douze tribus d'Israël

49. Ne croyez pas que seulement au sein du peuple d'Israël ont existé des prophètes, précurseurs et esprits de lumière J'en ai aussi envoyé quelques uns dans d'autres peuples, mais les hommes les considérèrent comme des dieux et non comme des envoyés, et créèrent, sous leurs enseignements, religions et cultes.

50. Le peuple d'Israël ne comprit pas la mission qu'il avait pour d'autres peuples et dormit dans un lit de bénédictions et de complaisances.

51. Le Père l'avait formé comme une famille parfaite dans laquelle une tribu avait pour mission de défendre le peuple et maintenir la paix, une autre labourait la terre, une autre tribu était de pêcheurs et navigateurs. A une autre tribu fut confié le culte spirituel, et ainsi successivement, chacune des douze tribus qui intégrèrent le peuple, accomplit une mission différente, laquelle mise ensemble était un exemple d'harmonie. Mais en vérité je vous le dis, les dons spirituels que vous possédiez en ces premiers temps, vous les avez encore toujours. (135, 15-16)

Les prophètes et premiers rois d'Israël

52. Les prophètes parlèrent en toute vérité, presque toujours ils vinrent sur Terre en temps de confusion et de détachement. Ils réprimandèrent les

peuples, les invitèrent à se repentir y al amendement, annoncèrent de grandes épreuves de justice s'ils ne retournaient pas au bien, et en d'autres occasions, ils prédirent des bénédictions pour le respect et obéissance à la Loi divine.

53. Mais ce dont parlaient ces prophètes, était une exhortation aux pratiques du bien, de la justice et du respect entre les uns et les autres. Ils ne venaient pas révéler la vie de l'esprit, son destin et son évolution; ni Moise même, que je choisis pour en faire mon représentant et à qui j'ai remis, par son intermédiaire, la Loi pour tous les temps, ne vous a parlé de la vie spirituelle.

54. La Loi du Père renferme sagesse et justice. Elle enseigne l'homme à vivre en paix, à s'aimer et se respecter les uns les autres et à se montrer dignes devant Moi, comme hommes; mais Moise ne montra pas à humanité ce qu'il y a au-delà des seuils de la mort corporelle, ni la restitution des esprits désobéissants, ou la récompense pour les prudents et jaloux de leur mission.

55. Ensuite régna David, plein de dons et d'inspiration; dans ses moments d'élévation, ses extases, il écoutait des hymnes et des chants spirituels avec lesquels il forma les psaumes, grâce à ceux-ci il invita le peuple d'Israël à prier et à rendre hommage à son Seigneur, par la meilleure offrande de son cœur. Et David, malgré tout son amour et toute son inspiration, ne put révéler au peuple la merveilleuse existence des esprits, leur évolution et leur objectif.

56. Et Salomon lui succéda au royaume et, également, démontra les grands dons de sagesse et de pouvoir qui lui avaient été concédés, pour lesquels il fut aimé et admiré – aujourd'hui on rappelle ses conseils, ses jugements et ses proverbes. Si son peuple s'était approché de lui pour lui demander: Seigneur, Comment est la vie spirituelle? Qu'y a-t-il au-delà de la mort? Qu'est-ce que l'esprit? Salomon, avec toute sa sagesse, n'aurait pas pu répondre. (339, 12-15)

Chapitre 10 - Quand s'accomplit le temps

Prophéties

1. Pour que le Verbe de Dieu habite l'humanité et qu'il lui montre le chemin de sa restitution, par le biais de sublimes exemples de son amour, le Père mit tout en œuvre.

2. En premier lieu, Il inspira les prophètes qui devaient annoncer la forme sous laquelle le Messie viendrait au monde, ainsi que son oeuvre, ses souffrances et sa mort en tant qu'homme, afin que celui qui connaisse les prophéties reconnaisse le Christ à l'instant même de son apparition sur la Terre.

3. Bien des siècles précédant Ma présence au travers de Jésus, le prophète Isaïe dit: En conséquence, le Seigneur vous donnera ce signe "C'est ainsi que la vierge concevra et mettra au monde un fils qui se prénommera Emmanuel (ce qui signifie "Dieu avec nous"). Par cette prophétie parmi d'autres, il annonça ma venue.

4. Dans ses psaumes débordant de douleur et de sens prophétique, David, de nombreux siècles avant mon arrivée, chantait déjà les souffrances du Messie durant la crucifixion. Dans ces psaumes, il parle de l'une de mes sept paroles sur la croix, annonçant le mépris avec lequel les multitudes devaient me conduire au sacrifice, les phrases moqueuses des hommes en entendant que le Père était en Moi, la solitude que je devais expérimenter devant l'ingratitude humaine, tous les tourments auxquels je devrais être exposé et jusqu'au tirage au sort de mes vêtements.

5. Chacun de mes prophètes vint pour annoncer ma venue, préparer les chemins et donner des signes précis pour que personne ne soit confondu le jour de mon arrivée (40, 1-5)

L'attente du Messie chez le peuple juif

6. Le monde en cette Ere ne sut m'attendre comme m'espéra le peuple d'Israël au cours du Second Temps. Mes grands prophètes avaient annoncé un Messie, un Sauveur, le Fils de Dieu, qui viendrait libérer les opprimés et éclairer le monde par la lumière du Verbe. Et ce peuple, plus il souffrait, plus il souhaitait l'arrivée de celui qui avait été promis, plus il buvait le calice de l'humiliation et de l'oppression, plus il désirait ardemment la présence du Messie et partout il cherchait des indices ou des signes de la proximité de arrivée de son Sauveur.

7. De génération en génération y de pères en fils, se transmettait la divine promesse qui, longtemps, fit veiller et prier le peuple élu du Seigneur.

8. Finalement j'arrivai parmi mon peuple, mais tous ne surent pas me reconnaître, bien qu'ils m'attendaient tous; les uns avec spiritualité et les autres au travers d'une interprétation matérialiste.

107

9. Mais il me suffit de la limpidité et de l'amour de ceux qui perçurent ma présence et virent le Royaume des Cieux dans la lumière de ma parole, pour qu'ils croient en ma manifestation. Il me suffit de ceux qui me suivirent fidèlement et virent en Moi leur Sauveur spirituel, parce que ce furent eux qui témoignèrent de ma vérité après mon départ de ce monde.

10. Quoique mon message fut destiné à tous les peuples de la Terre, je lançai un appel au cœur du peuple élu pour qu'il se transforme par la suite en mon porte-parole. Cependant, ce peuple ne fut pas le seul à sentir ma présence. Dans d'autres nations, les hommes également surent découvrir les signes de mon arrivée et pressentirent le temps de ma présence sur la Terre. (315, 17-19)

11. Elie apparaît aux hommes dans chaque ère et dans chaque Révélation Divine.

12. Le Messie était pas encore arrivé sur Terre, il restait peu de temps pour qu'il naisse en tant qu'homme et l'esprit du prophète était déjà incarné en Jean, qui plus tard fut appelé le Baptiste, pour annoncer la proximité du Royaume des Cieux, qui serait la présence du Verbe parmi les hommes. (31, 61-62)

Marie, la mère charnelle de Jésus

13. Depuis le Premier Temps, les patriarches et les prophètes commencèrent à parler de l'Avent, de la venue du Messie. Mais le Messie ne vint pas seulement en Esprit, il

s'incarna, il vint se faire homme et prendre la chair d'une femme.

14. L'essence maternelle divine dut aussi s'incarner, se faire femme, comme une fleur de pureté, pour que, de sa corolle, jaillisse la fragrance, le parfum du Verbe de Dieu que fut Jésus.

15. A Nazareth vivait une fleur de pureté et de tendresse, une vierge sans époux qui répondait au nom de Marie, celle qui, précisément fut annoncée par le prophète Isaïe pour que, de son sein, naisse le fruit de la Vraie Vie.

16. L'envoyé spirituel du Seigneur s'en alla la trouver pour lui communiquer sa mission sur Terre, en ces termes: Tu es pleine de grâce, le Seigneur est avec toi, tu es bénite entre toutes les femmes.

17. L'heure était venue de révéler le mystère divin et tout ce qui était dit à propos du Sauveur, du Rédempteur, allait s'accomplir prochainement. Mais, peu nombreux furent les cœurs sensibles à ma présence Peu nombreux furent les esprits prêts à reconnaître le Royaume des Cieux dans la lumière de ma vérité. (40, 6-7)

L'adoration de l'Enfant Jésus

18. L'humanité se rappelle de ce jour auquel quelques mages d'Orient parvinrent à la crèche de Bethléem pour y adorer l'Enfant Jésus. Aujourd'hui quelques cœurs m'interrogent: Seigneur, est-il vrai que ces seigneurs puissants et sages s'inclinèrent devant Vous en reconnaissant votre divinité?

19. Oui, mes enfants, la science, le pouvoir et la richesse vinrent se prosterner devant Ma présence.

20. Etaient aussi présents les pasteurs, leurs épouses et leurs enfants, avec leurs humbles, sains et simples cadeaux, avec ceux qui recevaient et saluaient le Rédempteur du monde et Marie comme le symbole de la tendresse céleste. Ils représentaient l'humilité, l'innocence, la simplicité. Quant à ceux qui détenaient sur leurs parchemins les prophéties et promesses qui traitaient du Messie, ils dormaient d'un profond sommeil, sans même se douter de Celui qui était venu au monde. (146, 9-11)

Le lien d'amour entre Jésus et Marie

21. Jésus vécut son enfance et sa jeunesse aux cotés de Marie et jouit de son amour maternel. La tendresse divine faite femme adoucit les premières années de la vie du Sauveur dans ce monde, parce qu'une fois arrivé le moment, il lui faudrait boire tant d'amertume.

22. Comment est-ce possible que quelqu'un puisse penser que Marie, qui sentit se former dans son propre sein le corps de Jésus, et qui vivait au côté du Maître, puisse manquer d'élévation spirituelle, de pureté et de sainteté?

23. Celui qui m'aime devra d'abord aimer tout ce qui est mien et tout ce que J'aime. (39, 52-54)

La sagesse de Jésus

24. Dans leurs livres, les hommes disent que Jésus fut parmi les Escenios pour en rechercher leur savoir, mais celui qui savait tout et exista avant les mondes, ne pouvait rien apprendre des hommes; le divin ne pouvait apprendre de l'humain. Ou que je fus, ce fut pour enseigner. Peut-il exister sur Terre quelqu'un de plus sage que Dieu? Le Christ vint du Père pour apporter la sagesse divine aux hommes. Votre Maître ne vous en fournit-il pas la preuve lorsque, âgé de 12 ans, il laissa coi les théologiens, philosophes et autres docteurs de la Loi de cette époque?

25. Il y en a qui ont rendu Jésus responsable des faiblesses de tous les hommes, en jouissant de déverser sur l'homme divin et sans tache, toute la bourbe qu'ils ont dans leur cœur. Ceux-là ne me connaissent pas.

26. Si toutes les merveilles de cette Nature que vous contemplez ne sont autres que la matérialisation de pensées divines, ne pensez-vous pas que le corps du Christ soit la matérialisation d'une sublime pensée d'amour de votre Père? Ainsi donc, le Christ vous aima avec l'Esprit, et non par la chair. Ma vérité jamais ne pourra être faussée parce qu'elle contient une lumière et une force absolues. (146, 35-36)

27. Au Second Temps, je vous donnai un exemple de comment attendre l'heure adéquate pour accomplir la mission qui vous amena à la Terre.

28. J'attendis que mon corps, ce Jésus que contemplèrent les hommes, en arrive à son meilleur âge pour accomplir par son intermédiaire la divine mission de vous enseigner l'amour.

29. Quand dans ce corps, le cœur et l'esprit intelligent étaient arrivés à leur plein développement, mon Esprit s'exprima par l'entremise de ses lèvres, ma sagesse lui traversa l'esprit, mon amour se déposa en son coeur et l'harmonie entre ce corps et la lumière divine qui l'illuminait fut tant parfaite que, bien souvent, je m'adressai aux multitudes en ces termes: "Qui connaît le fils, connaît le Père".

30. Le Christ emprunta la vérité de Dieu pour l'enseigner aux hommes, il ne vint pas la prendre du monde, ni d'ailleurs des Grecs, Chaldéens, Esséniens ou Phéniciens. Il ne prit la lumière de personne. Ceux-ci ne connaissaient pas encore le chemin du ciel et Moi je vins pour enseigner ce qui était méconnu de la Terre.

31. Jésus avait consacré son enfance et sa jeunesse à la charité et la prière et l'heure arrivait d'annoncer le Royaume des Cieux, la Loi de l'amour et de la justice, la Doctrine de la lumière et de la vie.

32. Recherchez l'essence de ma parole proférée en ce temps-là et dites-moi si elle peut provenir de quelconque doctrine humaine ou d'une quelconque science connue à cette époque.

33. Moi je vous affirme que si je m'étais inspiré de la sagesse de ces hommes, alors j'aurais recherché mes disciples parmi eux, et non parmi les hommes rudes et ignorants avec lesquels j'ai constitué mon apostolat. (169, 62 – 68)

L'incompréhension de l'environnement humain à Nazareth

34. Je dus chercher refuge auprès d'un peuple comme l'Egypte, puisque le peuple dans lequel j'étais venu ne savait m'héberger; mais cela ne constituait pas la seule peine que mon cœur devrait éprouver.

35. Lorsque je retournai d'Egypte pour habiter à Nazareth, à chacun de mes pas, j'étais raillé et blessé par les phrases d'incrédulité et d'envie.

36. J'y accomplis des prodiges, fis preuve de charité et de pouvoir, et l'on me renia. Pas un seul de tous les proches qui connaissaient ma vie et mes actions ne crut en Moi.

37. C'est de là que, à l'heure de la prédication, je me sentis dans l'obligation de dire, en quittant Nazareth: «En vérité, je vous le dis, nul n'est prophète en son pays, il est impérieux de le quitter pour que sa parole soit entendue». (299, 70-72)

Chapitre 11 – L'œuvre de Jésus sur la terre

**Le baptême dans le Jourdain;
temps de préparation dans le désert**

1. Le doux Jésus, l'humble Nazaréen qui avait attendu le moment adéquat pour laisser jaillir de ses lèvres la divine parole, chercha Jean sur les rivages du fleuve Jourdain pour recevoir les eaux du baptême. Jésus était-il en quête de purification? Non, mon peuple! Allait-il, peut-être, célébrer un rite? Non plus! Jésus savait que son heure était arrivée où l'homme allait disparaître pour laisser parler l'Esprit, et il voulut marquer ce moment par un acte qui se graverait dans la mémoire de l'humanité.

2. Les eaux symboliques ne durent laver aucune tache, mais en tant qu'exemple pour humanité, elles quittaient à ce corps tout lien avec le monde, et ainsi le faire fondre dans la volonté avec l'esprit. Ce fut lorsque ceux qui assistèrent à cet acte qu'ils entendirent une voix divine qui, humanisée, dit: «Voici mon Fils bien aimé, en qui j'ai déposé toutes mes complaisances, Ecoutez-Le».

3. Et depuis cet instant, le Verbe de Dieu se fit parole de vie éternelle sur les lèvres de Jésus, parce que le Christ se manifesta en plénitude par son entremise. Les hommes l'appelèrent Rabbin, Maître, Envoyé, Messie et Fils de Dieu. (308, 25-27)

4. Ensuite, je me retirai dans le désert pour méditer, pour vous enseigner à entrer en communion avec le Créateur et voir, depuis le désert silencieux, l'œuvre qui m'attendait, afin de vous enseigner en cela que, pour vous élever à l'accomplissement de l'œuvre que je vous ai confiée, il est indispensable que vous vous purifiez. Ensuite, dans le silence de votre être, recherchez la communion directe avec votre Père, et ainsi, préparés, propres, fortifiés et décidés, élevez-vous avec fermeté vers l'accomplissement de votre délicate mission. (113, 9)

L'unité de Jésus-Christ avec Dieu

5. Durant trois ans, je me suis exprimé au monde par le biais de ces lèvres, sans que la moindre de mes paroles ou de mes pensées ne fut tergiversée par cet esprit, sans que le moindre de ses actes ait été en désaccord avec ma volonté Il est vrai que Jésus et le Christ, homme et esprit, furent un seul, tout comme le Christ et le Père sont Un Seul. (308, 28)

6. En Moi, voyez le Père, parce qu'en vérité je vous dis que le Christ et le Père sont Un Seul depuis l'éternité, depuis bien avant la création des mondes.

7. Au cours de la Seconde Ere, ce Christ, qui ne forme qu'Un avec le Père, s'incarna sur terre dans le corps béni de Jésus et, de cette manière, vint

en tant que Fils de Dieu, mais seulement en tant qu'homme, parce que je vous répète qu'il n'existe qu'un seul Dieu. (9, 48)

8. En Jésus, Je me fis homme, non pour vous laisser entendre que Dieu présente une forme humaine, mais bien pour me faire voir et entendre par ceux qui étaient aveugles et sourds à tout ce qui est divin.

9. Si le corps du Christ avait été celui de Jéhovah, en vérité je vous dis qu'il n'aurait pas saigné, ni trépassé. Ce fut un corps parfait, mais humanisé et sensible, afin que humanité le voie et, par son entremise, entende la voix de son Père céleste. (3, 82)

10. Il y eut deux natures en Jésus, l'une humaine, matérielle, créée par ma volonté dans le sein vierge de Marie. Je l'appelai le Fils de l'Homme. L'autre nature de Jésus, divine, celle de l'esprit, fut nommée le Fils de Dieu. C'est en celle-ci que résida le Verbe Divin du Père qui s'exprima en Jésus; l'autre, quant à elle, ne fut que matérielle et visible. (21, 29)

11. Le Christ, le Verbe de Dieu, fut celui qui s'exprima par la bouche de Jésus, l'homme immaculé et pur.

12. Jésus, l'homme, naquit, vécut et mourut mais, pour tout ce qui concerne le Christ, Il ne naquit pas, ne grandit pas dans ce monde, ni ne mourut; parce qu'Il est la Voix de l'amour, l'Esprit de l'amour, la parole divine, l'expression de la sagesse du

Créateur, qui a toujours été avec le Père. (91, 28-29)

Le rejet de Jésus en tant que Messie attendu

13. Je ne fus pas reconnu par tous, au cours du Second Temps. Lorsque j'apparus au milieu du peuple juif, lequel m'attendait déjà parce qu'il voyait que les signes donnés par les prophètes étaient accomplis, ma présence confondit beaucoup de ceux qui n'avaient pas su interpréter les prophéties. Ils s'attendaient à voir leur Messie comme un prince puissant qui écraserait ses ennemis, qui humilierait les rois et les oppresseurs et qui attribuerait les possessions et biens terrestres à ceux qui l'attendaient.

14. Quand ce peuple vit Jésus, pauvre et sans monture et vêtu d'une humble tunique, naître dans une étable et qu'il le vit, par la suite, travailler comme un simple artisan, il ne put croire qu'Il fut l'envoyé du Père, celui qui avait été l'élu. Il fut impérieux que le Maître accomplisse des prodiges et des oeuvres palpables pour qu'ils le croient et comprennent son message divin. (227, 12-13)

15. Les humbles et les pauvres ont toujours découvert ma présence, parce que leurs entendements ne sont pas préoccupés par des théories humaines qui les écartent du discernement clair.

16. Au cours de la Seconde Ere également, après l'annonce de la venue du Messie et dès son arrivée, ceux qui le ressentirent furent les

personnes simples de coeur, à l'esprit humble et à l'entendement immaculé.

17. Les théologiens avaient en mains le livre des prophètes et, quotidiennement, répétaient les paroles annonciatrices des signes, du moment et de la forme de la venue du Messie; cependant, ils me virent et ne me reconnurent pas, ils m'écoutèrent et nièrent que Je fus le Sauveur promis. Ils virent mes oeuvres et, l'unique réaction qu'ils eurent fut de se scandaliser, alors qu'en vérité, toutes avaient été prophétisées. (150, 21-23)

18. Aujourd'hui l'on ne doute déjà plus de Jésus, mais beaucoup discutent et nient même ma divinité. Les uns m'attribuent une grande élévation spirituelle quant aux autres, ils affirment que Moi aussi je m'en vais parcourant le sentier de l'évolution de l'esprit, pour pouvoir arriver au Père. Mais, s'il en était ainsi, je ne serais pas venu vous dire: "Je suis le chemin, la vérité et la vie". (170, 7)

Jésus, hôte de salut parmi le peuple humble
19. Votre mission consiste à imiter votre Divin Maître en son passage sur la Terre. Souvenez-vous que lorsque Je me présentais dans les demeures, je laissais à tous, à chaque fois, un message de paix, je guérissais les malades et consolais ceux qui étaient tristes grâce au pouvoir divin que possède l'amour.

20. Je n'ai jamais manqué d'entrer dans un foyer même si l'on ne m'y croyait pas; Je savais qu'en quittant ce lieu le coeur de ses habitants déborderait de joie parce que, sans le savoir, leur esprit s'inclinerait vers le Royaume des Cieux, grâce à mon enseignement.

21. Quelques fois Je me dirigeai aux cœurs, en d'autres circonstances, ce sont eux qui me cherchèrent, mais dans tous les cas mon amour fut le pain de la vie éternelle que je leur offris dans l'essence de ma parole. (28, 3-5)

Jésus, l'infatigable prédicateur
22. En quelques occasions où je me retirai et me livrai à la solitude d'une quelconque vallée, je ne restais seul que pour de rares instants, parce que les multitudes, avides de m'écouter, se rapprochaient de leur Maître en quête de l'infinie douceur de son regard. Moi, je les recevais, en répandant en ces hommes, femmes et enfants la tendresse de mon infinie charité, en sachant que chaque créature renfermait un esprit que j'étais venu chercher au monde. Alors je leur parlai du Royaume des Cieux, qui est la véritable patrie de l'esprit, afin d'apaiser, par ma parole, leurs inquiétudes et de se fortifier avec l'espoir d'atteindre la vie éternelle.

23. Parfois, caché parmi la multitude, un homme avait l'intention de clamer haut et fort sa négation de ma vérité, assurant que j'étais un faux prophète; mais ma parole le prenait de surprise avant même qu'il n'eut le temps de mouvoir ses lèvres En d'autres occasions, je me laissai

injurier par un quelconque blasphème, pour fournir la preuve à la multitude que les offenses ne troublaient pas le Maître, en leur donnant ainsi un exemple humilité et d'amour.

24. Il y en eut quelques-uns qui, honteux devant ma mansuétude, s'absentèrent sur le champ, repentis d'avoir offensé par leurs doutes celui qui, à travers de ses oeuvres, prêchait la vérité. Lorsque l'opportunité se présentait à eux, ils venaient à Moi, me suivaient sur les chemins, éplorés, attendris devant ma parole, sans pour autant oser s'adresser à Moi pour me demander pardon pour les offenses qu'ils m'avaient profanées auparavant. Moi, je les appelais, les caressais avec ma parole et leur concédais une grâce. (28, 6-7)

25. Ecoutez: Lorsque je fus présent parmi vous sur la Terre, les hommes accouraient à Moi en caravanes, des hommes de haut rang, couverts de vanité, des gouvernants qui me cherchaient en secret pour m'écouter. Les uns m'admirèrent, mais sans le confesser par crainte, les autres me renièrent.

26. Des multitudes d'hommes, de femmes et d'enfants vinrent à Moi. Ils m'écoutaient le matin, l'après-midi et en soirée et, toujours ils trouvaient le Maître disposé à leur livrer la parole de Dieu. Ils contemplaient le Maître, infatigable, oublieux de lui-même. Ils ignoraient l'heure à laquelle il s'alimentait pour nourrir son corps et que sa voix ne s'affaiblisse. Ils ne savaient pas que Jésus puisait des forces de son propre esprit et trouvait, ainsi, en même, la nourriture. (241, 23)

L'amour de Jésus pour les enfants et la nature

27. Dans certaines occasions, me trouvant seul, je fus découvert par les enfants qui venaient à Moi pour me voir, m'offrir des fleurs, me raconter quelque peine et m'offrir leurs baisers.

28. Les mères s'affligeaient en découvrant leurs petits qui écoutaient ma parole, dans mes bras. Les disciples, pensant que cela signifiait un manque de respect envers le Maître, essayaient de les chasser. C'est alors que je dus leur dire: «Laissez venir à Moi les enfants, parce que pour parvenir à pénétrer le Royaume des Cieux, il est impérieux que vous ayez la pureté et la simplicité des enfants».

29. Moi je me réjouissais de cette innocence et cette candeur, comme celui qui se délecte la vue en contemplant un bouton de fleur prêt à éclore. (262, 62-64)

30. Combien de fois Jésus fut-il rencontré par ses disciples en train de converser avec les distinctes créatures de l'Univers! A combien de reprises le Maître ne fut-il pas surpris dans ses dialogues avec les oiseaux, la campagne et la mer! Mais ils savaient que leur Maître n'avait pas perdu la raison, ils savaient qu'en leur Maître vibrait l'Esprit Créateur du Père, celui qui doté tous les êtres de langage,

celui qui comprenait tous ses enfants, celui qui recevait la louange et l'amour de tout ce qu'Il avait créé.

31. A maintes reprises les disciples et les gens virent Jésus caresser un oiseau ou une fleur et bénissant tout. Dans ses yeux, ils découvraient des regards d'amour infini pour toutes les créatures! Les disciples devinaient la joie divine de ce Seigneur entouré de tant de splendeur, de tant de merveilles jaillies de sa sagesse. Souvent aussi ils virent les yeux du Maître baignés de larmes lorsqu'Il voyait l'indifférence des hommes devant tant de grandeur, l'insensibilité et la cécité des créatures humaines devant tant de splendeur. Maintes fois ils virent le Maître pleurer lorsqu'Il voyait le lépreux pleurer pour sa lèpre, et les hommes et les femmes qui se plaignaient de leur destin. Alors qu'ils étaient enveloppés dans un giron d'amour parfait! (332, 25-26)

La doctrine de Jésus

32. Jésus vous enseigna la charité, la mansuétude et l'amour. Il vint vous enseigner à pardonner avec le cœur à vos ennemis; il vint vous dire que vous devriez fuir le mensonge et aimer la vérité; il vous manifesta que, tant le mal comme le bien que vous recevez, vous devriez toujours le payer avec le bien. Il vous enseigna le respect envers chacun de vos semblables et vous révéla la manière de trouver la santé du corps et de l'esprit, et d'honorer par votre vie le nom de vos pères, pour qu'à la fois vous aussi puissiez être honorés par vos enfants.

33. Voici quelques commandements que tout un chacun qui en vérité souhaite être chrétien devrait respecter.

34. Quand les scribes et les pharisiens observèrent les actions de Jésus et considérèrent qu'ils divergeaient des leurs, ils dirent que la Doctrine qu'Il prêchait allait à l'encontre de la Loi de Moise. Il faut dire qu'ils confondaient la Loi et les traditions, mais Je leur fournis la preuve que Je n'étais pas venu pour transgresser la Loi que le Père avait révélée à Moise, mais bien pour l'accomplir en paroles et en actes.

35. Je passai certainement au-dessus de maintes traditions de ce peuple, parce qu'il était temps qu'elles disparaissent, afin de commencer une nouvelle ère, avec des enseignements plus élevés. (149, 42-43)

36. Rappelez-vous de mes paroles, dans le premier précepte de la Loi que je livrai à humanité par l'entremise de Moise: «Vous ne forgerez aucune image ni ressemblance quant aux affaires du Ciel, pour vous prosterner et les adorer». Depuis cet instant furent clairement tracés les chemins pour l'homme et pour l'esprit.

37. Moise ne se limita pas à transmettre le Décalogue aux hommes. Il institua également des lois secondaires pour la vie humaine et implanta des traditions, rites et symboles au sein du culte spirituel, le

tout en accord avec les pas que l'esprit humain permettait alors.

38. Mais c'est alors que vint le Messie promis qui effaça les traditions, les rites, les symboles et les sacrifices, pour seulement laisser intacte la Loi. Pour cette raison, lorsque les pharisiens dirent au peuple que Jésus venait à l'encontre des lois de Moise, Je leur répondis que je ne m'opposais pas à la Loi, sinon que je venais pour veiller à son accomplissement et que si mes enseignements devaient effacer les traditions, c'était du au fait que le peuple, dans sa soif de les respecter, avait oublié d'observer la Loi. (254, 17-18)

39. Jésus caressait le désir ardent de voir ses disciples se convertir en semeurs de sa Doctrine rédemptrice; pour cela, au moment suprême de sa dernière chaire qui fut aussi la dernière conversation entre le Père et ses enfants, il dit à ses disciples, avec une douce intonation: je vais vous laisser un nouveau commandement: «Aimez-vous les uns les autres», illuminant ainsi, de la lumière de cette maxime, la plus grande espérance de l'humanité. (254, 59)

40. Ma parole de ce temps n'effacera pas ce que je vous ai révélé au cours du Second. Les temps, les siècles et les ères passeront, mais les paroles de Jésus resteront. Aujourd'hui, je viens vous expliquer et vous révéler le contenu de ce que je

vous dis alors et que vous ne comprîtes point. (114, 47)

«Miracles» de Jésus

41. Afin que cet enseignement enflamme la foi dans les cœurs, je l'appuyai de miracles, pour que tous puissent l'aimer. Et, pour rendre ces miracles encore plus palpables, je les réalisai sur les corps de malades, je guéris les aveugles, les sourds, les muets, les paralytiques, les possédés et les lépreux, J'ai même ressuscité les morts.

42. Combien de miracles d'amour furent accomplis par le Christ parmi les hommes! L'histoire recueillit leurs noms à titre d'exemple pour les générations futures. (151, 37-38)

43. De partout surgirent des êtres de lumière au service de l'œuvre divine ainsi que d'autres rebelles et ignorants. Dans cette humanité apparurent les possédés que la science ne parvenait pas à libérer et que le peuple répudiait. Ni les docteurs de la Loi ni les scientifiques ne réussissaient à guérir ces malades.

44. Mais J'avais tout disposé pour vous enseigner et vous donner des preuves d'amour; et Je vous concédai, par le biais de Jésus, la guérison de ces créatures, au grand étonnement de beaucoup.

45. Les incrédules, ceux qui avaient entendu parler du pouvoir de Jésus et qui étaient au courant de ses miracles, recherchaient des preuves les plus difficiles pour le faire vaciller l'espace d'un instant et ainsi

démontrer qu'il était pas infaillible. Cette libération des possédés, le fait qu'ils récupèrent leur état d'êtres normaux, juste en les touchant, en les regardant ou en leur dirigeant un mot d'ordre, afin que ces êtres spirituels abandonnent leur esprit et que, les uns et les autres soient libérés de ce pesant fardeau, tout cela sema la confusion chez les détracteurs.

46. En présence de ce pouvoir, les pharisiens, les scientifiques, les scribes et les publicains eurent des réactions différentes. Les uns reconnaissaient la puissance de Jésus, d'autres attribuaient son pouvoir à d'étranges influences, les autres enfin n'étaient pas capables de se prononcer, mais les malades qui avaient été guéris bénissaient son nom.

47. Quelques-uns avaient été possédés par un seul esprit, d'autres par sept, comme ce fut le cas de Marie Madeleine, d'autres enfin déclaraient avoir été possédés par une légion d'esprits.

48. Les manifestations spirituelles se succédèrent tout au long de la vie du Maître, quelque-unes furent vécues par les douze disciples, d'autres par le peuple sur les chemins ou dans leurs demeures. C'était un temps de prodiges et de merveilles. (339, 20-22)

49. Le miracle, comme vous l'entendez, n'existe pas; il n'existe aucune contradiction entre le divin et le matériel.

50. Vous attribuez de nombreux miracles à Jésus et, je vous dis en vérité que ses œuvres furent le résultat de l'amour, de cette force divine qui est latente en chaque esprit. Vous-autres ne savez pas encore en faire usage, parce que vous n'avez pas voulu connaître la vertu de l'amour.

51. Qu'exista-t-il dans tous les prodiges qu'accomplit Jésus, si ce n'est l'amour?

52. Ecoutez-moi, disciples: Afin que l'amour de Dieu puisse se manifester à humanité, il fallait un instrument humble. Jésus toujours fut humble et vint en donner l'exemple aux hommes lorsqu'en une occasion, il vous déclara qu'il ne pourrait rien accomplir sans la volonté de son Père Céleste. Celui qui ne s'imprègne pas de l'humilité de ces paroles pensera que Jésus fut un homme quelconque, mais en vérité Il voulait vous donner une leçon d'humilité.

53. Il savait que cette humilité et cette unité avec le Père le rendaient tout-puissant aux yeux de l'humanité.

54. Oh immense et merveilleuse transfiguration que procurent l'amour, humilité et la sagesse!

55. A présent vous savez que, bien que Jésus ait dit qu'il ne pouvait rien faire si ce n'était par la volonté de son Père, en réalité il pouvait tout accomplir en raison de son obéissance, son humilité, parce qu'il se mit au service de la Loi et des hommes et parce qu'il sut aimer.

56. Reconnaissez dès lors que, connaissant vous-mêmes quelques-unes des vertus de l'amour spirituel,

vous ne le ressentez pas et, ainsi, ne pouvez comprendre le pourquoi de tout ce que vous qualifiez de miracle ou mystère, de même que ce sont les œuvres qui accomplissent l'amour divin.

57. Quels enseignements vous livra Jésus, qui ne furent d'amour? Quelle science, quelles pratiques ou connaissances mystérieuses utilisa-t-il pour vous laisser ses exemples de pouvoir et de sagesse? Rien de plus que la douceur de l'amour avec laquelle tout peut se réaliser.

58. Les lois du Père ne sont pas contradictoires, simples par leur sagesse et sages pour déborder d'amour.

59. Ecoutez le Maître, Il est votre Livre. (17, 11-21)

60. L'Esprit qui anima Jésus fut le Mien. Votre Dieu se fit homme pour habiter avec vous et se faire voir, parce qu'il le fallait. En tant qu'homme, je ressentis toutes les souffrances humaines; les hommes de science, qui avaient étudié la nature, découvrirent mon enseignement et ils découvrirent qu'ils ne savaient rien. Grands et petits, vertueux et pécheurs, innocents et coupables reçurent l'essence de ma parole et, à tous, Je les rendis dignes de ma présence, et bien que nombreux furent les appelés, peu furent les élus et encore moins de ceux qui Me furent proches. (44, 10)

L'adultère

61. Je pris la défense des pécheurs. Ne vous souvenez-vous pas de la femme adultère? Lorsque l'on me l'amena, poursuivie et condamnée par les foules, les pharisiens arrivèrent et m'interrogèrent: Que devons-nous faire d'elle? Les sacerdotes espéraient que Je leur réponde: «faites justice», pour ensuite pouvoir répliquer: «Comment peux-tu prêcher l'amour et permettre en même temps que cette pécheresse soit punie?» Si J'avais dit de la laisser en liberté, ils m'auraient rétorqué: Dans les lois de Moise, que d'après toi tu viens confirmer, il existe un précepte qui dit: Toute femme surprise en état adultère mourra par lapidation.

62. Tout en considérant leur intention, Je ne leur répondis point et, me penchant, écrivis sur la terre poussiéreuse les péchés de ceux qui étaient en train de juger. Ils me réitérèrent leur question de savoir ce qu'ils devaient faire de cette femme, et Je leur répondis: «Que celui qui se trouve libre de péché lui jette la première pierre». A cet instant ils reconnurent leurs erreurs et s'éloignèrent en se voilant la face. Aucun d'entre eux n'était propre et, se sentant pénétrés par Mon regard jusqu'au plus profond de leur cœur, n'accusèrent plus cette femme, parce que tous avaient péché. Quant à la femme, accompagnée d'autres qui avaient aussi commis adultère, elles repentirent et ne péchèrent plus. Je vous dis qu'il est plus facile de convertir un pécheur par l'amour que par la rigueur et le châtiment. (44, 11)

Marie Madeleine

63. Marie Madeleine la pécheresse, ainsi la surnomma tout le monde, se gagna de ma tendresse et de mon pardon.

64. Très rapidement elle parvint à sa rédemption, ce qui n'arrive pas aux autres qui, faiblement, demandent le pardon de leurs péchés; tandis qu'elle rencontra très vite ce qu'elle cherchait, d'autres n'y arrivent pas.

65. Madeleine se fit pardonner sans se vanter de son repentir; elle, tout comme vous, avait péché, mais elle avait beaucoup aimé.

66. Celui qui aime aura le droit à l'erreur en sa conduite humaine, mais l'amour est la tendresse qui déborde du cœur. Si, tout comme elle, vous souhaitez être pardonnés, alors dirigez vos yeux pleins d'amour et de confiance vers Moi, et vous aussi serez absouts de toute tache.

67. Cette femme jamais plus ne pécha, elle consacra à la Doctrine du Maître l'amour qui débordait de son cœur.

68. Elle fut pardonnée bien qu'ayant commis des erreurs, mais elle avait en son cœur le feu purificateur. Et depuis ce pardon que reçut la pécheresse, elle ne s'écarta plus un seul instant de Jésus. Plutôt que cette petite, ce furent mes disciples qui me laissèrent seul dans les heures les plus sanglantes. Marie ne s'éloigna pas de Moi, elle ne me renia pas, n'eut pas peur et ne fut pas honteuse.

69. C'est pour cela qu'il lui fut accordé de pleurer au pied de ma croix et sur mon sépulcre. Très vite, son esprit se racheta pour avoir tant aimé.

70. En son cœur elle avait aussi un esprit d'apôtre; sa conversion resplendit comme la lumière de la vérité; elle avait su s'abaisser devant Moi pour me dire: «Seigneur, si tu le souhaites, je serai libérée du péché».

71. Quant à vous, combien de fois souhaitiez-vous me convaincre de votre innocence en enveloppant vos fautes dans de longues prières?

72. Non, mes disciples, inspirez-vous d'elle, aimez vraiment votre Seigneur en chacun de vos frères, aimez très fort et vos péchés vous seront pardonnés. Vous serez grands lorsque vous ferez fleurir cette vérité en votre cœur. (212, 68-75)

Nicodème et la question de la Réincarnation

73. En ce temps-là, Nicodème de bonne foi m'avait cherché pour s'entretenir avec Moi, je dis: Ce qui est né de la chair est chair, et ce qui est né de l'esprit est esprit. Ne vous étonnez pas si je vous dis qu'il est nécessaire de naître une autre fois. Qui comprit ces paroles?

74. Je voulus vous dire ainsi qu'une vie humaine n'est pas suffisante pour comprendre une seule de mes leçons et que, pour parvenir à comprendre le livre que cette vie renferme, beaucoup d'existences vous seront indispensables. De là que la chair ne serve que d'appui à l'esprit en son passage sur la Terre. (151, 59)

La Transfiguration de Jésus

75. Au cours de la Seconde Ere, une fois Jésus marchait, suivi de quelques-uns de ses disciples. Ils avaient escaladé une montagne et, pendant que le Maître émerveillait ces hommes avec ses paroles, soudain ils virent le corps transfiguré de leur Seigneur, flottant dans l'espace, avec à sa droite l'esprit de Moise et celui d'Elie à sa gauche.

76. Devant ce mirage surnaturel, les disciples, aveuglés par la lumière divine, tombèrent à terre; mais en se calmant par la suite, proposèrent à leur Maître de poser sur ses épaules le manteau de pourpre des rois, le même que celui de Moise et d'Elie. Alors ils entendirent une voix qui descendait de l'infini, laquelle disait: «Celui-ci est mon Fils aimé en qui j'ai déposé mes complaisances, écoutez-Le».

77. En entendant cette voix, une grande frayeur s'empara des disciples et, en levant les yeux, ils ne virent que le Maître qui leur dit: «N'ayez crainte et ne racontez à personne cette vision, jusqu'à ce que Moi, j'aie ressuscité d'entre les morts». Alors ils interrogèrent leur Seigneur: «Pourquoi les scribes disent-ils qu'il est impérieux qu'Elie vienne le premier?» et Jésus leur répondit: «En vérité, Elie viendra le premier et restituera toutes les choses, mais Moi je vous dis qu'Elie est déjà venu et que vous ne l'avez pas reconnu, avant ils firent de lui ce qu'ils voulaient. Alors les disciples comprirent qu'Il leur parla de Jean le Baptiste».

78. En cette ère, combien de fois ai-je fait disparaître, devant vos yeux, la matière grâce à laquelle je me communique, pour vous permettre de me voir sous la même forme humaine que celle que humanité connut à Jésus, et cependant vous n'êtes pas tombés prostrés devant la nouvelle transfiguration. (29, 15-18)

Manque de valeur confessionnelle

79. En ce temps-là, lorsque fait homme j'habitai parmi vous, il arriva très souvent que, durant la nuit, quand tout le monde dormait, des hommes cherchent à arriver discrètement jusqu'à Moi, par crainte d'être découverts. Ils me cherchaient parce qu'ils éprouvaient le remords d'avoir crié et d'avoir protesté contre Moi quand Je m'adressais à la multitude. Et leur remords s'intensifiait quand ils constataient que ma parole leur avait laissé, dans le cœur, un présent de paix et de lumière tandis qu'en leur corps était répandu mon baume de guérison.

80. La tête basse, ils se présentaient devant Moi en Me disant: Maître, pardonnez-nous, nous avons reconnu que votre parole est porteuse de vérité Moi, je leur répondais: «Si vous avez découvert que je n'exprime que la vérité, pourquoi vous cachez-vous? Ne sortez-vous pas pour recevoir les rayons du soleil lorsque celui-ci fait son apparition, et quand en avez-vous eu honte?» Celui qui aime la vérité jamais ne la cache, ni la renie, ni n'en éprouve honte.

81. Je vous parle ainsi parce que je vois que nombreux sont ceux qui viennent m'écouter en cachette et qui mentent, cachant le lieu de leur visite, taisant ce qu'ils ont entendu et, parfois même, nient avoir été avec Moi. De quoi avez-vous honte? (133, 23-26)

Harcèlement contre Jésus

82. Au cours de la Seconde Ere Je m'adressais aux multitudes. Tous écoutaient ma parole parfaite en son essence et en sa forme. Mon regard, pénétrant les cœurs, découvrait tout ce que chacun gardait en soi. Le doute habitait certains, la foi habitait d'autres. En d'autres cœurs une voix angoissée me parlait: il s'agissait des malades que la douleur invitait à attendre un miracle de Ma part. Il y en avait qui tentaient de cacher leur raillerie lorsqu'ils m'entendaient dire que Je venais du Père pour apporter aux hommes le Royaume des Cieux, et enfin, il y avait des cœurs en lesquels je rencontrais de la haine à mon égard, et des intentions de me faire taire ou disparaître.

83. Il s'agissait des vaniteux, les pharisiens, qui se sentaient affectés par ma vérité. Parce que, malgré la grande clarté de ma parole, si pleine d'amour et de consolation, malgré qu'elle ait toujours été confirmée et démontrée par la réalisation de grandes œuvres, beaucoup d'hommes persistèrent dans le fait de justifier la vérité de ma présence, en me jugeant au travers de Jésus, passant au crible ma vie et en se fixant sur humilité de mes vêtements et mon absolue pauvreté de biens matériels.

84. Et, non conformes de me juger Moi, ils jugeaient mes disciples, les observant attentivement que ce soit lorsqu'ils s'exprimaient ou lorsqu'ils me suivaient par les chemins, ou encore lorsqu'ils prenaient place à table. Comment se scandalisèrent les pharisiens lorsqu'ils virent, un jour, que mes disciples ne s'étaient pas lavé les mains pour s'asseoir à table! Pauvres mentalités que celles qui confondaient la toilette du corps avec la pureté de l'esprit! Ils ne se rendaient pas compte que, lorsqu'ils manipulaient les pains sacrés au temple, ils avaient les mains propres mais le cœur plein de pourriture. (356, 37-38)

85. A chaque pas, ils me passaient au crible. Toutes mes actions et paroles furent jugées avec mauvaise intention, la plupart du temps, ils se confondaient devant mes œuvres ou preuves, parce que leurs entendements étaient pas capables de comprendre ce que seul l'esprit peut concevoir.

86. Si je priais, ils disaient: Pourquoi prie-t-il s'il prétend détenir le pouvoir et la sagesse? De quoi peut-il avoir besoin, que peut-il demander? Et, si je ne priais pas, ils disaient que je ne respectais pas leur culte.

87. S'ils ne me voyaient pas m'alimenter pendant que mes disciples mangeaient, ils jugeaient que J'étais en dehors des lois instituées par Dieu, et s'ils me voyaient

consommer quelconque nourriture, ils se demandaient quel besoin j'avais de manger, Moi qui prétendais être la vie. Ils ne comprenaient pas que J'étais venu au monde pour révéler aux hommes comment l'humanité devrait vivre après une purification prolongée, afin qu'en jaillisse une génération spiritualisée qui serait bien au-dessus des misères humaines, des besoins impérieux de la chair et des passions des sens corporels. (40, 11-13)

Annonce des adieux

88. Jésus vécut pendant trois ans en compagnie de ses disciples et fut suivi par de grandes multitudes qui l'aimaient profondément. Pour ces disciples, ce qui seul les importait était d'écouter leur Maître prêcher son enseignement divin. En suivant ses pas, ils ne connaissaient pas la faim ni la soif, il n'existait aucun faux-pas ni obstacle, tout était paix et bonheur dans le contexte qui entourait ce groupe et pourtant, lorsqu'ils étaient le plus plongés dans la contemplation de leur aimé Jésus, Il leur disait: « Les temps changeront, Je prendrai congé de vous et vous resterez comme des brebis entre les loups ». L'heure est proche et il me faut retourner à l'endroit d'où je suis venu. Vous resterez seuls pour un temps, pour témoigner de ce que vous avez vu et entendu. Vous, les affamés et assoiffés d'amour et de justice, travaillez en mon nom et, par la suite, Je vous emmènerai avec moi à la demeure éternelle ».

89. Ces paroles attristaient les disciples et, à mesure que l'heure se fut plus proche, Jésus répétait cette annonce avec davantage d'insistance, il parlait de son départ, mais en même temps réconfortait le cœur de ceux qui écoutaient, en leur disant que Son Esprit ne s'absenterait pas et qu'il continuerait de veiller sur le monde. Et, s'ils se préparaient à transmettre sa parole comme un message de réconfort et d'espérance à l'humanité de ce temps-là, Il s'exprimerait par leur bouche et accomplirait des prodiges. (354, 26-27)

Entrée de Jésus à Jérusalem

90. Les multitudes me reçurent triomphalement lors de mon entrée dans la ville de Jérusalem. Des régions et villages arrivèrent des foules d'hommes, de femmes et d'enfants pour voir l'entrer du Maître dans la ville. Il s'agissait de ceux qui avaient reçu le prodige et la preuve du pouvoir du Fils de Dieu. Des aveugles qui voyaient à nouveau, des muets qui, à présent, pouvaient chanter. Hosanna! Des paralytiques qui avaient abandonné le lit pour venir, pressés, contempler le Maître à la Fête de Pâques.

91. Je savais que ce triomphe était momentané et avais déjà anticipé à mes disciples ce qui se produirait par la suite. Ce n'était que le commencement de ma lutte et, à présent bien loin de cet événement, je vous dis que la lumière de ma vérité continue son combat contre les ténèbres de l'ignorance, du péché et

de l'imposture, ce pour quoi je me dois d'ajouter que mon triomphe absolu ne s'est pas encore totalement réalisé.

92. Comment pouvez-vous croire que cette entrée dans Jérusalem ait signifié le triomphe de ma Cause, alors que seulement quelques-uns étaient convertis et qu'il en existait de très nombreux qui ignoraient qui j'étais?

93. Et, même si cette humanité se soit convertie tout entière à ma parole, ne restait-il pas de nombreuses générations à venir?

94. Cet instant d'allégresse, cette entrée fugacement triomphale, fut seulement l'image du triomphe de la lumière, du bien, de la vérité, de l'amour et de la justice, un jour qui devait arriver et auquel vous étiez tous invités.

95. Sachez que si un seul de mes enfants se trouve hors de la Nouvelle Jérusalem, Il n'y aurait pas de fête, parce que Dieu ne pourrait parler de triomphe. Il ne pourra célébrer sa victoire si son pouvoir ne fut pas capable de sauver le dernier de ses enfants. (268, 17-21)

96. Vous êtes les mêmes qui, au Second Temps, chantiez le Hosanna lorsque Jésus entra dans Jérusalem. Aujourd'hui que je me manifeste à vous sous forme d'esprit, ne m'étalez déjà plus vos manteaux sur mon passage, ce sont vos cœurs que vous offrez en guise de demeure pour votre Seigneur. Aujourd'hui, votre Hosanna n'est pas à haute voix, ce Hosanna

rejaillit de votre esprit comme un hymne humilité, d'amour et de reconnaissance à l'égard du Père, comme un hymne de foi en cette manifestation que votre Seigneur est venu vous offrir au Troisième Temps.

97. Hier comme aujourd'hui, vous m'avez suivi de la même manière lors de mon entrée dans Jérusalem. Les grandes multitudes m'entouraient, captivées par mes paroles d'amour. Hommes et femmes, personnes âgées et enfants, bouleversaient la ville avec leurs voix de jubilé et les mêmes sacerdotes et pharisiens, craignant que le peuple se rebelle, me dirent: «Maître, si Tu enseignes la paix, comment peux-Tu permettre que tes disciples fassent autant de tapage?» Et Je leur répondis: «En vérité, je vous le dis, si ceux-ci se taisaient, les pierres parleraient». Parce c'étaient des instants d'allégresse, c'était aussi la culmination et la glorification du Messie parmi les affamés et les assoiffés de justice, de ces esprits qui, depuis longtemps, avaient attendu l'arrivée du Seigneur, en accomplissement des prophéties.

98. Dans ce jubilé et cette joie, mon peuple célébrait également sa libération d'Egypte. Cette commémoration de la Pâques, Je voulus la rendre inoubliable pour mon peuple; mais en vérité, je vous le dis, Je ne respectai pas une simple tradition par le sacrifice d'un agneau, non, Je m'offris en Jésus, l'Agneau Immolé, comme le chemin par lequel tous mes enfants devront se racheter. (318, 57-59)

La dernière cène

99. Lorsque Jésus célébra la Pâques avec ses disciples, selon la tradition de ce peuple, il leur dit: Je viens vous révéler quelque chose de nouveau: Buvez ce vin et mangez ce pain, qui symbolisent mon sang et mon corps, et faites-le en mémoire de Moi.

100. Après le départ du Maître, les disciples commémorèrent le sacrifice de leur Seigneur en buvant le vin et en mangeant le pain qui symbolisent Celui qui donna tout par amour pour l'humanité.

101. A mesure que s'écoulèrent les siècles, les peuples divisés en religions interprétèrent différemment ma parole.

102. Aujourd'hui Je viens vous faire part de ce que fut mon sentiment en cet instant, durant cette ultime cène, où chaque parole et chaque acte de Jésus constitua une leçon d'un livre de profonde sagesse et d'amour infini. Si Je pris le pain et le vin, c'est pour que vous compreniez qu'ils ressemblent à l'amour, qui est l'aliment et la vie de l'esprit. Je vous dis: « Faites cela en mémoire de Moi », parce que le Maître voulait vous dire d'aimer vos frères avec un amour semblable à celui de Jésus, en vous livrant comme véritable soutien pour l'humanité.

103. Tout rite que vous accomplissiez à partir de ces enseignements sera stérile si, dans votre vie, vous ne mettez pas en pratique mes enseignements et mes exemples; voici la tâche ardue qui vous attend, mais c'est dans la difficulté qu'existe le mérite. (151, 29-32 et 34)

104. Maintenant, vous êtes tout autour de Moi, comme déjà auparavant cette dernière nuit, au Second Temps. Était le crépuscule lorsque Jésus conversait avec ses apôtres, en cette demeure, pour la dernière fois. C'étaient les paroles d'un Père agonisant dirigées à ses enfants bien-aimés. Il y avait de la tristesse en Jésus et aussi auprès des disciples qui ignoraient encore ce qui, quelques heures plus tard, attendait Celui qui était venu les endoctriner et qui les avait tant aimés. Leur Seigneur allait s'en aller, mais ils ne savaient pas encore de quelle manière. Pierre pleurait en serrant le calice contre son cœur. Jean mouillait de ses larmes le buste du Maître Mathieu et Bartholomé étaient en extase devant mon enseignement. Philippe et Thomas cachaient leur amertume tout en dînant avec Moi. Jacques, le cadet, et Tadée, l'aîné, André et Simon tous étaient muets de douleur, cependant ils me parlaient beaucoup avec le cœur. Judas l'Iscariote, lui aussi, avait le cœur en peine et éprouvait angoisse et remords, mais ne pouvait déjà plus revenir en arrière parce que les ténèbres s'étaient emparées de lui.

105. Lorsque Jésus acheva de prononcer ses dernières paroles et recommandations, ces disciples se trouvaient dans un bain de larmes, mais l'un d'entre eux n'était déjà plus là. Son esprit ne put recevoir autant d'amour ni voir autant de lumière, et

il s'éloigna parce que cette parole lui brûlait le cœur. (94, 56-58)

106. L'ardent et divin désir de Jésus était que ses disciples se convertissent en semeurs de sa Doctrine rédemptrice.

107. Pour cela, à l'instant suprême de sa dernière chaire aux disciples, qui fut aussi la dernière conversation entre le Père et ses enfants, il leur dit, avec une douce intonation: je vais vous laisser un nouveau commandement: «Aimez-vous les uns les autres».

108. En illuminant ainsi, de la lumière de cette maxime, la plus grande espérance de l'humanité. (254, 59)

Chapitre 12 – Passion, Mort et Résurrection

Efforts, épreuves et souffrances tout au long de la vie de Jésus

1. Je vins vivre parmi les hommes en faisant de ma vie un exemple, un livre. Je connus toutes les douleurs, les épreuves et les luttes, la pauvreté, le travail et les persécutions; je connus la méconnaissance des parents, l'ingratitude et la trahison, les longues journées, la soif et la faim, la moquerie, la solitude et la mort. Je laissai tout le poids du péché humain retomber sur Moi. Je permis que l'homme analyse mon Esprit en profondeur, dans ma parole et mon corps perforé, dans lequel il pouvait voir jusqu'au dernier de mes os. Etant Dieu, je fus converti en roi de cirque, en butin et dus même porter la croix de l'ignominie et escalader le mont où mouraient les voleurs. Là prit fin ma vie humaine, comme une preuve de ce que Je ne suis pas seulement le Dieu de la parole, sinon le Dieu des œuvres. (217, 11)

2. Quand approchait l'heure fatidique et que la cène était terminée, Jésus avait donné, à ses disciples, les dernières recommandations Il se dirigea vers le Jardin des Oliviers, où il avait l'habitude de prier et, s'adressant au Père, lui dit: «Seigneur, dans la mesure du possible, éloigne de Moi ce calice, mais auparavant accomplis Ta volonté». Alors, s'approcha un de mes disciples, celui qui devait me livrer, accompagné de la foule qui allait m'appréhender. Lorsqu'ils demandèrent: «Qui est Jésus, le Nazaréen?» Judas s'approcha de son Maître et le baisa. Le cœur de ces hommes était craintif et troublé en voyant la sérénité de Jésus, et ils redemandèrent: «Qui est Jésus?» Alors, m'avançant à eux, je leur dis: «Me voici, c'est Moi». C'est là que commença ma passion.

3. Ils m'emmenèrent devant des pontifes, des juges et des gouverneurs; ils m'interrogèrent, me jugèrent et m'accusèrent d'enfreindre la loi de Moïse et de vouloir constituer un royaume qui destitue celui de César. (152, 6-7)

4. Ne vous souvenez-vous pas des nombreuses occasions en lesquelles je fis montre d'amour, pas seulement envers de ceux qui crurent en Moi, mais aussi à l'égard de celui qui me trahît et de ceux qui me persécutèrent et me jugèrent? A présent, vous pouvez m'interroger sur la raison qui me poussa à permettre tous ces outrages et je vous répondrai qu'il était impérieux de les laisser complètement libres de penser et d'agir, afin de profiter d'occasions propices pour me manifester et que tous puissent se rendrent compte de percevoir la miséricorde et l'amour avec lesquels je vins endoctriner le monde.

La trahison de Judas

5. Je ne manipulai pas le cœur de Judas pour qu'il me trahisse, il fut l'instrument d'une mauvaise pensée lorsque son cœur s'emplit de ténèbres; et devant l'infidélité de ce disciple, je lui accordai mon pardon.

6. Il n'aurait pas été nécessaire que l'un des miens me trahisse pour vous donner cette preuve humilité, le Maître en aurait fait la démonstration en toute occasion que les hommes lui auraient présentée. Le rôle de ce disciple fut d'être l'instrument par lequel le Maître montra au monde sa divine humilité. Et, bien que vous ayez imaginé que ce fut la faiblesse de cet homme qui causa la mort de Jésus, Je vous dis que vous êtes dans l'erreur, parce que Je vins me livrer entièrement à vous, de cette manière ou d'une autre, soyez-en sûrs. Pour autant, vous n'avez le droit de maudire ou juger celui qui est votre frère et qui, dans un instant d'aveuglement, manqua de l'amour et de la fidélité qu'il devait à son Maître Si vous le rendez responsable de ma mort, Pourquoi ne le bénissez-vous pas en sachant que mon sang fut répandu pour le salut de tous les hommes? Mais il vous faudrait prier pour demander qu'aucun d'entre-vous ne succombe à la tentation, parce que l'hypocrisie des scribes et des pharisiens existe encore toujours dans le monde. (90, 37-39)

7. Lorsque Caife, le pontife, m'interrogea en ces termes: «Je te conjure de me dire si tu es le Christ, le Messie, le Fils de Fieu», Je lui répondis: «Tu l'as dit». (21, 30)

La passion de Jésus

8. Combien de cœurs qui, quelques jours auparavant, avaient admiré et béni mes œuvres, les oublièrent pour devenir ingrats et s'unir à ceux qui blasphémaient contre Moi. Mais il était indispensable que ce sacrifice fut très grand pour qu'il ne s'efface jamais du cœur de l'humanité.

9. Le monde entier, et par conséquent vous-mêmes, m'avez vu être blasphémé, bafoué et humilié, jusqu'à une telle extrême qu'aucun homme n'a pu connaître. Mais je terminai patiemment le calice que vous m'avez donné à boire. Pas à pas, j'accomplis mon destin d'amour parmi les hommes en donnant tout à mes enfants.

10. Bienheureux ceux qui, malgré qu'ils virent leur Dieu ensanglanté et haletant, crurent en Lui.

11. Mais, il m'attendait encore quelque chose de plus terrible: mourir cloué sur une pièce de bois entre deux bandits. Mais c'était écrit et il fallait que tout s'accomplisse ainsi, pour que Je sois reconnu comme le véritable Messie. (152, 8-11)

12. A propos de cet enseignement qu'aujourd'hui je vous prodigue, je vous en donnai déjà un exemple au cours du Second Temps. Jésus se retrouvait sur la croix, le Rédempteur agonisait devant ces multitudes qu'il avait tant aimées, chaque cœur représentait une porte à laquelle Il

avait frappé. Parmi la foule se trouvaient l'homme qui gouvernait les multitudes, le prince de l'église, le publicain, le pharisien, le riche, le pauvre, le pervers et le cœur simple. Et, tandis que les uns connaissaient celui qui expirait en cette heure, parce qu'ils avaient vu ses actions et reçu ses bienfaits, les autres, assoiffés de sang innocent et avides de vengeance, précipitaient la mort de Celui qu'ils surnommaient en se moquant le Roi des Juifs, sans savoir qu'il n'était pas seulement Roi d'un peuple, mais bien de tous les peuples de la Terre et de tous les mondes de l'Univers. Jésus, dirigeant l'un de ses ultimes regards à ces multitudes, plein de tendresse et de piété, supplia le Père en ces termes: «Mon Père, pardonnez-leur, car ils ne savent pas ce qu'ils font».

13. Ce regard enveloppa tout autant celui qui pleurait pour Lui que celui qui jouissait de sa torture, parce que l'amour du Maître, qui était l'amour du Père, était un seul pour tous. (103, 26-27)

14. Lorsqu'arriva le jour que les foules, excitées par ceux qui se sentaient mal-à-l'aise en présence de Jésus, le blessèrent et le fouettèrent, le virent saigner comme un simple mortel sous l'effet des coups; et plus tard agoniser et mourir comme n'importe quel humain, les pharisiens, les princes et les sacerdotes, satisfaits s'exclamèrent: «Voici celui qui se fait appeler fils de Dieu, celui qui se crut roi et se fit passer pour le Messie.

15. Ce fut à leur intention, bien plus que pour d'autres, que Jésus demanda à son Père de pardonner ceux qui, connaissant les écritures, le reniaient, et qui aux yeux des multitudes le faisaient passer pour un imposteur. Ils étaient là, ceux qui, se prétendant les docteurs de la loi, en réalité, par le fait de juger Jésus, ne savaient ce qu'ils faisaient; tandis que là-bas, dans la foule, il y avait des cœurs déchirés par la douleur devant l'injustice qu'ils vivaient, et des visages inondés par les larmes devant le sacrifice du Juste. C'était les hommes et les femmes au cœur simple et à l'esprit humble et supérieur, qui savaient qui était celui qui était venu au monde parmi les hommes et réalisaient ce qu'ils perdaient avec le départ du Maître. (150, 24-25)

16. Celui qui vous parle est Celui qui, agonisant sur la croix, maltraité et torturé par la foule, éleva ses yeux vers l'infini en disant: «Père, pardonne-leur, car ils ne savent pas ce qu'ils font».

17. Dans ce pardon divin, je contins et englobai tous les hommes de tous les temps, parce que Je pouvais voir le passé, le présent et le futur de l'humanité. Je puis vous dire en vérité et en esprit que, en cette heure bénie, je vous voyais, vous qui, en ce temps-ci, écoutez ma nouvelle parole. (268, 39-39)

18. Quand, depuis la hauteur de la croix, je dirigeai mes ultimes regards à la multitude, je vis Marie et, faisant

129

référence à Jean, lui dis: «Femme, voici ton fils», tandis que je dis à Jean: «Fils, voici ta Mère».

19. Jean, en cette heure, était le seul qui pouvait comprendre le sens de cette phrase, parce que les foules étaient tellement aveugles lorsque je leur dis: «J'ai soif». Mais, était une soif d'amour que mon Esprit éprouvait.

20. Les deux malfaiteurs agonisaient également à Mes côtés et, tandis que le premier blasphémait et se précipitait dans l'abîme, l'autre s'illuminait de la lumière de la foi et, en dépit de voir son Dieu cloué sur l'ignominieuse pièce de bois, tout proche d'expirer, il croyait en sa Divinité et lui dit: «Quand tu seras au Royaume des Cieux, souviens-toi de moi». Ce à quoi, ému par tant de foi, je lui répondis: «En vérité Je te dis qu'aujourd'hui même tu seras avec Moi au Paradis».

21. Nul n'a idée des tempêtes qui se fomentaient à cet instant dans le cœur de Jésus; les éléments déchaînés étaient qu'un pâle reflet de ce qui se produisait dans la solitude de cet homme, la douleur de l'Esprit Divin était telle que la chair, se sentant faible l'espace d'un instant, exprima: «Mon Dieu, mon Dieu, pourquoi m'as-tu abandonné?»

22. Si j'enseignai aux hommes comment vivre, je vins aussi leur enseigner à mourir en pardonnant et en bénissant même ceux qui m'insultaient et me martyrisaient, en disant au Père: «Pardonne-leur, car ils ne savent pas ce qu'ils font».

23. Et lorsque l'esprit abandonnait ces lieux, je dis: «Père, je remets mon esprit en tes mains». La leçon parfaite était terminée, comme Dieu et comme l'homme l'avait annoncé. (152, 12-17)

24. Il suffit d'un instant à Dimas pour se sauver, et ce fut l'ultime de sa vie; il me parla depuis sa croix, et en dépit de voir que Jésus, celui qui se disait fils de Dieu, agonisait, il sentit que celui-ci était le Messie, le Sauveur et s'en remit à Lui en éprouvant tout le repentir de son cœur et toute humilité de son esprit. C'est pour cela que je lui promis le Paradis pour le jour même.

25. Je vous dis qu'à tout un chacun qui pèche inconsciemment, mais qui au terme de sa vie s'adresse à Moi avec le cœur empli d'humilité et de foi, Je lui ferai ressentir la tendresse de ma charité, qui l'élèvera des misères de la Terre, pour lui faire connaître les délices d'une vie noble et élevée.

26. Oui, cher Dimas, tu t'en allas avec Moi au Paradis de la lumière et de la paix spirituelle, où j'emmenai ton esprit en récompense de ta foi. Qui aurait dit à ceux qui doutaient qu'en Jésus, moribond et saignant, habitât un Dieu, et que dans le bandit qui agonisait a sa droite se cachait un esprit de lumière?

27. Le temps passa et lorsque le calme renaquit, beaucoup de ceux qui me renièrent et me bafouèrent pénétrèrent dans la lumière de ma vérité, ce qui résulta en leur grand

désir de se repentir et leur inébranlable amour à me suivre. (320, 67)

28. Au moment où le corps, qui me servit d'enveloppe au Second Temps, entra en agonie, et que, du haut de la croix, je prononçai les dernières paroles, il y en eut une phrase qui, ni en ces instants-là, ni d'ailleurs longtemps après, ne fut comprise: «Mon Dieu, mon Dieu, pourquoi m'as-tu abandonné?».

29. Beaucoup éprouvèrent des doutes en raison de ces paroles; d'autres se confondirent en pensant que ce fut une faiblesse, un titubement, un instant de débilité. Mais ils n'ont pas pris en considération qu'elle ne fut pas l'ultime phrase. En effet, dans sa suite, j'en prononçai d'autres qui se révélaient pleines de force et de lucidité: «Père, en tes mains je confie mon Esprit» et «Tout est consommé».

30. A présent que je suis revenu pour faire la lumière sur vos confusions et éclaircir ce que vous appelé Mystères, Je vous dis: Lorsque je fus sur la croix, l'agonie fut longue, sanglante et le corps de Jésus, infiniment plus sensible que celui de tous les hommes, souffrait une agonie qui se prolongeait et la mort n'apparaissait pas. Jésus avait accompli sa mission dans le monde, il avait déjà prononcé l'ultime parole et enseigné l'ultime leçon; alors ce corps torturé, cette chair déchirée qui ressentait l'absence de l'esprit, demanda, avec souffrance au

Seigneur: «Père, Père! Pourquoi m'as-tu abandonné?» C'était la douce et douloureuse plainte de l'agneau blessé à égard de son Berger. Cela constituait la preuve de ce que le Christ, le Verbe, se fit vraiment homme en Jésus et que sa souffrance fut réelle.

31. Pouvez-vous attribuer ces paroles au Christ, uni éternellement au Père? A présent, vous, vous savez que ce fut un gémissement du corps de Jésus, lacéré par l'aveuglement des hommes. Mais lorsque la caresse du Seigneur se posa sur cette chair martyrisée, Jésus continua de s'exprimer dans les termes suivants: «Père, en tes mains je confie mon Esprit». «Tout est consommé». (34, 27-30)

32. Lorsque Jésus fut sur la croix, il n'y eut aucun esprit qui ne se sente ébranlé devant la voie d'amour et de justice de Celui qui mourait nu tout comme la même vérité qu'il livra en sa parole. Ceux qui ont analysé la vie de Jésus ont reconnu que, ni avant ni après Lui, n'a existé quelqu'un qui réalise une œuvre comme la sienne, parce que ce fut une œuvre divine qui, par son exemple, sauvera l'humanité.

33. J'en arrivai au sacrifice avec mansuétude, parce que je savais que mon sang allait vous convertir et vous sauver. Je m'exprimai avec amour et vous pardonnai jusqu'à l'ultime instant parce que je vins pour vous offrir un enseignement sublime et pour vous tracer, à l'aide d'exemples parfaits, le chemin vers l'éternité.

34. L'humanité voulut me faire renoncer a mon objectif en m'attaquant au travers de la fragilité de la chair, mais je ne renonçai point. Les hommes voulurent me faire blasphémer, et je ne le fis point. Plus les foules m'offensaient, plus j'éprouvais de pitié et d'amour pour elles. Et, plus elles me blessaient le corps, plus en jaillissait de sang pour ressusciter les morts à la foi et à la vie.

35. Ce sang est le symbole de l'amour avec lequel je traçai le chemin pour l'esprit humain. Je léguai ma parole de foi et espérance aux affamés de justice et le trésor de mes révélations aux pauvres d'esprit.

36. Il fallut que s'écoule le temps pour que l'humanité se rende compte de l'importance de la personnalité qui était venue sur la Terre; alors, on considéra parfaite et divine l'œuvre de Jésus et on la reconnut comme surhumaine. Que de larmes de repentir! Que de remords dans les esprits! (29, 37-41)

37. Oui, Jésus, qui était le Chemin, la Vérité et la Vie, acheva sa mission par cette oraison de sept mots, en disant à son Père, au moment final: «En tes mains je confie mon Esprit». Réfléchissez, vous qui êtes les enfants et disciples de ce Maître, pour savoir si vous pourriez quitter cette vie sans l'offrir au Père, comme un attribut obéissance et humilité, et si vous pourriez clore vos yeux à ce monde sans demander la protection du Seigneur, puisque vous auriez à les ouvrir en d'autres lieux.

38. Toute la vie de Jésus fut une offrande d'amour au Père. Les heures que dura son agonie sur la croix constituèrent une prière d'amour, d'intercession et de pardon.

39. Ceci est le chemin que Je vins vous montrer, humanité. Vivez à l'image de votre Maître et Je vous promets de vous emmener en mon sein, qui est l'origine de tout bonheur. (94, 78-80)

40. Moi, le Christ, au travers de Jésus, l'homme, je manifestai la gloire du Père, sa sagesse et son pouvoir. Le pouvoir fut employé pour accomplir des prodiges en faveur des nécessiteux de foi dans l'esprit, de lumière dans le discernement, et de paix dans le cœur. Ce pouvoir, qui est la même force de l'amour, fut répandu sur ceux qui en avaient besoin, pour le donner intégralement aux autres, au point que je n'en fis pas usage pour mon propre corps, lequel pourtant en avait également besoin en l'heure suprême.

41. Je ne voulus pas user de mon pouvoir pour éviter l'intense souffrance de mon corps car je me fis homme dans le but de souffrir pour vous en vous donnant une preuve tangible, divine et humaine de mon amour infini et de ma pitié pour les petits, les nécessiteux et les pécheurs.

42. Tout le pouvoir que je manifestai pour les autres, tant pour laver un lépreux, rendre la vue à l'aveugle et le mouvement au

paralytique, ou pour convertir les pécheurs et ressusciter les morts, toute cette puissance dont je fis preuve devant les foules pour leur fournir des preuves de ma vérité, que ce fut en démontrant mon autorité sur les éléments et mon pouvoir sur la vie et la mort, je ne voulus même pas en faire usage pour Moi, en laissant mon corps vivre cette passion et ressentir cette douleur.

43. Il est certain que mon pouvoir aurait évité toute douleur à mon corps. Mais, quel mérite aurais-Je eu à vos yeux? Quel exemple aurais-Je laissé à la portée de l'homme, si J'avais fais usage de mon pouvoir pour m'éviter la douleur? Il fallait, en ces instants précis, que j'abandonne mon pouvoir, que je renonce à la force divine pour ressentir et vivre la souffrance de la chair, la tristesse devant l'ingratitude, la solitude, l'agonie et la mort.

44. C'est pour ce motif que les lèvres de Jésus demandèrent de l'aide en l'heure suprême, parce que sa douleur était réelle. Mais ce n'était pas seulement la douleur physique qui courbait le corps fébrile et épuisé de Jésus, mais aussi la sensation spirituelle d'un Dieu qui, au travers de ce corps, était brimé et déchiré par les enfants aveugles, ingrats et arrogants, pour lesquels il était en train de verser ce sang.

45. Jésus était fort grâce à l'esprit qui l'animait, celui de l'Esprit Divin. Il aurait pu être rendu physiquement insensible à la douleur et invincible aux épreuves de ses persécuteurs; mais il était nécessaire qu'il pleure, qu'il ressente, qu'aux yeux de la multitude il tombe l'une et l'autre fois, les forces de sa matière étant épuisées, et qu'il meure lorsque, de son corps, se serait échappée l'ultime goutte de sang.

46. Ainsi s'accomplit ma mission sur la Terre. Ainsi prit fin l'existence dans ce monde de Celui que, les jours précédents, le peuple avait proclamé Roi, précisément en entrant dans Jérusalem. (320, 56-61)

L'action salvatrice de Jésus dans les mondes de l'Au-Delà

47. Dans les premiers temps de humanité, son évolution spirituelle était aussi limitée que son intuition à propos de l'existence de l'esprit après la mort matérielle et la connaissance de son but final faisait en sorte que l'esprit, en se désincarnant, entre en une profonde léthargie de laquelle il allait, lentement, se réveiller. Mais lorsque le Christ se fit homme en Jésus pour prodiguer son enseignement à tous les esprits, dès qu'Il eut consommé sa mission parmi l'humanité, Il envoya sa lumière à des multitudes d'êtres qui, depuis le commencement du monde, attendaient son avènement pour être libérés de leur torpeur et pouvoir s'élever vers le Créateur.

48. Le Christ était le seul à pouvoir illuminer ces ténèbres, seule sa voix pouvait ressusciter ces esprits qui dormaient pour son évolution. Lorsque le Christ expira, en tant qu'homme, l'Esprit divin fit jaillir la lumière dans les demeures spirituelles

et dans les mêmes sépulcres, d'où sortirent les esprits qui, en compagnie de leurs corps, dormaient du sommeil de la mort. Ces êtres errèrent, en cette nuit-là, de par le monde, en se rendant visibles aux regards humains comme un témoignage de ce que le Rédempteur était la vie pour tous les êtres et que l'esprit est immortel. (41, 5-6)

49. Hommes et femmes percevaient des signes et des voix de l'Au-Delà; les personnes âgées et les enfants, eux aussi, étaient les témoins de ces manifestations et, dans les jours qui précédèrent la mort du Rédempteur, la lumière céleste pénétra le cœur de l'humanité. Les êtres de la vallée spirituelle lancèrent un appel au cœur des hommes et, le jour où le Maître, en tant qu'homme, poussa l'ultime soupir, sa lumière pénétra dans tous les lieux et endroits, dans les demeures matérielles et spirituelles, en quête des êtres qui l'attendaient depuis très longtemps. Ces êtres, matérialisés, perturbés et malades, marginaux, liés à des chaînes de remords, traînant des fardeaux d'iniquité, et d'autres esprits qui croyaient être morts et étaient prisonniers de leur corps; tous ces êtres sortirent de leur léthargie et se réveillèrent à la vie spirituelle.

50. Mais, avant d'abandonner cette Terre, ils s'en furent rendre témoignage de leur résurrection, de leur existence, auprès des familles auxquelles ils avaient appartenu. Et c'est ainsi que, en cette nuit de deuil

et de douleur, le monde fut le témoin de ces manifestations.

51. Le cœur des hommes se bouleversa et les enfants pleurèrent à la vue de ceux qui étaient mort depuis un temps et qui, ce jour-là, revenaient juste l'espace d'un instant, pour témoigner de ce Maître qui, étant descendu sur la Terre pour répandre sa semence d'amour, en même temps cultivait les champs spirituels habités par une infinité d'esprits, également ses enfants, et les guérissait et les libérait de leur ignorance. (339, 22)

52. Lorsque je quittai mon corps, mon Esprit entra dans le monde des esprits et je m'adressai à eux au moyen de la parole de vérité, tout comme à vous: je leur parlai de l'amour divin parce celui-ci représente la véritable connaissance de la vie.

53. En vérité, Je vous dis que l'esprit de Jésus en aucun instant ne resta au tombeau, il devait prodiguer beaucoup de charités dans d'autres mondes; Mon esprit infini avait pour eux, tout comme pour vous, beaucoup de révélations à manifester.

54. Il existe aussi des mondes où les êtres spirituels ne savent aimer, demeurent dans l'obscurité et craignent la lumière. De nos jours, les hommes savent qu'existe l'obscurité là où il y a manque d'affection et égoïsme. Ils savent aussi que la guerre et les passions sont la clé qui verrouille la porte du chemin qui mène au Royaume de Dieu.

55. L'amour, en revanche, est la clé avec laquelle s'ouvre le Royaume de la lumière, qui est la vérité.

56. Ici, Je me suis communiqué par le biais de matières, là Je me suis communiqué directement avec les esprits élevés, afin qu'ils instruisent ceux qui ne sont pas formés pour recevoir directement mon inspiration. Et ces êtres élevés, lumineux sont, tout comme ici en ce qui vous concerne, les porte-paroles. (213, 6-11)

L'apparition de Jésus après sa Résurrection

57. Quelques jours après ma crucifixion, mes disciples étant réunis autour de Marie, Je leur fis sentir ma présence, représentée par la vision spirituelle d'une colombe. En cette heure bénie, aucun n'osa esquiver le moindre mouvement ni prononcer la moindre parole. Il y avait une véritable extase devant la contemplation de ce mirage, et les cœurs battaient, pleins de force et de confiance, sachant que la présence du Maître, qui en apparence s'en était allé, les accompagnerait éternellement en esprit. (8, 15)

58. Pourquoi pensez-vous que ma venue sous forme d'esprit n'ait aucun but? Rappelez-vous que Moi, après ma mort en tant qu'homme, je continuai de parler à mes disciples, en me présentant en Esprit.

59. Que serait-il advenu d'eux sans ces manifestations que Je leur donnai, en les encourageant dans leur foi et en les réanimant en vue de l'accomplissement?

60. Le tableau qu'ils présentaient après mon départ était bien triste; les larmes ne cessaient de sillonner leurs visages, les sanglots s'échappaient à chaque instant de leurs poitrines, ils priaient fréquemment et la crainte et les remords les accablaient. Ils savaient que, tandis que l'un m'avait vendu, un autre m'avait renié et que presque tous, à l'heure suprême, m'avaient abandonné.

61. Comment pourraient-ils être les témoins de ce Maître totalement parfait? Comment auraient-ils le courage et la force de faire face à des hommes aux credos aussi divers et tellement différents dans leurs manières de penser et de vivre?

62. Ce fut alors que mon Esprit apparut parmi eux pour crier leur douleur, allumer leur foi et enflammer leurs cœurs avec l'idéal de ma Doctrine.

63. J'humanisai mon Esprit jusqu'à le rendre visible et tangible aux disciples, mais ma présence fut spirituelle et voyez quelle influence et la transcendance que ces manifestations ont exercées parmi mes apôtres. (279, 47-52)

64. Mon sacrifice se consomma mais, sachant que ces cœurs avaient plus que jamais besoin de Moi parce en leur for intérieur était déchaînée une tempête de doutes, souffrances, confusions et craintes, rapidement je m'approchai d'eux pour leur donner une preuve de plus de mon infinie

charité. Par amour et pitié envers ces enfants de ma parole, je m'humanisai en prenant la forme ou l'image du corps que j'adoptai dans le monde. Je me laissai voir, me fis entendre et, par mes paroles, rallumai la foi en ces esprits abattus. C'était une nouvelle leçon, une nouvelle forme de me communiquer avec ceux qui m'avaient accompagné sur la Terre; et ils se sentirent revigorés, inspirés, transfigurés par la foi et la connaissance en ma vérité.

65. Malgré ces preuves, dont tous étaient les témoins, il se trouva un qui reniait avec obstination mes manifestations et preuves que je vins donner spirituellement à mes disciples. Et il fut impérieux de lui permettre qu'il puisse toucher ma présence spirituelle jusqu'avec ses sens matériels, afin qu'il puisse croire.

66. Mais ce doute ne se manifesta pas seulement parmi mes plus proches disciples. Non, la confusion, l'angoissante interrogation, la surprise, et le fait de ne savoir expliquer pourquoi tout s'était terminé de cette manière surgirent également parmi les multitudes, dans les localités, les villes et les villages, parmi ceux qui avaient reçu des preuves de mon pouvoir et qui me suivaient pour ces œuvres.

67. Je fis preuve de charité pour tous et, à l'instar de mes plus proches disciples, leur fournis les preuves que Je ne étais pas éloigné d'eux, bien que je ne les accompagne plus sur la Terre en tant qu'homme. Je me manifestai à chaque cœur, dans chaque foyer ou famille et dans chaque village. Je me manifestai dans les cœurs qui croyaient en Moi, en leur faisant sentir ma présence spirituelle sous une multitude de formes. C'est alors que commença la lutte de ce peuple de chrétiens qui eurent besoin de perdre leur Maître sur la Terre, pour se lever et prêcher la vérité que Lui leur avait révélée. Tous, vous connaissez ses grandes œuvres. (333, 38-41)

68. Au cours du Second Temps, lorsque je me rendis visible à mes disciples pour la dernière fois, entre les nuages, au moment de disparaître de leur vue, la tristesse s'empara d'eux parce qu'en cet instant ils se sentirent seuls, mais par la suite entendirent la voix de l'ange émissaire du Seigneur qui leur disait: «Hommes de Galilée, que regardez-vous? Ce même Jésus qu'aujourd'hui vous avez vu monter aux Cieux, vous le verrez descendre de la même manière».

69. Alors ils comprirent que lorsque le Maître reviendrait parmi les hommes, il le ferait spirituellement. (8, 13-14)

Chapitre 13 – Mission et signification de Jésus et ses Apôtres

Correction de l'ancien concept de Dieu et fausses traditions

1. Jésus, le Christ, a été l'enseignement le plus clair que je vous donnai dans le monde, pour vous montrer à quel point l'amour et la sagesse du Père sont grands. Jésus fut le message vivant que le Créateur envoya à la Terre pour que vous connaissiez les vertus de Celui qui vous créa. L'humanité voyait, en Jéhovah, un Dieu colérique et implacable, un juge terrible et vindicatif, et par le biais de Jésus il vint vous écarter de votre erreur.

2. Voyez dans le Maître l'amour divin fait chair; il vint juger toutes vos actions avec sa vie toute humilité, de sacrifice et de charité et, au lieu de vous punir par la mort, vous offrit son sang pour vous faire connaître la vraie vie, celle de l'amour. Ce message divin illumina la vie de l'humanité et la parole que le Divin Maître livra aux hommes fut à l'origine de religions et sectes, au sein desquelles ils m'ont cherché et continuent de le faire. Mais, en vérité je vous dis qu'ils n'ont pas encore compris le contenu de ce message.

3. L'humanité parvient à penser que l'amour de Dieu pour ses enfants est infini, puisqu'en Jésus, Il mourut par amour pour les hommes. Elle en arrive à s'émouvoir des épreuves et souffrances de Jésus devant ses juges et bourreaux, elle parvient à voir le Père à travers le Fils, mais le contenu, la portée de ce que le Seigneur voulut dire à l'humanité au travers de cette révélation qui commença par une Vierge et se conclut sur le nuage de Béthanie, ce contenu n'a, jusqu'à ce jour, pas encore été interprété.

4. Il m'a fallu revenir sur le même nuage que le Verbe emprunta dans son ascension vers le Père, pour vous expliquer et vous montrer le véritable contenu de tout ce qui vous fut révélé dans la naissance, la vie, les œuvres et la mort de Jésus.

5. L'Esprit de Vérité, celui qui fut promis par le Christ en ce temps-là, est cette manifestation divine qui est venue pour illuminer les ténèbres et éclaircir les mystères que l'esprit ou le cœur de l'homme ne parvenait à pénétrer.

6. Au Second Temps, Je vins en tant qu'homme prêcher ma vérité par l'exemple, cessai le sacrifice inutile d'êtres innocents et inconscients, en me sacrifiant au nom d'une parfaite leçon d'amour. Vous m'avez appelez Agneau de Dieu en raison à ce que ce peuple m'avait immolé, lors de ses fêtes traditionnelles.

7. Il est certain que mon sang fut versé pour montrer aux hommes le chemin de leur rédemption Mon amour divin fut répandu depuis la croix sur humanité de ce temps-là et de tous les temps, afin que humanité s'inspire de cet exemple, de cette

parole, de cette vie parfaite et trouve le salut, la purification des péchés et l'élévation de l'esprit. (276, 15)

L'exemple de Jésus

8. Il fallut que Jésus vous montre les principes que vous deviez suivre et desquels vous vous étiez écartés.

9. Je vous montrai toute ma mansuétude, mon amour, ma sagesse et ma charité, et je bus, devant vous, le calice de la souffrance, pour émouvoir votre cœur et réveiller votre entendement. Il était nécessaire que les cœurs naissent vers le bien, et la douleur de me voir crucifié par amour pour eux fut comme une épine qui leur rappelle que, tous, vous devez souffrir par amour pour parvenir au Père. Ma promesse, pour tout un chacun qui désirerait porter sa croix et me suivre, fut la paix éternelle, le bien-être suprême qui ne connaît pas de limite dans l'esprit. (240, 23-24)

10. Le Christ est et doit être votre modèle, c'est pour ce motif que je vins me faire homme en ce temps-là. Quelle manifestation Jésus offrit-Il à l'humanité? Son amour infini, sa divine sagesse, sa miséricorde sans limite et son pouvoir.

11. Je vous dis: Imitez-Moi et vous parviendrez à accomplir les mêmes œuvres que Moi; si je vins comme Maître, il vous fallait comprendre que ce ne fut pas avec l'intention de vous enseigner de leçons impossibles ou hors de portée de l'entendement des hommes.

12. Comprenez alors que, lorsque vous accomplirez des actes semblables à ceux que Jésus vous enseigna, vous aurez atteint la plénitude de la vie, celle dont je vous parlai antérieurement. (156, 25-27)

La transcendance de la Doctrine de Jésus

13. La Doctrine de Jésus, livrée en exemple comme un livre ouvert afin que humanité l'étudie, aucun autre peuple de la Terre n'a rien trouvé qui lui paresse, en aucune génération ni aucune race. Parce que ceux qui se sont levés pour livrer des préceptes de justice ou des doctrines de charité ont été envoyés par Moi sur la Terre, en tant que précurseurs, mais non en tant que divinité. Seul le Christ vint parmi vous comme Divinité. Il vint vous offrir la plus claire et grande leçon qu'ait reçu le cœur de l'homme. (219, 33)

Convocation, apprentissage et preuves des Apôtres de Jésus

14. Vous avez commémoré en cette époque les trois ans de ma prédication, ces trois ans pendant lesquels Je préparai mes disciples et vécus avec eux. Ils virent toutes mes œuvres et, en la préparation de celles-ci, réussirent à pénétrer mon cœur et contempler la pureté, toute la majesté et la sagesse qu'il y avait en le Maître.

15. En ce temps-là, Je n'ai pas fait d'actes ostentatoires. Mon passage sur la Terre fut humble, mais celui qui était préparé pressentait la grandeur

de ma présence et du temps qu'il vivait.

16. C'est ainsi que Je choisis mes disciples; j'en rencontrai certains sur la rive du fleuve et les appelai en leur disant: «Suivez-Moi». Lorsqu'ils posèrent leur regard sur Moi, ils comprirent qui était Celui qui s'adressait à eux, et ainsi, je les choisis un par un. (342, 21)

17. Jamais Je ne prétendis lors de mes prédications dans le monde, que mes disciples furent des maîtres, ou que vous deviez les écouter. Ils étaient les enfants innocents qui, imprégnés de la lumière de ma parole, me suivaient paisiblement, mais qui malgré tout en arrivaient encore à commettre des erreurs, parce qu'il fallait du temps pour qu'ils se transforment et ensuite apparaissent comme un exemple pour l'humanité. Ils étaient des pierres qui se polissaient avec le ciseau de l'amour divin, afin que, plus tard, eux aussi transforment les pierres en diamants.

18. En tous temps, J'ai soumis mes disciples à l'épreuve. Combien de fois ai-Je mis Pierre à l'épreuve? Il faiblit en une seule occasion, mais ne le jugez pas mal pour ce fait parce que, lorsqu'il alluma sa foi, il fut comme un flambeau parmi humanité, prêchant et témoignant de la vérité.

19. Ne jugez pas Thomas! Considérez le nombre d'opportunités en lesquelles vous avez palpé mes œuvres et, même ainsi, vous avez douté. N'ayant aucun regard méprisant pour Judas l'Iscariote, ce disciple bien-aimé qui vendit son Maître pour 30 pièces de monnaie, parce que jamais il n'a eu de repentir plus grand que le sien.

20. Je me servis de chacun d'entre eux pour vous laisser des leçons qui vous serviraient d'exemple et qui resteraient éternellement gravées dans la mémoire de l'humanité. Après leur faiblesse, ils se repentirent, se convertirent et s'adonnèrent totalement à l'accomplissement de leur mission. Ils furent de véritables apôtres et laissèrent un exemple pour toutes les générations. (9, 22-23)

L'Apôtre Jean

21. Rappelez-vous que, lorsque mon corps fut décloué de la croix et ensuite enseveli, les disciples, consternés et incapables de comprendre ce qui était passé, crurent que tout était terminé avec la mort du Maître. Il fut impérieux que leurs yeux me revoient et leurs oreilles m'écoutent à nouveau pour enflammer leur foi et affirmer leur connaissance de ma parole.

22. A présent, Je dois vous dire que parmi ces disciples, il en fut un qui, jamais, ne douta de Moi, qui jamais ne tituba dans les épreuves et qui ne m'abandonna ni l'espace d'un instant. Ce fut Jean, le disciple fidèle, vaillant, fervent et regorgeant d'amour.

23. C'est en raison de cet amour que Je le confiai à Marie, au pied de la croix, afin qu'il continue de consommer l'amour en ce cœur immaculé et qu'à son côté, il se fortifie encore davantage pour aborder la lutte qui l'attendait.

24. Tandis que ses frères, les autres disciples, allaient succomber l'un après l'autre face à la frappe du bourreau, scellant de leur sang et de leur vie la vérité de tout ce qu'ils prêchaient et le nom de leur Maître, Jean, quant à lui, vainquait la mort et échappait au martyre.

25. Confiné à l'exil, ses persécuteurs ne surent pas que là, sur cette île où ils le tiraient, sur cet homme descendrait du ciel la grande révélation des temps que vous êtes en train de vivre, la prophétie qui parle de ce qui doit être et de ce qui s'accomplira.

26. Après avoir tant aimé ses frères et dédié sa vie à leur service au nom de son Maître, Jean dut vivre en solitaire, isolé d'eux, mais priant sans relâche pour l'humanité, et en pensant toujours à ceux pour lesquels Jésus avait répandu son sang.

27. La prière, le silence, le recueillement, la pureté de son existence et la bonté de ses pensées accomplirent le miracle de faire évoluer cet homme et cet esprit rapidement, alors que d'autres esprits ont dû mettre des milliers années pour pouvoir atteindre ce même niveau. (309, 41-44)

28. En regardant les habitants de ce monde, Je vois que tous les peuples connaissent mon nom, que des millions d'hommes prononcent mes paroles et, cependant je vous dis, certes, que je ne vois pas d'amour des uns envers les autres.

29. Tout ce que je vous enseigne en ce temps, et tout ce qui se produit dans le monde est l'explication et l'accomplissement de la révélation que, par intermédiaire de mon apôtre Jean, je fis à humanité lorsque, mon disciple habitant l'Ile de Pathmos, je l'élevai en esprit vers les hauteurs, le plan divin, l'insondable, afin de lui montrer au moyen de symboles le commencement et la fin, l'Alpha et l'Omega, et il vit les événements passés, présents et ceux qui devaient se produire.

30. Il ne comprit rien sur le champ, mais ma voix lui dit: «Ce que tu vois et entends, écris-le», et il l'écrivit.

31. Jean eut des disciples qui s'en allaient le chercher dans sa retraite en franchissant la mer avec leurs barques. Ces hommes demandaient avec avidité à celui qui fut disciple de Jésus comment avait été le Maître, comment étaient sa parole et ses miracles. Et Jean, à l'image d'amour et de sagesse de son Maître, les émerveillait avec sa parole. Mais lorsque vint la vieillesse, ce corps déjà courbé par le temps trouvait encore les forces pour rendre témoignage de son Maître et déclarer à ses disciples: « Aimez-vous les uns les autres ».

32. Ceux qui le recherchaient, voyant s'approcher le jour du départ de Jean, et souhaitant posséder toute la sagesse que cet apôtre réunissait, lui demandaient qu'il leur révèle tout ce qu'il avait appris de son Maître, et pour toute réponse, ils écoutaient toujours cette phrase: «Aimez-vous les uns les autres».

33. Ceux qui l'interrogeaient avec tant d'empressement et d'intérêt se montraient déçus et pensaient que la vieillesse avait effacé de sa mémoire les paroles du Christ.

34. Moi je vous dis que chez Jean aucune de mes paroles ne était effacée, sinon que, de toutes mes leçons jaillissait, comme une seule essence, celle qui condense toute la Loi: l'amour des uns envers les autres.

35. Comment auprès de ce disciple tant aimé, la leçon du Maître qu'il a tant aimé, pourrait-elle s'effacer? (167, 32-37)

36. Au Second Temps, après mon départ, votre Mère Céleste resta pour fortifier et accompagner mes disciples. Ceux-ci, après la douleur et l'épreuve, trouvèrent un refuge en le doux cœur de Marie. Sa parole continua de les alimenter et eux, encouragés par celle qui continuait l'enseignement en représentation du Divin Maître, poursuivirent leur chemin, et lorsqu'Elle s'en fut, leur lutte commença et chacun prit la voie qui lui était tracée. (183, 13)

Les Apôtres Pierre et Paul

37. Vous n'oublierez pas le cas de Pierre, mon disciple, persécuté à mort par Saul. Je démontrai au fidèle apôtre qu'il n'était pas seul dans son épreuve et que, s'il avait confiance en mon pouvoir, Je le protègerais de ses persécuteurs.

38. Saul fut surpris par ma lumière divine au moment où il se mettait en route à la recherche de Pierre, pour l'arrêter. Ma lumière parvint au plus profond du cœur de Saul qui, prostré devant ma présence, vaincu par mon amour, impuissant de mener à bien la mission qu'il avait à l'encontre de mon disciple, ressentit au fond de lui-même la transformation de tout son être et, déjà converti à la foi du Christ, s'empressa de rechercher Pierre; mais non pas pour le tuer, sinon lui demander de l'instruire dans la parole du Seigneur et de le laisser prendre part à son Œuvre.

39. Depuis lors, Saul fut Paul, ce changement de nom signifiant l'absolue transformation spirituelle de cet homme, sa conversion totale. (308, 46-47)

40. Paul ne faisait pas partie des douze apôtres, il ne mangea pas à ma table ni me suivit par les chemins pour écouter mes enseignements; bien au contraire, il ne croyait pas en Moi ni ne voyait d'un bon œil ceux qui me suivaient. En son cœur existait l'idée d'exterminer la semence que J'avais confiée à mes disciples et qui, déjà, commençait à s'étendre. Mais Paul ignorait qu'il était l'un des miens. Il savait que le Messie devrait venir et croyait en lui; mais il ne pouvait imaginer que l'humble Jésus fut le sauveur promis. Son cœur débordait de tout l'orgueil du monde et, de ce fait, il n'avait pas ressenti la présence de son Seigneur.

41. Saul était dressé contre son Rédempteur. Il persécutait mes disciples ainsi que les gens qui les approchaient pour écouter mon

message, des lèvres de ces apôtres C'est ainsi que je le surpris, dédié à persécuter les miens; je le touchai en le point le plus sensible de son cœur et il me reconnut instantanément, parce que son esprit m'attendait, par lui il entendit ma voix.

42. Ce fut ma volonté que cet homme public se convertisse de cette manière, afin que le monde soit le témoin, à chaque pas, de ces actes surprenants qui lui servaient d'encouragement pour sa foi et sa compréhension.

43. Pourquoi citer chaque fait dans la vie de cet homme qui, depuis lors, se consacra à aimer ses semblables, inspiré grâce à l'amour à l'égard de son Maître et en ses divines leçons?

44. Paul a été l'un des plus grands apôtres de ma parole; il témoigna toujours d'amour, de limpidité, de vérité et de lumière. Son matérialisme antérieur se transforma en une spiritualité très élevée, sa dureté se convertit en infinie tendresse. Et ainsi le persécuteur de mes apôtres se convertit-il en le plus diligent semeur de ma parole, en l'infatigable pèlerin porteur, auprès de différentes nations, régions et villages, du divin message de son Seigneur pour qui il vécut et à qui il fit l'offrande de sa vie.

45. Mon peuple bien aimé, voici un bel exemple de conversion et une démonstration de ce que, même sans m'avoir écouté, les hommes peuvent parvenir à être mes grands apôtres. (157, 42-47)

Le caractère exemplaire des Apôtres

46. Qui d'autre que Moi encouragea les disciples au cours de ce Second Temps, lorsqu'ils marchaient de par le monde, sans leur Maître? L'œuvre de chacun d'eux ne vous paraît-elle pas admirable? Mais laissez-Moi vous dire que, tout comme n'importe quel être humain, eux aussi avaient eu connu des faiblesses. Plus tard, ils s'emplirent d'amour et de foi et ne craignirent plus de rester dans ce monde comme brebis entre les loups, ni d'être continuellement persécutés et raillés par les gens.

47. Ils avaient la capacité d'accomplir des prodiges, et savaient comment faire usage de cette grâce pour convertir les cœurs à la vérité.

48. Bienheureux tous ceux qui écoutèrent la parole de Jésus, des lèvres de mes apôtres, parce qu'elles n'altérèrent en rien ma Doctrine, bien au contraire, elle fut révélée dans toute sa pureté et vérité. C'est pour cela que les hommes, en les écoutant, ressentaient en leur esprit la présence du Seigneur et éprouvaient, en leur être, une sensation de pouvoir, de sagesse et de majesté.

49. En voici un digne exemple: ces pauvres et humbles pêcheurs de Galilée, transformés par l'amour en pêcheurs spirituels, émurent peuple et empires par la parole qu'ils avaient apprise de Jésus et préparèrent, à force de persévérance et de sacrifice, la conversion des peuples et l'établissement de la paix spirituelle. Tous, depuis les rois jusqu'aux

mendiants, entendirent parler de ma paix, en ces jours de véritable christianisme.

50. Cette ère de spiritualité entre les hommes ne fut pas durable, mais Moi qui sais tout, je vous avais annoncé et promis mon retour parce que je savais que vous auriez à nouveau besoin de Moi. (279, 56-60)

L'expansion du Christianisme

51. Ma Doctrine, sur les lèvres et dans les actions de mes disciples, était de constituer une épée d'amour et de lumière qui luttait contre l'ignorance, l'idolâtrie et le matérialisme. Un cri d'indignation surgit de ceux qui voyaient le proche écroulement de leurs mythes et traditions, en même temps que, d'autres cœurs surgissait un hymne à la joie devant le chemin lumineux qui s'ouvrait sur espérance et la foi des assoiffés de vérité et des opprimés par le péché.

52. Ceux qui reniaient la vie spirituelle s'exaspéraient à l'écoute des révélations du Royaume des Cieux, tandis que ceux qui pressentaient cette existence et attendaient la justice et le salut, rendaient grâce au Père pour avoir envoyé, dans ce monde, son Fils Unique.

53. Les hommes, qui gardaient dans le cœur l'ardent désir béni de servir et aimer purement leur Dieu, voyaient leur chemin qui se dégageait et leur entendement qui s'illuminait lorsqu'ils pénétraient ma parole; et leur esprit comme leur cœur éprouvaient un sentiment de soulagement. L'enseignement du Christ, véritable pain spirituel, venait combler l'immense vide qu'ils avaient, en remplissant de sa perfection et de son essence toutes les aspirations de son esprit.

54. Une nouvelle ère débutait, un chemin plus clair s'ouvrait, menant à l'éternité.

55. Que de merveilleux sentiments d'élévation spirituelle, d'amour et de tendresse s'éveillèrent alors en ceux qui s'illuminèrent de foi pour recevoir ma parole! Quel courage et quelle fermeté accompagnèrent ces cœurs qui surent tout supporter et tout affronter sans jamais baisser les bras!

56. Peut-être en raison de ce que le sang du Maître était encore tout frais? Non, mon peuple; l'essence spirituelle de ce sang, qui représenta matériellement le Divin Amour, ne se sèche ni ne s'éteint jamais: Elle est présente, vivante et chaude aujourd'hui comme jadis.

57. Il faut souligner qu'en ces cœurs exista aussi l'amour de la vérité, à laquelle il consacrèrent leur vie jusqu'à en faire l'offrande de leur sang, confirmant en cela qu'ils avaient appris la leçon de leur Maître.

58. Ce sang, noblement versé, vainquit les obstacles et les vicissitudes.

59. Quel contraste entre la spiritualité des disciples de ma parole et l'idolâtrie, le matérialisme, l'égoïsme et l'ignorance des fanatiques de traditions anciennes ou des païens qui vivaient seulement

dans le but de rendre le culte au plaisir de la matière! (316, 34-42)

60. Parsemez le chemin de bons exemples, n'altérez pas mes enseignements, imitez en cela mes apôtres du Second Temps qui, jamais, ne s'abaissèrent à des cultes matériels pour enseigner et expliquer ma Doctrine. On ne peut les rendre responsables de l'idolâtrie dans laquelle l'humanité sombra par la suite. Leurs mains n'édifièrent jamais d'autels, ni ne construisirent de palais pour le culte spirituel; mais elles apportèrent l'enseignement du Christ à l'humanité, elles offrirent la santé aux malades, l'espoir et la consolation aux pauvres et aux affligés et, à l'image de leur Maître, montrèrent le chemin du salut à ceux qui étaient perdus.

61. La religion chrétienne que vous connaissez ces temps-ci ne constitue même pas un pale reflet de la Doctrine que mes apôtres mirent en pratique et enseignèrent.

62. A nouveau, Je vous dis que vous pouvez rencontrer, en ces disciples, les modèles parfaits humilité, d'amour, de charité et d'élévation. Ils scellèrent de leur sang la vérité que prononcèrent leurs bouches.

63. L'humanité ne vous réclamera déjà plus de verser votre sang, pour croire en votre témoignage; mais elle vous exigera la vérité. (256, 30-33)

III. LE TEMPS DE L'EGLISE CHRETIENNE

Chapitre 14 – Christianisme, Eglises et Cultes

Le développement du Christianisme

1. Apres mon départ au Second Temps, mes apôtres poursuivirent mon œuvre, et ceux qui suivirent mes apôtres continuèrent leur tâche. Ils étaient les nouveaux paysans, les cultivateurs de ce champ préparé par le Seigneur, fécondé par son sang, ses larmes et sa parole, cultivé au moyen du travail des douze premiers et aussi par leurs successeurs. Mais, au fil du temps, de génération en génération, les hommes allèrent mystifier ou fausser mon œuvre et ma doctrine.

2. Qui dit à l'homme qu'il pouvait façonner mon image? Qui lui dit de me représenter gisant sur la croix? Qui lui dit qu'il pouvait façonner l'image de Marie, la forme des anges ou le visage du Père? Ah Hommes de peu de foi qui, pour pouvoir palper ma présence, avez du matérialiser le spirituel.

3. Jésus fut l'image du Père; l'image du Maître, ses disciples. Au Second Temps, je déclarai: «Qui connaît le Fils, connaît le Père». Ce qui veut dire que le Christ, qui parlait en Jésus, était le propre Père. Seul le Père pouvait façonner sa propre image.

4. Après ma mort en tant qu'homme, je me manifestai en vie aux yeux de mes apôtres, afin qu'ils reconnaissent que J'étais la vie et l'éternité et que, matériellement ou immatériellement, resterai présent parmi vous. Tous les hommes ne le comprirent pas et, pour ce motif, sombrèrent dans l'idolâtrie et le fanatisme. (113, 13-17)

5. J'avais dit à la femme de Samarie: Celui qui boira cette eau que Je donne n'aura plus jamais soif. Aujourd'hui, Je vous dis: si l'humanité avait bu de cette eau vivante, elle ne connaîtrait pas tant de misère en son sein.

6. L'humanité ne persévéra pas dans mon enseignement et préféra faire usage de mon nom pour créer des religions selon son interprétation et sa convenance. J'abolis les traditions et lui enseignai la Doctrine de l'amour, et aujourd'hui vous venez à Moi pour me présenter des rites inutiles et des cérémonies qui ne sont en rien bénéfiques pour l'esprit. S'il n'y a aucune spiritualité en vos œuvres, il ne peut y avoir de vérité et ce qui ne contient pas de vérité ne parvient pas à votre Père.

7. Lorsque cette femme samaritaine ressentit que la lumière de mes yeux lui pénétrait au fond du cœur, elle me dit: «Seigneur, vous les juifs dites que Jérusalem est le lieu de prédilection où il faut adorer notre Dieu». Alors,

Je m'adressai à elle en ces termes: «Femme, en vérité Je te dis que se fait proche l'instant où vous n'adorerez pas le Père sur ce mont, ni à Jérusalem, comme vous le faites à présent. Le temps se rapproche en lequel on adore le Père en esprit et en vérité, parce que Dieu est Esprit.

8. Ceci est ma Doctrine de tous les temps. Rendez-vous compte que, ayant la vérité devant vos yeux, vous n'avez pas voulu la voir. Comment pourrez-vous la vivre sans la connaître? (151, 2-5)

Cérémonies du culte

9. Si vous aimez, vous n'aurez pas besoin de cultes matériels ni de rites, parce que vous porterez la lumière qui illumine votre temple intérieur, devant lequel se briseront les vagues de toutes les tourmentes qui puissent vous fouetter et se détruiront les ténèbres de humanité.

10. Ne profanez plus ce qui est divin, parce qu'en vérité je vous dis que vous vous montrez très ingrats devant Dieu, lorsque vous vous adonnez à ces pratiques externes que vous avez héritées de vos premiers frères et en lesquelles vous vous êtes fanatisés.

11. Voyez l'humanité désorientée, parce que les grandes religions qui se nomment chrétiennes accordent davantage d'importance au rituel et à l'aspect extérieur qu'à ma propre Doctrine. Cette parole de vie que je scellai par des actions d'amour et le sang sur la croix ne vit déjà plus dans le cœur des hommes. Elle est emprisonnée et muette dans les vieux livres couverts de poussière. Vous avez là une humanité qui ne connaît ni comprend ni ne sait imiter le Christ.

12. C'est pour cela que J'ai peu de disciples en ce temps; ceux qui aiment leur frère, ceux qui souffrent, ceux qui soulagent la douleur d'autrui, ceux qui vivent dans la vertu et la prêchent par l'exemple, ceux-là sont les disciples du Christ.

13. Celui qui, tout en connaissant ma Doctrine, la cache ou la fait connaître seulement du bout des lèvres et non avec le cœur, celui-là n'est pas mon disciple.

14. Je ne suis pas venu chercher en ce temps des temples de pierre pour y être représenté; je viens chercher des esprits, des cœurs, et non des atours matériels. (72, 47-50)

15. Tant que les religions restent plongées dans leur sommeil et ne rompent pas leur routine, il n'existera aucun réveil dans l'esprit, ni de connaissance des idées spirituelles; et par conséquent, il ne pourra y avoir de paix entre les hommes, la charité n'apparaîtra pas et la lumière ne pourra briller pour résoudre les graves conflits humains. (100, 38)

Le Clergé

16. Comme vous ignorez ce qu'est la véritable paix, vous vous contentez d'y aspirer et tentez par tous les moyens possibles et en toutes les formes imaginables d'atteindre une quelconque quiétude, des commodités et des satisfactions; mais jamais ce qui

est vraiment la paix de l'esprit. Moi je vous dis que seule la conquiert l'obéissance du fils envers la volonté de son Seigneur.

17. Il manque, dans le monde, des personnes sachant bien expliquer ma parole, de bons interprètes de mes enseignements; pour cela, humanité, s'appelant encore chrétienne, vit retardée spirituellement, parce qu'il n'y a personne qui l'ébranle avec ma véritable Doctrine, personne ne cultive son cœur avec l'amour que Je vins enseigner aux hommes.

18. Jour après jour, en des murs, des églises et des temples, l'on prononce mon nom et l'on répète mes paroles, mais personne ne vibre, personne ne se bouleverse de leur lumière, parce que les hommes en ont confondu le sens. La plupart pense que la vertu de la parole du Christ consiste à la répéter maintes et maintes fois machinalement, sans comprendre qu'il n'est pas nécessaire de la prononcer, mais bien de l'étudier, la méditer, la mettre en pratique et la vivre.

19. Si les hommes savaient rechercher l'essence en la parole du Christ, à chaque fois, ils la découvriraient nouvelle, fraîche, vivante et palpitante, mais ils ne la connaissent que superficiellement et, ainsi, ne peuvent ni ne pourront s'en alimenter.

20. Pauvre humanité, perdue entre les ténèbres alors que si proche de la lumière, pleurant anxieusement alors que la paix est à sa portée! Mais ils ne peuvent contempler cette divine lumière parce que certains leur ont bandé les yeux, sans pitié. Moi qui vous aime vraiment, je viens vous aider en vous écartant des ténèbres et en vous prouvant que tout ce que je vous dis en ce temps-là fut valable pour tous les temps et que vous ne devez considérer cette divine parole comme une ancienne doctrine, dépassée. Parce que l'amour, qui fut l'essence de tout mon enseignement, est éternel et, en lui, réside le secret de votre salut, en cette ère de confusions, d'immense amertume et de passions effrénées. (307, 4-8)

21. Je reprouve ceux qui prêchent une foi aveugle, une foi sans connaissance, une foi acquise au moyen de craintes et de superstitions.

22. N'écoutez pas les paroles de ceux qui attribuent à Dieu tous les maux qui frappent l'humanité, toutes les plaies, famines et pestes, en les appelant châtiments ou colère de Dieu. Ceux-là sont les faux prophètes.

23. Eloignez-vous d'eux parce qu'ils ne me connaissent pas et veulent enseigner aux hommes comment est Dieu.

24. Vous avez ici le fruit de la mauvaise interprétation que l'on a donnée aux écritures des temps passés, dont on n'a pas encore trouvé la trace du langage divin tout au fond du langage humain, avec lesquelles furent écrites les révélations et les prophéties. Beaucoup s'en vont parler de la fin du monde, du jugement dernier, de la mort et de l'enfer, sans

connaître un atome de la vérité. (290, 16-19)

25. Vous en êtes déjà à la Troisième Ere, et l'humanité accuse encore un retard spirituellement. Ses ministres, théologiens et pasteurs spirituels révèlent bien peu de la vie éternelle, et parfois rien du tout. Je leur révèle aussi les mystères de mon arcane et je vous demande: «Pourquoi les taisent-ils? Pourquoi craignent-ils de réveiller l'esprit en état de léthargie des hommes?» (245, 5)

26. Ma doctrine vous enseigne un culte parfait, spirituel et pur à l'égard du Père, parce que l'esprit de humanité est arrivé, sans s'en rendre compte, au seuil du temple du Seigneur, où il entrera pour sentir ma présence, écouter ma voix au travers de sa conscience et me voir en la lumière qui descend sur son esprit.

27. Le vide que les hommes ressentent dans leurs diverses religions en cette époque, est du à ce que l'esprit ait faim et soif de spiritualité; les rites et les traditions ne lui suffisent pas; il est anxieux de connaître ma vérité. (138, 43-44)

Communion et Messe
28. Jamais Je ne suis venu enveloppé de mystère devant les hommes. Si je vous ai parlé au sens figuré pour vous révéler ce qui est divin ou représenter l'éternel sous quelque forme matérielle, je l'ai fait pour que vous me compreniez mais, si les hommes se limitent à adorer des formes, objets ou symboles, en lieu et place de rechercher le sens de ces enseignements, il est naturel qu'ils stagnent pendant des siècles et voient des mystères en toute chose.

29. Depuis les temps du séjour d'Israël en Egypte, quand mon sang fut représenté par celui d'un agneau, il y eut des hommes qui vécurent seulement de traditions et de rites, sans comprendre que ce sacrifice fut une image spirituelle du sang que le Christ viendrait répandre pour vous donner la vie éternelle. D'autres, croyant s'alimenter de mon corps, mangent des pains matériels, lorsque j'offris le pain à mes disciples, au Cénacle, ce fut pour leur faire comprendre que celui qui considère l'essence de ma parole comme un aliment, se serait alimenté de Moi.

30. Combien peu nombreux sont ceux qui en réalité peuvent comprendre mes divines leçons et ce petit nombre est constitué de ceux qui les analysent avec l'esprit. Mais, tenez en compte que Je ne vous ai pas apporté toute la divine révélation en une seule fois, si ce n'est que Je vous l'ai expliquée à chacune de mes leçons. (36, 7-9)

31. Le cœur de ces multitudes est empli de bonheur, parce qu'elles savent que, face à leur esprit, se trouve le banquet céleste, où les attend le Maître pour leur donner à manger et à boire, le pain et le vin de la vie éternelle.

32. La table à laquelle Jésus, en ce temps-là, se réunit avec ses apôtres,

fut un symbole du Royaume des Cieux. Là se trouvait le Père entouré de ses enfants, là il y avait les nourritures représentant la vie et l'amour. La voix divine vibrait, son essence était le concert universel et la paix qui y régnait était la paix qui existe dans le Royaume de Dieu.

33. Vous avez essayé de vous purifier en ces aubes en pensant que le Maître allait vous apporter en ses paroles, un nouveau testament. Il en est ainsi: aujourd'hui je vous concède que vous vous souveniez du pain et du vin par lesquels je représentai mon corps et mon sang, mais je suis aussi venu vous dire qu'en ce nouveau temps, vous ne trouverez cet aliment que seulement dans l'essence divine de ma parole. Si vous recherchez mon corps et mon sang, vous devriez les chercher dans le caractère divin de la création, parce que Moi, Je suis seulement Esprit. Mangez de ce pain et buvez de ce vin, mais remplissez aussi mon calice; je souhaite boire avec vous, je suis assoiffé de votre amour.

34. Portez ce message à vos frères et apprenez que le sang, bien qu'il soit la vie, n'est qu'un symbole de la vie éternelle qui est l'amour véritable. Par vous, je commence à illuminer l'humanité de mes nouvelles révélations. (48, 22-25)

35. Je vous apporte la paix et un nouvel enseignement. Si mon sacrifice du Second Temps abolit le sacrifice de victimes innocentes que vous immoliez sur l'autel de Jéhovah, aujourd'hui l'aliment de ma parole divine a fait en sorte que vous cessiez de représenter mon corps et mon sang par le pain et le vin de ce monde.

36. Tout esprit qui voudra vivre devra s'alimenter de l'Esprit Divin. Celui qui écoute ma parole et la sent en son cœur s'est alimenté en vérité; il n'a pas seulement mangé mon corps et bu mon sang, sinon qu'il a aussi consommé de mon Esprit pour s'alimenter.

37. Quel est celui qui, après avoir goûté cet aliment céleste, me cherchera à nouveau dans les corps et les formes taillés par les mains des hommes?

38. De temps à autre, Je viens effacer des traditions, rites et formes et laisse seulement en votre esprit la Loi et l'essence de mes enseignements. (68, 27)

Le Baptême

39. Peuple, en ce temps-là, Jean, appelé également le Baptiste, baptisait par l'eau ceux qui croyaient en sa prophétie. Cet acte était un symbole de la purification du péché originel. Il disait aux multitudes qui arrivaient jusqu'au Jourdain pour y écouter les paroles du précurseur: C'est ici que je vous baptise par l'eau, mais Celui qui vous baptisera avec le feu du Saint-Esprit est déjà en chemin.

40. De ce feu divin naquirent tous les esprits, ils surgirent propres et purs, mais en chemin ils se sont tachés du péché qu'entraîne la désobéissance, le feu de mon Esprit vient à nouveau se répandre sur eux

pour détruire leur péché, effacer leurs taches et leur rendre leur pureté originale.

41. Si ce baptême spirituel, au lieu être compris comme la purification que l'homme atteint par le biais d'un acte de profond repentir devant son Créateur, vous le convertissiez en un rite et vous vous conformiez du symbolisme d'un acte, alors Je vous dis certainement que votre esprit n'atteindra rien du tout.

42. Celui qui agit de la sorte vit encore aux temps du Baptiste, et c'est comme s'il n'eut pas cru en ses prophéties ni en ses paroles qui traitaient du baptême spirituel, du feu divin par lequel Dieu purifie et rend éternels ses enfants dans la lumière.

43. Jean appelait les hommes quand ceux-ci étaient devenus adultes, pour verser sur eux ces eaux, symbole de la purification. Ils arrivaient à lui lorsqu'ils étaient déjà conscients de leurs actes et pouvaient déjà manifester leur volonté de persévérer sur le chemin du bien, de la droiture et de la justice. Voyez comment l'humanité a préféré pratiquer l'acte symbolique de la purification par le biais de l'eau, au lieu de la véritable régénération par le repentir et du propos ferme de la correction qui naissent de l'amour pour Dieu. La cérémonie n'implique aucun effort. Par contre, purifier le cœur et lutter pour demeurer dans la limpidité entraîne un effort pour l'homme, une veille et jusqu'à un sacrifice. C'est pour cette raison que les hommes ont préféré couvrir leurs péchés avec l'apparence, en se limitant à l'accomplissement de cérémonies, actes et rites, qui n'améliorent en rien leur condition morale ou spirituelle, puisque la conscience n'intervient pas.

44. Disciples, c'est la raison pour laquelle je ne veux pas qu'il y ait de rites entre vous, afin d'éviter que, dans leur accomplissement, vous n'oubliiez ce qui véritablement atteint l'esprit. (99, 56-61)

45. Je suis Celui qui envoie les esprits s'incarner, en accord avec la loi de l'évolution, et en vérité Je vous dis que ce ne seront pas les influences de ce monde qui me feront modifier mes plans divins, parce que ma volonté s'accomplira au-dessus de toutes les ambitions de pouvoir.

46. Chaque être humain a une mission sur la Terre, son destin est tracé par le Père et son esprit oint par ma charité. C'est en vain que les hommes organisent des cérémonies et oignent les petits enfants; certes, Je vous dis qu'à aucun âge matériel les eaux ne purifieront l'esprit de ses manquements à ma Loi. Et si Je vous envoie un esprit immaculé de tout péché, de quelle tache les ministres des religions du baptême le purifient-ils?

47. Il est temps que vous compreniez que l'origine de l'homme n'est pas un péché, sinon que sa naissance est le résultat de l'accomplissement d'une loi naturelle, loi que non seulement l'homme respecte, mais aussi toutes les

créatures qui constituent la nature. Comprenez bien que j'ai dit l'homme et non son esprit. L'homme a mon autorité pour créer des êtres semblables, quant aux esprits, ils jailliront seulement de Moi.

48. Croître et se multiplier es la loi universelle; de même que les astres surgirent d'autres astres plus grands, que la semence se multiplia et jamais Je n'ai dit qu'en cela ils avaient péché ou offensé le Créateur. Pourquoi vous-autres, en respectant ce commandement divin, devriez-vous, ensuite, être qualifiés de pécheurs? Comprenez bien que l'accomplissement du respect de la loi jamais ne pourra tacher l'homme.

49. Ce sont les bas instincts, le libertinage, le vice et la luxure qui tachent l'homme et éloignent l'esprit du chemin de évolution, parce qu'ils s'opposent tous à ma Loi.

50. Etudiez et analysez en profondeur jusqu'à ce que vous découvriez la vérité. Ainsi cesserez-vous de qualifier de péché les commandements du Créateur de la vie et vous pourrez alors sanctifier l'existence de vos enfants par l'exemple de vos bonnes actions. (37, 18-23)

Souvenir des morts

51. Les hommes sont conservateurs de leurs traditions et coutumes; il est bien qu'ils gardent un souvenir impérissable des êtres qui sont descendus au tombeau et qu'ils soient attirés par l'endroit où ils ont déposé leurs restes; mais s'ils approfondissaient davantage le sens réel de la vie matérielle, ils se rendraient compte qu'au moment de la désintégration de ce corps, celui-ci retourne, d'atome en atome, aux divers royaumes desquels il est formé et que la vie poursuit son déroulement.

52. Mais l'homme, au fil des temps, à cause de son manque d'étude du spirituel, a créé une chaîne de cultes fanatiques à la matière. Il tente de rendre impérissable la vie matérielle et oublie l'esprit qui est celui qui, en réalité, possède la vie éternelle. Qu'ils sont encore bien loin de comprendre la vie spirituelle!

53. Maintenant vous savez qu'il est inutile de porter des offrandes en ces lieux, où une pierre tombale qui dit « mort », devrait plutôt dire « désintégration et vie », parce que même, la Nature est en pleine floraison, même la terre est le sein fécond et inépuisable de créatures et espèces de toutes sortes.

54. Lorsque ces leçons seront comprises, l'humanité saura attribuer sa place au matériel et son importance au divin. Alors disparaîtra le culte idolâtre des temps passés.

55. L'homme doit reconnaître et aimer son Créateur, d'esprit à Esprit.

56. Les autels sont de noirs crêpons et les tombes une preuve de démonstration d'ignorance et d'idolâtrie. Moi, Je vous pardonne toutes vos fautes, mais il me faut en vérité vous réveiller Mon enseignement sera compris et le temps viendra où les hommes changeront les

offrandes matérielles par des pensées bien plus élevées. (245, 16-21)

Symboles matériels, crucifix et reliques

57. Au cours du Premier Temps, vous connaissiez les symboles: Le tabernacle ou sanctuaire qui contenait l'arche où étaient conservées les tables de la loi. Après que ces symboles eurent accompli leur mission, ma volonté les effaça de la terre, les cacha de la vue des hommes afin que le monde ne sombre pas dans l'idolâtrie, mais je laissai, écrite dans la conscience de mes serviteurs, la signification et l'essence de ces leçons.

58. Au Second Temps, après que le sacrifice du Christ fut consommé, je fis disparaître le plus grand des symboles du christianisme: la croix, en même temps que la couronne, le calice et tout ce qui pouvait être objet d'une adoration fanatique de la part de l'humanité. (138, 36)

59. L'humanité vit Jésus souffrir et son enseignement et son témoignage sont crus par vous. Pourquoi persister de le crucifier en vos sculptures? Ne vous a-t-il pas suffi de l'exhiber, des siècles durant, comme la victime de votre méchanceté?

60. Au lieu de me rappeler les tourments et l'agonie de Jésus, il vaut mieux que vous me rappeliez sa résurrection, pleine de lumière et de gloire.

61. Parfois, en regardant vos images qui me représentaient sous la forme de Jésus crucifié, certains pensèrent qu'il s'agissait d'un homme faible, lâche ou timide, sans penser que Je suis Esprit et que je vins éprouver ce que vous appelez sacrifice et que Moi J'appelle devoir d'amour, en tant qu'exemple pour toute l'humanité.

62. Lorsque l'on est Un avec le Père, aucune arme, force ou supplice ne peuvent faire fléchir; mais, si en tant qu'homme je souffris, saignai et mourus, ce fut dans le but de vous livrer mon sublime exemple d'humilité.

63. Les hommes n'ont pas compris la grandeur de cette leçon et partout lèvent l'image du crucifié, ce qui constitue une honte pour cette humanité, laquelle, sans amour ni respect à l'égard de Celui qu'elle prétend aimer, continue de le crucifier et de le blesser quotidiennement en blessant le cœur de ses frères, pour lesquels le Maître donna sa vie. (21, 15-19)

64. Je ne vous jugerais pas si vous faisiez disparaître, de la Terre, jusqu'à la dernière croix qui reflète votre foi chrétienne et qu'en échange vous substituiez ce symbole par l'amour véritable des uns envers les autres; parce qu'alors votre foi et votre culte extérieur se convertiraient en culte et foi de l'esprit, et c'est ce que J'attends de vous.

65. Si, du moins, vos cultes et vos symboles avaient la force d'empêcher vos guerres, de ne pas vous faire sombrer dans le vice, et de maintenir la paix entre vous! Mais, voyez de

quelle manière vous faites fi de tout ce que vous proclamez sacré; voyez comment vous piétinez ce que vous avez eu de divin.

66. Il vaudrait bien mieux, Je vous le répète, n'avoir aucun temple, aucun autel ni symbole ou image sur toute la Terre; mais que vous sachiez prier avec l'esprit, que vous sachiez aimer votre Père et croire en Lui sans avoir besoin de représentants, et que vous vous aimiez comme je vous l'ai enseigné dans ma Doctrine. Alors, vous seriez sauvés, vous marcheriez sur le chemin tracé par les empreintes de mon sang, empreintes par lesquelles je vins sceller la vérité de mes enseignements. (280, 69-70)

Vénération des Saints

67. Je vous donne ces leçons parce que vous avez transformé l'esprit de nombreux justes en divinités, auxquelles vous adressez des requêtes et que vous adorez comme s'il s'agissait des dieux. Ô humanité, que d'ignorance! De quelle manière les hommes peuvent-ils juger la sainteté et la perfection d'un esprit? En considérant seulement ces actions humaines?

68. Je suis le premier à vous dire d'imiter les bons exemples que vos frères ont écrits par le biais de leurs actions, de leur vie, de leur vertu, et lorsque vous vous souvenez d'eux, je vous dis aussi d'attendre leur aide spirituelle et leur influence. Mais, pourquoi leur édifiez-vous des autels qui n'ont d'autre utilité que d'offenser l'humilité de leurs esprits? Pourquoi

se créent-ils des cultes autour de leur mémoire comme s'ils furent la Divinité, en les disposant à la place du Père que vous oubliez pour adorer vos frères? Combien douloureuse a été pour eux la gloire qu'ici vous leur avez octroyée!

69. Que savent les humains de mon jugement à propos de ceux qu'ils appellent saints? Que connaissent-ils de la vie spirituelle de ces êtres ou de la situation que chacun s'est forgée devant le Seigneur?

70. Que personne n'imagine qu'avec ces révélations, je vienne effacer de votre cœur les mérites que mes serviteurs ont accompli parmi l'humanité; tout au contraire, je veux que vous sachiez que la grâce qu'ils ont trouvée en Moi est grande et que je leur concède, aussi par vos oraisons; mais il est impérieux que vous annihiliez votre ignorance, de laquelle proviennent le fanatisme religieux, idolâtrie et la superstition.

71. Si vous sentez que l'esprit de ces êtres flotte dans votre vie, confiez en eux qui font partie du monde spirituel, afin qu'ensemble, eux et vous unis sur le chemin du Seigneur, vous consommiez l'œuvre de fraternité spirituelle, cette œuvre que je considère le résultat de tous mes enseignements. (115, 52-56)

Fêtes ou festivités religieuses

72. En ce jour où, dans un grand vacarme, les foules accourent à leurs églises pour célébrer l'instant où la gloire s'ouvrit pour me recevoir, Je vous dis que tout cela n'est qu'une

tradition pour impressionner le cœur de l'humanité. Ce ne sont que des rites qui, aujourd'hui, matérialisent ma divine passion.

73. Ne suivez pas cette tendance d'ériger des autels et des symboles, ne représentez pas de faits sacrés, et ne faites pas usage d'habits spéciaux pour vous distinguer, car tout cela est le culte de l'idolâtrie.

74. Invoquez-Moi avec le cœur, rappelez-vous mon enseignement et imitez mes exemples. Offrez-Moi le tribut de votre résolution et vous sentirez les portes de la gloire s'ouvrir pour vous recevoir.

75. Fuyez les représentations fausses et profanes que l'on fait de Moi et de ma passion, parce que personne ne pourra me représenter; vivez mes exemples et mes enseignements; celui qui se conduira ainsi aura représenté son Maître sur la terre. (131, 11-13 et 16)

76. Humanité, ces jours où vous commémorez la naissance de Jésus, c'est quand vous laissez la paix envahir votre cœur et que vous ressemblez à une famille unie et heureuse.

77. Je sais que tous les cœurs n'éprouvent pas un bonheur sincère au moment de se rappeler ma venue au monde en ce temps-là, bien peu nombreux sont ceux qui se livrent à la méditation et au recueillement, de sorte que la joie soit intérieure et que la fête du souvenir se célèbre dans l'esprit.

78. Aujourd'hui, comme en tous temps, les hommes ont fait des commémorations des fêtes profanes et des prétextes pour rechercher les plaisirs des sens, très éloignés de ce que doivent être les jouissances de l'esprit.

79. Si les hommes consacraient ce jour à l'esprit, en méditant dans l'amour divin, et que de celui-ci le fait de me faire homme pour vivre avec vous fut la plus grande preuve, certes, je vous dis que votre foi resplendirait au plus haut de votre être, et serait l'étoile qui vous montrerait le chemin qui mène à Moi. Alors, votre esprit serait saturé de bonté de telle manière que, à chaque pas, vous déborderiez de charité, consolation et tendresse envers les nécessiteux. Vous vous sentiriez davantage frères, pardonneriez avec le cœur à ceux qui vous ont offensé, vous vous sentiriez saisis de tendresse à la vue des déshérités, de ces enfants sans parents, sans toit et sans amour. Vous auriez une pensée pour les peuples sans paix, où la guerre à détruit tout le meilleur, le noble et le sacré de la vie humaine. Alors, l'oraison jaillirait, limpide, vers Moi, pour me dire: «Seigneur, quel droit à la paix avons-nous, quand nous avons tant de frères qui souffrent intensément?»

80. La réponse que Je vous adresserais serait la suivante: «A présent que vous avez ressenti la douleur de vos frères, que vous avez prié et fait preuve de charité, réunissez-vous dans votre foyer, prenez place à votre table et jouissez

de cette heure bénie, parce que J'y serai présent, ne craignez pas être contents si vous savez qu'en ce même instant il y en a beaucoup qui souffrent, puisque je vous dis en vérité que, si votre allégresse est saine, une haleine de paix et d'espérance s'en détachera qui s'en ira flotter comme un nuage d'amour au-dessus de ceux qui en ont besoin».

81. Que personne ne pense que je vienne effacer de votre cœur la fête la plus pure que vous célébrez dans l'année, lorsque vous commémorez la Nativité de Jésus. Je viens seulement vous enseigner à donner au monde ce qui lui appartient, et à l'esprit ce qui est de l'esprit, parce que si vous avez tellement de fêtes pour célébrer les faits humains, pourquoi ne laissez-vous pas cette fête à l'esprit, afin que celui-ci, converti en enfant, s'approche pour m'offrir son présent d'amour, afin qu'il acquière la simplicité des bergers pour m'adorer et l'humilité des sages pour courber la tête et présenter sa science devant le propriétaire de la véritable Sagesse?

82. Je ne viens pas pour retenir la liesse qui, ces jours-ci, enveloppe la vie des hommes. Il ne s'agit pas seulement de la force d'une tradition en ce que ma charité vous touche, ma lumière vous illumine et mon amour, à l'image d'un manteau, vous couvre. Vous sentez alors votre cœur plein d'espérance, de bonheur, de tendresse, de nécessité de donner quelque chose, de vivre et d'aimer, mais ces sentiments et ces inspirations, vous ne les laissez pas toujours s'exprimer avec leur vraie élévation et pureté, vous débordez de joie pour les plaisirs du monde, sans laisser que l'esprit, qui fut la raison de la venue au monde du Rédempteur, vive cet instant, pénètre en cette lumière, se purifie et se sauve, parce que ce Divin Amour qui se fit homme est éternellement présent sur le chemin de chaque être humain, afin qu'en lui, il trouve la vie. (299, 43-48)

La présence de Dieu en dépit de cultes erronés

83. Comme l'homme se trouve matérialisé, il doit me chercher au travers du culte matériel, et comme les yeux de son esprit ne sont pas ouverts, il lui faut se forger mon image, pour me voir. Comme il ne s'est pas sensibilisé spirituellement, toujours il exige de Moi prodiges et preuves matérielles pour pouvoir croire en mon existence et me pose des conditions pour me servir, m'aimer et, en échange de ce que Je lui donne, lui aussi me donnera quelque chose. Ainsi je vois toutes les églises, toutes les religions, toutes les sectes que les hommes ont créées sur la surface de la Terre, elles sont enveloppées dans le matérialisme, le fanatisme et l'idolâtrie, la mystification, l'adultère et les profanations.

84. Qu'est-ce que J'en retiens? Seulement l'intention. Que me parvient-il de tout cela? La nécessité spirituelle ou corporelle de mes enfants, leur atome d'amour, leur nécessité de lumière. Voilà ce qui

m'arrive et Moi, je suis avec tous. Je ne vois pas les églises, ni les formes, ni les rites. Je viens à tous mes enfants d'égale manière. Je reçois leur esprit dans la prière, Je l'approche de mon giron pour le serrer contre moi, pour qu'il sente ma chaleur et que cette chaleur soit un stimulant et un attrait sur son chemin de vicissitudes et d'épreuves. Mais, ce n'est pas parce que Je sais recevoir la bonne intention de l'humanité, que je dois la laisser demeurer éternellement dans les ténèbres, enveloppée dans son idolâtrie et son fanatisme.

85. Je veux que l'homme se réveille, que l'esprit s'élève jusqu'à Moi et qu'en s'élevant il puisse voir la véritable splendeur de son Père, oubliant les fausses splendeurs des liturgies et des rites. Je souhaite qu'en réussissant sa vraie élévation, il se régénère, s'émancipe de ses misères humaines et puisse dominer la matérialité, les passions et les vicissitudes; se retrouvant même afin qu'il ne dise jamais au Père qu'il est le mauvais ver de la terre, afin qu'il prenne conscience que le Père le créa

à son image et à sa ressemblance. (360, 14-16)

86. Il existe de nombreuses religions sur la Terre et, dans leur majorité, la foi en Christ en est le ciment; cependant, elles ne s'aiment pas les unes les autres ni ne se reconnaissent entre-elles en tant que disciples du Divin Maître.

87. Ne croyez-vous pas que si les unes et les autres avaient compris ma Doctrine, elles l'auraient appliquée à la pratique en apportant la réconciliation et la paix aux peuples? Mais il n'en fut rien. Toutes ont maintenu leurs distances des autres, éloignant et divisant spirituellement les hommes, lesquels se considèrent comme des ennemis ou des étrangers. Chacun recherche les moyens et arguments pour démontrer aux autres que c'est lui qui est le détenteur de la vérité et que les autres sont dans l'erreur; mais aucun n'a la force ni le courage de lutter pour l'unification de tous; aucun ne manifeste sa bonne foi pour découvrir qu'en chaque croyance et chaque culte existe une part de vérité. (326, 19-20)

Chapitre 15 – Pseudo-Chrétiens, Enseignements erronés de l'Eglise et anomalies

Chrétiens de nom

1. Une grande partie de cette humanité se nomme chrétienne et le Maître vous dit: Si vous étiez véritablement chrétienne, vous auriez déjà vaincu le reste des hommes avec votre amour, votre humilité et votre paix; mais ma Doctrine, léguée depuis le Second Temps, n'est pas ancrée dans le cœur de humanité, elle ne palpite ni ne fleurit dans les œuvres des hommes mais est conservée dans des livres poussiéreux, et Moi je ne suis pas venu pour parler de livres.

2. En guise de livre Je vous livrai ma vie, ma parole et mes œuvres, ma passion et ma mort en tant qu'homme et ceci est la raison pour laquelle la plus grande partie de humanité, se prétendant chrétienne, ne bénéficie de la paix ni de la grâce du Christ, parce qu'ils ne l'imitent pas et qu'ils ne mettent pas sa Doctrine en pratique. (316, 5)

3. Ecoutez-Moi, disciples, afin d'arracher de votre entendement de vieilles croyances. La Chrétienté se divisa en sectes qui ne s'aiment pas entre-elles qui humilient, déprécient et menacent leurs frères avec de faux jugements. Moi je vous dis que ce sont des chrétiens sans amour, par conséquent ils ne sont pas chrétiens parce que le Christ est Amour.

4. Il y en a qui représentent Jéhovah comme un vieillard plein de défauts humains, vindicatif, cruel et plus terrible que le pire de vos juges sur la Terre.

5. Je ne vous dis pas cela pour que vous vous moquiez, sinon dans le but de purifier votre concept de l'amour divin. Vous savez, à présent, de quelle manière vous m'avez adoré dans votre passé. (22, 33-35)

6. Comment est-il possible que les peuples, qui se nomment chrétiens, se détruisent par la guerre et prient même avant de s'en aller tuer leurs frères, m'implorant de leur donner la victoire sur leurs ennemis? Ma semence peut-elle exister là où, au lieu d'amour existe la haine, et ou la vengeance remplace le pardon? (67, 28)

7. Je déclare à tous les hommes de distinctes croyances et religions qu'ils n'ont pas su comment colloquer les richesses matérielles pour accorder aux choses de l'esprit la place qui lui correspondait. S'ils avaient respecté mes lois, d'ici ils seraient déjà en train de voir la silhouette de la terre promise et écouter l'écho des voix de ses habitants.

8. Vous dites croire en mon existence et avoir la foi en ma Divinité; vous dites aussi que

s'accomplisse ma volonté et, en vérité, je vous dis: Que votre foi et votre conformité en regard de ce que Je dispose sont maigres! Mais Je viens encourager en vous la véritable foi pour que vous soyez forts sur le chemin que je vous ai tracé. (70, 12-13)

9. Aujourd'hui, je ne viens pas vous demander votre sang, ni que vous sacrifiez votre vie; ce sont l'amour, la sincérité, la vérité et le désintérêt que je vous demande.

10. C'est de cette manière que je vous endoctrine et vous enseigne en préparant, avec ces principes, les disciples de ma divinité en ce Troisième Temps, parce que je vous vois observer avec indifférence l'évolution du monde; et vous, vous ne savez pénétrer le cœur de humanité, là où il existe tant de misère et de douleur.

11. Il existe une grande inégalité, puisque je vois des hommes auxquels seule manque la couronne pour qu'ils se nomment rois, et je vois des sujets qui sont de véritables esclaves. C'est à partir de là que la lutte s'est initiée. Parmi ces hommes enrichis dans le monde, nombreux se prétendent chrétiens, mais Moi, je vous affirme qu'en réalité ils connaissent à peine mon nom.

12. Ceux qui ne voient pas leur prochain en les autres, ceux qui accumulent des richesses et s'emparent de ce qui appartient à d'autres, ceux-là ne sont pas des chrétiens, parce qu'ils ne connaissent pas la charité.

13. Viendra la lutte entre le spirituel et le matériel et l'humanité participera dans cette lutte. Quelle amertume devra-t-elle souffrir pour en arriver à faire triompher la justice! (222, 43-45)

Agnostiques et fanatiques religieux

14. Je vous dis qu'il est préférable être pleins d'incertitudes et de négations, que pleins de fausses affirmations et de mensonges que vous faites passer pour des vérités. Heureusement, il vous convient davantage la négation sincère qui naît du doute ou de l'ignorance, que l'affirmation hypocrite d'une fausseté. Mieux vaut le doute propre, affamé de compréhension, que l'intime conviction de n'importe quel mythe. L'incertitude désespérée, qui à grands cris réclame la lumière, est préférable à la rigidité fanatique ou idolâtre.

15. A l'heure actuelle, partout abondent les incroyants, les méfiants et les amers. Ce sont des rebelles qui, très souvent, voient plus clair que les autres, qui ne ressentent pas le ritualisme et que les affirmations qu'ils ont écoutées de ceux qui dirigent les hommes spirituellement n'ont pas convaincues; parce que toutes ces théories compliquées n'emplissent pas leur coeur assoiffé d'eaux pures, pour apaiser leur angoisse.

16. Ceux que vous considérez rebelles, font souvent preuve, dans leur questions, d'une plus grande lumière que ceux qui, se considérant

sages ou grands, y répondent. Ils sentent, voient, touchent, entendent et comprennent plus clairement que beaucoup de ceux qui se prétendent maîtres en leçons divines. (248, 12)

17. Que la vérité est diaphane et simple! Combien claire et simple est la spiritualité! Cependant, qu'il est difficile de comprendre pour qui s'obstine dans les ténèbres de son fanatisme et de ses traditions. Son esprit ne peut concevoir qu'il existe quelque chose de plus qu'il ne sache, son cœur se résiste à renoncer à ce qui, pour lui, a constitué son Dieu et sa Loi: La tradition et le rite.

18. Croyez-vous que Je déteste ceux qui s'entêtent à ne pas voir ma vérité? Non, mes enfants, ma charité est infinie, et c'est précisément ceux-la que je cherche pour les aider à sortir de leur captivité, afin qu'ils s'extasient en contemplant la lumière. Je leur réserve les épreuves nécessaires pour leur réveil à la foi. Il ne s'agira pas d'épreuves hors de leur portée, mais de leçons sagement adaptées à chaque esprit, chaque vie et chaque homme.

19. De là même, de ces cerveaux obscurs, de ces cœurs malades de fanatisme religieux et d'ignorance, vous verrez surgir les grands et fervents soldats de la vérité, parce que lorsqu'ils se libèreront de leurs chaînes, de leurs ténèbres pour voir la lumière, ils ne pourront contenir leur joie et clameront bien haut que Je suis revenu pour sauver le monde, en l'élevant au véritable Royaume par l'entremise de l'échelle de la spiritualité. (318, 48-50)

Falsifications de la Doctrine de Jésus-Christ et leurs conséquences

20. Je vous livre ma parole avec la même essence que celle avec laquelle je m'adressai à vous au Second Temps, et je suis venu vous rappeler un grand nombre de mes enseignements que vous aviez oubliés, ou desquels vous vous êtes éloignés en raison d'interprétations erronées de vos ancêtres.

21. Vous mettiez tellement mal en pratique ma Doctrine, que Je puis vous dire que vous aviez créé un chemin complètement distinct au mien, mais auquel vous prêtiez le même nom. Personne en dehors de Moi ne pouvait vous sortir de votre erreur, par des paroles de vie, d'amour et de vérité.

22. Pour cela, à présent que vous écoutez, analysez et comprenez ma parole qu'en vous, se fera la lumière. C'est le moment idéal que j'ai choisi pour vous dire en toute clarté que la réincarnation de l'esprit existe, que depuis le commencement de l'humanité, elle est la lumière de justice et d'amour divin, sans laquelle vous ne pourriez progresser sur le long chemin du perfectionnement de l'esprit. (66, 63-65)

23. Les religions ont révélé bien peu à l'humanité en ce qui concerne l'esprit, mais elles se réveilleront rapidement de leur léthargie et celles qui, en vainquant scrupules et

craintes, découvriront à l'humanité la vérité qu'elles ont cachée, seront bénies. Je les illuminerai de la lumière de mon pardon, ma grâce et ma sagesse.

24. Lorsque l'humanité reconnaîtra que les religions n'existent pas uniquement pour permettre aux hommes de vivre moralement sur la Terre, mais bien qu'elles ont pour mission de conduire l'esprit vers sa demeure éternelle, alors elle aura franchi un grand pas sur le sentier de son évolution spirituelle. (109, 15-16)

25. Après mon séjour parmi les hommes en tant que Jésus, je me suis toujours approché de ceux qui, comme soldats ou apôtres, vinrent pour confirmer ma doctrine par leur œuvres et pour empêcher que l'humanité ne dénature mes enseignements; mais beaucoup de sourds et aveugles, interprétant ma parole de manière imparfaite, divisèrent leurs opinions, créant, de la sorte, une grande variété de sectes. Et, si les hommes sont divisés spirituellement, comment pourront-ils s'aimer les uns les autres, conformément au plus grand précepte de ma loi?

26. C'est pour cela que je vous dis que cette civilisation n'est qu'apparente, parce que les hommes eux-mêmes la détruisent. Tant que l'humanité n'édifiera pas un monde sur les fondations de ma loi de justice et d'amour, elle ne pourra jouir de la paix et de la lumière de l'esprit, vertus sur lesquelles elle créerait et forgerait

un véritable monde d'élévation, tant sur le plan spirituel, que scientifique et moral. (192, 17)

27. Seuls la régénération et l'idéal de perfectionnement pourront vous faire reprendre le chemin de la vérité.

28. Ceux qui, se considérant les interprètes de la Loi de Dieu, vous disent que votre perversité et votre rébellion déclencheront en vous d'infernales souffrances et que Dieu vous pardonnera et vous emportera en son Royaume, seulement par le fait de démontrer de votre repentir en blessant et torturant votre chair et de Lui présenter des offrandes matérielles, Je vous dis, en vérité, que ceux-là sont dans l'erreur.

29. Où irez-vous, humanité, menée par ceux que vous considérez comme de grands maîtres des révélations sacrées et que, Moi, je considère confondus dans l'erreur? Pour cela je viens vous sauver avec la lumière de cette Doctrine, laquelle vous fera évoluer sur la voie de mon amour. (24, 46-47)

30. Les hommes ont caché la véritable essence de mon enseignement pour vous montrer un Christ qui n'est même pas l'image de celui qui vint mourir pour vous faire vivre.

31. Aujourd'hui, vous êtes en train de vivre le résultat de votre éloignement du Maître qui vint vous endoctriner. Une atmosphère de souffrance vous entoure, votre petitesse vous accable, l'ignorance

vous tourmente; mais le temps est venu de faire en sorte que se réveillent les pouvoirs et les dons endormis en l'homme, annonçant comme les hérauts qu'un nouveau temps est arrivé.

32. Les religions, la science et la justice des hommes tenteront d'empêcher l'avance du progrès de ce qui, pour eux, constituera une influence étrange et maléfique; mais aucun pouvoir ne parviendra à freiner le réveil et le progrès de l'esprit. Le jour de la libération est proche. (114, 5-8)

33. Ceux qui prétendent me connaître m'ont bien mal représenté sur la Terre, et ceci fit en sorte que beaucoup me tournèrent le dos.

34. A ceux qui se disent athées, je ne leur ferai pas grief de m'avoir expulsé de leur cœur, mais bien à ceux qui, contrefaisant la vérité, ont monté un Dieu que beaucoup n'ont pu accepter.

35. Tout ce qui est juste, sain et bon renferme la vérité, qui est celle que J'ai toujours prônée au fil des temps.

36. L'heure est venue pour vous de devoir aimer a nouveau la vérité, ou encore, reconnaître ce qui est juste et ce qui est bon; puisque, nés de Moi, vous aurez à aspirer à l'élévation, l'éternité et la pureté. (125, 22-25)

37. Oui, Israël, le cœur a toujours cherché d'adorer des objets matériels; l'ouie s'est confinée dans la parole fleurie; pour cela, ce que Je livrai au Second Temps comme Doctrine Chrétienne, l'homme la modifia en la convertissant en religion.

38. L'égoïsme, la cupidité et la vanité se sont toujours éveillés dans le cœur humain et se sont convertis en rois et seigneurs pour faire en sorte que le peuple s'incline devant eux, le convertir en vassal ou en esclave, l'enchaîner au péché et le guider vers les ténèbres, la désorientation et la confusion. (363, 36)

39. Les théologiens de cette ère viendront pour analyser en profondeur ma parole ainsi que les nouvelles révélations et demanderont: Qui es-tu, pour t'exprimer de la sorte? A l'instar des scribes et des pharisiens de ce temps-là qui se levèrent en me disant: Qui es-tu, toi qui viens désavouer et changer la Loi de Moise? Alors, Je leur ferai comprendre que les trois révélations constituent l'unique Loi que je suis toujours venu enseigner et respecter.

40. Beaucoup de ceux qui me jugent, à présent, sont ceux qui doutèrent au Second Temps, mais Je les ai gardés et envoyés à nouveau sur la Terre pour qu'ils apprécient le triomphe de ma Loi et ouvrent les yeux à la lumière (234, 46-47)

Evolutions erronées et irrégularités dans la Chrétienté

41. Une grande partie de cette humanité se nomme chrétienne, sans même savoir ce que signifie le mot Christ, ni même connaître sa Doctrine.

42. Qu'avez-vous fait de ma parole, de mes exemples et de ma Doctrine que Je vous livrai en ce temps-là?

43. Etes-vous, à l'heure actuelle, des hommes plus évolués que ceux de l'ère antérieure? Pourquoi ne le démontrez-vous pas, par les œuvres de votre esprit? Croyez-vous sans doute que cette vie est éternelle ou pensez-vous que ne deviez évoluer qu'au travers de la science humaine?

44. Je vins vous enseigner le véritable accomplissement de la Loi, afin que vous convertissiez ce monde en un vaste temple où adorer le vrai Dieu, où la vie de l'homme constitue une constante offrande d'amour à son Père, qu'il devrait aimer en chacun de ses semblables, rendant ainsi un tribut à son Créateur et Maître.

45. Et, à présent que Je suis revenu parmi les hommes, qu'est-ce que Je trouve? Le mensonge et l'égoïsme ont remplacé la vérité et la charité; l'orgueil et la vanité en lieu et place de la mansuétude et de l'humilité; l'idolâtrie, le fanatisme et l'ignorance ont pris le pas sur la lumière, l'élévation et la spiritualité; le lucre et la profanation où seulement devraient exister le zèle et la droiture; la haine et la guerre effrénée entre frères ont remplacé la fraternité, la paix et l'amour.

46. Mais J'arriverai à mon temple pour en expulser les marchands, comme je le fis au Second Temps dans le temple de Jérusalem et, leur dirai une fois de plus: « Ne transformez pas la maison de prière en un marché ». J'éduquerai les hommes pour que chacun sache officier devant le véritable autel, pour qu'ils ne se trompent plus ni ne se perdent dans l'ignorance, en raison des mauvaises interprétations qu'ils font de ma Loi. (154, 15-20)

47. Mon exemple ainsi que celui de mes apôtres n'a pas été imité par tous ceux qui ont essayé de me suivre. Beaucoup se sont convertis en seigneurs au lieu de serviteurs, ont rempli leur cœur de supériorité et d'orgueil et ont seulement convoité la richesse, le luxe et les honneurs, oubliant les besoins des pauvres, devenant indifférents et insensibles à la misère et à la souffrance d'autrui. C'est pour cette raison que les hommes s'en vont d'une religion à l'autre, en quête de vérité. D'où la nécessité spirituelle qu'ils expérimentent en créant de nouvelles sectes pour me chercher librement.

48. Ceux qui, hier, furent considérés comme des saints et des demi-dieux, aujourd'hui sont méconnus par une humanité déçue.

49. Les hommes ne cherchent plus le confesseur qui les absout de leurs péchés, parce qu'ils le considèrent indigne. Quant à la menace de l'enfer et de son feu éternel, elle n'impressionne ni ébranle déjà plus le cœur du pécheur.

50. Profitant de cette désorientation spirituelle, le loup est là qui guette derrière les mauvaises herbes.

51. Tout ministre et représentant de ma Divinité a pour mission d'établir la paix entre les hommes. Ce qu'ils

sont en train de faire actuellement est exactement le contraire. Chacun se croit le premier, veut être le plus fort, oubliant que Moi, qui suis le seul fort, je suis en tous.

52. A présent, vous pouvez vous expliquer la raison pour laquelle, au cours du Second Temps, je vous promis de revenir. A présent vous êtes en mesure de comprendre la raison pour laquelle Je suis venu vous endoctriner à nouveau. Parce que seule ma parole est à même de faire tomber le bandeau d'obscurité de l'esprit, seul mon amour est capable de vous racheter de vos péchés. (230, 23-28)

53. Ma justice jugera les grandes fautes et les erreurs commises envers ma Loi; aucune faute ne manquera d'être corrigée par le Maître parfait. Vous ne devez pas être confus, corrigez-vous et ne jugez point. Comprenez que jamais Je ne vous punis, vous-mêmes vous vous punissez.

54. J'illumine celui qui a péché par ignorance et conduis au repentir celui qui a péché sciemment, pour que tous deux, forts de mon pardon, se lèvent pour réparer la faute commise. C'est la seule manière d'arriver jusqu'à Moi.

55. Réfléchissez à tout cela, vous les ministres qui menez les hommes par les divers chemins des religions. Priez et emmenez les vôtres vers la spiritualité. Il est temps que vous vous repentiez de vos erreurs, afin de commencer une lutte contre le matérialisme humain, qui signifie mort et ténèbres pour l'esprit. Pour ce faire, vous devez faire usage de ma vérité, manier l'arme de ma parole et vivre dans mon enseignement.

56. Je n'ai de préférence pour aucune religion; ce n'est pas Moi, mais bien plutôt vous qui devez vous ranger de mon côté, parce qu'en agissant de la sorte, vous aurez réussi à vous unir tous en esprit. (162, 27-30)

57. Ma Doctrine, débordante de spiritualité, germera dans le cœur de ce peuple afin que, dans le futur, elle livre ses fruits de vérité et de vie. Ma parole se diffusera sur la Terre et ne laissera aucun site sans le purifier, l'illuminer et le juger.

58. C'est alors que les peuples commenceront à se réveiller à la vie spirituelle, à ce qui est véritable et éternel, en détruisant la part extérieure et matérialiste de leurs divers cultes, pour se limiter à rechercher l'essence de ma Loi.

59. L'humanité expérimentera la force que prodigue la spiritualité et détournera le regard des temps où elle le retint pour des siècles et des siècles.

60. Quelle est l'utilité de trouver le symbole du christianisme - la croix - pour des millions sur la Terre, si les hommes ne sont pas de bonne volonté et ne s'aiment pas les uns les autres?

61. L'extérieur n'exerce déjà plus aucun pouvoir sur les hommes: le respect n'existe déjà plus, ni la foi, de même que le remords d'avoir offensé. Pour cela, Je vous dis que les

symboles et les formes disparaîtront parce que leur temps est révolu. Le culte intérieur sera celui qui élèvera l'homme vers la lumière, l'élèvera et le guidera jusqu'à Moi. (280, 63-67)

IV. LA LOI, AMOUR A DIEU ET AU PROCHAIN

Chapitre 16 – La Loi Divine ou la Loi de Dieu

Le pouvoir de la Loi Divine

1. Beaucoup d'hommes considèrent ma Doctrine désuète, parce que leur matérialité ne les permet pas de découvrir la portée éternelle de mes leçons.

2. Ma Loi est immuable; ce sont les hommes qui eux, passent, avec leurs cultures, leurs civilisations et leurs lois, ne subsistant de tout cela que ce que l'esprit a construit par ses actions d'amour et de charité. C'est celui qui, après chaque journée, chaque épreuve, en interrogeant l'Arcane, voit la pierre inébranlable de ma Loi et le livre, toujours ouvert, qui renferme la Doctrine de l'Esprit. (104, 31-32)

3. J'ai répandu, sur tous les hommes, ma lumière en leur révélant la seule vérité existante, mais déjà vous voyez comment chaque homme et chaque peuple sent, pense, croit et interprète de manière différente.

4. Ces différents modes de penser des hommes sont à l'origine de leurs divisions, puisque chaque peuple ou race poursuit des chemins différents et nourrit divers idéals.

5. La majorité s'est éloignée du chemin lumineux et vrai, en croyant que respecter la Loi Divine implique des sacrifices, renoncements et efforts surhumains, et préfère créer pour eux-mêmes des religions et sectes bien plus faciles à réaliser et à respecter, croyant ainsi apaiser les besoins de lumière et d'élévation qu'ils sentent dans leur esprit et dans leur cœur.

6. De nombreux siècles et de nombreuses ères ont défilé sans que les hommes se rendent compte que l'accomplissement de ma Loi ne constitue pas un sacrifice humain et qu'en revanche, en esquivant mes commandements dans le monde, ils sacrifient la chair et l'esprit. Ils ne se sont pas rendus compte, ils n'ont pas voulu comprendre que celui qui met ma parole en pratique doit trouver le vrai bonheur, la paix, la sagesse et la grandeur que les hommes matérialisés conçoivent de manière tellement différente.

7. Le monde moral et scientifique qui vous entoure a été l'œuvre d'hommes aux idées matérielles, d'hommes qui n'ont uniquement recherché que l'amélioration matérielle de humanité Quant à Moi, Je les ai autorisés à accomplir leur œuvre jusqu'au bout, à connaître leurs résultats et cueillir leurs fruits pour qu'en cela ils puissent récolter la lumière de l'expérience. Ma justice se manifestera dans cette lumière et, en cette justice, ma Loi qu'est l'Amour sera présente. (313, 60-64)

8. Si Je convenais avec vous d'appliquer ma doctrine à votre vie, selon votre volonté et non selon la mienne, en vérité je vous dis que jamais vous ne quitteriez votre enlisement spirituel et jamais ne permettriez que votre esprit se développe et se perfectionne.

9. Voici l'humanité endormie dans ses religions, sans faire le moindre pas en direction de la lumière: parce qu'elles ne se sont pas soumises à ce qu'ordonne la Loi Divine, mais ont tenté de soumettre la Loi à leur gré, en la gonflant de mythes et d'erreurs.

10. Il est impérieux que beaucoup d'hommes s'émancipent de toute religion pour pouvoir aller à ma recherche avec l'esprit et pouvoir développer tous ces attributs, dons et talents qu'ils sentent vibrer au plus profond de leur être. (205, 6-8)

Le commandement d'amour de Dieu dans l'Œuvre Spirituelle

11. C'est votre Dieu qui vous parle, ma voix est la Loi; aujourd'hui vous l'entendez à nouveau sans qu'il soit nécessaire de la graver dans la pierre, ni de vous envoyer mon Verbe incarné. C'est ma voix divine qui parvient jusqu'à votre esprit et lui révèle le commencement d'une ère où l'homme se justifiera, se réconciliera avec son Créateur et se purifiera, selon les Ecritures. (15, 8)

12. Je vous donnai la leçon parfaite par le biais de Jésus. Analyser mon passage de par le monde en tant qu'homme, depuis la naissance jusqu'à la mort et vous trouverez l'explication de l'amour, sous sa forme vivante et parfaite.

13. Je ne viens pas vous demander d'être égaux à Jésus, parce qu'en Lui il y avait quelque chose que vous ne pouvez atteindre: Etre parfait en tant qu'homme, puisque ce fut le même Dieu qui se manifestait en Lui, sous forme limitée, mais en vérité Je vous dis que vous devez l'imiter.

14. Ma Loi éternelle toujours vous a entretenu de cet amour. Dans les premiers temps, Je vous dis: «Tu aimeras Dieu de tout ton cœur et de tout ton esprit», «tu aimeras ton prochain comme toi-même».

15. Ensuite, Je vous fis part de ces inspirations: «Aimez vos frères comme le Père vous a aimés», «aimez-vous les uns les autres».

16. Ensuite, Je vous ai révélé d'aimer Dieu avant toute la création, d'aimer Dieu en tout ce qui existe et en ce qui existe en Dieu. Je vous dis aussi de mettre en pratique la charité et de faire davantage preuve de charité à l'égard de vos frères, afin que vous voyiez le Père dans toute sa splendeur, parce que la charité es Amour. (167, 15-19)

17. Je ne vous affirme même pas que cette Doctrine Spiritualiste constituera la religion universelle, parce que jamais Je n'ai apporté de religion, sinon la Loi. Je me limite à vous dire que c'est la Loi qui triomphera sur la Terre, elle établira des bases pour illuminer l'existence des hommes, elle sera la Loi de

l'amour, celle-là même que Je vous ai expliquée pour que vous la connaissiez complètement.

18. L'humanité commettra encore de nombreuses fausses actions d'amour et de charité, dans son apprentissage à aimer et faire la vraie charité, et nombreux sont ceux qui devront encore errer de religion en religion, jusqu'à ce que leur esprit gagne en connaissances et qu'ils en arrivent à comprendre que la Loi unique, la Doctrine universelle et éternelle de l'esprit est celle de l'amour, à laquelle tous aboutiront.

19. Toutes les religions disparaîtront et seule brillera au-dedans et au-dehors de l'homme la lumière du Temple de Dieu, où tous rendrez un seul culte obéissance, d'amour, de foi et de bonne volonté. (12, 63-65)

La désobéissance aux commandements divins et ses conséquences

20. En cette aube de commémoration, je vous demande: Qu'avez-vous fait de la Loi que, par le biais de Moise, j'envoyai à humanité? Ces commandements furent-ils seulement destinés aux hommes de ce temps-là?

21. En vérité Je vous dis que cette graine bénie n'est pas présente dans le cœur des hommes, parce qu'ils ne m'aiment pas, ni ne s'aiment les uns les autres; ils n'honorent pas leurs parents ni ne respectent ce qui appartient à autrui; par contre, ils s'enlèvent la vie, commettent l'adultère et se déshonorent.

22. N'entendez-vous pas le mensonge sur toutes les lèvres? Ne vous êtes-vous pas rendus compte de la manière dont un peuple subtilise la paix aux autres peuples?... et, cependant, l'humanité prétend connaître ma Loi. Qu'en adviendrait-il des hommes s'ils oubliaient totalement mes commandements? (15, 1-3)

23. Au cours de la Seconde Ere, après son entrée dans Jérusalem, Jésus observa que le temple, lieu consacré à la prière et au culte, était converti en marché, et le Maître, plein de zèle, expulsa les profanateurs en ces termes: «La maison de mon Père n'est pas un lieu de commerce». Néanmoins, ceux-ci étaient moins coupables que les véritables êtres chargés de guider l'esprit des hommes vers le respect de la loi de Dieu: Les sacerdotes avaient converti le temple en un lieu où régnaient les ambitions et la grandeur, et ce royaume fut détruit.

24. Aujourd'hui, Je ne me suis pas muni de fouet pour châtier ceux qui profanent ma loi, j'ai laissé que les conséquences de leurs propres fautes se fassent sentir dans humanité, afin qu'ils sachent interpréter le sens et comprendre que ma loi est inflexible et immuable. J'ai montré le chemin à l'homme, le droit chemin, et s'il s'en écarte, il s'expose aux risques d'une loi juste, parce qu'en elle se manifeste mon amour. (41, 55-56)

25. Je viens pour reconstruire mon temple, un temple sans murs ni tours, parce qu'il est dans le cœur de l'homme.

26. La Tour de Babel divise encore toujours l'humanité, mais ses fondations seront détruites dans le cœur des hommes.

27. L'idolâtrie et le fanatisme religieux ont également édifié leurs hautes tours, mais celles-ci sont frêles et devront s'effondrer.

28. En vérité, Je vous dis qu'aussi bien mes lois divines qu'humaines sont sacrées et elles-mêmes jugeront le monde.

29. L'humanité ne se considère pas idolâtre, mais Moi, en vérité Je vous dis que vous adorez encore toujours le «veau d'or». (122, 57)

30. Le chaos a refait son apparition parce que la vertu n'existe pas et, là où il n'y a pas de vertu, il ne peut exister de vérité. Ce n'est pas que la Loi que le Père confia à Moïse manquât de vigueur, ni que la Doctrine de Jésus s'appliquât seulement aux temps passés. L'une et l'autre, en leur essence, sont des lois éternelles, mais reconnaissez qu'elles ressemblent à une fontaine dont personne n'est obligé de boire les eaux, et que tout un chacun qui s'approche de cette source d'amour agit par sa propre volonté. (144, 56)

31. Faites une juste interprétation de mon enseignement, ne pensez pas que mon Esprit puisse se réjouir à la vue de vos souffrances sur la Terre, ou encore que Je vienne vous priver de tout ce qui vous est agréable pour en jouir. Je viens pour vous faire reconnaître et respecter mes lois, parce qu'elles méritent votre respect et votre soumission et, enfin, parce que votre obéissance vous apportera le bonheur.

32. Je vous enseignai à donner à Dieu ce qui est Sien, et à César ce qui lui appartient, mais pour les hommes d'aujourd'hui, seul existe César, quant à leur Seigneur, ils n'ont rien à Lui offrir. Si, au moins, vous donniez au monde ce qui est juste, alors vos peines seraient plus légères; mais le César que vous avez mis en exergue dans vos actes vous a dicté des lois absurdes, il vous a converti en esclaves et vous ôte la vie sans rien vous donner en guise de compensation.

33. Etudiez combien distincte est ma Loi, laquelle n'attache ni le corps ni l'esprit; elle se limite à vous persuader avec amour et à vous guider avec douceur; elle vous donne tout sans intérêt ni égoïsme et vous en récompense tout au long du chemin. (155, 14-16)

L'accomplissement du commandement suprême

34. Si le Seigneur vous dit; «Tu aimeras Dieu de tout cœur et esprit ainsi que ton prochain comme toi-même», et si le Maître vous prêcha la Doctrine de l'amour, cette voix spirituelle qui provient de la même source vient vous dire d'embrasser la Loi de l'Amour, parce qu'elle contient

une force que vous ne rencontrerez pas dans les plus grandes armées du monde. Ses conquêtes seront fermes et durables parce que tout ce que vous construisez sur des fondations d'amour aura la vie éternelle. (293, 67)

35. Je suis en train de vous démontrer la véritable vie de l'esprit, pour que vous ne viviez pas sous d'injustes menaces, et afin que vous ne respectiez pas seulement ma Loi par crainte du châtiment dont vous ont parlé ceux qui n'ont pas su interpréter ma parole.

36. Adoptez ma loi, elle n'est ni compliquée ni difficile de comprendre. Celui qui la connaît et la prend pour guide, ne se trompe pas et n'accorde plus d'importance à des paroles ou des prévisions fausses, à des idées erronées ni à de mauvaises interprétations.

37. Ma loi est simple et indique toujours le chemin que vous devez suivre, faites-Moi confiance. Je suis le chemin qui vous conduira à la cité blanche, la terre promise, celle qui, les portes grandes ouvertes, attend votre arrivée. (32, 9)

38. Jusqu'à quand allez-vous vous convaincre que ce n'est que dans l'accomplissement de ma loi que vous pouvez obtenir la santé, le bonheur et la vie?

39. Vous reconnaissez que, dans la vie matérielle, existent des principes auxquels vous devez vous attacher pour pouvoir survivre, mais vous avez oublié que, dans le spirituel, il existe également des principes qu'il est nécessaire de respecter, afin que l'homme réussisse à jouir de la source de vie éternelle qui existe dans le divin. (188, 62)

40. Rappelez-vous que Je suis votre unique salut! Dans les temps passés, le présent et ceux du futur, ma Loi fut, est et sera le chemin et le guide de votre esprit.

41. Bénis soient ceux qui confient en ma Loi, parce qu'ils ne se perdront jamais aux carrefours du chemin. Ils parviendront à la Terre Promise et entonneront l'hymne du triomphe. (225, 31-32)

42. Je sais que plus grande sera votre connaissance, plus votre amour envers Moi sera grand.

43. Lorsque je vous dis: «Aimez-Moi», savez-vous ce que je veux vous dire? Aimez la vérité, aimez la vie, aimez la lumière, aimez-vous les uns les autres, aimez la vraie vie. (297, 57-58)

44. De la même manière que Moi je vous aime, Je veux que vous vous aimiez les uns les autres, ainsi que vous-mêmes, parce que je ne vous ai pas seulement concédé le guide et la direction d'une part, mais bien que votre premier devoir envers Moi est de veiller sur vous-mêmes; il vous faut vous aimer, en reconnaissant que vous êtes l'image vivante de votre Créateur. (133, 72)

169

45. La mission que j'ai confiée à mon peuple sur la Terre est grande et très délicate; c'est pour cela que je l'ai recherché en chaque ère, pour l'inspirer de ma parole et lui révéler davantage du contenu de la loi.

46. La loi d'amour, de bien et de justice a été l'héritage spirituel qu'en tous temps Je lui ai légué. De leçon en leçon, J'ai amené l'humanité à la compréhension du fait que la loi peut se résumer en un seul commandement: Amour. Aimez le Père, qui est l'auteur de la vie; aimez le frère, qui fait partie du Père; aimez tout ce que le Seigneur a créé et ordonné.

47. L'amour est la cause, le principe et la semence de la sagesse, la grandeur, la force, l'élévation et la vie. Il est le véritable chemin que le Créateur a tracé pour l'esprit, afin que, d'échelon en échelon, et de demeure en demeure, qu'il sente chaque fois davantage qu'il se rapproche de Moi.

48. Si l'homme, depuis le commencement des temps, avait fait de l'amour spirituel un culte, au lieu de sombrer dans des rites idolâtres et dans le fanatisme religieux, ce monde – aujourd'hui converti en vallée de larmes en raison de l'angoisse et la misère des hommes – serait une vallée de paix, où les esprits viendraient faire du zèle, pour atteindre parvenir, après cette vie, à ces demeures spirituelles que l'esprit, sur la voie de l'élévation, doit pénétrer. (184, 35-38)

Chapitre 17 – La nouvelle forme de rendre culte à Dieu

L'évolution du culte d'adoration

1. Que la marche de l'humanité vers la perfection dans son culte pour Dieu est lente!

2. Chaque fois que je viens à vous avec une nouvelle leçon, elle vous paraît trop en avance pour votre évolution, mais comprenez que je mets à votre disposition une ère afin que vous puissiez la comprendre et l'assimiler dans votre vie. (99, 30-31)

3. Les victimes que vous offrîtes devant l'autel de Jehova furent reçues par Lui; mais ce n'était pas la forme la plus adéquate pour élever votre esprit au Seigneur. Ce fut alors que j'arrivai à vous en tant que Jésus pour vous enseigner le divin commandement qui vous dit: «Aimez-vous les uns les autres».

4. Je vous dis, à présent, que les leçons que je vous enseignai au cours du Second Temps au travers des œuvres de Jésus ont été altérées ou mal interprétées; c'est pour cela que je suis venu comme je vous annonçai, afin de vous «éclairer de ma vérité». Mon sacrifice de ce temps-là empêcha le sacrifice de nombreuses victimes et je vous enseignai un culte davantage parfait.

5. Ma nouvelle manifestation de ce temps fera en sorte que l'humanité comprenne qu'elle ne doit pas considérer les formes symboliques sans en avoir analysé au préalable leur signification, puisqu'elles ne sont qu'une représentation de mes leçons. (74, 28)

6. La prière est le moyen spirituel que j'ai inspiré à l'homme pour qu'il se communique avec ma Divinité, pour cela elle se manifesta en vous, depuis le début, comme un désir ardent, une nécessité de l'esprit, ou encore comme un refuge dans les heures d'épreuve.

7. Celui qui ne connaît pas la véritable oraison ignore les délices qu'elle renferme, il ne se doute pas de la source de santé et de biens que l'on y trouve; il ressent l'impulsion de s'approcher de Moi, de me parler et de me présenter sa pétition; mais, manquant de spiritualité, l'offrande d'élever seulement la pensée lui semble tellement pauvre qu'il cherche immédiatement quelque chose de matériel à m'offrir, en croyant mieux me flatter.

8. Ainsi l'humanité sombra dans l'idolâtrie, le fanatisme, les rites et les cultes externes, noyant son esprit et le privant de cette liberté bénie de prier directement son Père. Ce n'est que lorsque la douleur est très intense, lorsque la peine en arrive aux limites des forces humaines que l'esprit, oubliant les formes et réprimant les idoles, se libère et s'élève pour crier, depuis son for le plus intérieur: «Mon Père, mon Dieu».

9. Voyez, en ce temps de matérialisme, combien les peuples sont occupés à se faire la guerre les uns contre les autres! Laissez-Moi vous dire que c'est là, au milieu de ces guerres, que beaucoup d'hommes ont trouvé le secret de la prière, celle qui naît spontanément du cœur pour arriver à Moi comme un appel impérieux, une complainte, une imploration.

10. C'est au moment où ils ont vu surgir sur leur pas le miracle demandé qu'ils ont compris qu'il n'existe aucune autre forme de parler à Dieu, sinon que le langage de l'esprit. (264, 22-24 et 27)

Prières simulées, vides de dévotion et de foi

11. Ah, mes enfants de toutes croyances, n'assassinez pas les plus nobles sentiments de l'esprit et n'essayez pas de le maintenir en pratiques et cultes externes!

12. Regardez: Si une mère n'a rien de matériel à offrir à son petit fils aimé, elle le serre contre son cœur, le bénit de tout son amour, le couvre de baisers, le regarde avec douceur, le baigne de ses larmes, mais jamais n'essaie de le tromper avec des actes dénués d'amour.

13. Comment pouvez-vous concevoir que Moi, le Divin Maître, j'approuve le fait que vous vous contentiez de pratiques vides de toute essence, vérité et amour, par lesquelles vous tentez de tromper votre esprit, en lui faisant croire qu'il s'est alimenté, lorsqu'en réalité il se trouve, à chaque fois, davantage ignorant de la vérité? (21, 20-21)

14. La prière est une grâce que Dieu a livrée à l'homme pour qu'elle lui serve d'échelle pour s'élever, d'arme pour se défendre, de livre pour s'instruire et de baume pour se oindre et guérir de tout mal.

15. La vraie prière a disparu de la Terre; les hommes ne prient déjà plus et, lorsqu'ils essaient de le faire, au lieu de me parler avec l'esprit, ils s'adressent à Moi avec les lèvres, en faisant usage de vaines paroles, de rites et d'artifices. Comment les hommes vont-ils contempler des prodiges, si les formes et les pratiques qu'ils emploient ne furent pas enseignées par Jésus?

16. Il est impérieux que revienne la véritable prière parmi les hommes et, c'est Moi, une fois de plus qui vins pour vous l'enseigner. (39, 12-14)

17. Enseignez à prier, faites comprendre à vos frères que c'est leur esprit qui doit se communiquer avec leur Créateur, qu'ils comprennent que presque toutes leurs prières sont le cri de la matière, l'expression de l'angoisse, la preuve de leur manque de foi, de leur mécontentement ou de leur méfiance envers Moi.

18. Faites comprendre à vos frères qu'ils n'ont pas besoin de blesser ou de lacérer leur corps pour émouvoir mon Esprit, pour éveiller ma pitié ou ma charité. Ceux qui s'infligent des souffrances et pénitences corporelles, agissent de la sorte parce qu'ils n'ont

pas la moindre notion des offrandes qui M'agréent le plus, ni de mon amour et de la miséricorde de votre Père.

19. Croyez-vous qu'il soit nécessaire de voir, dans vos yeux, les larmes et dans votre cœur la douleur, pour m'apitoyer sur vous? Ce serait m'attribuer dureté, insensibilité, indifférence, égoïsme. Concevez-vous ces défauts en ce Dieu que vous aimez?

20. Vous êtes-vous préoccupés pour me connaître? C'est parce que vous n'avez pas éduqué votre intelligence pour qu'elle pense en accord avec l'esprit. (278, 17-20)

21. A présent, abandonnez la Terre pendant quelques instants et venez à Moi en esprit.

22. Pour de nombreux siècles, l'humanité s'est trompée dans sa forme de prier, pour cela elle n'a pas fortifié ni illuminé de mon amour le chemin de sa vie, puisqu'elle a prié avec ses sens et non avec son esprit.

23. L'idolâtrie, à laquelle l'homme est tellement enclin, a été comme un poison qui ne l'a pas laissé savourer les délices spirituels de la prière intérieure.

24. Que de misères les hommes n'ont-ils pas traîné par le seul fait de ne pas savoir prier! Et, quoi de plus naturel, mes disciples! Quelle force spirituelle un être humain peut-il avoir, pour résister aux épreuves de la vie, s'il ne fait rien pour se rapprocher de la source de vie qui existe en mon Esprit? Il me cherche dans les abîmes et les ombres alors qu'il doit s'élever pour me trouver aux sommets, dans la lumière.

25. Ah, si les hommes de ce temps comprenaient le pouvoir de la prière, combien d'œuvres surhumaines réaliseraient-ils! Mais ils vivent une époque de matérialisme dans laquelle ils tentent de matérialiser jusqu'au divin pour pouvoir le toucher et le voir. (282, 1-64)

La véritable prière

26. Je bénis ceux qui prient et, plus leur prière est spirituelle, plus grande est la paix que Je leur fais ressentir.

27. Vous pouvez l'expliquer facilement, celui qui, pour prier, éprouve le besoin de se prosterner devant des images ou objets pour percevoir la présence du divin, ne pourra expérimenter la sensation spirituelle de la présence du Père en son cœur.

28. «Bienheureux ceux qui croient sans voir» dis-je en ce temps-là et, je le répète à présent, parce que celui qui ferme ses yeux aux choses du monde, les ouvre au spirituel et celui qui a foi en ma présence spirituelle doit la sentir et en jouir.

29. Jusqu'à quand cette humanité privera-t-elle son esprit du délice de me sentir en son cœur, par le biais de la prière directe ou, en d'autres termes, par le biais de la prière d'esprit à Esprit? Jusqu'à ce que ma lumière illumine la vie des hommes, qu'ils connaissent la vérité et comprennent leurs erreurs.

30. Ceci est le temps pour prier et méditer; mais avec une prière libre de fanatisme et d'idolâtrie et accompagnée de méditation sereine et profonde de ma divine parole.

31. Toutes les heures et tous les endroits peuvent être propices à la prière et la méditation; jamais, dans mes enseignements, ne vous dis-Je qu'il existe des lieux ou moments destinés à prier, votre esprit étant plus grand que le monde que vous habitez? Pourquoi me limiter en images et en sites tant réduits, alors que Je suis infini?

32. La plus grande raison de la pauvreté spirituelle des hommes et de ses vicissitudes terrestres est la forme imparfaite de prier, pour cela, Je vous dis qu'il est indispensable que cette connaissance parvienne à toute l'humanité. (279, 2-7)

33. Vous ne priez pas toujours avec la même préparation, ce qui entraîne que vous n'expérimentiez pas toujours la même paix ou la même inspiration.

34. Il y a des moments où vous réussirez à trouver l'inspiration et à élever votre pensée; et en d'autres occasions, vous serez complètement indifférents. Comment voulez-vous toujours recevoir mes messages de la même manière? Vous devez éduquer votre esprit et entraîner votre corps à collaborer avec l'esprit dans les moments de prière.

35. L'esprit est toujours disposé à communiquer avec Moi, mais il requiert la bonne disposition de la matière afin de pouvoir s'élever et se libérer, en ces instants, de tout ce qui l'entoure dans sa vie terrestre.

36. Efforcez-vous pour parvenir à la véritable prière, parce que celui qui sait prier porte en lui la clé de la paix, de la santé, de l'espoir, de la force spirituelle et de la vie éternelle.

37. Le bouclier invisible de ma loi le protégera des dangers, livrera sur ses lèvres une épée invisible pour défaire tous les adversaires qui se dressent sur son chemin; un phare de lumière illuminera sa route au milieu des tempêtes; il aura à sa portée un prodige constant chaque fois qu'il le nécessite, tant pour lui-même que dans l'intérêt de ses frères.

38. Priez, mettez en pratique ce sublime don de l'esprit, parce que cette force sera celle qui mouvra la vie des hommes du futur, ceux qui atteindront matériellement la communication d'esprit à Esprit.

39. Les pères de famille s'inspireront, par le biais de la prière, pour éduquer leurs enfants.

40. Les malades recouvreront la santé, au travers de la prière. Les gouvernants résoudront leurs grands problèmes, en cherchant la lumière par la prière, et l'homme de science recevra également les révélations par l'entremise du don de la prière. (40, 40-47)

41. Disciples, au cours du Second Temps, mes apôtres me demandèrent comment ils devaient prier, Je leur enseignai la prière parfaite, celle que vous-autres appelez le «Notre Père»!

42. A présent Je vous dis: inspirez-vous de cette prière, de son sens, de son humilité et de sa foi, afin que votre esprit se communique avec le Mien, parce que ce ne seront déjà plus seulement les lèvres matérielles qui prononceront ces mots bénis, mais bien l'esprit qui s'adressera à Moi avec son langage propre. (136, 64)

43. Ne laissez pas seulement vos lèvres m'appeler « Père », parce que vous êtes nombreux qui êtes habitués à le faire ainsi machinalement. Quand vous dites « Notre Père qui es aux Cieux, que ton nom soit sanctifié », Je veux que cette prière jaillisse du plus pur de votre être, en méditant chacune de ses phrases, pour qu'ensuite vous soyez inspirés et en parfaite communion avec Moi.

44. Je vous enseignai la puissante parole, la parole maîtresse, celle qui véritablement rapproche le fils de son Père. En prononçant le mot «Père» avec onction et respect, avec élévation et amour, avec foi et espérance, les distances disparaissent, les espaces s'amenuisent parce que, en cet instant de communication d'esprit à Esprit, Dieu n'est pas loin de vous et vous ne vous trouvez pas loin de Lui. Priez ainsi et, en vérité, vous recevrez à pleines mains le bénéfice de mon amour. (166, 52-53)

Les quatre aspects de la véritable prière

45. Luttez et luttez encore pour atteindre la perfection spirituelle. Je vous ai montré la voie pour atteindre cet objectif. Je vous ai confié la prière car c'est une arme très puissante, bien plus puissante que n'importe quelle arme matérielle, et qui vous défendra des pièges sur votre chemin, mais vous obtiendrez une bien meilleure arme lorsque vous respecterez ma Loi.

46. En quoi consiste la prière? La prière est pétition, intercession, adoration et contemplation. Chacune de ses parties est nécessaire, l'une engrange l'autre, parce que, en vérité, Je vous dis que la pétition consiste en ce que l'homme me demande de lui concéder ses souhaits, de le satisfaire quant à ses désirs ardents, tout ce qu'il considère le plus important et le plus sain dans sa vie; et, en vérité, Je vous dis, mes enfants, que le Père écoute la pétition et accorde à chacun ce dont il a le plus besoin, toujours pour son bien. Mais prenez garde de demander ce qui est contraire au salut de votre esprit, parce que ceux qui ne demandent que des dons matériels, des joies matérielles, ou un pouvoir temporel, demandent d'enchaîner leur esprit.

47. Les plaisir matériels n'apportent que de la souffrance, pas seulement dans ce monde, mais aussi après la transition au monde spirituel, parce que l'influence des désirs matériels peut arriver jusque là et, ne pouvant se libérer d'eux, il reste tourmenté par des désirs ardents et souhaite retourner mille et une fois sur la Terre pour se réincarner et continuer à vivre matériellement Pour cela, mes enfants, demandez seulement ce dont

vous avez vraiment besoin pour le bien de votre esprit.

48. La seconde forme de la prière, l'intercession, jaillit de l'amour du prochain, de l'amour que Je vous enseignai comme Maître lorsque je vins à ce monde. Priez pour vos frères proches et éloignés, ceux qui, dans les nations, souffrent les conséquences de la guerre, ceux qui subissent la tyrannie des gouvernements temporels de ce monde.

49. Ô mes enfants, préparez-vous! Priez pour vos frères! Mais, dans cette intercession aussi, vous devez savoir demander, parce que l'esprit est ce qui est important. Si vous avez un frère, des parents ou des enfants malades, priez pour eux, mais n'insistez pas pour qu'ils restent dans cette vie, ce n'est pas ce dont l'esprit a besoin. Demandez plutôt que leur esprit se libère, qu'il se purifie dans ses souffrances, que la douleur favorise l'élévation spirituelle. Pour cela, le Maître, dès le Second Temps, vous a enseigné à dire: «Père, que ta volonté soit faite». Parce que le Père sait mieux que n'importe lequel de ses enfants ce dont l'esprit a besoin.

50. La troisième forme de la prière, l'adoration de l'Esprit Divin, signifie l'adoration de tout ce qui est parfait, parce qu'au travers de cette forme de prière, vous vous unirez à la perfection, à l'amour qui embrasse tout l'Univers. Dans l'adoration, vous découvrirez l'état parfait que chacun de vous doit atteindre. Par l'adoration, vous parviendrez à la contemplation qui, unie à l'oraison, vous conduira à l'unification avec l'Esprit Divin, à la source de la vie éternelle, à la source qui, jour après jour, vous donne la force pour parvenir au Royaume du Père.

51. C'est ainsi que vous devez prier, commençant par la pétition pour en arriver à la contemplation. C'est ce qui vous rendra forts.

52. Une fois bien préparés, vous ne lutterez plus seulement pour vous, sinon pour aider vos frères à emprunter cette voie. Parce que vous ne pouvez atteindre le salut juste pour vous-mêmes, sinon que vous devez lutter pour réussir le salut de l'humanité. (358, 10-17)

La prière intime, spontanée et sans paroles

53. Peuple, voici la voix du Saint-Esprit, la manifestation spirituelle de Dieu par le biais de votre entendement, qui vous révèle, non pas une nouvelle loi ou une nouvelle doctrine, mais plutôt une forme nouvelle, plus avancée, spirituelle et parfaite de se communiquer avec le Père, de le recevoir et de lui rendre culte. (293, 66)

54. Combien sont-ils ceux qui écoutant ma parole, se sont convertis en grands analystes et qui ne sont pas les meilleurs disciples, ne pratiquant pas ma Doctrine et qui, malgré cela, ne respectent pas le précepte divin qui vous dit: «Aimez-vous les uns les autres».

55. En revanche, voyez avec quelle facilité se transforme celui qui met en

176

pratique un atome de mon enseignement. En voulez-vous un exemple?

56. Celui qui, durant toute sa vie, me dit qu'il m'aimait, par des prières verbales que d'autres composèrent, oraisons qu'il ne comprenait même pas parce qu'elles étaient formées de mots dont il ignorait le sens; puis soudain il sut quelle était la véritable forme de prier et, faisant fi de ses anciennes habitudes, se concentra au fond de son esprit, éleva sa pensée jusqu'à Dieu et, pour la première fois, ressentit cette présence.

57. Il ne sut que dire à son Seigneur, sa poitrine commença de sangloter et ses yeux commencèrent à verser des larmes. Dans son esprit se forma seulement une phrase, laquelle disait: «Mon Père, que puis-je te dire, si je ne sais comment te parler?»

58. Mais ces larmes, ces sanglots, cette joie intérieure et jusqu'à son trouble parlaient au Père un langage tellement merveilleux, que jamais vous ne pourrez en trouver de plus beau dans vos langues humaines ou dans vos livres.

59. Ces balbutiements de l'homme qui commence à prier spirituellement son Seigneur, ressemblent aux premiers mots des enfants, lesquels font le délice et l'enchantement de leurs parents, parce qu'ils écoutent les premières expressions de cet être qui commence à s'éveiller à la vie. (281, 22-24)

60. L'esprit élevé sait que la parole humain appauvrit, amoindrit l'expression de la pensée spirituelle, pour cette raison elle rend muettes les lèvres de la matière pour s'élever et exprimer, dans le langage que Dieu seul connaît, le secret qu'elle renferme au plus intime de son être. (11, 69)

61. Combien grande est la joie que vous apportez à mon Esprit, lorsque je vous vois élever votre pensée à la recherche de votre Père, je vous fais sentir ma présence et vous inonde de paix.

62. Cherchez-Moi, parlez-Moi, peu vous importe que vos pensées soient maladroites pour exprimer votre pétition, Je saurai les comprendre. Parlez-Moi avec la même confiance que vous l'on parle à un Père; confiez-Moi vos plaintes, comme vous le feriez au dernier de vos amis. Demandez-Moi ce que vous ne savez pas, tout ce que vous ignorez et Moi, je vous parlerai avec les mots du Maître; mais, Priez, afin qu'en cet instant béni où votre esprit s'élève à Moi, vous receviez la lumière, la force, la bénédiction et la paix que vous concède votre Père. (36, 15)

63. En silence, contez-Moi vos peines, confiez-Moi vos plus grands désirs. Même si Je sais tout, je veux que vous appreniez à composer votre propre prière, jusqu'à ce que vous en arriviez à pratiquer la communication parfaite de votre esprit avec le Père. (110, 31)

64. La prière peut être longue ou courte selon la nécessité. Vous pourrez, si vous le souhaitez ainsi, passer des heures entières dans cette délectation spirituelle, si votre matière ne s'en fatigue pas ou si une quelconque autre tâche ne requiert votre attention. Et elle peut aussi être brève et se résumer à une seconde, si vous vous trouvez sous l'emprise de quelque épreuve qui soudainement vous prit de surprise.

65. Ce qui parvient à Moi, ce ne sont pas les mots, que votre intelligence compose pour la prière, mais bien l'amour, la foi ou la nécessité avec laquelle vous vous présentez à Moi; c'est pour cela que je vous dis qu'il y aura des cas où votre prière durera une seconde, parce que vous n'aurez pas le temps de formuler des pensées, phrases et idées, selon vos habitudes.

66. Vous pourrez m'invoquer en tout lieu, parce que le site M'est indifférent, puisque c'est votre esprit que Je recherche. (40, 36-38)

67. Au Second Temps, lorsqu'une femme demanda à Jésus si l'endroit où il fallait adorer Dieu se trouvait à Jérusalem, le Maître lui répondit: «Le temps est proche où ni Jérusalem, ni aucun autre lieu soient le site indiqué pour adorer Dieu, parce qu'il sera adoré en esprit et en vérité, ou encore, d'esprit à Esprit».

68. Quand mes disciples me demandèrent de leur enseigner à prier, Je leur livrai comme norme la prière que vous appelez le «notre Père», en leur faisant comprendre que la prière, la vraie, la parfaite, sera celle qui, à l'image de Jésus, naisse spontanément du cœur et s'élève jusqu'au Père Elle doit contenir obéissance, humilité, confession, gratitude, foi, espérance et adoration. (162, 23-24)

La prière quotidienne

69. Disciples bien aimés: Pratiquez quotidiennement la prière spirituelle avec toute l'intention d'arriver à vous perfectionner.

70. Voyez que, en plus d'entrer en communion intime avec votre Maître et expérimenter une paix infinie dans ces moments, elle représente pour vous la meilleure occasion de recevoir mes divines inspirations, en lesquelles vous trouverez l'explication de tout ce que vous n'avez pas compris ou que vous avez mal interprété. Vous trouverez la manière de prévenir un quelconque danger, de résoudre un problème, d'éclaircir une confusion. En cette heure bénie de communication spirituelle, tous vos sens s'éclaireront et vous vous sentirez davantage disposés et enclins à faire le bien. (308, 1)

71. Ne cessez de pratiquer la prière, même brève au point de ne durer que cinq minutes, l'important, c'est qu'en elle vous sachiez faire un bon examen à la lumière de votre conscience, afin que vous observiez vos actions et que vous sachiez de quelle manière les corriger.

72. Que vous perdiez la notion du temps en vous élevant dans la prière

sera signe de spiritualité, puisque vous aurez réussi, ne fut-ce que l'espace de quelques instants, à sortir du temps, ce temps que les esclaves du matérialisme n'apprécient que pour leurs plaisirs ou pour augmenter leurs fortunes.

73. Celui qui s'examine quotidiennement devra améliorer sa manière de penser, de vivre, de parler et de sentir.

74. Je vous ai enseigné que la sagesse s'acquiert par la prière, mais ce n'est pas pour cela que je souhaite que vous prolongiez vos prières. Je vous ai demandé la prière de cinq minutes et, je veux vous dire en cela de prier brièvement pour que, en ces instants-là, vous vous livriez véritablement à votre Père et que, le reste de votre temps, vous le consacriez à vos devoirs spirituels et matériels à l'égard de vos frères. (78, 52)

75. Je viens vous enseigner une manière de vous préparer pour que vos actions quotidiennes soient toutes inspirées de nobles sentiments et que les vicissitudes et les difficultés ne vous arrêtent ni ne vous fassent reculer; lorsque vous ouvrez les yeux à la lueur d'un jour nouveau, priez, approchez-vous de Moi par l'entremise de la pensée, composez alors votre plan, inspirés de ma lumière, et levez-vous pour lutter, en vous proposant d'être forts et de ne manquer en aucun instant d'obéissance et de foi.

76. En vérité, je vous dis qu'il ne s'en faudra pas longtemps pour que vous vous émerveilliez de votre force et du résultat de vos actions. (262, 7-8)

Le jour de repos, journée de réflexion

77. Depuis le Premier Temps, Je vous enseignai à me consacrer le septième jour. Si l'homme, durant six jours, se livrait à l'accomplissement de ses devoirs humains, il était juste qu'il en dédie au moins un au service de son Seigneur. Je ne lui demandai pas de me consacrer le premier jour, sinon le dernier, afin que, pendant ce jour, il se repose de ses labeurs et qu'il se livre à la méditation, offrant à son esprit l'opportunité de se rapprocher de son Père pour converser avec Lui par le biais de la prière.

78. Le jour de repos fut institué pour que l'homme, en oubliant, ne fut-ce que pour un moment, la dure lutte terrestre, laisse sa conscience lui parler, lui rappeler la Loi, et pour qu'il s'examine même, se repente de ses fautes et compose, en son cœur, de nobles propos de repentir.

79. Le samedi fut le jour qui, antérieurement, était dédié au repos, à la prière et à l'étude de la Loi, mais le peuple, en respectant la tradition, oublia les sentiments envers l'humanité ainsi que les devoirs spirituels qu'il avait envers ses semblables.

80. Les temps passèrent, l'humanité évolua spirituellement et le Christ vint vous enseigner que, même les jours de

repos, il vous faut pratiquer la charité et toutes les bonnes actions.

81. Jésus voulut vous dire qu'un jour pouvait être dédié à la méditation et au repos physique, mais il vous fallait comprendre que, pour l'accomplissement de la mission de l'esprit, il n'était pas nécessaire de fixer ni jour ni heure.

82. Malgré que le Maître leur ait parlé très clairement, les hommes prirent leurs distances, chacun recherchant le jour qui lui serait le plus propice et, ainsi, tandis que les uns conservèrent le samedi comme jour dédié au repos, les autres adoptèrent le dimanche pour célébrer leurs cultes.

83. Aujourd'hui je viens m'adresser, une fois de plus, à vous et mes enseignements vous apportent de nouvelles connaissances; vous avez vécu de nombreuses expériences et avez évolué. Aujourd'hui, le jour que vous dédiez au repos de la fatigue terrestre n'a aucune importance, mais par contre, le jour où vous prendrez conscience que chaque jour vous devez fouler le chemin que Moi je vous ai tracé, ce jour-là est important. Comprenez qu'il n'existe aucune heure indiquée pour que vous éleviez votre prière, parce que tout temps est propice pour prier et mettre en pratique ma Doctrine en faveur de vos frères. (166, 31-35)

Demandez et cela vous sera exaucé

84. Vous êtes tous porteurs d'une blessure au cœur. Qui d'autre que Moi peut pénétrer votre for intérieur? Je sais votre amertume, votre tristesse et votre découragement face à l'injustice et à l'ingratitude qui existe dans votre monde; je connais la fatigue de ceux qui ont vécu et lutté sur la Terre et dont l'existence représente, pour eux, un lourd fardeau; je connais le vide de ceux qui restent seuls dans cette vie. A vous tous, je dis: «Demandez et cela vous sera exaucé», parce que je suis venu pour cela, pour vous donner ce dont vous avez besoin de Moi, que ce soit de la compagnie, de la tranquillité, du baume, des missions ou de la lumière. (262, 72)

85. Ne craignez pas la misère. La misère est passagère et, en elle, vous devez prier en imitant patiemment Job. L'abondance reviendra et vous ne trouverez pas les mots pour me remercier.

86. Quand la maladie vous accable, ô malades bénis, ne désespérez pas; votre esprit n'est pas malade, élevez-vous jusqu'à Moi dans la prière et votre foi et spiritualité vous rendront la santé du corps. Priez de la manière que Moi je vous ai enseignée: spirituellement. (81, 43-44)

87. Priez dans les moments d'épreuve, au moyen d'une oraison brève mais propre et sincère, et vous vous sentirez réconfortés, et lorsque vous réussirez à être en harmonie avec votre Seigneur, alors Je pourrai vous dire que ma volonté est la votre et que votre volonté est la mienne. (35, 7)

88. Priez, mais que votre oraison soit formée de vos intentions et

actions du jour, celle-là sera votre meilleure prière; mais si vous souhaitez m'adresser une pensée, accompagnée d'une pétition, dites-Moi alors: «Père, que ta volonté en moi s'accomplisse». Ainsi, vous demanderiez encore plus de ce que vous pourriez comprendre et espérer, et cette phrase simple, cette pensée, simplifiera ce «Notre Père», que vous me demandiez en une autre époque.

89. Voici la prière qui demande tout et qui parlera mieux pour vous. Mais, que vos lèvres ne la prononcent pas, c'est votre cœur qui doit la ressentir, parce que le dire n'est pas le sentir et, si vous le sentez, il ne vous est pas besoin de Me le dire. Je sais écouter la voix de l'esprit et comprendre son langage. Quelle grande allégresse pour vous, de savoir cela? Croyez-vous être que j'ai besoin que vous me disiez ce que je dois faire? (247, 52-54)

90. Je vous ai enseigné à prier et à formuler des demandes pour autrui, mais je vous écoute aussi lorsque vous m'adressez vos demandes personnelles. Je reçois votre prière Mais je vous dis que le temps où Je vous accordais tout selon votre pétition, est passé, parce que vous étiez petits; à présent, Je veux que vous agissiez en tant que disciples, me présentant votre esprit et votre cœur pendant la prière, mais en Me laissant lire en vous pour accomplir ma volonté. (296, 69)

91. Lorsque vous m'interrogez ou me formulez vos pétitions, ne vous efforcez pas d'essayer de m'expliquer clairement votre problème, et ne vous appliquez pas en faisant appel à l'intelligence à rechercher les phrases les mieux construites; il Me suffit qu'en cet instant votre esprit se déconnecte du monde et qu'il laisse le cœur et l'entendement propres, pour qu'eux puissent recevoir mon inspiration. A quoi vous servira-t-il de me prononcer de très belles paroles si vous n'êtes pas capables de sentir ma présence en votre for intérieur? Je sais tout et vous n'avez rien à m'expliquer pour que Je puisse vous comprendre. (286, 9-10)

92. Si vous pouvez comprendre ma Doctrine, elle vous offrira beaucoup de satisfactions et de nombreuses opportunités de pouvoir vous élever. Apprenez à prier avant de prendre n'importe quelle détermination, parce que la prière est la manière parfaite de formuler des demandes à votre Père, puisque par son biais, vous demanderez lumière et force pour avancer dans la lutte.

93. En priant, très vite parviendra, à votre compréhension, l'illumination qui vous permettra de distinguer clairement le bien du mal, ce qui convient et ce que vous ne devez pas faire, et cela constituera la preuve la plus tangible que vous sûtes vous préparer pour écouter la voix de la conscience.

94. Souffrez les peines avec patience et, si vous n'arrivez pas à

comprendre la signification de vos épreuves, priez, et Moi je vous révélerai leur sens, afin que vous soyez satisfaits. (333, 61-62 et 75)

95. Toutes les fois que vos lèvres ou votre pensée me dit: «Seigneur, ne me nies pas ton pardon», vous démontrez votre ignorance, votre confusion et le peu que vous Me connaissez.

96. Me dire à Moi de m'apitoyer sur votre douleur? Me demander de faire preuve de miséricorde envers mes enfants? Me supplier, Moi, de pardonner vos péchés, Moi qui suis l'amour, la clémence, la charité, le pardon et la pitié?

97. Il est bien que vous tentiez d'émouvoir ceux qui, sur la Terre, ont le cœur dur et que vous essayiez, par des larmes et des suppliques, de toucher la pitié de ceux qui n'éprouvent pas le moindre atome de charité envers leurs semblables, mais n'utilisez pas ces formes ou ces pensées pour essayer d'émouvoir celui qui vous créa par amour et pour vous aimer éternellement. (336, 41-43)

98. Soyez satisfaits avec les grandes charités que le Père vous a confiées pour tout ce qui est en relation avec la vie humaine sur la face de la Terre et ne lui demandez pas ce qui peut entraîner la perdition de votre esprit et votre corps. J'ai davantage à vous donner que vous à me demander, et Je suis celui qui sait véritablement ce dont vous avez besoin en chemin. Je vous ai dit que si vous pouvez respecter ma Loi, vous me contemplerez dans toute ma splendeur. (337, 21)

La bénédiction de l'intercession

99. Ne prenez pas l'habitude de prier uniquement avec des mots, priez avec l'esprit. Je vous dis aussi: Bénissez en la prière, envoyez des pensées de lumière à vos frères, ne demandez rien pour vous-mêmes, souvenez-vous que celui qui s'occupe de ce qui est mien, Je veillerai toujours sur lui.

100. La semence que vous plantez avec amour, vous la recevrez multipliée. (21, 3-4)

101. Ne priez pas seulement lorsque vous vous trouvez en proie à une épreuve douloureuse, priez aussi lorsque vous êtes en paix, parce que c'est alors que votre cœur et votre pensée peuvent se préoccuper des autres. Ne formulez pas non plus de pétitions seulement pour ceux qui vous ont fait le bien ou pour ceux qui ne vous ont pas porté préjudice, parce que, bien que méritoire, ce ne l'est pas autant que de veiller pour ceux qui, d'une quelconque manière, vous ont causé des préjudices. (35, 8)

102. Que vais-Je vous enseigner, à présent? Bénir tout et tous, avec le cœur et l'esprit, parce que celui qui bénit ainsi, ressemble à son Père, en faisant parvenir sa chaleur à tous. Pour cela, Je vous dis: Apprenez à bénir avec l'esprit, la pensée, le cœur et votre paix, ainsi votre force et votre

chaleur aboutiront à celui auquel vous les destinez, peu importe la distance.

103. Que se passerait-il si tous les hommes se bénissaient, même sans se connaître ni s'être jamais vus? La paix parfaite régnerait sur la Terre et la guerre serait inconcevable.

104. Pour réaliser ce miracle, il est impérieux que vous éleviez votre esprit au moyen de la persévérance dans la vertu. Le jugez-vous impossible? (142, 31)

105. Demandez, et l'on vous donnera. Demandez Moi tout ce que vous souhaitez de charitable pour vos frères. Priez, unissez votre prière à celle du nécessiteux et je vous concéderai ce que vous demandez. (137, 54)

La nécessité de la prière

106. Veillez et priez, Je vous le répète fréquemment, parce que je ne veux pas que vous vous familiarisiez avec ce doux conseil, mais bien que vous l'étudiiez et le mettiez en pratique.

107. Je vous dis de prier, parce que celui qui ne prie pas s'abandonne à des pensées superflues, matérielles et parfois démentes, avec lesquelles, sans s'en rendre compte, il fomente et alimente les guerres homicides; mais, lorsque vous priez, votre pensée, comme une épée de lumière, déchire les voiles de l'obscurité et les liens de la tentation qui, aujourd'hui, emprisonnent beaucoup d'êtres, sature l'environnement de spiritualité et

contrecarre les forces du mal. (9, 25-26)

108. L'humanité a toujours été bien trop occupée par les grandeurs de la Terre, pour considérer l'importance de prier et méditer à propos de ce qui est au-delà de cette vie, afin d'en découvrir son essence même. Celui qui prie converse avec le Père et, s'il interroge, il reçoit la réponse à l'instant même. L'ignorance des hommes quant au spirituel provient de son manque de prière. (106, 33)

109. Vous vous rapprochez d'un temps où vous saurez accorder de droit ce qui correspond à votre esprit et au monde ce qui lui appartient. Temps de vraie prière, de culte libéré de fanatisme, au cours duquel vous saurez prier avant d'entreprendre, où vous saurez veiller pour ce qui vous a été confié.

110. De quelle manière l'homme pourra-t-il se tromper lorsque, au lieu de faire ce qu'il veut, il anticipe en interrogeant son Père, par le biais de la prière? Qui sait prier vit en contact avec Dieu, connaît la valeur des bienfaits qu'il reçoit de son Père et, en même temps, comprend le sens ou la finalité des épreuves auxquelles il est confronté. (174, 2-3)

Les effets bénéfiques de la pratique de la prière

111. Au cours des époques, je vous ai dit: priez. Aujourd'hui je vous dis que par le biais de l'oraison vous pouvez atteindre la sagesse. Si tous

les hommes priaient, ils ne perdraient pas le chemin de lumière que J'ai tracé. Par la prière, ils guériraient les malades, il n'y aurait plus d'incrédules et la paix retournerait aux esprits.

112. Comment l'homme peut-il être heureux s'il a rejeté ma grâce? Pense-t-il que l'amour, la charité et la mansuétude ne sont pas des attributs du cœur humain? (69, 7-8)

113. Vous savez que la parole qui n'est pas porteuse d'amour, n'a pas de vie ni de pouvoir. Vous me demandez comment vous pouvez commencer à aimer et ce que vous devez faire pour que ce sentiment se réveille en votre cœur, et Moi je vous dis: Vous devez commencer par savoir prier. La prière vous rapprochera du Maître et, ce Maître, c'est Moi.

114. Dans la prière, vous trouverez consolation, inspiration et force, elle vous prodiguera la douce satisfaction de pouvoir parler intimement avec Dieu, sans témoins ni intermédiaires; Dieu et votre esprit, réunis en ce doux moment de confidences, de communication spirituelle et de bénédictions. (166, 43-44)

115. Toutes les fois que vous ayez besoin d'un confident, un bon ami, cherchez-Moi et déposez en Moi les peines qu'il y a dans votre cœur. Moi, je vous conseillerai le meilleur chemin, la solution que vous recherchez.

116. Si votre esprit est accablé par les remords, c'est dû au fait que vous

ayez péché, Je vous recevrai et serai bienveillant en mon jugement, je fortifierai votre bonne résolution et vous rendrai les forces perdues.

117. Seule la pratique de mes enseignements vous conservera en grâce et santé spirituelle et corporelle. L'expérience que vous recueillez sera la lumière que vous accumulerez en votre esprit. (262, 20-21)

118. L'esprit qui sait veiller jamais ne s'écarte de la route que son Seigneur lui a tracée, et est apte à utiliser son héritage et ses dons jusqu'à atteindre l'élévation.

119. Cet être devra aller de l'avant dans ses épreuves, parce qu'il vit sur ses gardes et jamais ne se laisse dominer par la matière. Celui qui veille et prie sortira toujours vainqueur des moments difficiles et saura marcher d'un pas ferme sur le sentier de la vie.

120. Que la conduite de celui qui oublie de prier et de veiller est différente! Volontairement il renonce à se défendre avec les meilleures armes que J'aie déposées en l'homme, qui sont la foi, l'amour et la lumière de la connaissance. C'est celui qui n'écoute pas la voix intérieure qui lui parle, par l'intermédiaire de l'intuition, la conscience et les rêves; car le cœur et l'intelligence ne comprennent pas, et n'accordent aucun crédit au message de son propre esprit. (278, 2-3)

121. La prière est le moyen révélé à votre esprit pour arriver jusqu'à Moi

avec vos interrogations, vos inquiétudes et vos désirs ardents de lumière. Grâce à cette communication vous pourrez dissiper vos doutes et lever le voile qui cache quelque mystère.

122. La prière est le principe de la communication d'esprit à Esprit qui fleurira dans les temps futurs et qui portera ses fruits parmi cette humanité.

123. Aujourd'hui, j'ai tout révélé au peuple qui écoute afin qu'il soit le précurseur du temps de la spiritualité. (276, 18-19)

Le pouvoir de la prière

124. Lorsque l'un de vous prie, il ne se rend pas compte de ce qu'il atteint dans le spirituel, par sa pensée, et il est impérieux que vous sachiez que quand vous priez pour vos frères, pour ces peuples qui sont en train de se détruire dans la guerre, en ces instants votre esprit livre également une bataille mentale contre le mal et que votre épée qui est paix, raison, justice et désir ardent de bien pour eux, choque contre les armes de la haine, de la vengeance et de l'orgueil.

125. Ce sera le temps où les hommes se rendent compte du pouvoir de la prière; mais pour que la prière ait une véritable force et lumière, il est nécessaire que vous l'éleviez à Moi, avec amour. (139, 7-8)

126. La pensée et l'esprit, unis pour prier, créent en l'homme une force supérieure à toute force humaine.

127. Dans la prière, celui qui est faible se fortifie, le lâche se revêt de courage, l'ignorant s'illumine et le maladroit prend de l'assurance.

128. L'esprit, après avoir réussi l'harmonie avec l'intelligence pour atteindre la véritable prière, se convertit en un soldat invisible, lequel, s'écartant momentanément de ce qui touche son être, se déplace à d'autres sites, se libère de l'influence de la matière et se livre à sa lutte pour faire le bien, pour conjurer maux et dangers, et porter un éclair de lumière, une goutte de baume ou une haleine de paix à tous ceux qui en ont besoin.

129. Avec tout ce que je vous dis, prenez conscience de tout ce que vous pourrez réaliser avec l'esprit et l'intelligence au milieu du chaos qui a enveloppé cette humanité. Vous êtes dans un monde de pensées et idées trouvées, où les passions palpitent pour le matérialisme et où les esprits naviguent entre les ténèbres.

130. Celui qui, au moyen de la prière, aura appris à s'élever en pensée et en esprit vers les régions de lumières et les demeures de la paix, sera le seul qui pourra pénétrer le monde des disputes, où se reflètent toutes les passions humaines, sans en ressortir vaincu et en laissant, en revanche, quelque profit pour ceux qui ont besoin de la lumière de l'esprit. (288, 18-22)

131. Apprenez à prier, parce qu'avec la prière vous pourrez aussi faire beaucoup de bien, de même que vous pourrez défendre des guets. La

prière est bouclier et arme; si vous avez des ennemis, vous vous protégerez avec la prière; mais vous savez que cette arme ne doit blesser ni offenser personne, parce que son unique mission sera celle de briller dans les ténèbres. (280, 56)

132. Les éléments sont déchaînés contre l'homme, et vous-autres ne devez éprouver de crainte, parce que vous savez que je vous ai donné un pouvoir pour vaincre le mal et protéger vos frères. Vous pouvez ordonner à ces éléments de destruction qu'ils cessent et ils obéiront. Si vous demeurez dans la prière et la veillée, vous pourrez accomplir des prodiges et surprendre le monde.

133. Priez avec transparence, communiez avec mon Esprit, ne recherchez pas pour le faire un endroit bien déterminé. Priez sous un arbre, en chemin, au sommet d'une montagne, ou dans un coin de votre alcôve; Moi je descendrai pour converser avec vous, pour vous illuminer et vous donner force. (250, 24-25)

134. Je vous dis, certes, que si vous étiez déjà unis en esprit, en pensée et en intention, seule votre prière suffirait pour arrêter les nations qui vivent dans la préparation de l'heure à laquelle elles lanceront leurs offensives les unes contre les autres; vous détruiriez la haine, seriez un obstacle à tous les mauvais projets de vos frères, vous seriez comme

d'invisibles épées vainquant les forts, et comme bouclier, vous défendriez les faibles.

135. L'humanité, devant ces preuves révélatrices d'un pouvoir supérieur, s'arrêterait un instant pour méditer, et cette méditation lui éviterait de subir bien de ces grands avertissements et épreuves au travers de la Nature et de ses éléments. (288, 27)

136. Si vous aviez une grande foi et une plus grande connaissance de la force de la prière, quelles œuvres de charité accompliriez-vous par votre pensée! Mais, vous ne lui avez pas concédé tout le pouvoir qu'elle détient, et c'est pour cela que, bien souvent, vous ne vous rendez pas compte de ce que vous écartez dans un moment de sincère et véritable prière.

137. Ne vous rendez-vous pas compte de ce que quelque chose de supérieur est en train d'empêcher que se déclenche la plus inhumaine de toutes vos guerres? Ne comprenez-vous pas ce miracle est influencé par des millions de prières d'hommes, de femmes et d'enfants qui, avec leur esprit, combattent les ténèbres et luttent contre l'influence de la guerre? Continuez de prier, continuez de veiller; mais, ajoutez à cet acte toute la foi que vous puissiez avoir en vous.

138. Priez, peuple, et sur la guerre, la douleur et la misère, étendez le manteau de paix de vos pensées, formant avec elles un bouclier de protection sous laquelle vos frères

s'illuminent et se réfugient. (323, 24-26)

Amour à Dieu et au prochain comme vénération à Dieu

139. Mes nouveaux disciples, vous savez que votre hommage et votre tribut au Seigneur doivent être constants, sans attendre de dates ou de jours déterminés pour les offrir, tout comme est constant l'amour de votre Père pour vous. Mais, si vous voulez savoir de quelle manière vous devez vous souvenir chaque jour de mes actes d'amour, sans sombrer dans le fanatisme, Moi je vous le dirai: votre vie doit être un hommage permanent à Celui qui a tout créé, en vous aimant les uns les autres.

140. Agissez de la sorte et Moi, je vous concéderai ce que vous me demandez avec humilité, que vos fautes vous soient pardonnées. Je vous réconforte et vous soulage, mais j'ajoute: lorsque vous découvrez vos erreurs et que votre conscience vous juge, priez, corrigez votre erreur, armez-vous de force pour ne pas retomber dans la même faute et vous n'aurez pas à me demander sans cesse de vous pardonner; ma parole vous enseigne à vous élever et à laisser passer la lumière et la spiritualité. (49, 32-33)

141. «J'ai soif», dis-je à cette foule qui ne comprenait pas mes paroles et qui se réjouissait de mon agonie. Que pourrai-je vous dire à présent, quand je vois qu'il ne s'agit pas d'une foule, mais bien le monde entier qui blesse mon Esprit sans se rendre compte de ma douleur?

142. Ma soif est infinie, incompréhensible, et seul votre amour pourra l'apaiser. Pourquoi m'offrez-vous un culte extérieur, au lieu d'amour? Ne savez-vous pas que, en vous demandant de l'eau, vous m'offrez amertume et vinaigre? (94, 74-75)

143. En vérité, je vous dis que ceux-là qui souffrirent et m'offensèrent beaucoup, seront ceux qui m'aimeront avec plus de ferveur; de leur cœur jaillira la constante offrande à ma Divinité. Il ne s'agira pas d'offrandes matérielles ni de psaumes, ni d'autels de la terre; ils savent, eux, que l'offrande et le culte le plus agréable pour Moi sont les actes d'amour qu'ils commettent envers leurs frères. (82, 5)

144. Jour après jour, votre prière spirituelle Me parvient, mais votre matière ne connaît pas la clef du langage, parce qu'il ne s'agit pas de mots prononcés par vos lèvres ni d'idées formulées par votre intelligence. La prière de l'esprit est tellement profonde qu'elle est au-delà des pouvoirs et des sens humains.

145. Dans cette prière, l'esprit parvient aux régions de la lumière et de la paix où demeurent des esprits élevés, et se saturant là de cette essence, retourne à son corps passager pour lui transmettre la force. (256, 63-64)

146. Peuple: Le temps est venu pour vous où vous devez savoir prier. Aujourd'hui, je ne viens pas vous dire de vous prostrer au sol, je ne viens pas vous enseigner que vous priiez avec vos lèvres ou que vous m'acclamiez avec des mots fleuris en de merveilleuses oraisons; aujourd'hui, je viens pour vous dire: Cherchez-moi par la pensée, élevez votre esprit et toujours Je descendrai pour vous faire sentir ma présence. Si vous ne savez parler avec votre Dieu, le repentir, votre pensée, votre douleur me seront suffisants. Votre amour me suffira!

147. C'est le langage que J'écoute, celui que Je comprends, le langage sans paroles, celui de la vérité et de la sincérité, celle-là est la prière que je suis venu vous enseigner en ce Troisième Temps.

148. Chaque fois que vous avez commis une bonne action, vous avez senti ma paix, la tranquillité et l'espérance et cela signifie que le Père est très proche de vous. (358, 53-55)

149. Je refuse vanité et luxe humain, parce qu'à mon Esprit ne parvient seulement que ce qui est spirituel, noble et élevé, transparent et éternel. Rappelez-vous qu'à la femme de Samarie, je dis: «Dieu est Esprit et il faut l'adorer en esprit et en vérité». Cherchez-Moi dans l'infini et dans la pureté et c'est là que vous Me trouverez.

150. Pourquoi m'offrir ce que J'ai créé pour vous? Pourquoi me donnez-vous des fleurs, si vous-autres ne les faites pas? En revanche, si vous me présentez des actions d'amour, de charité, de pardon, de justice et d'aide à l'égard de vos semblables, alors ce tribut sera, sans conteste, spirituel et s'élèvera au Père comme une caresse, comme un baiser que, de la Terre, les enfants enverront à leur Seigneur.

151. Je ne veux pas non plus que vous enfermiez votre culte dans des enceintes matérielles, parce que vous emprisonnerez votre esprit en ne lui permettant pas d'ouvrir ses ailes pour conquérir l'éternité.

152. L'autel que je vous laisse pour que vous y célébriez le culte que Moi, j'attends, est la vie, sans aucune limitation, au-delà de toutes les religions, de toutes les églises et les sectes, parce qu'elle existe dans le spirituel, l'éternel et le divin. (194, 27-28)

L'entretien de conscience entre Dieu et l'homme

153. Aujourd'hui je viens à vous pour vous livrer un enseignement qui est des plus faciles à suivre, une fois compris, mais pour le monde il lui paraît impossible de le mettre en pratique. Je viens pour vous enseigner le culte de l'amour à Dieu au travers de votre vie, de vos actions et de la prière spirituelle, celle qui n'est pas prononcée par les lèvres en un endroit déterminé et qui n'a pas besoin de formes ou d'images pour s'inspirer. (72, 21)

154. Tandis que les hommes ont voulu voir en Moi un Dieu distant, lointain, Moi je me suis proposé de

leur démontrer que je suis bien plus proches d'eux que les cils de leurs yeux.

155. Ils prient machinalement et, s'ils ne voient pas se réaliser immédiatement tout ce qu'ils demandèrent, déçus ils s'exclament: «Dieu ne nous a pas écouté».

156. S'ils savaient prier, s'ils unissaient l'intelligence et le cœur à leur esprit, ils entendraient, en leur conscience, la voix divine du Seigneur et sentiraient que sa présence est très proche d'eux, mais «Comment peuvent-ils sentir ma présence s'ils m'adressent des pétitions au travers de cultes matérialisés?» Comment est-il possible qu'ils en arrivent à sensibiliser leur esprit, si, même leur Seigneur, ils l'adorent au moyen d'images reproduites par leurs mains?

157. Je veux que vous compreniez que Je suis très proche de vous, que vous pouvez communiquer facilement avec Moi, de même que me sentir et recevoir mes inspirations. (162, 17-20)

158. Pratiquez le silence qui favorise l'esprit afin qu'il puisse rencontrer son Dieu, ce silence est comme une source de connaissances et tous ceux qui le pénètrent s'emplissent de la clarté de ma sagesse. Le silence ressemble à un lieu fermé, aux murailles indestructibles, auquel l'esprit est le seul qui y ait accès. L'homme a constamment, en son for intérieur, connaissance du lieu secret où il pourra se communiquer avec Dieu.

159. Peu importe l'endroit dans lequel vous vous trouviez, partout vous pourrez vous communiquer avec votre Seigneur, que vous soyez au sommet d'une montagne ou que vous vous trouviez au fond d'une vallée, dans l'agitation d'une ville, la paix du foyer ou en pleine lutte; si vous me recherchez dans l'intérieur de votre sanctuaire au milieu du profond silence de votre élévation, instantanément les portes de l'enceinte universelle et invisible s'ouvriront pour que vous vous sentiez vraiment dans la maison de votre Père, laquelle existe en chaque esprit.

160. Quand la douleur de vos épreuves vous épuise et que les peines de la vie annihilent vos sens, si vous éprouvez un intense désir d'obtenir un peu de paix, retirez-vous dans votre chambre ou cherchez le silence, la solitude des champs; là, élevez votre esprit guidé par la conscience et entrez en méditation. Le silence est le royaume de l'esprit, royaume invisible aux yeux matériels.

161. Instantanément en entrant dans l'extase spirituelle, lorsque les sens supérieurs se réveillent, l'intuition jaillit, l'inspiration brille, le futur se pressent et la vie spirituelle palpe ce qui est distant et rend possible ce qui, auparavant, lui paraissait hors d'atteinte.

162. Si vous voulez pénétrer le silence de ce sanctuaire, de cette arche, vous-mêmes devez préparer le chemin, parce que vous ne pourrez

n'y entrer qu'avec une véritable pureté. (22, 36-40)

163. Il faut que mes prophètes se lèvent à nouveau pour réprimander les hommes, parce que, tandis que des peuples se détruisent, aveuglés par l'ambition et la violence, ceux qui ont reçu ma lumière et qui calmement jugent l'humanité, ceux-là craignent de se lever pour porter la bonne nouvelle.

164. Si cette humanité savait prier avec l'esprit, elle entendrait ma voix, recevrait mon inspiration mais, chaque fois qu'elle prie, elle se pose un voile sur les yeux qui lui cache la lumière de ma présence. Je dois venir jusqu'aux hommes pendant les instants où leur corps se repose, pour réveiller leur esprit, l'appeler et converser avec lui. C'est le Christ qui, comme un voleur au milieu de la nuit, pénètre votre cœur pour y planter ma semence d'amour. (67, 29)

165. Apprenez à prier et à méditer en même temps, pour que surgisse en chacun de vous la connaissance et la compréhension. (333, 7)

166. Spiritualité est liberté; pour cela ceux qui m'écoutent maintenant et ont compris le sens de cette Doctrine libératrice, voient s'ouvrir à eux cette immense vallée dans laquelle ils lutteront et témoigneront de ce que le temps est arrivé où Dieu, Créateur Omnipotent, est venu pour établir une communication entre Lui et l'homme. (239, 8)

167. La Doctrine du Christ fut spirituelle, mais l'homme l'entoura de rites et de formes pour la mettre à la portée des esprits d'élévation limitée.

168. Vous êtes entrés dans le temps de l'Esprit, celui des grandes révélations, celui au cours duquel disparaîtra de tout culte la matérialisation, l'imposture et l'imperfection; où tout homme, par son esprit, reconnaîtra son Dieu qui est tout Esprit, et par cette voie trouvera la forme de la communication parfaite. (195, 77-78)

169. Lorsque les hommes auront appris à se communiquer avec mon Esprit, alors, ils n'auront plus à consulter les livres, ni à s'interroger.

170. Aujourd'hui ils questionnent encore ceux qu'ils croient savoir davantage, ou fouillent des textes et livres, anxieux de découvrir la vérité. (118, 37)

171. Si vous appreniez à méditer chaque jour, durant quelques instants, et que votre méditation traite de la vie spirituelle, vous découvririez une infinité d'explications et recevriez des révélations impossibles d'obtenir par aucun autre moyen.

172. Votre esprit possède déjà la lumière suffisante pour m'interroger, ainsi que pour recevoir ma réponse. L'esprit de l'Humanité a déjà atteint un haut niveau d'élévation. Observez vos frères d'humble condition qui, en dépit de la pauvreté de leurs connaissances, surprennent par leurs profondes observations, de même que

190

par la forme claire avec laquelle ils s'expliquent, ce qui pour beaucoup d'autres paraît inexplicable. Recourent-ils peut-être aux livres ou aux écoles? Non, mais ils ont découvert, par intuition ou par besoin, le don de la méditation, qui est part de la prière spirituelle. Dans leur solitude, isolés d'influences et de préjugés, ils ont découvert la manière d'entrer en communion avec l'éternel, le spirituel, le vrai et, certains davantage que d'autres ont médité la véritable essence de la vie et ils ont reçu la lumière spirituelle en leur entendement. (340, 43-44)

173. Vous Me demandez en quoi consiste la prière et Je vous réponds: La prière consiste à permettre que votre esprit s'élève librement jusqu'au Père, pour vous livrer en pleine confiance et foi dans cet acte. Elle consiste à recevoir dans le cœur et l'intelligence les sensations recueillies par l'esprit. Elle consiste à accepter, avec une sincère humilité, la volonté du Père. Celui qui prie de cette manière jouit de ma présence à n'importe quel instant de sa vie et ne se sent jamais nécessiteux. (286, 11)

174. C'est là, au plus pur de son être, dans l'esprit, que J'écrirai ma Loi en ce temps, où je ferai entendre ma voix, où j'édifierai mon temple, parce que ce qui n'existe pas dans le for intérieur de l'homme, ce qui n'est pas dans son esprit, n'existe pas.

175. Que vous édifiez d'énormes temples matériels en mon honneur ou que vous m'offriez des festins et de somptueuses cérémonies, votre offrande ne M'arrivera pas, parce qu'elle ne vient pas de l'esprit. Tout culte externe implique toujours vanité et ostentation, en revanche, l'offrande silencieuse, celle que le monde ne voit pas et que vous m'offrez d'esprit à Esprit, celle-là Me parvient par son humilité, sa sincérité et sa vérité, en un mot, parce qu'elle jaillit de l'esprit.

176. Revoyez cette parabole que Je vous ai livrée au Second Temps, connue comme la parabole du pharisien et du publicain, et alors vous comprendrez que mon enseignement, de tous temps, a été un seul. (280, 68)

177. Savez-vous qu'il y en a qui sont aimés sans qu'ils le méritent? Moi, Je vous aime de cette manière. Donnez-moi votre croix, donnez-moi vos espérances qui ont échoué, donnez-moi le lourd fardeau que vous chargez, Je peux supporter toutes les douleurs. Sentez-vous libérés de votre fardeau afin d'être heureux, pénétrez le sanctuaire de mon amour et gardez le silence devant l'autel de l'Univers, pour que votre esprit puisse converser avec le Père dans le plus merveilleux des langages: celui de l'amour. (228, 73)

Chapitre 18 – Œuvres de charité et signification principale de l'Amour

La grâce rétroactive des bonnes actions

1. Observez tous les cas de misère humaine, de douleur, de nécessité et, à la vue de la douleur qui vous entoure de toutes parts, laissez votre cœur se sensibiliser.

2. Lorsque vous ressentez, au plus profond de votre être, un élan généreux et noble de faire le bien, laissez-le qu'il déborde et se manifeste. C'est l'esprit qui va livrer son message parce qu'il a considéré votre corps préparé et disposé. (334, 3-4)

3. Faites en sorte que, parmi vos aspirations, la charité soit la première, et vous ne vous repentirez jamais d'avoir été charitables, parce que, par le biais de cette vertu, vous connaîtrez les plus grandes satisfactions et chances de votre existence et obtiendrez, en même temps, toute la sagesse, la force et l'élévation que désire ardemment tout esprit noble.

4. Grâce à la charité envers vos frères, vous purifierez votre esprit, en soldant ainsi d'anciennes dettes, vous ennoblirez votre vie humaine et élèverez votre vie spirituelle.

5. Lorsque vous arriverez face à la porte à laquelle tous viendront frapper, votre bonheur sera très grand, parce que vous écouterez la voix de bienvenue que le monde spirituel vous donnera, en vous bénissant et en vous appelant dans l'œuvre de régénération et de spiritualité. (308, 55-56)

6. Mais Je vous dis: Bénis soient ceux de mes cultivateurs qui sauront ressentir, en leur cœur, la peine de ceux qui vivent privés de liberté ou de santé, en leur rendant visite et les réconfortant, parce qu'un jour ils se retrouveront, soit dans cette vie, soit dans une autre, et alors vous ne savez pas s'ils sont en meilleure santé, plus libres ou plus éclairés que ceux qui leur livrèrent le message d'amour dans un bagne ou un hôpital, à un moment donné, leur retourneront leur gratitude en tendant la main à ceux qui, en un autre temps, surent leur tendre la leur.

7. Cet instant au cours duquel vous fîtes parvenir ma parole en leur cœur, ce moment que vous passâtes la main sur leur front et que leur fîtes penser à Moi et Me sentir, jamais ne s'effacera de leur esprit, tout comme d'ailleurs ne s'effaceront de leur intelligence ni votre visage, ni votre voix de frère, partout où ils vous rencontreront, ils vous reconnaîtront. (149, 54-55)

8. De même que la brise et le soleil vous caressent, peuple, caressez vos semblables. Ceci est le temps où les nécessiteux se trouvent en abondance. Comprenez que celui qui vous

193

demande une faveur est en train de vous concéder la grâce de pouvoir vous rendre utiles aux autres et d'œuvrer pour votre salut. Il vous donne la possibilité être miséricordieux et, en cela, de ressembler à votre Père; parce que l'homme est né pour répandre de par le monde la semence du bien. Comprenez, dès lors, que celui qui vous demande quelque chose vous est favorable. (27, 62)

La vraie et la fausse Bienfaisance

9. Ô disciples, votre plus grande mission sera celle de la charité! Souvent vous la ferez en secret, sans ostentation, en n'autorisant pas que la main gauche sache ce qu'a donné la main droite, mais il se présentera des occasions où votre charité devra être vue par vos frères afin qu'ils apprennent à l'impartir.

10. Ne vous souciez pas du prix, Je suis le Père qui récompense justement les actions de ses enfants, sans en oublier une seule.

11. Je vous ai dit que si vous donniez, en vraie charité, un verre d'eau, cette action ne manquera pas d'être récompensée.

12. Bienheureux ceux qui, en arrivant à Moi, me disent: «Seigneur, je n'attends aucune récompense pour mes actions, il me suffit d'exister et de savoir que je suis votre enfant pour que mon esprit se gonfle de bonheur». (4, 78-81)

13. Ne nourrissez pas d'intérêts égoïstes en pensant seulement à votre salut et à votre récompense, parce que très grande sera votre désillusion au moment que vous vous présentiez en esprit, parce que vous découvrirez qu'en réalité vous ne sûtes vous forger aucune récompense.

14. Je vous donne l'exemple suivant, pour que vous compreniez mieux ce que Je veux vous dire: Il existe, et il a toujours existé, des hommes et des femmes qui ont essayé d'accomplir des actes de charité parmi leurs frères et qui, cependant, lorsqu'ils arrivent devant Moi, n'ont pas porté ces mérites à ma connaissance pour leur bonheur spirituel: A quoi cela est-il dû? Pouvez-vous concevoir qu'ils aient été les victimes d'une injustice de la part de leur Père? La réponse, mes disciples, est simple: Ils ne purent recueillir un bien en soi, parce que leurs actions ne furent pas sincères, parce que lorsqu'ils tendirent la main pour donner quelque chose, jamais ils ne le firent animés d'un véritable sentiment de charité envers celui qui souffre, mais plutôt en pensant à eux-mêmes, en leur salut, en leur récompense. Les uns furent motivés par l'intérêt, d'autres par la vanité, et cela ne constitue pas la véritable charité, parce qu'elle ne fut pas ressentie ni désintéressée et Moi je vous déclare que celui qui ne porte en lui sincérité et amour, ne sème pas la vérité et ne se forge aucune récompense.

15. La charité apparente pourra vous octroyer sur la Terre quelques satisfactions qui proviennent de

l'admiration que vous suscitez et de l'adulation que vous recevez, mais ce qui est apparent ne parvient pas à mon Royaume, seul y parvient ce qui est vrai. Là-bas vous arriverez tous sans pouvoir cacher la moindre tache ou impureté; parce que, avant de vous présenter devant Dieu, vous vous serez débarrassés des manteaux, couronnes, insignes, titres, et tout ce qui appartient au monde, pour vous présenter devant le Juge Suprême comme de simples esprits qui vont répondre devant le Créateur de la mission qui leur a été confiée. (75, 22-24)

16. Celui qui, par amour, essaie être utile à ses semblables, se consacre au bien en l'un des nombreux chemins que lui offre la vie, celui-là sait qu'il est un être qui doit se préparer pour être utilisé par la volonté divine à des fins très élevées. Je veux que vous soyez ceux qui parveniez à obtenir la connaissance, ô disciples, afin que vous soyez ceux qui libèrent de leurs erreurs tous ceux qui ont perdu le chemin de l'évolution.

17. Le véritable amour, celui qui est au-delà du cœur, est le fruit de la sagesse. Voyez comment Moi, en ma parole, je sème la sagesse en votre entendement et attends, ensuite, le fruit de votre amour.

18. Il y a maintes formes de faire le bien et maintes formes de consoler et servir, toutes sont les expressions de l'amour, qui est un seul, l'amour, qui est la sagesse de l'esprit.

19. Certains pourront emprunter le chemin de la science, d'autres celui de l'esprit, d'autres encore celui du sentiment, et leur ensemble constituera l'harmonie spirituelle. (282, 23-26)

Actes d'amour, spirituels et matériels

20. Si vous êtes pauvres matériellement et que pour ce motif vous ne pouvez aider vos semblables, n'ayez crainte, priez et Moi, Je ferai en sorte que, là où il n'y a rien, jaillisse la lumière et qu'il y ait la paix.

21. La vraie charité de laquelle naît la pitié, est le plus grand présent que vous pourrez offrir aux nécessiteux. Si, en donnant une pièce de monnaie, un pain ou un verre d'eau, vous n'éprouviez en votre cœur de sentiment d'amour à l'égard de vos frères, en vérité je vous dis que vous n'auriez rien donné, et qu'il vaut mieux ne pas vous défaire de ce que vous donnez.

22. Jusqu'à quel point, humanité, voulez-vous connaître le pouvoir de l'amour? Jamais, jusqu'à présent, vous n'avez fait usage de cette force qui est le principe de la vie. (306, 32-33)

23. Ne voyez pas en tous ceux qui vous entourent des ennemis, sinon des frères. Ne demandez pas de châtiment pour illustrer le pardon et éviter le remords en votre esprit. Fermez les lèvres et laissez-Moi juger votre cause.

195

24. Guérissez les malades, rendez la raison aux égarés, écartez les esprits qui assombrissent l'intelligence et faites que les deux recouvrent la lumière qu'ils ont perdue. (33, 58-59)

25. Disciples, Cette maxime que Je vous enseignai au Second Temps, celle de vous aimer les uns les autres, est applicable à tous les actes de votre vie.

26. Il y en a qui me disent: «Maître, comment pourrai-je aimer mes semblables si je suis un être insignifiant qui vit abandonné au travail matériel?»

27. A ces petits qui sont miens, Je leur dis que, même dans le cadre de ce travail matériel apparemment sans importance, vous pouvez aimer vos semblables, si vous accomplissez vos tâches avec le désir de servir vos frères.

28. Imaginez-vous combien votre vie serait merveilleuse, si chaque homme travaillait en pensant faire le bien et unir son petit effort à celui des autres. Certes, je vous dis que l'on ne connaîtrait pas la misère. Mais la vérité est que chacun travaille pour soi, pensant en soi et, bien trop peu aux siens.

29. Vous devez tous savoir que personne ne peut se suffire à lui-même et qu'il a besoin des autres; tous, vous devez savoir que vous êtes intimement liés à une mission universelle que vous devez mener à bien en étant unis, unis non par des obligations matérielles sinon par l'intention, l'inspiration et l'idéal,

bref: Par l'amour des uns pour les autres. Le fruit, dès lors, sera bénéfique pour tous. (334, 35-37)

30. Dans ma Loi d'amour, Je vous dis, mes disciples, que si vous ne pouvez réaliser d'œuvres parfaites comme celles que J'accomplis en Jésus, tout au moins efforcez-vous, dans votre vie, de vous en rapprocher. Il me suffit de voir un peu de bonne volonté pour M'imiter et un peu d'amour pour vos semblables, pour que Je vous aide et que je manifeste ma grâce et mon pouvoir sur votre passage.

31. Vous ne serez jamais seuls dans la lutte. Si je ne vous laisse pas seuls lorsque vous allez courbés sous le poids de vos péchés, croyez-vous que Je vous abandonne lorsque vous marchez sous le poids de la croix qu'est cette mission d'amour? (103, 28-29)

La signification intégrale de l'amour

32. En tous temps, ma Doctrine vous a montré que l'amour est son essence.

33. L'amour est l'essence de Dieu, tous les êtres boivent de cette source pour vivre; c'est d'elle que surgit toute la vie et la création: L'amour est le principe et la fin dans la destinée de tout ce qui a été accompli par le Père.

34. En présence de cette force qui fait tout se mouvoir, l'illumine et le vivifie, la mort disparaît, le péché s'efface, les passions s'évanouissent, les impuretés se lavent et tout ce qui

est imparfait se perfectionne. (295, 32)

35. Je vous ai révélé mon existence et l'explication de la vôtre; Je vous ai fait découvrir que le feu qui donne vie et anime tout est l'amour; il est le principe duquel ont jailli toutes les natures.

36. Et voici que vous-autres, vous naquîtes par amour, vous existez par amour, vous étés pardonnés par amour et serez éternels par amour. (135, 19-20)

37. L'amour est le principe et la raison de votre existence! ô humanité, comment pourriez-vous vivre sans ce don? Croyez-Moi, nombreux sont ceux qui portent en eux la mort, et d'autres sont malades par le seul fait de n'aimer personne. Le baume qui en a sauvé beaucoup a été l'amour, et le don divin qui ressuscite à la vraie vie, qui rachète et qui élève, est aussi l'amour. (166, 41)

38. Aimez! Celui qui n'aime pas porte en lui une profonde tristesse: celle de ne pas avoir, de ne pas ressentir le plus merveilleux et le plus élevé de la vie.

39. Ce fut ce que Jésus vint vous enseigner avec sa vie et avec sa mort, et ce qu'il vous légua par sa divine parole condensée dans la phrase «Aimez-vous les uns les autres, avec ce même amour que Je vous ai enseigné».

40. Le jour viendra que ceux qui n'ont pas aimé, se débarrassant de leur amertume et de leurs préjugés, viennent et se reposent en Moi, où ils retourneront à la vie en écoutant ma douce parole, à la tendresse infinie.

41. En vérité, Je vous dis que c'est dans l'amour que réside ma force, ma sagesse et ma vérité. Il est comme une échelle infinie qui se présente sous différents aspects et qui va depuis les formes inférieures des humains, jusqu'aux plus élevées des esprits qui ont atteint la perfection.

42. Aimez, même que ce soit à votre manière, mais aimez toujours! Ne haïssez pas, parce que la haine laisse une empreinte de mort, tandis que l'on pardonne par amour et que s'efface toute rancœur. (224, 34-36)

43. Je vous déclare que celui qui n'aime pas ne manifeste pas son amour sous la forme la plus élevée et avec une absolue pureté; il lui manquera le vrai savoir et il possèdera bien peu. En revanche, celui qui aime avec tout son esprit et toutes les facultés dont il a été doté, portera en lui la lumière de la sagesse et sentira qu'il est réellement le propriétaire de tout ce qui l'entoure, parce que ce que possède le Père est aussi propriété de ses enfants. (168, 11)

44. L'amour vous accordera la sagesse pour comprendre la vérité que d'autres cherchent inutilement par les voies scabreuses de la science.

45. Permettez que le Maître vous guide dans tous vos actes, paroles et

197

pensées. Préparez-vous à suivre son doux et amoureux exemple et vous manifesterez l'amour divin, de cette manière vous vous sentirez proches de Dieu, parce que vous serez en harmonie avec Lui.

46. Si vous aimez, vous réussirez à être doux, comme le fut Jésus. (21, 10-12)

47. Celui qui aime comprend, celui qui étudie fait preuve de volonté et celui qui a la volonté peut accomplir beaucoup. Je vous dis que celui qui n'aime pas avec toute la force de son esprit, ne connaîtra ni élévation, ni sagesse et n'accomplira pas de grandes œuvres. (24, 41)

48. Ne laissez pas votre cœur se remplir d'orgueil, parce qu'il symbolise le feu de l'éternité d'où tout jaillît et où tout se vivifie.

49. L'esprit se sert du cœur pour aimer au travers de la matière. Si vous aimez seulement par la loi de la matière, alors votre amour sera éphémère, parce que cette loi est limitée. Mais lorsque vous aimez spirituellement, ce sentiment s'assimile à celui du Père, qui est éternel, parfait et immuable.

50. Toute la vie et tout ce qui a été créé sont en relation avec l'esprit, parce qu'il possède la vie éternelle. Ne vous limitez pas, aimez-Moi et aimez-vous, puisque vous possédez cette étincelle de l'Etre qui n'a pas de limites pour aimer, qui n'est autre que Dieu Lui-même. (180, 24-26)

51. Elevez-vous sur le chemin qui vous conduit à la cime de la montagne et, à chaque pas que vous posez, vous comprendrez mieux mes enseignements et vous vous perfectionnerez, pour interpréter le langage divin.

52. Quel est le langage de l'esprit? L'amour! L'amour est le langage universel de tous les esprits. Ne voyez-vous pas que l'amour humain, lui aussi, parle? Souvent, il n'a pas besoin de mots, il s'exprime mieux par les actes et les pensées. Si l'amour humain se manifeste de cette manière, comment sera votre langage après vous être perfectionnés dans ma Loi?

53. Si vous contemplez que Je suis la Sagesse, cette sagesse jaillit de l'amour. Si vous me reconnaissez en tant que Juge, cette justice se base sur l'amour. Si vous me considérez puissant, mon pouvoir est établi dans l'amour. Si vous savez que je suis éternel, mon éternité provient de l'amour, parce que l'amour est vie et la vie rend les esprits immortels.

54. L'amour est lumière, vie et savoir. Et je vous ai donné cette semence depuis le commencement des temps, l'unique semence que Moi, comme cultivateur parfait, j'ai semé dans les terres, que sont vos cœurs. (222, 23)

Le pouvoir de l'amour

55. Ô hommes et femmes du monde qui avez oublié dans vos sciences le seul élément qui peut vous rendre sages et heureux; vous avez oublié l'amour qui inspire tout, peut tout et

transforme tout! Vous vivez dans la douleur et les ténèbres parce que, en ne mettant pas en pratique l'amour que Je vous enseigne, vous provoquez votre souffrance matérielle ou spirituelle.

56. Afin de découvrir et de comprendre mes messages, il vous faut d'abord être bons et doux, vertus qui existent dans tout esprit depuis l'instant de sa formation, mais pour en arriver à percevoir le véritable sentiment élevé de l'amour, il faut que vous vous spiritualisiez, en cultivant vos bons sentiments; mais vous avez voulu tout posséder dans la vie, sauf l'amour spirituel. (16, 31-32)

57. En toutes les époques, vous avez eu des guides qui vous ont enseigné la force de l'amour. Ce furent vos frères plus évolués, avec une connaissance plus étoffée de ma Loi et davantage de pureté en leurs œuvres. Ils sont venus vous donner un exemple de force, d'amour et d'humilité, en échangeant leur vie pleine d'erreurs et de péchés pour une existence consacrée au bien, au sacrifice et à la charité.

58. Depuis l'enfance jusqu'à la vieillesse, vous avez des exemples clairs de tout ce qui s'obtient avec amour et des peines que cause le manque de charité; mais vous, plus insensibles que les rocs, vous n'avez pas su apprendre les enseignements et exemples que vous prodigue la vie quotidienne.

59. Avez-vous jamais observé de quelle manière les fauves eux-mêmes répondent avec douceur à un cri d'amour? Eh bien, de la même manière peuvent répondre les éléments, les forces de la Nature et tout ce qui existe dans le monde matériel et spirituel.

60. C'est pour cela que je vous dis que vous bénissiez tout avec amour, au nom du Père et Créateur de l'Univers.

61. Bénir veut dire saturer. Bénir est sentir le bien, le dire et le livrer. Bénir est imprégner tout ce qui vous entoure de pensées d'amour.

62. En vérité, Je vous le dis, l'amour est la puissance immuable qui meut l'Univers. L'amour est le principe et l'essence de la vie.

63. Je suis en train d'initier un temps de résurrection pour tous, temps au cours duquel je ferai fleurir cette semence bénie d'amour que je répandis sur le monde, du haut d'une croix, en vous annonçant que, lorsque les hommes s'aimeront comme Je vous l'enseignai, la mort aura été expulsée du monde et, à sa place, la vie règnera sur les hommes et se manifestera dans toutes leurs actions. (282, 13-14)

V. FORMES DE REVELATIONS DIVINES ET

ŒUVRES DE DIEU

Chapitre 19 – La Divine Trinité

L'unité de Dieu avec le Christ et le Saint-Esprit

1. La lumière de ma parole unira les hommes en ce Troisième Temps. Ma vérité brillera dans chaque entendement en faisant disparaître les différences de crédos et de cultes.

2. Aujourd'hui, tandis que les uns m'aiment en Jéhovah et désavouent le Christ, d'autres m'aiment dans le Christ en ignorant Jéhovah; pendant que les uns reconnaissent mon existence en tant que Saint-Esprit, d'autres discutent et sont divisés quant à ma Trinité.

3. Cependant, Je demande à cette humanité et à ceux qui la conduisent spirituellement: Pourquoi vous éloignez-vous les uns des autres quand, tous, vous reconnaissez le vrai Dieu? Si vous m'aimez au travers de Jéhovah, vous êtes dans le vrai. Si vous m'aimez en le Christ, Il est le chemin, la vérité et la vie. Si vous m'aimez en tant que Saint-Esprit, vous vous approchez de la Lumière.

4. Vous avez un seul Dieu, un seul Père. Ce ne sont pas trois personnes divines qui existent en Dieu, mais un seul Esprit Divin qui s'est manifesté, en trois étapes distinctes, à l'humanité. Et celle-ci, superficielle, crut voir trois personnes là où en réalité n'existe qu'un seul Esprit. Par conséquent, lorsque vous entendez le nom de Jéhovah, pensez à Dieu en tant que Père et Juge. Quand vous pensez au Christ, voyez Dieu en Lui, comme Maître, comme Amour et, lorsque vous essayez de comprendre d'où provient le Saint-Esprit, sachez qu'il n'est autre que Dieu qui manifeste son infinie sagesse aux disciples qui ont progressé le plus.

5. Si J'avais considéré l'humanité des premiers temps aussi évoluée spirituellement que celle d'aujourd'hui, Je me serais manifesté à elle comme Père, comme Maître et comme Saint-Esprit; alors les hommes n'auraient pas vu trois personnalités, là où, en réalité, il n'existe qu'un seul Dieu. Mais ils n'étaient pas qualifiés pour interpréter mes leçons et se seraient confondus et éloignés de mon chemin, pour continuer de créer des dieux accessibles et petits, selon leur imagination.

6. Quand les hommes comprendront et accepteront cette vérité, ils regretteront d'avoir vécu en me méconnaissant: avec seulement un peu d'amour, ils auraient pu éviter cette erreur.

7. Si le Christ est Amour, pouvez-vous penser qu'Il soit indépendant de Jéhovah, si c'est Moi l'Amour?

8. Si le Saint-Esprit est la Sagesse, croyez-vous que cet Esprit soit indépendant du Christ, si Je suis la Sagesse? Pensez-vous que le Verbe et le Saint-Esprit soient distincts l'un de l'autre?

9. Il suffit de connaître un peu la parole que Jésus enseigna à l'humanité, pour que vous compreniez qu'un seul Dieu a toujours existé et qu'Il est unique. Pour cela Je vous dis, au travers de Lui: «Celui qui connaît le Fils connaît le Père, parce qu'Il est en Moi et que Je suis en Lui». Par la suite, en annonçant qu'Il reviendrait parmi les hommes, en un autre temps, Il ne dit pas seulement: «Je reviendrai», sinon qu'Il promit d'envoyer le Saint-Esprit, l'Esprit de Consolation, l'Esprit de Vérité.

10. Pourquoi le Christ devait-Il venir séparément du Saint-Esprit? D'aventure, ne pourrait-Il pas apporter en son Esprit la vérité, la lumière et la consolation? (1, 66-70 et 73-76)

11. Je suis votre Maître, mais vous ne Me voyez pas séparé du Père, parce que Je suis le Père.

12. Il n'y a aucune différence entre le Fils et le Saint-Esprit, parce que le Saint-Esprit et le Fils sont un seul Esprit, et Je suis cet Esprit.

13. En mes manifestations tout au long des temps, ne voyez qu'un seul Dieu, qui est celui qui vous a endoctriné au travers de leçons multiples et variées. Un seul livre aux très nombreuses pages. (256, 4)

Les trois formes de la Révélation de Dieu

14. Vous connaissez déjà la raison pour laquelle le Père s'est manifesté en trois étapes, ainsi que la confusion des hommes quant au concept de la Trinité.

15. Vous n'essayez déjà plus de m'attribuer une forme matérielle, dans votre intelligence, parce qu'il n'existe de forme en mon Esprit, à l'instar de l'intelligence, l'amour ou encore la sagesse.

16. Je vous dis ceci parce que beaucoup m'ont représenté sous la forme d'un vieillard lorsqu'ils pensent au Père, et Moi, Je ne suis pas un vieillard car je suis hors du temps. Mon Esprit n'a pas d'âge.

17. Lorsque vous pensez au Christ, vous vous formez instantanément l'image corporelle de Jésus et Moi Je vous dis que le Christ, l'Amour Divin incarné, mon Verbe fait homme, au moment où il abandonna l'enveloppe corporelle, se fondit en mon Esprit, duquel il avait surgi.

18. Mais, lorsque vous parlez du Saint-Esprit, vous utilisez le symbole de la colombe pour essayer de l'imaginer sous quelque forme, et Je vous dis que le temps des symboles est révolu et que, pour ce motif, lorsque vous vous sentez sous l'influence du Saint-Esprit, vous le recevez comme inspiration, lumière dans votre esprit, clarté qui vient

dissiper les incertitudes, les mystères et les ténèbres. (39, 42 et 44-47)

19. D'époque en époque, les hommes se font une idée plus précise à Mon sujet. Ceux qui m'ont connu au travers du Christ ont un concept plus proche de la vérité que ceux qui ne me connaissent que par le biais des lois de Moïse. Ce Dieu, que les multitudes suivaient et auquel elles obéissaient par crainte de sa justice, fut cherché plus tard comme Père et comme Maître, lorsqu'en leurs cœurs germa la semence d'amour du Christ. (112, 3)

20. Je suis au-dessus des temps et au-dessus de toute la Création; mon Esprit divin n'est pas sujet à l'évolution. Je suis Eternel et Parfait, non comme vous qui, oui; avez un commencement, qui êtes sujets aux lois de évolution et qui, de plus, sentez peser sur vos épaules le poids du temps.

21. Ne dites pas, dès lors, que le Père appartient à une ère, le Christ à une autre, et le Saint-Esprit à une troisième, parce que le Père est éternel et n'appartient à aucune ère, sinon que ce sont les temps qui Lui appartiennent. Quant au Christ, disparu en tant qu'homme, Il est Dieu Lui-même, ainsi que le Saint-Esprit, qui n'est autre que votre même Père qui vient préparer son expression la plus élevée devant vous, en d'autres termes, sans s'aider d'aucun élément matériel. (66, 43)

22. Je vous ai expliqué que ce que vous appelez « Père », représente le Pouvoir Absolu de Dieu, du Créateur Universel, l'unique qui ne fut pas créé. Ce que vous appelez Fils est le Christ ou la manifestation de l'Amour parfait du Père pour ses enfants, quant à ce que vous appelez Saint-Esprit, il s'agit de la Sagesse que Dieu vous envoie sous forme de lumière, en ce Troisième Temps, en lequel votre esprit se trouve qualifié pour mieux comprendre mes révélations.

23. Cette lumière du Saint-Esprit, cette sagesse de Dieu règnera sous peu, en cette troisième ère que vous voyez naître, illuminant la pensée d'une humanité nécessiteuse de spiritualité, assoiffée de vérité et affamée d'amour.

24. Il est vrai, peuple, qu'un seul Dieu s'est manifesté aux hommes, sous trois aspects différents. Si vous recherchez l'amour dans les Œuvres du Père de cette première Ere, vous le trouverez. De même que si vous y recherchez la lumière de la sagesse, vous la trouverez également. Quant aux œuvres et paroles du Christ, vous n'y découvrirez pas seulement amour, mais aussi Pouvoir et Sagesse. Qu'y aurait-il d'étrange si, dans les œuvres du Saint-Esprit de cette époque, vous découvriez la force, la loi et le pouvoir, en même temps que l'amour, la tendresse et le baume? (293, 20-21 et 25-26)

25. Loi, amour, sagesse. Voici les trois états par lesquels Je me suis montré à l'homme afin qu'il

parvienne à maintenir une totale fermeté sur son chemin d'évolution et une connaissance complète de son Créateur. Ces trois phases se distinguent entre elles, mais toutes proviennent d'un seul principe et, ensemble elles constituent la perfection absolue. (165, 56)

26. En Moi, il y a le Juge, le Père et le Maître; trois phases distinctes en un seul Etre, trois puissances et une seule essence: l'amour. (109, 40)

27. Je suis Jéhovah, celui qui, en tous les temps, vous a libérés de la mort; c'est Moi l'unique Dieu qui vous a parlé au fil des temps. Le Christ fut mon Verbe qui s'adressa à vous par le biais de Jésus. Il vous dit: «Celui qui connaît le Fils connaît le Père». Et Je suis aussi le Saint-Esprit qui vous parle aujourd'hui, parce il n'existe qu'un seul Saint-Esprit, un seul Verbe et ce Verbe est le Mien.

28. Ecoutez, disciples: au Premier Temps, Je vous donnai la Loi, au Second Je vous enseignai l'amour avec lequel vous devriez interpréter ces commandements et, à présent, en cette Troisième Ere, Je vous envoie la lumière, pour que vous preniez connaissance de tout ce qui vous fut révélé.

29. Alors, pourquoi vous obstinez-vous à considérer trois dieux, là où n'existe qu'un seul Esprit Divin, qui est le Mien?

30. J'offris la loi aux premiers hommes et, cependant, j'annonçai à Moïse que J'enverrais le Messie. Le Christ, au travers duquel je vous livrai ma parole, vous déclara au moment où se terminait sa mission: «Je retourne à mon Père, d'où Je viens»; et d'ajouter: «Le Père et Moi ne sommes qu'un seul». Ensuite, Il promit de vous envoyer l'Esprit de Vérité lequel, selon ma volonté et en fonction de votre évolution, viendra pour éclaircir le mystère de mes révélations.

31. Mais, qui pourra faire la lumière sur mes arcanes et expliquer ces mystères? Qui pourra élucider le livre de ma sagesse, qui d'autre que Moi?

32. En vérité Je vous le dis le Saint-Esprit, que vous distinguez à présent de Jéhovah et du Christ, n'est rien d'autre que la sagesse que Je manifeste à votre esprit afin de vous faire entendre, contempler et sentir la vérité. (32, 22-27)

33. Associez, en votre intelligence et votre esprit, mes manifestations en tant que Père qui vous révélèrent la Loi. Mes manifestations comme Père vous dévoilèrent mon amour infini, et mes leçons de Maître vous révélèrent ma sagesse et, de tout cela, vous obtiendrez une essence, une intention divine: parvenir à Moi par le chemin de la lumière spirituelle est plus qu'une simple communication avec vous. Je veux vous conduire à mon propre Royaume où Je serai toujours présent pour vous, et où Je serais présent en vous pour toujours. (324, 58)

34. Ce ne sera pas la première fois que les hommes luttent pour définir une révélation divine ou pour arriver à éclaircir quelque chose qui, à leurs yeux, se présente comme un mystère. Déjà au cours du Second Temps, après ma prédication dans le monde, les hommes délibérèrent quant à la personnalité de Jésus pour savoir s'Il était ou non divin, s'Il était Un avec le Père ou s'il s'agissait d'une personne différente; ils jugèrent et disséquèrent ma Doctrine, de toutes les formes possibles.

35. Maintenant Je ferai à nouveau l'objet d'analyses, de discussions, de luttes et de scrutins.

36. L'on jugera si, au moment où s'est présenté l'Esprit du Christ, celui-ci était indépendant de l'Esprit du Père, et il s'en trouvera même pour dire que ce fut le Saint-Esprit qui parla, et non le Père ou le Fils.

37. Mais, ce que vous appelez Saint-Esprit est la lumière de Dieu et ce que vous appelez le Fils est son Verbe; par conséquent, lorsque vous entendez cette parole, que vous considérez ma Doctrine du Second Temps ou que vous pensez en la Loi et les révélations du Premier Temps, sachez que vous êtes en présence du Dieu unique, écoutant son Verbe et recevant la lumière de son Esprit. (216, 39-42)

Dieu en tant qu'Esprit Créateur et Père

38. Je suis l'essence de tout ce qui a été créé. Tout vit grâce à mon pouvoir infini. Je suis en chaque corps et en chaque forme. Je suis en chacun de vous, mais il est impérieux que vous vous prépariez et vous sensibilisiez afin de pouvoir me sentir et me rencontrer.

39. Je suis le souffle pour tous les êtres, parce que Je suis la vie. C'est pour cela que J'ai laissé entendre que, si j'étais présent dans toutes vos actions, il ne fallait pas que vous façonniez mon image dans l'argile ou le marbre pour m'adorer ou me sentir proche de vous. Cette incompréhension n'a servi qu'à conduire l'humanité à l'idolâtrie.

40. Au travers de ma parole, vous pressentez l'harmonie qui existe entre le Père et toute la Création, comprenez que Je suis l'essence qui alimente tous les êtres, et que vous êtes une partie de Moi-même. (185, 26-28)

41. L'Esprit du Père est invisible, mais il se manifeste sous des formes infinies. Tout l'Univers n'est qu'une manifestation matérielle de la Divinité. Toute la Création est un reflet de la vérité.

42. J'ai entouré l'existence des esprits, qui sont les enfants de ma Divinité, en fonction des demeures qu'ils habitent, d'une série de formes dans lesquelles J'ai déposé sagesse, beauté, essence et bon sens pour fournir, à chacune de ces demeures, la preuve la plus tangible de mon existence et une idée de mon pouvoir. Je vous fais remarquer que l'essence de la vie consiste à aimer, savoir, et détenir la vérité. (168, 9-10)

43. Disciples, c'est de Moi qu'ont surgi les trois natures: la divine, la spirituelle et la matérielle En tant qu'Artisan et propriétaire de toute la Création, Je peux m'adresser à vous de forme divine et compréhensible à la fois. Si la nature matérielle naquit de Moi, Je peux aussi matérialiser ma voix et ma parole pour me rendre compréhensible à l'homme.

44. Je suis la science parfaite, le principe du grand tout, l'origine de toutes les causes et la lumière qui illumine tout; Je suis au-dessus de tout ce qui a été créé, et supérieur à toutes les sagesses. (161, 35-36)

45. Cette époque est le temps de la compréhension, de l'illumination de l'esprit et de l'intelligence, où l'homme enfin me cherchera spirituellement, parce qu'il reconnaîtra que Dieu n'est ni personne, ni image, mais bien Esprit Universel, illimité et absolu. (295, 29)

Le Christ – L'amour et la parole de Dieu

46. Avant que le Père se manifeste à humanité, au travers de Jésus, il vous enviait ses révélations en utilisant des formes et des événements matériels. Par le nom du Christ, vous connûtes celui qui manifesta l'amour de Dieu parmi les hommes, surtout lorsqu'Il vint sur la Terre. Mais Il s'était déjà manifesté auparavant en tant que Père, pour autant il ne vous faut pas prétendre que le Christ naquit dans ce monde, bien que ce fut Jésus qui naquit, corps dans lequel s'hébergea le Christ.

47. Méditez et vous finirez par comprendre en acceptant que, avant Jésus, J'étais déjà le Christ, parce que le Christ est l'amour de Dieu. (16, 6-7)

48. Je me trouve ici, avec vous, pour vous donner la force de lutter pour la paix éternelle de votre esprit, mais en vérité Je vous le dis, avant que l'humanité me connaisse, Je vous illuminais déjà depuis l'infini et Je m'adressais déjà à votre cœur parce que, formant Un seul avec le Père, J'ai toujours été en Lui. Il fallut que les temps s'écoulent sur l'humanité pour que le monde Me reçoive en Jésus et écoute la parole de Dieu, bien que Je doive vous dire que peu de ceux qui écoutèrent ma Doctrine en ce temps-là montrèrent l'évolution spirituelle nécessaire pour ressentir la présence de Dieu, au travers du Christ. (300, 30)

49. En Jéhovah vous avez cru voir un Dieu cruel, terrible et vindicatif. Alors, pour vous retirer de votre erreur, le Seigneur vous envoya le Christ, son Divin Amour, afin que «connaissant le Fils, vous connaissiez le Père» et, cependant, humanité ignorante et enveloppée à nouveau dans son péché, croit voir un Jésus en colère et offensé qui attend seulement l'arrivée en esprit de ceux qui lui ont nui, pour leur dire: «Eloignez-vous de Moi, car Je ne vous connais pas», et ensuite les envoyer endurer les

souffrances les plus cruelles pour l'éternité.

50. Il est temps que vous compreniez le sens de mes enseignements pour ne pas vous confondre: l'Amour Divin ne vous empêchera pas d'arriver jusqu'à Moi si vous ne restituez pas vos fautes, il sera l'inexorable juge de votre conscience qui vous dira que vous n'êtes pas dignes d'entrer au Royaume de la lumière. (16, 46-47)

51. Je veux que vous soyez comme votre Maître, pour vous appeler justement mes disciples. Mon héritage est un héritage d'amour et de sagesse. Ce fut le Christ qui vint à vous et c'est le Christ qui vous parle en ces instants, mais n'essayez pas de Me séparer de Dieu, ni de me voir hors de Lui, parce que Je suis et J'ai toujours été Un seul avec le Père.

52. Je vous ai dit que le Christ est l'Amour Divin, par conséquent ne tentez pas de Me séparer du Père. Croyez-vous qu'Il soit un Père sans amour pour ses enfants? Comment le concevez-vous? Il est grand temps que vous le reconnaissiez.

53. Personne n'éprouve de honte d'appeler Dieu, le Créateur « Père » parce que c'est son véritable nom. (19, 57-58)

54. Par l'entremise de Jésus, le monde vit son Dieu humanisé. Les hommes ne reçurent de Lui, que des leçons d'amour, des enseignements de sagesse infinie, des preuves de justice parfaite, mais jamais une parole de violence, un acte ou une démonstration de rancœur; en revanche, voyez de quelle manière il fut offensé et bafoué. Il avait toute la puissance et tout le pouvoir dans Sa main, que le monde entier est loin de posséder, mais il était impérieux que le monde connaisse son Père dans sa véritable essence, justice et charité.

55. En Jésus, le monde vit un Père qui donne tout pour ses enfants, sans rien demander en échange, rien pour Lui. Un Père qui pardonne les pires offenses avec un amour infini, sans jamais exercer de vengeance, et un Père qui, au lieu de quitter la vie à ceux de ses enfants qui l'offensent, leur pardonne en traçant de son sang le chemin de leur rédemption spirituelle. (160, 46-47)

56. Pour ce qui relève du matériel, Jésus fut votre idéal et la réalisation de la perfection, afin que, en Lui, vous ayez un exemple digne d'imiter, Je voulus vous enseigner ce que doit être l'homme pour ressembler à son Dieu.

57. Dieu est Un et le Christ est Un avec Lui, puisqu'Il est le Verbe de la Divinité, l'unique chemin par lequel vous pouvez parvenir au Père de toute la Création. (21, 33-34)

58. Disciples, le Christ est la manifestation suprême de l'Amour Divin, cette lumière qui est la vie en toutes les régions de l'esprit; la lumière qui déchire les ténèbres et dévoile la vérité devant tout regard spirituel, celle qui détruit les mystères, ouvre la porte et indique le

chemin vers la sagesse, l'éternité et la perfection des esprits. (91, 32)

Le Saint-Esprit – la Vérité et la Sagesse de Dieu

59. La sagesse est porteuse du baume et de la consolation auxquels votre cœur aspire, c'est pour cela que Je vous promis, en son temps, l'Esprit de Vérité comme Esprit de Consolation.

60. Mais il est indispensable d'avoir la foi afin de ne pas s'arrêter en chemin ni éprouver de crainte face aux épreuves. (263, 10-11)

61. Cette Ere est l'Ere de la lumière que la sagesse divine, qui est la lumière du Saint-Esprit, illuminera jusqu'aux coins les plus intimes du cœur et de l'esprit. (277, 38)

Chapitre 20 – Marie, l'amour maternel de Dieu

L'humble existence terrestre de Marie

1. Marie est la fleur du jardin céleste, dont l'essence a toujours été en mon Esprit.

2. Voyez-vous ces fleurs qui, avec humilité, cachent leur beauté? Marie fut, et est ainsi: une source inépuisable de beauté pour celui qui sait la regarder avec limpidité et respect, et un trésor de bonté et de tendresse pour tous les êtres.

3. Marie passa par ce monde en cachant son essence divine. Elle savait qui J'étais et qui était son Fils et, au lieu de montrer avec ostentation cette grâce, elle déclarait qu'elle était qu'une servante du Très Haut, un instrument des desseins du Seigneur. (8, 42-43 et 46)

4. Marie savait-elle qu'elle allait concevoir un Roi plus puissant et plus grand que tous les rois de la Terre et, pour autant, allait-elle se couronner reine dans l'humanité? Ses lèvres claironnèrent-elles sur les places, par les rues, dans les humbles chaumières ou les palais, qu'Elle allait être la Mère du Messie, que le Fils Unique du Père allait naître de son sein?

5. Non, peuple, en vérité il y eut, en Elle, la plus grande humilité, douceur et grâce et la promesse s'accomplît. Son cœur de mère humaine fut heureux. Depuis avant de mettre au monde, en l'instant de la naissance et par la suite, tout au long de la vie de Jésus, elle fut une mère amoureuse, qui connaissait spirituellement la destinée de Jésus, la mission qu'Il devait accomplir parmi les hommes et la raison pour laquelle Il était venu. Elle ne s'opposa jamais à ce destin, parce qu'Elle appartenait à la même œuvre.

6. Si parfois elle pleura, ce furent des larmes de mère humaine, elle était la chair qui ressentait la douleur de sa propre chair en son fils.

7. Mais, fut-elle disciple du Maître, son Fils? Non! Maria n'avait rien à apprendre de Jésus. Elle était dans le même Père et était venue s'incarner dans le seul but d'accomplir cette merveilleuse et délicate mission.

8. Ce cœur de Mère insigne se limita-t-il à aimer seulement son Fils bien-aimé? En vérité, non. Au travers de ce petit cœur humain se révéla le cœur maternel, en consolation et paroles sublimes, en conseils et charités, en prodiges et lumière, en vérité.

9. L'ostentation ne fit jamais partie d'Elle, elle ne troubla jamais la parole du Maître. Elle fut la même, tant aux pieds de la crèche qui lui servit de berceau qu'aux pieds de la croix sur laquelle le Fils, le Maître expira, poussant le dernier soupir en tant qu'homme.

10. Ainsi accomplît-Elle sa destinée de mère humaine, en donnant un

exemple sublime à toutes les mères et à tous les hommes. (360, 28-31)

Marie et Jésus

11. Les hommes se sont souvent interrogés pourquoi Jésus, après avoir été crucifié, se laissa encore voir de Madeleine, la pécheresse, et, ensuite rendit visite à ses disciples. En revanche, on ignore s'Il est allé rendre visite à sa Mère, ce à quoi Je vous dis qu'il était pas nécessaire que Je me manifeste devant Marie de la même manière que Je le fis avec eux, parce que la communication entre le Christ et Marie fut constante, bien avant que le monde existât.

12. Par le biais de Jésus, Je me manifestai à humanité, pour sauver les pécheurs et Je laissai qu'ils me voient après la crucifixion, ceci pour aviver la foi de ceux qui avaient besoin de moi mais, en vérité je vous le dis Marie, qui fut ma douce Mère en tant qu'homme, n'eut à laver aucune tache, elle ne pouvait manquer de foi, parce qu'Elle avait conscience de la grandeur spirituelle du Christ avant même de lui offrir son sein maternel.

13. Il ne fut pas indispensable que j'humanise mon Esprit pour visiter Celle qui Me reçut en son sein avec la même pureté et la même douceur qu'au moment où elle me remît au Royaume d'où J'étais venu. Mais, qui pouvait savoir la manière dont Je m'adressai à elle dans sa solitude, et la caresse divine avec laquelle l'enveloppa mon Esprit?

14. Je réponds ainsi à ceux qui m'ont formulé cette question, et qui pensèrent souvent que la première visite de Jésus devait être destinée à sa Mère.

15. La forme de ma manifestation a Marie devait être bien différente de celle que j'utilisai pour me faire ressentir de Madeleine et de mes disciples. (30, 17-21)

La virginité de Marie

16. Par-dessus le sommet de la montagne, là où se trouve le Maître, se trouve aussi Marie, la Mère Universelle, Celle qui se fit femme au Second Temps pour que se réalise le prodige de l'incarnation du Verbe Divin.

17. L'homme a beaucoup jugé et analysé en profondeur Marie ainsi que la forme sous laquelle Jésus vint au monde, et ces jugements ont déchiré le vêtement de pureté de l'Esprit Maternel, dont le cœur a répandu son sang sur le monde.

18. Je suis venu en ce temps pour lever les voiles de l'inconnu, pour éloigner le doute de l'incrédule et lui prodiguer la connaissance des enseignements spirituels.

19. Les hommes ont fait de ma vérité, laquelle ressemble à un chemin, beaucoup de sentiers sur lesquels, la plupart du temps, ils se perdent. Et tandis que les uns recherchent l'intercession de la Mère Céleste et que les autres la désavouent, son manteau d'amour et de tendresse les enveloppe tous pour l'éternité.

20. Depuis l'aube des temps, Je révélai l'existence de la Mère

Spirituelle, celle dont parlèrent les prophètes bien avant qu'Elle vienne au monde. (228, 1-5)

21. Marie fut envoyée pour manifester sa vertu, son exemple et sa divinité parfaite. Elle ne fut pas une femme de plus parmi l'humanité. Elle fut une femme différente et le monde contempla sa vie, connut sa manière de penser et de ressentir, la pureté et la grâce de son esprit et de son corps.

22. Elle est l'exemple de simplicité, humilité, d'abnégation et d'amour. Et, bien que sa vie ait été connue du monde de cette époque et des générations qui ont suivi, nombreux sont ceux qui désavouent sa vertu, sa virginité. Ils ne s'expliquent pas le fait qu'elle ait pu être vierge et mère. L'homme est incrédule par nature et n'a pas su juger les œuvres divines avec l'esprit préparé. S'il étudiait les écritures et analysait l'incarnation de Marie et la vie de ses ancêtres, il parviendrait à savoir qui Elle est. (221, 3)

23. L'amour de Dieu, infiniment tendre pour ses enfants ne contient pas de forme, et pourtant, au Second Temps, il prit la forme d'une femme en Marie, la mère de Jésus.

24. Comprenez que Marie a toujours existé, puisque son essence, son amour, sa tendresse ont toujours été en la divinité.

25. Que de théories les hommes ont-ils élaboré et que de confusions ont-ils commis à propose de Marie! Combien ont-ils blasphémé au sujet de sa maternité, sa conception et sa pureté!

26. Le jour où ils comprendront vraiment cette pureté, ils se diront: « Il aurait mieux valu que nous ne naissions pas ». Des larmes de feu brûleront leur esprit, alors Marie les enrobera dans sa grâce. La divine Mère les protégera de son manteau et le Père les pardonnera, leur disant avec un amour infini: Veillez et priez que Je vous pardonne et, de par vous Je pardonne et bénis le monde. (171, 69-72)

L'exemple de Marie pour la femme

27. La vie de votre Maître est un exemple pour toute l'humanité. Mais, comme la femme manquait d'enseignement quant à sa mission de mère, Marie lui fut envoyée en représentation de la Tendresse Divine, qui apparut en tant que femme parmi humanité pour vous livrer aussi son exemple divin d'humilité. (101, 58)

28. Femme bénies, vous aussi prenez part à mon apostolat. Il n'existe aucune différence entre l'esprit masculin et le votre, même si, physiquement vous vous distinguez et que la mission de l'un diffère de la mission de l'autre.

29. Considérez Jésus comme le Maître de votre esprit et suivez-Le sur le chemin tracé par son amour; adoptez sa parole comme vôtre et embrassez-vous sur sa croix.

30. C'est avec la même parole que Je m'adresse, en esprit, autant à vous comme aux hommes, parce que vous

êtes égaux spirituellement. Cependant, lorsque votre cœur de femme est à la recherche d'un modèle à imiter, lorsque vous avez besoin d'exemples parfaits sur lesquels vous appuyer pour vous perfectionner dans la vie, souvenez-vous de Marie et observez-la tout au long de son séjour sur la Terre.

31. Ce fut la volonté du Père que la vie humble de Marie soit écrite par mes disciples, qui la connurent au travers de ses actions et conversèrent avec elle.

32. Cette vie, humble pour qui la connaît, fut lumineuse depuis sa naissance jusqu'à son terme dans le monde. Marie écrivit de très nombreuses pages d'enseignement d'amour, avec son esprit humble, son infinie tendresse, la pureté de son cœur et son amour pour l'humanité qu'elle exprima en silence davantage qu'en paroles, puisqu'Elle savait que le Christ était celui qui venait pour s'adresser aux hommes.

33. L'esprit de Marie était la même tendresse qui émanait du Père pour donner à l'humanité l'exemple parfait d'humilité, d'obéissance et de douceur. Son passage en ce monde fut un vestige de lumière. Sa vie fut simple, élevée et pure. En Elle s'accomplissaient les prophéties qui annonçaient que le Messie naîtrait d'une vierge.

34. Elle était la seule qui avait pu avoir en son sein la semence de Dieu; Elle était la seule qui, après avoir accompli sa mission auprès de Jésus, était digne de devenir la Mère spirituelle de l'humanité.

35. C'est pour cela, femmes, que Marie est votre modèle parfait. Mais, recherchez-la et imitez-la en son silence, en ses œuvres d'humilité, d'infinie renonciation par amour aux nécessiteux, en sa douleur muette, en sa tendresse qui pardonne tout et en son amour qui est intercession, consolation et douce compagnie.

36. Jeunes filles, épouses, mères, orphelines ou veuves, femmes seules qui avez le cœur transpercé par la douleur, appelez Marie votre Mère douce et attentionnée, appelez-la par la pensée, recevez-la en esprit et sentez-la dans votre cœur. (225, 46-54)

Marie, médiatrice, consolatrice et co-salvatrice de l'humanité

37. Marie passa inaperçue, mais elle insuffla la paix dans les cœurs, intercéda en faveur des nécessiteux, pria pour tous et finalement répandit ses larmes de pardon et de pitié sur l'ignorance et la méchanceté des hommes. Pourquoi ne pas rechercher Marie si vous voulez arriver au Seigneur, si par elle vous reçûtes Jésus? Mère et Fils ne furent-ils pas ensemble en l'heure suprême de la mort du Sauveur? En cet instant-là, le sang du Fils ne se mélangea-t-il pas aux larmes de la Mère? (8, 47)

38. Du haut de la croix, J'avais légué au monde le Livre de la Vie et la sagesse spirituelle, un livre que les hommes devraient analyser et

comprendre au fil des siècles, des ères et des temps. C'est pour cela que Je dis à Marie, déchirée par la douleur aux pieds de la croix: « Femme, voici ton fils », en lui montrant Jean, du regard, lequel représentait l'humanité en cet instant précis, mais l'humanité convertie en bon disciple du Christ, l'humanité spiritualisée.

39. Je m'adressai aussi à Jean, lui disant: «Fils, voici ta Mère», paroles que Je vais vous expliquer maintenant.

40. Marie représente la pureté, l'obéissance, la foi, la tendresse et l'humilité. Chacune de ces vertus est un échelon de l'échelle que Je descendis vers le monde pour me faire homme dans le sein de cette femme sainte et pure.

41. Cette tendresse, cette pureté et cet amour constituent le sein divin, où la semence de la vie est fécondée.

42. Cette échelle, par laquelle Je descendis jusqu'à vous pour me faire homme et habiter avec mes enfants, est la même que celle que Je vous présente afin que, par son entremise, vous l'escaladiez jusqu'à Moi, en vous transformant d'hommes en esprits de lumière.

43. Marie est l'échelle, Marie est le sein maternel. En la cherchant Elle, vous me trouverez Moi. (320, 68-73)

44. Je vous laissai Marie, au pied de la croix, au sommet de la colline qui recueillit mon sang et les larmes de la Mère. Elle resta là dans l'attente de ses enfants. C'est elle qui ôtera la croix de leurs épaules et leur montrera le chemin de la gloire. (94, 73)

45. Le message de Marie fut un message de consolation, de tendresse, humilité et d'espoir. Il lui fallut venir sur Terre pour faire connaître son essence maternelle, en offrant son sein virginal afin qu'en lui s'incarnât le Verbe.

46. Mais, sa mission ne se termina pas pour autant. Sa vraie demeure était au-delà de ce monde, celle depuis laquelle Elle peut étendre un manteau de pitié et de tendresse sur tous ses enfants, d'où Elle peut suivre les pas des égarés et répandre sa consolation céleste sur ceux qui souffrent.

47. De nombreux siècles avant que Marie descende dans ce monde pour accomplir sa divine destinée, un prophète de Dieu vint pour annoncer cette mission: qu'Il s'incarnerait en une femme; par lui, vous saviez qu'une vierge concevrait et mettrait un fils au monde, qui s'appellerait «Emmanuel», qui signifie «Dieu avec vous».

48. Au travers de Marie, femme immaculée, en qui descendit l'Esprit de la tendresse céleste, la divine promesse, annoncée par le prophète, s'accomplit.

49. C'est depuis lors que le monde la connaît et que les hommes et les peuples prononcent son nom avec amour, et que, dans leur douleur, ils la recherchent en tant que Mère.

50. Vous l'appelez Mère de toutes les douleurs, car vous savez que le

monde lui planta en son cœur l'épée de la souffrance, et que de votre esprit ne s'efface pas l'image de ce visage déchiré par la douleur et cette expression d'infinie tristesse.

51. Mais aujourd'hui, Je veux vous dire d'écarter de votre cœur cette image éternelle de douleur et, qu'en échange, vous pensiez à Marie comme la Mère douce, souriante et amoureuse qui travaille spirituellement en aidant tous ses enfants à s'élever dans le chemin tracé par le Maître.

52. Vous rendez-vous compte que la mission de Marie ne s'est pas résumée à la seule maternité sur la Terre? Sa manifestation du Second Temps ne sera pas unique, car un nouveau temps Lui est réservé, celui où Elle parlera à humanité, d'Esprit à esprit.

53. Jean, mon disciple, prophète et voyant, en extase, vit une femme vêtue de soleil, une vierge resplendissante de lumière.

54. Cette femme, cette vierge, c'est Marie, celle qui concevra à nouveau en son sein, non pas un nouveau Rédempteur, mais bien un monde d'hommes qui, en Elle, s'alimentent d'amour, de foi et humilité, pour suivre les divines empreintes du Christ, le Maître de toute perfection.

55. Le prophète vit souffrir cette femme comme si elle était en train d'accoucher, mais cette douleur était celle de la purification des hommes, celle de l'expiation des esprits. Après la douleur, la lumière illuminera les hommes et l'Esprit de votre Mère Universelle s'emplira d'allégresse.

La nature divine de Marie

56. Depuis l'éternité, le manteau de votre Mère Céleste a fait de l'ombre sur le monde, le protégeant d'amour, couvrant ainsi Mes enfants qui sont les Siens. Marie, l'Esprit, ne naquit pas dans ce monde; son essence maternelle immaculée a toujours été la Mienne.

57. Elle est l'épouse de ma pureté, de ma sainteté; elle est ma Fille, en se convertissant en femme, et ma Mère, en concevant le Verbe incarné. (141, 63-64)

58. Marie est essentiellement divine, son esprit est Un avec le Père et le Fils. Pourquoi la considérer humaine, si elle fut la fille de prédilection, annoncée à l'humanité depuis le commencement des temps comme la créature au travers de laquelle s'incarnerait le Verbe Divin?

59. Alors, pourquoi l'homme blasphème-t-il et doute de mon pouvoir et dissèque-t-il irrespectueusement mes œuvres? Il n'a pas approfondi mon enseignement divin, il n'a pas médité les propos dont parlent les écritures et n'accepte pas ma volonté.

60. Aujourd'hui, au Troisième Temps, il doute aussi qu'Elle vienne se communiquer avec les hommes et Moi, je vous dis qu'Elle participe à toutes mes œuvres parce qu'Elle représente l'amour le plus tendre qui s'héberge en mon Esprit Divin. (221, 4-6)

61. Marie est l'esprit fondu à la Divinité de telle manière qu'Elle constitue l'une de ses parties, comme le sont ses trois phases: le Père, le Verbe et la lumière du Saint-Esprit. C'est ainsi que Marie est l'Esprit de Dieu qui manifeste et représente la tendresse divine. (352, 76)

62. Ils sont nombreux ceux qui attendent de monter aux cieux pour connaître Marie, celle qu'ils imaginent toujours sous la forme humaine de la femme qu'elle fut dans le monde, la mère du Christ en tant qu'homme, et qu'ils représentent sous forme d'une reine sur un trône, merveilleuse et puissante.

63. Mais Je vous dis de ne pas continuer à donner une forme au divin, dans votre esprit. Marie, votre Mère spirituelle, existe, mais elle ne se présente pas sous la forme d'une femme, ni d'aucune autre d'ailleurs. Elle est la sainte et douce tendresse dont la charité s'étend à l'infini. Elle règne sur les esprits et son royaume est celui de l'humilité, de la charité et de la pureté, mais elle n'a aucun trône, comme se l'imaginent les hommes.

64. Elle est merveilleusement belle, mais d'une beauté que vous ne pouvez exprimer ni imaginer par le plus beau des visages. Sa beauté est céleste et vous ne parviendrez jamais à comprendre ce qui est céleste. (263, 30)

Le rayonnement universel de Marie

65. Marie, votre Mère Universelle, est en Moi, et c'est elle qui prodigue les plus tendres caresses à ses enfants qu'Elle aime très fort. Elle est entrée en votre cœur pour y laisser sa paix et la préparation d'un sanctuaire. Marie veille pour le monde et déploie ses ailes comme une alouette, pour le couvrir d'un pôle à l'autre. (145, 10)

66. Dans ma Divinité, l'amour d'intercession existe, et cet amour, c'est Marie, et c'est grâce à elle que des cœurs qui demeuraient hermétiquement fermés à la foi, se sont ouverts au repentir et à l'amour! Son essence maternelle est présente dans toute la création, elle est ressentie par tous, malheureusement, il y en a qui, lorsqu'ils la voient, la renient. (110, 62)

67. Ceux qui renient la divine maternité de Marie désavouent l'une des plus merveilleuses révélations que la Divinité ait faite aux hommes.

68. Ceux qui reconnaissent la Divinité du Christ et renient Marie ignorent qu'ils se privent de posséder la plus tendre et douce essence qui existe en ma Divinité.

69. Nombreux sont ceux qui, croyant connaître les écritures, ne connaissent rien parce qu'ils n'ont rien compris; et nombreux sont aussi ceux qui vivent dans la confusion, en croyant avoir trouvé le langage de la création!

70. L'Esprit maternel palpite doucement en tous les êtres; vous

pouvez contempler son image à chaque pas. Sa divine tendresse est tombée, comme une graine bénie, dans le cœur de toutes les créatures et chaque royaume de la nature constitue un témoignage vivant d'Elle. Et chaque cœur de mère est un autel élevé devant ce grand amour: Marie fut une fleur divine et Jésus en fut le fruit. (115, 15-18)

Chapitre 21 – Omnipotence, Omniprésence de Dieu et sa justice

Le pouvoir de Dieu

1. Si, avec toute sa science, l'homme actuel n'est pas capable de soumettre les éléments de la Nature à sa volonté, comment pourra-t-il imposer son pouvoir aux forces spirituelles?

2. De même que, dans le Cosmos, les astres suivent leur ordre inaltérable, sans que la volonté de l'homme puisse les faire changer de course ou de destin, de même l'ordre qui existe en le spirituel ne pourra pas non plus être modifié par personne.

3. Je créai le jour et la nuit, en d'autres termes, Je suis la lumière et personne d'autre que Moi ne peut l'arrêter. Cela se produit de la même manière en ce qui concerne le spirituel. (329, 31-33)

4. Si vous croyez en Moi, vous devez confier en ce que ma force est infiniment plus grande que celle du péché des hommes et que, par conséquent, lorsque le péché cèdera devant la lumière de la vérité et de la justice, l'homme et sa vie devront changer.

5. Imaginez-vous la vie en ce monde lorsque les hommes accompliront la volonté de Dieu? (88, 59-60)

6. Pour Moi, le repentir d'un être, sa régénération et son salut ne sont pas impossibles. Ne suis-Je pas Tout-Puissant et l'homme serait-il plus fort que Moi? Concevez-vous que mon pouvoir soit inférieur à la force du mal qui est dans les hommes? Considérez-vous les ténèbres humaines supérieures à la lumière divine? Jamais! C'est votre cœur qui me le dit.

7. Pensez que ma mission, après vous avoir donné l'être, est celle de vous amener à la perfection et celle de tous vous unir en une seule famille spirituelle, et n'oubliez pas que ma volonté s'accomplit par-dessus tout.

8. Moi, le Semeur Divin, je dépose de manière invisible ma semence d'amour en chaque esprit. Je suis le seul qui sache le moment auquel elle germera dans toute l'humanité, et qui sache attendre avec une infinie patience le fruit de mes œuvres. (272, 17-19)

9. Je ne viens pas pour vous humilier avec ma grandeur ni m'en vanter; mais je viens vous la montrer en ma volonté, pour que vous ressentiez le plaisir suprême d'avoir pour Père un Dieu tout pouvoir, sagesse et perfection.

10. Réjouissez-vous à l'idée que vous ne verrez jamais la fin de mon pouvoir et plus grande sera l'élévation de votre esprit, mieux vous me contemplerez. Qui ne se montrera pas conforme de savoir que jamais il n'atteindra la grandeur de son

Seigneur? Ne vous êtes-vous pas peut-être conformés sur la Terre d'être mineurs d'âge en comparaison avec votre père terrestre? Ou ne leur avez-vous pas concédé, avec plaisir, l'expérience et l'autorité? Ne vous êtes-vous pas réjouis de voir que vous aviez, en votre père, un homme plus fort que vous, élégant, valeureux et plein de vertus? (73, 41-42)

11. Que représente la force des hommes face à mon pouvoir? Que pourra l'opposition des peuples matérialistes contre la force infinie de la spiritualité? Rien!

12. J'ai autorisé que l'homme aille jusqu'à la limite de ses ambitions et jusqu'à l'apogée de son orgueil pour qu'il comprenne que le don de libre-arbitre, qui lui fut donné par son Père, fut une réalité.

13. Mais là, touchant la limite, il ouvrira les yeux à la lumière et à l'amour pour s'incliner devant ma présence, soumis au seul pouvoir absolu et à l'unique sagesse universelle qui est celle de votre Dieu. (192, 53)

La présence de Dieu dans toute la création

14. Je ne dispose d'aucun site déterminé ou limité pour habiter l'infini, parce que ma présence est en tout ce qui existe, ce qui vaut également pour le divin, le spirituel ou le matériel. Vous ne pourrez indiquer en quelle direction trouver mon royaume et, lorsque vous élevez votre regard vers les hauteurs, pointant vers les cieux, faites-le en guise de symbole, parce que votre planète tourne sans cesse et, en chaque mouvement, vous présente de nouveaux cieux et de nouvelles hauteurs.

15. Par tout cela, Je veux vous dire qu'entre vous et Moi il n'existe aucune distance et que la seule chose qui vous sépare de Moi sont vos actes illicites que vous intercalez entre ma Loi parfaite et votre esprit.

16. Plus grande sera votre limpidité, plus élevées seront aussi vos actions et plus constante sera votre foi, vous Me sentirez plus proche, plus intime et davantage accessible à votre prière.

17. De même aussi que plus vous vous éloignez de ce qui est bon, juste, licite, et plus vous vous livrez au matérialisme d'une vie obscure et égoïste, vous aurez à Me sentir chaque fois plus distant; à mesure que votre cœur s'écarte de l'observation de ma Loi, Ma divine présence lui sera davantage insensible.

18. Comprenez la raison de ma venue en ce temps, la manifestation de ma parole sous cette forme, et votre préparation à la communication d'esprit à Esprit.

19. Vous qui me croyiez infiniment distant, vous n'avez pas su venir à Moi. Je vous ai cherché pour vous faire sentir ma divine présence et vous fournir la preuve qu'entre le Père et ses enfants, il n'y a ni espace ni distance qui les séparent. (37, 27-32)

20. Si vous pensez que J'ai laissé mon trône pour venir me

communiquer avec vous, vous vous trompez, parce que ce trône, que vous imaginez, n'existe pas; les trônes sont destinés aux hommes vaniteux et orgueilleux.

21. Mon Esprit, infini et tout-puissant, n'habite aucun endroit déterminé. Il est partout, en tous lieux, dans le spirituel et le matériel Où est-il donc ce trône que vous M'attribuez?

22. Cessez de me matérialiser en trônes semblables à ceux de la terre; débarrassez-moi de la forme humaine que vous m'attribuez toujours, arrêtez de rêver d'un ciel que votre intelligence humaine ne peut concevoir; et lorsque vous vous libérerez de tout cela, ce sera comme si vous brisiez les chaînes qui vous attachaient, comme si une muraille s'effondrait devant vos yeux, comme si un épais brouillard se dissipait, vous permettant de contempler un horizon sans limites et un firmament infini, lumineux, mais en même temps accessible à l'esprit.

23. D'aucuns disent: Dieu est dans les cieux; d'autres disent: Dieu habite dans l'au-delà; mais ils ne savent pas ce qu'ils disent, ni ne connaissent ce qu'ils croient. J'habite dans les cieux, certes, mais pas dans le lieu déterminé que vous avez imaginé. J'habite dans les cieux de la lumière, du pouvoir, de l'amour, de la sagesse, de la justice, du bonheur et de la perfection. (130, 30 et 35-36)

24. Ma présence universelle remplit tout; le vide n'existe en aucun endroit,

sur aucun plan de l'Univers, tout est saturé de Moi. (309, 3)

25. Je vous ai dit que je me trouve tellement proche de vous que je connais jusqu'à la plus intime de vos pensées; que partout où que vous vous trouviez, Moi j'y suis également, parce que Je suis omniprésent. Je suis la lumière qui illumine votre intelligence par des inspirations ou des idées de lumière.

26. Je suis en vous, car Je suis l'Esprit qui vous anime, la conscience qui vous juge. Je suis dans vos sens et dans votre matière, parce que Je suis toute la création.

27. Ressentez-Moi de plus en plus en vous et en tout ce qui vous entoure afin que, une fois venu le moment d'abandonner ce monde, vous puissiez entrer en plein dans la vie spirituelle, et qu'il n'y ait de perturbations en votre esprit à cause des impressions que pourrait vous transmettre la matière, et que vous approchiez un pas de plus de Moi, qui suis la source de pureté infinie dans laquelle vous boirez éternellement. (180, 50-52)

28. Savez-vous l'origine de cette lumière qu'il y a dans la parole répandue par les lèvres des porte-paroles? Son origine réside dans le bien, dans l'amour divin et dans la lumière universelle qui émane de Dieu. Elle est un rayon ou un éclair de ce Tout lumineux qui vous donne la vie, elle forme une partie de la force infinie qui anime tout et qui fait tout

vibrer, palpiter et tourner sans cesse. Elle est ce que vous appelez le rayonnement divin, la lumière de l'Esprit Divin qui illumine et vivifie les esprits.

29. Ce rayonnement se manifeste sur l'esprit de même que sur la matière: dans ces mondes habités, sur les hommes, les plantes et tous les êtres de la création. Il est spirituel au-dessus de l'esprit, matériel au-dessus de la matière, intelligence au-dessus de l'entendement, il est amour dans les cœurs. Il est science, talent et réflexion, instinct, intuition et est au-dessus des sens de tous les êtres, en fonction de leur ordre, condition, espèce et degré d'avancement. Mais le principe est Un seul: Dieu, et son essence Une seule: l'amour. Que peut-il y avoir, dès lors, d'impossible dans le fait que J'illumine l'intelligence de ces créatures pour vous envoyer un message de lumière spirituelle?

30. Les plantes reçoivent le rayonnement de vie que leur envoie mon Esprit afin qu'elles produisent des fruits; les astres reçoivent la force de mon Esprit qui rayonne au-dessus d'eux, afin de pouvoir tourner sur leurs orbites; la Terre en est le présent témoignage qui, vivant, à la portée de tous vos sens, reçoit sans cesse le rayonnement de vie qui fait naître tant de merveilles de son sein. Pourquoi est-ce impossible que l'homme, être dans lequel brille comme un joyau: la présence d'un esprit où réside sa ressemblance avec Moi, ne reçoive pas directement, de mon Esprit à son esprit, le rayonnement divin qui est la

semence spirituelle qui devra fructifier en lui? (329, 42-44)

31. Chacun de vos sanglots s'écoute dans le Ciel, chaque prière trouve son écho en Moi, aucune de vos afflictions ou moments difficiles ne passent inaperçu pour mon amour de Père. Je sais tout, entends tout, vois tout. Je suis en tout.

32. Les hommes, croyant que je me suis éloigné d'eux en raison de leur péché, en sont arrivés à me sentir distant. Ah! Ignorance humaine qui a porté tant d'amertume à leurs lèvres! Sachez que, si Je m'absentais de n'importe quelle créature, aussitôt celle-ci cesserait d'exister; mais cela n'a jamais été le cas et ce ne le sera jamais, parce qu'en vous donnant l'esprit, je vous dotai, tous, de vie éternelle. (108, 44-45)

Avatars du destin

33. Ne maudissez pas les épreuves qui vous accablent. Vous et toute la race humaine, ne dites pas que ce sont châtiment, colère ou vengeance de Dieu, parce que vous blasphémez; Je vous dis que ces épreuves sont précisément celles qui rapprochent l'humanité du port du salut.

34. Nommez-les justice, expiation ou leçons, et vous serez dans le vrai et dans le juste. La colère et la vengeance sont des passions humaines, propres aux êtres encore éloignés de la sérénité, l'harmonie et la perfection. Il n'est pas juste qu'à cet amour que J'ai pour vous, qui est celui qui préside toutes mes actions,

vous appliquiez le nom vulgaire de châtiment ou celui indigne de vengeance.

35. Pensez que vous avez pénétré volontairement des sentiers épineux ou des abîmes ténébreux et que vous n'avez pas accouru à mon appel d'amour, que vous n'avez pas écouté la voix de votre conscience, c'est pourquoi vous avez eu besoin que la douleur vienne vous aider pour vous réveiller, pour vous arrêter, vous faire réfléchir et retourner sur le vrai chemin. (181, 6-8)

36. Je ne vous punis pas; mais Je suis justice et, en tant que tel, Je la fais sentir en chacun qui contrevient mes commandements, parce que l'Eternel vous a fait connaître sa Loi que personne ne peut modifier.

37. Voyez comment l'homme, en pleine épreuve, en tombant dans un immense abîme, en voyant la femme pleurer la perte de ses êtres chers, en voyant l'enfance privée d'aliments et les foyers soumis à la misère et au deuil, voyez comment il pleure, se consterne devant son désarroi, se désespère et, au lieu de prier et de se repentir de ses fautes, Me renie en disant: Comment Dieu peut-Il me punir ainsi? Pendant que l'Esprit Divin, en vérité, pleure aussi pour la douleur de ses enfants et ses larmes sont le sang d'amour, de pardon et de vie.

38. En vérité Je vous le dis en ce temps, par l'évolution que l'humanité a atteinte, le remède de sa situation ne dépend pas exclusivement de ma charité. Elle n'est pas la victime de mon châtiment, elle est sa propre victime parce que ma Loi et ma lumière brillent en chaque conscience.

39. Ma justice descend pour déraciner toute mauvaise herbe*, et les mêmes forces de la Nature se manifestent comme interprètes de cette justice. Alors, il semble que tout s'unisse pour exterminer l'homme, lorsqu'il s'agit seulement de sa purification, mais il y en aura pour se confondre et dire: «Si nous devons souffrir tant de douleur, pourquoi venons-nous au monde?!». Sans penser que la douleur et le péché ne naquirent pas de Moi.

40. L'homme est responsable de demeurer dans l'ignorance de ce qu'est la justice et de ce qu'est l'expiation, d'où en premier lieu son mécontentement, et ensuite son blasphème. Seul celui qui a observé mon enseignement et est soucieux de ma Loi est incapable d'adresser des reproches à son Père. (242, 19-21)

La justice de Dieu

41. Vous êtes comme des arbustes, dont les branches sont parfois tellement sèches et malades, qu'elles ont besoin de la coupure douloureuse de la taille, pour écarter vos maux et vous faire recouvrer la santé.

42. Ma justice d'amour, en arrachant de l'arbre humain les

---

* 21, 39 En une autre parole du Christ nous comprenons que, par «ivraie» ou «mauvaise herbe», Il ne fait pas référence aux êtres humains, mais bien à leurs mauvais instincts et vices.

branches malades qui rongent son cœur, l'élève.

43. Lorsqu'un homme est amputé d'un membre, il gémit, tremble et prend peur, même s'il sait que le but est d'écarter de lui ce qui est malade, ce qui est mort et qui menace le reste du corps qui peut vivre.

44. Les rosiers eux-aussi, lorsqu'ils souffrent la coupure de la taille, répandent leur sève comme des larmes de douleur, mais par la suite, se couvriront de fleurs plus belles.

45. Mon amour, de manière infiniment supérieure, coupe le mal dans le cœur de mes enfants, et ceci quelquefois en me sacrifiant Moi-même.

46. Quand les hommes me crucifièrent, je protégeai mes bourreaux avec ma douceur et mon pardon, et leur donnai vie. En mes paroles et mes silences, je les emplis de lumière, les défendis et les sauvai. C'est ainsi que je coupe le mal, en l'arrêtant avec mon amour et en protégeant et sauvant le malfaiteur. Ces pardons furent, sont encore et seront éternellement des sources de rédemption. (248, 5)

47. Moi, je ne peux vous prononcer de sentence lourde vu le poids de vos fautes, mais pour autant je vous dis que vous ne devez rien craindre de Moi, mais tout craindre de vous-mêmes.

48. Je suis le seul à savoir la gravité, l'ampleur et l'importance de vos fautes; les hommes se laissent influencer en permanence par les apparences, c'est qu'ils n'arrivent pas à pénétrer le cœur de leurs semblables. Moi, si, Je pénètre les cœurs et je peux vous dire que des hommes se sont présentés devant Moi, en s'accusant de fautes graves et pleins de regrets de m'avoir offensé, et Moi, Je les ai considérés propres. En revanche, d'autres sont venus pour me dire que jamais ils n'ont fait de mal à personne, Moi, je sais qu'ils mentent parce que, même si leurs mains ne se sont pas tachées du sang de leur frère, le sang de leurs victimes est tombé sur leur esprit, victimes qu'ils ont fait assassiner; ce sont ceux qui jettent la pierre et cachent la main. Lorsque m'adressant à eux, j'en suis arrivé à prononcer les mots «lâche», «faux» ou «traître», tout leur être s'est ébranlé et souvent ils ont quitté la chaire parce qu'ils ont senti sur eux un regard entrain de les juger.

49. Si dans la justice divine n'existait pas le grand amour du Père, si sa justice ne connaissait ce principe, cette humanité n'existerait déjà plus, son péché et ses offenses incessantes en auraient terminé avec la patience divine; mais il n'en a pas été ainsi. L'humanité continue de vivre, les esprits continuent de se réincarner et ma justice, qui est amour et charité infinie, se manifeste à chaque pas, dans chaque action humaine. (258, 3)

50. Analysez ma parole afin de ne pas vous confondre, comme beaucoup, devant les faits de ma justice divine, lorsque Je touche avec force ceux qui commettent seulement

une faute légère et qu'en revanche, J'absous apparemment ceux qui ont commis une grave erreur.

51. Le Maître vous dit: Si je touche avec force celui qui a commis une faute bénigne en apparence, c'est parce que je connais la faiblesse des esprits et, qu'en s'écartant du chemin de l'accomplissement, cela peut signifier que c'est le premier pas qui le conduit à l'abîme. Quant aux autres que j'absous d'une faute grave, je le fais parce que je sais qu'une faute grave fait l'objet d'un repentir tout aussi grand pour l'esprit.

52. Ne jugez pas, ne prononcez pas de sentences, ne souhaitez ni par la pensée que ma justice frappe ceux qui causent une effusion de sang parmi les peuples. Pensez plutôt qu'eux, tout comme vous, sont aussi mes enfants, mes créatures, et qu'ils devront laver leurs lourdes fautes avec de grandes restitutions. Je vous dis, certes: Ceux-là mêmes que vous montrez comme ceux qui, sans miséricorde, ont détruit la paix et vous conduisent au chaos, ceux-là mêmes, dans les temps futurs, se constitueront en grands semeurs de ma paix, en grands bienfaiteurs de l'humanité.

53. Le sang de millions de victimes réclame, depuis la Terre, ma justice divine, et au-dessus de la justice humaine, ce devra être la mienne qui parvienne à chaque esprit, à chaque cœur.

54. La justice des hommes ne pardonne pas, ne rachète pas, n'aime pas; la mienne aime, pardonne, rachète, élève et illumine, et ceux-là

qui ont causé tant de douleur à l'humanité, Je les rachèterai et les laverai en les faisant passer par leur grande restitution que sera le creuset purificateur dans lequel ils se réveilleront à l'écoute de la voix de leur conscience, pour pouvoir en arriver à contempler le plus profondément leurs actions, Je les ferai passer par le même chemin qu'ils firent emprunter à leurs victimes, à leurs peuples, mais au bout du compte, ils atteindront la pureté spirituelle pour pouvoir retourner sur Terre pour restaurer et reconstruire tout ce qui fut détruit, et rendre tout ce qui fut perdu. (309, 16-18)

55. Vous devez savoir que votre Père ne vous juge pas à partir de l'heure de votre mort, sinon que ce jugement commence lorsque vous commencez à vous rendre compte de vos actes et que vous sentez l'appel de votre conscience.

56. Mon jugement est toujours au-dessous de vous. A chaque pas, tant durant la vie humaine que dans votre vie spirituelle, vous êtes sujets à mon jugement, mais ici dans le monde, l'esprit devient insensible et sourd aux appels de la conscience.

57. Je vous juge afin de vous aider à ouvrir vos yeux à la lumière, afin de vous libérer du péché et vous sauver de la souffrance.

58. Dans mon jugement, Je ne considère jamais les offenses que vous ayez pu Me faire, parce que devant mon tribunal, la rancœur, la

vengeance ni même le châtiment ne font jamais acte de présence.

59. Lorsque la douleur arrive en votre cœur et vous touche au plus sensible, c'est pour vous signaler quelque erreur que vous êtes en train de commettre, pour vous faire comprendre mon enseignement et vous donner une nouvelle et sage leçon. Au fond de chacune de ces épreuves, mon amour est toujours présent.

60. En quelques opportunités je vous ai permis de comprendre la raison d'une épreuve, en d'autres vous ne pouvez trouver le sens de cette touche de justice. Dans l'œuvre du Père et dans la vie de votre esprit, il existe des mystères que l'intelligence humaine ne parvient à déchiffrer. (23, 13-17)

61. Il est bien loin le temps où l'on vous dit: « On te mesureras avec le même bout de bois dont tu te sers pour mesurer». Combien n'utilisa-t-on pas cette loi pour se venger ici sur la Terre, écartant tout sentiment de charité!

62. A présent je vous dis que c'est Moi qui me suis muni de ce bois et, avec lui, je vous mesurerai selon que vous ayez mesuré, même si je dois vous déclarer que lors de chacun de mes jugements, le Père, qui vous aime beaucoup, le Rédempteur qui est venu pour vous sauver, sera présent.

63. L'homme est celui qui, selon vos actes, dicte votre sentence, de terribles sentences parfois. Et votre Seigneur est celui qui vous fournit une aide pour que vous rencontriez la manière de pouvoir supporter votre expiation.

64. En vérité je vous le dis si vous voulez éviter une restitution trop pénible, repentez-vous à temps et orientez votre vie avec une régénération sincère, en actes d'amour et de charité à l'égard de vos frères.

65. Comprenez que Je suis la porte du salut, la porte qui ne sera jamais close pour tous ceux qui me cherchent avec une véritable foi. (23, 19-23)

66. Vous voyez déjà que la justice divine est une justice d'amour et non de châtiment comme l'est la vôtre. Qu'en adviendrait-il de vous si J'utilisais vos même lois pour vous juger, Moi pour qui ne valent les apparences ni les faux arguments?

67. Si Je vous jugeais selon votre méchanceté et utilisais vos lois terriblement dures, qu'en serait-il de vous? Alors oui, vous me demanderiez justement de faire preuve de clémence.

68. Mais vous ne devez éprouver de crainte, parce que mon amour jamais ne s'en va, ni ne change, ni ne passe; en revanche, vous qui passez, mourez et renaissez, vous allez et revenez et ainsi de suite jusqu'à ce qu'arrive le jour que vous reconnaissiez votre Père et vous soumettiez a sa Loi Divine. (17, 53)

Chapitre 22 – Amour, Assistance et Grâce de Dieu

L'amour du Père Céleste

1. Ne vous étonnez pas de ce que mon amour, malgré vos péchés, vous suive partout. Tous mes enfants, en ce monde, avez eu un reflet de l'amour divin dans l'amour de vos parents. Vous pourrez leur tourner le dos, désavouer leur autorité, désobéir leurs ordres et ne pas tenir compte de leurs conseils. Vous pouvez, par vos mauvaises actions, provoquer des blessures dans leur cœur, faire en sorte que leurs yeux s'assèchent à force de tant pleurer, que leurs tempes se couvrent de cheveux blancs et leurs visages soient sillonnés par les empreintes de la souffrance, mais, jamais ils ne cesseront de vous aimer et, pour vous, n'auront que bénédictions et pardon.

2. Et si ces parents que vous avez eu sur terre, et qui ne sont pas parfaits, vous ont donné tant de preuves d'un amour pur et élevé, pourquoi vous étonnez-vous de ce que celui qui a formé ces cœurs et leur confia la mission d'êtres parents, vous aime de l'amour parfait? L'amour est la suprême vérité. Pour la vérité, Je me fis homme et, pour la vérité, Je mourus en tant qu'homme.

3. Que mon amour ne vous surprenne pas, mais ne doutez pas non plus de lui, si vous voyez que, dans le monde, vous allez jusqu'au bout de calices très amers.

4. L'homme pourra descendre très bas, se remplir de ténèbres ou tarder à Me revenir, mais pour tous arrivera l'instant où, en me sentant dans leur propre être, ne me sentiront plus loin d'eux, ni ne me considèreront plus comme un étranger et ne pourront nier mon existence, mon amour et ma justice.

5. Je ne veux pas vous voir devant Moi comme des prisonniers; je veux vous voir toujours comme mes enfants, pour lesquels mon amour de Père est toujours disposé à vous porter secours; Je vous ai créés pour la gloire de mon Esprit, et pour que vous vous réjouissiez en Moi. (127, 41)

6. Apprenez à m'aimer, voyez comment mon amour, en dépit de vos offenses et vos péchés, vous suit partout, sans que vous puissiez vous écarter de son influence ou le fuir. Voyez comme plus vos fautes sont grandes, plus grande est aussi ma miséricorde envers vous.

7. La méchanceté des hommes voudrait arrêter mon amour, mais ne peut rien contre lui, parce que l'amour est la force universelle, le pouvoir divin qui crée tout et qui meut tout.

8. La preuve de ce que je vous dis est celle que je vous ai donnée en me manifestant en cette époque à laquelle l'humanité s'est perdue dans l'abîme de son péché. Mon amour ne peut

éprouver de dégoût devant le péché humain, sinon de la pitié.

9. Connaissez-moi, venez à Moi pour laver vos taches dans la source cristalline de ma charité. Demandez, demandez, que l'on vous l'accordera. (297, 59-62)

10. Par moments, les hommes se considèrent tellement indignes de Moi qu'ils ne conçoivent que je puisse les aimer autant; et, une fois résignés à vivre loin de leur Père, ils construisent une vie à leur idée propre, créent leurs lois et pratiquent leurs religions. C'est pour cela que leur surprise est grande quand ils me voient arriver. Alors, ils s'interrogent: Notre Père, en vérité, nous aime-t-il tant que c'est ainsi qu'Il recherche la forme pour se communiquer avec nous?

11. Humanité, Je suis le seul qui sache vous dire que je ne laisserai pas ce perdre ce qui est Mien, et vous êtes à Moi. Je vous aime depuis avant que vous fussiez et vous aimerai éternellement. (112, 14-15)

La protection et l'aide de Dieu

12. Disciples, Je vous ai livré toutes les leçons dont l'esprit a besoin pour son évolution.

13. Bienheureux ceux qui reconnaissent la vérité, parce qu'ils rencontrent très vite le chemin. D'autres rejettent toujours les enseignements divins parce que leurs œuvres leur paraissent supérieures aux miennes.

14. Je vous aime tous. Je suis le Berger qui appelle ses brebis, celui qui les réunit et les compte et qui souhaite en avoir chaque jour davantage. Il les alimente et les caresse, prend soin d'elles et se réjouit en les voyant nombreuses, bien qu'il pleure parfois en voyant que toutes ne sont pas dociles.

15. Ce sont vos cœurs: vous êtes nombreux à venir à Moi, mais vous êtes très peu qui me suiviez vraiment. (266, 23-26)

16. Prenez votre croix et suivez-moi avec humilité, confiez dans le fait que, pendant que vous serez occupés de consoler, d'apporter la paix à un cœur ou la lumière à un esprit, Moi je serai en l'attente de ce qui est en relation avec votre vie matérielle et je ne négligerai rien.

17. Croyez que, lorsque je parle à votre esprit, je regarde aussi votre cœur pour y découvrir ses peines, ses besoins, ses désirs ardents. (89, 6-7)

18. Il n'y a de race ou tribu, aussi inculte que paraisse, même de celles que vous ne connaissez pas parce qu'elles habitent des forêts impénétrables, qui n'aient reçu de manifestations de mon amour. Au moment d'un danger, elles ont entendu les voix célestes qui les protègent, les aident et les conseillent.

19. Vous n'avez jamais vécu abandonnés, depuis l'instant que vous surgîtes à la vie, vous avez été sous la protection de mon amour.

20. Vous-autres, les pères humains, qui aimez tendrement vos enfants, seriez-vous capables de les

abandonner à leur sort, alors qu'ils sont à peine nés, lorsqu'ils ont le plus besoin de vos soins, de vos inquiétudes, de votre amour?

21. Je vous ai vu veiller pour vos enfants, même lorsqu'ils ont atteint leur majorité d'âge, même pour ceux qui commettent un délit, qui vous ont offensé, pour eux vous veillez avec un plus grand amour.

22. Si vous répondez ainsi face aux besoins de vos enfants, comment sera l'amour de votre Père Céleste, qui vous a aimé depuis avant que vous n'existiez?

23. Je vous suis toujours venu en aide et, en ce temps où je vous rencontre davantage évolués spirituellement, je suis venu vous enseigner comment vous devez lutter pour annihiler les forces démentes, et la forme d'augmenter les vibrations du bien. (345, 39-42)

24. Vous allez initier une nouvelle étape de la vie, le chemin est préparé, prenez votre croix et suivez-moi. Sur ce chemin, je ne vous dis pas qu'il n'y ait d'épreuves, mais chaque fois que vous passerez un moment difficile ou que vous irez jusqu'au fond d'un calice d'amertume, vous entendrez une voix qui vous anime et vous conseille, vous aurez mon amour qui vous aide et vous élève et vous sentirez la douce caresse de mon baume. (280, 34)

25. Lorsque je vois que vous vous laissez vaincre par la douleur et que, au lieu d'extraire la lumière que

chaque épreuve renferme, vous vous limitez à maudire ou à attendre simplement la mort comme fin de vos souffrances, c'est alors que je m'approche doucement de votre cœur, en lui prodiguant consolation et espoir et en le fortifiant, afin qu'il l'emporte sur lui-même, sur sa faiblesse et son manque de foi et qu'il puisse triompher des épreuves, parce que dans ce triomphe résident la paix et le bonheur spirituel, qui est le véritable bonheur. (181, 10)

26. Si vous voyez que Je suis même jusque dans les plus petits êtres de la Nature, comment pouvez-vous me désavouer et écarter de vous, seulement parce que vous avez des défauts, si c'est précisément alors que vous avez le plus besoin de moi?

27. Je suis la vie et Je suis en tous, c'est pour cela que rien ne peut mourir. Réfléchissez, afin de ne pas rester liés à la forme; apaiser vos sentiments et trouvez-moi en l'essence. (158, 43-44)

28. Pénétrez votre for intérieur et vous y trouverez le sanctuaire, l'arche; vous y rencontrerez une fontaine, une source de grâces et de bénédictions.

29. Il n'y a aucun esprit mis à nu, aucun déshérité. Devant ma miséricorde divine, il n'y en a personne dans tout l'Univers qui puisse se dire pauvre, inconnu de son Père; aucun qui puisse se dire exilé des terres du Seigneur.

30. Celui qui se sent déshérité éprouve ce sentiment parce qu'il n'a pas trouvé en lui-même les dons ou parce que par moment il s'est perdu dans le péché, ou se sent offusqué, ou encore parce qu'il se sent indigne.

31. Sachez toujours les trouver en vous-mêmes et vous verrez que ma présence ne vous fera jamais défaut, vous verrez qu'il y aura toujours du pain, du baume, des armes, des clés et tout ce qu'il est indispensable que vous ayez au sein même de vous, parce que vous êtes les héritiers de mon Royaume et de ma gloire. (345, 87)

32. Il existe un lien entre le Père et les enfants qui jamais ne pourra se briser, et ce lien est la cause de l'existence de la communication entre l'Esprit divin et celui de chacun d'entre vous. (262, 35)

33. L'humanité a besoin de mon amour, de ma parole qui doit parvenir jusqu'au fond de son cœur. Le Maître lutte infatigablement afin que votre esprit soit davantage illuminé chaque jour, afin qu'en se débarrassant de l'ignorance, il puisse s'élever vers les mansions supérieures.

34. Les portes de mon Royaume sont ouvertes et le Verbe du Père vient à vous avec un amour infini pour vous montrer à nouveau le chemin.

35. Je suis revenu parmi l'humanité et elle ne m'a pas ressenti, parce que je me suis présenté en Esprit, et son matérialisme et grand. Si votre esprit a jailli de mon Esprit Divin, pourquoi l'humanité ne M'a-t-elle pas perçu? Parce qu'elle a lié son esprit au matérialisme et aux basses passions.

36. Mais voici l'Agneau de Dieu qui, comme la lumière, arrive à vous pour vous illuminer et vous livrer la vérité. (340, 13-15)

L'humilité du Suprême

37. Comprenez que ma parole ne vient pas vous bourrer le crâne de vaines philosophies, elle est l'essence de la vie. Je ne suis pas le riche qui vient vous offrir des richesses temporelles. Je suis le Dieu unique qui vient vous promettre le Royaume de la vraie vie. Je suis le Dieu humble qui, sans ostentation, se rapproche de ses enfants pour les relever avec sa caresse et sa parole miraculeuse, dans le chemin de la restitution. (85, 55)

38. Soyez mes serviteurs et jamais Je ne vous humilierai.

39. Observez que je ne suis pas venu comme roi et que je ne porte ni sceptre ni couronne; je suis parmi vous comme exemple humilité et, bien plus encore, comme votre serviteur.

40. Demandez-moi et je vous donnerai; ordonnez-moi et j'obéirai, pour vous fournir une preuve de plus de mon amour et de mon humilité; je vous demande seulement que vous me reconnaissiez et accomplissiez ma volonté, et si vous rencontrez des obstacles à l'accomplissement de vos devoirs, priez et vainquez en mon

nom. Et vos mérites en seront d'autant plus grands. (111, 46)

41. C'est le Père qui vous parle, Celui qui ne doit s'incliner devant personne pour prier, mais en vérité je vous le dis s'il existait, au-dessus de Moi, quelqu'un de plus grand, alors je m'inclinerais devant lui, parce que l'humilité habite mon Esprit.

42. Voyez comment vous, qui êtes mes petites créatures, me faites descendre pour vous parler, vous écouter et vous consoler, au lieu de lutter pour monter jusqu'à Moi. (125, 19)

43. Faites l'expérience en votre cœur du bonheur de vous sentir aimés par votre Père, qui n'est jamais venu pour vous humilier avec sa grandeur, sinon la manifester dans sa parfaite humilité, afin de vous faire grandir et de vous emmener vivre la vrai vie en son Royaume, qui n'a ni commencement ni fin. (101, 63)

La compassion et la condoléance de Dieu

44. Vous vous trompez si vous croyez que Jésus, pour être Fils de Dieu, n'expérimenta pas la douleur; de même si vous croyez que, pour venir aujourd'hui en Esprit, je suis étranger à la douleur. Et si vous pensez que, parce que je sais qu'à la fin vous tous serez avec Moi, je ne souffre pas aujourd'hui, vous ne serez pas dans le vrai non plus. En vérité je vous le dis, il n'existe aucun être plus sensible que l'Esprit Divin.

45. Je vous demande: Qui pourvut tous les êtres de sensibilité? Que pouvez-vous faire de bien qui ne me réjouisse pas? Et que pouvez-vous faire de mal qui ne soit ressenti comme une blessure dans ma sensibilité? Voici pourquoi je vous dis que humanité m'a crucifié de nouveau. Quand descendrai-je de ma croix et quand m'ôtera-t-on la couronne d'épines? (69, 34)

46. S'il y en a qui se dressent comme mes ennemis, je ne les considère pas comme tels, mais bien comme nécessiteux. Les mêmes qui se considèrent sages et renient mon existence, je les regarde avec pitié. Ceux qui tentent de me détruire dans le cœur de humanité, je les juge ignorants puisqu'ils s'imaginent posséder le pouvoir ou les armes qui peuvent détruire Celui qui est l'Auteur de la vie. (73, 33)

47. Je viens me montrer comme un Père aimant, comme un Maître humble, jamais indifférent à vos souffrances et toujours indulgent et miséricordieux devant vos défauts, parce que devant Moi vous serez toujours des enfants.

48. Je dois vous juger quand je vois comment les enfants qui furent éduqués, avec tant d'amour, et destinés à la vie éternelle, recherchent avec obstination la mort sur la terre, sans se préoccuper de la vie spirituelle, ni souhaiter connaître les perfections que cette existence vous réserve. (125, 59-60)

49. Si je suis votre Père, pensez que je dois nécessairement ressentir ce que ressentent les enfants, c'est seulement de cette manière que vous comprendrez que, pendant que chacun de vous souffre et ressent sa propre douleur, l'Esprit Divin souffre la même douleur que tous ses enfants.

50. Comme preuve de cette vérité, je vins au monde pour me faire homme et porter une croix qui représenta toute la douleur et le péché du monde. Et si en tant qu'homme je portai sur mes épaules le poids de vos défauts, et si je ressentis toute votre douleur, pourrais-je, en tant que Dieu, me montrer insensible face aux peines de mes enfants? (219, 11-12)

Pardon, miséricorde et clémence de Dieu

51. Je suis l'unique qui connaisse le destin de tous, l'unique qui sache le chemin que vous avez parcouru et celui qui vous reste à accomplir. Je suis celui qui comprend vos souffrances et vos réjouissances. Je sais ce que vous avez fait pour trouver la vérité et la justice. Ma charité est celle que perçoit votre voix angoissée, laquelle intérieurement me demande pardon pour ses fautes.

52. Et comme Père, je viens pour me soucier de toute supplique, pour recueillir vos larmes, pour guérir vos maladies, pour faire en sorte que vous soyez pardonnés et absous de vos taches afin que vous puissiez refaire votre vie.

53. Je suis aussi l'unique qui puisse vous pardonner les offenses que vous M'avez faites, par vous qui êtes mes enfants. (245, 39-41)

54. En ce temps, ma parole vous illumine nouvellement. Je viens répandre ma grâce afin que vous soyez propres et préparés, mais si vous sombrez à nouveau dans le péché, reconnaissez peuple, que ce n'est pas Moi qui vous écarte de mes bras, sinon vous-mêmes qui vous éloignez de Moi, alors que ce n'en est pas ma Volonté. La porte de mon amour est ouverte pour recevoir chacun des repentis qui veuillent revenir à Moi. (283, 69)

55. C'est dans l'amour avec lequel je vous pardonne et vous corrige, que je me fais connaître. Quand vous viviez selon votre volonté, offensant le Père à chaque instant, jamais je ne coupai le fil de cette existence de péché, et je ne vous refusai jamais ni l'air ni le pain. Je ne vous abandonnai pas dans la douleur ni ne fis la sourde oreille à votre plainte. Et la Nature continua de vous entourer avec sa fécondité, sa lumière et ses bénédictions. C'est ainsi que je me fais connaître et que je me manifeste aux hommes. Personne ne pourra vous aimer, sur cette Terre, de cet amour, et personne ne saura vous pardonner avec le pardon que Moi je vous accorde.

56. Votre esprit est une graine que je cultive et perfectionne depuis l'éternité jusqu'à ce qu'elle donne les fleurs les plus merveilleuses et les fruits les plus parfaits. Comment

pourrais-je vous laisser mourir ou vous abandonner à la furie des tempêtes? Comment vous abandonner sur votre chemin si l'unique à savoir le destin de toutes les créatures, c'est Moi? (242, 31-33)

57. Vous qui marchez sur des chemins perdus, lorsque vous m'appelez, aussitôt je suis là pour vous recevoir et vous donner ma force et ma lumière Peu importe si, en votre matière et en votre esprit, vous portez la marque des grands pécheurs. J'agirai pour que vous bénissiez ceux qui vous ont insulté et pour que vous bénissiez Dieu pour voir en vous la possibilité de cette merveille. Alors, vous commencerez à sentir l'amour du Christ dans votre cœur.

58. En écoutant ces paroles, certains penseront: Comment est-ce possible que les grands pécheurs puissent recevoir cette grâce de la même forme que les justes qui la possèdent par leurs mérites?

59. Ô humanité, humanité, vous qui ne voyez pas plus loin que vos yeux! Je vous ai toujours accordé mes bienfaits par grâce, plutôt que par mérites.

60. Je réponds la même chose à une pensée pure qu'à la triste lamentation de celui qui, taché par son manque d'amour à l'égard de ses frères, s'approche de Moi, pourvu que de lui jaillisse ne fût-ce qu'un petit éclair humilité ou de reconnaissance.

61. Je suis le défenseur des faibles qui pleurent au milieu de leur impuissance et de leur ignorance. Je suis l'espérance divine qui appelle et console celui qui pleure. Je suis le doux Jésus qui caresse délicatement celui qui geint en sa douleur et en sa restitution.

62. Je suis le Sauveur, votre Rédempteur. Je suis la vérité à la portée de l'homme. (248, 18-21)

Chapitre 23 – Inspirations et Révélations de Dieu

Inspirations divines

1. Disciples, lorsque ma parole vous parvient, et que vous ne la comprenez pas, vous la mettez en doute et Moi, je vous dis: quand l'incertitude vous tourmente, retirez-vous dans la solitude des champs et là, au milieu de la Nature où vous n'aurez pour seuls témoins que la campagne, les montagnes et le firmament, interrogez votre Maître à nouveau, approfondissez sa parole et, rapidement, sa douce réponse vous parviendra. Alors, vous vous sentirez transportés, inspirés, emplis d'un bonheur spirituel inconnu.

2. C'est ainsi que vous cesserez d'être les hommes de peu de foi, en sachant que chaque parole de Dieu renferme la vérité, mais que, pour la découvrir, il est impérieux de savoir la pénétrer avec recueillement et pureté, parce qu'elle est sanctuaire.

3. A chaque fois que vous vous sentez prêts et que vous souhaitez savoir quelque chose, votre soif de lumière attirera la lumière divine. Combien de fois ne vous ai-Je pas dit d'aller à la montagne et de m'y raconter vos inquiétudes, vos douleurs et vos besoins!

4. Jésus, par son exemple, vous enseigna ces leçons au cours du Second Temps; souvenez-vous de mon exemple lorsque je me retirai dans le désert pour prier avant d'initier ma prédication; souvenez-vous que, dans les derniers jours de mon séjour parmi les hommes, avant d'entrer à la synagogue pour y prier, je recherchai la solitude du Jardin des Oliviers pour converser avec le Père.

5. La Nature est un temple du Créateur, où tout s'élève à Lui pour lui rendre culte. C'est là que vous pourrez recevoir directement, et en toute pureté, le rayonnement de votre Père. C'est là, loin de l'égoïsme et du matérialisme humains, que vous sentirez parvenir à votre cœur de sages inspirations qui vous encouragent à faire le bien sur votre chemin. (169, 28-31)

6. Il vous faut veiller, disciples, parce que je ne m'adresserai pas à vous par ce seul moyen, je chercherai aussi à me communiquer avec votre esprit dans les moments où se repose votre corps; Je vous enseignerai à pénétrer ce repos, en toute préparation, et faire en sorte que votre esprit se détache pour s'élever aux régions de lumière, d'où il utilisera la prophétie pour illuminer son chemin, en transmettant son message à l'entendement. (100, 30)

7. Je n'ai jamais été éloigné de vous, comme vous l'avez parfois cru. Jamais Je n'ai été indifférent à vos peines ni sourd à vos appels. En réalité, ce qui s'est passé, c'est que vous ne vous êtes pas préoccupés

d'affiner vos sens supérieurs, attendant de me percevoir par les sens de la chair: et si, certes, cette étape était nécessaire, maintenant il est déjà loin le temps de cette conception.

8. Si vous vous étiez quelque peu souciés de développer l'un ou l'autre de vos dons spirituels, tels que l'élévation par la pensée, la prière, le pressentiment, le rêve prophétique ou la vision spirituelle, Je vous assure que, par l'entremise de n'importe lequel d'entre eux, vous seriez en communication avec Moi et, par conséquent, recevriez une réponse à vos interrogations et votre pensée recevrait une inspiration divine.

9. Je suis complètement disposé à vous parler, toujours dans l'expectative de votre élévation et de votre préparation spirituelles, pour vous complaire et vous donner la chance de vous communiquer avec votre esprit. Il ne manque que votre disposition, avec la plus grande pureté, pour parvenir à cette grâce. (324, 52-54)

10. Interrogez vos sages et, s'ils sont sincères, ils vous diront qu'ils ont demandé l'inspiration à Dieu. Et moi, Je leur donnerais davantage d'inspiration s'ils me la demandaient avec plus d'amour pour leurs frères et moins de vanité pour eux-mêmes.

11. Certes, Je vous dis que toutes les véritables connaissances que vous avez accumulées proviennent de Moi. Et j'emploierai, en ce temps, tout ce que vous avez de pur et élevé, pour votre bienfait, parce que c'est dans ce but que je vous l'ai concédé. (17, 59-60)

12. En ce temps, mon Esprit s'adresse en permanence à la conscience, à l'esprit, à la raison et au cœur de l'humanité. Ma voix parvient aux hommes au travers de pensées, et grâce aux épreuves, nombreux sont ceux qui, par eux-mêmes, découvrent peu à peu la vérité, puisque ceux qui les dirigent ou qui sont chargés de leur enseigner se trouvent endormis et souhaitent que jamais le monde ne se réveille. (306, 63)

13. Au Troisième Temps, Je vins pour réaliser, par la clarté, mes manifestations, l'impossible pour les hommes: me communiquer par la compréhension humaine.

14. Comprenez-Moi, disciples, parce que dans la communication d'esprit à Esprit qui vous attend, vous sentirez éternellement ma présence. Si vous savez vous préparer, vous ne direz jamais plus: Seigneur, pourquoi ne viens-Tu pas? Pourquoi ne vois-tu pas ma douleur? Vous ne me parlerez plus en ces termes, disciples. En vérité Je vous le dis quiconque me parlera ainsi fournira une preuve indiscutable de son ignorance et de son manque de préparation.

15. Je ne veux pas voir mes disciples éloignés de Moi, Je veux que vous me disiez, en votre esprit: «Maître, Vous êtes parmi nous, notre esprit vous perçoit, votre sagesse est la source de mon inspiration». C'est la

véritable confession que Je veux entendre de votre part. (316, 54)

L'adaptation des Révélations Divines à l'entendement humain

16. Pour manifester ce qui est divin, vos langages étant limités, il m'a fallu en tous temps vous parler sous forme de paraboles, de métaphores, mais voyez-vous, même ainsi, bien d'entre vous m'avez compris, parce qu'il vous a manqué la volonté nécessaire pour analyser mes manifestations. (14, 50)

17. Vous m'avez attendu à chaque époque et, pourtant, quand vous m'avez eu devant vous, vous ne m'avez pas reconnu à cause de votre manque de vigile et de spiritualité. Je vous dis que quelle que soit la forme que revête ma présence, elle renfermera toujours la vérité et l'essence divine.

18. Je vous ait dit avoir eu recours à diverses formes pour me manifester au monde, mais celle-ci n'ont pas constitué un déguisement pour vous cacher mon Esprit, mais au contraire pour m'humaniser, me limiter et, ainsi, me faire entendre et sentir des hommes.

19. A présent Je vous dis que, avant que vous n'émettiez un jugement, vous écoutiez cette voix jusqu'à ce que vienne le moment de votre conviction ou de votre illumination, alors la lumière se fera en votre esprit. (97, 11-12)

20. Tant que les hommes persistent dans leur aveuglement et leur ignorance, Dieu, qui est Père avant tout, pour pouvoir être compris, devra s'humaniser, se limiter et se rapetisser face à ses enfants. Quand me laisserez-vous vous montrer à vous avec la véritable grandeur avec laquelle vous devez me contempler?

21. Il vous faut être grands pour pouvoir me concevoir Grand et c'est pour cela que je viens, maintes et maintes fois, vous prodiguer la grandeur spirituelle, afin que vous puissiez connaître le bonheur infini de connaître votre Père, de ressentir son amour et écouter le concert divin qui vibre sur vous. (99, 26-27)

22. La partie extérieure de cette révélation du Père sur le mont Sinaï constitua la pierre qui servit de moyen pour que sur elle se grave la Loi divine.

23. L'extérieur, dans la communication de Dieu avec les hommes par l'entremise de Jésus, fut l'enveloppe, la forme humaine du Christ.

24. En ce temps, la partie extérieure de ma communication a été matérialisée grâce au porte-parole, cette forme, à l'instar de celles des temps passés, disparaîtra.

25. Comprenez que vous êtes les enfants du peuple Spiritualiste, celui qui n'aura pas à s'alimenter de formes, mais bien d'essence. Si vous comprenez bien ma parole, jamais plus vous ne sombrerez dans l'idolâtrie, ni vous entêterez en

pratiques superficielles, en formes éphémères, parce que vous irez toujours vers la recherche de l'essentiel, de l'éternel. (224, 69-71)

Diverses catégories de Révélations Divines

26. L'humanité voudrait recevoir la visite d'un nouveau Messie qui la sauve de l'abîme, ou au moins entendre la voix humanisée de Dieu, vibrant dans les vents. Je vous dis qu'il suffirait que vous observiez un peu plus ou que vous vous recueilliez spirituellement dans la méditation pour le rendre sensible, afin d'écouter comment tout vous parle. Certes, il vous semble impossible que les pierres parlent, mais Je vous dis que ce ne sont non seulement les pierres sinon tout ce qui vous entoure qui vous parle de votre Créateur, pour que vous vous réveilliez de vos rêves de grandeur, d'orgueil et de matérialisme. (61, 49)

27. Les illuminés de jadis virent toujours des éclats de lumière et écoutèrent toujours ma parole. Les prophètes, les inspirés, les précurseurs, les fondateurs de doctrine de haute envolée spirituelle ont témoigné que les voix qu'ils entendaient, semblaient être issues des nuages, des montagnes, du vent ou de quelque endroit lieu imprécis qu'ils ne pouvaient définir. Ils écoutaient la voix de Dieu comme si elle provenait de langues de feu et se manifestait en mystérieux échos. Nombreux étaient ceux qui écoutaient, regardaient et

ressentaient au travers de leurs sens, d'autres en revanche l'expérimentaient au travers de leurs attributs spirituels. C'est exactement ce qui se produit en ce temps.

28. En vérité Je vous le dis: Ceux qui recevaient mes messages par le biais de leurs sens corporels interprétaient spirituellement l'inspiration divine, et ils le faisaient selon leur préparation matérielle et spirituelle, en relation avec l'époque à laquelle ils vécurent dans ce monde; c'est aussi le cas à présent au travers des instruments humains que vous appelez porte-paroles ou facultés. Mais Je dois vous dire que, tant dans le passé comme aujourd'hui, ils ont mélangé la pureté des révélations divines et leurs propres idées ou celles qui prédominaient dans leur entourage, et sciemment ou en l'ignorant, ils ont altéré la pureté et l'essence illimitée de la vérité qui est, Je vous le rappelle, l'amour dans ses manifestations les plus élevées.

29. Ils perçurent en eux les vibrations et inspirations spirituelles et, aussi bien les premiers que leurs successeurs, ont et continueront de témoigner de cette inspiration qui parvint à leur esprit, de la voix qui parla presque toujours, sans savoir de quelle manière, c'est ce qui se passe à beaucoup aujourd'hui, et c'est ce qui arrivera à d'autres demain.

30. Les paroles, les interprétations et la manière d'agir sont fonction des hommes et des époques dans lesquelles ils vivent, mais la vérité

suprême est au-dessus de tous. (16, 11-14)

31. De temps à autre, il est nécessaire que mon Esprit se manifeste sous quelque forme, accessible et compréhensible à votre entendement. Ce besoin de vous parler provient de votre désobéissance à ma Loi, de votre éloignement du vrai chemin.

32. L'homme est la plus rebelle des créatures de la Création en raison du libre-arbitre dont il jouit. Jusqu'à présent il n'a pas voulu se soumettre aux préceptes de la conscience.

33. Ma parole vient pour en arrêter certains, pour en orienter d'autres, pour tous vous fortifier dans la vérité et pour vous sauver des abîmes.

34. Ne faites pas objection à la manière de me manifester aujourd'hui, si différente de celle du Second Temps; sachez que Je n'ai jamais utilisé deux fois la même manière, puisque cela signifierait pour vous stagner face à un même enseignement, et Moi, Je viens toujours pour vous enseigner de nouvelles leçons et vous aider à franchir de nouveaux pas. (283, 39-42)

35. Mon Verbe se répand de diverses manières: au moyen de la conscience, par des épreuves qui parlent de Moi, au travers des éléments, ou par le biais de mes enfants spirituels. Mon Verbe est universel. Chacun qui se prépare entendra ma voix. (264, 48)

Le besoin de Révélations Divines

36. Mon enseignement divin n'est pas seulement destiné à l'esprit, il doit aussi toucher le cœur humain pour que, tant la partie spirituelle que la corporelle parviennent à être en harmonie.

37. La parole divine est destinée à illuminer l'entendement et à sensibiliser le cœur de l'homme, et l'essence qui existe en cette parole est destinée à nourrir et à élever l'esprit.

38. Pour que la vie de l'homme soit complète, il a inévitablement besoin du pain spirituel, de même qu'il travaille et lutte pour l'aliment matériel.

39. «L'homme ne vit pas seulement de pain». C'est ce que Je vous affirmai au Second Temps, et ma parole est toujours en vigueur, parce que l'humanité ne pourra jamais se passer de l'aliment spirituel, sans que ne le surprennent, sur la Terre, les maladies, la douleur, les ténèbres, les calamités, la misère et la mort.

40. Les matérialistes pourront prétendre que l'humanité vit déjà seulement de ce que la Terre et la Nature lui offrent, sans avoir besoin d'aller en quête de quelque chose de spirituel pour l'alimenter et la fortifier au long de son étape, mais Je dois vous dire que ceci ne constitue pas une vie parfaite ni complète sinon une existence à laquelle il manque l'essentiel: la spiritualité. (326, 58-62)

41. En tous temps, Je me suis manifesté à l'homme simplement pour qu'il puisse me comprendre, et que

mes actes soient toujours à la portée de votre entendement et de votre cœur. Je suis descendu parmi vous pour vous donner, en cela, un exemple d'humilité en parvenant à votre humble vie pour vous élever à une vie meilleure. (226, 54)

42. Voici accomplie la parole que Je vous livrai lorsque, au Second Temps, Jésus rendait grâce à son Père pour avoir caché sa sagesse aux savants et aux érudits, en revanche il l'avait offerte et révélée aux humbles.

43. Oui, mon peuple, parce que ceux que vous appelez sages et savants s'élèvent et se vantent voulant humilier les humbles en leur enseignant juste ce qu'ils considèrent, eux, comme des miettes de pain, ce pain qu'ils ont reçu de Moi.

44. Tandis que les pauvres, les humbles, eux qui connaissent réellement les nécessités et les privations que présente la vie, lorsqu'ils en arrivent à posséder quelque chose, ils éprouvent le sentiment que c'est trop pour eux et, aussitôt, le partagent avec autrui.

45. J'ajoute, à présent, qu'au moment où l'avare et l'orgueilleux deviennent respectivement généreux et humble, ils en arriveront instantanément à jouir de tout ce que J'ai en réserve pour celui qui sait mettre la vertu en pratique, puisque mon amour est impartial et universel. Mon amour est destiné à tous mes enfants. (250, 17)

Le caractère illimité des Révélations Divines

46. Mon enseignement, qui est venu pour illuminer la Troisième Ere, n'est pas l'ultime; le spirituel n'a pas de fin; ma Loi brille toujours dans toutes les consciences, tel un soleil divin. La stagnation ou la décadence est seule propre des humains et elle est toujours le résultat de vices, faiblesses ou déchaînement des passions.

47. Quand l'humanité construira sa vie sur des ciments spirituels et portera en elle l'idéal de l'éternité que vous inspire ma doctrine, alors elle aura trouvé la voie du progrès et de la perfection, et jamais plus elle ne déviera du chemin de son évolution. (112, 18)

48. Si vous pensez que je sois venu jusqu'à présent pour vous révéler quelque aspect de la vie spirituelle, vous commettez une lourde erreur, parce que je vous le répète: L'enseignement divin s'initia lorsque naquit le premier homme, et je n'exagère pas en vous disant que ma leçon commença par la formation des esprits, avant que le monde n'existât. (289, 18)

49. Lorsque l'humanité croyait seulement qu'existait ce que ses yeux parvenaient à découvrir et, qui plus est, ignorait la forme du monde qu'elle habitait, elle concevait un Dieu limité à ce que ses yeux connaissaient.

50. Mais à mesure que son intelligence s'en alla découvrir

mystère après mystère, l'Univers alla s'agrandir; sa vue s'amplifia et la grandeur et la toute-puissance, l'omnipotence de Dieu devinrent de plus en plus importants devant l'intelligence émerveillée de l'homme.

51. C'est pour cela que J'ai du vous apporter, en ce temps, un enseignement qui soit en relation avec votre évolution.

52. Mais, Je vous demande: Ma révélation renferme-t-elle une science matérielle? Non! La science que Je vous enseigne traite d'une existence au-delà de la Nature que vous contemplez et que vous examinez depuis si longtemps. Ma révélation découvre le chemin qui élève l'esprit jusqu'à une demeure depuis laquelle il peut tout découvrir, tout connaître et tout comprendre.

53. Vous semble-t-il impossible ou, tout au moins, étrange, que Dieu se communique spirituellement avec les hommes; que le monde spirituel se communique et se manifeste dans votre vie, que les mondes et des lieux inconnus parviennent à se communiquer avec vous? Ou souhaitez-vous que votre connaissance stagne et que le Père ne vous révèle pas plus de ce qu'Il vous a déjà révélé?

54. Ne soyez pas routiniers et ne limitez pas la connaissance de votre esprit.

55. Aujourd'hui vous pouvez nier, combattre et persécuter ma Doctrine spirituelle, mais Je sais que, demain, vous vous rendrez devant la vérité.

56. Toute révélation divine, au début, a été combattue et reniée mais, à la fin, la lumière s'est toujours imposée.

57. L'humanité aussi s'est montrée sceptique devant les découvertes de la science et, finalement, a bien du se rendre devant la réalité. (275, 64-70)

58. Quand le Saint-Esprit s'élèvera du cœur de l'humanité jusqu'à l'infini, là dans son sein, surgiront de nouvelles révélations qui grandiront à mesure que les esprits s'élèveront davantage. (242, 62)

59. Comment pouvez-vous penser que, par le fait que Je sois descendu parmi vous, J'aie pu négliger d'autres nations, si vous tous êtes mes enfants? Croyez-vous que quiconque soit éloigné ou en dehors de Moi, si mon Esprit est universel et comprend toute la Création sans exception?

60. Tout vit et tout s'alimente de Moi. C'est pour cela que mon rayon universel est descendu sur le cosmos entier, et que l'esprit a reçu mon influence, tant sur cette planète que dans tout l'Univers, parce que Je suis venu pour sauver toutes mes créatures. (176, 21)

61. Ma manifestation, par le biais des porte-paroles, est destinée à être éphémère, c'est une brève étape de préparation qui servira de norme pour ce peuple, de loi et de principe, pour témoigner et répandre cette vérité et annoncer, au monde, la présence du Troisième Temps.

62. De même que ma manifestation au travers de l'entendement humain fut destinée à être fugace comme l'éclair, il fut aussi prévu que quelques multitudes furent appelées pour être les témoins de cette révélation et pour la recevoir.

63. En revanche, la communication d'esprit à Esprit atteindra toute l'espèce humaine, sans limite de temps, parce que cette forme de me rechercher, de me recevoir, de prier, de m'écouter et de me sentir appartiendra à l'éternité. (284, 41-43)

La manifestation de la présence de Dieu dans l'homme

64. Je veux vous convertir en mes disciples afin que vous appreniez à me percevoir, comme les enfants de mon Esprit, que vous êtes. Pourquoi ne devez-vous pas sentir ma présence en vous, si vous faites partie de ma même essence, si vous êtes une partie de Moi?

65. Vous ne me sentez pas, parce que vous ne vous en rendez pas compte, parce que vous manquez de spiritualité et de préparation et tous ces signes ou sensations que vous recevez, vous les attribuez à des causes matérielles; c'est lorsque Je vous dis qu'en étant parmi vous, vous ne percevez pas ma présence.

66. A présent Je vous demande: Est-il vrai que si vous faites partie de Moi, il est naturel que vous me sentiez en votre être? Est-il vrai qu'en méditant cela, il est juste que votre esprit en arrive à se fondre avec le Mien? Je viens pour vous dévoiler la vraie grandeur qui doit exister en chaque homme, parce que vous vous êtes confondus et, en voulant être grands sur la Terre, vous vous êtes rapetissés spirituellement. (331, 25-26)

67. Je ne veux déjà plus que vous me disiez: «Seigneur, pourquoi êtes-vous loin de moi, pourquoi ne m'écoutez-vous pas, pourquoi me sens-je seul en chemin?»

68. Peuple bien aimé, Je ne m'écarte jamais de mes enfants, c'est vous qui vous écartez de Moi, qui avez manqué de foi et c'est vous-mêmes qui m'avez renié et m'avez fermé les portes de votre cœur. (336, 60)

69. Je ne veux pas que vous me sentiez éloigné, parce que Je vous ai dit que, par le biais de votre spiritualité, tous vous me sentirez, me palperez, votre esprit écoutera ma voix et vous contemplerez spirituellement ma présence. C'est ainsi que je souhaite voir unis vos esprits au Mien pour l'éternité, parce que telle est ma volonté. (342, 57)

VI. LA CREATION

Chapitre 24 – La création spirituelle et matérielle

La création des êtres spirituels

1. Mon Esprit Divin existait déjà bien avant l'existence des mondes, et avant la naissance de toute créature et de toute matière. Mais, bien qu'étant Tout, Je ressentais en Moi un immense vide, parce que J'étais comme un Roi sans sujets, comme un maître sans disciples. C'est pour ce motif que je conçus l'idée de créer des êtres semblables à Moi, auxquels Je dédierais toute ma vie, que J'aimerais avec une telle profondeur et une telle intensité que, le moment venu, Je n'hésiterais pas pour leur offrir mon sang sur la croix.

2. Oui, mes enfants bien aimés, ne vous confondez pas si Je vous dis que Je vous aimais déjà bien avant votre existence. (345, 20-21)

3. L'Esprit Divin, en dépit d'être le seul à exister, se trouvait regorgeant d'amour. Rien n'avait été créé, il n'y avait rien autour de l'Etre Divin et, néanmoins, Il aimait et se sentait Père.

4. Qui aimait-Il? De qui se sentait-Il le Père? De tous les êtres et de toutes les créatures qui allaient jaillir de Lui, et dont la force était latente en son Esprit. En cet Esprit étaient toutes les sciences, tous les éléments, toutes les natures, tous les principes. Il était l'éternité et le temps. Le passé, le présent et le futur étaient en Lui, même avant que naissent les mondes et les êtres.

5. Cette inspiration divine devint réalité sous l'influence de la force infinie de l'amour divin. La vie commença de cette manière. (150, 76-79)

6. Afin que Dieu puisse s'appeler Père, il fit jaillir des esprits de son sein, des créatures qui Lui ressemblaient par leurs attributs divins. Ce fut votre commencement, ce fut ainsi que vous naquîtes à la vie spirituelle. (345, 22)

7. La raison de votre création fut sans conteste l'amour, le désir ardent de partager mon pouvoir avec quelqu'un; et la raison de vous avoir dotés de libre-arbitre fut aussi l'amour. Je souhaitai me sentir aimé de mes enfants, non par loi mais d'un sentiment spontané qui jaillirait librement de leur esprit. (31, 53)

8. Chaque esprit naquit d'une pensée pure de la Divinité, c'est pour cela que les esprits sont l'œuvre parfaite du Créateur. (236, 16)

L'action de grands Esprits dans l'œuvre créative

9. Elie est le grand esprit qui est à la droite de Dieu. Dans sa grande humilité il se dénomme le serviteur du Père et, par son intermédiaire tout comme par le biais d'autres grands esprits, Je meus l'Univers spirituel et mène à bien de grands et hauts desseins. Oui, mes disciples, Je dispose à mon service de multitudes de grands esprits qui régissent la Création. (345, 9)

Pensées providentielles de Dieu

10. Ecoutez, disciples: J'existais déjà bien avant votre naissance, et votre esprit était déjà latent dans le Mien. Mais Je ne voulus pas que vous héritiez mon Royaume sans l'avoir mérité; Je ne voulus pas que vous possédiez votre existence sans savoir Qui l'avait créée, et Je ne voulus pas que vous marchiez sans but, sans destinée et sans idéal.

11. C'est pour cela que Je vous dotai de la conscience, afin qu'elle vous serve de guide; Je vous concédai le libre-arbitre afin d'imprégner vos actions d'une vraie valeur devant Moi. Je vous pourvus d'esprit, pour que celui-ci soit toujours désireux de s'élever vers ce qui est lumineux et pur. Je vous dotai du corps afin que, par intermédiaire du cœur, vous éprouviez la sensibilité envers ce qui est bon et beau, et pour qu'il vous serve de creuset, d'épreuve constante et aussi d'instrument pour habiter le monde matériel. (35, 48-49)

La création de mondes matériels pour les êtres spirituels

12. Quand l'espace s'illumina, la première fois, de la présence des esprits, ceux-ci titubants et balbutiants comme des petits enfants, ne possédant ni l'élévation ni la force de se maintenir dans les lieux de la haute spiritualité, éprouvèrent le besoin d'avoir un bâton, un point d'appui pour se sentir forts; et ils reçurent la matière et un monde matériel. Et, dans leur nouvel état, ils s'en aillèrent acquérir expérience et connaissances. (35, 50)

13. L'Univers se peupla d'êtres, l'amour, le pouvoir et la sagesse du Père se manifestèrent en tous. Depuis cet instant où Il fit en sorte que les atomes s'unissent pour former des corps et intégrer des êtres, le sein du Père fut comme une source inépuisable de vie.

14. En tout premier, la vie spirituelle imprégna tout; ainsi les esprits furent les premiers et la nature matérielle vint ensuite.

15. Comme il était prévu que de nombreuses créatures spirituelles devraient prendre une forme corporelle pour habiter les mondes matériels, tout fut préparé au préalable, afin que les enfants du Seigneur trouvent tout disposé.

16. Il parsema de bénédictions le chemin que ses enfants auraient à recourir; Il inonda l'Univers de vie et embellit le sentier de l'homme en qui Il déposa une lueur divine: la conscience et l'esprit ainsi formés

d'amour, d'intelligence, de force, de volonté et de conscience. Et en plus, Il enveloppa de sa force tout ce qui exista et lui montra son destin. (150, 80-84)

17. Ainsi, quand le Père forma le monde et lui attribua la destinée d'être une vallée d'expiation, Il savait déjà que ses enfants connaîtraient des faiblesses et commettraient des erreurs en chemin, et qu'il serait impérieux qu'ils aient une demeure pour faire le premier pas vers la régénération et le perfectionnement. (250, 37)

La création de l'être humain

18. Ecoutez: Dieu, l'Etre Suprême, vous créa « à son image et à sa ressemblance », non par la forme matérielle que vous avez, sinon en raison des vertus de votre esprit, semblables à celles du Père.

19. Quoi de plus agréable pour votre vanité le fait de vous croire l'image du Créateur. Vous vous croyiez les plus évoluées des créatures de Dieu et vous vous trompez lourdement en supposant que l'Univers se fit seulement pour vous. Avec quelle ignorance vous appelez-vous, vous-mêmes, les rois de la création!

20. Comprenez bien, ni même la Terre n'est faite seulement que pour les hommes. Sur l'échelle interminable de la création divine, il existe un nombre infini d'esprits qui évoluent en accomplissement de la Loi de Dieu.

21. Les objectifs que tout cela implique, et qu'en tant qu'hommes, même si vous le souhaitiez, vous ne pourriez comprendre, sont grands et parfaits comme le sont, d'ailleurs, tous les dessins de votre Père Mais, en vérité Je vous le dis, vous n'êtes ni les plus grandes ni les plus petites créatures du Seigneur.

22. Vous fûtes créés et, à partir de cet instant, votre esprit prit vie du Tout-Puissant, emportant en lui autant d'attributs que nécessaires pour que vous accomplissiez une mission délicate au sein de l'éternité. (17, 24-28)

23. Dans l'esprit de l'homme, qui constitue mon œuvre maîtresse, J'ai déposé ma lumière divine, Je l'ai cultivé avec un amour infini, comme le jardinier cultive la plante dorlotée de son jardin. Je vous ai logés dans cette demeure où rien ne vous fait défaut pour vivre. Afin que vous Me connaissiez et que vous vous connaissiez vous-mêmes Je vous ai octroyé le pouvoir en votre esprit pour percevoir la vie de l'Au-delà, et des sens à votre corps matériel pour que vous vous réjouissiez et vous perfectionniez. Je vous ai livré ce monde afin qu'en lui vous commenciez à faire vos premiers pas, et que sur ce chemin de progrès et de perfectionnement, vous fassiez l'expérience de la perfection de ma Loi, pour que tout au long de votre vie vous me reconnaissiez et m'aimiez, et ainsi, vous parveniez à Moi en raison de vos mérites.

24. Je vous ai octroyé le don du libre-arbitre et vous ai dotés de conscience. Le premier, afin que vous vous développiez librement dans le cadre de mes lois, et la seconde, pour que vous sachiez distinguer le bien du mal, pour qu'elle, comme juge parfait, vous indique si vous respectez ou non ma Loi.

25. La conscience est lumière de mon Esprit Divin qui ne s'éloigne de vous en aucun moment.

26. Je suis le Chemin, la Vérité et la Vie, Je suis la paix et le bonheur, la promesse éternelle que vous serez avec Moi et aussi l'accomplissement de toutes mes paroles. (22, 7-10)

Le souvenir du Paradis

27. Les premiers hommes, ceux qui furent les pères de l'humanité, gardèrent un temps l'impression que leur esprit conserva de la vallée spirituelle, l'impression de béatitude, de paix et de délice qui demeura en eux tant que les passions de la matière ainsi que la lutte pour subsister n'apparurent dans leur vie.

28. Mais Je dois vous préciser que l'esprit de ces hommes, bien qu'il provienne d'une mansion de lumière, ne provint pas de l'une de ces demeures les plus élevées, de celles auxquelles vous ne pourrez accéder que par vos mérites.

29. Néanmoins, l'état d'innocence, de paix, de bien-être et de santé que ces esprits conservèrent dans leurs premières étapes, ressembla à un temps de lumière, inoubliable, dont ils transmirent le témoignage à leurs enfants qui, à leur tour, le transmirent à leurs descendants.

30. L'esprit matérialisé des hommes, en confondant le véritable sens de ce témoignage, en arriva à croire que le paradis dans lequel vécurent les premiers hommes, fut un paradis terrestre, sans comprendre qu'il constitua un état spirituel de ces créatures. (287, 12-13)

La conformation de l'être humain

31. Esprit et matière sont deux natures différentes, les deux constituent votre être et la conscience est au-dessus d'elles. La première est fille de la lumière, la seconde provient de la terre, elle est matière. Toutes deux sont réunies en un seul être et luttent entre elles, guidées par la conscience qui est la présence de Dieu. Cette lutte a été constante jusqu'à présent mais, à la fin, esprit et matière accompliront harmonieusement la mission que ma Loi indique à chacune.

32. Vous pouvez également vous représenter l'esprit comme s'il était une plante et le corps, la terre. L'esprit, qui a été planté dans la matière, pousse, grandit, et s'élève en s'alimentant des épreuves et enseignements qu'il va recevoir tout au long de sa vie humaine. (21, 40-41)

L'unité du Créateur et de la Création

33. L'Esprit de Dieu est comme un arbre infini où les branches constituent les mondes et les feuilles tous les êtres. Si c'est une seule et

même sève qui passe par le tronc vers toutes les branches et, de celles-ci, aux feuilles, ne pensez-vous pas qu'il y ait quelque chose d'éternel et de saint qui vous unisse tous entre vous, et qui vous fonde avec le Créateur? (21, 38)

34. Mon Esprit, qui est universel, existe en tout ce que J'ai créé, que ce soit dans le spirituel ou dans la Nature matérielle; mon Œuvre est dans tout, témoignant ainsi de ma perfection sous tous ses angles.

35. Mon Œuvre divine comprend absolument tout, depuis les êtres les plus grands et les plus parfaits qui habitent à ma droite, jusqu'au plus petit animal le moins perceptible, le végétal ou le minéral, dans l'atome ou la cellule qui constituent toutes les créatures.

36. Cela vous démontre, une fois de plus, la perfection de tout ce qui a été créé par Moi, depuis les êtres

matériels jusqu'aux esprits qui ont déjà réussi d'atteindre la perfection. C'est cela mon Œuvre! (302, 39)

37. Quiconque s'écarte de la Loi spirituelle, laquelle est Loi supérieure, tombe sous l'emprise des lois inférieures ou matérielles, desquelles les humains savent bien peu. Mais, celui qui obéit et reste en harmonie avec la Loi suprême, se place au-dessus de toutes les règles que vous appelez naturelles, et perçoit et comprend davantage que celui qui ne possède seulement que des connaissances qu'il a trouvées dans la science ou les religions.

38. Voici le motif pour lequel Jésus vous étonna par les actions que vous appelez miracles, mais reconnaissez les leçons d'amour qu'Il vous offrit. Comprenez que, dans le divin qui vibre en toute la Création, il n'y a rien de surnaturel ni de contradictoire. (24, 42-43)

Chapitre 25 – La nature

Les lois de la nature

1. Je vous ai enseigné à voir Dieu comme le Tout, comme la merveille sans limite pour votre conception mentale, comme la force qui engendre le mouvement et l'action dans tout l'Univers, comme la vie qui se manifeste tant dans la simple plante que dans ces mondes qui gravitent, par millions, dans l'espace, sans qu'aucun d'entre eux ne désobéisse à la loi qui les régit.

2. Je suis cette Loi, cette Loi est votre Dieu, cette Loi est la Loi de l'évolution continue qui émerveille l'homme, lui fournissant d'amples terrains d'investigation et de recherches qui lui permettent d'aller pénétrer les secrets de la Nature. (359, 75)

3. Comprenez que la Loi est le chemin tracé par l'amour du Créateur Suprême pour guider chacune de ses créatures. Méditez à propos de la vie qui vous entoure, composée d'éléments et organismes qui se comptent en nombre infini, et vous parviendrez à découvrir que chaque corps et chaque être empruntent un chemin ou une trajectoire, guidés par une force apparemment étrange et mystérieuse. Cette force est la Loi que Dieu a dictée pour chacune de ses créatures.

4. En analysant ces enseignements, vous conclurez que, vraiment, tout vit, marche et fonctionne et croît selon un commandement suprême. (15, 4)

La présence de Dieu dans la nature

5. Recherchez ma présence dans les œuvres que J'ai réalisées et, à chaque pas, vous pourrez Me trouver; Essayez de M'entendre et vous M'écouterez dans la voix puissante qui émane de tout ce qui a été créé, parce que Je n'éprouve aucune difficulté à Me manifester au travers des êtres de la Création.

6. Je me manifeste autant dans un astre, dans la fureur d'une tempête que dans la douce lumière d'une aurore. Je fais autant entendre ma voix dans le trille mélodieux d'un oiseau, que Je l'exprime au moyen du parfum des fleurs. Et chacune de Mes expressions, chaque phrase, chaque action vous parle d'amour à tous, du respect des lois de justice, de sagesse, d'éternité en l'esprit. (170, 64)

La nature est création de Dieu et parabole pour le spirituel

7. Beaucoup ont fait de la Nature leur Dieu, en la divinisant en tant que source créatrice de tout ce qui existe. Mais en vérité Je vous le dis, cette Nature d'où ont surgi tous les êtres, les forces et les éléments matériels qui vous entourent, n'est pas créatrice. Elle fut conçue et formée auparavant par le Créateur Divin. Elle n'est ni la cause, ni la raison de la vie.

Seulement Moi, votre Seigneur, suis le Commencement et la Fin, l'Alfa et l'Omega. (26, 26)

8. Tout ce qui vous entoure et vous enveloppe dans cette vie est une image de la vie éternelle, une profonde leçon, expliquée avec des formes et des objets matériels, pour pouvoir être comprise.

9. Vous n'êtes pas encore arrivés au fond de cette merveilleuse leçon, et l'homme s'est trompé à nouveau parce qu'il a considéré la vie qu'il mène sur la terre comme s'il s'agissait de l'éternité. Il s'est limité à en prendre les formes, en renonçant à tout ce qu'elle renferme de révélation divine, et à tout ce qui est essence et vérité qui se trouve dans toute la création. (184, 31-32)

10. Je ne viens vous priver de rien que J'ai déposé dans cette Nature pour la conservation, la santé l'alimentation, le bien-être et le plaisir de mes enfants.

11. Bien au contraire, Je vous dis que, de même que j'offre le pain de l'esprit et vous invite à aspirer des essences divines et à vous saturer d'effluves spirituels, ne désavouez ni ne vous éloignez de tout ce que vous offre la Nature, puisque ainsi vous atteindrez l'harmonie, la santé, l'énergie et, par conséquent, le bon accomplissement des lois de la vie. (210, 22)

12. L'être irrationnel est guidé par l'instinct, qui est sa voix intérieure, son maître, son guide. Cet instinct est comme une lumière qui provient de sa mère la Nature et qui illumine le sentier qu'il doit recourir durant sa vie, sentier parsemé aussi de luttes et de risques.

13. Considérez en eux l'harmonie dans laquelle vit chaque espèce. Imitez l'activité de ceux qui sont actifs. Suivez les exemples de fidélité ou de gratitude. Ce sont des exemples qui contiennent de la sagesse divine, puisque ce sont mes créatures, également jaillies de Moi, pour qu'elles vous entourent et vous accompagnent dans votre monde, pour qu'elles prennent part à ce que J'ai déposé sur la Terre. (320, 34-35)

Le pouvoir des enfants de Dieu sur la nature

14. Les éléments vous obéiront lorsque vous accomplissez ma Loi et que vous me le demandez pour le bienfait de vos frères. (18, 47)

15. Ne vous ai-Je pas enseigné que même les éléments déchaînés peuvent entendre votre prière et s'apaiser? S'ils obéissent à ma voix, pourquoi ne doivent-ils pas obéir à la voix des enfants du Seigneur lorsque ceux-ci se sont préparés? (39, 10)

16. J'ai doté l'esprit de pouvoir sur la matière afin qu'il triomphe des épreuves et parvienne au bout du chemin; mais la lutte sera intense parce que, depuis que l'homme forma dans le monde le seul royaume dans lequel il croit, l'harmonie, qui doit

exister entre lui et ce qui l'entoure, se brisa. Du haut de son trône plein d'orgueil il voudrait tout soumettre au pouvoir de sa science, et imposer sa volonté aux éléments et aux forces naturelles. Mais il ne l'a pas réussi parce que, depuis longtemps, il a brisé ses liens d'amitié avec les lois spirituelles.

17. Mais, lorsque J'ai dit à ce peuple que les éléments peuvent lui obéir, il s'en est trouvé qui ne l'ont pas cru, et Moi je vous dis qu'ils ont raison de douter, parce que la Nature n'obéira jamais à ceux qui la désavouent, la profanent ou s'en moquent. En revanche, celui qui saura vivre en accord avec les lois de l'esprit et de la matière, ou encore, qui vivra en harmonie avec tout ce qui l'entoure, celui-là, tout au long de sa vie, s'identifiera avec son Créateur, en méritant que les éléments de la Nature soient à son service et lui obéissent, ainsi qu'il correspond à tout enfant qui sait obéir à son Père, le Créateur de ce qui existe. (105, 39)

18. Je ne mens et n'exagère pas quand Je dis que les éléments peuvent écouter votre voix et vous obéir et vous respecter.

19. L'histoire d'Israël demeura écrite comme un témoignage de ma vérité et, en elle, vous pourrez vous rendre compte de quelle manière, maintes et maintes fois, le peuple de Dieu fut reconnu et respecté des forces et éléments de la Nature. Pourquoi pas vous?

20. Ou peut-être croyez-vous que mon pouvoir ou mon amour pour l'humanité ait changé au fil des temps? Non, foules qui écoutez cette parole, la lumière de mon Esprit vous baigne, mon pouvoir et mon amour sont éternels et immuables. (353, 64)

Homme et nature

21. Mais vous devez faire attention, ô peuples de la Terre, parce que si vous continuez d'utiliser mes leçons divines pour provoquer les éléments, si vous continuer d'appliquer au mal les minces connaissances que vous possédez, vous recevrez, au moment où vous vous y attendez le moins, la réponse douloureuse et justicière. Vous provoquez l'air, le feu, la terre, l'eau et toutes les forces et vous savez désormais quelle sera votre récolte si vous ne rectifiez pas, à temps, vos activités, pour parvenir à détenir les éléments déchaînés par votre manque de bon sens.

22. Je vous préviens que vous êtes en train de combler la mesure que ma justice autorise à votre libre-arbitre, vous provoquez trop la Nature. Et, comme vous êtes les petits qui se sentent grands, cette parole est destinée à vous avertir du danger face auquel vous vous trouvez. (17, 60)

23. Je vous déclarai que la feuille de l'arbre ne se bougeait pas sans ma volonté, et à présent Je vous dis qu'aucun élément n'obéit à une autre volonté qui ne soit la mienne.

24. Je vous affirme aussi que la nature peut être, pour les hommes, ce

qu'ils souhaitent: Une mère prodigue en bénédictions, en caresses et en aliments, ou un désert aride où règnent la faim et la soif. Un maître de révélations sages et infinies à propos de la vie, le bien, l'amour et l'éternité, ou un juge inexorable devant les profanations, désobéissances et erreurs des hommes.

25. Ma voix de Père dit aux premiers hommes, en les bénissant: «Fructifiez et multipliez, et remplissez la terre, dominez-la et commandez les poissons de la mer, les oiseaux du ciel et toutes les créatures qui se meuvent sur la terre».

26. Oui, humanité, c'est Moi qui formai l'homme afin qu'il soit seigneur et qu'il ait le pouvoir dans l'espace, les eaux, sur toute la terre et sur les éléments de la création. Mais j'ai utilisé le terme «Seigneur», parce que les hommes qui croient dominer la Terre avec leur science sont esclaves; ceux qui croient dominer les forces de la nature se convertissent en victimes de leur non préparation, de leur témérité et de leur ignorance.

27. Le pouvoir et la science des humains ont envahi la Terre, les mers et l'espace, mais leur pouvoir et leur force ne s'harmonisent pas avec le pouvoir et la force de la nature, celle qui comme expression de l'amour divin est vie, sagesse, harmonie et perfection. Dans les œuvres humaines, dans leur science et leur pouvoir se manifestent seulement l'orgueil, l'égoïsme, la vanité et la méchanceté. (40, 26-30)

28. Voyez-vous le déséquilibre des éléments de la Nature et le bouleversement qu'ils ont souffert? Vous rendez-vous compte à quel point vous êtes affectés par ses forces déchaînées? L'explication réside dans le fait que vous avez rompu l'harmonie qui existe entre la vie spirituelle et la vie matérielle, provoquant en cela ce chaos dans lequel vous êtes en train de sombrer. Mais lorsque l'humanité obéira aux lois qui régissent la vie, alors tout redeviendra paix, abondance et bonheur. (108, 56)

29. Comment vos œuvres sur la Terre vont-elles être parfaites, si Je vous vois fâchés avec les éléments de la Nature qui sont les mêmes que ceux qui alimentent votre vie?

30. Le but de ma Doctrine n'est pas de vous empêcher d'utiliser les éléments et les forces de la Nature, mais bien de vous commander et vous enseigner à les utiliser à bon escient.

31. En vos mains, les éléments de la Nature peuvent passer d'amis et frères à des juges qui vous châtient lourdement.

32. Il était temps que les hommes recueillent le fruit de l'expérience, afin qu'ils ne provoquent plus les forces des éléments, parce que, avec toute leur science, ils ne seront pas capables de les contenir. (210, 43-46)

33. L'Arbre de la Science se secouera devant la furie de l'ouragan et laissera tomber ses fruits sur humanité Mais, qui d'autre que les

hommes ont détaché les chaînes de ces éléments?

34. Il est bien que les premiers hommes aient connu la souffrance afin de se réveiller à la réalité, de naître à la lumière de la conscience et de s'ajuster à une Loi. Mais pourquoi l'homme évolué, conscient et développé de ce temps, ose-t-il profaner l'Arbre de la Vie? (288, 28)

35. A ceux qui pensent que Je punis les hommes en déchaînant, sur eux, les éléments de la Nature, Je leur affirme qu'ils commettent une grossière erreur en pensant de la sorte, parce que la Nature évolue et se transforme et, dans ses changements ou transitions naissent des bouleversements qui sont ceux qui vous causent des souffrances lorsque vous ne respectez pas la Loi. Quant à vous, vous les attribuez à des châtiments divins.

36. Il est vrai qu'il y a, en cela, ma justice divine mais, si vous-autres,

êtres privilégiés par l'étincelle Divine qui illumine votre esprit, viviez en harmonie avec la Nature qui vous entoure, votre esprit vous maintiendrait élevés bien au-dessus de ses changements, de la force des éléments, et vous ne souffririez pas. (280, 16)

37. Qu'est-ce que la Nature, sinon une grande créature? Oui, mes disciples, une créature qui évolue elle-aussi, se purifie, se développe et se perfectionne avec l'objectif d'héberger en son sein les hommes du lendemain.

38. Combien de fois ressentez-vous ses transitions naturelles pour atteindre cette perfection et que vous attribuez à des châtiments de Dieu, sans vous rendre compte de ce que, ensemble avec la Nature et la Création, vous vous purifiez, évoluez et vous dirigez vers la perfection?! (283, 57-58)

Chapitre 26 – Autres mondes

La lumière universelle du Christ

1. En ce temps-là, Je vous dis: «Je suis la lumière du monde», parce que je m'exprimais en tant qu'homme et parce que les hommes ne connaissaient rien de plus que leur petit monde. Maintenant, en tant qu'Esprit, je vous dis: Je suis la lumière universelle, celle qui éclaire la vie de tous les mondes, ciels et demeures, celle qui illumine et donne la vie à tous les êtres et toutes les créatures. (308, 4)

2. Je suis l'Eternel Semeur, même bien avant de venir sur Terre et que les hommes m'appellent Jésus, J'étais déjà le Semeur. Ceux qui étaient au-delà de la matérialité, du trouble ou de l'ignorance, ceux qui habitèrent des régions et des demeures spirituelles que vous ne connaissez pas ni ne pouvez vous imaginer, ceux-là me connaissaient déjà.

3. J'en envoyai de nombreux, parmi ceux qui me connaissaient avant ma venue sur la Terre, pour qu'ils rendent témoignage de Moi dans le monde, pour qu'ils annoncent l'arrivée du Christ, l'amour et le Verbe du Père. Les uns furent prophètes, d'autres précurseurs, les autres enfin furent apôtres.

4. Ce monde n'est pas le seul qui connaisse l'empreinte de mon pas; partout il a fallu un Rédempteur, là on a trouvé ma présence.

5. Mais il faut que Je vous dise que, pendant qu'en d'autres lieux ma croix et mon calice me furent ôtés par la régénération et l'amour de vos frères, ici, en revanche, dans ce monde, vous me tenez encore couronné d'épines, tourmenté sur la croix de vos imperfections et buvant toujours le calice d'amertume et de vinaigre.

6. Etant donné que mon Œuvre d'amour contient la rédemption pour toute l'humanité, Je vous attends avec une infinie patience; et Je vous ai concédé non pas une mais de très nombreuses opportunités d'élévation, à chaque être, et J'ai attendu, durant de nombreuses époques, le réveil de tous ceux qui dorment d'un profond sommeil. (211, 26-29)

7. L'Echelle de Perfection compte de nombreux échelons, de même que la vallée spirituelle et les espaces sans fin comptent beaucoup de mondes. Et en vérité Je vous le dis: Je me suis toujours communiqué avec tous; et ma manifestation parmi eux a toujours été en fonction du monde dans lequel ils se trouvent selon l'échelle spirituelle. (219, 34)

8. Tandis que les créatures humaines discutent ma Divinité, mon existence et ma Doctrine, il existe des mondes dans lesquels Je suis aimé avec perfection.

9. En même temps que les uns ont atteint la plus grande limpidité spirituelle, votre planète vit, moralement et spirituellement, un temps de grande perversité. (217, 65-66)

Le rapport spirituel entre les mondes

10. Ma lumière divine brille en toutes parts, vous trouverez ma présence partout si vous me cherchiez.

11. Je suis le Père qui travaille pour que règne l'harmonie entre tous ses enfants, aussi bien avec ceux qui habitent sur la Terre que ceux qui demeurent dans d'autres mondes.

12. L'harmonie spirituelle entre tous les êtres leur révèlera de grandes connaissances, leur proportionnera la communication d'esprit à Esprit qui écourtera les distances, rapprochera les absents et effacera les frontières et les limites. (286, 1-3)

13. Cette humanité fera de grands pas vers la spiritualité, son esprit pourra aller au-delà des limites humaines et parvenir aux régions supérieures, pour se communiquer avec ses frères et recevoir la lumière qu'ils doivent leur offrir.

14. Elle pourra aussi descendre aux plans où habitent des êtres de peu d'élévation, des êtres retardés, afin de les aider à sortir de leur pauvre condition et les placer à un meilleur niveau.

15. L'échelle que l'esprit gravit jusqu'à son perfectionnement est très grande; sur cette échelle vous trouverez des êtres d'une infinité de grades différents et vous leur offrirez un peu de ce que vous possédez et eux aussi, à leur tour, vous donneront un peu de leur richesse spirituelle.

16. Alors vous découvrirez que ce monde-ci n'est pas le seul qui lutte pour son amélioration, vous saurez que l'esprit évolue sur toutes les planètes, vibre et croît sur toutes, accomplissant son destin et Moi, je veux que vous vous prépariez afin que vous vous alliez à tous vos frères, que vous vous communiquiez avec eux, avec ce saint désir ardent de vous reconnaître, de vous aimer et de vous aider.

17. Faites-le en mon nom et dans la plus stricte obéissance, au moyen de votre pensée, et lorsque vous initierai cet exercice, vous commencerez à interpréter leurs pétitions, leurs enseignements et leurs bienfaits.

18. Je désire ardemment qu'existe l'harmonie avec vos frères sur et en-dehors de cette planète, qui à présent est votre foyer; établissez des liens d'amitié, demandez de l'aide lorsque vous en avez besoin et aidez aussi ceux qui vous demandent ce que vous possédez. (320, 44-46)

Apprendre à connaître d'autres mondes et d'autres modes de vie

19. Vous m'avez souvent demandé ce qu'il y a au-delà de ce monde et si les astres qui gravitent dans l'espace sont des mondes comme le votre.

20. Ma réponse, en regard à votre curiosité, n'a pas complètement levé le voile du mystère, considérant que

vous n'avez pas encore l'évolution nécessaire pour comprendre, ni la spiritualité indispensable pour être en harmonie avec d'autres contrées et mondes.

21. Vous n'êtes pas encore parvenu à connaître ni à comprendre les enseignements que vous livre la planète sur laquelle vous vivez et, déjà, vous voulez chercher d'autres mondes. Vous n'avez pas pu fraterniser entre vous, habitants d'un même monde, et vous voulez découvrir l'existence d'êtres d'autres lieux.

22. Pour l'heure, il doit vous suffire de vous rappeler de ce que Je vous dis au Second Temps: «Il y a beaucoup d'endroits dans la maison du Père» et à présent, en ratifiant ces paroles, Je vous dis que vous n'êtes pas les seuls habitants de l'Univers, et que votre planète n'est pas la seule habitée.

23. Les générations du futur auront l'occasion de pouvoir contempler les portes ouvertes qui les rapprochent d'autres mondes, et ils auront raison de s'émerveiller devant le Père.

24. Le bien et l'amour, dont découlent la charité et la paix, seront les clés qui ouvrent les portes du mystère, les hommes accomplissant ainsi un pas vers l'harmonie universelle.

25. Aujourd'hui vous êtes isolés, exilés, prisonniers, parce que votre égoïsme vous a fait vivre uniquement pour le monde, sans nourrir l'ambition de la liberté et de l'élévation de l'esprit.

26. Qu'en adviendrait-il de vous, hommes vaniteux, êtres rapetissés par votre matérialisme, si avant de vous débarrasser de vos tares humaines, il vous fut concédé d'aller dans d'autres mondes? Quelle semence iriez-vous semer? La discorde, l'ambition malsaine, la vanité.

27. En vérité Je vous le dis, pour atteindre cette connaissance à laquelle tout humain aspire, et cette révélation qui éloigne de son intelligence les questions qui le torturent et l'intriguent, l'homme devra beaucoup se purifier, veiller et prier.

28. Ce ne sera pas seulement la science qui en tant que telle lui révèle mes arcanes, il faut que cet ardent désir de savoir soit inspiré dans l'amour spirituel.

29. Lorsque la vie des hommes aura des reflets de spiritualité, Je vous dis qu'ils n'auront même plus à s'efforcer de chercher au-delà de leur monde, parce qu'au même moment ils seront recherchés par ceux qui habitent des lieux plus élevés. (292, 3-5 et 7-11)

La détermination des étoiles

30. Il y a, dans la maison de votre Père, de nombreux endroits, qui sont les échelons infinis de échelle qui conduit à la perfection; c'est de là que le monde spirituel descend pour se manifester parmi vous.

31. A maintes reprises, vous M'avez interrogé d'esprit à Esprit à propos de la raison de l'existence de cet immense nombre étoiles, de ces planètes qui brillent au-dessus de votre monde, et vous M'avez

255

demandé: «Maître, ces mondes sont-ils vides?»

32. Et Moi Je vous dis: «Le temps n'est pas encore venu pour que Je vous le révèle entièrement; quand l'homme atteindra la spiritualité, alors il pourra connaître de grandes révélations et pourra se communiquer avec ces êtres aimés de ma Divinité, d'esprit à esprit. Ce sera le temps de la communication de pensée de tous les frères».

33. Mais depuis aujourd'hui vous savez que tous les mondes sont habités par mes créatures, rien n'est vide, tous sont des jardins et des vergers bénis et maintenus par Marie, la tendresse Divine.

34. Le Saint-Esprit reviendra vous expliquer, par vos bouches, des leçons plus élevées, inconnues pour vous et pour l'humanité. Quand, peuple bien-aimé? Quand il y aura de la spiritualité en vous et de la consécration en votre mission. (312, 10-12)

35. Regardez, peuple, contemplez le ciel, regardez-le bien et vous verrez qu'en chaque étoile il y a une promesse, un monde qui vous attend. Elles sont des demeures promises aux enfants de Dieu dans lesquelles vous tous viendrez habiter, parce que tous vous connaîtrez mon royaume, lequel ne fut pas seulement créé pour certains êtres, mais il fut plutôt créé comme le foyer universel où se réuniront tous les enfants du Seigneur. (12, 24)

Chapitre 27 – L'Au-Delà

La connaissance nécessaire de la vie spirituelle

1. Je découvre combien cette humanité est ignorante des enseignements spirituels, parce qu'on lui a enseigné ma Loi et ma Doctrine seulement comme une morale qui lui sert d'aide et non en tant que sentier qui conduit son esprit à la mansion parfaite.

2. Les différentes religions sont venues semer, dans le cœur des hommes, une fausse crainte envers la connaissance spirituelle, ce qui a entraîné qu'ils fuient mes révélations et qu'ils sombrent dans les ténèbres de l'ignorance, en argumentant que la vie spirituelle est un mystère impénétrable.

3. Tous ceux qui affirment cela sont des menteurs. Toutes les révélations que Dieu fit à l'homme depuis l'aube de humanité sont venues lui parler de la vie spirituelle. Il est vrai que Je ne vous avais pas livré tout mon enseignement, parce que vous n'étiez pas qualifiés pour tout savoir, jusqu'à ce que vienne le moment. Mais ce que le Père a révélé jusqu'au jour d'aujourd'hui vous suffit pour avoir une connaissance complète de la vie spirituelle. (25, 38-40)

4. La vie spirituelle qui est souhaitée par les uns, est crainte, reniée et même raillée par les autres; mais, impassible, elle vous attend tous. Elle, qui est le sein qui vous abrite, les bras qui vous serrent, la patrie de l'esprit, est un mystère insondable, même pour les savants. Mais il ne vous sera possible de pénétrer mes arcanes que si la clé que vous utilisiez pour ouvrir cette porte, est la clé de l'amour. (80, 40)

«Ciel» et «Enfer»

5. Les hommes ont imaginé l'enfer comme un lieu de torture éternelle où ils ont cru que vont tous ceux qui ont manqué à mes commandements. Et, de même qu'ils ont créé cet enfer pour les grands péchés, pour les péchés mineurs ils ont imaginé un autre endroit, de même qu'un autre encore pour ceux qui n'ont fait ni le bien ni le mal.

6. Ceux qui prétendent qu'on ne se réjouit ni qu'on ne souffre dans l'Au-Delà ne disent pas la vérité; tout le monde souffre et tout le monde jouit. Les peines et les joies seront toujours mélangées, tant que l'esprit n'atteindra pas la paix suprême.

7. Mes enfants, écoutez: L'enfer existe dans les incarnés et les désincarnés, chez les habitants de ce monde et ceux de la vallée spirituelle. L'enfer est le symbole des grandes peines, des terribles remords, du désespoir, de la douleur et de l'amertume de ceux qui ont commis de grands péchés et qui se libèreront de leurs conséquences grâce à

l'inclinaison de leur esprit vers l'amour.

8. La gloire, en revanche, qui symbolise le bonheur et la paix véritable, est destinée à ceux qui se sont écartés des passions du monde pour vivre en communion avec Dieu.

9. Interrogez votre conscience et vous saurez si vous vivez en enfer, si vous expiez vos fautes, ou si vous vibrez de la paix de la gloire.

10. Ce que les hommes appellent gloire ou enfer ne sont pas des lieux déterminés, c'est l'essence de vos actions que votre esprit recueille lorsqu'il arrive à la vallée spirituelle. Chacun vit son enfer, habite son monde d'expiation ou jouit de la béatitude que procurent l'élévation et l'harmonie avec l'Esprit Divin. (11, 51-56)

11. De même que l'homme sur la Terre peut se créer un monde de paix spirituelle, semblable à la paix de mon Royaume, il peut aussi, par sa perversité, s'entourer d'une existence qui soit comme un enfer de vices, de méchancetés et de remords.

12. L'esprit peut rencontrer, dans l'au-delà aussi, des mondes de ténèbres, de perversité, de haines et de vengeances, en rapport avec les tendances de l'esprit, son trouble et ses passions. Mais en vérité Je vous le dis, aussi bien la gloire que l'enfer que les hommes ne conçoivent qu'au travers de figures et images terrestres, ne sont pas davantage que distincts états d'évolution de l'esprit: L'un au comble de la perfection en raison de

sa vertu et de son évolution, et l'autre dans l'abîme de ses ténèbres, de ses vices et de son aveuglement.

13. L'esprit juste est indifférent au lieu où il se trouve, parce que partout il portera en lui la paix et la gloire du Créateur. En revanche, l'esprit impur et troublé peut se trouver dans le meilleur des mondes, mais il ne cessera pas, pour autant, de ressentir en son for intérieur l'enfer de ses remords qui le brûleront jusqu'à le purifier.

14. Croyez-vous que Moi, votre Père, j'aie créé des lieux spécialement destinés à vous châtier et à me venger ainsi éternellement de vos offenses?

15. Comme sont stupides les hommes qui enseignent ces théories!

16. Comment pouvez-vous croire que les ténèbres et la douleur éternelles soient la fin qui attend les esprits, lesquels même s'ils ont péché, seront toujours enfants de Dieu? Si vous avez besoin d'enseignement, voici le Maître! Si vous avez besoin d'amour, voici le Père. Et si vous désirez ardemment le pardon, voici le Juge parfait.

17. Celui qui ne tente pas de me chercher en corrigeant ses fautes sera celui qui ne parviendra pas à Moi, mais il n'existe personne pour résister à ma justice et à mes épreuves. Ce n'est que propres et purifiés que vous pourrez arriver jusqu'à Moi. (52, 31-37)

18. De toutes les pièces que contient la maison du Père, il n'existe aucun monde de ténèbres; sa lumière est en

toutes: Mais, si en elles entrent les esprits aux yeux bandés en raison de leur ignorance alors, comment pourront-ils contempler cette splendeur?

19. Si vous demandez à un aveugle ce qu'il contemple ici dans ce monde, il vous répondra qu'il ne voit que des ténèbres Ce n'est pas que la lumière du soleil n'existe pas, sinon que lui tout simplement ne peut pas la voir. (82, 12-13)

20. Je vous ai dit en ce temps-là: N'acceptez pas l'idée qui existe parmi humanité, à propos de l'enfer, parce qu'il n'y a pas plus grand enfer dans ce monde que la vie que vous avez créée avec vos guerres et vos haines. Et, dans l'au-delà, il n'existe pas de plus grand feu que le remords de l'esprit lorsque la conscience lui montre ses erreurs. (182, 45)

21. Ceux qui, dans leur fanatisme religieux, n'attendent dans l'Au-Delà que le châtiment de l'enfer, tant qu'ils conserveront cette croyance, ils forgeront eux-mêmes leur enfer, parce que le trouble de leur esprit, bien que plus puissant, ressemble à celui de l'intelligence humaine.

22. Vous m'interrogez: Maître, Le salut existe-t-il pour ceux-là? Et Moi, de vous répondre: Le salut existe pour tous, mais la paix et la lumière ne parviendront à cet esprit que lorsque les ténèbres du trouble auront disparu.

23. Avez-vous jamais éprouvé de pitié à l'égard d'un homme dont la raison égarée lui fait voir ce qui n'existe pas? Plus grande encore serait votre douleur si vous contempliez dans l'Au-Delà ces êtres perturbés en train de regarder leur enfer imaginaire! (227, 71)

24. Ne tremblez pas devant ces révélations, au contraire, réjouissez-vous en pensant à l'idée que cette parole vient détruire le concept que vous aviez de la punition éternelle et toutes les interprétations du feu éternel qui vous furent livrées dans les temps passés.

25. Le feu est le symbole de la douleur, des remords et du repentir qui tourmenteront l'esprit, en le purifiant à l'instar de l'or qui se purifie dans le creuset. En cette douleur, il y a ma volonté et, en ma volonté est aussi présent mon amour pour vous.

26. S'il était vrai que le feu est celui qui punit les péchés humains, alors tous les corps de ceux qui ont péché devraient être tirés au feu, ici sur la Terre, parce qu'une fois morts, ils ne ressentiraient déjà plus rien; parce les corps ne s'élèvent jamais à l'espace spirituel, bien au contraire, une fois conclue leur mission, ils descendent dans les entrailles de la terre, où ils se fondent avec la Nature de laquelle ils naquirent.

27. Mais si vous croyez que ce que vous appelez «le feu éternel» n'est pas destiné au corps sinon à l'esprit, là encore vous commettez une grave erreur, parce que dans le royaume spirituel il n'existe pas d'éléments matériels de même que le feu n'a

aucune emprise sur l'esprit. Ce qui est né de la matière est matière; ce qui est né de l'esprit est esprit.

28. Ma parole ne descend pas pour attaquer une quelconque croyance. Si quelqu'un le pense, il se trompe fortement. Ma parole vient pour expliquer le contenu de tout ce qui n'a pas été dûment interprété et qui, pour autant, a semé des confusions qui se sont transmises parmi l'humanité, de génération en génération.

29. Que vaudraient ma Loi et ma Doctrine si elles n'étaient pas à même de sauver les esprits de l'erreur et du péché? Et quel aurait été l'objet de ma présence en tant qu'homme dans le monde, si beaucoup allaient devoir se perdre pour toujours dans une expiation sans fin? (353, 44-48)

30. Il y en a quelques-uns qui, dans la crainte que la mort les surprenne, se sentent obligés à accomplir de bonnes actions, parce qu'ils n'ont aucun mérite à présenter à leur Seigneur. D'autres s'écartent du mal juste par crainte de mourir en état de péché et de devoir souffrir après cette vie, le tourment éternel de l'enfer.

31. Combien difforme et imparfait est ce Dieu, selon l'image que beaucoup imaginent; combien injuste, monstrueux et cruel! En réunissant tous les péchés et tous les crimes qu'ont commis les hommes, ils ne peuvent se comparer à la perversité qui entraînerait le châtiment de l'enfer pour toute l'éternité auquel, selon eux, Dieu condamne les enfants qui pèchent. Ne vous ai-je pas expliqué que l'amour est le plus grand attribut de Dieu? Ne croyez-vous pas, dès lors, qu'un tourment éternel constituerait la négation absolue de l'attribut divin de l'amour éternel? (164, 33-34)

32. Vous-autres croyez que le ciel est une région dans l'infini et que vous pouvez l'atteindre moyennant un sincère repentir de vos fautes à l'heure de votre mort matérielle, en confiant que vous serez pardonnés en ce même instant et que c'est Moi qui vous conduirai au Royaume des Cieux. C'est ce que vous pensez!

33. En revanche, Moi je vous dis que le Ciel n'est ni un site, ni une région, ni une mansion; le ciel de l'esprit est son élévation et sa perfection, il est son état de pureté. A qui incombe-t-il de vous permettre d'entrer au ciel, à Moi qui vous ai toujours appelés, ou à vous qui avez toujours été en retard?

34. Ne limitez pas l'infini, le divin! Ne comprenez-vous pas que, si le ciel était comme vous l'imaginez une mansion, un site déterminé, alors, il cesserait d'être infini? Il est temps que vous conceviez le spirituel de manière plus élevée, malgré que votre idée ne parvienne pas à faire le tour de toute la réalité, mais que, pour le moins, elle s'en approche. (146, 68-69)

La «musique» du Ciel

35. Vous avez entendu que, dans le ciel, les anges écoutent éternellement le concert divin. Si vous vous arrêtez devant ce sens figuratif, alors faites

attention de ne pas croire que, dans la gloire, s'écoute aussi des musiques semblables à celles que vous êtes habitués d'écouter sur la terre; qui pense de la sorte aura sombré dans une complète erreur de matérialisme; en revanche, celui qui, en entendant parler de la musique du ciel et du bonheur des anges qui écoutent, pense à l'harmonie avec Dieu dans le divin concert, celui-là aura été dans le vrai.

36. Mais, comment se fait-il que certains ne le comprennent pas de cette manière, étant donné que chacun de vous porte en son esprit une note du concert universel? Comment peut-il se faire que, en écoutant cette parole, il s'en trouve qui ne la comprennent pas, ou qui ne la ressentent pas ou qui l'interprètent mal?

37. Ô mes enfants bien-aimés, cherchez la lumière dans la prière, parce que vous êtes fragiles dans votre entendement. Interrogez-Moi dans vos méditations, peu importe que vos questions soient grandes, parce que, depuis l'infini, Moi Je saurai vous répondre. A mon tour, Je vous interrogerai aussi afin qu'entre le Maître et les disciples jaillisse la lumière de la vérité.

38. La musique céleste est la présence de Dieu en vous, et au milieu de ce concert votre note vibrera lorsque vous aurez atteint la véritable élévation, qui est la beauté spirituelle. Elle est la musique céleste et le chant des anges. Quand vous le saurez et le sentirez ainsi, alors la vérité resplendira en votre être et vous sentirez que Dieu est en vous; la vie vous offrira un concert éternel et divin, et vous découvrirez une révélation en chacune de ses notes.

39. Vous n'avez pas encore écouté les belles notes, parfois douces, parfois vibrantes, en leur parfaite harmonie. Si d'aventure vous réussissez à les percevoir, ces notes vous paraîtront floues et difficile d'unir, et vous ne pourrez réaliser pleinement la beauté qu'elles renferment. Il est impérieux de dépasser les sens, les passions et les ombres du matérialisme pour parvenir à écouter le concert de Dieu en votre esprit. (199, 53-56)

Il y a beaucoup d'espace dans la maison de mon Père

40. Mon Œuvre croîtra de plus en plus jusqu'à ce que, à la fin, tous les esprits s'unissent dans le respect de ma Loi et que cette demeure se convertisse en un monde de perfection. Ceux qui l'habitent en ce temps sentiront palpiter mon amour en toute la création et se prépareront pour habiter un monde meilleur. Cette demeure sera passagère pour votre esprit, il s'en ira à d'autres régions, à d'autres plans de l'Au-Delà, en quête de son perfectionnement.

41. Souvenez-vous que Je vous dis: «Dans la maison du Père, il y a beaucoup d'espace». Et, en cette époque beaucoup plus évoluée où vous comprenez mieux mes enseignements, Je suis venu pour vous dire: «Il y a, dans la maison du Père, un nombre infini de demeures». Par

261

conséquent, ne vous imaginez pas que, en quittant ce monde, vous atteindrez l'élévation spirituelle maximale. Non, disciples! Lorsque se termine votre étape sur cette planète, Je vous conduirai à d'autres demeures et vous guiderai éternellement de la sorte sur l'échelle infinie de votre perfectionnement. Confiez en Moi, aimez-Moi et vous serez sauvés. (317, 30)

42. Il est impossible que, depuis ce monde, vous essayiez d'imaginer ce que sont et comment sont mon Royaume, le Ciel et la Gloire. Je souhaite qu'il vous suffise de savoir que c'est un état de perfection de l'esprit depuis lequel il voit, ressent et comprend la vie merveilleuse de l'esprit qu'aujourd'hui vous ne pouvez ni comprendre ni concevoir.

43. Je vous dis que même les esprits, qui habitent des plans plus élevés que celui sur lequel vous vivez, ne connaissent pas la réalité de cette vie-là. Savez-vous ce que représente vivre au sein du Père? Vous ne le saurez que lorsque vous l'habiterez. Juste un vague pressentiment, une légère intuition de ce mystère croisera brièvement votre cœur comme un stimulant sur le chemin de votre évolution. (76, 28-29)

VII. LE CHEMIN EVOLUTIF VERS LA PERFECTION

Chapitre 28 – Mourir, mort et réveil dans l'Au-Delà

L'immortalité de l'esprit

1. C'est le temps où l'humanité s'éveille aux beautés de l'esprit, s'intéresse à l'éternel et se demande: A quoi ressemblera la vie qui nous attend après la mort?

2. Qui, aussi incrédule soit-il, ne s'est-il pas demandé s'il existe, en lui, quelque chose qui survivra à la matière? En vérité Je vous le dis, tous pressentent ce mystère et méditent, ne fut-ce que l'espace d'un moment, à propos de l'insondable.

3. Au sujet du mystère de la vie spirituelle qui semble tellement éloignée mais qui, en réalité, est là devant vos yeux, les uns s'interrogent, les autres se confondent, et d'autres encore la renient; certains parlent en s'imaginant tout savoir, quant aux autres, ils se taisent et attendent. Mais bien peu sont ceux qui vraiment savent quelque chose de l'au-delà.

4. Au Troisième Temps, J'ai quitté la tombe de l'oubli dans laquelle l'humanité m'a maintenu, afin de la ressusciter, parce que Je suis la vie. Personne ne peut mourir, et même celui qui s'ôte l'existence de sa propre main entendra que sa conscience lui réclamera son manque de foi. (52, 63)

5. Ma Doctrine n'est pas seulement destinée à vous donner force et tranquillité durant votre passage sur la Terre, elle vous enseignera aussi à quitter ce monde, à franchir les seuils de l'Au-Delà et à entrer dans la demeure éternelle.

6. Toutes les religions confortent l'esprit en son passage par ce monde, mais bien peu nombreuses sont celles qui le révèlent et le préparent au grand voyage vers l'Au-Delà. Et c'est pour cela que beaucoup considèrent la mort comme une limite, sans savoir que c'est à partir de là que se contemple l'horizon infini de la vraie vie. (261, 52-53)

7. La mort n'est qu'un symbole. La mort existe pour ceux qui ne possèdent pas encore la connaissance de la vérité, pour eux, la mort demeure un spectre derrière lequel se cache le mystère ou le néant. Je vous dis: Ouvrez les yeux et comprenez que vous non plus vous ne mourrez pas; vous vous séparez de la matière, mais cela ne signifie pas que vous mourrez; à l'instar de votre Maître, vous avez la vie éternelle. (213, 5)

Préparation pour le départ de ce monde

8. Vous devez comprendre que vous, dotés d'esprit, signifiez, dans la Création, la plus aimée des œuvres du

Père, parce que c'est en vous qu'Il déposa l'essence, les apanages et l'immortalité.

9. La mort comme vous la concevez, ou encore la fin de l'existence, cette mort n'existe pas pour l'esprit. La mort du corps ne peut pas signifier la mort ou la fin pour l'esprit. C'est précisément là qu'il s'éveille à une vie supérieure, tandis que son enveloppe terrestre les ferme au monde à tout jamais. C'est seulement un instant de transition sur la voie qui conduit à la perfection.

10. Si vous ne l'avez pas encore compris de cette manière, c'est parce que vous aimez encore beaucoup trop ce monde et que vous vous sentez intimement attachés à lui. Il vous coûte d'abandonner cet endroit parce que vous croyez être les propriétaires de ce que vous y possédez. Et il y en a encore qui gardent un vague pressentiment de ma justice divine et qui craignent d'entrer dans la vallée spirituelle.

11. L'humanité a trop aimé ce monde; trop, car son amour a été mal orienté. Combien y ont succombé pour cela! Et combien les esprits se sont-ils matérialisés pour cette même raison!

12. Seulement lorsque vous avez ressenti la mort se rapprocher à grands pas, quand vous avez été gravement malades, et que vous avez souffert, c'est à ce moment-là lorsque vous pensez être à un pas de l'Au-Delà, de cette justice que vous me redoutez, alors vous promettez et jurez au Père

de l'aimer, de le servir et de lui obéir sur la Terre. (146, 46-49)

13. Les hommes ont aimé cette vie de telle manière que, lorsque s'approche l'heure de la laisser, ils se rebellent contre ma volonté en faisant la sourde oreille à l'appel que Je leur lance, ils méprisent la paix de mon Royaume et implorent le Père de les laisser plus longtemps sur la Terre pour continuer de posséder leur biens temporels.

14. Sensibilisez-vous afin de percevoir la vie spirituelle, et ne vous contentez pas de cette vie qui ne marque que le début de votre évolution, parce qu'au-delà de cette vie existent des créations supérieures.

15. Ne tentez pas de repousser la mort lorsque celle-ci, par ma volonté, s'approche de vous. Ne recherchez pas l'homme de science pour qu'il vous réalise le miracle de contrecarrer mes desseins en prolongeant votre existence, parce que tous deux pleurerez amèrement cette erreur. Préparez-vous en cette vie et vous n'aurez pas à craindre votre entrée dans l'Au-Delà. (52, 55-57)

16. Aimez jusqu'à un certain point les choses du monde, pendant que vous y vivez, afin que vous sachiez respecter ses lois; mais alimentez toujours le désir de parvenir à habiter les hautes demeures spirituelles, pour que, au moment où votre esprit se débarrassera de l'enveloppe, il ne se trouble pas ni ne se laisse tenter par ce qu'il aima sur cette planète; parce

qu'alors il demeurera attaché et prisonnier de ce monde auquel il n'appartient déjà plus et dont il ne pourra plus jouir d'aucune manière. (284, 5)

17. Ayez pitié de vous-mêmes. Personne ne sait le moment où son esprit s'éloignera de la matière. Personne ne sait si ses yeux s'ouvriront à la lumière du lendemain. Tous vous appartenez au seul propriétaire de toute la Création et ne savez pas quand vous serez recueillis.

18. Pensez que ni la terre que vous foulez, ni les cheveux de votre tête ne vous appartiennent. Pensez que vous-mêmes ne vous appartenez pas et que vous n'avez aucunement besoin de posséder des propriétés de courte durée puisque « votre royaume n'est pas non plus de ce monde ».

19. Spiritualisez-vous et vous obtiendrez tout avec justice et mesure pendant que vous en aurez besoin et, un fois venu le moment de renoncer à cette vie, vous vous élèverez, pleins de lumière, pour prendre possession de ce qui vous correspond dans l'Au-Delà. (5, 95-97)

Le passage à l'autre monde

20. A toute heure, ma voix vous appelle vers le bon chemin où existe la paix, mais votre ouie sourde n'a qu'un instant de sensibilité face à cette voix, et cet instant est le dernier de votre vie, lorsque l'agonie vous annonce la proximité de la mort du corps. C'est alors que vous souhaiteriez que votre vie corrige vos erreurs pour tranquilliser votre esprit face au jugement de votre conscience et pour pouvoir offrir quelque chose de digne et de méritoire au Seigneur. (64, 60)

21. Si vous recherchez l'immortalité de l'esprit, ne craignez pas l'arrivée de la mort qui met fin à la vie humaine, attendez-la en étant préparés. Elle dépend de ma volonté et, pour cela, est toujours opportune et juste, malgré que les hommes très souvent croient le contraire.

22. Ce qui est grave n'est pas que l'homme meure, sinon que son esprit, au moment de se débarrasser de la matière, manque de lumière et ne puisse contempler la vérité. Je ne souhaite pas la mort du pécheur, mais plutôt sa conversion mais, quand la mort se fait indispensable, que ce soit pour libérer un esprit ou pour arrêter la chute d'un homme dans l'abîme, ma justice divine coupe le fil de cette existence humaine. (102, 49-50)

23. Sachez que, dans le livre de votre destinée, sont marqués, le jour et l'heure où les portes de l'au-delà s'ouvriront pour faire place à votre esprit, d'où vous verrez toute votre œuvre sur la Terre, toute votre vie passée. Vous ne souhaiterez pas alors entendre des voix formuler des reproches ou des plaintes à votre encontre, ni voir ceux qui vous signalent en tant que responsables de leur maux. (53, 49)

24. Ne vous arrêtez pas en pensant que vous n'arriverez jamais au bout de ce chemin qui vous paraît si long; poursuivez votre marche en avant, parce que esprit pleurera plus tard chaque instant que vous perdiez. Qui vous a dit que l'objectif se trouve en ce monde? Qui vous a enseigné que la mort est la fin et que vous pourrez atteindre mon Royaume en ce moment?

25. La mort ressemble à un bref sommeil, après lequel, les forces étant restaurées, l'esprit, sous la caresse de ma lumière, se réveillera et ce sera un nouveau jour qui commencera pour lui.

26. La mort est la clé qui vous ouvre les portes de la prison dans laquelle vous vous trouvez par le fait d'être attachés à votre corps matériel. La mort est, en même temps, la clé qui vous ouvre les portes de l'éternité.

27. Cette planète, convertie en vallée d'expiation à cause des imperfections humaines, a été une captivité et un bannissement pour l'esprit.

28. En vérité Je vous le dis, la vie sur la Terre est un échelon de plus sur l'échelle de la vie. Pourquoi ne le comprenez-vous pas ainsi, afin de profiter de toutes ses leçons? Ceci constitue la raison pour laquelle beaucoup sont obligés d'y revenir à maintes reprises: parce qu'ils ne comprirent ni ne tirèrent profit de leur vie antérieure. (167, 22-26)

29. Il faut que vous sachiez que l'esprit, avant de s'incarner, a bénéficié d'une grande préparation, puisqu'il va être soumis à une longue et parfois dure épreuve; et que, grâce à cette préparation, il ne se trouble pas en pénétrant dans cette vie terrestre; il ferme les yeux au passé pour les ouvrir à une nouvelle existence et, de cette manière, s'adapte depuis le premier instant au monde dans lequel il est arrivé.

30. Bien différente est la forme sous laquelle votre esprit se présente au seuil de la vie spirituelle, quand il quitte son corps et abandonne le monde. Comme une vraie préparation lui a fait défaut pour retourner à sa demeure, il se voit alors perturbé et confus, les sensations de la matière le dominent encore et il ne sait que faire ni où aller.

31. Cela est dû au fait qu'il ne comprit pas la nécessité de savoir comment fermer les yeux à ce monde au dernier instant, parce que seulement ainsi il pourra les ouvrir au monde spirituel qu'il avait laissé, dans lequel tout son passé l'attendait pour l'unir à sa nouvelle expérience et à additionner ses nouveaux mérites à toute la somme de ses mérites antérieurs.

32. Un épais voile brouille son esprit pendant qu'il recouvre la lumière; une influence tenace de tout ce qu'il quitta l'empêche de ressentir la vibration de sa conscience tandis que ses ombres s'évanouissent pour se réintégrer à sa véritable essence. Que de confusion, que de douleur!

33. Existera-t-il quelqu'un qui, après avoir écouté ou lu ce message, le rejette en le considérant comme une

leçon inutile ou fausse? Je vous dis que seul celui qui arrive à se retrouver à un stade d'extrême matérialisme ou de fanatisme aveugle, pourrait rejeter cette lumière sans que son esprit ne s'en émeuve. (257, 20-22)

Le «repos éternel»

34. Le repos spirituel, selon la compréhension et la conception de votre matière, n'existe pas. L'activité, la multiplication du bien, et le fait de ne gâcher aucun instant constituent le repos qui attend l'esprit. C'est à ce moment-là qu'il se repose, qu'il se soulage des remords et des peines, qu'il se réjouit en faisant le bien, et qu'il se repose en aimant son Créateur et ses frères.

35. En vérité Je vous le dis, si vous faisiez demeurer votre esprit inactif afin qu'il se repose, selon votre manière de concevoir le repos sur la Terre, les ténèbres de la désespérance et l'angoisse s'empareraient de lui, parce que la vie et la lumière de l'esprit, ainsi que son plus grand bonheur, sont le travail, la lutte et l'incessante activité.

36. L'esprit qui retourne de la Terre à la vallée spirituelle en portant en lui-même l'empreinte de la fatigue de la chair, et qui arrive en cherchant l'Au-Delà comme un lit dans lequel se reposer, dans lequel sombrer dans l'oubli pour effacer les traces de la lutte, celui-là devra se sentir le plus malchanceux des êtres et il ne trouvera ni paix ni bonheur, à moins qu'il se réveille de sa léthargie, qu'il sorte de son erreur et se lève à la vie spirituelle, laquelle est, comme Je vous l'ai déjà dit auparavant, l'amour, le travail, la lutte permanente sur le chemin qui conduit à la perfection. (317, 12-14)

Les retrouvailles dans l'Au-Delà

37. Je souhaite que vous soyez des hommes de foi, que vous croyiez en la vie spirituelle; si vous avez vu vos frères partir pour l'Au-Delà, ne les sentez pas éloignés et ne pensez pas les avoir perdus pour toujours. Si vous voulez vous réunir avec eux, travaillez et méritez-le et, lorsque à votre tour vous arriverez dans l'Au-Delà, vous les retrouverez qui vous attendent, pour vous enseigner à vivre dans la Vallée Spirituelle. (9, 20)

38. Qui n'a pas éprouvé d'inquiétude face à la vie de l'Au-Delà? Lequel de ceux qui ont perdu un être cher aimé en ce monde, n'a pas éprouvé l'ardent désir de le revoir ou tout au moins de savoir où il se trouve? Vous saurez absolument tout; vous les reverrez.

39. Mais, gagnez vos mérites à présent, pour éviter que, lorsque vous quittiez cette Terre et que vous demandiez, dans la vallée spirituelle, où se trouvent ceux que vous espérez rencontrer, l'on ne vous réponde que vous ne pouvez les voir parce qu'ils sont situés à un niveau plus élevé. N'oubliez pas que Je vous ai dit auparavant que, dans la maison du Père, il existe beaucoup de mansions. (61, 31)

Le jugement de l'esprit par sa propre Conscience

40. Quand l'esprit de quelconque grand pécheur se détache de cette vie matérielle pour entrer dans la vallée spirituelle, il s'étonne de constater que l'enfer, comme il l'imaginait, n'existe pas et que le feu, à propos duquel on lui parla dans le passé, n'est autre que l'essence de ses actions au moment de se retrouver devant l'inexorable juge qu'est sa conscience.

41. Ce jugement éternel, cette clarté qui se produit au milieu des ténèbres qui enveloppent ce pécheur, brûlent davantage que le feu le plus ardent que vous puissiez concevoir. Mais ce n'est pas une torture préparée d'avance comme un châtiment à l'égard de celui qui M'a offensé. Non! Cette torture provient de la connaissance des fautes commises, du regret d'avoir offensé Celui qui lui donna l'existence, d'avoir fait mauvais usage du temps et de ces biens qu'il reçut de son Seigneur.

42. Croyez-vous que Je doive punir celui qui, par ses péchés, M'a offensé, alors que Je sais que le péché offense bien plus celui qui le commet? Ne voyez-vous pas que le pécheur se cause du mal à lui-même et que Je ne vais pas augmenter le malheur qu'il s'est forgé avec son propre châtiment? Je le laisse se regarder lui-même, qu'il écoute la voix inexorable de sa conscience, qu'il s'interroge et se réponde, qu'il recouvre la mémoire spirituelle qu'au travers de la matière il avait perdue et qu'il se souvienne de son commencement, de son destin et de ses promesses. Et là, en ce jugement, il doit expérimenter l'effet du feu qui extermine son mal, qui le fonde à nouveau comme l'or dans le creuset, pour écarter de lui ce qui est nocif, superflu et tout ce qui n'est pas spirituel.

43. Lorsqu'un esprit s'arrête pour écouter la voix et le jugement de sa conscience, en vérité Je vous le dis, c'est à ce moment-là qu'il se trouve face à Ma présence.

44. Ce moment de quiétude, de sérénité et de clarté n'aboutit pas en même temps à tous les esprits; les uns pénètrent rapidement dans leur propre examen et, grâce à cela, s'évitent beaucoup d'amertumes, parce que lorsqu'ils se réveillent à la réalité et reconnaissent leurs erreurs, ils se préparent et prennent leurs dispositions pour réparer jusqu'à la dernière de leurs mauvaises actions.

45. D'autres, aveuglés par le vice, par quelque rancœur ou pour avoir mené une existence de péchés, tardent à sortir de leur aveuglement.

46. Les autres, encore plus insatisfaits, croyant avoir été enlevés de la Terre avant l'heure, alors que tout leur souriait, profèrent des imprécations et blasphèment, retardant ainsi le moment de pouvoir se libérer de leur confusion. De ces derniers, existe un grand nombre de cas que ma sagesse est la seule à connaître. (36, 47-51)

47. Vous devrez répondre de tout et, plus vos œuvres auront été mauvaises, plus énergiques seront les jugements

que vous recevrez de vous-mêmes; parce que ce n'est pas Moi qui vous juge, c'est faux, mais bien plutôt votre propre esprit qui, dans son état de lucidité, se constitue en votre énorme accusateur et terrible juge. Je suis celui qui vous défend contre le trouble, Celui qui vous absout et vous sauve, parce que Je suis l'amour qui purifie et pardonne. (32, 65)

48. Pensez que très vite vous serez en esprit et que tout ce que vous semâtes sur cette Terre sera ce qu'il vous faudra récolter. Le passage de cette vie à l'autre n'est autre qu'un jugement sévère et strict pour l'esprit. Personne n'échappe à ce jugement, même celui qui se considère le plus digne des serviteurs.

49. Je veux que, depuis l'instant où vous pénétrez cette mansion infinie, vous cessiez d'éprouver les angoisses de la Terre et que vous commenciez à ressentir la douceur et le bonheur d'avoir franchi un pas de plus sur le chemin. (99, 49-50)

50. Le Jugement Dernier, comme l'a interprété l'Humanité, est une erreur; mon jugement ne sera pas celui d'une heure ou d'un jour; il y a un temps déjà qu'il pèse sur vous.

51. Mais en vérité Je vous le dis, les corps morts sont morts et s'en sont allés se confondre dans leur propre nature, parce que ce qui appartient à la terre retournera à la terre, de même que le spirituel recherchera sa demeure qui est mon sein.

52. Mais Je vous dis aussi qu'en votre jugement, vous-mêmes serez vos propres juges, parce que votre conscience, votre connaissance et votre intuition vous indiqueront jusqu'à quel point vous êtes dignes et quelle demeure spirituelle vous devrez habiter. Vous verrez clairement le chemin que vous devrez suivre parce que, en recevant la lumière de ma Divinité, vous reconnaîtrez vos actes et jugerez vos mérites.

53. Il existe, dans la vallée spirituelle, beaucoup d'êtres confus et troublés; lorsque vous y entrerez, portez-leur mon message et ma lumière.

54. Vous pouvez mettre en pratique cette forme de charité à partir de maintenant, par le biais de la prière, grâce à laquelle vous pouvez établir une communication avec eux. Votre voix résonnera dans les endroits qu'ils habitent et les fera se réveiller de leur profond sommeil. Il les fera pleurer et se purifier avec les larmes du repentir. En cet instant, ils auront reçu un rayon de lumière, parce qu'ils comprendront alors leurs vanités passées, leurs erreurs et leurs péchés.

55. Grande est la souffrance de l'esprit lorsque la conscience le réveille! Comme il s'humilie alors face au regard du Juge Suprême! Combien humbles sont les pétitions de pardon, les promesses, les bénédictions pour mon nom, qui jaillissent du plus intime de leur être!

56. C'est là que l'esprit reconnaît qu'il ne peut s'approcher de la perfection du Père et, dirigeant son

regard vers la Terre où il ne sut mettre à profit le temps et les épreuves qui furent autant d'opportunités pour s'approcher de l'objectif, demande une opportunité de plus pour expier ses fautes et réaliser des missions non accomplies!

57. Qui, dès lors, rendit la justice? Ne fut-ce pas le même esprit qui fabriqua son jugement?

58. Mon Esprit est un miroir en lequel vous devez vous contempler et Il vous révélera état de pureté que vous conservez. (240, 41-46)

59. Lorsque votre esprit se débarrasse de l'apparence humaine et qu'il se recueille au plus profond de lui-même dans le sanctuaire de la vie spirituelle pour examiner son passé et sa moisson, bon nombre de ses actions qu'ici dans le monde, lui avaient semblé parfaites, dignes d'être présentées au Seigneur et méritoires d'une récompense, résulteront très petites à l'instant de cette méditation. L'esprit réalisera que le sens de nombreuses actions qui lui parurent bonnes dans le monde, ne furent rien de plus que des traits de vanité, de faux amour, et de charité non ressentie par le cœur.

60. Qui croyez-vous a doté l'esprit de l'illumination d'un juge parfait pour se juger même? La conscience, qui en cette heure de justice vous paraîtra briller d'une clarté jamais vue auparavant, indiquera à chacun ce qu'il accomplît de bien, de juste, de réel et de vrai sur la Terre. Elle en fera

tout autant pour le mal, le faux et l'impur qu'il sema sur son chemin.

61. Le sanctuaire dont je termine de vous entretenir est celui de la conscience. Ce temple que personne ne pourra profaner, ce temple que Dieu habite et d'où résonne sa voix et jaillit sa lumière.

62. Dans le monde, vous n'avez jamais su entrer dans ce sanctuaire intérieur, parce que votre personnalité humaine vous fournit toujours les moyens d'éviter la sage voix qui parle en chaque homme.

63. En se débarrassant de son enveloppe, Je vous dis que votre esprit enfin pourra arrêter devant le seuil de ce sanctuaire pour se disposer à y entrer et, devant cet autel de l'esprit, à s'agenouiller, à écouter même, à examiner ses actes face à cette lumière qu'est la conscience, et à entendre parler en son for intérieur la voix de Dieu, en tant que Père, Maître et Juge.

64. Aucun mortel ne peut imaginer toute la solennité de cet instant par lequel tous vous devrez passer afin de connaître ce que vous emmenez de bon, pour le conserver et ce que vous devez rejeter parce que vous ne pouvez le maintenir davantage dans l'esprit.

65. Quand l'esprit perçoit qu'il se trouve face à sa conscience et que celle-ci se manifeste avec la clarté de la vérité, cet être trop faible pour s'écouter lui-même, souhaiterait n'avoir jamais existé, parce que toute sa vie défile devant ses yeux en un instant, celle qu'il laissa derrière lui,

celle qu'il eut et qui fut la sienne et de laquelle il est enfin venu pour rendre des comptes.

66. Disciples, humanité: Préparez-vous, depuis cette vie déjà, pour cet instant, afin que lorsque votre esprit se présente devant le seuil du temple de la conscience, vous n'alliez pas convertir ce temple en tribunal, parce que la douleur spirituelle sera tellement grande, qu'il n'y a de comparaison possible avec aucune douleur physique.

67. Je souhaite que vous méditiez tout ce que Je vous ai révélé par cet enseignement, pour que vous compreniez la manière dont votre jugement a lieu dans le spirituel. Ainsi ferez-vous disparaître de votre imagination ce tableau par lequel vous vous représentez un tribunal présidé par Dieu sous forme de vieillard, et qui fait passer à sa droite les bons enfants pour qu'ils jouissent du Ciel, tandis qu'il colloque les mauvais à sa gauche pour les condamner à un châtiment éternel.

68. Il est grand temps que la lumière parvienne au plus élevé de votre esprit et de votre entendement, pour que la vérité brille en chaque homme et qu'il se prépare pour entrer dignement dans la vie spirituelle. (334, 5-11 et 14-15)

La conscience spirituelle recouvrée

69. Il n'existe rien dans ma Création comme la mort physique pour montrer à chaque esprit le degré d'élévation qu'il atteignit durant la vie, ni rien comme ma parole pour s'élever vers la perfection. Là, vous avez ainsi l'explication de la raison pour laquelle ma Loi et ma Doctrine insistent en tous temps à pénétrer les cœurs, et pourquoi la douleur et les vicissitudes s'en vont conseiller aux hommes de fuir les sentiers qui, au lieu d'élever l'esprit, les mènent à l'abîme.

70. Votre esprit se sentira tellement heureux dans l'Au-Delà si sa conscience lui dit que, sur la Terre, il sema la graine de l'amour! Tout le passé se fera présent devant vos yeux et chaque image de ce que furent vos œuvres vous procurera un plaisir infini.

71. Les préceptes de ma Loi, que votre mémoire n'a pas toujours su retenir, passeront également par votre esprit, pleins de clarté et de lumière. Gagnez des mérites qui vous permettent de pénétrer l'inconnu, les yeux ouverts à la vérité.

72. Il existe beaucoup de mystères que l'homme a essayé, en vain, de percer; ni l'intuition humaine ni la science n'ont réussi à fournir des réponses satisfaisantes aux nombreuses questions que se font les hommes. Il est vrai qu'il y a des connaissances qui sont réservées seulement à l'esprit, une fois que celui-ci est entré dans la vallée spirituelle. Ces surprises qui l'attendent, ces merveilles, ces révélations, feront partie de sa récompense. Certes, Je vous dis que si un esprit arrive au monde spirituel, un voile sur les yeux, il ne contemplera rien et continuera de voir seulement des mystères, là où tout devrait être clarté.

73. Cette Doctrine céleste que Je vous apporte vous révèle beaucoup de beautés et vous prépare afin que, lorsque vous vous pressentiez en esprit devant la justice de l'Eternel, vous sachiez vous affronter à la merveilleuse réalité qui vous entourera depuis cet instant-là. (85, 42 et 63-66)

74. Recevez ma lumière pour qu'elle illumine le chemin de votre existence et, qu'à l'heure de la mort vous vous libériez du trouble de la confusion. Et en cet instant, en franchissant les seuils de l'Au-Delà, sachez qui vous êtes, qui vous avez été et qui vous serez. (100, 60)

75. Tandis que vos corps descendront à la terre au sein de laquelle ils se mélangeront pour la féconder, parce qu'en effet même après leur mort, ils continueront d'être sève et vie; votre conscience qui prédomine votre être ne demeurera pas sur la Terre, sinon qu'elle accompagnera l'esprit pour se montrer à lui comme un livre dont les profondes et sages leçons seront étudiées par l'esprit.

76. Là, vos yeux spirituels s'ouvriront à la vérité et, en un instant, vous saurez interpréter ce que vous n'avez pas réussi à comprendre en une vie entière; là vous saurez ce que signifie «être les enfants de Dieu et le frère de vos semblables»; là vous comprendrez la valeur de tout ce que vous avez possédé, vous expérimenterez le regret et le repentir en raison des erreurs commises et du temps perdu, et de vous naîtront les plus merveilleuses intentions de correction et de réparation.

77. A partir de maintenant vous vous dirigez tous vers le même but en conciliant et en harmonisant votre vie spirituelle; personne ne croit marcher sur un meilleur sentier que celui de son frère, ni ne pense habiter une échelle supérieure à celle des autres. Je vous dis que, à l'heure suprême de la mort, ce sera ma voix qui vous révélera la vérité concernant votre élévation.

78. C'est là, pendant ce bref instant d'illumination face à la conscience, que beaucoup recueillent leur prix récompense, mais aussi que beaucoup voient s'évanouir leur grandeur.

79. Souhaitez-vous vous sauver? Venez à Moi par le chemin de la fraternité; il est le seul et unique, il n'en existe pas d'autre, celui qui est écrit avec ma maxime qui vous dit: «Aimez-vous les uns les autres». (299, 40-42)

Chapitre 29 – Purification et ascension des esprits vers l'Au -Delà

Remords, repentir et auto-incrimination

1. Je ne souhaite pas que votre esprit se tache ni qu'il trouve la mort à la vie véritable. C'est pour cela que Je vous touche de ma justice lorsque Je vous trouve abandonnés aux jouissances et aux plaisirs déments. Votre esprit doit arriver en Mon sein aussi propre qu'il en sortit.

2. Tous ceux qui laissent un corps dans les entrailles de la Terre et se détachent de ce monde, en état de confusion, en contemplant ma présence manifestée dans la lumière de l'infini qui illumine les consciences, se réveillent de leur profond sommeil au milieu de pleurs et de la désespérance du remords. Le Père souffre autant que peut souffrir son enfant pour se libérer de ses peines. (228, 7-8)

3. Remords et tortures qui proviennent du manque de connaissances, souffrance par manque de spiritualité pour jouir de cette vie, ceci et bien plus encore existe dans l'expiation des esprits qui arrivent tachés ou sans aucune préparation aux seuils de la vie spirituelle.

4. Voyez comme Je ne puis considérer le péché, les imperfections ou la perversité des hommes, comme une offense à l'adresse du Père, en sachant que les hommes ne se font de mal qu'à eux-mêmes. (36, 56)

5. Combien votre vie serait lumineuse et combien grande et avancée serait votre science si vous aimiez vos semblables et accomplissiez la volonté de votre Père, si vous sacrifiiez quelque chose de votre libre-arbitre et oeuvriez en accord avec ce que vous dicte la conscience. Votre science alors toucherait le surhumain en dépassant les limites du matériel, parce que jusqu'à présent elle ne s'est pas même approchée de ces limites.

6. Quelle est la surprise que ressent l'esprit du scientifique quand il abandonne ce monde et arrive pour se présenter à la vérité divine. Là, honteux, il incline son visage en implorant que son orgueil lui soit pardonné! Il croyait tout savoir, il croyait tout pouvoir, et niait qu'existât quelque chose qui dépassât sa connaissance ou de sa compréhension; mais en se trouvant face au Livre de la Vie, devant l'œuvre infinie du Créateur, il doit reconnaître sa petitesse et s'armer d'humilité devant la présence de Celui qui est la sagesse absolue. (283, 48-49)

7. N'ayez crainte d'arriver à la vallée spirituelle en pensant à tous les péchés que vous avez commis sur la Terre; si vous laissez que la douleur vous lave, que le repentir jaillisse du cœur, si vous luttez pour réparer vos

fautes, vous arriverez dignes et propres devant ma présence et personne, ni même votre conscience, n'osera faire mention de vos imperfections passées.

8. Dans la mansion parfaite, il existe une place pour chaque esprit qui attend, dans le temps ou dans l'éternité, l'arrivée de son possesseur. Un par un vous arriverez à mon Royaume par l'échelle de l'amour, de la charité, de la foi et des mérites. (81, 60-61)

La justice compensatrice

9. J'ai eu peu de disciples en ce monde et ceux qui ont été à l'image du Divin Maître se trouvaient en plus petit nombre encore. C'est dans la vallée spirituelle que J'ai beaucoup de disciples, parce que cet endroit connaît le plus grand progrès quant à l'étude de mes enseignements. C'est là que mes petits enfants, les assoiffés et les affamés d'amour, reçoivent de leur Maître ce que l'humanité leur refusa. C'est là que brillent, par leur vertu, ceux qui en raison de leur humilité furent ignorés sur la Terre. C'est là aussi que pleurent, tristes et repentis, ceux qui resplendirent d'une fausse lumière en ce monde.

10. C'est dans l'au-delà que Je vous reçois comme vous ne l'attendiez pas sur la Terre, lorsque vous vous rendiez en pleurant mais en me bénissant. Peu importe que tout au long de votre étape vous ayez eu un instant de désespérance, Moi je prendrai en considération que vous connûtes des jours d'intenses souffrances et que, dans ces moments, vous fîtes preuve de résignation et vous bénîtes Mon Nom. Vous aussi, dans votre petitesse, avez parcouru certains calvaires, même si ceux-ci ont été causés par votre désobéissance.

11. Et voilà que, pour quelques instants de fidélité et d'amour pour Dieu, vous obtenez des temps de vie et de grâce dans l'au-delà. C'est de cette manière que mon amour éternel répond à l'amour temporel de l'homme. (22, 27-29)

12. Toute bonne action aura sa récompense, celle qui ne sera pas reçue sur la Terre le sera dans l'Au-Delà. Mais combien d'entre vous souhaiteraient-ils jouir de cette gloire dans ce monde, sans savoir que celui qui ne travaille pas à sa vie spirituelle, se trouvera sans mérites lorsqu'il entrera en elle, et que son repentir sera énorme. (1, 21)

13. Celui qui s'en va rechercher les honneurs et les éloges du monde les aura; mais ils seront de courte durée et ne lui serviront en rien au jour de son entrée dans le monde spirituel; celui qui est à la recherche de l'argent aura, ici, sa rétribution, parce qu'ainsi fut son désir; mais, une fois venue l'heure de tout laisser ici, pour se présenter dans l'Au-Delà, il n'aura pas le moindre droit de réclamer une quelconque compensation pour son esprit, bien qu'il croie avoir beaucoup œuvré en faveur de la charité.

14. En revanche, celui qui a toujours renoncé aux flatteries et aux faveurs, celui qui a renoncé a toute récompense matérielle, occupé à semer le bien et se réjouissant de faire preuve de charité, celui-là ne pensera pas à des récompenses parce qu'il ne vivra pas pour sa propre satisfaction sinon que pour celle de ses semblables. Combien grande sera sa paix et sa félicité lorsqu'il sera dans le giron de son Seigneur! (253, 14)

15. En ce temps, Je viens pour vous offrir un enseignement limpide et parfait. Je vous dis donc qu'au terme de votre étape, seulement ce que vous aurez fait dans la vie avec un amour véritable vous sera pris en considération, parce que cela démontrera que vous connûtes la vérité!

16. Ce n'est pas parce que vous ignorez à l'instant même de faire une bonne œuvre la valeur qu'elle a, que vous penseriez que jamais vous ne saurez le bien que vous avez fait. Moi je vous dis qu'aucune de vos œuvres ne demeurera sans récompense.

17. Vous verrez lorsque vous serez au Royaume spirituel, comme souvent une petite action, en apparence de peu d'importance, fut à l'origine d'une chaîne de bienfaits, chaîne que d'autres s'en iront prolonger et qui comblera toujours de satisfaction celui qui la commença. (292, 23-24)

18. Je vous inspire pour que vous gagniez vos mérites, mais pas pour que vous meuve l'intérêt égoïste de votre salut sinon pour que vous réalisiez vos actions en pensant à vos frères, en pensant aux générations à venir, qui éprouveront une très grande joie en trouvant le chemin préparé par les premiers. Alors votre bonheur sera infini, parce que l'allégresse et la paix de vos frères parviendront jusqu'à votre esprit.

19. Quelle différence avec ceux qui ne recherchent que leur propre salut et leur bonheur parce qu'eux, en arrivant à la place qu'ils se forgèrent par leurs actes, ne peuvent avoir un instant de paix ni de joie lorsqu'ils contemplent ceux qui restèrent en arrière, en supportant le lourd fardeau de leurs souffrances.

20. En vérité Je vous le dis, les véritables disciples de cette Doctrine seront justes et propres dans leurs actes, tout comme l'est leur conscience qui est ma propre lumière. (290, 76-77)

21. Si vous vous comportez avec humilité, votre capital spirituel augmentera dans la vie qui vous attend. Alors vous obtiendrez la paix qui vous donnera la plus belle sensation de votre existence. Et, en votre esprit, naîtra le désir ardent de servir le Père, en étant un fidèle gardien de tout ce que J'ai créé, en étant un soulagement pour celui qui souffre et paix pour celui qui n'a de tranquillité. (260, 29)

L'ascension des esprits vers le Royaume de Dieu

22. Ceci est le Troisième Temps, durant lequel votre esprit, depuis la Terre, peut déjà commencer à rêver de demeures très élevées et de profondes connaissances, parce que celui qui s'en va de ce monde en gardant à l'esprit la connaissance de ce qu'il va rencontrer et le développement de ses dons spirituels, celui-là passera par de nombreux mondes sans s'y arrêter, jusqu'à arriver à celui qui, en fonction de ses mérites, lui correspondra d'habiter.

23. Il sera pleinement conscient de son état spirituel, saura accomplir sa mission partout où il se trouve, connaîtra le langage de l'amour, de l'harmonie et de la justice, et saura se communiquer avec la pureté du langage spirituel qu'est la pensée. Il ne rencontrera pas d'écueils, de trouble, ou de pleurs, et commencera à vivre le suprême bonheur de s'approcher des mansions qui lui appartiennent, parce que celles-ci lui correspondent en tant qu'héritage éternel. (294, 55)

24. Il y a, sur échelle divine, un nombre infini d'êtres, dont la perfection spirituelle leur permet d'occuper différents échelons selon le degré d'évolution qu'ils ont atteint. Votre esprit fut créé avec des attributs adéquats pour évoluer sur cette échelle de perfection et atteindre un certain niveau en accord avec les desseins élevés du Créateur.

25. Vous ne connaissez pas le destin de ces esprits, mais Moi je vous affirme qu'il est parfait, à l'instar de tout ce que J'ai créé.

26. Vous ne comprenez pas encore les dons que le Père vous a donnés, mais n'ayez crainte parce que vous vous en rendrez compte plus tard, et les verrez se manifester dans leur plénitude.

27. Le nombre infini d'esprits qui, comme le vôtre, habitent des demeures différentes, sont unis entre eux par une force supérieure qui est celle de l'amour. Ils furent créés pour la lutte, pour leur élévation, et non pour rester immobiles. Ceux qui ont accompli mes principes ont réussi à être grands dans l'amour divin.

28. Néanmoins Je vous rappelle que, même en ayant atteint grandeur, pouvoir et sagesse, votre esprit n'arrivera pas à être tout-puissant, puisque ses attributs se sont pas infinis, comme ils le sont en Dieu. Cependant, ils vous suffiront pour vous emmener au sommet de votre perfection par le droit chemin que l'amour de votre Créateur vous traça depuis le premier instant. (32, 34-37)

29. Votre esprit devra parcourir sept étapes spirituelles pour atteindre sa perfection. Aujourd'hui que vous vivez sur la Terre, vous ignorez sur quel échelon de échelle vous vous trouvez.

30. Connaissant la réponse à cette question de votre esprit, Je ne dois pas vous la révéler pour l'instant.

31. Chaque échelle, chaque échelon, chaque demeure offre à l'esprit une plus grande lumière et un plaisir plus parfait, mais la paix suprême, le parfait bonheur de l'esprit est bien au-delà de toutes les demeures éphémères des esprits.

32. Souvent vous croirez pressentir le parfait bonheur dans le giron de Dieu, sans vous rendre compte que ce bonheur n'est à peine que la promesse du monde immédiat dans lequel vous devrez passer après cette vie. (296, 49-50)

33. Nombreux sont ceux qui rêvent de mourir, en espérant que ce moment soit aussi celui de leur arrivée devant Moi pour m'adorer éternellement dans le Ciel, sans savoir que le chemin est infiniment plus long que ce qu'ils ont pu croire. Pour gravir un échelon de échelle qui vous mènera à Moi, il est indispensable d'avoir su vivre la vie humaine. L'ignorance est la responsable de ce que beaucoup confondent l'essence de mes leçons. (164, 30)

34. Les éléments de destruction se sont déchaînés à cause de l'homme. La guerre a planté sa semence dans tous les cœurs. L'humanité a ressenti tant de douleur! Combien de désolation, de misère, d'orphelinage et de deuil a-t-elle laissé sur son chemin! Croyez-vous que soit mort l'esprit de ceux qui sont tombés à la guerre ou qui ont cessé d'exister cette partie de vie, éternité qui habite en l'homme?

35. Non, mon peuple! L'esprit survit à la guerre et à la mort! Cette partie de mon même Esprit s'est relevée des champs de douleur et recherche, en mon chemin, un nouvel horizon pour continuer de vivre, de se développer et d'évoluer. (262, 26-27)

36. Je vous ai donné la Terre afin que tous la possédiez d'égale manière, pour que vous viviez en paix et que vous la considériez comme un foyer temporel, dans lequel vous développeriez vos dons, et pour que vous prépariez votre esprit afin qu'il s'élève à sa nouvelle demeure.

37. Je vous ai déclaré: «La maison du Seigneur compte de très nombreuses demeures»; vous-autres les connaîtrez à mesure que vous irez en vous élevant. Chacune au niveau ascendant vous rapprochera de Moi et vous les atteindrez en fonction de vos actes, parce que tout est sujet à une justice et un ordre divins.

38. Personne ne pourra empêcher votre pas d'une échelle à l'autre et, au bout de chacune d'elles il y aura réjouissance et fête en votre esprit, et aussi en le Mien.

39. Je vous prépare ainsi pour que vous sachiez que le chemin que vous devez parcourir est long et que vous ne vous satisfassiez pas de vos premières actions, en croyant qu'elles vous ouvriront la porte de ces demeures.

40. Je vous dis aussi que, pour un esprit, il est merveilleux et satisfaisant d'arriver au bout d'une étape et de s'arrêter pour regarder en arrière le

chemin parcouru, avec ses grandes luttes, ses jours d'amertume et ses heures de paix, après avoir vaincu les innombrables obstacles.

41. Et, finalement, le triomphe, la compensation et la justice resplendissant autour de vous, et l'Esprit de votre Père présent, glorieux, bénissant son enfant, le faisant se reposer en son giron, tandis qu'il est préparé pour son échelle suivante et ainsi de suite, passant de l'une à l'autre jusqu'à parvenir au plus grand achèvement à la fin, pour demeurer éternellement en Moi. (315, 34-36)

42. L'étincelle qui fait ressembler l'homme à son Créateur se rapprochera de la flamme infinie d'où elle jaillit, et cette lueur sera un être lumineux, conscient, vibrant d'amour, plein de savoir et de force. Cet être va jouir de l'état de perfection, dans lequel n'existe pas la moindre douleur ou la plus petite misère, où règne le bonheur parfait et véritable.

43. Si ceci n'était pas le destin de votre esprit, en vérité Je vous le dis, jamais Je ne vous aurais fait connaître ma Doctrine au travers de tant de leçons, parce que la Loi du Premier Temps vous aurait suffi pour que vous viviez en paix sur la Terre.

44. Mais si vous méditez que Moi je vins habiter avec les hommes pour leur promettre un monde infiniment meilleur au-delà de cette vie, et si en plus vous vous rappelez que Je fis la promesse de revenir en un autre temps pour continuer de vous parler et pour vous expliquer tout ce que vous n'auriez pas compris, vous finirez par comprendre que le destin spirituel des hommes est de loin beaucoup plus élevé que tout ce que vous pouvez supposer, et que le bonheur promis est infiniment plus grand que tout ce que vous pouvez pressentir ou imaginer. (277, 48-49)

Chapitre 30 – Le développement de l'esprit à travers les Réincarnations

La loi de l'évolution

1. Je vous dis qu'il est impérieux que l'humanité sache que son esprit est venu à maintes reprises sur la Terre et qu'il n'a pas encore su s'élever sur le chemin de ma Loi pour atteindre le sommet de la montagne. (77, 55)

2. Pourquoi, si l'humanité a vu le développement de la science et la découverte de ce qu'elle n'avait pu croire auparavant, se résiste-t-elle à l'évolution naturelle de l'esprit? Pourquoi s'obstine-t-elle dans ce chemin qui le laisse immobile et léthargique? Parce qu'elle n'a pas voulu se pencher vers la vie éternelle. (118, 77)

3. Comprenez que, si la Création a apparemment été conclue, tout cependant évolue, tout se transforme et se perfectionne. Votre esprit pourrait-il échapper à cette Loi divine? Non, mes enfants! Personne ne pourra prononcer le dernier mot à propos du spirituel, de la science ou de la vie, parce ces œuvres sont les Miennes et qu'elles n'ont pas de fin.

4. Combien d'hommes, par le savoir qu'ils ont acquis, croient posséder la grandeur spirituelle et ne représentent, pour Moi, pas davantage que des enfants qui n'avancent pas sur leur chemin d'évolution; parce qu'ils doivent prendre en considération que ce n'est pas seulement par le biais du développement de leur intelligence qu'ils peuvent parvenir à l'élévation de leur esprit, sinon qu'elle doit passer par le développement de l'ensemble de leur être. Et il y a, en l'homme, de nombreux dons qu'il est indispensable de développer pour réussir à atteindre la plénitude.

5. C'est pour cela que J'instituai, comme une de mes lois d'amour et de justice, la réincarnation de l'esprit, afin de lui concéder un plus vaste chemin, qui lui offre toutes les possibilités nécessaires pour obtenir son perfectionnement.

6. Chaque existence est une courte leçon, parce que s'il en était autrement, l'homme n'aurait qu'une faible opportunité de contenir en elle l'accomplissement de toute ma Loi; mais il est nécessaire que vous connaissiez le sens de cette vie pour en retirer son essence et pour atteindre l'harmonie qui est la base de la perfection humaine, afin que vous puissiez accéder à un plan supérieur jusqu'à parvenir à la vie spirituelle, où Je vous réserve tant de leçons qu'il me faut vous enseigner et tant de révélations que Je dois encore vous faire. (156, 28-29)

7. Pourquoi, alors que tout croît, se transforme, se perfectionne et se

279

développe sans cesse, seul votre esprit doit-il stagner au travers des siècles?

8. Puisque vous avez découvert et appris beaucoup au travers de la science, vous n'ignorez pas l'évolution incessante qui existe pour tous les êtres de la création. Je souhaite que vous compreniez que vous ne devez pas abandonner votre esprit dans ce retard et cette stagnation où vous l'avez plongé il y a si longtemps, et que vous devez lutter pour parvenir à l'harmonie avec tout ce qui vous entoure, afin que pour les hommes arrive un jour où la Nature, au lieu de cacher ses secrets, les leur révèle, et au lieu que les éléments leur soient hostiles, ils en arrivent à être leurs serviteurs, leurs collaborateurs, leurs frères. (305, 6 et 8)

La «résurrection de la chair» - bien comprise

9. A présent, le monde saura la vérité au sujet de la résurrection de la chair, qui est la réincarnation de l'esprit.

10. Réincarner: retourner au monde matériel pour renaître en tant qu'homme; faire surgir l'esprit dans un corps humain afin de poursuivre une mission. Celle-ci est la vérité à propos de la résurrection de la chair, dont vous ont parlé vos ancêtres en vous faisant part d'interprétations tant tortueuses qu'absurdes.

11. La réincarnation est un don que Dieu a concédé à votre esprit pour qu'il ne se limite jamais à la petitesse de la matière, à son existence éphémère sur la Terre et à ses faiblesses naturelles; sinon que, provenant d'une nature supérieure, l'esprit puisse utiliser toutes les matières nécessaires pour l'accomplissement des ses grandes missions dans le monde.

12. Par ce don, l'esprit démontre son immense supériorité sur la chair, la mort et tout ce qui est terrestre, en vainquant la mort, en survivant à un corps, puis à un autre, et à tous ceux qui lui soient confiés; vainqueur du temps, des écueils et des tentations. (290, 53-56)

13. Comment avez-vous pu croire que les corps des morts ressuscitent le jour du jugement et qu'ils s'unissent à leurs esprits pour entrer dans le Royaume de Dieu? Comment pouvez-vous interpréter de cette manière ce qui vous fut enseigné en d'autres temps?

14. La chair est de ce monde et en lui restera, tandis que l'esprit s'élève libre et retourne à la vie d'où il surgit. «Ce qui est né de la chair, est chair; ce qui est né de mon Esprit, est esprit». La résurrection de la chair est la réincarnation de l'esprit et, si les uns croient qu'il s'agit d'une théorie humaine et les autres, vous croyez qu'il s'agit d'une nouvelle révélation, en vérité Je vous le dis, cette révélation, Je commençai à la faire connaître au monde depuis l'aube de l'humanité. Vous pouvez le vérifier dans le texte des Ecritures, qui sont un témoignage de mes Œuvres.

15. Cependant, durant cette époque, cette révélation a atteint votre esprit

davantage évolué et, sous peu, elle sera considérée à juste titre comme une des lois les plus justes et amoureuses du Créateur. Défaites-vous de la croyance que vous aviez à propos du «Jour du Jugement», qui n'est pas un jour en tant que tel, comme vous le concevez, parce qu'il s'agit d'un temps. Quant à la fin du monde, il ne s'agit pas de la fin de la planète sur laquelle vous vivez sinon celle de la vie égoïste que vous avez créée. (76, 41-43)

16. La révélation de la réincarnation de l'esprit a éclairci le mystère de la « résurrection de la chair ». Aujourd'hui vous réalisez que la finalité de cette loi d'amour et de justice est celle dont l'esprit se perfectionne, de laquelle il ne se perdra jamais, parce qu'il trouvera toujours une porte ouverte comme une chance de salut que lui offre le Père.

17. Par le biais de cette loi, mon jugement en chaque esprit est parfait et inexorable.

18. Je suis le seul qui sache vous juger, parce que chaque destin est incompréhensible pour les hommes. De ce fait, personne n'est découvert ni délatté devant les autres.

19. Et, après s'être égarés dans les péchés, après tant de luttes et de vicissitudes, après avoir tant marché, les esprits arriveront devant Moi, pleins de sagesse en raison de l'expérience, purifiés par la douleur, élevés par les mérites, fatigués de leur long pèlerinage, mais simples et joyeux comme des enfants. (1, 61-64)

L'état différencié du développement des esprits

20. Il y a longtemps que votre esprit a jailli de Moi, néanmoins, pas tous n'ont progressé d'égale manière sur le chemin spirituel.

21. Tous les destins sont différents, même s'ils vous conduisent au même but. Des épreuves différentes sont réservées aux uns et aux autres. Une créature parcourt un chemin, une autre connaît une étape distincte. Vous n'avez pas tous surgi à l'existence au même instant, de même que vous ne retournerez pas non plus au même instant. Les uns marchent devant, les autres suivent, mais l'objectif vous attend tous. Personne ne sait qui est proche, ni celui qui est plus éloigné, parce que vous êtes encore petits pour avoir cette connaissance; vous êtes humains et votre vanité vous perdrait. (10, 77-78)

22. A toutes les époques, même les plus lointaines de l'histoire de humanité, vous avez eu des exemples d'hommes à l'esprit élevé. Comment pourriez-vous expliquer que, depuis les premiers temps, il y eut des hommes d'esprit évolué, s'ils n'étaient pas passés auparavant par des réincarnations successives qui les aidèrent à s'élever?

23. Il faut souligner que l'esprit ne naît pas en même temps que l'enveloppe; et que l'aube de humanité ne coïncide pas avec celle de l'esprit. En vérité Je vous le dis, il n'existe pas un seul esprit qui soit venu au monde sans avoir existé

auparavant dans l'au-delà. Qui parmi vous peut mesurer ou connaître le temps qu'il a vécu en d'autres demeures avant de venir habiter la Terre? (156, 31-32)

La connaissance de vies terrestres antérieures et de votre propre développement

24. Pendant que l'esprit se trouve fondu à la matière, il ne distingue ni ne peut savoir les mérites qu'il a gagnés en ses vies antérieures; cependant il sait déjà que sa vie est l'éternité, un développement continu pour essayer d'atteindre le sommet. Mais, aujourd'hui vous ne savez pas la hauteur que vous avez atteinte. (190, 57)

25. Votre intelligence ne reçoit pas les impressions ou les souvenirs du passé de votre esprit, parce que la matière est comme un voile épais qui ne parvient pas à pénétrer la vie de l'esprit. Quel cerveau pourrait-il recevoir les images et les impressions que l'esprit a recueillies sur le parcours de son passé? Quelle intelligence pourrait-elle ordonner, avec des idées humaines, ce qui lui est incompréhensible?

26. C'est en raison de tout cela que Je ne vous ai pas autorisé, jusqu'à présent, à savoir qui vous êtes spirituellement ni quel a été votre passé. (274, 54-55)

27. Toutes mes œuvres sont écrites par Moi dans un livre qui s'intitule: «Vie»; le nombre de ses pages est

incalculable; le caractère infini de sa sagesse, à l'exception de Dieu qui en est son auteur, ne pourra être atteinte par personne; mais là, en chacune de ses pages, le Père a limité chacune de ses œuvres pour la mettre à la portée de votre entendement, en un résumé.

28. Vous aussi êtes en train d'écrire le livre de votre vie, en lequel toutes vos actions resteront écrites, de même que chacun de vos pas tout au long du chemin de l'évolution. Ce livre demeurera écrit en votre conscience et sera la lumière du savoir et l'expérience par laquelle vous illuminerez demain le chemin de vos plus jeunes frères.

29. Vous ne pouvez encore présenter votre livre à personne, parce que vous n'en connaissez même pas le contenu; mais, rapidement la lumière se fera en votre être et vous pourrez alors montrer à vos frères les pages qui traitent de votre développement, de votre restitution et de vos expériences. Vous serez alors un livre ouvert devant l'humanité.

30. Bienheureux ceux qui s'emparent de leur mission! Ils sentiront qu'ils gravissent l'échelle que Jacob vit en ses rêves, cette échelle qui est le chemin spirituel qui conduit les êtres jusqu'à la présence du Créateur. (253, 6-8)

L'amour, requête pour le développement spirituel

31. De même que votre corps a besoin d'air, de soleil, d'eau et de pain pour vivre, l'esprit, lui aussi, a besoin de l'atmosphère, de la lumière

et du propre aliment de son être. Lorsqu'il se voit privé de la liberté de s'élever en quête de ce qui l'alimente, il se débilite, se flétrit, s'engourdit, comme si l'on obligeait un enfant à toujours garder le lit et être enfermé dans sa chambre. Ses membres se paralyseraient, il pâlirait, ses sens s'affaibliraient et ses facultés s'atrophieraient.

32. Voyez comme l'esprit, lui aussi, peut être un paralytique! Ah si Je vous disais que le monde regorge de paralytiques, d'aveugles, de sourds et de malades de l'esprit! L'esprit qui vit enfermé et sans liberté pour se développer est un être qui ne croît, ni en sagesse, ni en force, ni en vertu. (258, 62-63)

33. En vérité Je vous le dis, l'amour est ce qui peut vous élever, parce qu'en lui existent de la sagesse, du sentiment et de l'élévation. L'amour est un compendium de tous les attributs de la Divinité et c'est Dieu qui a allumé cette flamme en chaque créature spirituelle.

34. Combien de leçons vous ai-Je données pour que vous appreniez à aimer! Combien d'opportunités, de vies et de réincarnations la miséricorde divine vous a-t-elle fournies! La leçon s'est répétée toutes les fois qu'il a été nécessaire jusqu'à ce qu'elle ait été apprise. Une fois le but atteint, il n'y a aucune raison qu'elle soit répétée parce qu'elle ne pourra pas non plus s'oublier.

35. Si vous appreniez rapidement mes leçons, vous n'auriez pas à souffrir ni à pleurer vos erreurs. Un être qui, sur la Terre, tire profit des leçons qu'il y a reçues, pourra retourner au monde, mais toujours sera plus avancé et dans de meilleures conditions. Entre une vie et une autre il existera toujours une trêve, nécessaire pour méditer et se reposer avant d'entreprendre la nouvelle tâche. (263, 43-45)

Diverses raisons pour les réincarnations

36. En vérité Je vous le dis, l'homme, en aucune époque de la vie humaine, n'a manqué de la connaissance de ma loi, parce qu'à l'étincelle divine, qui est sa conscience, il ne lui a jamais manqué d'éclat en son esprit, d'intuition dans son intelligence, ou de pressentiment dans son cœur.

37. Cependant, votre esprit s'en est retourné vers l'au-delà avec un bandeau d'obscurité. Et Moi je vous dis que celui qui ne profite pas de la leçon que renferme la vie en ce monde, en cette vallée épreuves, celui-là doit y retourner pour achever sa restitution et, par-dessus tout, pour apprendre. (184, 39)

38. Dans d'autres mondes, les esprits jouissent également de libre-arbitre et pèchent ou se devient, ou persévèrent dans le bien et, ainsi, parviennent à s'élever, à l'instar de ce que vous faites sur la Terre; mais quand arrive l'instant, ceux qui sont destinés à venir en ce monde y descendent, les uns pour accomplir

une noble mission et les autres pour expier leur restitution.

39. Mais, selon qu'ils veuillent considérer cette Terre, celle-ci se présentera comme un paradis pour quelque-uns ou comme un enfer pour les autres. C'est pour cela que, lorsqu'ils comprennent la miséricorde de leur Père, ils contemplent alors seulement une vie merveilleuse parsemée de bénédictions et d'enseignements pour l'esprit, un chemin qui les rapproche de la Terre Promise.

40. Les uns s'en vont de ce monde en désirant y revenir, les autres s'en vont dans la crainte de devoir revenir. Votre être n'est pas encore parvenu à comprendre l'harmonie dans laquelle vous devez vivre avec le Seigneur. (156, 33-34)

41. Que personne ne se rebelle à l'idée de devoir retourner à cette planète en un autre corps, et ne pensez pas que la réincarnation constitue un châtiment pour l'esprit. Tous les esprits destinés à devoir habiter la Terre ont dû passer par la loi de la réincarnation, pour pouvoir atteindre leur évolution et mener à bien la mission que Je leur ai confiée.

42. Ce ne sont pas seulement les esprits de peu d'élévation qui doivent se réincarner; les esprits élevés, eux aussi, reviennent à maintes reprises jusqu'à la conclusion de leur œuvre.

43. Elie est le plus grand prophète qui soit venu sur la Terre et, en dépit des grandes œuvres qu'il accomplit et des grandes preuves qu'il livra, dut revenir à ce monde en un autre temps, sous une forme différente et sous un autre nom.

44. Cette loi d'amour et de justice fut longtemps ignorée de l'humanité, parce que si elle avait été connue auparavant, elle aurait pu tomber en confusion. Néanmoins, le Père vous fit quelques révélations et vous donna certains signes qui furent la lumière de ce temps, de l'éclaircissement de tous les mystères. (122, 25-28)

Le chemin vers la perfection

45. Le chemin par lequel vous parviendrez à la plénitude de la lumière est long. Aucun être n'a de plus long chemin que celui de l'esprit, où le Père, le Divin Sculpteur qui polit et modèle votre esprit, lui donne la forme parfaite. (292, 26)

46. En vérité Je vous le dis, pour arriver à la complète limpidité, votre esprit devra encore beaucoup se purifier en ce monde et dans la vallée spirituelle.

47. Vous aurez à revenir sur cette planète toutes les fois qu'il sera nécessaire. Et plus vous gaspillez les chances que votre Père vous concède, plus vous retarderez votre entrée définitive dans la vraie vie et vous prolongerez davantage votre séjour dans la vallée des larmes.

48. Tout esprit doit démontrer, en chaque existence terrestre, le progrès et les fruits de son évolution, en avançant à chaque fois d'un pas ferme.

49. Gardez à l'esprit que le seul bien qui aboutit à son propre bienfait, est celui qui se fait par amour véritable et charité envers les autres, en plus d'être désintéressé. (159, 29-32)

50. Il y a, en l'homme, deux forces en présence qui sont toujours en lutte: sa nature humaine, qui est éphémère, et sa nature spirituelle, qui est éternelle.

51. Cet être éternel sait pertinemment bien qu'il devra s'écouler une longue période pour qu'il parvienne à atteindre son perfectionnement spirituel; il pressent qu'il aura de nombreuses existences et qu'il traversera beaucoup épreuves en elles, avant de connaître le vrai bonheur. L'esprit pressent qu'après les larmes, la douleur et après être passé plusieurs fois par la mort corporelle, il atteindra le sommet que son ardent désir de perfection a toujours recherché.

52. En revanche la matière, l'être fragile et petit, pleure, se rebelle et, parfois, refuse de suivre les appels de l'esprit, et ce n'est que lorsque celui-ci aura évolué, sera fort et expérimenté dans sa lutte avec la chair et tout ce qui l'entoure, qu'il réussira à dominer la matière et à se manifester par son entremise.

53. Le pèlerinage de l'esprit est long, son chemin l'est aussi, ses existences sont nombreuses et très variées, et ses épreuves sont diverses en chaque instant, mais tant qu'il les

accomplit, il s'élève, se purifie et se perfectionne.

54. Lors de son passage par la vie il va laissant une empreinte de lumière, c'est pour cela que souvent les gémissements de sa chair ne sont pas importants pour l'esprit élevé, parce qu'il sait qu'ils sont passagers et qu'il ne peut s'arrêter en chemin pour des détails qui lui paraissent insignifiants.

55. Il fixe momentanément son attention sur les faiblesses de sa chair, mais sait qu'il ne peut aimer trop quelque chose qui vit peu et qui, soudain, disparaît dans les entrailles de la Terre. (18, 24 et 27-28)

L'école universelle de la vie

56. Depuis l'aube de humanité, la réincarnation de l'esprit existe comme une loi d'amour et de justice et l'une des formes dont le Père a démontré son infinie clémence. La réincarnation n'appartient pas seulement à ce temps, elle est de tous les temps; mais n'allez pas non plus penser que ce mystère ne vous a été révélé que maintenant. Depuis les premiers temps exista, en l'homme, l'intuition à propos de la réincarnation de l'esprit.

57. Mais cette humanité, à la recherche de sciences matérielles et des richesses du monde, se laissa dominer par les passions de la chair, ces fibres par lesquelles se perçoit le spirituel s'endurcissant, et devint sourde et aveugle à tout se qui se réfère à l'esprit. (105, 52)

58. Avant votre création, vous étiez en Moi; par la suite, en tant que

créature spirituelle, depuis un lieu où tout vibre en parfaite harmonie, et où se trouvent l'essence de la vie et la source de la vraie lumière, je vins pour vous alimenter.

59. La douleur ne fut pas créée par le Père. Aux temps dont Je vous parle, vous n'aviez aucun motif de gémir, vous ne deviez rien regretter vous ressentiez la gloire en vous-mêmes, parce que dans votre vie parfaite, vous étiez le symbole de cette existence.

60. Mais, lorsque vous laissâtes cette demeure, Je fournis un vêtement pour l'esprit et vous vous mîtes à descendre toujours plus. Ensuite, peu à peu votre esprit évolua jusqu'à en arriver au niveau où vous vous retrouvez à présent, où brille la lumière du Père. (115, 4-5)

61. La finalité de tout esprit est de se fondre en la Divinité, après sa purification et son perfectionnement. C'est pour cela que J'inonde votre chemin de lumière et que Je donne la force à votre esprit afin que vous gravissiez, un par un, les échelons. La demeure spirituelle que vous habiterez dans l'au-delà sera déterminée par le niveau d'élévation que vous possédez au moment de quitter cette terre, puisque l'univers fut créé comme une école de perfection pour l'esprit. (195, 38)

62. Si Je vous avais déjà tout donné en cette vie, vous ne désireriez déjà plus gravir un échelon de plus mais, ce que vous n'avez pas atteint dans une existence, vous le recherchez dans l'autre, et ce que vous n'obtenez pas en celle-là, une autre plus élevée vous le promet, et ainsi successivement jusqu'à l'infini, sur le chemin sans fin des esprits.

63. Quand vous écoutez ma parole, il vous paraît impossible que votre esprit puisse être capable d'atteindre une telle perfection. Moi je vous dis aujourd'hui vous doutez du destin élevé de l'esprit, parce que vous ne voyez seulement que ce que vous parvenez à voir avec vos yeux matériels, petitesse, ignorance et méchanceté. Mais cela est du au fait que l'esprit en d'aucuns est malade, en d'autres, il est paralytique, il y en a qui sont aveugles et d'autres qui sont morts spirituellement. Et devant autant de misère spirituelle, vous devez douter du destin que l'éternité vous réserve.

64. Et c'est de cette manière que vous vivez en ce temps d'amour au monde et de matérialisme; mais la lumière de ma vérité est déjà arrivée à vous en dissipant les ténèbres de la nuit d'un temps qui est déjà passé et en annonçant avec son aurore, l'arrivée d'une ère en laquelle l'esprit recevra l'illumination de mon enseignement. (116, 17-18)

65. Bon nombre d'entre vous ne recevrez déjà plus de nouvelle opportunité de venir sur la Terre, pour y réparer vos fautes. Vous ne possèderez plus cet instrument que vous portez aujourd'hui, votre corps, sur lequel vous vous appuyez. Il est impérieux que vous compreniez que

venir au monde est un privilège pour l'esprit et que ce n'est jamais un châtiment; par conséquent, vous devez profiter de cette grâce.

66. Après cette vie, vous irez à d'autres mondes pour y recevoir de nouvelles leçons et, là, vous rencontrerez de nouvelles opportunités pour continuer votre escalade et vous perfectionner. Si vous avez accompli vos devoirs en tant qu'hommes, vous laisserez ce monde avec la satisfaction de la mission accomplie, en emmenant la tranquillité en votre esprit. (221, 54-55)

67. Ma voix est en train d'appeler les grandes multitudes parce que de nombreux esprits en arrivent à la fin de leur pèlerinage sur la Terre.

68. Cet abattement, cette lassitude, cette tristesse qu'ils éprouvent dans leur cœur, sont la preuve qu'ils aspirent déjà à une demeure plus élevée, à un monde meilleur.

69. Mais il est indispensable que l'ultime étape qu'ils parcourent dans le monde, ils la vivent en obéissant aux préceptes de leur conscience, afin que l'empreinte de leurs derniers pas sur la Terre soit une empreinte de bénédiction pour les générations futures qui viendront accomplir leurs diverses missions dans le monde. (276, 4)

70. Ce monde n'est pas éternel, et il n'est d'ailleurs pas nécessaire qu'il le soit. Quand cette demeure aura perdu sa raison d'exister, qu'elle a aujourd'hui, alors elle disparaîtra.

71. Lorsque votre esprit n'aura déjà plus besoin des leçons que prodigue cette vie, parce que d'autres plus élevées l'attendent en un autre monde, alors, éclairé de la lumière acquise dans cette lutte, il dira: Je comprends à présent, si clairement, que toutes les vicissitudes de cette vie ne furent seulement que des expériences et des leçons dont Moi j'avais besoin pour mieux comprendre. Que ce séjour me paraissait long lorsque les souffrances m'épuisaient; en revanche, à présent que tout est passé, il me paraît tellement court et fugace face à l'éternité. (230, 47)

72. Réjouissez-vous, humanité, et pensez que vous êtes des oiseaux migrateurs en ce monde plein de larmes, de pauvretés et de souffrances. Réjouissez-vous parce que ce n'est pas votre demeure pour l'éternité. Des mondes meilleurs vous attendent!

73. Ainsi, quand vous vous retirerez de cette Terre, vous le ferez sans amertume et c'est ici que resteront les cris de douleur, les travaux, les larmes. Vous direz adieu à ce monde et vous vous élèverez vers ceux qui vous attendent dans les hauteurs. De là-bas, vous verrez la Terre comme un point dans l'espace, dont vous vous souviendrez avec amour. (230, 51)

Le pouvoir de conviction de la doctrine de la Réincarnation

74. La lumière du Spiritualisme est en train de révéler au monde la vérité, la justice, la raison et l'amour qui existent dans le don spirituel de la réincarnation; néanmoins, au début, le monde devra combattre avec acharnement cette révélation lui donnant un aspect de doctrine étrange et fausse, pour faire se méfier les hommes de bonne foi.

75. Inutiles et vains seront les efforts que les religions déploient pour conserver leurs fidèles dans la routine d'anciennes croyances et de méthodes hors du temps, parce que personne ne pourra arrêter la lumière divine qui pénètre au fond des entendements, en réveillant l'esprit à une Ere de révélations, de divines confidences, d'éclaircissements de doutes et de mystères, de libération spirituelle.

76. Personne ne pourra non plus arrêter le torrent que constituera l'humanité lorsqu'elle se lèvera à la recherche de sa liberté de pensée, d'esprit et de foi. (290, 57-59)

Etapes de la Réincarnation d'un esprit

77. Je lance un appel à tous les pèlerins pour qu'ils entendent ma voix qui les invite à l'élévation et à posséder la vie éternelle.

78. En ce jour que le Verbe Divin se fait entendre, profitez de sa parole et illuminez-vous en parce que dans le savoir il y a la lumière et votre salut.

79. Si ma loi vous enseigne la morale, la droiture et l'ordre dans tous les actes de votre vie, pourquoi recherchez-vous des chemins contraires et, ainsi, vous vous façonnez la douleur, et lorsque vous partez dans l'au-delà en laissant votre corps sur la Terre, vous pleurez parce que vous avez trop aimé cette enveloppe?

80. En percevant que la matière ne vous appartient déjà plus et que vous devez suivre la voie pour arriver jusqu'à Moi, Je vous ai demandé: Mon enfant, quel présent m'offrez-vous? Avez-vous vécu sur la Terre en obéissant à mes commandements?

81. Quant à vous, honteux et la tête basse parce que vous n'apportez pas un présent d'amour pour Celui qui vous aime tant et vous a concédé tellement, vous avez construit des chaînes qui embrument votre esprit. Et celui-ci, ayant perdu la grâce, apparaît sans lumière, pleure et se lamente. Il entend seulement la voix du Père qui l'appelle, mais comme il n'a pas évolué et ne se sent pas digne d'aller vers Lui, il s'arrête et attend.

82. Les temps passent et l'esprit entend à nouveau la voix et, au beau milieu de sa peine, demande qui s'adresse à lui. Et cette voix de lui dire: Réveillez-vous, ne savez-vous pas d'où vous êtes venu, ni le lieu où vous vous rendez? - Alors il élève les yeux, voit une immense lumière, face à la splendeur de laquelle il se voit mesquin. Il reconnaît qu'il existait déjà avant d'être envoyé vers la Terre, qu'il était déjà aimé par le Père qui est

Celui dont provenait la voix et que, à présent qu'il le voit dans un moment pénible, il souffre pour lui, sait qu'il a été envoyé à diverses demeures pour parcourir le chemin de lutte et gagner, par ses mérites, sa récompense.

83. Et l'enfant d'interroger: Si, avant d'être envoyé sur la Terre, j'ai été votre créature bien aimée, pourquoi ne suis-je pas resté dans la vertu et pourquoi ai je du descendre, souffrir et travailler pour revenir à Toi?

84. La voix lui a répondu: Tous les esprits ont été soumis à la loi d'évolution et, en ce chemin, mon Esprit de Père toujours les protège, et se complait dans les bonnes actions de l'enfant. Certes, Je vous ai envoyé sur Terre pour que vous la transformiez en mansion de lutte, de perfectionnement spirituel, et non en une vallée de guerre et de douleur.

85. Je vous ai demandé que vous vous multipliez, que vous ne soyez pas stériles, et quand vous retournez à la vallée spirituelle, vous n'apportez aucune récolte, vous pleurez seulement et venez sans la grâce de laquelle Moi je vous ai revêtu; c'est pour cela que Je vous envoie une fois de plus en vous disant: Lavez-vous, recherchez ce que vous avez perdu et travaillez à votre élévation.

86. L'esprit retourne sur la Terre, cherche un petit corps humain tendre pour s'y reposer et entamer un nouveau séjour; il trouve le petit enfant qui lui est indiqué et l'utilise pour restituer ses fautes à ma loi. L'esprit vient sur la Terre en toute connaissance de cause, il sait qu'il est le souffle du Père et connaît la mission qu'Il lui a impartie.

87. Dans les premières années, il est innocent, conserve sa pureté et demeure en contact avec la vie spirituelle. Par la suite, il commence à connaître le péché, lorgne de près l'orgueil, la colère et la réhellion des hommes face aux lois justes du Père et, la chair, réticente de nature, commence à se contaminer du mal. Sombré dans la tentation, il oublie la mission qu'il amena sur la Terre et se lève en commettant des actes contraires à la loi. Esprit et matière consomment les fruits défendus, et lorsqu'ils ont sombré dans l'abîme, la dernière heure vient les surprendre.

88. L'esprit se retrouve à nouveau dans l'espace, fatigué et fléchi sous le poids de ses fautes. Alors il se souvient de la voix qui s'adressa à lui en un autre temps et qui l'appelle encore. Après avoir beaucoup pleuré, se sentant perdu sans savoir de Qui il s'agit, il se rappelle qu'il s'est déjà trouvé en ce même endroit.

89. Et le Père, qui l'a créé avec tellement d'amour, apparaît sur son chemin en lui demandant: Qui êtes-vous, d'où venez-vous, et où allez-vous?

90. En cette voix, l'enfant reconnaît la parole de Celui qui lui a donné l'être, l'intelligence et les dons, le Père qui pardonne toujours, le purifie, l'écarte des ténèbres et le mène à la lumière. Il frissonne parce qu'il sait qu'il est devant le Juge et lui parle en ces termes: «Père, ma désobéissance

et mes dettes envers Toi sont très grandes et je ne peux aspirer à vivre dans ta maison parce que je n'ai aucun mérite. Maintenant que je suis retourné à la vallée spirituelle, je me rends compte que je n'ai accumulé que des fautes, lesquelles il me faut à présent restituer».

91. Mais le Père affectueux lui montre une fois de plus le chemin, et l'esprit s'incarne à nouveau pour faire partie de l'humanité.

92. C'est alors que l'esprit déjà expérimenté, avec davantage de force, fait fléchir l'enveloppe pour la soumettre et obéir aux commandements divins. La lutte s'entable, il combat les péchés qui déstabilisent l'homme et souhaite tirer profit de l'opportunité qui lui a été concédée pour son salut. Il lutte du début à la fin et, lorsque les cheveux blancs brillent sur son crâne et son corps, auparavant robuste et fort, il s'en va fléchissant sous le poids des années et perdant ses énergies. L'esprit se sent fort, plus développé et davantage expérimenté. Que le péché lui paraît énorme et répugnant! Il s'en éloigne et arrive à son terme; il attend seulement le moment auquel le Père l'appelle, parce qu'il en est arrivé à la conclusion que la loi divine est juste et que la volonté de Dieu est parfaite. Que vive ce Père pour donner la vie et le salut à ses enfants!

93. Et lorsqu'arriva le dernier jour, il palpa la mort en sa chair et ne ressentit aucune douleur, s'éloigna tacitement et respectueusement en se contemplant en esprit, et comme s'il avait face à lui un miroir, s'admira merveilleux et resplendissant de lumière. Alors, la voix s'adressa à lui en ces termes: «Mon enfant, où allez-vous?» Quant à lui, qui savait Qui lui parlait, il s'approcha du Père, laissa Sa lumière envahir tout son être et s'exprima de la manière suivante: «Ô Créateur, ô Amour Universel, je viens à vous pour me reposer et vous offrir l'accomplissement de ma mission!»

94. Le compte était soldé et l'esprit était sain, propre et sans chaînes de péchés; et il put voir devant lui la récompense qui l'attendait.

95. Il ressentit ensuite qu'il se fondait dans la lumière de ce Père, que son bonheur était immense et contempla une mansion de paix, une terre sainte et un silence profond, et il demeura en se reposant dans le giron d'Abraham. (33, 14-16)

Chapitre 31 – Rédemption et Salut éternel

La correction de concepts erronés à propos de la Rédemption

1. Nombreux ont été les hommes qui ont accepté que toutes les larmes de ce monde aient été causées par un péché des premiers habitants et, dans leur maladresse à analyser la parabole, en sont arrivés à affirmer que le Christ vint pour laver toute tache de son sang. Si telle affirmation avait été vraie, pourquoi, bien que ce sacrifice fut déjà consommé, les hommes continuent-ils de pécher et aussi de souffrir?

2. Jésus vint sur la Terre pour enseigner aux hommes le chemin de la perfection, chemin qu'Il montra par sa vie, ses actions et ses paroles. (150, 43-44)

3. Tous atteindrez l'objectif grâce à l'accomplissement de votre mission, C'est pour cela que Je suis venu vous livrer mes enseignements qui sont inépuisables, afin que vous vous éleviez par l'échelle de votre évolution. Ce n'est pas mon sang qui vous sauve, sinon ma lumière en votre esprit qui vous sauvera. (8, 39)

4. On me donnera une nouvelle croix au Troisième Temps: Celle-ci ne sera pas visible aux yeux des mortels mais, depuis sa hauteur J'enverrai mon message d'amour à l'humanité, et mon sang, qui est l'essence de ma parole, sera converti en lumière pour l'esprit.

5. Ceux qui me jugèrent en son temps, repentis aujourd'hui, illuminent, avec leur esprit, le cœur de l'humanité, pour réparer leurs fautes.

6. Afin que ma doctrine triomphe de la méchanceté des hommes, il faudra qu'elle soit auparavant fouettée et raillée, comme le fut le Christ sur la croix. Il est impérieux que, de chaque blessure, resplendisse ma lumière pour illuminer les ténèbres de ce monde en manque d'amour. Il est indispensable que mon sang invisible retombe sur humanité pour lui montrer à nouveau le chemin de sa rédemption. (49, 17-19)

7. Une fois de plus Je vous déclare qu'en Moi toute humanité sera sauvée. Ce sang répandu au Calvaire est la vie pour tout esprit, mais il ne s'agit pas du sang en lui-même, puisqu'il a coulé sur la poussière de la terre, sinon de l'amour divin qui y est représenté. Lorsque Je vous parle de mon sang, vous savez donc maintenant de quoi il s'agit et de sa signification.

8. Beaucoup d'hommes ont versé leur sang au service de leur Seigneur et par amour à leurs frères; mais il n'a pas représenté l'amour divin, sinon seul le spirituel, l'humain.

9. Le sang de Jésus représente, bel et bien, l'amour divin parce qu'il n'y

a aucune tache en lui. Le Maître ne commit jamais de péché et Il vous donna jusqu'à la dernière goutte de son sang pour vous faire comprendre que Dieu est Tout pour ses créatures, qu'Il se dévoue complètement à elles, sans réserves, parce qu'Il les aime infiniment.

10. La poussière de la terre but ce liquide qui fut la vie dans le corps du Maître, c'est pour que vous compreniez que ma Doctrine devrait féconder la vie des hommes avec le divin arrosage de son amour, de sa sagesse et de sa justice.

11. Le monde, incrédule et sceptique quant aux paroles et aux exemples du Maître, combat mon enseignement affirmant que Jésus répandit son sang pour sauver l'humanité du péché et que, en dépit de cela, le monde ne s'est pas sauvé, qu'il commet chaque jour davantage de péchés bien qu'il soit plus évolué.

12. Où est-il donc le pouvoir de ce sang de rédemption? C'est ce que se demandent les hommes, tandis que ceux qui devraient enseigner les véritables concepts de ma Doctrine sont incapables de satisfaire aux questions des affamés de lumière et des assoiffés de connaître la vérité.

13. En ce temps, Je vous dis que les questions de ceux qui ne savent pas ont davantage de fond et sont plus sensées que les réponses et les explications qu'en donnent ceux qui prétendent connaître la vérité.

14. Mais Je suis venu à nouveau pour vous parler et voici mes paroles à l'adresse de ceux qui pensent que ce sang réussit à racheter les pécheurs devant la justice divine et tous ceux qui étaient perdus et condamnés au supplice.

15. Laissez-Moi vous dire que si le Père, Celui qui sait tout, avait cru que humanité n'allait pas tirer profit ni comprendre tout l'enseignement que Jésus lui offrit, au travers de ses paroles et de ses actions, certes Il ne l'aurait jamais envoyé, parce que le Créateur n'a jamais rien fait qui soit inutile, rien qui ne fût destiné à porter ses fruits. Mais Il l'envoya pour naître, grandir, souffrit et mourir parmi les hommes parce qu'Il savait que cette vie rayonnante et féconde du Maître marquerait à tout jamais, par ses œuvres, un chemin ineffaçable, indélébile, pour que tous ses enfants trouvent la voie qui les conduise au véritable amour et qui, en respectant sa Doctrine, les guide vers la mansion où les attendait leur Créateur.

16. Il savait, par ailleurs, que ce sang qui parlait de pureté et d'amour infini, en se répandant jusqu'à la dernier goutte, enseignerait à l'humanité à accomplir, avec foi en son Créateur, la mission qui l'élèverait jusqu'à la Terre Promise où, au moment de présenter son accomplissement, elle puisse me dire: «Seigneur, tout est consommé».

17. Maintenant Je peux vous dire que ce ne fut pas l'heure à laquelle se répandit mon sang sur la croix qui indiquera l'heure de la rédemption humaine. Mon sang resta ici dans le monde, présent, en vie, frais, marquant, de l'empreinte

ensanglantée de ma passion, la voie de votre restitution qui vous emmènera à conquérir la demeure que votre Père vous a promise.

18. Je vous ai dit: Je suis la source de la vie, venez vous laver de vos taches pour pouvoir marcher libres et saufs vers votre Père et Créateur.

19. Ma source est d'amour, inépuisable et infinie. C'est de cela que vous parle mon sang versé en ce temps-là; il scella ma parole, il couronna ma Doctrine. (158, 23-33)

20. À l'heure actuelle, à plusieurs siècles des événements, Je vous dis que, en dépit d'avoir répandu mon sang pour toute l'humanité, seul ont réussi à obtenir leur salut ceux qui ont emprunté le chemin que Jésus vint vous montrer, tandis que tous ceux qui se sont obstinés dans l'ignorance, dans leur fanatisme, dans leurs erreurs ou dans le péché, ne sont pas encore à l'abri.

21. Je vous ai dit que si mille fois Je me faisais homme et que si Je mourais mille fois sur la croix, jusqu'à ce que l'humanité ne se lève pour me suivre, jamais elle n'aura atteint son salut. Ce n'est pas ma croix qui doit vous sauver, sinon la vôtre; Moi, J'ai porté la mienne sur les épaules et J'y ai expiré en tant qu'homme, et depuis cet instant Je me trouvai dans le giron du Père Vous devez m'imiter en mansuétude et en amour, en portant sur les épaules votre croix, avec une sincère humilité, jusqu'à aboutir à la fin de votre mission afin que vous aussi arriviez à être près de votre Père.

22. Tout un chacun souhaite trouver le bonheur, et mieux encore s'il dure le plus longtemps possible, parce que Je viens vous montrer un chemin qui conduit au bonheur suprême et éternel. Néanmoins, Je ne fais que vous montrer le chemin, ensuite Je vous laisse choisir celui qui davantage vous plaît.

23. Je vous interroge: Si vous désirez tant le bonheur, pourquoi ne le semez-vous pas pour le récolter ensuite? Bien peu nombreux sont ceux qui se sont sentis poussés à se livrer à l'humanité! (169, 37-38)

24. Vous avez une idée erronée de la signification de la vie sur la terre, de ce que sont l'esprit et la vallée spirituelle.

25. La majorité des croyants s'imaginent qu'en vivant dans une certaine droiture ou qu'en se repentant, à l'ultime instant de la vie, des fautes qu'ils ont commises, ils s'assurent la gloire pour leur esprit.

26. Ce faux concept qui aveugle l'homme ne lui permet pas de persévérer durant toute sa vie dans l'accomplissement de la loi, et entraîne que son esprit, lorsque celui-ci abandonne ce monde et arrive à la mansion spirituelle, se retrouve dans un endroit où il ne contemple pas les merveilles qu'il s'était imaginées, ni ne ressent pas le suprême bonheur auquel il croyait avoir droit.

27. Savez-vous ce qui arrive à ces êtres qui se sentaient assurés de parvenir au ciel et qui, à sa place, ne rencontrèrent que la confusion? En ne

continuant plus d'habiter la Terre, parce qu'il leur manqua le point d'appui de leur enveloppe matérielle, et en ne pouvant pas s'élever vers ces hauteurs où se trouvent les mansions de la lumière spirituelle, ils créèrent pour eux-mêmes, sans s'en rendre compte, un monde qui n'est ni humain, ni profondément spirituel.

28. C'est alors que les esprits s'interrogent: Est-ce cela la gloire? Est-ce cela la demeure destinée par Dieu aux esprits, après avoir tant marché sur la Terre?

29. Non! répondent d'autres; ceci ne peut être le sein du Seigneur, où seuls peuvent exister la lumière, l'amour et la pureté!

30. Lentement, par l'entremise de la méditation et de la douleur, l'esprit en arrive à la compréhension. Il comprend la divine justice et, illuminé par la lumière de sa conscience, juge ses actions passées et considère qu'elles furent petites et imparfaites, qu'elles n'étaient pas dignes de mériter ce qu'il avait cru.

31. Alors, avec cette préparation, apparaît l'humilité et naît le désir de retourner sur les chemins qu'il laissa pour effacer les taches, réparer les erreurs et gagner de vrais mérites devant son Père.

32. Il est impérieux d'éclaircir ces mystères à l'humanité, afin qu'elle comprenne que la vie en la matière est une chance pour l'homme de gagner des mérites pour son esprit, mérites qui l'élèveront jusqu'au point de mériter d'habiter une demeure de spiritualité supérieure où, à nouveau, il devra se gagner de nouveaux mérites pour ne pas stagner et poursuivre son escalade d'échelon en échelon, parce que «dans la maison du Père, il y a beaucoup de demeures».

33. Vous gagnerez ces mérites au travers de l'amour, comme vous l'a enseigné la loi éternelle du Père. Et ainsi, d'échelon en échelon sur l'échelle de perfection, votre esprit s'en ira connaître le chemin qui conduit à la gloire, la véritable gloire, celle qui est la perfection de l'esprit. (184, 40-45)

34. En vérité Je vous le dis, si J'étais venu en ce temps en tant qu'homme, vos yeux auraient dû voir mes blessures fraîches et encore ensanglantées, parce que le péché des hommes n'a pas cessé et qu'ils n'ont pas voulu se racheter en souvenir de ce sang que J'ai versé sur le Calvaire et qui constitua une preuve de mon amour pour l'humanité. Mais Je suis venu en esprit pour vous éviter l'affront de voir l'œuvre de ceux qui me jugèrent et me condamnèrent sur la Terre.

35. Tout est pardonné. Cependant, il existe en chaque esprit quelque chose de ce que Je répandis pour tous, sur la croix; ne croyez pas que ce souffle et ce sang se diluèrent ou se perdirent, ils représentaient la vie spirituelle que Je répandais en cet instant sur tous les hommes; mais, avec ce sang qui scella ma parole et qui confirma tout ce que Je dis et fis sur la Terre, les hommes se lèveront à la recherche de la régénération de leur esprit.

36. Ma parole, mes œuvres et mon sang ne furent ni ne seront vains. Si parfois il peut vous paraître que mon nom et ma parole ont été presque oubliés, vous les verrez ressurgir soudainement, pleins de vigueur, de vie et de pureté, à l'instar d'une semence qui, malgré qu'elle soit continuellement combattue, ne meurt jamais. (321, 64-66)

37. Le sang de Jésus, converti en lumière de rédemption, pénétra et continue de pénétrer tous les esprits, en tant que salut. Mon Esprit offre éternellement le salut et la lumière. Je fais continuellement pénétrer les rayons de ma lumière là où existent les ténèbres; à chaque instant, mon Esprit Divin se répand, non pas sous forme de sang humain, mais en essence sur tous mes enfants. (319, 36)

Il faudra mériter le «Cleb»

38. Les hommes, entraînés par la force de leurs passions, ont tellement sombré dans leurs péchés qu'ils avaient perdu tout espoir de salut, mais chacun sera sauvé; parce que l'esprit, lorsqu'il sera convaincu que les tourmentes humaines ne cesseront tant qu'il n'écoutera pas la voix de la conscience, cet esprit se lèvera en respectant ma loi jusqu'à arriver au bout de son destin, qui n'est pas sur la Terre sinon dans l'éternité.

39. Ceux qui croient que l'existence est absurde et qui pensent que la lutte et la douleur sont inutiles, ignorent que la vie est le maître qui modèle et que la douleur est le ciseau qui perfectionne. Ne pensez pas que J'aie créé la douleur pour vous l'offrir dans un calice. Ne pensez pas que ce soit Moi qui vous aie fait tomber. L'homme a désobéi de son propre gré et c'est la raison pour laquelle il doit aussi se relever par son propre effort. Ne vous imaginez pas non plus que la douleur soit la seule qui vous perfectionnera. Non! En mettant l'amour en pratique, vous parviendrez aussi à Moi, parce que Je suis amour! (31, 54-55)

40. Priez davantage avec l'esprit qu'avec la matière, parce que, pour se sauver, il ne suffit pas d'un instant de prière ou d'un jour d'amour, mais bien d'une vie de persévérance, de patience, d'actions élevées et d'obéissance à mes commandements. Pour ce faire, Je vous ai doté de grands pouvoirs et de sens.

41. Mon œuvre est comme une arche de salut qui invite tous à y entrer. Celui qui observe mes lois ne périra point. Si vous vous guidez par ma parole, vous serez sauvés. (123, 30-31)

42. Pensez que seul ce qui est parfait arrive à Moi; par conséquent, votre esprit n'entrera seulement que lorsqu'il aura atteint la perfection. Vous avez jailli de Moi sans expérience, mais vous devrez revenir parés de l'habit de vos mérites et de vos vertus. (63, 22)

43. En vérité Je vous le dis, les esprits des justes qui habitent auprès de Dieu se forgèrent, par leurs propres actions, le droit d'occuper ce lieu, mais non parce que Je le leur aie offert. Je leur enseignai seulement le chemin et, au bout de celui-ci, leur y montrai une récompense.

44. Bénis soient ceux qui me disent: «Seigneur, vous êtes le chemin, la lumière qui l'éclaire et la force pour le pèlerin. Vous êtes la voix qui indique la direction et nous ranime durant le séjour et vous êtes aussi la récompense pour celui qui arrive au bout». Oui, mes enfants, Je suis la vie et la résurrection des morts. (63, 74-75)

45. Aujourd'hui le Père ne demandera pas: Qui peut-il et qui est disposé à sauver, de son sang, le genre humain? Et Jésus ne répondra pas: Seigneur, Je suis l'Agneau disposé à tracer de mon sang et de mon amour le chemin de la restitution de l'humanité.

46. Je n'enverrai pas non plus mon Verbe pour qu'Il s'incarne en ce temps, cette Ere est déjà dépassée pour vous et Il laissa son enseignement et son élévation en votre esprit. A présent, J'ai initié une nouvelle étape de progrès et d'avances spirituels où vous-mêmes gagnerez vos mérites. (80, 8-9)

47. Je vous veux tous heureux, en paix et habitant dans la lumière, afin que vous en arriviez à tout posséder, non seulement par mon amour, mais aussi par vos mérites, parce que dès lors votre satisfaction et votre bonheur seront parfaits. (245, 34)

48. Je vins pour vous montrer la beauté d'une vie supérieure à la vie humaine, pour vous inspirer les actions élevées, pour vous enseigner la parole qui prodigue l'amour, et pour vous annoncer le bonheur inconnu, celui-là même qui attend l'esprit qui a su escalader la montagne du sacrifice, de la foi et de l'amour.

49. Vous devez reconnaître tout ceci dans mon Enseignement, pour qu'enfin vous compreniez que ce sont vos actions qui rapprocheront votre esprit du véritable bonheur. (287, 48-49)

50. Si, pour vous rendre d'un continent à l'autre de la Terre, il vous faut aller par monts et par vaux, traverser les mers, les villages, les villes et les pays jusqu'à arriver à destination de votre voyage, pensez que, pour arriver à la terre promise, vous devrez beaucoup voyager, afin qu'au cours du long trajet vous recueilliez expérience, connaissance, développement et évolution de l'esprit. Celui-ci sera le fruit de l'arbre de la vie, que vous dégusterez à la fin du voyage, après avoir beaucoup lutté et versé de larmes pour l'atteindre. (287, 16)

51. Vous êtes les enfants du Père de la Lumière. Mais si, à cause de votre faiblesse, vous avez sombré dans les ténèbres d'une vie pleine d'ennuis,

d'erreurs et de chagrins, ces peines disparaîtront parce que vous vous lèverez au son de ma voix, lorsque celle-ci vous appellera et vous dira: «Je suis ici, illuminant votre monde et vous invitant à escalader la montagne au sommet de laquelle vous trouverez toute la paix, la chance et la richesse qu'en vain, vous avez voulu thésauriser sur la Terre». (308, 5)

52. Chaque monde, chaque demeure fut créée pour que l'esprit évolue en elle et fasse un pas vers son Créateur et ainsi, progressant toujours davantage sur le chemin du perfectionnement, puisse avoir la possibilité d'arriver immaculé, propre et modelé à la fin de son séjour, á la cime de la perfection spirituelle, précisément celle qui consiste à habiter le Royaume de Dieu.

53. A qui semble-t-il impossible d'habiter au sein de Dieu? Ah, pauvres esprits qui ne savez réfléchir! Avez-vous déjà oublié que vous avez surgi de mon sein, ou encore que vous Y aviez déjà habité auparavant? Il n'y aura rien d'étrange à ce que tout ce qui jaillît de la source de la vie Lui retourne en temps utile.

54. Tout esprit, lorsqu'il naquit de Moi, fut vierge, mais par la suite beaucoup se tachèrent en chemin; cependant, tout étant prévu de manière sage, aimante et juste par Moi, votre Père, j'ai mis, avant, sur le chemin que les enfants devraient parcourir, tous les moyens nécessaires à leur salut et à leur régénération.

55. Si de nombreux êtres profanèrent cette virginité spirituelle, un jour viendra où en purifiant toutes leurs fautes, ils acquerront leur pureté originelle, et cette purification sera, à Mes yeux, très méritoire parce que l'esprit l'aura obtenue au travers de grandes et incessantes épreuves pour sa foi, son amour, sa fidélité et sa patience.

56. Par le chemin du travail, de la lutte et de la douleur, vous reviendrez tous au Royaume de la Lumière, depuis lequel vous n'aurez déjà plus besoin d'incarner dans un corps humain, ni d'habiter un monde matériel, puisqu'à ce moment-là votre rayonnement spirituel vous autorisera de faire sentir votre influence et d'envoyer votre lumière d'un monde à l'autre. (313, 21-24)

La plus puissante force pour la Rédemption

57. Voici le chemin! Suivez-le et vous vous sauverez! En vérité Je vous le dis, il n'est pas nécessaire de m'avoir écouté en ce temps-ci pour parvenir au salut; Chacun qui, dans la vie, pratique ma Loi divine d'amour, et cet amour inspiré du Créateur se traduisant en amour à l'égard de son semblable, celui-ci est sauvé et rend témoignage de Moi, dans sa vie et par ses actions. (63, 49)

58. Si le soleil rayonne la lumière de vie dans toute la Nature, toutes les créatures, et si les étoiles rayonnent aussi la lumière sur la Terre, pourquoi l'Esprit Divin ne devait-il pas

rayonner au-dessus de l'esprit de l'homme?

59. A présent, Je viens vous dire: Humanité, arrêtez-vous, laissez la lumière de la justice, celle qui provient de l'amour, se diffuser de par le monde, laissez ma vérité vous persuader que, sans amour véritable, vous n'obtiendrez pas le salut. (89, 34-35)

60. Ma lumière est destinée à tous mes enfants. Elle n'est pas seulement réservée à vous-autres qui habitez ce monde, mais aussi aux esprits qui vivent dans d'autres demeures. Tous seront libérés et ressuscités à la vie éternelle lorsque, par leurs actes d'amour envers leurs frères, ils accompliront mon précepte divin qui vous demande de vous aimer les uns les autres. (65, 22)

61. Peuple bien aimé, ce jour est le troisième, celui auquel Je viens pour ressusciter ma parole d'entre les morts. Ceci est le Troisième Temps où J'apparais au monde sous forme spirituelle, afin de lui déclarer: Celui-ci est le même Christ que celui que vous vîtes expirer sur la croix, et qui maintenant vient s'adresser à vous parce qu'Il vit, vivra et existera pour toujours.

62. En revanche, Je constate que les hommes, en dépit de dire la vérité dans leurs religions, présentent le cœur mort à la foi, à l'amour et à la lumière. Ils croient qu'en priant dans leurs temples et en assistant à leurs rites, ils ont leur salut assuré, mais

Moi je vous dis qu'il est impérieux que le monde sache qu'il n'obtiendra le salut qu'au travers de la réalisation d'actes d'amour et de charité.

63. Les murs ne sont que l'école, les religions ne devront pas seulement se limiter à expliquer la Loi sinon à faire comprendre à l'humanité que la vie est le chemin où elle doit mettre en application ce qu'elle a appris dans la Loi divine, en mettant en pratique ma Doctrine d'amour. (152, 50-52)

64. Le Christ se fit homme pour manifester l'amour divin au monde, mais les hommes ont le cœur dur et l'entendement réticent, ils oublient rapidement la leçon reçue et la mal interprètent. Je savais que l'humanité en arriverait à confondre la justice et l'amour avec la vengeance et le châtiment; c'est pour cela que Je vous annonçai un temps où Je reviendrais spirituellement dans ce monde afin d'expliquer à humanité les leçons qu'elle n'avait pas comprises.

65. Ce temps annoncé est celui dans lequel vous vivez, et Je vous ai prodigué mon enseignement afin que ma justice et ma sagesse divine se manifestent comme une parfaite leçon du sublime amour de votre Dieu. Croyez-vous que Je sois venu par crainte de voir les hommes parvenir à détruire les œuvres de leur Seigneur ou même encore la vie même? Non! Je viens seulement par amour à mes enfants, à ceux que je désire voir rassasiés de lumière et de paix.

66. Est-il vrai qu'il est juste que vous aussi veniez à Moi seulement par

amour? Mais non par amour pour vous-mêmes, sinon par amour pour le Père et vos frères. Croyez-vous que s'inspire de l'amour divin celui qui fuit le péché uniquement par crainte du tourment, ou celui qui accomplit de bonnes actions en pensant juste à la récompense grâce à laquelle il pourra conquérir un lieu dans l'éternité? Celui qui pense de la sorte ne Me connaît pas ni ne vient par amour pour Moi; celui-là agit uniquement par amour pour lui-même. (164, 35-37)

67. Toute ma Loi se résume en deux préceptes: l'amour à Dieu et l'amour au prochain. Ceci est le chemin à suivre. (234, 4)

Salut et Rédemption pour chaque esprit
68. Je ne viens pas, maintenant, ressusciter des morts pour rendre vie à leur corps, comme je le fis avec Lazare au Second Temps. Aujourd'hui, ma lumière vient élever les esprits, lesquels m'appartiennent. Et ceux-ci se lèveront à la vie éternelle grâce à la vérité de ma parole, parce que votre esprit est le Lazare qui est présent en vous et que Moi je ressusciterai et que je guérirai. (17, 52)

69. La vie spirituelle, elle aussi, est régie par des lois et, lorsque vous vous éloignez d'elles, très rapidement vous ressentez le résultat douloureux de pareille désobéissance.
70. Voyez combien mon désir de vous sauver est grand; aujourd'hui comme en son temps, Je porterai la croix pour vous élever à la vraie vie.

71. Si mon sang versé au Calvaire émut le cœur de humanité et la convertit à ma Doctrine, en ce temps-ci, ce sera ma lumière divine qui ébranlera l'esprit et la matière pour vous faire reprendre le vrai chemin.

72. Je souhaite que vivent éternellement ceux qui sont morts à la vie de la grâce; je ne veux pas que votre esprit habite les ténèbres. (69, 9-10)

73. Voyez comme bon nombre de vos frères attendent la venue du Messie au milieu de leur idolâtrie. Regardez comme beaucoup, dans leur ignorance, croient que Je viendrai seulement pour décharger ma justice sur les méchants, sauver les bons et détruire le monde, sans savoir que Je suis parmi les hommes comme un Père, un Maître, un Frère ou un Ami, débordant d'amour et d'humilité, en répandant ma charité pour sauver, bénir et pardonner à tous. (170, 23)

74. Personne n'est né par hasard et, aussi humble, maladroit ou petit qu'il se croie, il a été fait par la grâce de l'Etre Suprême qui l'aime autant que les êtres que lui considère supérieurs, et il a un destin qui le mènera, comme tous, dans le sein de Dieu.
75. Voyez-vous ces hommes qui, tels des parias, errent dans les rues en traînant le vice et la misère sans savoir qui ils sont ni où ils vont? Connaissez-vous les hommes qui habitent encore des jungles entourés

de bêtes? Aucun n'est oublié par ma charité, tous ont une mission à accomplir, tous possèdent le germe de l'évolution et se trouvent sur le chemin où les mérites, l'effort et la lutte emmèneront l'esprit, d'échelon en échelon, jusqu'à Moi.

76. Quel est celui qui n'a souhaité ma paix, ne fut-ce que l'espace d'un seul instant, en désirant ardemment se libérer de la vie terrestre? Tout esprit éprouve la nostalgie du monde qu'il habita auparavant, du foyer dans lequel il naquit. Ce monde attend tous mes enfants, les invitant à jouir de la vie éternelle que les uns souhaitent, tandis que d'autres attendent simplement la mort pour cesser d'exister, parce qu'ils ont l'esprit troublé et qu'ils vivent sans espérance et sans foi. Que peut bien encourager ces êtres à lutter pour leur régénération? Comment l'ardent désir de l'éternité peut-il se réveiller en eux? Il attendent seulement le non-être, le silence et la fin.

77. Mais la lumière du monde, le chemin et la vie sont revenus pour vous ressusciter par la grâce de mon pardon, pour caresser votre front fatigué, pour consoler votre cœur et faire en sorte que celui qui se sentait indigne d'exister écoute ma voix qui lui dit: Je vous aime! Venez à Moi! (80, 54-57)

78. L'homme pourra tomber et sombrer dans les ténèbres et, pour cela, se sentir éloigné de Moi, il pourra croire qu'au moment de sa mort tout sera terminé pour lui; en revanche, pour Moi, personne ne meurt, personne ne se perd!

79. Combien sont-ils qui, en ce monde, passèrent pour des êtres pervers et qui, aujourd'hui, sont pleins de lumière! Combien de ceux qui laissèrent pour toute empreinte la tache de leurs péchés, de leurs vices et de leurs crimes, sont déjà parvenus à la purification! (287, 9-10)

80. Il est certain que beaucoup tachent l'esprit, mais ne les jugez pas parce qu'ils ne savent pas ce qu'ils font. Eux aussi, Je les sauverai, peu importe qu'ils M'aient oublié à présent, ou qu'ils M'aient troqué pour les faux dieux qu'ils ont créé en ce monde. Je les emmènerai également jusqu'à mon Royaume, même si, pour suivre à présent de faux prophètes, ils ont oublié le doux Christ qui leur dédia sa vie pour leur enseigner sa doctrine d'amour.

81. Personne n'est mauvais pour le Père, personne ne peut l'être puisque son principe est en Moi! Erronés, aveugles, violents, rebelles, tels ont été bon nombre de mes enfants, en vertu du libre arbitre dont ils furent dotés, mais la lumière se fera en tous et ma charité les guidera par le chemin de leur rédemption. (54, 45-46)

82. Vous êtes, tous, ma semence, et le Maître la récolte. Si la semence de l'ivraie apparaît au milieu de la bonne semence, je la garde aussi avec amour pour la transformer en blé doré.

83. Je vois, dans les cœurs, semences d'ivraie, de boue, de crime, de haines et, néanmoins, Je vous recueille et vous aime. Je caresse et purifie cette graine jusqu'à ce qu'elle brille comme le blé au soleil.

84. Croyez-vous que la puissance de mon amour ne soit pas capable de vous racheter? Après vous laver, Je vous sèmerai dans Mon jardin, où vous livrerez de nouvelles fleurs et de nouveaux fruits. La mission de vous rendre dignes fait partie de ma Divine tâche. (256, 19-21)

85. Comment un esprit pourra-t-il se perdre irrémissiblement pour Moi, s'il porte en lui un scintillement de ma lumière qui jamais ne s'éteint et qui le précède partout où il ira? Aussi grande que soit sa réticence ou aussi durable que soit son trouble, ces ténèbres ne seront jamais aussi longues que mon éternité. (255, 60)

86. A Mes yeux, un être taché de l'empreinte des plus lourdes fautes et qui se purifie inspiré en un idéal élevé est aussi méritoire qu'un être qui a persévéré dans la pureté et qui lutte pour ne pas se tacher, parce que lui, depuis le commencement, aima la lumière.

87. Que ceux qui pensent que les esprits troublés ont une nature distincte à celle des esprits de lumière sont bien éloignés de la vérité!

88. Le Père serait injuste s'il s'en avérait ainsi. Tout comme il cesserait d'être Tout-Puissant s'il manquait de sagesse ou d'amour pour sauver les souillés, les impurs, les imparfaits et ne pouvait vous réunir avec tous les justes dans une même demeure. (295, 15-17)

89. Ou même encore ces êtres que vous qualifiez de tentation ou démons, certes Je vous le dis, ils ne sont pas plus que des êtres perturbés ou imparfaits que le Père utilise sagement pour mener à bien ses desseins et plans élevés.

90. Mais ces êtres, dont les esprits aujourd'hui sont enveloppés dans les ténèbres et qui, pour un grand nombre d'entre eux, font mauvais usage des dons que Je leur ai concédés, Je les sauverai en temps opportun.

91. Parce que le moment viendra, Ô Israël, où toutes les créatures du Seigneur me glorifieront éternellement; Je cesserais d'être Dieu si, avec mon pouvoir, ma sagesse et mon amour, Je ne parvenais pas à sauver un esprit. (302, 31)

92. Quand les pères sur la Terre ont-ils seulement aimé les enfants bons et détesté les mauvais? Combien les ai-Je vus être plus affectueux et attentionnés à l'égard précisément de ceux qui les offensent et les font souffrir le plus! Comment est-ce possible que vous puissiez accomplir des actes d'amour et de pardon plus grands que les Miens? Depuis quand a-t-on vu que le Maître doive apprendre de ses disciples?

93. Sachez, par conséquent, que Je ne juge personne indigne de Moi et que c'est pour cela que Je vous invite

à parcourir le Chemin du Salut, ainsi les portes de mon Royaume, que sont la lumière, la paix et le bien, sont perpétuellement ouvertes en attente de l'arrivée de ceux qui étaient éloignés de la Loi et de la vérité. (356, 18-19)

Glorieux avenir des enfants de Dieu
94. Je ne permettrai pas que se confonde ni que se perde un seul de mes enfants. Je convertis les plantes parasitaires en fructifères, parce que toutes les créatures ont été formées pour parvenir à atteindre une fin parfaite.

95. Je veux que vous vous réjouissiez avec Moi en mon Œuvre; auparavant déjà Je vous ai fait part de mes attributs parce que vous faites partie de Moi. Si tout m'appartient, alors Je vous fais aussi les propriétaires de mon Œuvre. (9, 17-18)

96. Ne doutez pas de ma parole! Au Premier Temps, J'accomplis, pour vous, ma promesse de libérer Israël de l'esclavagisme d'Egypte, lequel signifiait idolâtrie et ténèbres, afin de vous emmener à Canaan, terre de liberté et de culte au Dieu vivant. C'est là que vous fut annoncé mon avènement en tant qu'homme, et la prophétie fut accomplie, mot pour mot, en le Christ.

97. Moi, ce Maître qui habita et vous aima au travers de Jésus, Je promis au monde de m'adresser à lui en un autre temps, de me manifester sous forme d'Esprit; et ici vous avez l'accomplissement de ma promesse.

98. Aujourd'hui Je vous annonce que Je tiens en réserve pour votre esprit de merveilleuses régions, demeures et mansions spirituelles où vous pourrez trouver la véritable liberté d'aimer, de faire le bien et de diffuser ma lumière. Pourrez-vous en douter, après que Je vous aie accompli mes promesses précédentes? (138, 10-11)

99. Mon souhait divin est celui de vous sauver et de vous emmener vers un monde de lumière, de beautés et d'amour, dans lequel vous vibrerez par l'élévation de l'esprit, la noblesse des sentiments et idéal de perfection mais, ne découvrez-vous pas mon amour de Père dans ce divin désir? Certainement, celui qui ne le comprend pas de cette manière doit être aveugle. (181, 13)

100. Regardez! Tous les galas de ce monde sont destinés à disparaître afin que d'autres viennent en temps opportun; mais votre esprit continuera de vivre éternellement et contemplera le Père dans toute sa splendeur, le Père du sein duquel il naquit. Tout ce qui a été créé doit retourner à l'endroit d'où il provint. (147, 9)

101. Je suis la lumière, la paix et le bonheur éternels et, comme vous êtes mes enfants, Je souhaite et dois vous faire les bénéficiaires de ma gloire. C'est pour cela que Je vous enseigne la Loi comme le chemin qui mène l'esprit vers les hauteurs de ce Royaume. (263, 36)

102. N'oubliez jamais que l'esprit qui atteint les hauts niveaux de la bonté, de la sagesse, de la pureté et de l'amour, est au-delà du temps, de la douleur et des distances. Il n'est pas limité à habiter un endroit déterminé, mais peut être partout et trouver, en tout, un délice suprême d'exister, de sentir, de savoir, d'aimer et de se savoir aimé. C'est le ciel de l'esprit. (146, 70-71)

VIII. L'ETRE HUMAIN

Chapitre 32 – Incarnation, Nature et Devoirs de l'Homme

L'Incarnation sur la Terre

1. Lorsque l'un des vôtres part vers la vallée spirituelle, vous versez des larmes au lieu de vous sentir emplis de paix, en comprenant que celui-là va se rapprocher un pas de plus de son Seigneur. Et en revanche, vous faites un festin lorsqu'un nouvel être arrive dans votre foyer, sans penser en cette heure à laquelle l'esprit est venu s'incarner pour accomplir une expiation dans cette vallée de chagrins; c'est alors que vous deviez pleurer pour lui. (52, 28)

2. Vous engendrez des enfants de votre chair, mais c'est Moi qui distribue les esprits dans les familles, les peuples, les nations et les mondes; et mon amour se manifeste en cette justice impénétrable pour les hommes. (67, 26)

3. Vous vivez le présent et ne savez pas ce que Je destine à votre avenir. Je suis en train de préparer de grandes légions d'êtres spirituels qui devront venir habiter la Terre en apportant une mission délicate. Et il est indispensable que vous sachiez que beaucoup d'entre vous serez pères de ces créatures en lesquelles s'incarneront mes envoyés. Votre devoir consiste à vous préparer afin que vous sachiez les recevoir et les éduquer. (128, 8)

4. Je souhaiterais vous entretenir de nombreux enseignements spirituels, mais vous n'êtes pas encore en mesure de les comprendre. Si Je vous révélais jusqu'aux demeures dans lesquelles vous descendîtes sur la Terre, vous ne pourriez pas concevoir comment vous habitâtes de tels endroits.

5. Aujourd'hui, vous pouvez nier connaître la vallée spirituelle, parce que le passé de votre esprit lui est interdit, quand celui-ci est incarné, afin qu'il ne s'enorgueillisse pas, ne succombe ou ne se désespère quant à sa nouvelle existence, où il devra commencer comme une nouvelle vie.

6. Même si vous le vouliez, vous ne pourriez vous souvenir! Je vous concède seulement que vous conserviez une pensée ou une intuition de ce que Je vous révèle pour que vous persévériez dans la lutte et que vous soyez conformes avec les épreuves.

7. Vous pouvez douter de tout ce que Je vous déclare mais, en vérité, cette vallée fut votre demeure lorsque vous étiez esprit. Vous fûtes les habitants de cette mansion dans laquelle vous ne connûtes pas la

douleur, et où vous ressentiez la gloire du Père en votre être, parce qu'il était immaculé.

8. Mais vous n'aviez aucun mérite, et il était impérieux que vous abandonniez ce ciel et que vous descendiez au monde pour que votre esprit, par son effort, conquière ce royaume.

9. Mais, peu à peu, vous descendîtes moralement jusqu'à ce que vous vous sentiez très loin du divin et du spirituel, très loin de votre origine. (114, 35-36)

10. Lorsque l'esprit arrive sur la Terre, il vient animé des meilleurs sentiments résolutions consacrer son existence au Père, et le remercier en tout et d'être utile à ses semblables.

11. Mais, une fois qu'il se voit emprisonné dans la matière, tenté et éprouvé de mille manières lors de son séjour, il s'affaiblit, cède aux impulsions de la chair, il cède aux tentations, ils devient égoïste et finit par s'aimer lui-même par-dessus toutes les choses. Et ce n'est que par instants qu'il prête l'oreille à la conscience dans laquelle sont écrits le destin et les promesses.

12. Ma parole vous aide à vous rappeler de votre pacte spirituel et à vaincre les tentations et les obstacles.

13. Personne ne pourra prétendre qu'il n'ait jamais quitté le chemin que J'ai tracé; mais Je vous pardonne afin que vous appreniez à pardonner à vos frères. (245, 47-48)

14. Il se requiert un grand enseignement spirituel pour que l'homme marche en harmonie avec la voix de sa conscience parce que, bien que tout soit saturé d'amour divin sagement disposé en vue du bien et du bonheur de l'homme, la matière qui l'entoure constitue une épreuve pour l'esprit, depuis l'instant où il vient habiter un monde auquel il n'appartient pas et uni à un corps dont la nature est différente de la sienne.

15. Ici vous pourrez trouver le motif pour lequel l'esprit oublie son passé. Depuis l'instant où il s'incarne dans une créature inconsciente, à peine née, et se fond en elle, il commence une vie ensemble avec cet être.

16. De l'esprit, il demeure deux attributs présents: La conscience et l'intuition. Quant à la personnalité, les actions réalisées et le passé, ils demeurent temporairement cachés. Ainsi en a disposé le Père.

17. Qu'en serait-il de l'esprit, qui est venu de la lumière d'une demeure élevée pour habiter parmi les misères de ce monde, s'il se souvenait de son passé? Et que de vanités n'y aurait-il pas parmi les hommes si leur était révélée la grandeur qui, en une autre vie, exista dans leur esprit! (237, 18-19)

L'évaluation correcte du corps et sa conduite par l'esprit

18. Je ne vous dis pas de purifier seulement votre esprit mais également de fortifier votre matière, afin que les nouvelles générations qui jailliront de vous soient salutaires et que leurs

esprits puissent accomplir leur délicate mission. (51, 59)

19. Veillez à la santé de votre corps, recherchez sa conservation et sa force. Ma Doctrine vous conseille de faire montre de charité à l'égard de votre esprit et de votre corps, parce que tous deux sont complémentaires et ont besoin l'un de l'autre en vue de la délicate mission spirituelle qui leur est confiée. (92, 75)

20. N'accordez pas à votre corps plus d'importance qu'il n'en a en réalité, et ne le laissez pas occuper la place qui correspond seulement à votre esprit.
21. Comprenez que l'enveloppe n'est seulement que l'instrument dont vous avez besoin pour que l'esprit se manifeste sur la Terre. (62, 22-23)

22. Voyez combien cette doctrine se destine à l'esprit, parce que tandis que la matière, chaque jour qui passe, se rapproche davantage du cœur de la terre, l'esprit, en revanche, se rapproche chaque fois plus de l'éternité.
23. Le corps est le point d'appui où se repose l'esprit pendant qu'il habite la Terre. Pourquoi laisser qu'il se convertisse en chaîne qui attache ou en chaîne qui emprisonne? Pourquoi autoriser qu'il soit le gouvernail de votre vie? Est-ce juste qu'un aveugle guide le voyant? (126, 15-16)

24. Cet enseignement est simple à l'instar de tout ce qui est pur et divin et, par conséquent, facile à comprendre. Mais il vous paraîtra parfois difficile de le mettre en pratique, les ouvrages de l'esprit requièrent effort, renonciation ou sacrifice de la part de votre corps et lorsque vous manquez d'éducation ou de discipline spirituelle, vous devez souffrir.
25. La lutte entre l'esprit et la matière a existé depuis l'aube des temps, en tentant de comprendre ce qui est juste, permis et bon pour mener une vie ajustée sur la Loi présentée par Dieu.
26. Au milieu de cette lutte, vous sentez comme un pouvoir étrange et malveillant qui vous induit, à chaque pas, à vous écarter de la bataille et à continuer sur la voie de la matérialité, en faisant usage de votre libre arbitre.
27. Je vous affirme qu'il n'y a d'autre tentation que la faiblesse de votre matière: elle est sensible à tout ce qui l'entoure, elle est faible pour céder, elle sombre et se livre facilement mais, celui qui a réussi à dominer les impulsions, les passions et les faiblesses de la matière, celui-là a vaincu la tentation qu'il porte en lui-même (271, 49-50)

28. La Terre est un champ de bataille et il y a, là-bas, beaucoup à apprendre! S'il en était autrement, il vous suffirait de quelques années sur cette planète, et vous ne seriez pas envoyés à maintes reprises pour réincarner. Pour l'esprit, il n'existe pas de plus lugubre et obscure tombe

que son propre corps si celui-ci renferme scorie et matérialisme.

29. Ma parole vous soulève de cette tombe et ensuite vous donne des ailes pour que vous repreniez l'envol vers les régions de paix et de lumière spirituelle. (213, 24-25)

L'importance de l'Ame*, de l'Esprit et de la Conscience de l'homme

30. Le corps, animé juste seulement par la vie matérielle, pourrait vivre sans esprit, mais il ne serait pas humain. Il possèderait l'esprit et manquerait de conscience, mais ne saurait se guider lui-même, ni ne serait l'être supérieur qui, par le biais de la conscience, connaît la Loi, distingue le bien du mal et bénéficie de toute la révélation divine. (59, 56)

31. Que ce soit la conscience qui illumine l'esprit et que l'esprit guide la matière! (71, 9)

32. Pendant que les uns poursuivent la fausse grandeur en ce monde, d'autres prétendent que l'homme est une créature insignifiante face à Dieu, et il y en a qui se comparent au ver de terre. Certes votre matière, au milieu de la Création, peut vous paraître petite, mais elle ne l'est pas pour Moi, en raison de la sagesse et du pouvoir avec lesquels Je l'ai créée.

33. Comment pouvez-vous apprécier les dimensions de votre être par la taille de votre corps? Ne ressentez-vous pas en lui la présence

de l'esprit? Il est plus grand que votre corps, son existence est éternelle et son chemin est infini. Vous ne pouvez parvenir à voir ni le début, ni la fin de son développement. Moi, je ne souhaite pas que vous soyez petits. Je vous ai formés pour que vous atteigniez la grandeur. Savez-vous à quel moment Je considère que l'homme est petit? Lorsqu'il s'est égaré dans le péché, parce qu'alors il a perdu sa noblesse et sa dignité.

34. Il y a déjà longtemps que vous n'êtes pas avec Moi et que vous ignorez ce que vous êtes en réalité, parce que vous avez laissé dormir, en votre être, beaucoup d'attributs, de pouvoirs et de dons que votre Créateur déposa en vous. Vous êtes endormis à l'esprit et à la conscience, et c'est précisément dans ces attributs spirituels que réside la véritable grandeur de l'homme. Vous imitez les êtres qui sont de ce monde parce qu'ils y naissent et qu'ils y meurent. (85, 56-57)

35. Avec ma parole d'amour, Je vous démontre la valeur que votre esprit représente pour Moi. Dans la création matérielle, il n'existe rien de plus grand que votre esprit, ni l'astre roi et sa lumière, ni la Terre et toutes ses merveilles, ni aucune autre créature n'est plus grande que l'esprit que Je vous ai donné, parce qu'il est particule divine, il est la flamme qui a jailli de l'Esprit Divin.

36. Après Dieu, seuls les esprits possèdent l'intelligence spirituelle, la conscience et le libre arbitre.

---

* Se référer à la nota page 40

37. Au-dessus de l'instinct et des inclinaisons de la chair s'élève une lueur qui est votre esprit et, par-dessus cette lumière, un guide, un livre, et un juge qui est la conscience. (86, 68)

38. L'humanité, dans son matérialisme, me demande: Sera-t-il vrai qu'existe le royaume de l'Esprit? Et Moi de vous répondre: Ô incrédules, vous êtes le Thomas du Troisième Temps. Eprouver de la pitié, de la compassion, de la tendresse, de la bonté et de la noblesse ne sont pas des attributs de la chair, comme d'ailleurs ne le sont pas les grâces et dons que vous renfermez en votre for intérieur. Tous ces sentiments qui sont enregistrés dans votre cœur et dans votre intelligence, tous ces pouvoirs sont ceux de l'esprit, et vous ne devez pas le nier. La chair n'est qu'un instrument limité, quant à l'esprit, il ne l'est pas: Il est grand parce qu'il est un atome de Dieu!

39. Recherchez la mansion de l'esprit au fond de votre être, et la grande sagesse dans la grandeur de l'amour. (147, 21-22)

40. En vérité Je vous le dis, depuis les premiers jours de humanité, l'homme eut l'intuition de porter en lui-même un être spirituel, un être qui, pour invisible qu'il était, se manifestait dans les distinctes œuvres de sa vie.

41. Au fil des temps, votre Seigneur vous a révélé l'existence de l'esprit, son essence et son arcane, parce que,

bien qu'il soit en vous, le voile dans lequel votre matérialité vous enveloppe est tellement épais, que vous ne pourrez parvenir à contempler ce qu'il y a de plus noble et pur en votre être.

42. Nombreuses sont les vérités que l'homme a osé nier, cependant la croyance de l'existence de son esprit n'a pas figuré parmi celles qu'il a combattu le plus, parce que l'homme a perçu et, est parvenu à comprendre que renier son esprit serait comme se renier lui-même.

43. La matière humaine, lorsqu'elle a dégénéré à cause de ses passions, de ses vices et de son matérialisme, s'est convertie en chaîne, en bandeau d'obscurité, en prison et en obstacle pour le développement de l'esprit. En dépit de tout cela, dans ses moments épreuves difficiles, il ne lui a jamais manqué un éclair de lumière intérieure pour lui venir en aide.

44. Certes, Je vous affirme que l'expression la plus élevée et la plus pure de l'esprit est la conscience, cette divine lumière intérieure qui le convertit en la première, la plus haute, la plus grande et la plus noble d'entre toutes les créatures qui l'entourent. (170, 56-60)

45. Je déclare à tout le peuple que le titre le plus élevé et le plus merveilleux que l'homme possède est celui de « Fils de Dieu », bien qu'il faille le mériter.

46. Telle est le but de la Loi et des Enseignements: vous inspirer la connaissance de ma vérité pour que

vous puissiez être les dignes enfants de ce Père Divin qui est la suprême perfection. (267, 53)

47. Vous savez que vous avez été créés à mon image et à ma ressemblance, et lorsque Je vous le dis, vous pensez en votre forme humaine. Je vous affirme que là n'est pas mon image, sinon en votre esprit lequel, pour Me ressembler, doit se perfectionner en pratiquant les vertus.

48. Je suis le Chemin, la Vérité et la Vie, Je suis la justice et le bien ainsi que tout ce qui provient de l'amour divin. Comprenez-vous à présent comment vous devriez être pour être à mon image et à ma ressemblance? (31, 51-52)

49. Vous avez, en vous, un reflet du divin; en vérité vous Me portez. L'intelligence, la volonté, les pouvoirs, sens et vertus que vous possédez parlent de l'essence supérieure á laquelle vous appartenez et constituent un témoignage vivant du Père de qui vous êtes nés.

50. Parfois, vous en arrivez à tacher et à profaner, par la désobéissance et le péché, l'image que vous portez, de Moi, en votre être. Alors, vous ne Me ressemblez pas, parce qu'il ne suffit pas d'avoir un corps humain et un esprit pour être l'image du Créateur. La véritable ressemblance avec Moi se trouve dans votre lumière et votre amour pour tous vos semblables. (225, 23-24)

51. Je vous ai façonnés à mon image et à ma ressemblance, et si Je suis la Trinité en Un, alors en vous existe aussi la trinité.

52. Votre corps matériel représente la Création, par sa formation et sa parfaite harmonie. Votre esprit incarné est une image du Verbe qui se fit homme pour marquer le monde des hommes d'une empreinte d'amour; quant à votre conscience, elle est une étincelle rayonnante de la lumière divine du Saint-Esprit. (220, 11-12)

53. Quel mérite votre esprit aurait-il, s'il agissait dans un corps dépourvu de volonté et d'inclinaisons propres? La lutte de l'esprit avec son enveloppe est une lutte de pouvoirs, c'est là qu'il rencontre le creuset où il doit prouver sa supériorité et son élévation. C'est l'épreuve où l'esprit, à maintes reprises, a succombé l'espace d'un instant aux tentations que le monde lui offre par le biais de la chair. La force qu'elles exercent sur l'esprit est telle qu'il vous parut qu'un pouvoir surnaturel et malin vous entraînait à l'abîme et vous perdait dans les passions.

54. Combien est grande la responsabilité de l'esprit devant Dieu! La chair n'est pas liée par la même responsabilité; voyez comment, lorsque survient la mort, elle se repose pour toujours sur Terre. Quand gagnerez-vous vos mérites pour que votre esprit se fasse digne d'habiter de plus parfaites demeures que celle où vous vivez?

55. Le monde vous offre des couronnes qui ne parlent que de

vanité, d'orgueil et de fausse grandeur. Une autre couronne, celle de Ma sagesse, est réservée dans l'au-delà, à l'esprit qui sait passer au-dessus de ces vanités. (53, 9-11)

56. La vie doit d'abord se manifester dans l'esprit, puis dans la matière. Combien nombreux sont ceux qui ont habité ce monde et combien peu sont ceux qui ont vécu spirituellement, qui ont laissé manifester la grâce qui existe en chaque être, en cette étincelle divine que le Créateur déposa en l'homme!

57. Si les hommes pouvaient maintenir la transparence en leur conscience, ils pourraient, par son biais, contempler leur passé, leur présent et leur avenir.

58. L'esprit ressemble à mon arcane. Il renferme tellement! A chaque pas et à chaque instant, il a quelque chose à vous révéler, des manifestations parfois tellement profondes qu'elles vous sont incompréhensibles!

59. Cette étincelle de lumière qui existe en tout humain est le lien qui unit l'homme au spirituel, ce qui le met en contact avec l'au-delà et avec son Père. (201, 37-40)

60. Ah si votre matière pouvait recueillir ce que votre esprit perçoit au travers de sa voyance! Parce que l'esprit jamais ne cesse de voir, même lorsque le corps, en raison de sa matérialité, ne le perçoit pas. Quand saurez-vous interpréter votre esprit? (266, 11)

61. Vous qui n'aimez pas la vie parce que vous l'appelez cruelle, tant que vous ne reconnaîtrez pas l'importance de la conscience dans l'homme et que vous ne vous laisserez pas guider par elle, vous ne trouverez rien qui ait une vraie valeur.

62. C'est la conscience qui élève l'esprit à une vie supérieure au-dessus de la matière et de ses passions. La spiritualité vous fera ressentir le grand amour de Dieu, lorsque vous parviendrez à la pratiquer; alors vous comprendrez assurément l'importance de la vie, vous contemplerez sa beauté et vous découvrirez sa sagesse. A ce moment-là, vous saurez pourquoi Je l'ai appelée VIE!

63. Après la connaissance et la compréhension de cet enseignement, qui osera le rejeter, en prétendant que ce n'est pas la vérité?

64. Vous vivrez en harmonie avec tout ce qui a été créé par votre Père quand vous comprendrez que c'est dans la conscience qu'est votre véritable valeur.

65. Alors la conscience embellira la pauvre vie humaine, mais il sera auparavant nécessaire que l'homme s'éloigne de toutes les passions qui l'écartent de Dieu, pour suivre la voie de la justice et de la sagesse. Ce sera, pour vous, le commencement de la vraie vie, cette vie qu'aujourd'hui vous contemplez avec indifférence, parce que vous ne savez pas ce que vous méprisez et que vous n'imaginez pas sa perfection. (11, 44-48)

Le temple de Dieu en l'homme

66. Le concept que humanité a de Moi est infantile parce qu'elle n'a pas su pénétrer les révélations que Je lui ai faites continuellement. Pour celui qui sait se préparer, Je suis visible et tangible, et omniprésent. En revanche, celui qui n'a pas de sensibilité, parce que le matérialisme l'a endurci, comprend à peine que J'existe et me sent immensément distant, impossible d'être perçu ou vu sous aucune forme.

67. Il est impérieux que l'homme sache qu'il Me porte en lui, et qu'en son esprit et dans la lumière de sa conscience, il compte la présence pure du divin. (83, 50-51)

68. La douleur qui épuise les hommes de ce temps va les conduire, pas à pas et sans qu'ils s'en rendent compte, aux portes du sanctuaire intérieur, devant lequel, impuissants pour poursuivre, ils demanderont: «Seigneur, où es-tu?» Et, de intérieur du Temple, jaillira la douce voix du Maître qui leur dira: «Je suis ici, où J'ai toujours habité: dans votre conscience.» (104, 50)

69. Vous êtes nés en Moi; vous avez pris la vie spirituelle et matérielle du Père; et, au sens figuratif. Je peux vous dire qu'au moment de naître de Moi, Moi je suis né en vous.

70. Je nais dans votre conscience, Je croîs dans votre évolution et me manifeste, en plénitude, dans vos actions d'amour, afin qu'emplis de bonheur, vous disiez: Le Seigneur est avec moi. (138, 68-69)

71. Aujourd'hui vous êtes des enfants et ne réussissez pas toujours à comprendre ma leçon mais, pour le moment, parlez à Dieu avec votre cœur, avec votre pensée, et Il vous répondra depuis le plus profond de votre être. Son message, qui s'adressera à votre conscience, sera d'une voix claire, sage et amoureuse que, peu à peu, vous découvrirez et à laquelle, par la suite, vous vous habituerez. (205, 47)

72. Je dois élever l'église du Saint-Esprit dans le cœur de mes disciples, en ce Troisième Temps. C'est là qu'établira sa demeure le Dieu Créateur, le Dieu fort, le Dieu fait homme au Second Temps, le Dieu de la sagesse infinie. Il vit en vous, mais vous devrez vous préparer si vous souhaitez le sentir et écouter l'écho de sa parole.

73. Celui qui pratique le bien ressent, intérieurement, ma présence, de même que celui qui est humble ou qui voit un frère en chaque semblable.

74. Le temple du Saint-Esprit existe dans votre esprit. Ce lieu est indestructible, aucun vent de tempête, aucun ouragan n'est capable de le renverser. Il est invisible et intangible au regard humain; ses colonnes seront l'ardent désir de se surpasser dans le bien; sa coupole, la grâce que le Père répand sur ses enfants; la porte, l'amour de la Mère Divine, parce que chacun qui frappe à ma porte touchera le cœur de la Mère Céleste.

75. Disciples, voici la vérité qui existe dans l'église du Saint-Esprit,

pour que vous ne fassiez pas partie de ceux qui se confondent par de fausses interprétations. Les temples de carrière ne furent seulement qu'un symbole et il n'en restera pas une pierre sur l'autre.

76. Je souhaite que la flamme de la foi brûle toujours en votre autel intérieur, et que vous compreniez que, par vos œuvres, vous êtes en train de construire les fondations sur lesquelles, un jour, reposera le grand sanctuaire. Je mets toute humanité à épreuve et la prépare, dans ses diverses idées, parce que Je leur donnerai à tous une partie de la construction de mon temple. (148, 44-48)

Chapitre 33 - Homme et Femme, Parents et Enfants, Mariage et Famille

La relation entre l'homme et la femme

1. Depuis avant que vous n'apparaissiez sur la Terre, Moi je connaissais déjà votre trajectoire et vos inclinaisons et, afin de vous aider en votre séjour, je disposai sur votre chemin un cœur pour illuminer votre chemin de son amour. Le cœur fut tant celui d'un homme que celui d'une femme. J'ai voulu vous aider de cette manière pour que vous parveniez à être comme un soutien de foi, de force morale et de charité envers les nécessiteux. (256, 55)

2. Je voulus vous faire part du bonheur d'être père et vous fis parents des hommes pour que vous créiez des êtres semblables à vous dans lesquels incarneraient les esprits que Je vous enverrais. Si l'amour maternel existe sur le plan le divin et l'éternel, Je désirai que, dans la vie humaine, existe un être pour le représenter. Et cet être est la femme.

3. Au début, l'être humain fut divisé en deux parts, créant ainsi les deux sexes: l'un, l'homme et l'autre, la femme; en lui la force, l'intelligence, la majesté; en elle tendresse, grâce et beauté. L'un, la graine et l'autre, la terre féconde. Et voici deux êtres qui ne pourront se sentir complets, parfaits et heureux que s'ils sont unis, parce qu'avec leur harmonie, ils formeront une seule chair, une seule volonté et un seul idéal.

4. Cette union, lorsqu'elle est inspirée par la conscience et l'amour, s'appelle le mariage.

5. En vérité, Je vous le dis: Je vois qu'en ce temps l'homme et la femme se sont déviés de leur chemin.

6. Je découvre des hommes qui s'écartent de leurs responsabilités, des femmes qui fuient leur maternité et d'autres qui envahissent les champs destinés à l'homme, lorsque l'on vous dit, depuis l'Antiquité, que l'homme est la tête de la femme.

7. Que la femme ne se sente pas sous-estimée pour cela, parce que maintenant Je vous dis que la femme est le cœur de l'homme.

8. C'est pourquoi J'ai institué et sanctifié le mariage, parce que l'état parfait se trouve dans l'union de ces deux êtres spirituellement égaux mais corporellement différents. (66, 68-69)

9. Combien peu nombreux sont ceux qui aspire à vivre au paradis de la paix, de la lumière et de l'harmonie, en accomplissant les lois divines avec amour!

10. Le chemin par lequel est passée l'humanité est très long et celle-ci préfère encore consommer les fruits défendus qui ne font qu'accumuler peines et désillusions dans sa vie. Les fruits défendus sont ceux qui, tout en

étant bons pour le fait d'avoir été créés par Dieu, peuvent devenir nocifs pour l'homme si celui-ci ne s'y est pas dûment préparé ou s'il en s'il les consomme en excès.

11. L'homme et la femme consomment, sans préparation, le fruit de la vie et ignorent leur responsabilité devant le Créateur, en amenant de nouveaux êtres à incarner sur la Terre. (34, 12-14)

12. Quelques-uns m'interrogent: Seigneur, par hasard l'amour humain est-il illicite et abominable à Tes yeux et approuves-Tu seulement l'amour spirituel?

13. Non, mon peuple! Il est bien que les amours les plus élevées et les plus pures correspondent à l'esprit, mais J'ai aussi déposé, dans la chair, un cœur pour aimer et Je le dotai de sens, afin que par leur biais, il aime tout ce qui l'entoure.

14. L'amour qui réside uniquement dans la chair est propre des êtres irrationnels, parce qu'ils manquent d'une conscience qui illumine leur chemin. D'autre part, Je vous dirai que les bonnes unions génèrent toujours de bons fruits en lesquels incarnent des esprits de lumière (127, 7-8 et 10)

15. Je ne suis pas venu pour vous demander des sacrifices surhumains. Je n'ai ni exigé de l'homme qu'il cesse d'être homme pour me suivre, ni de la femme qu'elle cesse de l'être pour accomplir une mission spirituelle. Je n'ai pas séparé l'époux de sa compagne, ni ne l'ai éloignée, elle, de son époux pour que tous deux puissent Me servir. Tout comme Je n'ai dit aux parents qu'ils abandonnent leurs enfants ou qu'ils quittent leur travail pour pouvoir Me suivre.

16. Aux uns et aux autres, en les convertissant en laboureurs de cette champ, Je leur ai fait comprendre que ce n'est pas pour être mes serviteurs qu'ils laissant d'être humains et que, pour la même raison, ils doivent savoir donner à Dieu ce qui est de Dieu et au monde, ce qui lui correspond. (133, 55-56)

La conformation et le devoir de l'homme

17. A vous, les hommes, J'ai concédé un héritage, une propriété, une femme de laquelle vous êtes les administrateurs, pour que vous l'aimiez et la cultiviez. Et cependant, votre compagne est venue à Moi en me présentant des plaintes et des larmes en raison de votre incompréhension.

18. Je vous ai dit que vous êtes forts, que vous avez été formés à mon image et à ma ressemblance, mais Je ne vous ai pas ordonné d'humilier la femme et d'en faire votre esclave.

19. Je vous ai faits forts afin que vous Me représentiez dans votre foyer, forts en vertu, en talent, et Je vous ai donné la femme comme complément dans votre vie terrestre, comme compagne, pour que dans l'amour des deux, vous trouviez la

force d'affronter les épreuves et les vicissitudes. (6, 61)

20. Vous les hommes, pensez que souvent vous capturâtes dans vos rets des femmes vertueuses, recherchant en elles les fibres sensibles et faibles. Quant à ces miroirs qui furent propres et qui, aujourd'hui, se trouvent embués, vous devez faire en sorte qu'ils réfléchissent à nouveau la clarté et la beauté de leur esprit.

21. Pourquoi méprisez-vous aujourd'hui les mêmes que vous induisîtes hier à la perdition? Pourquoi vous plaignez-vous de la dégénérescence de la femme? Comprenez bien que si vous l'aviez menée par le chemin de ma Loi, qui est la loi du cœur et de la conscience, du respect et de la charité, en l'aimant de l'amour qui élève et non avec la passion qui déshonore, vous n'auriez aucune raison de pleurer et de vous plaindre, et elles ne seraient pas tombées.

22. En la femme, l'homme recherche vertus et beauté. Mais, pourquoi exigez-vous ce que vous ne méritez pas?

23. Je constate qu'en dépit de vos rares mérites, vous considérez que vous en regorgez encore. Reconstruisez par vos actions, vos paroles et vos pensées, ce que vous avez détruit, en accordant à l'honnêteté, à la morale et à la vertu, la valeur qu'elles occupent réellement.

24. Si vous luttez de cette manière, hommes, vous aurez aidé Jésus dans son œuvre de salut et votre cœur se réjouira lorsque vous contemplerez les foyers honorés par de bonnes épouses et dignes mères. Votre allégresse sera grande quand vous contemplerez la vertu s'en retourner à celles qui l'avaient perdue.

25. La rédemption existe pour tous. Pourquoi même le plus grand pécheur ne pourrait-il pas se racheter? C'est pour cela que Je vous dis, à vous les hommes: oeuvrez avec Moi afin de sauver celles que vous avez menées à la perdition, en les animant de la lumière de ma Doctrine; faites parvenir à leur intelligence et à leur cœur mes pensées d'amour; délivrez-leur mes messages jusque dans les prisons mêmes et les hôpitaux, et aussi dans les endroits vaseux, parce que là, elles pleureront de repentir et de douleur de ne pas avoir été fortes lorsque le monde, avec ses tentations, les entraîna vers la perversion.

26. Toute femme fut jeune fille, toute femme fût vierge et, par conséquent, vous pourriez arriver à leur cœur par le chemin de la sensibilité.

27. J'utiliserai les hommes qui n'ont pas souillé ces vertus pour leur confier cette tâche. Rappelez-vous que Je vous ai dit: « Vous serez reconnus au travers de vos actes». Laissez l'esprit s'exprimer au travers de la matière.

28. Néanmoins, J'interroge ceux qui n'ont pas su respecter les grâces que J'ai déposées en cet être: Pourquoi dites-vous que vous aimez lorsque ce n'est pas l'amour que vous ressentez? Pourquoi essayez-vous que d'autres

317

succombent à la tentation, et pourquoi rien ne vous arrête-t-il? Pensez, que ressentirait votre cœur si, ce que vous faites avec ces fleurs effeuillées, on le faisait aussi à votre mère, votre sœur ou la femme que vous aimez, et pour autant respectée? Avez-vous jamais pensé aux blessures que vous avez causées aux pères de celles qui les cultivent avec tellement d'amour?

29. Interrogez votre cœur, dans un examen droit à la lumière de la conscience, pour savoir s'il est possible de recueillir ce qui n'a pas été semé.

30. De quelle manière préparez-vous votre vie future si vous êtes en train de blesser vos semblables? Quel sera le nombre de vos victimes? Quelle sera votre fin? En vérité Je vous le dis, vous comptez beaucoup de victimes sacrifiées dans le tourbillon de vos passions, quelques uns d'entre elles appartient à votre présent et les autres au passé.

31. Je souhaite que le cœur et les lèvres qui ont été un nid de perfidies et de mensonges se convertissent en nid de vérité et d'amour chaste.

32. Illuminez le chemin des autres par la parole et par l'exemple, afin que vous puissiez être les sauveurs de la femme déchue. Ah si chacun d'entre vous pouvait en racheter ne fut-ce qu'une seule!

33. Ne parlez pas mal de cette femme, parce que la parole offensante qui blesse l'une blessera toutes celles qui l'entendent, parce que, depuis cet instant, celles-là aussi devront se convertir en mauvais juges.

34. Respectez les actes et les secrets d'autrui parce qu'il ne vous appartient pas de les juger. Je préfère relever des hommes tombés dans le péché que des hypocrites qui apparentent la pureté quand, en réalité, ils pèchent. Je préfère un grand pécheur sincère à la prétention d'une fausse vertu. Si vous souhaitez pavoiser, que ce soit au moins avec les atours de la sincérité.

35. Si vous rencontrez une femme vertueuse aux sentiments élevés, et que vous vous sentez indignes de parvenir à elle bien que vous l'aimiez, si ensuite vous la rabaissez et la méprisez, et que, finalement, après avoir souffert et compris votre erreur, vous la recherchez pour trouver une consolation, c'est en vain que vous frapperez à sa porte.

36. Si toutes les femmes qui sont passées dans la vie d'un seul homme avaient reçu de lui la parole et le sentiment d'amour, de respect et de compréhension, votre monde ne se trouverait pas à ce niveau de péché, dans lequel il se trouve aujourd'hui. (235, 18-32)

La femme, épouse et mère

37. Femmes, vous êtes celles qui, grâce à votre prière, conservez le peu de paix qui existe sur la Terre, celles qui, comme fidèles gardiennes du foyer, veillez à ce qu'il ne lui manque pas la chaleur de l'amour. Vous vous joignez ainsi à Marie, pour briser l'arrogance humaine. (130, 53)

38. Femmes qui arrosez de vos larmes le chemin de ce monde et qui,

avec le sang, marquez votre passage par cette vie, reposez-vous en Moi pour recouvrer de nouvelles forces et continuez d'être le nid d'amour, le feu du foyer, le ciment fort de la maison que Je vous ai confiée sur la Terre. Je vous bénis pour que vous continuiez d'être l'alouette dont les ailes enveloppent époux et les enfants.

39. Je loue l'homme et la place de la femme à sa droite. Je sanctifie le mariage et bénis la famille.

40. En ce temps, Je viens muni d'une épée d'amour pour remettre toutes les choses à leur place, puisque auparavant elles furent déjà déplacées par l'homme. (217, 29-31)

41. En vérité Je vous dis que la régénération humaine devra commencer par la femme, pour que ses fruits, que seront les hommes de demain, se trouvent propres et lavés de toutes les taches qui les ont menés à la dégénération.

42. Et ensuite il correspondra à l'homme d'accomplir sa part de cette œuvre de reconstruction, parce qu'il devra régénérer tout ce qui a perverti une femme.

43. Aujourd'hui, Je vous ai inspiré pour que vous sauviez la femme qui, en chemin, a trébuché, et lorsque vous me présenterez celle que vous aurez sauvée, Moi je lui offrirai une fleur, une bénédiction et une très grande paix pour qu'elle ne retombe plus en tentation.

44. Si vous accomplissiez de la sorte cette mission, ces êtres blessés par le monde sentiraient l'amour de Jésus pénétrer en leur cœur.

45. Moi je serai à l'écoute lorsque, dans leur prière, ils me diront: Mon Père, ne regardez pas mon péché, voyez seulement ma douleur; ne jugez pas mon ingratitude mais voyez seulement ma souffrance. A cet instant, ma consolation descendra vers ce cœur affligé et il se purifiera par les pleurs. Si vous saviez que la prière du pécheur est bien plus ressentie que celle du vaniteux qui se croit juste et propre! (235, 16-17 et 43-45)

46. Les hommes fournissent peu de signes de l'amour avec lequel Je vous ai donné la vie. De toutes les affections humaines, celle qui s'assimile le plus à l'amour divin est l'amour maternel, parce qu'en lui existent le désintérêt, l'abnégation et idéal de faire le bonheur de l'enfant même au prix du sacrifice. (242, 39)

47. A vous, les femmes stériles, le Maître vous dit: Vous avez beaucoup désiré et demandé que votre ventre se convertisse en source de vie et avez attendu qu'au crépuscule ou à l'aube, s'entende, dans vos entrailles, le battement d'un cœur tendre; mais les jours et les nuits ont passé et seuls les sanglots ont jailli de votre poitrine parce que l'enfant n'est pas venu à frapper à vos portes.

48. Combien parmi vous qui m'entendez et qui avez été condamnées par la science devront porter le fruit et accoucher pour croire en mon pouvoir! Et par ce prodige,

beaucoup peuvent Me reconnaître! Veillez et attendez! N'oubliez pas mes paroles! (38, 42-43)

L'éducation des enfants et des adolescents

49. Pères de famille, évitez les erreurs et les mauvais exemples; Je n'exige pas de vous la perfection, mais seulement amour et charité pour vos enfants. Préparez-vous spirituellement et matériellement, parce que dans l'au-delà, les grandes légions d'esprits attendent l'instant de s'incarner parmi vous.

50. Je souhaite une nouvelle humanité qui croisse et se multiplie, non seulement en nombre sinon en vertu, afin qu'elle contemple la toute proche ville promise et que ses enfants parviennent à habiter la nouvelle Jérusalem.

51. Je souhaite que la Terre s'emplisse d'hommes de bonne volonté qui soient les fruits de l'amour.

52. Détruisez les Sodome et Gomorrhe de ce temps, ne laissez pas votre cœur se familiariser avec ses péchés et n'imitez pas ses habitants. (38, 44-47)

53. Guidez jalousement vos enfants, enseignez-leur à respecter les lois de l'esprit et de la matière; et s'ils les enfreignent, corrigez-les, parce que c'est vous, en tant que parents, qui Me représentez sur la Terre. Souvenez-vous, dès lors, de Jésus qui, bouillonnant d'une sainte colère, donna pour toujours une leçon aux

marchands de Jérusalem, en défendant la cause divine et les lois immuables. (41, 57)

54. Aujourd'hui vous avez quitté l'étape de l'enfance et vous pouvez comprendre le sens de mes enseignements; vous savez, par ailleurs, que votre esprit ne naquit pas ensemble avec le corps que vous possédez, et que le commencement de l'un n'est pas celui de l'autre. Ces enfants que vous berciez dans vos bras ont l'innocence dans leur cœur mais, dans leur esprit, ils renferment un passé parfois plus long et malheureux que celui de leurs propres parents. Combien est grande la responsabilité de ceux qui doivent cultiver ces cœurs pour que leur esprit réussisse à progresser en chemin!

55. Ne regardez pas, pour cela, vos enfants avec moins d'amour; pensez que vous ne savez pas qui ils sont ni ce qu'ils ont fait; augmentez plutôt votre charité et votre amour à leur égard et remerciez votre Père qu'Il ait déposé en vous sa miséricorde pour vous convertir en guides et conseillers de vos frères spirituels, des corps desquels vous passez à être parents par le sang. (56, 31-32)

56. Je déclare aux pères de famille que, de la même manière qu'ils se préoccupent de l'avenir matériel de leurs enfants, ils le fassent aussi quant à leur avenir spirituel, en raison de la mission qu'ils ont, en ce sens, amenée au monde. (81, 64)

320

57. Sachez que lorsque l'esprit incarne, il emporte avec lui tous ses dons. Son destin est déjà écrit et, pour autant, il n'a rien à recevoir dans le monde. Il apporte un message ou une restitution. Il vient parfois pour recueillir une semaille, parfois encore pour solder une dette; mais il vient toujours pour recevoir, dans cette vie, une leçon d'amour que lui donne son Père.

58. Ceux qui allez conduire vos enfants au travers de cette vie, faites en sorte que, passé l'âge de l'innocence, ils pénètrent le chemin de ma Loi, réveillez leurs sentiments, révélez-leur leurs dons et induisez-les toujours vers ce qui est bon et, en vérité Je vous le dis, celui que vous approcherez ainsi de Moi sera baigné dans la lumière qui jaillit de ce feu divin qu'est mon amour. (99, 64-65)

59. Spirituellement, vous avez parcouru un long chemin et, à présent, vous vous étonnez de l'intuition et du développement que manifestent les nouvelles générations depuis leur plus tendre enfance; parce que ce sont des esprits qui ont beaucoup vécu et qui, à présent, reviennent pour marcher devant humanité, les uns par les sentiers de l'esprit et les autres par les chemins du monde, en fonction de leurs attributs et de leur mission. Mais, en tous, l'humanité rencontrera la paix. Ces êtres dont Je vous parle seront vos enfants. (220, 14)

60. Croyez-vous que, face au mauvais exemple d'un père sur la Terre, vicieux ou méchant, le fils commette une erreur de ne pas le suivre dans sa manière d'être? Ou croyez-vous que l'enfant soit obligé de suivre les pas de ses parents?

61. En vérité Je vous le dis, ce doivent être la conscience et la raison qui vous guident sur le droit chemin. (271, 33-34)

62. L'innocence bénie se contamine par la méchanceté du monde, la jeunesse se presse dans une course effrénée et les jeunes femmes aussi se sont débarrassées de leur pudeur, de la chasteté, de honnêteté; toutes ces vertus ont abandonné leurs cœurs, elles ont nourri les passions mondaines et désirent seulement les plaisirs qui les conduisent à l'abîme.

63. Je viens vous parler en toute clarté afin que vous vous releviez et fassiez un pas ferme vers l'évolution de votre esprit. (344, 48)

64. Enflammez en la jeunesse l'amour envers ses semblables, inspirez-les de grands et nobles idéaux, parce qu'elle sera celle qui, demain, luttera pour parvenir à une existence en laquelle brillent la justice, l'amour et la liberté sacrée de l'esprit. Préparez-vous tous, parce que la grande bataille, dont sont venus vous entretenir les prophètes, n'est pas encore commencée. (139, 12)

Un mot aux filles et aux jeunes femmes

65. Tous les esprits ont en Moi un Père divin et si, dans la vie matérielle,

Je vous ai donné des parents humains, c'est pour qu'ils donnent vie à votre corps et qu'ils représentent votre Père Céleste près de vous. Je vous ai déclaré: « Tu aimeras Dieu par-dessus tout ce qui a été créé » et « Tu aimeras et honoreras ton père et ta mère ». Ne négligez, dès lors, pas vos devoirs; si vous n'avez pas reconnu l'amour de vos parents et si vous les avez encore en ce monde, bénissez-les et reconnaissez leurs mérites (9, 19)

66. En ce jour, Je m'adresse tout particulièrement aux jeunes femmes, celles qui demain devront illuminer de leur présence la vie d'un nouveau foyer. Qu'elles sachent que le cœur de l'épouse et celui de la mère sont des lampes qui illuminent ce sanctuaire, de même que l'esprit qui illumine le temple intérieur.

67. Dès à présent, prenez vos dispositions afin que votre nouvelle vie ne vous surprenne point. Préparez dès maintenant le chemin que devront emprunter vos enfants, ces esprits qui attendent l'heure de s'approcher de votre sein pour prendre forme et vie humaines afin d'accomplir une mission.

68. Soyez mes collaboratrices dans mes plans de restauration, dans mon œuvre de régénération et de justice.

69. Ecartez-vous d'autant de tentations qui guettent votre pas en ce temps. Priez pour les villes pécheresses dans lesquelles tant de femmes se perdent, où tant de sanctuaires se profanent, et où tant de lampes s'éteignent.

70. Faites se propager, par vos exemples, la semence de vie, de vérité et de lumière; et qu'elle contrecarre les effets du manque de spiritualité dans humanité!

71. Vierges de ce peuple, réveillez-vous et préparez-vous à la lutte! Ne vous aveuglez pas par les passions du cœur, ne vous laissez pas éblouir par l'irréel. Développez vos dons d'intuition, d'inspiration, votre délicatesse et votre tendresse, fortifiez-vous dans la vérité et vous aurez ainsi préparé vos meilleures armes pour faire face à la lutte de cette vie.

72. Pour que vous puissiez transmettre l'amour en votre sang, pour que vous puissiez alimenter et nourrir vos enfants de l'essence de la vie qu'est l'amour, dont Je vous parle tant, vous avez besoin auparavant de le vivre. Saturez-vous-en et sentez-le profondément! C'est ce que mon enseignement vient faire dans votre cœur. (307, 31-36)

Mariage et famille

73. La loi du mariage descendit comme une lumière qui s'adressa au travers de la conscience des premiers hommes, afin qu'ils reconnaissent que l'union de l'un avec l'autre signifiait un pacte avec le Créateur. Le fruit de cette union fut l'enfant, en qui se fondit le sang de ses parents comme une preuve de ce que vous unissez devant Dieu ne pourra pas être désuni sur la Terre.

74. Ce bonheur, que ressentent le père et la mère lorsqu'ils ont mis un

enfant au monde, est semblable à celui que le Créateur éprouva quand il se fit Père en donnant vie à ses enfants très aimés. Si, ensuite, par l'entremise de Moise, Je vous livrai des lois pour que vous sachiez choisir la compagne et que vous ne convoitiez pas la femme de votre prochain, ce fut parce que humanité, en vertu de son libre arbitre, s'était perdue sur les sentiers de l'adultère et des passions.

75. Les temps passèrent, Je vins au monde en le Christ et, avec mon doux enseignement qui est toujours la loi d'amour, J'élevai le mariage, en plus de la morale et de la vertu humaine. Je m'exprimai sous forme de paraboles pour rendre ma parole inoubliable, et fis du mariage une institution sacrée

76. A présent que Je me retrouve à nouveau parmi vous, hommes et femmes, Je vous demande: Qu'avez-vous fait du mariage? Combien peu seront ceux qui pourront répondre de manière satisfaisante! Mon institution sacrée a été profanée. De cette source de vie surgit la mort et la douleur. Les taches et les empreintes de l'homme et de la femme figurent sur la blancheur de la feuille de cette loi. Le fruit qui devrait être doux est amer, et le calice que boivent les hommes est d'amertume.

77. Vous vous écartez de mes lois et, lorsque vous trébuchez, vous vous demandez, angoissés: Pourquoi tant de douleur? Parce que les instincts de la chair ont toujours fait la sourde oreille à la voix de la conscience. A présent, à Moi de vous demander: Pourquoi ne connaissez-vous pas la paix, si Je vous ai livré tout le nécessaire pour que vous soyez heureux?

78. J'ai disposé, dans le firmament, un manteau bleu afin que, sous lui, vous construisiez vos nids d'amour, pour que là, éloignés des tentations et des complications du monde, vous viviez avec la simplicité des oiseaux, parce que c'est dans la simplicité et la prière propre que peuvent se ressentir la paix de mon Royaume et la révélation de nombreux mystères.

79. Tout un chacun qui s'unit en mariage devant ma Divinité, même lorsque son union n'est sanctionnée par aucun ministre, établit un pacte avec Moi, lequel pacte demeure annoté dans le livre de Dieu, celui-là même où sont annotés tous les destins.

80. Qui pourra en effacer ces deux noms entrelacés? Qui, dans le monde, pourra défaire ce qui a été uni dans Ma loi?

81. Si Moi je vous désunissais, alors Je serais en train de détruire ma propre Oeuvre. Lorsque vous m'avez demandé d'être unis sur la Terre et que Je vous l'ai concédé, pourquoi manquez-vous par la suite à vos promesses et démentez-vous vos serments? N'est-ce pas, peut-être, se moquer de ma loi et de Mon nom? (38, 32-37 et 39-41)

82. Je me suis dirigé au cœur de la femme, mère et épouse, qui n'a pas su maintenir la limpidité dans le cœur, et qui n'a su prodiguer à son compagnon

et à ses enfants la chaleur de la tendresse et de la compréhension.

83. Comment les hommes et les femmes pourraient-ils élever leur vie spirituelle sans avoir, auparavant, corrigé les grandes erreurs qui existent dans leur vie humaine?

84. Mon Œuvre requiert de ses disciples qu'ils sachent témoigner avec la limpidité et la vérité des actions de leur vie.

85. Aux uns et aux autres, Je leur demande: Avez-vous des enfants? Alors faites preuve de charité envers eux; si vous pouviez contempler ces esprits, l'espace d'un moment, vous vous sentiriez indignes de vous appeler leurs parents. Ne leur donnez pas de mauvais exemples, prenez garde de ne pas faire de scandale devant les enfants.

86. Je sais qu'en ce temps-ci, comme auparavant, existent des problèmes au sein des ménages, problèmes auxquels ils ne trouvent qu'une seule solution: la distanciation, la séparation.

87. Si cette humanité avait la notion nécessaire de la connaissance spirituelle, elle ne commettrait pas de si graves erreurs, parce qu'elle trouverait, dans la prière et la spiritualité, l'inspiration pour résoudre les moments les plus pénibles et vaincre les épreuves les plus dures.

88. Ma lumière parvient à tous les cœurs, aux tristes et aux vaincus, afin de les encourager. (312, 36-42)

89. Au Second Temps, Je pénétrai le foyer de nombreux ménages unis par la loi de Moïse et, savez-vous l'état dans lequel J'en ai trouvé bon nombre d'entre eux? Se disputant, détruisant la semence de paix, d'amour et de confiance! Je vis guerres et discorde dans les cœurs, à leur table et dans leur lit.

90. J'entrai aussi dans le foyer de beaucoup de ceux qui, sans que leur mariage ait été sanctionné par la loi, s'aimaient et vivaient à l'instar des alouettes dans leur nid, en caressant et protégeant l'être aimé.

91. Combien y en a-t-il qui, vivant sous un même toit, ne s'aiment pas et, par le fait de ne pas s'aimer, ne sont pas unis sinon distants spirituellement! Mais ils ne font pas de publicité de leur séparation, par crainte d'un châtiment divin ou des lois humaines, ou encore au jugement de la société. Ceci n'est pas un mariage! En ces êtres, il n'existe ni union ni vérité!

92. Cependant, ils présentent leur fausse union, visitent les maisons et les temples, s'en vont par les chemins et le monde ne les juge pas, parce qu'ils savent cacher leur manque d'amour. En revanche, combien de ceux qui s'aiment doivent se cacher, en cachant leur véritable union et en souffrant incompréhensions et injustices!

93. L'Humanité ne s'est pas élevée pour pénétrer et juger la vie de ses semblables. Les hommes qui ont en leur main les lois spirituelles et humaines ne font pas usage de la véritable justice pour sanctionner ces cas.

94. Mais ces temps de compréhension et de prudence que Je vous annonce, auxquels l'humanité se perfectionnera, viendront. Alors vous reverrez, comme aux temps patriarcaux avant Moise, où l'union des êtres se faisait comme Je l'ai fait en ce jour avec mes enfants, spirituellement; comme vous le ferez vous aussi dans ces temps à venir, en présence des parents de ceux qui vont s'unir, de leurs amis et parents, au milieu de la plus grande spiritualité, fraternité et réjouissance. (357, 25-27)

Chapitre 34 – Libre arbitre et Conscience

La transcendance de la Conscience et du libre arbitre

1. Disciples, écoutez: L'homme possède le libre arbitre et la conscience comme dons spirituels; tous sont dotés, à la naissance, de vertus et peuvent les utiliser. La lumière de la conscience est en son esprit; mais à mesure que la matière se développe, en même temps se développent aussi les passions, les mauvais penchants, lesquels luttent contre les vertus.

2. Dieu l'autorise de cette manière, parce qu'il n'y a pas de mérites sans lutte, et vous en avez besoin pour vous élever sur la voie spirituelle. Quel serait le mérite des enfants de Dieu s'ils ne luttaient pas? Que feriez-vous si vous viviez dans un bonheur total, comme vous le souhaitez pour le monde? Entourés d'aises et de richesses, pourriez-vous attendre le progrès spirituel? Vous stagneriez parce que le mérite n'existe pas là où il n'y a pas de lutte.

3. Mais ne vous confondez pas parce que, en vous parlant de lutte, Je me réfère à celle que vous développez pour vaincre vos faiblesses et vos passions. Ces luttes sont les seules que j'autorise aux hommes pour qu'ils dominent leur égoïsme et leur matérialisme, afin que l'esprit occupe sa véritable place, illuminé par la conscience.

4. J'autorise cette bataille intérieure, en revanche je ne permets pas celle que livrent les hommes en désirant s'élever, aveuglés par l'ambition et la méchanceté. (9, 42-44)

5. L'esprit lute pour parvenir à son élévation et son progrès, tandis que la matière cède á chaque pas aux attractions du monde; mais l'esprit et la matière pourraient s'harmoniser en prenant tous deux ce qui, de manière licite, leur correspond. C'est cela qu'enseigne ma Doctrine.

6. Comment pourrez-vous mettre ma Loi en pratique, à chaque moment de votre vie? En écoutant la voix de la conscience qui est le juge de vos actes! Je ne viens pas pour vous ordonner ce que vous ne pourriez pas accomplir; Je viens pour vous persuader de ce que le chemin du bonheur n'est pas une fantaisie, mais qu'il existe réellement et Je viens vous révéler la forme d'y circuler.

7. Vous êtes libres de choisir le chemin, mais il est de mon devoir de Père de vous montrer le vrai, le plus court, celui qui a toujours été illuminé par la lumière du phare divin qu'est mon amour pour vous, qui êtes les disciples toujours assoiffés d'écouter de nouvelles paroles qui viennent affirmer vos connaissances et vivifier votre foi. (148, 53-55)

8. J'ai doté votre être de la conscience afin qu'elle soit au milieu de tous vos pas, puisque la conscience sait distinguer le bien du mal et le juste de l'injuste. Grâce à cette lumière vous ne pourrez être trompés, ni être appelés ignorants. Comment le spiritualiste pourrait-il tromper son semblable ou essayer de se tromper lui-même, s'il connaît la vérité? (10, 32)

9. L'homme, sur la Terre, est un prince auquel mon amour et ma justice octroyèrent ce titre; l'ordre qu'il reçut depuis le début fut celui de dominer la Terre.

10. J'ai disposé, au-dessus du divin don de son libre arbitre, un phare de lumière pour illuminer le chemin de sa vie: la conscience.

11. La liberté d'action et la lumière de la conscience, pour distinguer le bien du mal, sont deux des plus grands dons que mon amour de Père légua à votre esprit. Ils existent déjà en l'homme avant sa naissance et demeurent après sa mort. La conscience le guide et ne l'abandonne pas dans le désespoir, ni dans la perte de raison, ni dans l'agonie, parce qu'elle est intimement unie à l'esprit. (92, 32-34)

12. L'esprit jouit du don du libre arbitre, moyen grâce auquel il doit gagner des mérites pour se sauver.

13. Qui guide, oriente ou conseille l'esprit durant son libre parcours, pour distinguer le licite de l'illicite et,

donc, pour ne pas se perdre? La conscience!

14. La conscience est l'étincelle divine, c'est une lumière supérieure et c'est une force qui aide l'homme à ne pas commettre de péché. Quel mérite y aurait-il en l'homme si la conscience avait une force matérielle pour l'obliger à rester dans le bien?

15. Je souhaite que vous sachiez que le mérite consiste à écouter cette voix, à se persuader qu'elle ne ment jamais ni ne se trompe en ses conseils, et à obéir fidèlement à ses préceptes.

16. Ainsi que vous pourrez le comprendre, il se requiert préparation et concentration en même pour écouter clairement cette voix. Quels sont ceux qui mettent en pratique cette obéissance, dans les temps actuels? Répondez vous-mêmes.

17. La conscience s'est toujours manifestée en l'homme; mais l'humanité n'a pas atteint le développement indispensable pour laisser guider toute sa vie par cette lumière Elle a eu besoin de lois, d'enseignements, de préceptes, de religions et de conseils.

18. Quand les hommes parviendront à entrer en communion avec leur esprit, et qu'au lieu de rechercher le spirituel à l'extérieur, ils le chercheront en leur for intérieur, alors ils pourront écouter la voix douce, persuasive, sage et juste qui, toujours, a vibré en eux sans qu'ils ne l'entendent. Ils comprendront que c'est dans la conscience qu'est la présence de Dieu, qu'elle constitue le vrai moyen par lequel l'homme doit

se communiquer avec son Père et Créateur. (287, 26-30)

19. Vous êtes tous porteurs de ma lumière! Tout esprit possède cette grâce mais, tandis que dans les uns cette lumière va en augmentant, en croissant, en sortant à extérieur pour se manifester, dans les autres elle demeure seulement en état latent, cachée, ignorée. Mais en vérité Je vous le dis, aussi attardé spirituellement un homme soit-il, il pourra toujours distinguer le bien du mal, ce qui entraîne que vous êtes tous responsables de vos actes devant Moi.

20. Il me faut vous dire que la responsabilité croît en vous selon que se développe votre connaissance, parce que vous vous sensibiliserez chaque fois davantage aux préceptes de la conscience. (310, 69-70)

21. Je souhaite que vous sachiez que, de toutes les créatures de ce monde, vous êtes l'être de prédilection doté d'esprit et de conscience. Je vous ai donné le libre arbitre afin que vous empruntiez, de votre plein gré, le droit chemin qui mène à Moi; ce chemin, que Je vous offre, n'est pas un chemin enjolivé, sinon celui de la prière, de la pénitence et de la lutte, et c'est par cette voie que vous guidera votre conscience. (58, 42)

22. Que serait-il de l'esprit s'il était privé de son libre arbitre? Tout d'abord, il ne serait pas esprit et ne serait donc pas une création digne de l'Etre Suprême; il serait pareil à ces machines que vous fabriquez, quelque chose sans vie propre, sans intelligence, sans volonté et sans aspirations. (20, 37)

23. Je donnai le libre arbitre à l'homme mais si celui-ci, dans son aveuglement, en arrive à réclamer pour cela, Je lui dirai que Je lui donnai aussi volonté et entendement en même temps que je lui révélé ma loi, laquelle est la voie pour ne pas trébucher ni se perdre, et que J'allumai en lui la lumière de la conscience, celle qui constitue le phare intérieur qui illumine le chemin de l'esprit et le conduit à la vie éternelle.

24. Pourquoi le péché existe-t-il, pourquoi le mal prédomine-t-il et les guerres se déclenchent-elles? Parce que l'homme n'écoute pas les préceptes de la conscience et fait mauvais usage de son libre arbitre. (46, 63-64)

25. Le monde écoute pas parce que la voix de ces matières au travers desquelles Je me communique ont une portée très réduite. C'est, dès lors, la voix de la conscience, laquelle est ma sagesse, qui s'adresse à l'humanité en surprenant beaucoup qui, enfermés dans leur égoïsme, sont sourds à l'appel de cette voix, attentifs uniquement à l'adulation et à l'adoration terrestre, se distrayant dans leur grandeur et leur pouvoir. (164, 18)

L'abus du libre arbitre

26. Je me retrouve aujourd'hui avec une humanité défaillante au point de vue spirituel, à cause de l'abus qu'elle a fait du don du libre arbitre. Je traçai un chemin de justice, d'amour, de charité et de bien; l'homme en a créé un autre de lumière apparente, lequel l'a conduit à l'abîme.

27. En revenant, ma parole vous indique le même chemin, celui que vous n'avez pas voulu suivre; et celui qui prétendrait que cette doctrine confond ou endort serait injuste et insensé. (126, 5-6)

28. Regardez l'humanité occupée à se détruire et à se haïr, en s'enlevant le pouvoir les uns des autres, sans s'arrêter face au crime, au vol ou a la trahison. Vous avez là les hommes qui succombent par millions, victimes de leurs semblables et d'autres qui périssent sous l'effet du vice. Y a-t-il de la lumière en eux? L'esprit qui est en eux parle-t-il? Ce qu'il y a, ce sont les ténèbres et la douleur, résultat de l'abus de l'attribut du libre arbitre et de ne pas écouter la voix intérieure, de ne pas regarder la lumière de cette étincelle de Dieu que tous vous portez en votre être et qui est l'éclair divin que vous appelez la conscience. (79, 31)

29. Le libre arbitre est l'expression la plus élevée, il est le don le plus complet de la liberté qui fut concédée à l'homme sur le parcours de la vie, afin que sa persévérance dans le bien, réussie par le conseil de la conscience et pour la lutte dans l'accomplissement des épreuves, le fasse atteindre le sein du Père. Mais le libre arbitre a été substitué par le libertinage, on ne tient pas compte de la conscience pour s'occuper seulement des commandements du monde et la spiritualité a été remplacée par le matérialisme.

30. Face à une telle confusion et à un tel détachement, ma doctrine paraîtra absurde aux hommes de ce temps; mais Je vous dis qu'elle constitue l'enseignement adéquat pour réussir que les hommes se libèrent de la léthargie dans laquelle ils se trouvent. (157, 15-16)

31. Ma parole est le chemin, elle est la loi divine qui vous guide vers la perfection, elle est la lumière qui élève l'esprit, mais qui s'est vue ternie lorsque la chair, à cause de sa dureté, s'est imposée à l'appel intérieur de sa conscience.

32. Alors, malheureux l'esprit qui a cédé sous l'impulsion de la matière et qui s'est laissé dominer par l'influence du monde qui l'entoure, changeant sa position de guide pour celle d'un être sans défense que les passions et les faiblesses humaines entraînent d'un endroit à l'autre, à l'instar des feuilles sèches qui sont emportées par le vent sans direction prédéterminée!

33. L'homme qui le plus aime la liberté craint de se soumettre à la volonté divine. Il a peur de ce que son esprit parvienne à l'assujettir, le privant ainsi de maintes satisfactions

humaines qu'il lui sait nocives et abandonne le chemin qui le mène à la vraie vie. (97, 36)

34. Il arrive à son terme le temps où les hommes ont considéré le libre arbitre pour l'utiliser pour des plaisirs, de basses passions, des haines et des vengeances. Ma justice est en train de fermer les sentiers du péché pour ouvrir, en revanche, la voie de la réconciliation et de la régénération, afin qu'ils puissent trouver le chemin de la paix qu'ils ont cherché, en vain, par d'autres moyens. (91, 80)

35. Je vous donnai le don du libre arbitre et J'ai respecté cette liberté bénie concédée à mes enfants; mais Je déposai aussi en votre être la lumière divine de la conscience pour que, guidés par elle, vous orientiez vos dons. Je vous affirme que, dans la lutte de l'esprit et de la matière, l'esprit a subi une défaite, une chute douloureuse qui, peu à peu, l'a éloigné toujours davantage de la source de la vérité que Je suis.

36. Sa défaite n'est pas définitive. Elle est passagère parce qu'il se lèvera du fond de son abîme lorsqu'il ne pourra plus supporter sa faim, sa soif, sa nudité et ses ténèbres. La douleur sera son salut et, en écoutant la voix de sa conscience, il se lèvera fort et rayonnant, fervent et inspiré, en récupérant ses dons; mais déjà plus avec cette liberté de les appliquer au bien ou au mal, sinon en les consacrant exclusivement à l'accomplissement des lois divines, ce qui est le meilleur culte que vous puissiez offrir à mon Esprit. (257, 65-66)

L'impérieuse obéissance aux élans de la Conscience

37. Combien loin de la réalité se trouvent, en ces instants, des millions d'êtres qui vivent seulement pour leur présent matériel! Comment pourront-ils ouvrir les yeux à la réalité? Uniquement en écoutant la voix de la conscience. Cette voix qui, pour être entendue, requiert concentration, méditation et prière. (169, 16)

38. Toutes les fois que vous souhaiterez savoir si le chemin que vous suivez est celui de l'évolution, vous consulterez la conscience et, si la paix est en elle et qu'en votre cœur logent la charité et la bonne volonté à l'égard de vos frères, vous serez assurés que votre lumière illumine encore et que votre parole console et guérit.

39. Cependant, si vous découvrez qu'en votre cœur ont germé la convoitise, la mauvaise volonté, la matérialité et la luxure, vous pourrez être certains que votre lumière est devenue ténèbres et imposture. Souhaitez-vous qu'au moment où le Père vous lance l'appel, vous présentiez une récolte immonde au lieu de blé doré? (73, 45)

40. Disciples, si vous ne voulez pas souffrir à cause d'erreurs et de fautes, analysez vos actions à la lumière de votre conscience, et si quelque chose

la ternit, examinez-vous en profondeur afin de rencontrer la tache et pour que vous puissiez la corriger.

41. Il existe, en vous, un miroir dans lequel vous pourrez vous regarder et voir si vous êtes propres ou pas.

42. Le spiritualiste devra être reconnu par ses actes lesquels, pour qu'ils soient limpides, seront dictés par la conscience. Celui qui agit de la sorte pourra, de bon droit, s'appeler mon disciple.

43. Qui pourra-t-il Me tromper? Personne! Je ne viens pas vous juger pour ce que vous faites, mais pour l'intention avec laquelle vous agissez. Je suis dans votre conscience et bien au-delà d'elle. Comment pouvez-vous penser que Je puisse ignorer vos actes et leur mobile? (180, 11-13)

La lutte entre le libre arbitre et la Conscience

44. Lorsque les premiers êtres humains habitèrent la Terre, le Créateur déposa, en eux, son amour et les pourvut d'esprit, il alluma sa lumière dans leur conscience en même temps que le libre arbitre leur était accordé.

45. Et tandis que les uns luttèrent pour persévérer dans le bien en combattant toutes les tentations avec l'objectif de demeurer propres et dignes devant le Seigneur et en accord avec leur conscience, les autres, de péché en péché et de faute en faute, se forgèrent une chaîne de péchés, maillon par maillon, guidés seulement par la voix des sens, dominés par leurs passions, en semant l'erreur et la tentation parmi leurs frères.

46. Mais, à côté de ces esprits perturbés, mes prophètes aussi sont venus comme anges messagers de ma Divinité, pour réveiller l'humanité, pour la prévenir des pièges et pour lui annoncer mon arrivée. (250, 38-39)

47. La chair se montra dure et rebelle pour suivre les commandements de cette lumière intérieure que vous appelez conscience et il lui fut plus facile de suivre les impulsions qui l'acheminaient vers le libertinage de ses instincts et de ses passions.

48. L'humanité a beaucoup parcouru de chemins de vies sur cette Terre, en pleine lutte entre la conscience qui ne s'est jamais tue, et la chair qui désire faire du matérialisme son culte et sa loi, en n'ayant vaincu jusqu'à présent ni la matière, ni l'esprit, étant donné que la lutte continue.

49. Me demandez-vous lequel sera le vainqueur? Et Moi de vous répondre que le triomphe absolu de la conscience ne tardera pas beaucoup car elle oeuvre dans la chair, au travers de l'esprit.

50. Ne pressentez-vous pas que, après tant de lutte et après avoir tant combattu, la matière, qui est humaine et éphémère, doit s'incliner devant la conscience, laquelle est ma lumière éternelle?

51. Comprenez qu'après un combat aussi long, l'homme finalement parviendra à la sensibilité et à la

docilité dont il n'a jamais témoigné pour cette voix et cette vie spirituelle qui vibre et palpite au sein de son être.

52. Tous, vous marchez, sans vous en rendre compte, en direction de ce point mais, lorsque vous verrez le triomphe du bien et de la justice sur la Terre, alors vous comprendrez la raison de la lutte, des combats et des épreuves. (317, 21-26)

53. Rendez-vous compte que l'homme est avant et au-dessus de tout ce qui l'entoure et qu'il est le seul être doté de libre arbitre et de conscience. Toutes les erreurs, faiblesses et péchés de humanité proviennent de ce libre arbitre; mais ils constituent des erreurs passagères devant la justice et l'éternité du Créateur parce que la conscience s'imposera par la suite aux faiblesses de la matière et à celle de l'esprit. Grâce à cela viendra le triomphe de la lumière qu'est le savoir, sur les ténèbres que sont l'ignorance. Ce sera le triomphe du bien qui est amour, justice et harmonie, sur le mal qui est égoïsme, libertinage et injustice. (295, 49)

54. Rien ne M'est impossible, ma volonté s'est accomplie et il en sera toujours ainsi, même en d'occasions où il semble que ce soit la volonté de l'homme qui prédomine et non la Mienne.

55. Sur le sentier du libre arbitre de l'homme, son règne sur la Terre, les triomphes de son arrogance, la domination qu'il arrive parfois à imposer grâce à sa force, sont tellement fugaces en comparaison de éternité que, d'une certaine manière, ils peuvent faire modifier les plans divins, mais demain ou en cours d'accomplissement, la volonté de mon Esprit se manifestera au-dessus de tous les êtres, maintenant ce qui est bon et effaçant ce qui est impur. (280, 9-10)

56. Le temps viendra où les frontières de ce monde seront effacées par l'amour et où les mondes se rapprocheront les uns des autres par la spiritualité.

57. Entre-temps, la lutte entre la conscience et le libre arbitre se poursuivra, de cela l'homme en tirera profit pour faire de sa vie ce qui lui plait.

58. La lutte entre ces deux forces arrivera à sa culmination et le triomphe se rangera du côté de l'esprit lequel dira, dans un acte d'absolu dévouement d'amour à égard de son Père: « Seigneur, je renonce à mon libre arbitre, accomplissez en moi seulement votre volonté ».

59. Je bénirai celui qui arrive de la sorte devant Moi et l'envelopperai dans ma lumière, mais lui ferai savoir que Je ne lui retirerai jamais cette liberté bénie dont il fut doté, parce que celui qui accomplit la volonté de son Père, celui qui est fidèle et obéissant, celui-là est digne de la confiance de son Seigneur. (213, 61-64)

La Conscience au travers de la Nouvelle Parole de Dieu

60. Ma Doctrine, regorgeant de lumière et d'amour, vient fortifier l'esprit, dans le but qu'il parvienne à imposer son pouvoir sur la chair et à la sensibiliser de manière telle que les inspirations de la conscience lui soient à chaque fois davantage perceptibles.

61. La spiritualité est l'objectif que humanité se doit de poursuivre, puisque c'est grâce à elle qu'elle parviendra à s'identifier en plein épanouissement avec la conscience et à en arriver enfin à distinguer le bien du mal.

62. Parce qu'en raison du manque d'élévation spirituelle des hommes, cette voix intérieure, profonde et sage, droite et juste, n'a pu être dûment écoutée et interprétée et, par conséquent, l'homme n'est pas parvenu à posséder une connaissance absolue qui lui permette de distinguer véritablement le bien du mal.

63. Et pas seulement cela, sinon qu'il trouve également en lui-même la force nécessaire pour suivre tout bon élan et obéir à toute inspiration lumineuse, rejetant en même temps toute tentation, pensée ou sentiment impur ou mauvais. (329, 56-57)

64. Combien il sera facile aux humains de s'entendre lorsqu'ils entreront en méditation et qu'ils écouteront la voix de leur raison supérieure, la voix de ce juge qu'ils ne souhaitent pas entendre parce qu'ils savent qu'il leur ordonne tout le contraire de ce qu'ils sont en train de faire.

65. Je peux vous dire que, si vous n'avez pas été disposés à écouter les préceptes de votre conscience, vous n'avez pas non plus été obéissants et paisibles pour pratiquer ma Doctrine. Vous la reconnaissez en théorie, mais vous ne la mettez pas en pratique; vous lui reconnaissez une essence divine, vous dites que le Christ fut très grand et que son enseignement est parfait; mais personne ne souhaite être grand comme le Maître, personne ne souhaite parvenir à Lui en l'imitant vraiment. Et vous devez savoir que Je vins, non seulement pour que vous sachiez que Je suis grand, mais aussi pour que tous vous le soyez. (287, 35-36)

66. Je réunirai tous les hommes et tous les peuples autour de mon nouveau message, Je les appellerai comme le berger appelle ses brebis et leur préparerai la paix d'un bercail où ils puissent se réfugier des inclémences et des tempêtes.

67. Vous verrez déjà comment, malgré que beaucoup n'ont apparemment en eux la plus petite empreinte de foi ou de spiritualité, ils conservent, dans le plus pur de leur esprit, les principes immortels de la vie spirituelle. Vous verrez déjà comment beaucoup de ceux qui, selon qu'il vous semble, ne possèdent aucun culte, portent un autel indestructible dans le plus intime de leur être.

68. Les hommes devront se prosterner spirituellement devant cet

autel intérieur pour pleurer sur leurs fautes, sur leurs mauvaises actions et leurs offenses, en étant sincèrement repentis de leur désobéissance. C'est là, devant l'autel de la conscience, que s'effondrera l'orgueil humain, les hommes cessant de se considérer supérieurs en raison de leurs races. Alors viendront les renonciations, la restitution et, finalement, la paix, comme fruit légitime de l'amour et de l'humilité, de la foi et de la bonne volonté (321, 9-11)

Chapitre 35 – Le pouvoir des pensées, des sentiments et de la volonté

L'envoi et la réception de pensées et leurs effets

1. Il est des forces invisibles au regard humain et imperceptibles par la science de l'homme qui influent constamment dans votre vie.

2. Il y en a de bonnes et il y en a de mauvaises. Les unes vous donnent la santé et les autres provoquent, en vous, des maladies. Il en est de lumineuses et aussi d'obscures.

3. D'où ces forces surgissent-elles? De l'esprit, disciples, de l'intelligence et des sens.

4. Tout esprit incarné ou désincarné, au moment de penser, émet des vibrations; tout sentiment exerce une influence. Vous pouvez être sûrs que le monde est peuplé de ces vibrations.

5. Vous pourrez, à présent, comprendre facilement que là où l'on pense et vit dans le bien, il doit exister des forces et des influences salutaires et que, là où l'on vit en-dehors des lois et des normes déterminées par le bien, la justice et l'amour, il doit exister des forces maléfiques.

6. Les unes et les autres envahissent l'espace et luttent entre elles, influent sur la sensibilité des hommes, et si ceux-ci savent distinguer, ils prennent les bonnes inspirations et rejettent les mauvaises influences. Mais s'ils sont faibles et ne sont pas préparés à la pratique du bien, ils ne pourront affronter ces vibrations et se trouveront en danger de se convertir en esclaves du mal et de succomber sous sa domination. (40, 58-63)

7. Tout le spirituel dans l'Univers est source de lumière, visible ou invisible pour vous; et cette lumière est force, puissance et inspiration. La lumière jaillit aussi des idées, des mots et des actions en fonction de leur pureté et leur élévation. Plus l'idée ou l'œuvre est élevée, plus délicate et subtile sera sa vibration et l'inspiration qu'elle dégage, bien qu'il soit aussi plus difficile que les esclaves du matérialisme puissent la percevoir. Néanmoins, l'effet qu'exercent spirituellement les pensées et les actions élevées, est grand. (16, 16)

8. Quand une idée ou une pensée de lumière jaillit de votre esprit, elle parvient de la sorte à destination pour accomplir sa mission bienfaisante. Si, en lieu et place de pensées de bonté, des émanations impures jaillissent de votre esprit, celles-ci causeront seulement des préjudices où que vous les envoyiez. Je vous affirme que les pensées sont aussi des œuvres et qu'en tant que tel, elles demeurent écrites dans le livre qui existe en votre conscience.

9. Que vos actions soient bonnes ou mauvaises, vous recevrez,

démultiplié, ce que vous désirâtes pour vos frères. Mais il vaudrait mieux vous faire mal à vous-mêmes, que de le souhaiter à l'un de vos semblables.

10. C'est pour cela que Je vous dis, au Second Temps: « On récolte ce que l'on sème », parce qu'il est nécessaire que vous reconnaissiez vos expériences dans cette vie et que vous vous rappeliez que vos récoltes vous rendent la même semence que celle que vous avez semée, encore que démultipliée.

11. Ah humanité, vous qui n'avez pas voulu méditer, sentir ni vivre les enseignements de votre Maître! (24, 15-18)

12. Voilà pourquoi Je vous ai dit que vous ne connaissiez pas la force de la pensée. Aujourd'hui Je vous dis que la pensée est voix et ouie, elle est arme et bouclier. Elle crée aussi bien qu'elle détruit. La pensée écourte la distance entre les absents et retrouve ceux qu'elle avait perdus.

13. Connaissez vos armes avant que la lutte ne commence! Celui qui saura se préparer sera fort et invincible. Il ne vous faudra pas manier les armes homicides. Votre épée sera la pensée propre et pure, et votre bouclier sera la foi et la charité. Même dans le silence, votre voix résonnera comme un message de paix.

14. Veillez en prenant garde de ne pas tacher votre intelligence de pensées impures; elle est créative et, lorsque vous attachez de l'importance à une mauvaise idée, elle se rabaisse à

des niveaux inférieurs et votre esprit s'entoure de ténèbres. (146, 60)

15. Les pensées unifiées d'une multitude seront capables d'abattre les influences néfastes et de renverser les idoles de leurs piédestaux. (160, 60)

16. A présent, Je peux vous assurer qu'à l'avenir la communication au travers de la pensée atteindra un grand développement. De nombreuses barrières, lesquelles séparent aujourd'hui les peuples et les mondes, disparaîtront grâce à ce moyen. Si vous apprenez à vous communiquer en pensée avec votre Père, si vous parvenez à réaliser la communication d'esprit à Esprit, quelle difficulté pourriez-vous connaître de vous communiquer avec vos frères visibles et invisibles, présents ou absents, proches ou éloignés? (165, 15)

17. Vos pensées, aussi imparfaites soient-elles, Me parviennent toujours et J'écoute vos prières bien qu'elles manquent de la foi dont vous devez toujours témoigner en elles. Il faut que vous sachiez que Mon Esprit capte la vibration et les sentiments de tous les êtres.

18. Mais les hommes qui se retrouvent distanciés entre eux par leur égoïsme, éloignés de la vie spirituelle par le matérialisme dans lequel ils se sont, aujourd'hui, laissés envelopper, ne sont pas préparés pour parvenir à se communiquer les uns avec les autres au moyen de leurs pensées.

19. Cependant, Je vous déclare qu'il est impérieux que vous commenciez à éduquer votre esprit. Afin d'y parvenir, adressez-vous aux esprits malgré que vous n'en receviez aucune réponse apparente.

20. Demain, lorsque tous aurez appris à donner, vous commencerez à percevoir des indices d'une communication spirituelle jamais ressentie par les hommes. (238, 51)

La force des sentiments, désirs ou craintes

21. En tout instant, vous vibrez mentalement et spirituellement mais, la plupart du temps, vous inspirez égoïsme, haine, violence, vanité et basses passions. Vous blessez et sentez lorsque l'on vous blesse, mais vous n'aimez pas et, pour autant, ne sentez pas lorsque l'on vous aime; avec vos pensées démentes, vous saturez de douleur le milieu dans lequel vous vivez et emplissez votre existence de malaise. Et Moi de vous déclarer: « Saturez tout de paix, d'harmonie, d'amour, et alors vous serez heureux ». (16, 33)

22. Ne pensez jamais de mal de ceux qui ne vous aiment pas, et ne vous exaspérez pas avec ceux qui ne vous comprennent pas, puisque vous transmettrez, par la pensée, jusqu'au plus intime sentiment que vous éprouviez envers vos semblables. (105, 37)

23. Voyez-vous ces hommes qui recherchent le pouvoir par la force? Vous allez très vite les voir convaincus de leur erreur.

24. Je leur démontrerai que l'on peut être véritablement grand et puissant seulement par la bonté, laquelle est l'émanation de l'amour. (211, 22-23)

25. Il vous manque la foi pour relever la tête et sourire avec espérance et pour regarder l'avenir en face, sans craintes, sans méfiance, parce que Je suis dans votre avenir.

26. Combien de fois êtes-vous malades simplement par le fait de penser que vous l'êtes! Parce qu'à chaque pas, vous croyez que la fatalité vous poursuit ou que la douleur vous guette! Alors, vous attirez mentalement les ténèbres desquelles vous entourez votre vie matérielle et votre séjour spirituel.

27. Mais, vous M'avez pour enflammer à nouveau la foi dans la vie, dans la vérité, dans l'éternel, dans la paix parfaite, et aussi pour vous enseigner comment attirer la lumière vers vous. (205, 28-29)

Le manque de contrôle de soi

28. L'homme s'est rendu doublement coupable, non seulement parce qu'il fait aucun effort afin que tombe le bandeau qui lui empêche la connaissance des enseignements les plus élevés, mais aussi parce qu'il ne s'est pas débarrassé des liens de la matière qui l'entraînent aux plaisirs corporels, opposés aux plaisirs spirituels. C'est pour cela qu'il est tombé en esclavage sous l'empire des

passions, en laissant son esprit s'assimiler au paralytique qui ne fait rien pour se guérir.

29. Dans tous les ordres, Je perçois que la plupart des hommes sont fragiles; partout, je ne rencontre que l'homme faible. Quelle en est la raison? C'est dû au fait que vous n'avez pas le courage et la force de volonté suffisants pour sortir de l'immondice dans lequel vous vous trouvez, de la paresse qui forge les liens qui rattachent à la matière, et ceci constitue le début de tous les vices et de toutes les erreurs.

30. Mais l'homme ne veut pas utiliser ce pouvoir dont il a été doté, qui est la volonté; la volonté qui doit être la législatrice absolue, qui doit s'ériger en directrice et, avec l'aide de la raison, lutter pouvoir contre pouvoir, empire contre empire, d'une part les passions et les désirs et de l'autre, la raison et la volonté, jusqu'à ce que ces dernières gagnent la bataille et que vous puissiez vous déclarer libérés.

31. Alors, vous pourrez être les grands prophètes, les grand illuminés, les surhommes. Vous pourrez alors vivre comme des lions et jouer avec les reptiles, parce qu'en vérité Je vous le dis, ce sont vos fautes qui vous font craindre ces petits frères qui sont aussi les vôtres, ce qui les conduit à vous attaquer.

32. Mais, si vous vous mettez à observer les hommes, vous vous rendrez compte qu'il existe des hommes plus féroces que les tigres et qui ont davantage de venin que le cobra. (203, 3-6)

IX. ENSEIGNEMENTS DE LA SAGESSE DIVINE

Chapitre 36 – Foi, Vérité et Connaissance

La Foi qui peut tout

1. Pour vaincre la faiblesse, la petitesse, la misère, les passions et détruire le doute, la foi et les bonnes actions, qui sont des vertus qui vainquent l'impossible, sont indispensables; face à elles, ce qui est difficile et inaccessible s'évanouit comme une ombre.

2. Aux hommes qui crurent en Moi au cours du Second Temps, Je déclarai: « Ta foi t'a sauvé ». Je m'exprimai de la sorte parce que la foi est un pouvoir curatif, elle est une force qui transforme et sa lumière détruit les ténèbres. (20, 63-64)

3. Ceux qui sont encore loin de la spiritualité voudraient Me contempler sous la forme de Jésus pour Me dire: Seigneur, je crois en Toi, parce que je T'ai vu. A ceux-là, Je leur dis: Bienheureux ceux qui ont cru sans voir, parce qu'ils ont prouvé que, grâce à leur spiritualité, ils M'ont senti dans leur cœur. (27, 75)

4. Je souhaiterais que vous sachiez ce qu'est la foi, afin que vous compreniez que celui qui la possède est propriétaire d'un trésor incomparable.

5. Celui qui vit illuminé par cette lumière intérieure, pour pauvre que le considère le monde, ne se sentira jamais paria, abandonné, faible, ni perdu. Sa foi en le Père, en la vie, dans le destin, et même en même, ne le laissera jamais perdre dans la lutte, et il sera en plus toujours qualifié pour mener à bien des œuvres grandes et étonnantes. (136, 4-5)

6. La foi est comme un phare qui illumine votre route jusqu'à aboutir au port sûr de l'éternité.

7. La foi ne peut pas être celle de ces esprits tièdes et peureux qui avancent d'un pas aujourd'hui pour reculer demain, qui ne veulent pas lutter avec leur propre douleur, confiant dans le triomphe de l'esprit uniquement par la charité du Père.

8. La foi est celle que perçoit l'esprit qui, sachant que Dieu est en lui, aime son Seigneur et se réjouit en le sentant en lui et en aimant ses frères; sa foi en la justice du Père est si grande qu'il n'attend pas que ses semblables l'aiment; il pardonne les offenses et les erreurs. Mais, demain, il sera plein de lumière parce qu'il obtint sa purification par ses mérites.

9. Celui qui a la foi, a la paix, possède l'amour et renferme la bonté.

10. Celui-là est riche en esprit et même en matière; mais riche de la

véritable richesse, non de celle que vous concevez. (263, 12-16)

11. Je vais fournir la preuve que la vraie foi existe: Quand le cœur n'a pas peur à l'heure de l'épreuve. Quand la paix inonde l'esprit dans les moments les plus pénibles.

12. Celui qui a la foi est en harmonie avec Moi, parce que Je suis la vie, la santé et le salut; qui recherche vraiment ce port et ce phare ne périt pas.

13. Celui qui possède cette vertu accomplit des prodiges en-dehors de toute science humaine et témoigne de l'esprit et de la vie supérieure. (237, 69-71)

La reconnaissance de la vérité de Dieu

14. Lorsque le cœur renferme la bonne foi et que l'esprit se trouve libre de préjugés ou d'idées confuses, la vie s'apprécie mieux et la vérité se contemple avec une plus grande clarté. En revanche, quand le cœur contient du scepticisme ou de la vanité et que l'intelligence (esprit) recèle des erreurs, tout paraît confus jusqu'à la même lumière qui paraît ténébreuse.

15. Recherchez la vérité, elle est la vie; mais recherchez-la avec amour, avec humilité, avec persévérance et avec foi. (88, 5-6)

16. Priez! Dans votre prière, interrogez votre Père et dans la méditation vous recevrez un éclair de ma lumière infinie. Ne vous attendez pas à recevoir toute la vérité en un seul instant. Beaucoup d'esprits marchent à la recherche de la vérité, en analysant et en essayant de pénétrer tous les mystères et ils n'ont pas encore atteint l'objectif tant désiré.

17. Le Christ, l'Oint, vint montrer le chemin, en vous disant: « Aimez-vous les uns les autres ». Imaginez-vous la portée de ce sublime commandement?! Toute la vie des hommes se verrait transformée si vous viviez selon cette doctrine. Seul l'amour pourra vous révéler les vérités de l'arcane, puisqu'il est l'origine de votre vie et de tout ce qui fut créé.

18. Recherchez la vérité avec ardeur, recherchez le sens de la vie, aimez, en vous fortifiant dans le bien, et vous verrez comment, pas à pas, tout ce qui était faux, impur ou imparfait abandonnera votre être. Soyez chaque jour davantage sensibles à la lumière de la divine grâce, alors vous pourrez demander directement à votre Seigneur tout ce que vous souhaitez savoir et qui soit nécessaire à votre esprit, pour parvenir à atteindre la vérité suprême. (136, 40-42)

19. Je suis le Verbe qui vient chercher les hommes, parce qu'eux n'ont pas pu arriver à Moi. Je viens pour leur révéler ma vérité, puisque la vérité est le Royaume dans lequel Je souhaite que tous vous entriez.

20. Comment trouver la vérité, si Je ne vous dis pas auparavant que sont

nécessaires beaucoup de renonciations?

21. Parfois, afin de trouver la vérité, il faut renoncer à tout ce que l'on possède, et même renoncer à soi-même.

22. Le vaniteux, le matérialiste, l'indolent ne peuvent connaître la vérité tant qu'ils ne détruiront pas les murailles au milieu desquelles ils vivent. Il est indispensable qu'ils l'emportent sur leurs passions et leurs faiblesses pour regarder ma lumière en face. (258, 44-47)

23. Béni celui qui cherche la vérité parce qu'il est un assoiffé d'amour, de lumière et de bonté! Cherchez et vous trouverez, cherchez la vérité et elle viendra à votre rencontre. Continuez de méditer, continuez d'interroger l'Arcane et Il vous répondra, parce que le Père n'est jamais demeuré silencieux ou indifférent devant celui qui l'interroge avidement.

24. Combien de ceux qui recherchent la vérité dans des livres, entre les sages et les diverses sciences, finiront par la trouver en eux-mêmes, puisque J'ai déposé, dans le fond de chaque homme, une semence de la vérité éternelle! (262, 36-37)

25. Je ne peux pas vous tromper! Je n'accomplis jamais d'acte de fausseté et je ne me cache pas dans les ténèbres. MA VERITE est toujours nue, mais les hommes n'ont pas pu voir la nudité de mon Esprit parce qu'ils ne l'ont pas souhaité. Moi, je ne vous cache pas ma vérité avec un quelconque vêtement. Ma nudité est divine et pure, ma nudité est saine et Je la montrerai à tous les êtres de l'Univers. Pour l'illustrer, Je vins, nu, en tant qu'homme, au monde et nu aussi Je m'en fus.

26. Je souhaite que, parmi les miens, il y ait toujours la vérité, parce que Je suis et serai toujours dans votre vérité Je souhaite qu'il y ait de l'amour entre vous et mon amour sera toujours en votre amour.

27. Il n'existe qu'une seule vérité et qu'un seul amour véritable; cette vérité et cet amour sont en vous. Votre amour et votre vérité seront les miens, et ma vérité et mon amour seront les vôtres. (327, 33-34)

28. Ma lumière est dans toutes les consciences. Vous êtes déjà au temps où Mon Esprit doit se répandre sur les hommes, pour autant Je vous dis que prochainement vous sentirez tous ma présence, savants comme ignorants, grands comme petits, riches comme pauvres.

29. Les uns et les autres se bouleverseront devant la vérité du Dieu vivant et véritable. (263, 33-34)

La reconnaissance du spirituel et du Divin

30. Il est impossible que l'un de mes enfants m'oublie, en portant en son esprit la conscience qui est la lumière de mon Esprit, et par laquelle, tôt ou tard, il doit me reconnaître.

31. Pour d'aucuns, il est facile de pénétrer le sens de ma parole et d'y

trouver la lumière, mais pour d'autres, ma parole constitue une énigme.

32. Je vous dis que tous ne pourront pas, en ce temps, connaître la spiritualité de mon message. Ceux qui n'y parviennent pas devront attendre des temps nouveaux afin que leur esprit ouvre les yeux à la lumière de mes révélations. (36, 4-6)

33. Si Je vous déclare que ma sagesse sera la vôtre, pensez-vous qu'une seule existence puisse suffire pour savoir tout ce que J'ai à vous révéler? Si je vous dis que vous ne pourrez acquérir la science humaine sans parcourir le long chemin de l'évolution, moins encore pourrez-vous acquérir la connaissance du spirituel sans une évolution totale de votre esprit.

34. Je ne viens pas pour opposer la spiritualité à la science, parce que cela a été l'erreur des hommes, mais jamais la mienne; tout au contraire, je viens pour vous enseigner à harmoniser le spirituel avec le matériel, l'humain et le divin, l'éphémère et l'éternel. Néanmoins, Je vous déclare que, pour parcourir les sentiers de la vie, il est impérieux de connaître au préalable le chemin que vous trace la conscience, dont la loi spirituelle provient de l'Esprit Divin. (79, 38-39)

35. Vous êtes tellement descendus et vous vous êtes éloignés de telle manière du spirituel que vous considérez surnaturel tout ce qui, en raison de son appartenance à l'esprit, est complètement naturel. C'est ainsi que vous appelez le divin, c'est de la sorte que vous voyez tout ce qui appartient à votre esprit et cela, c'est une erreur!

36. Il s'est produit que vous ne voyez et percevez seulement que ce qui est proche de vos sens ou à la portée de votre intelligence humaine, tandis que vous avez considéré surnaturel ce qui est au-delà des sens et de l'intelligence. (273, 1)

37. De même l'homme qui cherche la lumière du savoir dans la Nature, que celui qui cherche ma sagesse dans les révélations spirituelles, il devra parcourir, par ses propres pieds, le chemin où il trouvera toutes ces vérités qu'il ne peut trouver par le biais d'autres sentiers. C'est pour cela que J'ai envoyé votre esprit vivre l'une vie après l'autre ici, sur la Terre, afin que, par son évolution et son expérience, il découvre tout ce qu'il y a en lui et tout ce qui l'entoure.

38. Si vous le souhaitez, analysez mes paroles en profondeur mais, par la suite, étudiez et observez la vie au travers d'elles afin que vous puissiez constater la vérité que renferme tout ce que Je vous ai dit.

39. Il y aura des occasions où il vous semblera exister une contradiction entre ce que Je vous dis aujourd'hui et ce qui vous fut révélé dans les temps passés, mais il n'en est rien; la confusion est le propre des hommes, mais ils parviendront très vite à la lumière. (105, 54-56)

Conditions de la reconnaissance spirituelle

40. L'humilité est la lumière de l'esprit et, au contraire, le manque humilité est synonyme d'obscurité en lui; la vanité est le fruit de l'ignorance. Celui qui est grand par le savoir et précieux par la vertu, possède la vraie modestie et l'humilité spirituelle. (101, 61)

41. Laissez s'éloigner de vous toutes les mauvaises pensées et attirez les pensées nobles. Le bonheur n'est pas dans ce qui se possède matériellement, mais dans ce qui se connaît spirituellement. Connaître est posséder et mettre en pratique.

42. Celui qui sait vraiment est humble d'esprit; il n'est pas orgueilleux de la sagesse de la terre, laquelle n'aspire seulement à tout connaître et qui renie tout ce qu'elle n'a pas réussi à comprendre. Celui qui porte, en lui, la lumière de la connaissance inspirée sait recevoir, en temps utile, les révélations, de même qu'il sait aussi les attendre. Beaucoup se sont proclamés sages et cependant le soleil qui brille, jour après jour, à pleine lumière, a été un mystère pour eux.

43. Nombreux sont ceux qui ont cru tout savoir et, en vérité Je vous le dis, la fourmi qui croise imperceptiblement leur chemin recèle, pour eux aussi, un mystère insondable.

44. Les hommes pourront faire des recherches sur les merveilles de la nature mais, tant qu'ils ne marcheront pas dans la voie de l'amour divin, ils ne parviendront pas à atteindre la véritable sagesse, celle qui se renferme dans la vie immortelle de l'esprit. (139, 67-70)

Elargissement nécessaire de la Conscience de l'homme

45. Depuis le début, Je concédai à l'homme la liberté de penser, lamentablement il a toujours été esclave, parfois en raison du fanatisme et en d'autres occasions des fausses croyances du Pharaon et du César. Voilà pourquoi, en ce temps-ci, devant la liberté que l'esprit est en train de gagner et face à la clarté qui se présente à ses yeux, il s'éblouit parce que son intelligence n'est pas habituée à cette liberté.

46. L'homme avait réduit la force de son entendement pour le spirituel et c'est pour cela qu'il sombra dans le fanatisme, qu'il erra par des sentiers tortueux et qu'il fut comme une ombre de la volonté des autres.

47. Il avait perdu sa liberté et était maître ni de lui-même, ni de ses pensées.

48. Mais l'ère de la lumière est arrivée, le temps pour vous de rompre les chaînes et d'étendre les ailes pour voler librement vers l'infini à la recherche de la vérité. (239, 4-7)

49. Ce siècle, dans lequel vous vivez, présente deux phases: la première, l'évolution de l'intelligence, et la seconde, celle de la stagnation de l'esprit.

50. La lumière divine rayonne vraiment sur les entendements et c'est pour cela que ma grande inspiration, dont les fruits étonnent l'humanité, s'en détache. Il faut dire que l'intelligence recherche la liberté et l'expansion. L'homme approfondit son étude de la Nature, analyse, découvre, se distrait, s'étonne, mais ne titube jamais.

51. Malheureusement, lorsqu'a surgi en lui l'idée d'éclairer ce qui a trait au spirituel, à la vérité qu'il y a au-delà de la matière qu'il connaît, alors il devient craintif, il éprouve la peur de pénétrer l'inconnu, ce qu'il croit interdit, ce qui appartient seulement à des êtres élevés et dignes de faire des recherches dans les Arcanes de Dieu.

52. Là, il s'est montré faible et maladroit, incapable de vaincre par la volonté les préjugés qui l'accablaient. Là, il s'est révélé être esclave d'interprétations tordues.

53. Le développement de l'intelligence humaine ne sera jamais complet tant que celle-ci ne se développe pas sur le plan spirituel. Voyez combien est grand le retard de votre esprit, parce que vous vous êtes consacrés à la connaissance de la vie terrestre.

54. L'homme est un esclave de la volonté d'autres, il est une victime d'anathèmes, de condamnations et de menaces mais, quel résultat a-t-il obtenu avec cela? Qu'il abandonne tous ses désirs ardents de comprendre et atteindre le plus haut niveau de connaissance que l'homme doit posséder, de s'empêcher même de pouvoir éclairer ce qu'il a toujours considéré, de manière absurde, comme un mystère: la vie spirituelle.

55. Croyez-vous que la vie de l'esprit sera éternellement une énigme pour l'homme sur la Terre? Si vous pensez de la sorte, vous commettrez une très lourde erreur. Certes, Je vous dis que tant que vous ne connaîtrez pas votre origine et que vous ignorerez tout ce qui est lié à l'esprit, en dépit de tout le progrès de vos sciences, vous ne cesserez d'être des créatures qui habitent un monde restreint, parmi les plantes et les animaux, vous continuerez de vous harceler par le biais de vos guerres et la douleur continuera de régner sur votre vie.

56. Si vous ne découvrez pas ce que vous portez en votre être, ni ne reconnaissez pas, en vos semblables, le frère spirituel qui habite en chacun, pourrez-vous vous aimer vraiment? Non, humanité! Même que vous disiez me connaître et me suivre, si vous prenez superficiellement ma Doctrine, votre foi, votre connaissance et votre amour seront faux. (271, 39-45)

57. C'est en Moi que les hommes trouveront le courage de s'émanciper du joug de leur ignorance.

58. Comment espérez-vous que, sur la Terre, s'établisse la paix et que cessent les guerres, que les hommes se régénèrent et que s'atténue le péché, s'ils manquent de la

connaissance spirituelle, laquelle est base, principe et ciment de la vie?

59. En vérité Je vous le dis, tant que l'on ne comprendra ni ne pratiquera pas ma vérité, votre existence sur la Terre sera à l'image d'un édifice construit sur des sables mouvants. (273, 24-26)

60. Je viens pour dire à l'homme qu'il est un inconnu pour lui-même parce qu'il n'est pas entré dans son intimité, parce qu'il ne connaît pas son secret, parce qu'il ignore son essence. Mais, Moi je souhaite lui enseigner, en ce temps, le contenu du Livre qui lui était demeuré fermé pour si longtemps, et dans lequel sont gardés tous les mystères que, depuis le Second Temps, Je promis de venir vous éclaircir avec la lumière de mon Esprit.

61. Ce sera maintenant que vous vous connaîtrez vraiment et que vous pénètrerez intimité de votre esprit, alors vous pourrez dire que vous commencez à savoir qui vous êtes.

62. L'homme parviendra à connaître son origine, son destin, sa mission, ses dons, et toute cette vie infinie et éternelle qui vibre autour de lui; il ne pourra déjà plus offenser son semblable, il ne pourra déjà plus attenter contre l'existence de ses frères, ni n'osera rien profaner de ce qui l'entoure, parce qu'il sera parvenu à comprendre que tout est sacré.

63. Il arrivera à connaître ce qui se renferme et qui se cache en son esprit et ce sera alors, lorsqu'il aura une idée claire et une foi profonde en ce que si l'esprit est merveilleux, la demeure que son Père lui destine dans l'éternité devra aussi être merveilleuse! (287, 4-6)

Chapitre 37 – La compréhension correcte des textes bibliques

L'interprétation de la parole et des promesses bibliques

1. Les hommes se sont dédiés à analyser en profondeur les anciens testaments, en torturant leur esprit dans la recherche et l'interprétation des prophéties et des promesses. Ceux qui, parmi eux, ont le plus approché la vérité, sont ceux qui ont trouvé le sens spirituel de Mes enseignements, parce que ceux qui s'accrochent encore à l'interprétation matérielle, et ne savent ou ne souhaitent pas trouver la signification spirituelle de Mes manifestations, devront souffrir confusions et déceptions, comme celles que le peuple juif souffrit lorsqu'arriva le Messie, qu'ils avaient imaginé et attendu d'une manière distincte à celle que leur montra la réalité. (13, 50)

2. L'idée erronée, que l'homme se forma de ma justice dans les premiers temps, disparaîtra définitivement pour céder le pas à sa véritable connaissance. La justice divine sera enfin comprise comme la lumière qui jaillit du parfait amour qui existe en votre Père.

3. Ce Dieu que les hommes crurent vindicatif, cruel, rancunier et inflexible, sera ressenti au plus profond du cœur comme un Père qui pardonne, en échange des offenses de ses enfants, comme le Père qui persuade le pécheur avec tendresse, comme le juge qui, au lieu de condamner celui qui a commis une faute grave, lui offre une nouvelle chance de salut.

4. Combien d'imperfections les hommes, dans leur ignorance, M'attribuaient-ils, en me croyant capable d'éprouver de la colère, alors que la colère n'est seulement qu'une faiblesse humaine! Si les prophètes vous parlèrent de la colère sainte de Dieu, Je vous dis à présent que vous interprétiez cette expression en tant que justice divine.

5. Les hommes du Premier Temps ne l'auraient pas compris d'une autre forme, ni les dissolus ou les libertins n'auraient pris en considération les admonestations des prophètes, si ceux-là ne leur avaient pas parlé de la sorte. Il était impérieux que l'inspiration de mes envoyés fut exprimée dans des termes qui impressionneraient le cerveau et le cœur de ces hommes au faible développement spirituel. (104, 11-14)

6. Les écritures du Premier Temps recueillirent l'histoire du peuple d'Israël, en conservant le nom de ses enfants, ses habiletés et ses défaillances, ses actes de foi et ses faiblesses, sa splendeur et ses chutes, afin que ce livre parle, à chaque nouvelle génération, de l'évolution de ce peuple dans le culte sacré. Ce livre conserva aussi bien les noms des

patriarches aimant la vertu et la justice, modèles de force dans la foi, que ceux des prophètes, voyants du futur, par la bouche desquels le Seigneur s'exprima à chaque fois qu'il vit son peuple au bord du danger. Il rassembla aussi les noms des pervers, des traîtres et des désobéissants, parce que chaque cas, chaque exemple, est une leçon, et parfois un symbole.

7. Lorsque Je vins en Jésus pour habiter parmi hommes, Je ne pris de l'essence de ces écritures que quand ce fut nécessaire, et ne fis usage du sens de ces œuvres que pour donner mes leçons; Je n'ai jamais exalté le matériel ni le superficiel. Ne vous souvenez-vous pas que Je fis mention d'Abel le juste, que Je vantai la patience de Job, et que Je mentionnai la sagesse et la splendeur de Salomon? N'est-il pas vrai pas qu'en de nombreuses occasions Je me souvins d'Abraham et parlai des prophètes et que, me référant à Moise, Je vous déclarai que je ne venais pas pour effacer la Loi qu'il reçut, sinon l'accomplir? (102, 31-32)

8. Vous avez besoin d'étudier les révélations divines que Je vous ai faites au fil des temps, d'arriver à comprendre le langage métaphorique au travers duquel on vous parla, et de sensibiliser ainsi vos sens spirituels pour parvenir à savoir distinguer la parole de Dieu de celle des hommes, afin que vous trouviez l'essence de mes enseignements.

9. Ce n'est seulement que d'un point de vue spirituel que vous réussirez à trouver l'interprétation juste et vraie de ma parole, la même que celle que Je vous envoyai au travers des prophètes, que celles que Je vous léguai par le biais de Jésus, ou celle-ci que je vous donne aujourd'hui, par l'intermédiaire des orateurs du Troisième Temps.

10. Quand cette humanité aura rencontré le vrai sens de la Loi, de la Doctrine, des prophéties et des révélations, elle aura découvert le plus beau et le plus profond en ce qui se rapporte à son existence.

11. Alors elle connaîtra la vraie justice; et ce sera quand son cœur présente le vrai Ciel, ce sera aussi lorsque vous comprendrez ce que sont l'expiation, la purification et la restitution. (322, 39-42)

12. Les écritures des temps passés pourraient vous révéler ce que je vous répète aujourd'hui, mais l'homme a osé falsifier mes vérités pour les diffuser adultérées. Et voilà pourquoi vous avez une humanité spirituellement malade, fatiguée et seule.

13. C'est pour cette raison que ma voix criant "Alerte" est entendue au travers du porte-parole, car je ne souhaite pas que vous soyez dans la confusion. (221, 14-15)

14. Si, au Second Temps, les écrits de mes disciples, qui vous ont transmis ma parole, vous sont parvenus altérés, Je vous ferai

reconnaître quelles sont les vraies paroles de Jésus; votre conscience découvrira comme fausses, celles qui ne sont pas en harmonie avec le concert divin de mon amour. (24, 19)

15. L'homme n'a jamais été orphelin de mes révélations qui sont la lumière de l'esprit, mais il a eu peur de les analyser. Et je vous demande: Que pourrez-vous savoir de la vérité et de l'éternel si vous vous obstinez à fuir le spirituel?

16. Voyez l'interprétation matérielle que vous avez donnée à mes révélations des Premier et Second Temps, elles ne vous parlent seulement que du divin et du spirituel. Voyez comment vous confondez la nature matérielle avec la spirituelle; avec quel manque de respect convertissez-vous le profond en superficiel et ce qui est élevé en ce qui est bas? Et pourquoi l'avez-vous fait ainsi? Parce qu'en souhaitant participer à l'Oeuvre de Dieu, vous cherchez la forme d'adapter ma Doctrine à votre vie matérielle, à vos convenances humaines qui sont celles qui vous intéressent le plus. (281, 18-19)

17. La leçon que Je vous donnai au Second Temps, une leçon que beaucoup n'ont pas comprise et que d'autres ont oubliée, en ce temps Je ferai en sorte qu'elle soit comprise par tous, et qu'en plus, on l'accomplisse grâce à mes nouveaux enseignements. (92, 12)

18. La lumière de mon Saint-Esprit descend sur vous mais, pourquoi me représentez-vous sous la forme d'une colombe? Ces figures et symboles ne doivent déjà plus être adorés par mes nouveaux disciples.

19. Comprenez mon enseignement, peuple: Au cours de ce Second Temps, mon Saint-Esprit se manifesta sous la forme d'une colombe au baptême de Jésus parce que cet oiseau, dans son vol, ressemblait au vol de l'esprit, sa blancheur parle de pureté et, dans son doux et paisible regard, il y a un reflet d'innocence.

20. Comment faire comprendre le divin à ces hommes grossiers, si ce n'était en empruntant les figures des êtres qu'ils connaissaient dans le monde?

21. Le Christ, qui vous parle en cet instant, fut représenté par un agneau, et Jean lui-même, dans sa vision prophétique, me contempla de la sorte. Tout cela est dû au fait que, si vous me cherchez dans chacune de mes oeuvres, vous trouverez toujours, dans toute la Création, une image de l'auteur de la vie. (8, 1 - 3)

22. En son temps, Je vous dis qu'un chameau passerait par le chas d'une aiguille avant qu'un riche avare n'entre au Royaume des Cieux. Maintenant, Je vous dis qu'il est impérieux que ces coeurs se débarrassent de leur égoïsme et pratiquent la charité envers leurs frères, afin que leur esprit passer par l'étroit sentier du salut. Il n'est pas nécessaire de se défaire de

possessions et de richesses, mais seulement de l'égoïsme. (62, 65)

23. Je suis en train de reconstruire le temple auquel Je fis référence lorsque Je dis à mes disciples qui, émerveillés en contemplant le temple de Salomon: « En vérité Je vous le dis, il n'en restera pas une pierre sur l'autre, mais Moi je le reconstruirai en trois jours ».
24. Je voulus dire que tout culte extérieur, aussi somptueux qu'il puisse paraître à l'humanité, disparaîtra du cœur des hommes pour édifier à sa place le vrai temple spirituel de ma Divinité. Ceci est le Troisième Temps, ou encore, le troisième jour en lequel Je terminerai de reconstruire mon temple. (79, 4)

25. Dieu n'a aucune forme, parce que s'il en avait une, il serait un être limité comme l'est l'humain, et dès lors ne serait déjà plus Dieu.
26. Son trône est la perfection, la justice, l'amour, la sagesse, la force créatrice, l'éternité.
27. Le Ciel est le bonheur suprême auquel un esprit arrive par le chemin de son perfectionnement, jusqu'à s'élever tellement en sagesse et en amour qu'il atteigne un état de pureté, où ni le péché ni la douleur ne peuvent parvenir.
28. En quelques occasions, mes prophètes ont parlé de la vie spirituelle au travers de formes humaines et d'objets connus par vous.
29. Les prophètes virent des trônes semblables à ceux des rois de la Terre,

des livres, des êtres à forme humaine; des palais garnis de draperies, candélabres, l'agneau, et beaucoup d'autres objets. Cependant, vous devez comprendre à présent que tout cela ne renfermait seulement qu'un sens, un symbole, un sens divin, une révélation qui dut vous être exprimée sous une forme allégorique, puisque vous ne vous trouviez pas qualifiés pour en comprendre une autre plus élevée.
30. Il est déjà temps pour vous d'interpréter correctement le contenu de toutes mes paraboles et enseignements que Je vous ai révélés au moyen de symboles, afin que le sens pénètre votre esprit et que la forme symbolique disparaisse.
31. Lorsque vous parviendrez à cette connaissance, alors votre foi sera véritable puisque vous l'aurez cimentée dans la vérité. (326, 37-42)

32. Si tous les appelés se présentaient à la table du Seigneur, où l'on sert les délicatesses qui alimentent l'esprit, celle-ci serait complète, mais tous les invités ne sont pas arrivés.
33. C'est la condition de l'homme de ne pas savoir répondre aux bienfaits de Dieu, et c'est pourquoi vous avez vu beaucoup de vos frères qui vous dédaignaient au moment de votre appel.
34. Mais, Moi je vous dis que ces quelques-uns qui s'assoient à ma table et s'obstinent à M'écouter pour apprendre de Moi, seront ceux qui feront connaître, aux multitudes, la

grandeur de ma parole, le sens de cette Doctrine qui appelle les hommes à la reconstruction d'un monde qui est entré dans sa phase finale, pour céder le pas à un monde plus lumineux et plus élevé. (285, 33-35)

La Révélation de Jésus au travers de l'Apôtre Jean

35. Tout était écrit dans le livre des Sept Sceaux qui sont trouvé en Dieu et dont l'existence fut révélée à l'humanité au travers de Jean, l'Apôtre et prophète.

36. Seulement l'Agneau Divin vous a révélé le contenu de ce livre, parce qu'il n'a existé ni sur la Terre ni dans les Cieux, un esprit juste qui soit capable de vous expliquer les profonds mystères de l'amour, de la vie et de la justice de Dieu; mais l'Agneau Divin, qui est le Christ, défit les sceaux qui fermaient le Livre de la vie pour révéler son contenu à ses enfants. (62, 30)

37. Si le livre des prophéties de Jean a été considéré par certains comme un mystère insondable et a été considéré par d'autres comme une interprétation erronée, c'est dû au fait que l'humanité n'a pas encore atteint la spiritualité nécessaire pour comprendre le contenu de ce qui lui fut présenté, et Je peux vous dire aussi que même le prophète ne comprit ce qui lui fut inspiré.

38. Jean écouta et vit et, en entendant qu'on lui ordonnait d'écrire, obéit sur-le-champ, mais il comprit que ce message était destiné aux hommes qui viendraient longtemps après lui. (27, 80 - 81)

39. Quand les hommes fixeront-ils leur attention sur ce que mon bien-aimé disciple laissa écrit? La forme sous laquelle sa révélation est décrite est étrange, son sens est mystérieux, et ses mots sont profonds jusqu'à l'infini. Qui pourra les comprendre?

40. Les hommes qui commencent à s'intéresser à la Révélation de Jean s'impliquent, analysent, observent, et étudient. Quelques-uns s'approchent quelque peu de la vérité, d'autres croient avoir découvert le contenu de la révélation et le proclament au monde entier, les autres sont confondus ou las de chercher, et finissent par renier l'essence divine de ce message.

41. A présent, Je viens vous dire, disciples du Troisième Temps, que si vous souhaitez vraiment entrer dans ce sanctuaire et connaître le fond de ces révélations, vous devrez vous initier dans la prière d'esprit à Esprit, la même que celle que Jean pratiqua lors de son exil.

42. Vous devrez comprendre, d'avance, que la Divine Révélation, bien que représentée avec des formes et des figures matérielles, parle entièrement de l'esprit de l'humanité, de son évolution, de sa lutte, tentations et chutes, de ses profanations et de ses désobéissances. Elle parle de ma justice, de ma sagesse, de mon Royaume, de mes épreuves, et de ma communication avec les hommes, de leur réveil, de

353

leur régénération et, finalement, de leur spiritualité.

43. Là, Je vous révèle le voyage spirituel de l'humanité, divisé en époques, pour que vous puissiez mieux comprendre l'évolution de l'esprit.

44. Donc, disciples, si la révélation fait référence à votre vie spirituelle, c'est juste pour que vous l'étudiiez et la considériez du point de vue spirituel, parce que si vous la considérez pour ne l'analyser seulement qu'au travers de faits matériels, vous finirez par vous confondre, à l'instar de tant d'autres.

45. Beaucoup d'événements matériels sont, et seront, certainement liés à l'accomplissement de cette révélation, mais vous devez savoir que ces faits et signes sont aussi des formes, des figures et des exemples pour vous aider à comprendre ma vérité et pour vous aider à accomplir votre destin de vous élever jusqu'à Moi, par la voie de la propreté de l'esprit, dont mon disciple Jean vous laissa un lumineux exemple, qui anticipa des milliers d'années sur l'humanité, en se communiquant d'esprit à Esprit avec son Seigneur. (309, 47 - 51)

Chapitre 38 - Les Trois Révélations Divines et les Sept Sceaux

Le développement dépend des Révélations de Dieu

1. Dans les trois temps en lesquels J'ai divisé l'évolution de l'humanité, je suis venu pour vous tracer, de ma lumière, le même chemin droit et étroit pour l'élévation de l'esprit, l'unique chemin de l'amour, de la vérité et de la justice.

2. Je vous ai emmenés d'enseignement en enseignement, de révélation en révélation, jusqu'à arriver à ce temps où Je vous annonce que vous pouvez vous communiquer avec Moi d'esprit à Esprit. L'humanité aurait-elle pu se communiquer avec Moi, de cette manière, pendant le Premier Temps? Non! Il fut nécessaire que les hommes s'appuient sur le culte matériel, sur le rite et les cérémonies, sur le festin traditionnel et sur les symboles, pour pouvoir sentir près d'eux le divin et le spirituel. De cette incapacité à se rapprocher du spirituel, à s'élever vers le divin, de connaître ce qui est profond et d'éclaircir les mystères, surgirent les diverses religions, chacune d'elles en accord avec le niveau de retard ou de progrès spirituel des hommes, les unes se rapprochant davantage de la vérité que d'autres, les unes plus spiritualisées que les autres; mais toutes tendant vers un même objectif. C'est le chemin que les esprits parcourent au fil des siècles et des ères, chemin qu'indiquent les diverses religions. Certaines ont progressé avec une lenteur extrême, d'autres se sont arrêtées et d'autres l'ont mystifié et contaminé. (12, 92 - 93)

3. Aujourd'hui Je viens en esprit et, en vérité Je vous le dis, il y en a qui pensent que, dans les premiers temps, j'étais plus proche de vous que je le suis aujourd'hui: ils se trompent, parce qu'à chacune de mes venues je me suis rapproché davantage de vous.

4. Souvenez-vous qu'au Premier Temps Je descendis sur une montagne, d'où je vous envoyai ma Loi, gravée sur une pierre; au Deuxième Temps, J'abandonnai le sommet de la montagne pour descendre dans vos vallées, en me faisant homme pour vivre parmi vous; et maintenant, pour être encore plus proche, J'ai fait de votre cœur ma demeure pour m'y manifester et m'adresser à l'humanité depuis son for intérieur. (3, 31)

5. Est-ce que vous comprenez que j'ai divisé ma Révélation Divine en trois grands temps?

6. Ce fut dans l'enfance spirituelle de l'humanité que le Père livra la loi et promit un Messie qui viendrait lui ouvrir la porte à une nouvelle ère.

7. Le Messie fut le Christ qui vint parmi les hommes quand ces derniers se trouvaient dans l'adolescence

spirituelle. Il vint pour enseigner, aux hommes, une forme plus élevée d'accomplir la loi qu'ils avaient auparavant reçue du Père et qu'ils n'avaient pas su accomplir. Le Verbe de Dieu s'exprima par les lèvres de Jésus, c'est pourquoi je vous dis que le monde continua d'écouter la voix et le commandement de son Père au travers de la doctrine d'amour du Maître parfait.

8. Jésus, à son tour, offrit d'envoyer l'Esprit de Vérité aux hommes, pour qu'il leur fasse comprendre tout ce qu'ils n'auraient pu comprendre de son enseignement.

9. Bien, peuple bien-aimé, cette parole simple et humble que vous entendez maintenant est la voix de l'Esprit de Vérité, c'est la lumière spirituelle de Dieu qui se répand dans votre être, afin que vous ouvriez les yeux à la nouvelle époque. Cette lumière qui commence à vous faire comprendre clairement toutes les révélations de votre Maître, est la lumière de votre Père, du Saint-Esprit, lequel surprend l'humanité à un niveau plus élevé d'évolution spirituelle, c'est-à-dire, lorsque celle-ci se rapproche de l'âge de maturité pour comprendre les révélations de Dieu.

10. Dans tout ce que cette lumière vous révèle, vous recevrez l'enseignement du Père, parce que le Verbe est en Moi, et le Saint-Esprit est ma propre sagesse. (132, 10-15)

11. Je ne vous ai pas parlé ainsi dans les temps passés. Au Premier Temps, la Loi illumina l'esprit humain; au Deuxième Temps, le Christ illumina le cœur de l'homme avec la lumière de l'amour. Aujourd'hui la lumière du Saint-Esprit illumine votre esprit pour l'élever au-dessus de tout ce qui est humain.

12. Vous avez reçu ces trois messages d'un Dieu seul et, entre l'un et l'autre, une ère s'est écoulée, temps nécessaire pour l'évolution de l'esprit, afin qu'il puisse recevoir le nouveau message, ou la nouvelle leçon.

13. Maintenant, vous pouvez comprendre pourquoi je vous ai appelés les disciples du Saint-Esprit. (229, 50-52)

14. Si, dans les premières révélations, Je vous avais tout dit, vous n'auriez pas eu besoin de ce que le Maître, le Messie, vous enseigne de nouvelles leçons, ni que le Saint-Esprit ne vienne en ce temps pour vous montrer les grandeurs de la vie spirituelle.

15. C'est pourquoi Je vous dis de ne pas vous ancrer à ce qui vous fut révélé dans les premiers temps, comme s'il s'était agi de l'ultime parole de ma Doctrine.

16. Je vins à nouveau parmi les hommes, et Je me suis longtemps communiqué avec eux par l'intermédiaire de leur entendement et je peux encore vous dire que Je n'ai pas prononcé ma dernière parole.

17. Recherchez toujours, dans mon livre de sagesse, la dernière parole, la nouvelle page qui vous révèle la

signification, le contenu du précédent, afin que vous puissiez vraiment être mes disciples. (149, 44-45)

Les Trois Testaments de Dieu

18. Moise, Jésus et Elie. Voici le chemin que le Seigneur a tracé à l'homme pour l'aider à s'élever jusqu'au Royaume de la paix, de la lumière et de la perfection.

19. Sentez, dans votre vie, la présence des envoyés du Seigneur. Aucun d'eux n'est mort, tous vivent pour éclairer le chemin des hommes qui se sont perdus en les aidant à se relever de leurs chutes, et en les fortifiant afin qu'ils puissent se dédier, avec amour, à l'accomplissement dans les épreuves de leur restitution.

20. Connaissez l'œuvre que Moise, avec l'inspiration de Jéhovah, accomplit sur la Terre. Analysez l'enseignement de Jésus, par le biais de qui s'exprima le Verbe Divin et recherchez le sens spirituel de ma nouvelle révélation, dont l'ère est représentée par Elie. (29, 20-22)

21. Si, au Second Temps, ma naissance comme homme fut un miracle et mon ascension spirituelle, après ma mort corporelle, constitua un autre prodige, Je vous dis, certes, que ma communication en ce temps, au travers de l'entendement humain, est un prodige spirituel.

22. Mes prophéties s'accompliront toutes, en ce temps. Je vous laisse mes trois testaments, qui en forment un seul.

23. Que celui qui, auparavant, n'a pas connu le Père comme amour, sacrifice et pardon, le connaisse complètement en cette époque, afin qu'au lieu de craindre sa justice, il l'aime et le vénère.

24. Au Premier Temps, vous vous attachâtes à la Loi par crainte que la justice divine vous punisse mais, c'est pour cela que je vous envoyai mon Verbe afin que vous compreniez que Dieu est Amour.

25. Aujourd'hui, ma lumière vient à vous afin que vous ne vous perdiez pas et que vous puissiez arriver au bout du chemin, en étant fidèles à ma Loi. (4, 43 - 47)

26. Mes nouvelles leçons sont la confirmation de celles que je vous donnai au Deuxième Temps, mais elles sont encore plus élevées. Remarquez qu'en son temps, Je parlai au cœur de l'homme, à présent en revanche, je m'adresse à l'esprit.

27. Je ne viens pas pour désavouer la moindre de mes paroles que Je vous livrai dans le passé, bien au contraire, je viens pour les accomplir dûment et pour en fournir la juste explication. De même qu'en ce temps-là, Je dis, aux Pharisiens qui croyaient que Jésus venait pour détruire la Loi: Ne pensez pas que je vienne abolir la loi ou les prophètes, au contraire, Je viens pour la faire s'accomplir ". Comment désavouer cette Loi et les prophéties, si elles constituaient les fondations du temple, qui en trois époques devait être construit dans le cœur de cette

humanité, et l'annonce de ma venue au monde? (99, 24-25)

28. Aujourd'hui, je vous répète: « Je suis le Chemin, la Vérité et la Vie, et si vous recherchez l'essence de ma parole dans cette époque, vous trouverez, en elle, la Loi éternelle de l'amour, ce même chemin que Je vous traçai sur la Terre.

29. En son temps, beaucoup crurent que le Christ venait, en se trompant de chemin et en altérant la Loi, c'est pour cela qu'ils le combattirent et le persécutèrent, mais la vérité, comme la lumière du soleil, s'impose toujours aux ténèbres. Aujourd'hui, ma parole sera combattue à nouveau, parce qu'il y en aura qui croiront trouver, en son essence, des contradictions, des confusions et des erreurs, mais sa lumière resplendira à nouveau dans les ténèbres de cette époque, et l'humanité verra que le chemin et la Loi que Je vous ai révélés, sont les mêmes que ceux de ce temps-là et seront les mêmes de toujours. (56, 69 - 70)

30. Cet enseignement est la route à la vie éternelle; celui qui découvre élévation et perfection, dans cette doctrine, saura l'unir à celle que Je vous confiai lorsque Je fus sur la Terre, parce que son essence est la même.

31. Celui qui ne saura rencontrer la vérité contenue dans mes leçons, pourra même aller jusqu'à affirmer que cette Doctrine ne mène pas à la même fin que les enseignements de Jésus; les esprits éblouis par les mauvaises interprétations ou confondus par le fanatisme religieux, ne pourront pas comprendre rapidement la vérité de ces révélations, ils devront franchir un chemin d'épreuves pour se débarrasser du matérialisme qui les empêche de comprendre et d'accomplir mon précepte qui vous enseigne à vous aimer les uns les autres. (83, 42-43)

32. De nombreux hommes prétendront, en vain, que cette Doctrine est nouvelle, ou qu'elle n'a aucune relation avec les révélations divines qui vous furent faites de par le passé. Je vous assure que tout ce que je vous ai révélé en ce temps, au travers de l'entendement humain, trouve ses racines et ses fondations dans ce qui vous avait déjà été prophétisé aux Premier et Second Temps.

33. Mais la confusion dont Je vous parle surviendra parce que ceux qui ont interprété ces révélations ont imposé leurs analyses à l'humanité; lesquelles analyses ont été en partie correctes, et en partie erronées. Ce sera aussi parce que cette lumière spirituelle de mes enseignements fut cachée aux hommes et que, parfois, elle fut livrée à leur connaissance sous forme adultérée. C'est pourquoi, maintenant est arrivé le temps pour ma lumière de venir vous retirer des ténèbres de votre ignorance et beaucoup d'hommes ont nié que celle-ci puisse être la lumière de la

vérité puisque, selon leurs critères, elle ne concorde pas avec ce que Je vous avais enseigné auparavant.

34. Je vous assure qu'aucune de mes paroles ne se perdra et que les hommes de cette époque parviendront à savoir ce que Je vous dis dans les temps passés. Alors, quand le monde connaîtra le Spiritualisme, il dira: en réalité, Jésus l'avait déjà tout dit.

35. En effet: Je dis déjà tout auparavant, même si, des nombreuses vérités révélées, Je vous en manifestai seulement le commencement; je vous les laissai pour que vous commenciez à les comprendre, parce qu'en ce temps-là, l'humanité n'était pas encore préparée pour comprendre tout ce que, maintenant, Je suis venu vous montrer complètement. (155, 24-27)

Le Troisième Temps

36. Ceci est le Troisième Temps auquel je suis venu pour vous enseigner la leçon qui devra unir l'humanité spirituellement; parce qu'il est de ma volonté que les langues, les races et les différentes idéologies ne représentent déjà plus un obstacle pour son unification. L'essence, avec laquelle Je formai un esprit, est la même que tous possèdent et les substances qui composent le sang qui coule dans les veines des hommes sont identiques en tous. Par conséquent, tout sont égaux et dignes de Moi, et Je suis revenu pour tous. (95, 9)

37. Les transformations que souffrira la vie humaine seront si grandes, qu'il vous paraîtra comme si un monde se terminait pour donner naissance à un autre.

38. De même qu'en tous temps, la vie de l'homme a été divisée en ères, ou âges, et chacun d'eux s'est distingué par quelque chose, soit par ses découvertes, par les révélations divines reçues, par son développement dans le sens de la beauté qu'elle appellent l'art, ou par sa science, le temps qui débute à présent, l'ère qui apparaît comme une nouvelle aurore, se distinguera par le développement des dons de l'esprit, de cette partie que vous auriez dû cultiver pour éviter tant de maux, et que vous avez toujours remise à plus tard.

39. Ne croyez-vous pas que la vie humaine puisse se transformer totalement, en développant la spiritualité, en cultivant les dons de l'esprit et en établissant la loi que dicte la conscience en ce monde?

40. Bientôt, tous les peuples comprendront que Dieu s'est adressé à eux au cours de chaque ère, que les révélations divines ont été l'échelle que le Seigneur a tendue aux hommes pour qu'ils puissent monter jusqu'à Lui.

41. Les uns appelleront ce nouveau temps l'époque de la lumière, d'autres le nommeront l'ère du Saint-Esprit, d'autres encore le temps de la vérité; et Moi je vous dis que ce sera le temps de l'élévation, de la récupération spirituelle et de la revendication.

42. Celle-ci est l'ère que, depuis longtemps, j'ai souhaité voir vivre dans le cœur de l'homme, et qui a été continuellement combattue et détruite par lui-même. Un temps dont la clarté soit vue de tous et sous la lumière de laquelle tous les enfants du Seigneur s'unissent, non pas dans une religion d'hommes qui en accueille certains et en rejette d'autres, qui proclame sa propre vérité et refuse celle des autres, qui utilise des armes indignes pour s'imposer, ou qui « rayonne » des ténèbres au lieu de lumière. (135, 53-54 et 57-59)

43. Ceci est le Troisième Temps au cours duquel l'esprit de l'humanité devra se libérer des chaînes du matérialisme, ce qui entraînera la plus grande lutte d'idées que compte l'histoire des hommes.

44. La perversité, l'égoïsme, l'arrogance, le vice, le mensonge et tout ce qui a assombri votre vie tombera, comme des idoles cassées, aux pieds de ceux qui leur rendirent culte, pour céder le pas à l'humilité. (295, 64-65)

Les sept époques de l'Histoire Sacrée

45. La première de ces étapes d'évolution spirituelle dans le monde est représentée par Abel, le premier ministre du Père, qui offrit son holocauste à Dieu. Il est le symbole du sacrifice. La jalousie se dressa devant lui.

46. La deuxième étape est représentée par Noé. Il est le symbole de la foi; il construisit l'arche par inspiration divine et amena les hommes à y entrer afin qu'ils obtiennent le salut. Face à lui, les multitudes s'élevèrent avec le doute, la moquerie et le paganisme dans leur esprit. Mais Noé laissa sa semence de foi.

47. La troisième étape est représentée par Jacob. Il symbolise la force, il est Israël, le fort. Il vit spirituellement l'échelle que tous vous emprunterez pour vous asseoir à la droite du Créateur. Devant lui se leva l'ange du Seigneur pour mettre à l'épreuve sa force et sa persévérance.

48. La quatrième est symbolisée par Moise. Il représente la Loi. Il présenta les tables sur lesquelles Elle fut écrite pour l'humanité de tous les temps. Il fut celui qui, avec sa foi immense, secourut le peuple pour le conduire, par le chemin du salut, à la Terre Promise. Il est le symbole de la Loi.

49. La cinquième étape est représentée par Jésus, le Verbe Divin, l'Agneau Immolé, qui vous a parlé en tous temps et qui continuera de le faire. Il est l'amour, c'est pour lui qu'Il se fit homme pour habiter la demeure des hommes, qu'Il souffrit leur douleur, montra, à l'humanité, le chemin du sacrifice, de l'amour et de la charité, par lequel elle doit parvenir à la rédemption de tous ses péchés. Il vint en tant que Maître, pour enseigner à naître dans l'humanité, à vivre dans l'amour, à en arriver jusqu'au sacrifice, et à mourir en aimant, en pardonnant et en bénissant.

Il représente la cinquième étape, et l'amour est son symbole.

50. Elie représente la sixième étape. Il est le symbole du Saint-Esprit. Il est celui qui, sur son char de feu, porte la lumière à toutes les nations et à tous les mondes qui vous sont inconnus, mais que Moi je connais, parce que Je suis le Père de tous les mondes et de toutes les créatures. Celle-ci est l'étape que vous êtes en train de vivre, celle d'Elie, c'est sa lumière qui vous illumine. Il représente les enseignements qui étaient cachés mais qui, au cours de cette époque, sont progressivement révélés à l'homme.

51. La septième étape est représentée par le Père lui-même. Il est la fin, Il est la culmination de l'évolution, c'est en Lui qu'est le temps de la grâce, le Septième Sceau.

52. Voici déchiffré le mystère des Sept Sceaux! Voici pourquoi Je vous déclare que ce temps-ci est le sixième; parce que cinq d'entre eux sont déjà passés, le sixième est celui qui est détaché, quant au septième, il demeure encore scellé, son contenu n'est pas encore arrivé, il faut du temps pour que cette étape vous apparaisse. Quand cette étape sera arrivée, il y aura la grâce, la perfection et la paix mais, pour parvenir à elle, combien l'homme devra-t-il pleurer pour purifier son esprit! (161, 54-61)

53. Le livre des Sept Sceaux est l'histoire de votre vie, de votre évolution sur la Terre, avec toutes ses luttes, ses passions, ses conflits et finalement avec le triomphe du bien et de la justice, de l'amour et de la spiritualité sur les passions du matérialisme.

54. Croyez vraiment que tout mène à un but spirituel et éternel, pour que vous puissiez accorder à chaque leçon sa juste place qui lui correspond.

55. Pendant que la lumière du Sixième Sceau vous éclaire, ce sera un temps de conflit, de vigile et de purification mais, dès que cette période sera passée, vous serez arrivés à une nouvelle étape dans laquelle le Septième Sceau vous dévoilera de nouvelles révélations. Avec quelle satisfaction et quelle joie l'esprit de celui qui aura été surpris propre et préparé recevra-t-il le nouveau temps! Tandis que le Sixième Sceau vous illumine, la chair et l'esprit se purifieront. (13, 53 - 55)

56. Le livre qui était scellé dans les cieux, s'est ouvert au Sixième chapitre, c'est le Livre des Sept Sceaux qui renferme sagesse et jugement, et qui fut descellé par mon amour pour vous, afin de vous révéler ses profondes leçons.

57. L'homme a vécu cinq étapes sur la Terre, encouragé par le souffle divin de l'esprit, malgré qu'il n'ait pas compris le sens spirituel de vie, la finalité de son existence, son destin et son essence; tout était un Arcane impénétrable tant pour son intelligence que pour son esprit, un livre scellé au contenu qu'il ne parvenait pas à interpréter.

58. Il pressentait vaguement la vie spirituelle, mais sans connaître véritablement l'échelle d'élévation qui rapproche les êtres Dieu; il ignorait sa plus haute mission sur la Terre, et les vertus et les attributs qui font partie de son esprit pour pouvoir triompher dans les luttes, s'élever au-dessus des misères humaines et se perfectionner spirituellement pour habiter la lumière éternelle.

59. Il était nécessaire que s'ouvre le Livre Divin et que les hommes contemplent son contenu, afin de pouvoir se sauver des ténèbres de l'ignorance, lesquelles sont l'origine de tous les maux qui existent dans le monde. Qui pourrait-il ouvrir ce livre? Par hasard le théologien, le scientifique ou le philosophe? Non! Personne! Pas même les esprits justes ne pouvaient-ils vous révéler son contenu, parce que le livre gardait la sagesse de Dieu.

60. Seul le Christ, le Verbe, seul Lui, l'Amour Divin, pouvait le faire mais, même ainsi, il était nécessaire d'attendre que les hommes soient en condition de recevoir la divine révélation sans qu'ils demeurent aveuglés par la splendeur de ma présence spirituelle et l'humanité dut vivre cinq étapes d'épreuves, de leçons, d'expérience et d'évolution pour atteindre le correct développement qui lui permette de connaître les mystères que l'Arcane de Dieu réservait pour les hommes.

61. La Loi de Dieu, sa divine parole livrée par l'intermédiaire du Christ et tous les messages de prophètes, envoyés et émissaires, furent la semence qui maintint la foi de l'humanité dans une promesse divine qui annonça toujours la lumière, le salut et la justice pour tous les hommes.

62. Voici le temps attendu pour la Grande Révélation, celle-là même grâce à laquelle vous comprendrez tout que Je vous ai manifesté au cours des temps et que vous saurez qui est votre Père, qui vous êtes vous-mêmes, et quelle est la raison pour votre existence.

63. C'est le temps auquel, par l'évolution spirituelle vous avez atteinte, les épreuves que vous avez connues et l'expérience que vous avez recueillie, vous pouvez recevoir, de mon Esprit en direction du vôtre, la lumière de la sagesse, réservée en mes Arcanes dans l'attente de votre préparation. Néanmoins, l'humanité ayant atteint le niveau nécessaire d'évolution pour recevoir mon message, Je lui ai envoyé le premier rayon de ma lumière, qui est celui qui a fait s'exprimer, en extase, les hommes rudes et simples qui font office de porte-paroles à mon inspiration.

64. Ce rayon de lumière n'a été seulement qu'un rayon de préparation, il est à l'instar de la lumière de l'aube lorsque celle-ci annonce déjà le jour nouveau. Plus tard, ma lumière vous parviendra en plein, éclairant votre existence et éloignant jusqu'à la dernière ombre d'ignorance, de péché et de misère.

65. Cette époque, dont vous admirez l'aurore à l'infini, est la sixième étape qui commence dans la vie spirituelle de l'humanité; elle est une ère de lumière, de révélations, d'accomplissement d'anciennes prophéties et de promesses oubliées. C'est le Sixième Sceau qui, en se descellant, déborde son contenu de sagesse en votre esprit, dans un message plein de justice, d'éclaircissement et de révélations. (269, 10-18)

66. Disciples, Je souhaite que les vertus de votre cœur soient les vêtements d'apparat qui couvrent la nudité de votre esprit. Ainsi vous parle l'Esprit Consolateur, promis au Second Temps.

67. Le Père connaissait déjà la douleur et les épreuves qui devraient épuiser l'humanité et le niveau de perversité que les hommes atteindraient. L'arrivée du Consolateur signifie, pour vous, l'ouverture du Sixième Sceau, ou en d'autres termes, le commencement d'une nouvelle étape dans l'évolution de l'humanité. Depuis cet instant, un jugement divin a été ouvert pour tous les hommes; chaque vie, chaque action, chaque pas sont jugés strictement; c'est le terme d'une époque, mais non la fin de la vie.

68. C'est la fin des temps du péché et il est impérieux que tout le contenu de ce Sixième Sceau du livre de Dieu soit répandu dans les esprits, en les réveillant de leur léthargie, afin que l'homme s'élève en emportant l'harmonie de son esprit avec toute la création, et qu'il se prépare pour le moment où le Septième Sceau sera descellé par l'Agneau, lequel apportera la dernière lie du calice d'amertume, mais aussi le triomphe de la vérité, de l'amour et de la justice divine. (107, 17-19)

69. Je souhaite qu'en cette ère, l'humanité se prépare afin que, lorsque le dernier sceau sera ouvert, les hommes s'en rendent compte et se préparent à écouter et comprendre le contenu des nouvelles révélations. Je souhaite que les nations et les peuples se fortifient pour résister aux amertumes de ces jours-là.

70. Je les appellerai bienheureux, ceux qui sauront passer les épreuves de ces temps et leur donnerai une récompense pour leur persévérance et leur foi en mon pouvoir, en les considérant comme les parents d'une nouvelle humanité. (111, 10-11)

71. Quand le Septième Sceau aura été fermé, ensemble avec les six autres, ce livre qui a été le jugement de Dieu sur les œuvres des hommes, du premier au dernier, demeurera aussi fermé. Alors, le Seigneur ouvrira un livre blanc pour y noter la résurrection des morts, la libération des opprimés, la régénération des pécheurs et le triomphe du bien sur le mal. (107, 20)

Chapitre 39 - Israël terrestre et spirituelle

La mission historique d'Israël: son échec

1. En vérité Je vous le dis, si l'humanité avait persévéré dans la Loi que sa conscience lui dictait intérieurement, il n'aurait pas été nécessaire de vous envoyer des guides ni des prophètes, il n'aurait pas été nécessaire que votre Seigneur descende parmi vous, pendant la Première Ere, jusqu'à devoir graver Ma Loi sur une pierre. Et il n'aurait pas été nécessaire, non plus, de devoir m'humaniser et de mourir, en tant qu'homme, sur une croix, Au Second Temps.

2. Si Je formai un peuple et si Je le comblai de dons, ce n'est pas pour qu'il s'enorgueillisse et humilie les autres, mais plutôt pour qu'il soit un exemple de soumission devant le vrai Dieu et un exemple de fraternité entre les hommes.

3. Je choisis ce peuple afin qu'il soit l'instrument de Ma volonté sur la Terre et le porteur de Mes révélations, pour qu'il invite tout le monde à vivre dans Ma Loi, afin que toute l'humanité arrive à former l'unique peuple du Seigneur.

4. Si ce peuple, bien qu'il ait été le peuple élu, a beaucoup souffert, c'est parce qu'il croyait que l'héritage n'était destiné qu'à lui seul; il croyait que son Dieu ne pouvait être un Dieu pour les païens, il considéra les autres peuples comme des étrangers et ne partagea pas avec eux ce que le Père leur avait confié. C'est Moi qui le séparai, pour un temps, des autres peuples, pour qu'il ne se contamine pas de la méchanceté et du matérialisme.

5. Mais, lorsqu'il s'entêta dans son égoïsme et crut être grand et fort, Je lui montrai que son pouvoir et sa grandeur étaient faux, et permis que d'autres nations l'accaparent et le réduisent en esclavage. Des rois, des pharaons et des Césars furent leurs seigneurs, quand Moi je lui avais offert d'être son Seigneur.

6. Le Père, dans son amour infini, se manifesta à nouveau à son peuple pour lui donner la liberté et lui rappeler sa mission, et c'est en cette période que Je viens pour lui livrer mes leçons d'amour, et c'est seulement Mon regard qui peut découvrir, parmi l'humanité, les fils d'Israël que j'appelle et que je rassemble afin qu'ils reçoivent la lumière du Saint-Esprit.

7. Je suis venu me manifester devant votre esprit parce que le temps où je m'adressais à vous par le biais de la Nature et par l'intermédiaire de manifestations matérielles, que vous appelez miracles, est loin de vous. Aujourd'hui, vous pouvez déjà me sentir dans votre esprit de même qu'au plus secret de votre cœur.

8. Pendant cette époque, la Palestine n'a pas été le témoin de ma

manifestation, parce que je ne viens pas chercher un endroit déterminé, mais bien votre esprit. Je cherche le peuple d'Israël par l'esprit, non par le sang; le peuple qui possède la semence spirituelle que, au fil des temps, il a reçue grâce à ma charité. (63, 64-69)

La séparation du peuple juif entre credo terrestre et credo spirituel

9. Il fut impérieux que le Père, après son départ, arrache des mains de son peuple, la terre qui lui avait été confiée depuis ses ancêtres.

10. Elle fut enlevée, aux uns, par restitution, et aux autres, par récompense, parce que cette terre de Canaan, cette merveilleuse Palestine des temps passés, Je la préparai seulement comme une image de la véritable Terre de Promission pour l'esprit et, en dépouillant le peuple de ces possessions, le juif demeura matérialisé, errant sur la face de la Terre; quant à l'autre partie, les fidèles, ceux qui ont toujours senti ma présence, ils demeurèrent dans l'attente de ma volonté, sans douleur pour avoir renoncé à cet héritage des temps passés, sachant que le Père leur avait confié une nouvelle grâce: l'héritage de sa parole, du Verbe Divin, de son sacrifice, de son sang.

11. Il vivait en plein Troisième Temps, et c'est pendant ce temps que mon regard contempla mon peuple d'Israël encore divisé en deux factions: La première, matérialisée, enrichie avec les biens de la Terre pour sa propre restitution, faisant trembler, avec son pouvoir, jusqu'aux fondations du monde, parce que sa force, son talent, les grâces que le Père répandit en son esprit, ils les avait mises à son propre service, ainsi qu'à celui de son ambition et de sa grandeur.

12. Voyez comme ce peuple a fourni des preuves de sa force, même dans son matérialisme, dans ses sciences, sa volonté et son intelligence; il garde, au fond de son cœur, la rancœur des famines passées, des esclavages, des humiliations et se lève, aujourd'hui fort et vaniteux, pour humilier les autres peuples, pour les faire trembler avec sa force et pour les dominer. Aujourd'hui, c'est lui qui est repus et qui prend plaisir à contempler les millions d'affamés et les grands peuples d'esclaves, esclaves de l'or, de leur force, de leur science et de leur ambition.

13. Et Je vois aussi l'autre partie de mon peuple, celle des persévérants et des fidèles, qui toujours ont su sentir ma présence, qui ont toujours reconnu mon arrivée parmi les hommes, ceux qui ont cru en mes révélations et qui m'ont obéi malgré tout, en toutes circonstances, et m'ont respecté.

14. Cette partie n'est pas seulement vous autres qui avez été les témoins de ma communication par le biais de l'entendement de l'homme en cette époque, sinon qu'une partie du peuple Israël, spirituelle, est disséminée, répartie de par le monde entier et, à l'endroit que chacun se trouve, il reçoit ma charité, sent ma présence, s'alimente de mon pain et m'attend,

sans connaître le lieu de ma destination, ni la forme sous laquelle je viendrai, mais il m'attend.

15. Toutefois, ceux qui savent comment Je suis venu, comment je me suis communiqué, ceux qui ont connu mes révélations en toute certitude, ceux qui sont préparés pour les temps qui viennent, vous faites partie de ceux-là, des cent quarante-quatre mille élus par Moi, choisis parmi les douze tribus de ce peuple; 144.000 qui seront à la tête du nombreux peuple Israël, comme 144.000 capitaines qui, dans le conflit du Troisième Temps, le feront marcher vers la grande bataille.

16. Croyez-vous que mon peuple sera toujours divisé? En vérité Je vous dis que non! Pour vous est arrivée l'heure de l'enseignement, de la lumière et des épreuves. Pour eux aussi est arrivée l'heure de ma justice et des épreuves; Je les conduis, à grands pas, vers le réveil de l'esprit et, bien que ce soit la vérité, au début, ils nieront ma troisième venue au monde, tout comme ils nièrent la seconde, Je vous dis: L'instant de votre conversion n'est plus si éloigné. Ils vivent dans le respect de leurs anciennes traditions, mais en sondant l'esprit et le cœur du peuple juif, Je vous révèle qu'il maintient ses traditions davantage par convenance et crainte des révélations spirituelles que par conviction propre. Comme il se surprend devant les manifestations de l'Au-Delà, Je lui proposerai ce qui suit: le dépouillement de tout ce qui

est superflu, la pratique de la charité, l'amour et l'humilité.

17. Vous devrez leur faire face et, les deux, manierez vos armes: Les uns utiliseront la parole, la pensée, la prière et les preuves; et les autres emploieront leur talent, leur pouvoir et leur tradition. Mais Je serai présent, au cours de cette lutte, et Je ferai que triomphe, en vérité, ma justice. Je ferai triompher la spiritualité, je ferai s'élever l'esprit au-dessus de la chair, qu'il la fléchisse et l'humilie. Et c'est alors que viendra la réconciliation des tribus Israël, l'unification du peuple du Seigneur.

18. Lorsque ce peuple sera préparé, en vérité Je vous le dis, il commencera l'accomplissement, jusqu'à sa conclusion, de la grande mission que Dieu, depuis l'aube des temps, a confiée à son peuple élu, pour être l'aîné et le dépositaire des révélations du Seigneur, afin qu'en tant que premier frère, il sache guider les autres, partager sa grâce avec eux et les conduire, tous, à la droite du Père. (332, 17-21)

Le peuple spirituel d'Israël

19. Quand Je parle de mon « peuple Israël », du « peuple du Seigneur », je fais référence à ceux qui ont apporté une mission spirituelle à la Terre, à ceux qui firent connaître ma Loi, à ceux qui m'annoncèrent, à ceux qui me furent fidèles, à ceux qui proclamèrent l'existence du Dieu vivant, à ceux qui perpétuèrent la semence de l'amour et à ceux qui surent reconnaître, dans le Fils, la

présence et la parole du Père. Ceux-là constituent le peuple de Dieu. Celui-là est Israël, le fort, le fidèle, Israël prudent; c'est ma légion de soldats fidèles à la Loi, fidèles à la vérité.

20. Ceux qui persécutèrent mes prophètes, qui lacérèrent le cœur de mes envoyés; ceux qui tournèrent le dos au vrai Dieu pour s'incliner devant leurs idoles; ceux qui me renièrent et me raillèrent et exigèrent mon sang et ma vie, ceux-là, malgré qu'en raison de la race ils se dénomment israélites, ne faisaient pas partie du peuple élu, il n'appartenaient pas au peuple des prophètes, à la légion des illuminés, aux fidèles soldats; parce que Israël est un nom spirituel qui fut pris indûment pour dominer une race.

21. Vous devez également savoir que celui qui aspire à faire partie de mon peuple peut y parvenir avec son amour, sa charité, son zèle et sa fidélité en la Loi.

22. Mon peuple n'a pas de terres ni de villes déterminées dans le monde. Mon peuple n'a pas de race, mais il est présent dans toutes les races, dans toute l'humanité. Cette proportion d'hommes qui écoutent ma parole et reçoivent les nouvelles révélations ne constituent qu'une partie de mon peuple, une autre est disséminée de par la Terre et une autre encore, la plus importante partie, habite la vallée spirituelle.

23. Voici l'identité de mon peuple: celui qui me reconnaît et qui m'aime, celui qui m'obéit et me suit. (159, 55-59)

24. Aujourd'hui Je vous interroge: Et mon peuple, où se trouve-t-il? Où est-il celui qui était prudent dans les épreuves, fort dans les batailles et persévérant dans les luttes? Il est disséminé de par le monde; mais Moi je le lèverai avec ma voix et le réunirai spirituellement, afin qu'il aille au-devant de tous les peuples. Cependant Je vous déclare qu'il sera formé à présent d'hommes de toutes races, qui parviendront à comprendre le type d'alliance que j'attends de tous les hommes.

25. Ce peuple sera fort et combatif, mais ne disposera pas d'armes homicides, ni de chars de guerre, et n'entonnera pas de chants d'extermination. La paix sera son drapeau, la vérité sera son épée et l'amour sera son bouclier.

26. Personne ne pourra découvrir où se trouve ce peuple et il sera partout, ses ennemis tenteront de le détruire, mais ils ne le pourront pas, car ils ne le trouveront jamais réuni matériellement, parce que son union, son ordre et son harmonie seront spirituels. (157, 48-50)

27. En cette ère, l'esprit du véritable Israël vibre partout. Ce sont les esprits qui perçoivent ma présence, qui attendent ma venue et qui font confiance à ma justice.

28. Beaucoup se moqueront lorsque ces paroles arriveront à d'autres endroits; mais Je vous dis qu'il vaudrait mieux qu'ils ne s'en moquent pas parce que l'heure viendra, en laquelle ils se réveilleront de leur

léthargie et qu'ils sauront qu'ils sont, eux-aussi, sont les enfants du peuple.

29. Ces multitudes qui écoutent aujourd'hui peuvent tomber dans la confusion si elles n'étudient pas ma parole et si elles ne se débarrassent pas de leur matérialisme. Il peut leur passer ce qui survint au peuple israélite des premiers temps qui écouta la voix du Seigneur, reçut la loi et eut des prophètes, ce qui l'encouragea à se croire l'unique peuple aimé de Dieu. Grave erreur de laquelle vinrent le sauver les grandes épreuves, l'humiliation, l'exil et la captivité.

30. Il est nécessaire que vous sachiez que mon amour ne pourrait vous distinguer en raison de races ou de credos, et que Je parle de Mon peuple parce que, depuis les premiers temps, je me retrouve préparant des esprits que j'envoie sur la Terre pour illuminer, de leur lumière, le chemin de l'humanité.

31. Eux ont été les éternels pèlerins qui ont habité des nations distinctes et qui ont traversé de nombreuses épreuves. Pendant cette époque, ils ont constaté que les lois humaines sont injustes, qu'il n'y a pas de vérité dans les affections et que la paix n'existe pas dans l'esprit de l'humanité. (103, 10-14)

32. Le Peuple de Dieu surgira une fois de plus d'entre l'humanité; non pas un peuple personnifié en une race, sinon une multitude, une légion de mes disciples, au sein desquels ne prédomine ni le sang, ni la race ou la langue, mais bien l'esprit.

33. Ce peuple ne se limitera pas à enseigner ma Doctrine au travers de l'écriture. Afin que les mots aient force de vie, il est impérieux de les vivre. Ce peuple ne sera pas seulement un diffuseur d'écrits et de livres, sinon aussi un propagateur d'exemples et de faits.

34. Aujourd'hui, Je vous libère de tout le superficiel, l'impur et l'erroné, pour vous faire entrer dans une vie simple et propre sur laquelle votre esprit puisse s'élever en témoignant par ses actions.

35. Le moment venu, Je présenterai mon peuple à l'humanité et le Maître ne sera pas honteux de ses disciples, tout comme les disciples ne renieront pas leur Maître. Cet instant coïncidera avec celui de la guerre des idées, de laquelle jaillira le Spiritualisme comme souffle de paix, comme rayon de lumière. (292, 28-31)

36. Mon peuple croît, se multiplie, non seulement sur la Terre mais aussi dans la vallée spirituelle. Parmi ces multitudes spirituelles se trouvent ceux qui eurent des liens de sang avec vous, furent-ils vos parents, vos frères ou vos enfants.

37. Ne soyez pas surpris que Je vous dise que mon peuple est tellement nombreux que la Terre ne pourrait l'héberger et qu'elle devrait être encore bien plus grande. Lorsque Je l'aurai réuni et qu'il ne manquera aucun de mes enfants, l'infini lui sera donné, en guise de demeure, cette

vallée de lumière et de grâce qui ne termine jamais.

38. Ici, sur la Terre, Je viens seulement pour vous préparer, pour vous instruire de ma Doctrine, pour que vous sachiez de quelle manière vous approcher de cette vie. Cette humanité ne représente qu'une portion du peuple de Dieu; il est impérieux que tous connaissent ces explications pour orienter leur vie vers l'idéal de perfection.

39. Je souhaite que ce message divin, qu'est ma parole diffusée par les lèvres du porte-parole humain, parvienne à toute l'humanité. Ma parole est la cloche qui appelle le monde; son essence émouvra les peuples en les faisant se réveiller pour méditer à propos de la spiritualité et de la destinée de l'esprit après cette vie. (100, 35-37)

Les 144.000 élus et marqués

40. Pour étendre mon Œuvre en ce Troisième Temps, Je suis venu chercher 144.000 esprits d'entre les grandes multitudes, en les marquant d'un baiser de lumière divine, non pas un baiser de trahison, ni sceau d'un pacte qui mette votre esprit en péril. Ma marque est le signe que le Saint-Esprit dépose en ses élus pour accomplir une grande mission en ce Troisième Temps.

41. Celui qui montre ce signe n'est pas à l'abri de dangers, au contraire, il est davantage tenté et plus éprouvé que les autres. Rappelez-vous chacun des douze que Je choisis en ce Deuxième Temps et vous confirmerez

ce que Je vous affirme. Parmi eux, il y eurent des instants de doute, de faiblesse, de confusion et jusqu'à ce qu'il y en ait eu un pour me trahir en me livrant, par un baiser, à mes bourreaux.

42. Combien les élus de ce temps ne devront-ils pas veiller et prier pour ne pas tomber dans le piège de la tentation! Et même ainsi, Je vous dis, certes, qu'il y aura des traîtres parmi les 144.000.

43. La marque signifie mission, charges et responsabilité devant Dieu. Elle n'est pas une garantie contre les tentations ou les maladies, sinon quels mérites mes élus auraient-ils? Quel effort votre esprit ferait-il pour demeurer fidèle à ma parole?

44. Je m'adresse à vous de cette manière parce qu'il y a beaucoup de cœurs, parmi ce peuple, qui souhaitent faire partie de ce nombre d'élus; mais j'ai constaté que, bien plus que le désir ardent de servir l'humanité grâce aux dons que Je concède dans la marque, c'est le désir de se sentir rassurés ou encore la vanité qui les pousse à me demander de les appeler. Je mettrai ces petits-là à l'épreuve et ils se convaincront eux-mêmes qu'il existe de la vérité dans ma parole.

45. La marque est le signe invisible par lequel celui qui le porte avec amour, zèle et humilité, pourra accomplir sa mission. C'est alors qu'il pourra vérifier que la marque est une grâce divine qui le rend supérieur, insensible à la douleur, qui l'illumine dans les grandes épreuves, qui lui révèle de profondes connaissances et

qui, partout, peut ouvrir une brèche pour laisser passer l'esprit.

46. La marque est comme un maillon qui unit celui qui la possède au monde spirituel, elle est l'intermédiaire pour que la pensée et la parole du Monde Spirituel se manifestent dans votre monde. C'est pourquoi Je vous dis qu'un être marqué est un messager, il est un envoyé et il est mon instrument.

47. La mission, de même que la responsabilité du marqué est grande envers mon Œuvre, mais il n'est pas seul en chemin, l'ange protecteur qui prend soin de lui, le guide, l'inspire et le fortifie est toujours à son côté.

48. Combien fort a été celui qui a su embrasser sa croix avec amour et combien difficile et amer, en revanche, a été le chemin pour le choisi qui n'a pas su porter en lui le signe Divin d'élu au Troisième Temps!

49. A tous ceux qui M'écoutent, Je leur dis qu'ils doivent apprendre à veiller et à prier, à porter leur croix avec amour et pratiquer avec droiture et obéissance, pour que cette vie, qui pour votre esprit a signifié sa réincarnation la plus lumineuse, ne soit pas stérile, et que, plus tard, vous n'ayez pas à pleurer le temps perdu et les dons inexploités.

50. Tous, élus et non élus, méditez cette leçon, parce que vous tous avez un destin à accomplir dans le cadre de mon Œuvre. (306, 3-4 et 7-12)

51. Les tribus d'Israël spirituel sont très nombreuses; J'en trierai 12.000 de chacune d'elles et les marquerai sur le front, mais le peuple israélite n'est pas limité à 144.000. Le peuple élu est infini.

52. Au Second Temps, le Maître vous enseigna que nombreux sont les appelés et que peu sont les élus. Tout le peuple Israël sera appelé et J'en choisirai 144.000 parmi eux. En tous, Je déposerai la paix, la spiritualité et le principe de la communication d'esprit à Esprit. (312, 7-8)

53. Je suis le Père Universel et mon amour descend dans tous les cœurs. Je suis venu à tous les peuples de la Terre, mais J'ai choisi cette nation mexicaine pour éclaircir, en tout épanouissement, ma parole et mes révélations, parce que Je l'ai trouvée humble, parce que J'ai trouvé les vertus en ses habitants et J'ai fait incarner, en eux, les esprits du peuple Israël.

54. Néanmoins, tous ne portent pas cette nationalité et tous ne sont pas incarnés. Les esprits qui appartiennent au nombre des élus se trouvent encore toujours disséminés de par le monde entier. Ils ont été marqués, J'ai ouvert leurs yeux, sensibilisé leur cœur et ils se communiquent avec Moi d'esprit à Esprit. (341, 25)

55. Une partie des cent quarante-quatre mille choisis par Moi vit parmi l'humanité. Eux, mes fidèles serviteurs, se trouvent disséminés de par le monde, en accomplissant la mission de prier pour la paix et de travailler pour la fraternité des

hommes. Ils ne se connaissent pas les uns les autres, mais eux, les uns intuitivement, et les autres illuminés par cette révélation, sont en train d'accomplir leur destin d'éclairer le chemin de leurs frères.

56. Ces êtres marqués par mon amour sont des hommes simples, mais il en existe aussi qui sont des notables dans le monde; on pourra les distinguer seulement par la spiritualité dans leur vie, leurs actions, leur forme de penser et de comprendre les révélations divines. Ils ne sont ni idolâtres, ni fanatiques, ni frivoles; il semble qu'ils ne pratiquent aucune religion, et pourtant, de leur être s'élève un culte intérieur entre leur esprit et celui de leur Seigneur.

57. Ceux qui ont été signalés de la lumière du Saint-Esprit sont comme des chaloupes de sauvetage, ils sont des gardiens, des conseillers et des bastions. J'ai doté leur esprit de lumière, de paix, de force, de baume de guérison, de clés qui ouvrent invisiblement les portes les plus récalcitrantes, d'armes pour vaincre des obstacles insurmontables pour d'autres. Il n'est pas nécessaire qu'ils exhibent fièrement les titres du monde pour faire reconnaître leurs dons. Ils ne connaissent pas les sciences et sont docteurs, ils ne connaissent pas les lois et ils sont conseillers, ils sont pauvres des biens de la terre et, cependant, peuvent accomplir beaucoup de bien sur leur passage.

58. Parmi ces multitudes qui sont venues pour recevoir ma parole, beaucoup d'entre eux sont arrivés seulement pour confirmer leur mission, parce que ce n'est pas sur la terre que leur ont été donnés leurs dons ou que leur charge leur a été confiée. En vérité Je vous le dis, la lumière que possède chaque esprit est celle qu'il s'est forgée sur la longue route de son évolution. (111, 18-21)

59. L'humanité va croître; mon œuvre va se répandre de par le monde. Je commencerai avec 144.000 élus, lesquels lutteront avec obéissance, amour et zèle dans les temps des guerres de croyances et de doctrines et, au milieu de cette bataille, ils seront comme un maillon qui propose, au monde, non pas la chaîne de l'esclavagisme, mais bien celle de l'alliance spirituelle qui sera de liberté et de fraternité. Ces soldats ne seront pas seuls, mon monde spirituel les suivra et les protègera, ils accompliront des merveilles sur leur passage et rendront ainsi témoignage de ma vérité. (137, 9)

Chapitre 40 - Les Forces du Bien et du Mal

L'origine du Bien et du Mal

1. Le Père, en vous formant, vous posa sur le premier échelon de cette échelle, avec le dessein de ce qu'en parcourant ce chemin, vous ayez l'opportunité de connaître et de comprendre véritablement votre Créateur. Mais, combien d'entre vous initièrent le voyage ascendant, en partant de la première marche! La plupart s'unirent dans leur désobéissance, dans leur rébellion, en faisant mauvais usage du don de la liberté et en faisant la sourde oreille aux ordres de la conscience, se laissant dominer par la matière pour créer, avec leurs vibrations, une force, celle du mal, et creuser un abîme vers lequel leur influence entraîna leurs frères qui commencèrent une lutte sanglante pour défendre leur désir ardent d'élévation et de pureté contre leurs faiblesses et perversités. (35, 38)

2. Le péché originel ne vient pas de l'union de l'homme et de la femme: Moi, le Créateur, J'établis cette union en leur disant à tous deux: « Croissez et multipliez-vous ». Ce fut la première Loi. Le péché a résidé dans l'abus qu'ils ont fait du don du libre arbitre. (99, 62)

3. La chair craint la lutte avec l'esprit et recherche la forme de le tenter avec les plaisirs du monde pour lui empêcher sa liberté, ou tout au moins pour la retarder. Voyez comment l'homme porte en lui-même son propre tentateur! C'est pourquoi Je vous ai dit que, lorsqu'il aura réussi à se vaincre lui-même, alors il aura gagné la bataille. (97, 37)

4. En cette époque, dans laquelle même l'air, le sol et l'eau sont empoisonnés par la méchanceté des hommes, comme ils sont peu ceux qui ne se contaminent pas par le mal ou les ténèbres! (144, 44)

5. La clameur de l'humanité parvient jusqu'à Moi, l'angoisse de l'enfance, de la jeunesse, des hommes et femmes d'âge mûr et des personnes âgées, s'élève; c'est la voix qui réclame la justice, c'est une invocation de paix et de miséricorde qu'effectue l'esprit, parce que la graine d'amour, en ce monde, s'est perdue. Savez-vous où est l'amour? Au plus profond du cœur humain, tellement caché au fond qu'on n'arrive pas à le découvrir, parce que la haine, les ambitions, la science et la vanité ont noyé la semence et il n'y a aucune spiritualité, ni de miséricorde; le calice d'amertume continue de se remplir et le monde le boit jusqu'à la lie. (218, 12)

6. D'autel en autel, de rite en rite et de secte en secte, les hommes vont en quête du Pain de la Vie, sans le

trouver et, devant la désillusion, ils deviennent des blasphémateurs pour emprunter des chemins sans but et vivre sans Dieu et sans Loi.

7. Et pensez, peuple, que c'est parmi eux que se comptent les grands esprits, et que Je découvre les prophètes et les disciples du Saint-Esprit! (217, 49)

8. Les religions reconnaissent le pouvoir du mal et l'ont personnifié sous forme humaine; elles lui attribuent un royaume puissant et lui ont donné différents noms. Les hommes éprouvent de la crainte quand ils le croient proche, sans savoir que la tentation se trouve dans les passions et les faiblesses, et que le bien comme le mal s'agitent à l'intérieur de l'homme.

9. Le mal prédomine dans le monde, dans cette ère, et a créé une force, un pouvoir qui se manifeste en tout. Et dans le spirituel, il existe des légions d'esprits imparfaits, troublés, enclins au mal et à la vengeance, dont la force se joint à la méchanceté humaine pour constituer le royaume du mal.

10. Ce pouvoir se rebella contre Jésus au Second Temps et lui montra son royaume. Ma chair, sensible à tout, fut tentée, mais ma force spirituelle vainquit la tentation. Parce que Je devais être le vainqueur du monde, de la chair, de la tentation et de la mort. Parce que Je fus le Maître qui descendit parmi les hommes pour donner un exemple de force. (182, 42-43)

11. Vous pouvez reconnaître ma présence au travers de la paix que vous sentez dans votre esprit. Personne d'autre que Moi ne peut vous donner la véritable paix. Un esprit dans les ténèbres ne pourrait vous l'offrir. Je vous le dis parce que beaucoup de cœurs craignent les affûts d'un esprit tentateur, auquel les hommes, en fonction de leur imagination, ont donné vie et forme.

12. Que l'existence du prince des ténèbres s'est mal interprétée! Combien en sont arrivés à croire davantage dans son pouvoir que dans le mien, et combien les hommes, en cela, se sont éloignés de la vérité!

13. Le mal existe; tous les vices et tous les péchés en découlent. Les pécheurs, autrement dit ceux qui commettent le mal, ont toujours existé, tant sur terre que dans d'autres lieux ou mondes; mais, pourquoi personnifiez-vous tout le mal existant en un seul être, et pourquoi l'affrontez-vous à la Divinité? Je vous interroge: Que représente, face à mon pouvoir absolu et infini, un être impur, et que signifie votre péché devant ma perfection?

14. Le péché ne pás né dans le monde; quant aux esprits, lorsqu'ils surgirent de Dieu, les uns demeurèrent dans le bien, tandis que d'autres, en déviant de ce chemin, en créèrent un autre, distinct, celui du mal.

15. Les mots et les paraboles qui vous ont été offerts, au sens figuré, comme une révélation dans les premiers temps, ont été mal interprétés par l'humanité. L'intuition,

que les hommes eurent quant au surnaturel, resta influencée par leur imagination, et ceux-ci en arrivèrent à former, autour de la force du mal, des sciences, cultes, superstitions et mythes, lesquels sont parvenus jusqu'aujourd'hui.

16. De Dieu ne peuvent jaillir de démons; vous avez façonné ceux-ci avec votre mentalité. Le concept que vous avez de cet être qu'à chaque pas vous me poser en adversaire, est faux.

17. Je vous ai enseigné à veiller et à prier, pour que vous vous libériez de tentations et d'influences maléfiques, lesquelles peuvent provenir autant d'êtres humains que d'êtres spirituels.

18. Je vous ai dit d'imposer l'esprit à la chair, parce que celle-ci est une créature faible et fragile qui, à chaque pas, court le danger de trébucher si vous ne veillez par sur elle. Le cœur, l'intelligence et les sens sont la porte ouverte permettant aux passions du monde de fouetter l'esprit.

19. Si vous vous êtes imaginés que les êtres des ténèbres sont comme des monstres, Moi je les vois seulement comme des créatures imparfaites auxquelles je tends la main pour les sauver, parce qu'elles aussi sont mes enfants. (114, 54 – 62)

20. Toutes les fois que vous faites le bien, vous dites: je suis noble, je suis généreux, je suis charitable, c'est pourquoi je fais cela. Et Moi de vous dire: si vous aviez accompli ces oeuvres au nom de votre Seigneur, vous seriez humble parce que la bonté

est de Dieu et Je l'ai offerte à votre esprit.

21. Dès lors, celui qui attribue ses bonnes actions à son cœur humain renie son propre esprit et Celui qui l'a revêtu de ces vertus.

22. En revanche, quand vous agissez mal, vous vous lavez les mains comme Pilate et, vous attribuez ce fait au Père, en disant: ce fut la volonté de Dieu, c'était écrit; Dieu le souhaita ainsi, c'est le destin.

23. Vous affirmez que rien ne se passe sans la volonté de Dieu pour vous excuser de vos erreurs, mais en vérité Je vous le dis, vous vous trompez parce que vos erreurs et vos bagatelles se commettent sans la Volonté de Dieu.

24. Remarquez que le Tout-Puissant jamais ne s'impose à vous par la force, au travers de son pouvoir! Cela, c'est vous qui le faites avec vos frères les plus faibles!

25. En vérité Je vous le dis: le mal, l'impureté et le manque d'harmonie vous appartiennent; l'amour, la patience et la sérénité sont de Dieu.

26. Quand vous aimez, c'est le Créateur de votre esprit qui vous inspire, en revanche, quand vous haïssez, c'est vous-mêmes, c'est votre faiblesse qui vous pousse et vous perd. Toutes les fois que quelque chose de mal survient dans votre vie, soyez sûrs qu'il s'agit de votre oeuvre.

27. Mais alors vous demandez: Pourquoi Dieu autorise-t-il cela? Ne souffrira-t-Il pas en raison de nos péchés; ne pleurera-t-Il pas en nous

voyant pleurer? Que lui coûterait-Il de nous épargner ces chutes?

28. Je vous réponds que tant que vous n'aimerez pas, Dieu sera, pour vous, quelque chose que vous ne pourrez comprendre, parce que la magnanimité de votre Créateur est au-delà de votre compréhension.

29. Devenez forts, grands, sages et apprenez à aimer. Lorsque vous aimerez, vous n'aurez plus la tendance enfantine de vouloir analyser Dieu, parce qu'alors vous le verrez et le sentirez, et cela vous suffira. (248, 29-32)

Arrogance et humilité

30. Faites de l'humilité l'une de vos meilleures alliées pour atteindre l'élévation, parce que les portes du Ciel, lequel est le royaume de la conscience, sont complètement fermées à l'arrogant. L'arrogant ne les a jamais franchies et ne le pourra jamais. Néanmoins, quand il deviendra humble, Je serai le premier à le féliciter et ma charité lui ouvrira la porte de l'éternité. (89, 45)

31. Disciples, voici une autre de mes leçons. En vérité Je vous le dis, vous vous éloignez de Moi lorsque vous vous croyez forts, grands ou éminents, parce que votre orgueil noie le sentiment d'humilité; mais quand vous vous considérez petits, quand vous reconnaissez que vous êtes comme des atomes au milieu de ma Création, alors vous vous rapprochez de Moi, parce que, au travers de votre humilité, vous m'admirez, vous

m'aimez et vous me sentez proche. C'est au moment où vous pensez dans toute la grandeur et le mystère que renferme Dieu et que vous désirez connaître et comprendre, qu'il vous semble entendre l'écho du murmure divin en votre esprit. (248, 22)

32. Disciples, quand existe, dans l'homme, une véritable connaissance des œuvres qu'il a réalisées, il ne se laisse pas éblouir par la vanité. Il sait que si cet ignoble sentiment pénètre son être, son intelligence se brouillerait et qu'il ne pourrait plus avancer; il stagnerait et succomberait à la léthargie.

33. La vanité a causé la perte de beaucoup d'hommes, elle a abattu beaucoup de peuples florissants et a ruiné vos cultures.

34. Tant que les peuples eurent, comme idéal, le travail, la lutte et le progrès, ils connurent l'abondance, la splendeur et le bien-être, mais quand l'orgueil les fit se sentir supérieurs, quand leur idéal d'élévation se changea en ambition insatiable de tout désirer pour eux-mêmes alors, sans s'en rendre compte et sans le souhaiter, ils commencèrent à détruire, petit à petit, ce qu'ils avaient construit, en terminant par sombrer dans un abîme.

35. L'histoire de l'humanité regorge de telles expériences. C'est pourquoi Je vous dis qu'il est juste que surgisse, dans le monde, un peuple de grands idéaux lequel, toujours conscient de ses bonnes actions, ne s'en enorgueillisse pas. De cette manière,

sa marche ne s'arrêtera pas, et la splendeur atteinte jusqu'à présent sera surpassée demain et continuera de grandir dans le futur.

36. En vous parlant de la sorte, Je n'essaie pas de vous inspirer seulement des ambitions matérielles; Je souhaite que mes paroles soient justement interprétées pour que vous sachiez les appliquer au spirituel ainsi qu'au matériel.

37. La vanité peut ne pas seulement surprendre l'homme dans sa vie matérielle et, comme preuve de ce que Je vous avance, voyez les chutes et les échecs des grandes religions, minées à leurs bases par leur vanité, l'arrogance et leur faux éloge. Quand elles ont cru au sommet de leur pouvoir, quelqu'un est venu les réveiller de leur rêve, leur faisant voir leurs erreurs, leurs déviations et leur distanciation de la Loi et de la vérité.

38. Ce n'est qu'avec la vraie connaissance et l'accomplissement de ma Loi face à la conscience que pourra arriver cette humanité à une vie élevée, parce que la conscience, qui est ma lumière, est parfaite, sereine et juste, et que jamais elle ne s'enorgueillit ni ne se détourne de son chemin. (295, 18 - 24)

Le bon; l'homme de bonne volonté

39. Connaissez-moi tous afin qu'aucun ne me renie, connaissez-moi pour que votre concept à propos de Dieu soit fondé sur la vérité et que vous sachiez que Je suis là où se manifeste le bien.

40. Le bien ne se confond avec rien. Le bien est vérité, amour, charité, compréhension. Le bien est précis, exact, déterminé. Connaissez-le afin de ne pas vous tromper.

41. Chaque homme pourra s'en aller par un chemin différent; mais si tous coïncident en un point, celui du bien, alors ils parviendront à s'identifier et à s'unir.

42. Ce n'est donc pas quand ils s'obstinent à se tromper eux-mêmes, en donnant un mauvais aspect au bon et en déguisant le bon en mauvais, comme cela se passe, à l'heure actuelle, parmi les hommes. (329, 45-47)

43. Cela fait presque deux mille ans que vous avez répétez cette phrase que les bergers de Bethléem écoutèrent: « Paix sur la Terre aux hommes de bonne volonté » mais, quand avez-vous mis en pratique la bonne volonté pour mériter la paix? En vérité Je vous le dis, vous avez plutôt fait le contraire.

44. Vous avez perdu le droit de répéter cette expression. C'est pour cela que Je viens aujourd'hui avec de nouvelles paroles et leçons, afin que ce ne soient pas des phrases ou des prières qui se gravent dans votre entendement, sinon l'essence de Mon enseignement qui pénètre votre cœur et votre esprit.

45. Si vous souhaitez répéter mes paroles de la même manière que Je viens vous les livrer, faites-le, mais sachez que tant que vous ne les sentirez pas, elles n'auront aucune

vertu. Prononcez-les avec douceur et humilité, sentez-les vibrer dans votre cœur et Moi je vous répondrai de telle manière que je ferai trembler tout votre être. (24, 33 - 34)

46. Je vous le répète; paix aux hommes de bonne volonté, qui aiment la vérité, parce qu'ils font quelque chose pour se plier à la volonté divine et, ceux qui s'abritent sous ma protection doivent nécessairement sentir ma présence tant en leur esprit que dans leur vie humaine, leurs luttes, leurs besoins et leurs épreuves.

47. Les hommes de bonne volonté sont les enfants obéissants à la Loi de leur Père, ils marchent sur le droit chemin et, quand ils souffrent intensément, ils élèvent leur esprit jusqu'à Moi, dans une demande de pardon et de paix.

48. Ils savent que la douleur est souvent nécessaire, et c'est pour cela qu'ils harcèlent sa patience, seulement quand cette douleur devient insupportable, ils supplient que le poids de leur croix leur soit allégé. Ils me disent: « Seigneur, je sais que mon esprit a besoin de se purifier, et de souffrir ».

49. Bénis ceux qui pensent et prient de cette manière, car ils recherchent l'exemple de leur Maître pour l'appliquer aux épreuves de leur propre vie. (258, 52-55)

Le Mal; l'homme au service du Mal

50. En cette période, l'influence du mal est plus grande que celle du bien; par conséquent, la force qui domine, parmi l'humanité, est celle du mal dont découlent l'égoïsme, le mensonge, la convoitise, l'orgueil, le plaisir de blesser, la destruction et toutes les basses passions. De ce déséquilibre moral proviennent les maladies qui tourmentent l'homme.

51. Les hommes n'ont pas d'armes pour lutter contre ces forces. Ils ont été vaincus et faits prisonniers à l'abîme d'une vie sans lumière spirituelle, sans bonheur sain, sans aspirations pour le bien.

52. Maintenant, l'homme croit se trouver au sommet du savoir, mais il ignore qu'il est dans l'abîme.

53. Moi, qui connais votre commencement et votre futur dans l'éternité, depuis les premiers temps Je donnai des armes aux hommes, leur permettant ainsi de lutter contre les forces du mal; mais ils les dédaignèrent et préférèrent la lutte du mal contre le mal, celle dans laquelle personne ne triomphe, parce que tous seront vaincus.

54. Il est écrit que le mal ne prévaudra pas, ce qui signifie qu'à la fin des temps ce sera le bien qui triomphera.

55. Si vous Me demandez quelles furent les armes dont Je dotai l'humanité pour lutter contre les forces ou les influences du mal, Je vous dirai qu'elles furent la prière, la persévérance dans la loi, la foi en ma parole, l'amour des uns pour les autres. (40, 65 - 70)

56. La méchanceté s'est accrue parmi les hommes, mon peuple. La

bonté, la vertu et l'amour ont été faibles face à l'invasion du mal, des maladies, des fléaux, des pestes et des calamités. Tout ce qui constitue la semence des pervers a contaminé le cœur des bons, en a affaibli quelques-uns et a décimé le nombre des fidèles, parce que le mal a apporté une grande force au-dessus de l'humanité.

57. J'ai laissé que cela se passe ainsi en raison du libre arbitre que je vous ai donné, parce que derrière toute la perversité, toutes les ténèbres et l'aveuglement des hommes, il y a une lumière divine, la conscience qui ne se perd et ne se perdra jamais. Il y a un principe, l'esprit, qui garde, immaculé, le baiser que le Père lui donna et qui est le sceau divin avec lequel J'ai envoyé tous mes enfants sur le chemin de la lutte. C'est grâce à cette Marque qu'aucun de ces esprits ne se perdra. (345, 11-12)

La lutte entre le Bien et le Mal

58. Vous avez aussi été stupéfaits par la force que, dans leur méchanceté, les hommes et les femmes ont manifestée au fil de toutes les époques de votre vie humaine. Le livre de votre histoire a recueilli leurs noms; dans l'album de votre existence, dans le livre où Dieu écrit et annote tous les faits, toutes vos actions, leurs noms s'y trouvent aussi. Vous avez été également étonnés qu'un esprit, un cœur humain, puisse abriter une telle force pour le mal, qu'il puisse avoir autant de force pour ne pas trembler devant ses propres actions et qu'il puisse faire taire la voix de sa conscience pour ne pas entendre le cri de Dieu, qu'au travers d'elle il adresse à tous ses enfants. Que de fois le séjour de ces esprits sur la planète a-t-il été long et durable!

59. Ces êtres qui, en vertu du libre arbitre, se sont rebellés contre mon amour et ma justice, Je les ai pris, en me servant de leur propre désobéissance, pour les convertir en mes serviteurs et, eux qui croyaient agir librement en leurs pensées, leurs paroles et leurs actions ont été les instruments de ma justice, tant pour eux-mêmes que pour les autres.

60. Mais, quand ce règne prendra-t-il fin? Le Père vous dit: Le règne du mal n'a jamais gouverné l'humanité parce que, même dans les moments de plus grande perversité, il y a eu des êtres fidèles à Moi, obéissant à mon enseignement et apôtres de ma Loi; mais la lutte a existé depuis le commencement.

61. Laquelle de ces deux forces a été, jusqu'à présent, au premier plan dans la guerre? Celle du mal! C'est pourquoi J'ai dû venir me matérialiser parmi vous pour vous aider, pour ranimer votre espoir et votre foi en Moi, pour apporter la chaleur à votre cœur, et vous dire: «Vous n'êtes pas seuls en chemin, Je ne vous ai jamais menti. Vous ne devez pas déformer les principes que j'ai déposés en vous; ceci est le chemin du bien et de l'amour. (345, 48-49)

62. Voyez comment ma lumière vient déchirer les ténèbres de votre monde! C'est vrai que je viens

379

combattre des hommes, mais seulement pour effacer tout le mal qui vit dans leurs cœurs. Je déposerai la lumière et la force de mon amour en ceux qui me suivent fidèlement, et alors ceux-ci diront: « Nous allons chercher le dragon qui nous assaillit, la bête qui nous induit à pécher et offenser le Seigneur ». Ils la chercheront dans les mers, dans le désert, dans les montagnes et dans les jungles, dans l'invisible et ils ne la trouveront pas, parce qu'elle vit dans le cœur des hommes, celui-là même qui l'a engendrée, et où elle a grandi jusqu'à en arriver à dominer la Terre.

63. Quand les éclats de mon épée de lumière blesseront le cœur de chaque homme, la force qui provient du mal ira en s'affaiblissant jusqu'à mourir. Alors vous direz: « Seigneur, grâce à la force divine de votre charité j'ai vaincu le dragon, je croyais qu'il me guettait depuis l'invisible, sans jamais penser que je le portais dans mon cœur ».

64. Quand la sagesse brillera en tous les hommes, qui osera convertir le bien en mal? Qui échangera l'éternel pour l'éphémère? Personne, en vérité Je vous le dis, parce que vous serez tous forts dans la sagesse divine. Le péché provient de l'ignorance et de la faiblesse. (160, 51-54)

Tentations et séductions

65. L'humanité cultive beaucoup d'arbres; la faim et la misère des hommes les fait chercher, en eux, de l'ombre et des fruits qui leur offrent le salut, la justice ou la paix. Ces arbres sont des doctrines humaines, souvent inspirées de haines, d'égoïsmes, d'ambitions et de délires de grandeur. Leurs fruits sont la mort, le sang, la destruction et les outrages à l'égard du plus sacré dans la vie de l'homme, qui est la liberté de croire, de penser, de s'exprimer, en un mot, qui est privé de la liberté de l'esprit. Ce sont les ténèbres qui se lèvent pour lutter contre la lumière. (113, 52-53)

66. Je vous ai dit, Israël bien-aimé, que le temps viendra où les faux porte-paroles se lèveront pour faire accéder le faux Jésus et, dans leur matérialisme, ils tromperont, en disant que le Maître s'exprime par leur intermédiaire. De faux guides, de faux prophètes et de faux soldats surgiront qui, avec leur discours et leur matérialisme, chercheront à vous écarter du chemin de la lumière et de la vérité. (346, 38)

67. Priez, et voyez que c'est le temps où ma justice et ma lumière ont enlevé toutes les ténèbres. C'est un temps difficile et dangereux parce que les êtres qui habitent les ténèbres se feront passer, parmi vous, pour des êtres de lumière afin de vous tenter et de vous confondre. Moi, Je vous donne ma lumière, afin que vous ne déviiez pas du chemin et que vous ne vous laissiez pas tromper par ceux qui usurpent mon nom.

68. Les tentateurs ne sont pas seulement des êtres invisibles, vous en avez aussi qui sont incarnés en hommes qui vous parlent de leçons

qui feignent la lumière, mais qui vont à l'encontre de ma Doctrine. Ceux-ci, ne les écoutez pas. (132, 7-8)

69. Mon Royaume est fort et puissant et, si J'ai permis que, devant ma force et mon pouvoir, se lève un autre pouvoir, celui du mal, c'est pour pouvoir démontrer le mien, afin que vous puissiez sentir et contempler la force de ma lumière et de ma vérité face à l'imposture et aux ténèbres; c'est pour que vous voyiez que ce royaume de ténèbres, de troubles et d'épreuves, bien que détenant un grand pouvoir, n'est que mon instrument et qu'en réalité Je l'utilise.

70. Si je vous mets à l'épreuve, ce n'est pas pour vous arrêter sur le chemin d'évolution, car J'attends votre arrivée dans mon Royaume; cependant, je souhaite que vous arriviez, à Moi, victorieux après les combats, forts après la lutte, pleins de lumière de l'expérience spirituelle après le long séjour, et avec l'esprit débordant de mérites, afin que vous puissiez élever humblement votre visage et contempler le Père à l'instant où Il s'approchera pour poser sur vous son baiser divin, un baiser qui contient tout le bonheur et toutes les perfections pour votre esprit. (327, 8-9)

Infractions morales

71. Humanité, humanité, vous qui vous heurtez les uns aux autres! Je vous ai vus nier votre iniquité et vous vanter de ce que vous croyez être la grandeur, en même temps que vous dissimulez vos défauts. Moi, Je vous dis que l'homme qui, flatté, croit en sa grandeur apparente, est un pauvre d'esprit. Et à ceux qui, faute de vertus, chuchotent les défauts d'autrui et jugent leurs fautes, Je dois leur dire qu'ils sont hypocrites et qu'ils sont très loin de la justice et de la vérité.

72. Les assassins ne sont pas seulement ceux qui ôtent la vie du corps, mais aussi ceux qui détruisent le cœur par la supercherie. Ceux qui tuent les sentiments du cœur, la foi, l'idéal, sont des assassins de l'esprit. Et combien de ceux-là ne sont-ils pas libres, sans prison et sans chaînes!

73. Ne soyez pas surpris que je vous parle ainsi, parce que Je vois, parmi vous, des foyers détruits, parce qu'en négligeant vos devoirs, vous vous êtes créés, en dehors de ceux-ci, de nouvelles obligations sans vous soucier de la douleur et de l'abandon des vôtres. Voyez partout, combien de foyers détruits, combien de femmes tombées dans le vice et combien d'enfants sans père! Comment la tendresse et l'amour pourront-ils exister dans ces cœurs? Ne considérez-vous pas que celui qui a mis à mort le bonheur de ces êtres et qui a détruit ce qui était sacré, est un criminel?

74. Vous vous êtes tellement familiarisés avec le mal que vous appelez même « grands » les hommes qui inventent ces nouvelles armes de la mort, parce qu'en un instant elles peuvent détruire des millions d'êtres. Vous les appelez même des sages. Où est votre raison? On ne peut être

grand que par l'esprit, et n'est sage que celui qui emprunte le chemin de la vérité. (235, 36-39)

Impuissance et fugacité du Mal

75. Vous considérez grande, très grande, la perversité humaine et le pouvoir et la force du mal qu'exercent les hommes vous paraissent terribles, et cependant, Je vous dis qu'ils sont très faibles face à la force de ma justice et devant ma Divinité qui est maîtresse du destin, de la vie, de la mort et de toute la création. (54, 70)

76. Seul un être qui serait tout-puissant comme Moi pourrait Me combattre; mais, croyez-vous que, si un dieu jaillissait de Moi, il s'opposerait à Moi, ou bien croyez-vous qu'il puisse surgir du néant? Rien ne peut rien émerger du néant.

77. Je suis Tout et ne suis jamais né. Je suis le Commencement et la Fin, l'Alpha et l'Omega de tout ce qui a été créé.

78. Pouvez-vous concevoir que l'un des êtres que J'ai créés puisse s'ériger comme Dieu? Toutes les créatures ont une limite et, pour être Dieu, il est impérieux de ne pas avoir de limites. Quiconque ait pu nourrir ces rêves de pouvoir et de grandeur est tombé dans les ténèbres de son propre orgueil. (73, 34 - 35)

79. En vérité Je vous le dis, il n'existe aucune force que vous puissiez opposer à mon amour. Les ennemis s'avèrent petits, les forces contraires sont faibles et les armes qui

ont tenté se lutter contre la vérité et la justice ont toujours été fragiles.

80. La bataille que les forces du mal ont livrée à l'encontre de la justice divine vous a paru un conflit interminable et, cependant, par rapport à éternité, elle ne représentera qu'un instant, et les fautes commises durant le temps d'imperfection de votre esprit demeurera comme une tache insignifiante que votre vertu et ma justice d'amour se chargeront d'effacer à tout jamais. (179, 12 - 13)

La force du Pardon

81. Humanité, Je vous demande, en considérant ce peuple comme votre représentant: « Quand vous lèverez-vous en vous aimant les uns les autres et en vous pardonnant mutuellement vos offenses? Quand souhaitez-vous la paix sur votre planète? »

82. Le pardon qui provient de l'amour est enseigné seulement par ma Doctrine et renferme une force puissante pour convertir, régénérer et transformer le mal en bien, et le pécheur en homme vertueux.

83. Apprenez à pardonner et vous gagnerez ainsi le commencement de la paix dans votre monde. S'il était nécessaire de pardonner mille fois, alors il vous faut le faire mille fois. Ne vous rendez-vous pas compte qu'une réconciliation opportune vous évite d'aller jusqu'au bout d'un calice d'amertume? (238, 12-14)

84. Tant que vous serez des hommes, souvenez-vous de Moi sur cette croix, pardonnant, bénissant et

guérissant mes bourreaux afin que vous, tout au long de votre chemin difficile, bénissiez aussi ceux qui vous offensent et accomplissiez tout le bien possible à ceux qui vous ont fait du mal. Qui oeuvre de la sorte sera mon disciple et, en vérité, Je lui dis que sa douleur sera toujours brève, parce que Je lui ferai sentir ma force dans les instants de son épreuve. (263, 56)

85. Pardonnez-vous les uns les autres et, ainsi, vous trouverez le soulagement pour vous ainsi que pour celui qui vous a offensés. Ne portez pas sur votre esprit le poids de la haine ou de la rancœur, soyez propres et vous aurez trouvé le secret de la paix et vous vivrez comme les apôtres de ma vérité. (243, 63)

Chapitre 41 - Relations entre ce Monde et l'Au-Delà

Inspiration et assistance du Monde Spirituel

1. Vous voyagez tous par l'échelle de perfection spirituelle; les uns ont atteint l'évolution que, pour l'instant, vous ne pouvez concevoir, d'autres vous suivent.

2. Les grands esprits, grands en raison de leur lutte, de leur amour et de leur effort, recherchent l'harmonie avec leurs frères mineurs, avec ceux qui sont distants et avec les négligents; leurs missions sont nobles et élevées, leur amour pour Ma Divinité et pour vous est aussi très grand.

3. Ces esprits savent qu'ils furent créés pour l'activité, pour l'élévation; ils savent que l'inactivité n'est pas pour les enfants de Dieu. Dans la Création tout est vie, mouvement, équilibre, harmonie; et ainsi, ces êtres innombrables travaillent, s'efforcent toujours plus et se réjouissent dans leur lutte, avec la connaissance qu'ainsi ils glorifient leur Seigneur et aident au progrès et au perfectionnement de leurs semblables.

4. Aujourd'hui que vous vous trouvez à l'écart du chemin que Ma Loi vous indique, vous ignorez l'influence que ces frères exercent sur vous, mais quand vous aurez la sensibilité pour percevoir les effluves, les inspirations et les messages qu'ils vous envoient, vous aurez le pressentiment des innombrables occupations et des nobles actions auxquelles ils dédient leur existence.

5. Il est nécessaire que vous sachiez que ces esprits, dans leur amour et leur respect envers les lois du Créateur, ne prennent jamais ce qui ne leur correspond pas, ni ne touchent ce qui est défendu, ni ne pénètrent là où ils savent qu'ils ne doivent pas aller, pour ne pas rompre l'harmonie des éléments de la Création.

6. Voyez comme les hommes agissent différemment sur la Terre, qui dans leur empressement d'être grands et puissants dans le monde, sans le moindre respect pour Mes enseignements, cherchent, avec la clef de la science, les éléments destructeurs, ouvrent les portes de forces inconnues et brisent, de cette manière, l'harmonie de la Nature qui les entoure!

7. Quand l'homme saura-t-il se préparer pour écouter le sage conseil du Monde spirituel, et se laissera guider, de la sorte, par ses inspirations?

8. En vérité Je vous le dis, cela vous suffirait pour vous mener par la voie sure vers le sommet de la montagne qui vous appartient, là vous contempleriez devant vous un chemin droit et lumineux que les esprits ont parcouru, lesquels existent, à présent, seulement pour vous procurer le bien et vous aider dans vos lassitudes, en vous rapprochant pas à pas du bout du

chemin, où votre Père vous attend tous.

9. Puisque Je vous ai parlé de la bonté et de l'élévation de ces êtres, Je dois vous dire qu'eux, tout comme vous, eurent aussi, depuis le commencement, le don du libre arbitre, ou encore, une vraie et sainte liberté d'action qui est une preuve de l'amour du Créateur pour ses enfants. (20, 28-36)

10. Vous ne voyagez pas seuls, parce que mon souffle et ma lumière accompagnent chacun de vous; mais si cela vous paraissait peu, J'ai disposé aux côtés de chaque créature humaine, un être spirituel de lumière pour veiller sur vos pas, pour vous prévenir d'un quelconque danger, pour vous servir de compagnie dans votre solitude et pour vous servir de soutien lors de votre voyage. Ces êtres sont ceux que vous appelez les anges gardiens ou anges protecteurs.

11. Ne soyez jamais ingrats à leur égard, ni ne soyez sourd à leurs inspirations, parce que vos seules forces ne vous suffiront pas pour triompher de toutes les épreuves de la vie, vous avez besoin de ceux qui vont plus en avant que vous et qui connaissent votre chemin, parce que Je leur ai révélé quelque chose de votre futur.

12. La lutte de ces êtres est très ardue tant que vous n'atteindrez pas la spiritualité, parce que vous faites très peu d'efforts pour les aider dans leur délicate mission.

13. Quand votre spiritualité vous permettra de sentir et de vérifier la présence de vos frères qui, dans l'invisible et sans aucune ostentation, travaillent pour votre bien-être et votre progrès, alors vous éprouverez du regret de les avoir obligés à travailler et à souffrir beaucoup en raison de vos péchés. Mais, quand cette compréhension surgira en vous, ce sera dû au fait que la lumière se fit dans votre entendement et la charité jaillira envers eux, la gratitude et la compréhension.

14. Combien grand sera le bonheur ressenti par ces gardiens, qui sont les vôtres, quand ils vous verront seconder leur travail et leur inspiration s'harmoniser avec votre élévation!

15. Dans la vallée spirituelle, vous avez tant de frères et d'amis que vous ne connaissez pas!

16. Demain, quand la connaissance au sujet de la vie spirituelle se sera étendue au Monde, l'humanité reconnaîtra l'importance de ces êtres à vos côtés et les hommes béniront ma providence. (334, 70-76)

17. En vérité Je vous le dis, si votre foi était véritable, vous n'auriez pas besoin de sentir la présence du spirituel avec les sens de la chair; parce que serait alors l'esprit qui, avec sa subtile sensibilité, percevrait ce monde qui vibre sans arrêt autour de vous.

18. Oui, humanité, si vous vous sentez distants du Monde Spirituel, en revanche, ces êtres ne peuvent pas se

sentir éloignés des hommes, étant donné que, pour eux, il n'existe de distances, ni de limites, ni de barrières. Ils vivent dans le spirituel et, par conséquent, ne peuvent être étrangers à la vie des êtres humains dont le plus haut destin est celui de l'élévation et du perfectionnement de leur esprit. (317, 48-49)

19. La seule distance qui existe entre vous et Dieu, ou entre vous et un être spirituel, n'est pas une distance matérielle, sinon spirituelle, provenant de votre manque de préparation, de votre manque de pureté ou de disposition pour recevoir l'inspiration et l'influence spirituelles.

20. N'établissez jamais cette distance entre vous-mêmes et votre Maître, ou entre vous-mêmes et le Monde Spirituel et vous jouirez toujours des bienfaits que mon amour répand sur ceux qui savent le chercher. Vous aurez toujours la sensation que le monde spirituel vibre en osmose avec le cœur de ceux qui se préparent pour le sentir.

21. Si vous n'agissez pas de la sorte, combien grande sera la distance que l'humanité de cette ère établira entre elle et la vie spirituelle! Tellement grande, que c'est pour cela que les hommes d'aujourd'hui perçoivent Dieu infiniment distant d'eux et qu'ils imaginent le Ciel lointain et inaccessible. (321, 76-78)

22. Je vous affirme qu'il n'existe pas un seul esprit humain qui ne vive sous l'influence du Monde Spirituel.

23. Beaucoup le nieront, mais personne ne pourra prouver qu'il soit impossible que l'esprit de l'homme reçoive les pensées et les inspirations, non seulement des êtres spirituels, mais aussi celles de ses propres semblables, et même aussi les Miennes.

24. Ceci constitue une révélation pour toute l'humanité, révélation qui, en étant diffusée, trouvera des cœurs ouverts qui la recevront avec une grande joie, de même qu'elle devra aussi rencontrer des adversaires acharnés et des persécuteurs.

25. Mais, que pourront-ils faire pour empêcher la Lumière du Royaume Spirituel de briller dans la vie des hommes? A quels moyens les incrédules pourront-ils recourir pour éviter cette vibration? Qui est celui qui se croit en dehors de l'influence universelle, qui est la force créatrice et vivifiante de Dieu?

26. Je m'adresse à votre conscience, à votre esprit et à votre raison, mais Je vous répète que vous recevez tous des messages, des idées et des inspirations d'autres lieux, et que, de même que vous ignorez d'où vint votre esprit pour s'incarner dans ce corps que vous possédez, de même vous ne connaissez pas non plus ceux qui se communiquent avec lui invisiblement et insensiblement. (282, 33-37)

Esprits perturbés et malicieux

27. Cette époque est différente de la Première et de la Seconde. Aujourd'hui, vous vivez au milieu d'un chaos d'éléments déchaînés,

visibles et invisibles. Malheur à celui qui ne veille pas, car il succombera, quant à celui qui est préparé, il doit lutter!

28. Des milliers d'yeux invisibles vous contemplent, les uns pour vous guetter sur votre passage et vous faire tomber, et les autres pour vous protéger. (138, 26-27)

29. Les grandes légions d'esprits troublés, profitant de l'ignorance de l'humanité, de son insensibilité et de son manque de vision spirituelle, lui font la guerre, et les hommes n'ont pas préparé leurs armes d'amour pour se défendre de leurs attaques. C'est pourquoi, devant cette lutte, ils apparaissent comme des êtres vulnérables et sans défenses.

30. Il était impérieux que ma Doctrine Spirituelle vous parvienne, afin de vous enseigner comment vous préparer pour émerger victorieux de ce conflit.

31. De ce monde invisible qui palpite et vibre dans votre propre monde, partent des influences qui touchent les hommes, soit dans leur esprit, soit dans leurs sentiments ou encore dans leur volonté, en les convertissant en serviteurs soumis, en esclaves, en instruments et en victimes. Partout, les manifestations spirituelles surgissent, et pourtant le monde continue sans souhaiter se rendre compte de ce qui entoure son esprit.

32. Il est nécessaire de commencer la bataille et détruire les ténèbres afin que, lorsque se fera la lumière dans les hommes, tous se lèvent unis dans une vraie communion et qu'ils triomphent, avec la prière, dans la lutte qu'ils entreprennent contre les forces qui les ont si longtemps dominés.

33. Des hommes et des peuples ont succombé au pouvoir de ces influences sans que l'humanité ne s'en rende compte. Des maladies étranges et inconnues, produites par ces influences, ont abattu les hommes et ont confondu les scientifiques.

34. Que de discorde, de confusion et de douleur l'homme a-t-il accumulées sur lui-même! Les manques de prière, de moralité et de spiritualité ont attiré les êtres impurs et perturbés. Mais, que peut-on attendre de ceux qui sont partis sans lumière et sans préparation?

35. Les voilà ceux que vous avez trompés et opprimés, ceux que vous avez confondus et humiliés! Ils ne peuvent vous envoyer que confusion et ténèbres, et ne peuvent exercer que des vengeances, et ne viennent à vous que pour vous adresser des reproches. (152, 22-28)

36. Des légions d'êtres ténébreux arrivent parmi l'humanité, comme des nuages de tempête, en causant des bouleversements, en perturbant les mentalités et en aveuglant le cœur des hommes. Et bien que cette humanité ait des armes pour se défendre de ces pièges, les uns ne savent pas comment les manier, tandis que les autres n'imaginent même pas les avoir. (240, 53)

37. L'Humanité d'aujourd'hui, aussi grande que vous la considériez en nombre, est très petite comparée au monde d'êtres spirituels qui l'entourent, et avec quelle force ces légions envahissent-elles les chemins des hommes, tandis que ceux-ci ne perçoivent, ne sentent, ni n'entendent ce monde qui s'agite autour d'eux! (339, 29)

38. Un homme abandonné à une vie de péché est capable de traîner derrière lui une légion d'êtres des ténèbres qui feront en sorte qu'à chaque pas, il laisse un sillage d'influences maléfiques. (87, 7)

39. Si vous pouviez voir, d'ici, la vallée spirituelle où habitent les êtres matérialisés, ceux qui n'ont rien façonné en vue du voyage spirituel, après cette vie, vous demeureriez anéantis; mais ni l'espace d'un instant vous ne diriez: « Que la justice de Dieu est terrible! » Non! En revanche, vous vous exclameriez: « Combien ingrats, injustes et cruel sommes-nous envers nous-mêmes! Combien indifférents sommes-nous à notre esprit et, comment froids et indifférents avons-nous été en tant que disciples de Jésus! »

40. C'est pourquoi le Père a permis que ces êtres se manifestent parfois dans votre vie et qu'ils vous transmettent le message douloureux, angoissé de leur vie obscure et sans paix. Ils sont les habitants d'un monde qui n'a pas l'accès à la lumière radiante des demeures spirituelles, ni aux beautés de la Terre qu'ils habitèrent. (213, 52-53)

41. Les légions d'esprits qui errent de par le monde, frappant de distinctes manières aux portes du cœur de l'humanité, souvent sont des voix qui veulent vous dire de vous réveiller, d'ouvrir vos yeux à réalité, de vous repentir de vos erreurs et de vous régénérer, afin que plus tard, lorsque vous laisserez votre matière au sein de la terre, vous ne deviez pas pleurer, comme eux dans leur solitude, leur ignorance et leur matérialisme. Et voici la lumière qui jaillit des mêmes ténèbres parce que la feuille de l'arbre ne se meut pas sans ma volonté; de même ces manifestations qui augmentent de jour en jour parviendront à accabler les hommes de telle façon, que finalement ils vaincront le scepticisme de l'humanité. (87, 65)

42. Priez pour ceux qui s'absentent d'entre vous et partent vers l'Au-Delà, parce que tous ne réussissent pas à trouver le chemin, tous ne savent pas s'élever, et tous n'obtiennent pas rapidement la paix.

43. Il y en a qui, en esprit, vivent obsédés par la vie matérielle. Quelques-uns souffrent le grand repentir; d'autres se retrouvent insensibles, enterrés sous la terre avec leurs corps, et d'autres ne peuvent pas se séparer des leurs, de ceux qui restèrent dans le monde, parce que les pleurs, l'égoïsme et l'ignorance humaine les retiennent et les

matérialise, en les privant de la paix, de la lumière et du progrès.

44. Laissez partir ceux qui habitent encore ce monde mais qui ne lui appartiennent déjà plus, laissez-les abandonner les biens qu'ils possédèrent et aimèrent en cette vie, afin qu'ils puissent élever leur esprit à l'infini où les attend leur véritable héritage. (106. 35 - 37)

45. Votre esprit sera très heureux d'être reçu par eux lors de votre arrivée dans la vallée spirituelle et de recevoir des témoignages de gratitude pour la charité que vous leur avez offerte et votre bonheur sera grand quand vous les verrez inondés de lumière.

46. Mais combien sera-ce douloureux de vous retrouver avec cette légion d'êtres, assombrie par la confusion et de savoir qu'ils attendirent une charité de votre part et que, vous-autres, ne la leur avez pas donnée. (287, 58)

47. Vous, les humains, si Je vous traite avec autant d'amour et de charité, Je vous le dis, certes: Je recherche, avec la même caresse, ceux qui, dans la vallée spirituelle, expient leurs fautes passées. J'envoie ma lumière à ces êtres pour les libérer de la confusion qui est comme les ténèbres, et du remord qui est le feu, pour les envoyer, par la suite, parmi les hommes afin que ceux qui, hier, semèrent la douleur dans les cœurs, maintenant revêtus de lumière,

deviennent les bienfaiteurs et gardiens de leurs propres frères. (169, 6)

La lutte des esprits pour les âmes humaines

48. Au-delà de votre vie humaine, il existe un monde d'esprits, vos frères, êtres invisibles pour l'homme, qui luttent entre eux pour vous conquérir.

49. Cette lutte, entre eux, provient de leur différence d'évolution. Pendant que les êtres de lumière, élevés par l'idéal d'amour, de l'harmonie, de la paix et du perfectionnement, vont arroser de lumière le chemin de l'humanité, en lui inspirant toujours le bien et en lui révélant tout ce qui est pour le bien des hommes. Les autres qui conservent encore le matérialisme de la Terre, qui n'ont réussi à se défaire de leur égoïsme et de leur amour pour le monde ou qui alimentent, pour un temps indéfini, les tendances et les penchants humains, sont ceux qui sèment de confusion le chemin de l'humanité, en aveuglant les esprits, en éblouissant les cœurs, en asservissant les volontés pour se servir des hommes, les convertissant en instruments de leurs plans, ou en les considérant comme s'ils étaient leurs propres corps.

50. Pendant que le monde spirituel de lumière lutte pour conquérir l'esprit de l'humanité pour lui ouvrir une brèche sur l'éternité; que ces légions bénies travaillent sans s'arrêter, en se multipliant en amour, convertis en infirmiers au chevet du lit de douleur, de conseillers à la droite

de l'homme qui porte le poids d'une grande responsabilité, de conseillers à la jeunesse, de gardiens de l'enfance, de compagnons de ceux qui vivent seuls et oubliés: les légions d'êtres sans la lumière de la sagesse spirituelle et sans l'élévation de l'amour travaillent aussi sans cesse parmi l'humanité, mais leur but n'est pas de vous faciliter la route vers le royaume spirituel, non, l'idée de ces êtres est diamétralement opposée, leur intention est de dominer le monde, de continuer d'en être les propriétaires, de se perpétuer sur la Terre, de dominer les hommes en les convertissant en esclaves et en instruments de leur volonté, bref, de ne pas se laisser déposséder de ce que qu'ils ont toujours considéré comme leur: le monde.

51. Donc, disciples: Entre les uns et les autres existe une lutte intense, une lutte que vos yeux corporels ne voient pas; mais dont les effets se font sentir jour après jour, dans votre monde.

52. Afin que cette humanité puisse se défendre et se libérer des mauvaises influences, elle doit avoir connaissance de la vérité qui l'entoure, elle doit apprendre à prier avec l'esprit et savoir aussi le nombre de dons dont il dispose, afin de pouvoir les utiliser comme armes dans cette grande bataille du bien contre le mal, de la lumière contre les ténèbres, et de la spiritualité contre le matérialisme.

53. Précisément, le monde spirituel de lumière travaille et lutte, en préparant tout afin que le monde parvienne un jour à se mettre sur la voie du chemin de la spiritualité.

54. Réfléchissez à tout cela et vous pourrez imaginer l'intensité de cette lutte pour vos frères spirituels qui travaillent pour le salut des hommes, une lutte qui est, pour eux, un calice dans lequel, à chaque instant, vous leur faites boire l'amertume de l'ingratitude, puisque vous vous limitez à recevoir d'eux tout le bien qu'ils vous font, mais sans jamais accomplir votre part pour les seconder dans leur lutte.

55. Peu nombreux sont ceux qui savent se joindre à eux, peu sont ceux qui savent être sensibles à leurs inspirations et obéissants à leurs indications, mais ceux qui décident de le faire, comme ils marchent forts, ceux-là, au travers de la vie, comme ils se sentent assurés, et quelles réjouissances et inspirations enchantent leur esprit!

56. La majorité des hommes luttent entre ces deux influences, sans se décider pour l'une ou l'autre, sans s'abandonner complètement au matérialisme, mais sans faire d'efforts pour s'en libérer pour spiritualiser leur vie; c'est-à-dire, pour l'élever par le bien, le savoir et la force spirituelle. Ceux-ci sont en pleine lutte intérieure.

57. Ceux qui ont complètement cédé au matérialisme, en ne s'inquiétant plus au sujet de la voix de la conscience et en ignorant tout ce qui se réfère à leur esprit, ils ne luttent déjà plus, ils ont été battus au combat. Ils croient avoir triomphé, ils croient être libres, et ne se rendent pas

compte qu'ils sont prisonniers, et qu'il sera impérieux que les légions de la lumière viennent dans les ténèbres, pour les libérer.

58. J'envoie ce message de lumière à tous les peuples de la Terre pour qu'il soit le réveil des hommes, afin qu'ils se rendent compte de l'identité de l'ennemi qu'ils doivent combattre jusqu'à le vaincre, et quelles sont les armes qu'inconsciemment, ils portent déjà. (321, 53-63)

Le rapport avec le monde des esprits de Dieu

59. Disciples, réveillez-vous et reconnaissez l'époque dans laquelle vous vous trouvez. Je vous dis que, de même que personne ne pourra retenir Ma justice, personne non plus ne pourra fermer les portes de l'Au-delà que Ma charité a ouvertes pour vous. Personne ne pourra éviter que, de ces mondes, les messages de lumière, d'espoir et de sagesse ne descendent parmi les hommes. (60, 82)

60. Je vous ai permis de vous communiquer brièvement avec les êtres de l'Au-delà, ce que je n'autorisai pas dans au Second Temps, parce que vous n'y étiez pas préparés, ni les uns ni les autres. Cette porte a été ouverte par Moi en ce temps, et en cela j'accomplis les annonces de mes prophètes et quelques-unes de mes propres promesses.

61. En 1866, cette porte invisible s'ouvrit à vous, de même que celles du cerveau des élus, pour manifester

le message que les esprits de lumière devraient apporter aux hommes.

62. Avant cette année, des êtres spirituels, lesquels furent les signes précurseurs de ma venue, venaient se manifester parmi les nations et les peuples de la Terre. (146, 15)

63. Si ces hommes de maintenant n'étaient pas si durs et insensibles, ils recevraient certainement continuellement des messages du monde spirituel, et veut à temps voyez eux-mêmes ont entouré par multitudes d'existences qui travaillent pour l'éveil d'hommes sans cesse. Ils auraient la preuve alors qu'ils ne sont jamais seuls.

64. Quelques-uns appellent ce monde « l'invisible » et d'autres l'appellent, « l'au-delà ». Pourquoi? Parce qu'ils n'ont pas la foi nécessaire de voir simplement le spirituel, et parce que leur petitesse humaine les fait se sentir distant et étrange d'un monde qu'ils devraient sentir dans leurs coeurs. (294, 32-33)

65. Il vous surprend qu'un esprit se manifeste, ou communique avec vous, sans penser que vous aussi, vous vous manifestez et que vous communiquez même avec d'autres mondes, d'autres endroits.

66. Votre corps ne se rend pas compte que votre esprit, dans les moments de prière, communique avec Moi. Vous ne savez pas comment percevoir le rapprochement que vous avez avec votre Seigneur, et pas seulement avec mon Esprit, mais aussi

avec celui de vos frères spirituels dont vous vous souvenez dans les moments de prière.

67. Vous ne vous rendez pas compte que dans votre repos, quand votre corps matériel dort, l'esprit, conformément à son évolution et spiritualité, se sépare du corps pour se présenter dans les endroits éloignés, dans des habitations spirituelles que vous ne pouvez même pas imaginer.

68. Personne ne sera surpris par ces révélations, parce que vous comprendrez que vous approchez la plénitude de temps. (148, 75-78)

69. Je souhaite que la pensée pure soit la langue avec laquelle vous communiquez avec vos frères qui demeurent dans le monde spirituel; que grâce à cette forme, que vous comprenez l'un et l'autre, et que vos mérites et vos bons travaux leur seront vraiment utiles, aussi bien que l'influence de certains de mes enfants qui, par leur inspiration et leur protection, sera une assistance puissante dans votre voyage pour arriver tous unis jusqu'à Moi.

70. Spiritualisez-vous, et vous éprouverez dans vos vies la présence bienvenue de ces êtres: La berceuse de la mère qui a laissé son fils dans le Monde, et la chaleur et le conseil du Père qui aussi avait dû partir. (245, 7-8)

71. Ce Travail sera critiqué et sera repoussé par beaucoup quand ils sauront que dans lui seront contenues les manifestations d'existences spirituelles. Ne craignez rien, seulement les ignorants seront ceux qui combattront cette partie de mes enseignements.

72. Combien de fois les apôtres, les prophètes, et les envoyés du Seigneur ont parlé au monde sous l'influence du monde spirituel sans que l'humanité ne s'en rende compte? Et combien de fois, dans vos propres vies, chacun de vous a agi et parlé sous la volonté d'existences spirituelles sans les avoir perçues? Et c'est ce qui s'est toujours produit et que, maintenant, Je vous confirme. (163, 24-25)

73. Si c'est simplement la curiosité qui vous emmène à rechercher une communication avec l'Au-delà, vous ne trouverez pas la vérité; si vous avez un sentiment de vanité ou de désir de grandeur, alors vous n'obtiendrez pas une communication véritable; si la tentation envahit votre coeur dans les faux buts ou les intérêts mesquins, pas davantage vous n'obtiendrez la communication avec la lumière de mon Saint-Esprit. Seulement votre respect, votre prière claire, votre amour, votre charité, et votre élévation spirituelle, effectuera le prodige que votre esprit étende ses ailes, traverse l'espace, et vienne aux demeures spirituelles où vous retrouverez ma Volonté.

74. C'est la grâce et le réconfort que le Saint-Esprit vous réserve pour que vous puissiez contempler un seul endroit, et que vous soyez convaincus que la mort et la distance n'existent

pas. Que pas même une de mes créatures ne meurt à la vie éternelle; pour que, dans ce Troisième Temps, vous puissiez offrir une étreinte spirituelle à ces êtres que vous avez connus et aimés, et perdus dans ce monde matériel, mais que vous n'avez pas perdu dans le monde spirituel: L'éternité.

75. Nombreux sont ceux qui se sont communiqués avec ces existences au travers de mes ouvriers, cependant, en vérité Je vous le dis, ce n'était pas une communication parfaite, et s'approche le temps où les esprits incarnés et les désincarnés pourront se communiquer entre eux d'esprit à esprit, sans employer aucun autre moyen matériel: par inspiration et à travers le cadeau de la sensibilité spirituelle, et à travers la révélation ou la pensée. Les yeux de votre esprit seront capables de sentir la présence de l'Au-delà, et alors votre coeur sentira le passage des êtres qui peuplent la vallée spirituelle. Alors l'allégresse de votre esprit sera grande, comme votre volonté, votre connaissance et votre amour pour le Père.

76. Alors vous connaîtrez la vie de votre esprit: qui est, et qui était, en vous reconnaissant à vous-mêmes sans considérer vos limites insignifiantes qui correspondent à votre forme matérielle, car le Père vous dit: En vérité, votre matière est petite, mais votre esprit ressemble à mon propre Esprit Divin. (224, 21-24)

Chapitre 42 - Faute et pénitence, épreuves et souffrances

Le besoin du repentir et de l'expiation

1. Si souvent Je vous permets d'aller jusqu'au fond du même calice que celui que vous donnâtes à vos frères, certains ne comprennent, que de cette forme, le mal qu'ils causèrent et, en passant par la même épreuve que celle qu'ils firent passer à d'autres, ils connaîtront la douleur qu'ils provoquèrent, cela illuminera leur esprit et fera surgir la compréhension, le repentir et, par conséquent, l'accomplissement de Ma Loi.

2. Mais si vous souhaitez éviter de passer par la douleur sans boire jusqu'à la lie le calice d'amertume, vous pouvez y parvenir en payant votre dette par le repentir, par de bonnes actions, tout ce que votre conscience vous dit de faire. C'est ainsi que vous solderez quelque dette d'amour et que vous rendrez un acte d'honneur, une vie, la paix, la santé, la joie ou le pain que vous auriez volé, à un moment de votre vie, à vos frères.

3. Voyez comme la réalité de ma justice est différente de cette idée que vous vous étiez formés de votre Père.

4. N'oubliez pas que si Je suis venu vous dire qu'aucun de vous ne se perdra, il est vrai aussi que Je vous ai dit que toute dette devra être soldée et toute faute effacée du Livre de la Vie. A vous de choisir le chemin pour arriver jusqu'à Moi. Le libre arbitre vous appartient encore.

5. Si vous préférez la loi du Talion des temps anciens, comme la pratiquent encore les hommes, depuis leurs fières nations, voyez ses résultats.

6. Si vous voulez que la mesure avec laquelle vous jugez vos frères soit aussi utilisée pour vous mesurer, n'attendez même pas votre entrée dans l'autre vie pour recevoir ma justice, parce qu'ici au moment où vous y attendrez le moins, vous vous trouverez dans la même situation pénible que celle dans laquelle vous avez placé vos frères.

7. Mais si vous souhaitez qu'une loi plus élevée vous vienne en aide, non seulement pour vous libérer de la douleur, qui est ce que vous craignez le plus, mais aussi pour vous inspirer les nobles pensées et les bons sentiments, priez, appelez-moi, et continuez, au long de votre chemin, de lutter pour être meilleur à chaque fois, pour être forts dans les épreuves, bref, pour parvenir à payer, avec amour, la dette que vous avez envers votre Père et envers vos semblables. (16, 53-59)

8. L'un ou l'autre me demande habituellement: Maître, si vous pardonnez nos fautes, pourquoi permettez-vous que nous les lavions par la douleur? Ce à quoi Je réponds:

Je vous pardonne, mais il est nécessaire que vous répariez ces fautes afin de restituer, à votre esprit, sa pureté. (64, 14)

9. Je vous ai dit que jusqu'à l'ultime tache sera effacée du cœur de l'homme, mais Je vous déclare aussi que chacun devra effacer ses propres taches. Souvenez-vous que Je vous dis: « Vous serez mesurés avec la même mesure que celle avec laquelle vous mesurez » et « On récolte ce que l'on sème ». (150, 47)

10. Des offrandes matérielles que l'humanité m'offre, Je ne reçois seulement que la bonne intention, lorsque celle-ci est vraiment bonne, parce qu'une offrande ne représente pas toujours une intention noble et élevée. Combien souvent les hommes me présentent-ils leur offrande dissimuler leurs méchancetés ou pour me demander quelque chose en retour. C'est pourquoi Je vous dis que la paix de l'esprit ne s'achète pas, que ses taches ne se lavent pas avec la richesse matérielle, même si vous pouvez m'offrir le plus grand des trésors.

11. Le repentir, le regret de m'avoir offensé, la régénération, la correction, la réparation des fautes commises, le tout avec l'humilité que je vous ai enseignée, tout ceci constitue les vraies offrandes du cœur, de l'esprit et de la pensée que les hommes pourront me présenter, lesquelles sont infiniment plus agréables à votre Père

que l'encens, les fleurs et les bougies. (36, 27-28)

La loi de l'expiation

12. Vous avez eu occasion après occasion pour comprendre mon amour infini pour vous, parce que Je vous ai accordé et concédé à votre être l'opportunité de réparer vos erreurs, de purifier et de perfectionner votre esprit, plutôt que de vous punir ou de vous condamner éternellement, comme vous le pensiez auparavant.

13. Qui est celui qui, connaissant ces leçons et qui ait la foi qui renferme la vérité, osera se dévier de sa mission dans le monde, en sachant que, de cette manière, il préparerait une restitution encore plus difficile pour son esprit?

14. Parce que, s'il est vrai que ma justice vous offre de nouvelles possibilités d'effacer vos taches et de réparer vos erreurs, il est vrai aussi que le nombre d'épreuves augmente en chaque occasion, et que les tâches et les souffrances sont, à chaque fois, plus intenses, comme sont plus intenses aussi les erreurs commises.

15. Votre devoir, pour ne pas parler de punition, consistera en réparer, restaurer, restituer et solder jusqu'au dernier compte. Personne, ni votre Père Céleste, ni vos frères de la Terre ou de la vallée spirituelle, ne fera ce que vous devrez accomplir, encore que Je doive vous dire que J'accourrai toujours à votre appel, que lorsque vous vous considèrerez seuls ou abandonnés, vous sentirez ma présence et que le monde spirituel

vient toujours pour vous aider à porter le poids de votre croix. (289, 45-47)

16. Seuls mon amour et ma justice peuvent protéger, à présent, ceux qui en ont faim et soif. Moi seul sais comment recevoir, dans ma justice parfaite, celui qui attente contre sa propre existence.

17. Si vous saviez que la solitude de l'esprit est plus terrible que la solitude de ce monde, vous attendriez le dernier jour de votre existence avec patience et courage. (165, 73-74)

18. Je ne détruis aucun de mes enfants. Ils ont beau m'offenser, je les garde et leur donne la chance de corriger leur faute et de reprendre le chemin qu'ils avaient abandonné. Mais, bien que Je leur aie pardonné, ils récoltent le fruit de leurs actions, et ce sont elles qui les jugent et leur indiquent le droit chemin. (96, 55)

La raison des épreuves et des souffrances

19. Connaissez-vous vous-mêmes. J'ai contemplé l'existence de l'humanité de toutes les époques et Je sais ce qui a été la cause de toutes ses douleurs et de tous ses malheurs.

20. Depuis les premiers temps, J'ai vu les hommes s'ôter la vie à cause de l'envie, du matérialisme et pour l'ambition du pouvoir; ils ont toujours négligé leur esprit, en se croyant seulement matière et, lorsqu'est venue l'heure de laisser leur forme humaine sur la Terre, il n'a subsisté que ce qu'ils accomplirent durant leur vie

matérielle, sans recueillir aucune gloire pour l'esprit parce qu'ils ne la recherchèrent pas; ils ne pensèrent pas en elle ni ne se préoccupèrent des vertus de l'esprit, ni sa connaissance. Ils se limitèrent à vivre sans chercher le chemin qui les mène à Dieu. (11, 42-43)

21. A présent, malgré le progrès de votre civilisation, vous vous êtes éloignés de plus en plus de la Nature matérielle, aussi bien que du spirituel, de ce qui est pur, de ce qui est de Dieu, c'est pourquoi, à chaque étape de votre vie, vous tombez dans une plus grande faiblesse, dans une plus grande amertume, malgré vos désirs de parvenir à être plus forts et plus heureux chaque jour que vous passez sur la Terre; mais vous ferez un pas vers l'accomplissement de ma Loi, Ô habitants du monde! (16, 35)

22. Les épreuves que vous rencontrez sur votre chemin n'ont pas été disposées par le hasard, c'est Moi qui vous les ai envoyées pour que vous gagniez des mérites. La feuille de l'arbre ne se meut pas sans ma volonté et Je suis présent aussi bien dans les grandes que dans les petites oeuvres de la Création.

23. Veillez et priez afin que vous puissiez comprendre quel est le fruit que vous devez recueillir de chaque épreuve pour que votre expiation soit la plus brève que possible. Portez votre croix avec amour et Je ferai en sorte que vous supportiez votre restitution avec patience. (25, 6)

24. Si, entre rires, plaisirs et vanités, les hommes M'oublient, et vont même jusqu'à Me renier, pourquoi sont-ils intimidés et tremblent-ils lorsqu'ils recueillent la récolte de larmes qui tourmente leur esprit et leur corps? Alors, ils blasphèment en disant que Dieu n'existe pas.

25. L'homme est vaillant pour pécher, déterminé pour quitter le chemin de ma Loi; mais Je vous assure qu'il est trop lâche quand il s'agit de restituer et de solder ses dettes. Néanmoins, Je vous fortifie dans votre lâcheté, je vous protège dans vos faiblesses, je vous réveille de votre léthargie, je sèche vos larmes et je vous donne de nouvelles opportunités pour que vous récupériez la lumière perdue et que vous retrouviez le chemin oublié de ma Loi.

26. Je viens vous apporter, comme au Second Temps, le pain et le vin de la vie, le même pour l'esprit que pour le corps, afin que vous viviez en harmonie avec tout ce qui fut créé par votre Père.

27. Les vertus fleurissent sur mes chemins, en revanche, les vôtres sont couverts d'épines, d'abîmes et d'amertumes.

28. Celui qui dit que les chemins du Seigneur regorgent de ronces, ne sait pas ce qu'il dit, parce que Je n'ai pas créé la douleur pour aucun de mes enfants; mais ceux qui se sont éloignés du sentier de lumière et de paix, devront souffrir les conséquences de leur faute, une fois qu'ils reviendront à lui.

29. Pourquoi bûtes-vous le calice d'amertume? Pourquoi oubliâtes-vous le commandement du Seigneur, de même que la mission que Je vous confiai? Parce que vous substituâtes ma Loi pour les vôtres, et voilà les résultats de votre vaine sagesse: Amertume, guerre, fanatisme, désillusions et mensonges qui vous asphyxient et vous emplissent de désespoir. Et le plus douloureux pour l'homme matérialisé, pour celui qui soumet tout à ses calculs aux lois matérielles de ce monde, c'est que, après cette vie, il se trouvera encore en train de porter le fardeau de ses erreurs et de ses tendances. Alors, la souffrance de votre esprit sera très grande.

30. Secouez ici votre fardeau de péchés, respectez ma Loi et venez rapidement. Demandez pardon à tous ceux que vous auriez offensés et laissez-Moi le reste, puisque votre temps pour aimer sera bref, si toutefois vous vous décidez à le faire vraiment. (17, 37-43)

31. Venez à Moi, tous ceux qui portez un chagrin caché dans le cœur. Vous avez, cachée, la douleur qu'une trahison vous a causée et votre amertume est très grande parce que c'est un être très cher qui vous a blessés profondément.

32. Venez méditer, afin que la prière vous éclaire et que vous puissiez savoir si, à un quelconque moment, vous fûtes la cause de votre propre trahison, alors la prière vous servira pour vous fortifier dans l'idée

que vous devez pardonner à ceux qui vous trahissent dans votre amour, dans votre foi et dans votre confiance.
33. En vérité Je vous le dis, à l'instant même que vous accordez votre pardon à celui qui vous a offensé, vous sentirez ma paix dans toute sa plénitude, parce qu'à ce moment, votre esprit se sera uni au Mien et Moi j'étendrai mon manteau pour vous pardonner et vous couvrir, les uns et les autres, de mon amour. (312, 49-51)

34. Certes, le Maître vous dit: J'ai préparé un Royaume de paix et de perfection pour chaque esprit, cependant, à ce Royaume que J'ai préparé, un autre royaume s'oppose: le monde. Si mon Règne se conquiert par l'humilité, l'amour et la vertu; pour posséder l'autre royaume, il faut de l'orgueil, de l'ambition, de l'arrogance, de l'avidité, de l'égoïsme et du mal.
35. En tous temps, le monde s'est opposé à mon Royaume. En tous temps, ceux qui me suivent ont été troublés sur leur chemin, ils ont été tentés, tant par des influences visibles que par des forces invisibles.
36. Ceci n'est pas la seule époque en laquelle vous marchez sur des épines pour arriver jusqu'à Moi; ce n'est pas la première fois que votre esprit trébuche pour atteindre ma présence; en tous temps, vous avez porté la lutte au plus profond de votre être.
37. L'inspiration de mon Esprit, en éclairant votre for intérieur, a entablé une bataille contre les ténèbres, les fausses lumières, les fausses vertus, la matière, tout ce qui est superflu et toute la fausse grandeur de ce monde. (327,3)

38. Je bénis et sanctifie la douleur que vous avez supportée pour ma cause. Je les bénis et les sanctifie parce que tout ce que vous souffrez pour ma cause vous rendra éternellement dignes. (338, 61)

Foi, résignation et humilité dans les épreuves
39. La vie humaine est, pour l'esprit, le creuset où il se purifie et l'enclume sur laquelle il se forge. Il est indispensable que l'homme ait un idéal en son esprit, foi en son Créateur et amour pour son destin, pour pouvoir porter sa croix, avec patience, jusqu'au sommet de son Calvaire.
40. Sans la foi en la vie éternelle, l'homme tombe dans le désespoir. Au milieu des épreuves, sans idéaux élevés, il sombre dans le matérialisme, et sans forces pour supporter une déception, il se perd dans le découragement ou dans le vice. (99, 38-39)

41. Je vous dis d'aimer votre croix, parce que si vous vous rebellez pour la porter sur le dos, la douleur ouvrira une profonde blessure dans votre cœur. Moi, J'aime ma croix, ô peuple. Et savez-vous ce que J'appelle ma croix? Vous, ô humanité que j'aime tellement, vous constituez ma croix. (144, 20)

42. La foi, la résignation et l'humilité devant ce que J'ai disposé, rendront le voyage plus court, parce que vous ne foulerez pas plus d'une fois le chemin douloureux; mais, si dans les épreuves surgit la rébellion, la non-acceptation et le blasphème, alors l'épreuve se prolongera, parce que vous devrez parcourir, à nouveau, ce chemin jusqu'à apprendre la leçon. (139, 49)

43. Je vous dis que les épreuves que l'homme, en ce temps, s'est préparées à lui-même, sont très grandes, parce que, de la sorte, elles lui sont nécessaires à son salut.

44. C'est au travers de ce qui est le plus aimé de chaque homme que la justice éternelle arrivera pour considérer l'œuvre de chaque créature humaine.

45. Qu'il est important que cette humanité parvienne à la connaissance de ce que signifie la restitution spirituelle, afin qu'ainsi, pensant que l'esprit a un passé que Dieu est le seul à connaître, elle accepte avec amour, patience, respect, et même joie, son calice d'amertume, en sachant qu'en cela elle efface les taches passées ou présentes, solde des dettes et gagne des mérites au regard de la Loi!

46. Il n'y aura pas d'élévation dans la douleur tant que l'on ne souffrira pas avec amour, avec respect de ma justice et avec résignation face à ce que chacun s'est forgé pour lui-même; cependant, seule la connaissance au sujet de la signification de la Loi de la restitution spirituelle pourra procurer,

aux hommes, cette élévation au milieu des épreuves. (352, 36-37 et 42-43)

La signification des souffrances et de la douleur

47. Si vous attribuez les épreuves de la vie au hasard, vous pourrez difficilement être forts; mais si vous avez une notion de ce que sont l'expiation, la justice et la restitution, alors dans votre foi vous trouverez élévation et résignation pour vaincre dans les épreuves.

48. Il me plait de tester votre esprit de plusieurs façons parce que Je le façonne, Je le modèle et le perfectionne; c'est pourquoi Je me sers de tout et de tous. Je me sers autant, comme instrument, d'un juste que d'un scélérat, Je me sers autant de la lumière, que Je convertis les ténèbres en mes serviteurs. C'est pour cela que Je vous dis que, lorsque vous vous trouvez dans un moment difficile, pensez à Moi, à votre Maître qui, avec tout l'amour, vous expliquera la raison de cette épreuve.

49. Il y a des calices que tous doivent boire, les uns d'abord et les autres ensuite, afin que tous en arrivent à Me comprendre et à M'aimer. La misère, la maladie, la calomnie, le déshonneur sont des calices très amers qui n'arriveront pas uniquement aux lèvres du pécheur. Souvenez-vous qu'au Deuxième Temps, le Juste parmi les justes, alla jusqu'au fond du calice le plus amer que vous puissiez concevoir. L'obéissance, l'humilité et l'amour, et l'épuration gagnée par le calice de la

douleur bu jusqu'à la lie, allègeront le poids de la croix et feront en sorte de rendre l'épreuve plus passagère. (54, 4-6)

50. Tout qui vous entoure a tendance à vous purifier, mais tous ne l'ont pas compris ainsi. Ne laissez pas la douleur, que vous consommez dans votre calice d'amertume, être stérile. De la douleur, vous pouvez extraire la lumière, laquelle est sagesse, mansuétude, force et sensibilité. (81, 59)

51. Sachez, disciples, que la douleur écarte les mauvais fruits de votre cœur et vous donne l'expérience, par le fait de convertir vos erreurs en réussites.

52. C'est ainsi que votre Père vous met à l'épreuve, dans le but que la lumière se fasse dans votre entendement mais, quand vous ne comprenez pas et que vous souffrez stérilement parce que vous ne rencontrez pas le sens de mes sages leçons, alors votre douleur est inutile et vous ne tirez aucun bénéfice de la leçon. (258, 57-58)

53. Les hommes s'exclament: « S'il existe un Dieu de miséricorde et d'amour, alors pourquoi les bons doivent-ils souffrir pour les mauvais, les vertueux pour les pécheurs?»

54. En vérité Je vous le dis, mes enfants: Chaque homme ne vient pas à ce monde seulement pour obtenir son propre salut. Il n'est pas un individu isolé sinon qu'il fait partie d'un tout.

55. Dans un corps humain, un organe sain et parfait ne souffre-t-il peut-être pas quand les autres organes sont malades?

56. C'est une comparaison matérielle afin que vous compreniez la relation que chaque homme entretient avec les autres. Les bons doivent souffrir pour les mauvais, mais les bons ne sont pas complètement innocents s'ils ne luttent pas pour le progrès spirituel de leurs frères. Néanmoins, en tant qu'individu, chacun a sa propre responsabilité et, en faisant partie de mon Esprit et semblable à Lui, possède la volonté et l'intelligence d'aider au progrès de tous. (358, 18-19)

57. Interprétez mon enseignement justement, ne pensez pas que mon Esprit se réjouisse de voir vos souffrances sur la Terre, ou que Je vienne pour vous priver de tout ce qui vous est agréable pour en jouir Moi-même. Je viens vous faire reconnaître et respecter mes lois, parce qu'elles sont dignes de votre respect et de votre observance, et parce que leur obéir vous apportera le bonheur et la paix éternelle. (25, 80)

58. Je dois vous dire que, pendant que vous habitez sur la Terre, vous devez lutter pour y rendre votre existence la plus agréable possible, il n'est pas nécessaire de pleurer, de souffrir et de saigner infiniment pour pouvoir mériter la paix dans l'au-delà.

59. Si vous pouviez transformer cette Terre, d'une vallée de larmes à un monde de bonheur, dans lequel vous vous aimiez les uns les autres, où vous vous préoccupiez de pratiquer le bien et de vivre dans le cadre de ma Loi, en vérité Je vous le dis, cette vie serait, pour Moi, bien plus méritante et bien plus élevée qu'une existence de souffrances, de vicissitudes et de larmes, peu importe votre résignation à la souffrir. (219, 15-16)

60. Réjouissez-vous qu'aucune douleur ne soit éternelle; vos souffrances sont temporaires et disparaîtront très bientôt.

61. Le temps d'expiation, de purification est fugace pour celui qui voit les épreuves avec spiritualité; en revanche, pour celui qui est recouvert de matérialisme, ce qui, en réalité, passe très rapidement, tardera bien plus longtemps.

62. Comme se passent les battements de votre cœur, il en va de même de la vie des hommes dans l'infini.

63. Il n'y a aucune raison d'avoir peur parce que, de la même façon que s'échappe un soupir, que se verse une larme ou que se prononce un mot, les souffrances disparaissent aussi de la même manière chez l'homme.

64. Dans l'infinie tendresse de Dieu, toutes vos douleurs et tous vos chagrins devront s'évanouir. (12, 5-9)

Chapitre 43 - Maladie, guérison et rénovation

Origine et sens de la maladie

1. Quand l'homme s'éloigne du chemin du bien, par le manque de prière et de bonnes pratiques, il perd sa force morale, sa spiritualité et se trouve exposé à la tentation et, dans sa faiblesse, il donne de la contenance aux péchés, et ceux-ci rendent le cœur malade.

2. Mais Moi, Je suis venu comme Docteur au lit du malade et ai déposé en lui tout mon amour et tout mon soin. Ma lumière a été comme de l'eau cristalline sur les lèvres enfiévrées et, en sentant mon baume sur son front, il m'a dit: Seigneur, seule votre charité peut me sauver. Je suis gravement malade de l'esprit et la mort me surviendra très rapidement.

3. Et Je lui ai dit: Vous ne mourrez pas, parce que Moi, qui suis la vie, Je suis là et tout que vous avez perdu vous sera restitué. (220, 39)

4. Quels mérites un malade peut-il gagner s'il est impotent pour lutter? Ses mérites peuvent être nombreux et grands s'il sait s'armer de patience et de résignation, s'il sait être humble devant la volonté divine et s'il sait me bénir au milieu de sa douleur, parce que son exemple sera celui de la lumière dans bon nombre de cœurs qui vivent dans les ténèbres, qui se désespèrent et cèdent aux vices ou qui pensent à la mort quand une épreuve les surprend.

5. Ces êtres, en rencontrant, sur leur chemin, un exemple de foi, d'humilité et d'espoir qui jaillit d'un cœur qui aussi souffre beaucoup parce qu'il porte une croix très lourde, sentiront que leur cœur a été touché par un rayon de lumière.

6. Il en est donc ainsi, puisqu'ils ne réussirent pas à entendre la voix de leur propre conscience; ils durent recevoir la lumière de la conscience qu'un autre frère leur envoya par son exemple et sa foi.

7. Ne vous considérez pas battus, ne vous avouez jamais avoir échoué, ne vous courbez pas sous le poids de vos souffrances; ayez toujours devant vous la lampe allumée de votre foi; cette foi et votre amour vous sauveront. (132, 38-39)

La guérison par sa propre force

8. Vous Me demandez de vous guérir et Je vous dis, certes, que personne de mieux que vous-mêmes ne peut être votre propre docteur.

9. A quoi bon que Je vous guérisse et que J'écarte votre souffrance, si vous n'éloignez pas de vous vos erreurs, vos péchés, vos vices et vos imperfections? Ce n'est pas la douleur qui est à l'origine de vos maux, mais vos péchés. Et voici l'origine de la douleur! Combattez le péché, écartez-le de vous et vous serez sains, mais c'est à vous qu'il incombe de le faire!

403

Quant à Moi, Je me limite à vous enseigner et à vous aider.

10. Quand, au travers de votre conscience, vous découvrirez l'origine de vos détresses et que vous mettrez en œuvre tous les moyens pour la combattre, vous sentirez la force Divine dans toute sa plénitude vous aider à vaincre dans la bataille et à conquérir votre liberté spirituelle.

11. Que votre satisfaction sera grande de sentir qu'à travers vos propres mérites vous êtes parvenus à vous libérer de la douleur et à conquérir la paix. Alors vous vous exclamerez: Mon Père, ta parole fut mon baume, ta Doctrine a été mon salut! (8, 54-57)

12. Mon peuple, le vrai baume, celui qui guérit tous les maux, jaillit de l'amour.

13. Aimez avec l'esprit, aimez avec le coeur et avec la compréhension, et vous aurez suffisamment de pouvoir pour guérir, non seulement les maladies du corps, et consoler les petites misères humaines, sinon que vous saurez résoudre les mystères spirituels, les grandes angoisses de l'esprit, ses confusions et ses remords.

14. Ce baume résout les grandes épreuves, allume la lumière, calme la peine, et fond les chaînes de l'oppression.

15. L'homme condamné par la science recouvrera la santé et reviendra à la vie, au contact de ce baume; l'esprit qui se sera détaché reviendra face à la parole d'amour du frère qui l'appelle. (296, 60-63)

16. Abolissez la douleur. La vie que J'ai créée n'est pas douloureuse; la souffrance provient des désobéissances et des fautes des enfants de Dieu. La douleur est le propre de la vie que les hommes, dans leur dissolution, ont créée.

17. Élevez votre regard et découvrez la beauté de mes œuvres; préparez-vous à écouter le concert divin. Ne vous excluez pas de cette fête. Si vous vous isolez, comment pourrez-vous participer à ce délice? Vous vivriez tristes, troublés et malades.

18. Je souhaite que vous soyez des notes harmonieuses dans le concert universel. Je souhaite que vous compreniez que vous avez surgi de la source de la vie, et que vous sentiez que ma lumière est dans toutes les consciences. Quand aurez-vous la maturité nécessaire pour dire: Père, soumettez mon esprit au Vôtre, de même que ma volonté et ma vie?

19. Comprenez bien que vous ne pourrez pas le dire tant que vos sens seront malades et que votre esprit sera égoïstement isolé du chemin.

20. Vous vivez sous le tourment des maladies ou de la crainte de les contracter, et qu'est-ce qu'une maladie corporelle face à une faute de l'esprit? Rien, si l'esprit sait se lever, parce que, dans ma charité, vous trouverez toujours de l'aide.

21. De même que le sang coule en vos veines et vivifie le corps, de même la force de Dieu, comme un torrent de vie, passe à travers votre esprit. Il n'y a aucune raison d'être

malade si vous respectez la loi. La vie est santé, joie, bonheur et harmonie; en étant malades, vous ne pouvez servir de dépôt des biens divins.

22. Aux esprits, cœurs ou corps malades, Le Maître vous dit: Demander à votre esprit, qui est le fils du Tout-Puissant, qu'il reprenne le chemin, qu'il guérisse vos maux et qu'il vous aide dans vos faiblesses. (134, 57-59)

La rénovation de l'être humain

23. La vanité, une faiblesse qui s'est manifestée depuis le premier homme, sera combattue par le biais de la spiritualité. C'est la lutte qui a toujours existé entre l'esprit et la matière; puisque tandis que l'esprit tend vers l'éternel et l'élevé en quête de l'essence du Père, la matière recherche seulement ce qui la satisfait et la flatte, même que cela porte préjudice à l'esprit.

24. Cette lutte qui se présente en chaque être humain est une force provoquée à l'intérieur de l'homme lui-même par l'influence qu'il reçoit du monde, parce que ce qui est matériel recherche tout ce qui est en rapport avec sa nature.

25. Si l'esprit réussit à dominer et à canaliser cette force, il aura harmonisé ses deux natures en son propre être, et atteindra son progrès et son élévation. Si, en revanche, il se laisse dominer par la force de la matière, alors il se verra induit au mal; il sera un bateau sans un gouvernail au milieu d'une tempête. (230, 64)

26. Vous, incrédules et sceptiques, ne pouvez croire en un monde de justice, ni ne parvenez à concevoir une vie d'amour et de vertu sur votre Terre. En un mot: Vous ne vous croyez capables de rien de bon, ni n'avez la foi en vous-mêmes.

27. Moi, Je crois en vous! Je connais la semence qu'il y a en chacun de mes enfants, parce que c'est Moi qui le formai, et que Je lui donnai la vie avec mon amour.

28. Moi, J'ai l'espoir en l'homme, Je crois en son salut, en sa nature digne et en son élévation, parce qu'en le créant, Je le destinai à régner sur la Terre en y formant une demeure d'amour et de paix, et que son esprit se façonne dans la lutte pour venir, pour ses mérites, habiter dans la lumière du Royaume de Perfectionnement, lequel lui appartient par héritage éternel. (326, 44-46)

Chapitre 44 – La vie au sens Divin

L'équilibre nécessaire

1. Le destin de chacun est tracé, avec sa mission spirituelle et sa mission humaine. Toutes deux doivent être en harmonie et tendre vers une seule finalité. En vérité Je vous le dis, Je ne prendrai pas seulement en considération vos oeuvres spirituelles, mais aussi vos actions matérielles, parce qu'en elles Je trouverai des mérites qui aident votre esprit à arriver jusqu'à Moi. (171, 23)

2. Jusqu'à présent, c'est l'orgueil de l'homme qui lui a fait désavouer la partie spirituelle, et le manque de cette connaissance l'a empêché d'être parfait.

3. Aussi longtemps que l'homme n'apprendra pas à maintenir ses forces matérielles et spirituelles en harmonie, il ne pourra trouver l'équilibre qui doit exister dans sa vie. (291, 26-27)

4. Disciples, bien que vous viviez sur Terre, vous pouvez mener une vie spirituelle, parce que ne croyez pas que la spiritualité consiste à se séparer de ce qui correspond à la matière, sinon à harmoniser les lois humaines avec les lois divines.

5. Béni celui qui étudie mes lois et sait les unir en une seule avec les lois humaines, parce qu'il doit être sain, fort, élevé et heureux. (290, 26-27)

Plaisirs sains et nocifs

6. Je ne vous dis pas que vous laissiez de côté les obligations matérielles ni des plaisirs sains du coeur et des sens; Je vous demande seulement que vous renonciez à ce qui empoisonne votre esprit et rend votre corps malade.

7. Quiconque vit dans le cadre de la loi accomplit ce que lui dicte sa conscience. Quiconque fuit des plaisirs licites pour s'immerger dans les plaisirs défendus se demande, même dans les instants de plus grand plaisir, pourquoi il n'est pas heureux et pourquoi il ne rencontre pas la paix. Parce que, de réjouissance en réjouissance, il descend jusqu'à se perdre dans l'abîme, sans trouver la véritable satisfaction pour son coeur et son esprit.

8. Il y en a qui ont besoin de succomber en épuisant jusqu'à la dernière goutte du calice dans lequel ils cherchèrent le plaisir sans le trouver, afin qu'ils puissent entendre la voix de Celui-là qui les invite éternellement au festin de la vie éternelle. (33, 44-46)

9. Le scientifique, d'une main profane, coupe un fruit de l'arbre de la science sans écouter auparavant la voix de sa conscience par le biais de laquelle ma loi s'adresse à lui, pour lui dire que tous les fruits de l'arbre de la sagesse sont bons et que, par

conséquent, quiconque les cueille devra le faire en s'inspirant uniquement pour le bienfait envers ses semblables.

10. Ces deux exemples que Je vous ai expliqué vous enseignent pourquoi l'humanité ne connaît pas l'amour ni la paix de ce Paradis intérieur que l'homme, au travers de son obéissance à la loi, devrait porter éternellement dans son cœur.

11. C'est pour vous aider à le trouver que Je suis venu endoctriner les pécheurs, les désobéissants, les ingrats et les arrogants, afin de leur faire comprendre qu'ils sont doués d'esprit, qu'ils ont une conscience, qu'ils peuvent raisonner et valoriser parfaitement ce qui est bon et ce qui est mauvais, et pour leur montrer le chemin qui les mènera au paradis de paix, de sagesse, d'amour infini, d'immortalité, de gloire et d'éternité. (34, 15 - 17)

12. L'homme n'interprète pas toujours bien mes enseignements. Je ne vous ai jamais appris à ignorer ou à vous abstenir de savourer le bon fruit qu'ordonnent et concèdent mes lois. Je suis seulement venu vous apprendre à ne pas poursuivre, moins encore à aimer, ce qui est inutile, superflu; Je suis venu vous enseigner à ne pas considérer le préjudiciable et l'illicite comme des fruits favorables à l'esprit ou à la matière. Mais, tout ce qui est permis et bénéfique à l'esprit ou au cœur, cela Je vous l'ai confié, parce que cela figure dans mes lois. (332, 4)

13. Une très longue période a dû s'écouler pour que l'humanité arrive à la maturité spirituelle. Vous êtes toujours tombés dans les deux extrêmes: l'un a été le matérialisme par lequel vous essayez de connaître les plus grands plaisirs du monde, et ceci, en vérité, est préjudiciable, en ce qu'il dévie l'esprit de l'accomplissement de sa mission. Cependant, vous devez aussi éviter l'autre extrême: la mortification de la matière, la négation complète de tout qui appartient à cette vie, parce que Moi Je vous ai envoyés sur cette Terre pour vivre comme hommes, comme êtres humains, et Je vous ai indiqué le droit chemin afin que vous viviez en donnant à César ce qui appartient à César, et à Dieu ce qui correspond à Dieu.

14. J'ai créé ce monde pour vous, avec toute sa beauté et toute sa perfection. Je vous ai donné le corps humain avec lequel vous devez développer tous les dons que Je vous ai offerts pour atteindre la perfection.

15. Le Père ne souhaite pas que vous vous priviez de toutes les bonnes choses que ce monde vous offre, mais vous ne devez pas non plus donner la préférence à la matière par rapport à l'esprit, parce que le corps est éphémère tandis que l'esprit appartient à l'éternité. (358, 7-9)

Richesse heureuse et infortunée

16. Quand il est de ma volonté de vous faire les possesseurs de biens terrestres, Je vous les concède afin que vous les partagiez avec vos frères

dans le besoin, avec ceux qui n'ont aucun patrimoine ou support, avec les faibles et les malades. Bon nombre de ceux qui ne possèdent rien sur la Terre peuvent, en échange, partager avec vous leurs richesses spirituelles. (96, 27)

17. Je souhaite que tout soit vôtre, mais que vous sachiez en disposer consciemment selon vos besoins, que vous sachiez être riches spirituellement et que vous puissiez posséder beaucoup matériellement, si vous savez en faire bon usage et accorder à l'un et à l'autre sa vraie valeur et sa vraie place.

18. En quoi l'esprit d'un homme immensément riche peut-il se préjudicier, si ce qu'il possède est pour le bénéfice de ses semblables? Et en quoi un homme puissant peut-il se préjudicier, si son esprit sait s'éclipser en des moments opportuns pour prier, et si dans sa prière il est en communion avec Moi? (294, 38)

19. Ne Me dites pas: Seigneur, j'ai vu de la pauvreté parmi ceux qui te suivent, en revanche, parmi ceux qui ne se souviennent même pas de Toi, ni ne prononcent ton nom, je vois de l'abondance, des plaisirs et des satisfactions.

20. Mon peuple ne considérera pas ces cas comme une preuve que celui qui me suit doivra être nécessairement pauvre dans le monde. Néanmoins, Je vous dis que la paix qu'ont ceux-ci qui écoutent et qui consacrent une partie de leur vie à pratiquer la charité, ceux que vous enviez tant, ne la connaissent pas et ne pourront l'obtenir malgré toute leur richesse.

21. Il y a ceux qui savent posséder, en même temps, les biens du monde et ceux de l'esprit, d'autres à qui les choses du monde ne sont pas données parce qu'ils oublient le spirituel, et d'autres qui ne s'intéressent qu'aux affaires du monde en croyant que les lois divines constituent un ennemi pour les richesses terrestres.

22. Les biens sont toujours des biens, mais tous ne savent pas les utiliser; vous devez aussi savoir que Je n'ai pas tout donné à ceux qui possèdent beaucoup; il y a ceux qui possèdent ce qu'ils ont reçu de Moi en compensation, de même qu'il en existe d'autres qui ont volé tout ce qu'ils possèdent.

23. La plus grande preuve que les hommes peuvent avoir de votre accomplissement dans la vie est la paix de l'esprit et non la quantité d'argent. (197, 24-27)

24. Quand Je vous dis: « Demandez, et l'on vous donnera », vous M'adressez des demandes matérielles. En vérité, vous Me demandez bien peu! Demandez-moi, avant tout, ce qui bénéficie à votre esprit! Ne faites pas de réserves sur la Terre, parce que c'est là que se rencontre le voleur; thésaurisez dans le royaume du Père, là où votre fortune sera en sûreté et servira au bonheur et à la paix de votre esprit.

25. Les trésors de la terre sont les richesses, le pouvoir et les titres de

fausse grandeur. Les trésors de l'esprit sont les bonnes actions et œuvres. (181, 68-69)

26. Le vaniteux croit être grand sans l'être, et petit restera celui qui se satisfait des richesses superflues de cette vie, sans découvrir les vraies valeurs du cœur et de l'esprit. Que leurs souhaits, leurs amours et leurs idéaux sont petits! Comme ils se conforment avec peu!

27. Mais celui qui sait vivre est celui qui a appris à donner à Dieu ce qui est à Dieu, et au monde ce qui est au monde. Celui qui sait se réjouir au sein de la Nature, sans se convertir en esclave de la matière, celui-là sait vivre, et bien qu'apparemment il ne possède rien, il est le propriétaire des biens de cette vie et est en voie de posséder les richesses du royaume. (217, 19-20)

La loi de la dation

28. Si cette humanité avait la foi en ma parole, elle me porterait dans son coeur, aurait toujours présente à l'esprit cette phrase mienne, lorsque Je m'adressai aux multitudes qui m'écoutaient: « En vérité Je vous dis que si vous donniez un verre d'eau, il ne resterait pas sans récompense ».

29. Mais les hommes pensent que s'ils donnent quelque chose, ils ne reçoivent rien en retour, et donc, pour conserver ce qu'ils possèdent, ils le gardent pour eux seuls.

30. A présent, Je vous dis que dans ma justice existe la parfaite compréhension, pour que vous ne craigniez jamais de donner quelque chose que vous possédez. Voyez-vous ces hommes qui thésaurisent et accumulent et ne partagent avec personne ce qu'ils possèdent? Ces hommes sont portent un esprit mort.

31. En revanche, ceux qui ont consacré jusqu'au dernier souffle de leur existence à donner, à leurs semblables, ce qu'ils possèdent, jusqu'au point de se retrouver seuls, abandonnés et pauvres en leur ultime heure, ceux-là ont toujours été guidés par la lumière de la foi, laquelle leur a montré, au loin, la proximité de la « terre promise », où mon amour les attend pour leur donner la compensation pour toutes leurs oeuvres. (128, 46-49)

32. Venez pour que Je vous ressuscite à la vraie vie et vous rappelle que vous avez été créés pour donner; mais que, tant que vous ne saurez pas ce que vous portez en vous, il vous sera impossible de donner à ceux qui en le nécessitent.

33. Voyez comme tout ce qui vous entoure accomplit la mission de donner. Les éléments, les astres, les êtres, les plantes, les fleurs et les oiseaux, tout, du plus grand jusqu'à l'imperceptible, tous ont le don et le destin de donner. Pourquoi faites-vous de vous-mêmes une exception alors que vous avez été les plus dotés par la grâce divine pour aimer?

34. Combien devrez-vous croître en sagesse, en amour, en vertu et en pouvoir pour que vous puissiez être une lumière sur le chemin de vos

petits frères! Combien élevé et merveilleux est le destin que vous a offert votre Père! (262, 50-52)

L'accomplissement des devoirs et des obligations

35. Au Troisième Temps, ma Doctrine spirituelle donnera, à l'esprit, la liberté de déployer ses ailes et de s'élever jusqu'au Père pour lui consacrer le véritable culte.

36. Mais l'homme doit aussi, en tant qu'humain, rendre un culte au Créateur et ce tribut consiste en l'accomplissement de ses devoirs sur la Terre, en respectant les lois humaines, en faisant preuve de morale et de bon jugement dans ses actes; en accomplissant les devoirs de père, d'enfant, de frère, d'ami, de maître, et de serviteur.

37. Celui qui vit de cette manière M'aura honoré sur la Terre et donnera l'occasion pour que son esprit s'élève pour Me glorifier. (229, 59-61)

38. Celui qui esquive le poids de sa mission, celui qui se dévie ou qui se désintéresse des responsabilités que son esprit contracta avec Moi, pour agir selon ses caprices ou sa volonté, celui-là ne pourra pas connaître la véritable paix en son coeur, puisque son esprit ne sera jamais satisfait ni tranquille. Ce sont ceux qui sont toujours à la recherche de plaisirs pour oublier leur peine et leur inquiétude, en se trompant avec de fausses joies et des satisfactions passagères.

39. Je les laisse parcourir leur chemin, car je sais que s'ils s'éloignent aujourd'hui, ils m'oublient et vont même jusqu'à me renier rapidement. Mais, quand la réalité les réveillera de leur rêve de grandeur sur la terre, ils comprendront l'insignifiance des richesses, des titres, des plaisirs et des honneurs du monde. C'est quand l'homme doit affronter la vérité spirituelle, l'éternité et la justice divine, desquelles personne ne peut échapper.

40. Nul n'ignore ceci, puisque tous vous avez un esprit qui vous révèle, par le biais du don d'intuition, la réalité de votre vie, la route qui vous est tracée et ce que vous avez à réaliser en elle, cependant vous vous obstinez à vous libérer de tout compromis spirituel pour vous sentir libres et maîtres de votre vie. (318, 13-15)

41. Avant d'envoyer votre esprit sur cette planète, on lui montra les terres, on lui dit qu'il viendrait semer la paix, que son message serait spirituel, et votre esprit se réjouit, en promettant d'être fidèle et obéissant à sa mission.

42. Pourquoi dès lors craignez-vous d'aller semer? Pourquoi, à présent, vous sentez-vous indignes d'accomplir le travail qui réjouit tellement votre esprit lorsqu'il lui fut confié? C'est parce que vous avez permis aux passions de s'interposer sur votre chemin, en obstruant le passage de l'esprit, et en essayant de justifier son indécision avec des motifs infantiles.

43. Vous ne devriez pas arriver, les mains vides, à la vallée d'où vous êtes venus. Je sais que votre amertume serait très grande. (269, 32-34)

44. On a assigné, à chacun, une portion qu'il doit guider ou cultiver, et cette mission n'est pas terminée avec la mort physique. L'esprit, tant sur la Terre que dans le monde spirituel, continue de semer, de cultiver et de récolter.

45. Les plus grands esprits sont ceux qui guident les plus petits et ceux-ci, à leur tour, en guident d'autres, moins développés, le Seigneur étant celui qui les mène tous au bercail.

46. Si Je vous ai dit que les plus grands esprits guident les plus petits, Je ne veux pas dire, en cela, que ces esprits aient été grands depuis le commencement et que les seconds devront toujours être petits face à leurs frères. Ceux qui, maintenant, sont grands, le sont devenus parce qu'ils se sont élevés et qu'ils se sont développés dans l'accomplissement de la noble mission d'aimer, de servir et d'aider ceux qui n'ont pas atteint ce niveau d'évolution spirituelle, ceux qui sont encore faibles, ceux qui se sont perdus et ceux qui souffrent.

47. Ceux qui, aujourd'hui, sont petits, seront grands demain grâce à leur persévérance sur le chemin d'évolution. (131, 19-21)

Chapitre 45 - Prédestination, sens et accomplissement dans la vie

La providence et la détermination de Dieu dans le destin humain

1. Voici le temps de la lumière, où l'homme, en plus de croire, comprendra, raisonnera et sentira ma vérité.

2. La finalité de ma Doctrine fera que tous acceptent que personne ne vint à ce monde sans cause justifiée, que cette cause est l'amour divin et que le destin de tous les êtres est d'accomplir une mission d'amour.

3. En tous temps, depuis le commencement, les hommes se sont demandés: Qui suis-je? A qui dois-je la vie? Pourquoi est-ce que j'existe? Pourquoi suis-je venu et où vais-je?

4. Ils ont trouvé une partie de leurs doutes et de leur manque de connaissance, dans mes explications et au travers de leurs réflexions au sujet de ce que Je vous ai révélé de temps en temps.

5. Mais il y a ceux qui croient déjà tout savoir, et Je vous dis qu'ils sont dans l'erreur, parce qu'il n'est pas possible que les hommes découvrent ce qui est gardé dans l'Arcane de Dieu tant qu'il ne leur sera pas révélé, et il y a énormément dans cet arcane que vous ne savez pas encore, son contenu est infini. (261, 4-6)

6. Le destin a la compassion que Dieu a mise en lui, le destin des hommes est rempli de la bonté Divine.

7. Très souvent, vous ne rencontrez pas cette bonté, parce que vous ne savez pas comment la chercher.

8. Si, dans le destin que J'ai marqué pour chaque esprit, vous tracez un chemin difficile et amer, Moi j'essaie de l'adoucir, mais sans jamais augmenter son amertume.

9. Dans le monde, les hommes ont besoin les uns des autres, aucun n'est superflu et aucun ne manque. Toutes les vies sont nécessaires les unes aux autres pour le complément et l'harmonie de leur existence.

10. Les pauvres ont besoin des riches et les riches des pauvres. Les mauvais et méchants ont besoin des bons et ceux-ci des premiers. Les ignorants ont besoin des sages et ceux qui savent ont besoin de ceux qui ignorent. Les petits ont besoin des adultes et ceux-ci, à leur tour, ont besoin des enfants.

11. Dans ce monde, chacun de vous est situé par la sagesse de Dieu à sa place et proche de qui il doit être. Chaque homme se voit assigné le périmètre où il doit habiter, dans lequel il y a des esprits incarnés et désincarnés avec lesquels il doit cohabiter.

12. Ainsi, chacun sur son chemin, tous vous allez rencontrer ceux qui doivent vous enseigner l'amour qui vous élèvera, quant aux autres, vous recevrez la douleur qui vous purifiera. Quelques-uns vous feront souffrir

413

parce que vous avez besoin qu'il en soit ainsi, tandis que d'autres vous donneront leur amour pour compenser vos amertumes, mais tous sont porteurs d'un message pour vous, un enseignement que vous devez comprendre et dont vous devez tirer profit.

13. N'oubliez pas que tout esprit incarné ou désincarné qui croise votre vie, de quelque manière que ce soit, vient pour vous aider dans votre destin.

14. Combien d'esprits de lumière vous ai-Je envoyé au monde et vous ne vous êtes pas arrêtés pour bénir Mon amour pour vous!

15. Vous n'avez pas profité d'un grand nombre des frères que Je vous ai envoyés, sans vous rendre compte qu'ils faisaient partie de votre destin mais, en ne sachant pas les recevoir, vous êtes restés les mains vides et, par la suite, vous avez dû pleurer!

16. Humanité, votre destin est d'être en harmonie avec tout ce qui a été créé. Cette harmonie, dont Je vous parle, est la plus grande de toutes les lois, parce qu'en elle vous trouverez la communion parfaite avec Dieu et ses Oeuvres. (11, 10-16 et 22-25)

17. Quiconque renie son destin rejette le titre d'enfant de ma Divinité; s'il ne croit pas en mon existence, il ne pourra pas avoir la foi en mon amour.

18. Si, pour quelques-uns, cette vie a été excessivement amère et douloureuse, sachez que cette existence n'est pas la seule, qu'elle n'est longue qu'en apparence et que, dans le destin de chaque créature, il y a un arcane en lequel Moi seul peux pénétrer. (54, 8-9)

19. L'existence d'un homme sur la Terre ne représente seulement qu'un instant dans l'éternité, un souffle de vie qui anime l'être humain pour un temps et qui, ensuite, s'éloigne pour revenir, plus tard, et animer un nouveau corps. (12, 4)

20. Il est destiné à chacun ce qu'il faut lui accorder tout au long de son séjour. Pendant que les uns le reçoivent et en tirent profit, en temps utile, d'autres le gaspillent et il y en a qui n'ont même pas su se préparer pour le recevoir et qui, lorsqu'ils sont revenus à la mansion spirituelle, se sont rendus compte de tout ce qui était à eux et qu'ils furent incapables de recevoir ni de mériter. (57, 31)

21. Personne n'est né par hasard, personne n'a été créé par accident; comprenez-Moi et vous reconnaîtrez que personne n'est libre sur le chemin de sa vie, qu'il existe une loi qui régit et gouverne tous les destins. (110, 29)

22. L'homme croit agir selon sa propre volonté, il croit être libre de toute influence supérieure à lui et il en arrive jusqu'à se croire absolu et forgeur de son propre destin sans pressentir que l'heure sonnera où tous comprendront que ce fut Ma volonté qui s'accomplit en eux. (79, 40)

23. Forgez-vous une bonne récompense en cultivant un bon fruit pour vos frères. Préparez-vous pour les temps futurs parce qu'avant Mon départ il y aura encore une division entre vous, parce que la tentation vous touchera tous. Il est nécessaire pour vous d'être en alerte. Priez et mettez en pratique mon enseignement Divin; en vérité Je vous le dis, ces courts instants que vous consacrez à la pratique du bien feront encore ressentir leurs bienfaits sur bien des générations postérieures à vous. Personne n'a pu ni ne pourra se tracer son propre destin, cela n'appartient qu'à Moi! Confiez en ma volonté et vous couvrirez le voyage jusqu'à la fin sans obstacles majeurs.

24. Jugez bien quand Je vous dis que la feuille de l'arbre ne se meut pas sans ma volonté, vous saurez ainsi quand c'est Moi qui vous mets à l'épreuve et quand vous-mêmes remplissez votre calice d'amertume pour me culpabiliser par la suite. C'est alors que vous vous convertissez en juges et que vous me considérez comme un coupable.

25. Sachez reconnaître vos erreurs et les corriger. Apprenez à pardonner les défauts de vos frères et si vous ne pouvez les corriger, étendez, au moins, un voile d'indulgence sur eux. (63, 43-44)

26. Ne soyez pas fatalistes, en prenant appui dans la croyance que votre destin n'est que celui que Dieu disposa directement sur votre chemin, et que si vous souffrez c'est parce que c'était écrit, et si vous vous réjouissez, c'est aussi parce que c'était écrit. Je vous convaincu que ce que vous semez, cela-même vous devrez le récolter.

27. Mais écoutez attentivement parce que, parfois, vous recueillerez immédiatement la récolte, et en d'autres occasions, vous viendrez faucher et moissonner votre semence dans une nouvelle existence. Analysez ce que Je viens de vous dire et vous éliminerez beaucoup de mauvais préjugés quant à ma justice, et beaucoup de confusions. (195, 53)

A l'école de la vie

28. Les hommes sont comme des enfants qui ne songent pas aux conséquences de leurs actions et c'est pourquoi ils ne parviennent à comprendre qu'une difficulté qu'ils rencontrent sur leur chemin n'est seulement qu'un obstacle que le Maître posa pour arrêter leur course insensée, ou pour leur éviter de prendre une mauvaise décision.

29. Je souhaite qu'à présent vous vous comportiez en adultes, que vous méditiez au sujet de vos oeuvres, de vos actes, et que vous pensiez vos paroles. C'est la forme d'appliquer la prudence et la justice à votre vie. De plus, vous devez réfléchir que la vie est une épreuve énorme et constante pour l'esprit.

30. Personne ne succombe sur mon chemin et, même s'il y a des occasions en lesquelles l'homme tombe, plié sous le poids de la croix, une force supérieure le relève et

l'encourage, cette force provient de la foi. (165, 55-57)

31. C'est de la compréhension de ces enseignements qu'arrivent à avoir les hommes, et de leur obéissance envers les lois qui régissent l'univers, que dépend leur bonheur, que certains pensent qu'il n'existe sur la Terre et que d'autres en viennent à croire que Je suis le seul à thésauriser, mais qui, en réalité, se manifeste dans la paix de votre esprit.

32. Ô peuple, maintenant vous savez que votre bonheur est en vous-mêmes pour que vous enseigniez aux hommes que, au fond de leur être où ils croient ne porter qu'amertumes, haines et rancœurs, remords et larmes, il existe une lumière que rien ne peut éteindre, et qui est celle de l'esprit. (178, 6-7)

33. Votre passé spirituel est inconnu de votre matière. Je le laisse imprimé dans votre esprit afin qu'il soit comme un livre ouvert et qu'il vous soit révélé par la conscience et l'intuition. Cela est ma justice laquelle, plutôt que vous condamner, vous donne l'occasion de réparer votre faute ou de rectifier votre erreur.

34. Si le passé s'effaçait de votre esprit, vous devriez traverser à nouveau les mêmes épreuves, cependant, si vous entendez la voix de votre expérience et que vous vous laissez éclairer par cette lumière, alors vous verrez votre chemin bien plus propre, et l'horizon bien plus brillant. (84, 46)

Sens et valeur de la vie humaine

35. Sachez que l'état naturel de l'être humain est celui de la bonté, de la paix de l'esprit et de l'harmonie avec tout ce qui l'entoure. Celui qui se maintient dans la pratique de ces vertus au long de sa vie, celui-là marche sur le vrai chemin qui le conduira à la connaissance de Dieu.

36. Mais si vous vous déviez de cette route, en oubliant la Loi qui doit guider vos actions, vous aurez à restituer, avec des larmes, les instants que vous vécûtes en marge du chemin d'élévation spirituelle, lequel constitue l'état naturel où l'homme doit toujours conserver. (20, 20)

37. Beaucoup d'hommes sont tellement familiarisés avec le monde de péchés et de souffrances dans lequel ils vivent, qu'ils pensent que cette vie est la plus naturelle qui soit, que la Terre est destinée à être une vallée de larmes et que jamais elle ne pourra donner l'asile à la paix, à la concorde et au progrès spirituel.

38. Ces hommes qui pensent de la sorte dorment du sommeil de l'ignorance. Celui qui croit que Je destinai ce monde à être une vallée de larmes et d'expiation est dans l'erreur. L'éden que J'offris aux hommes peut et doit revenir, parce que tout ce que J'ai créé est vie et amour.

39. Par conséquent, ils se trompent, ceux qui prétendent que Dieu destina le monde à être une souffrance pour les hommes, lorsqu'ils devraient plutôt dire que ce furent eux-mêmes qui le condamnèrent à une mission de

justice, alors qu'il avait été formé pour la joie et le plaisir de l'esprit fait homme.

40. Aucun d'entre eux n'était destiné au péché, bien que tout était prévu pour sauver l'homme de ses faux pas.

41. L'homme ne souhaita pas s'élever pour l'amour, ni s'assagir en accomplissant ma Loi. Il oublia que ma justice, dont il a toujours essayé de fuir, est ce qui le protège, parce que ma justice provient de l'amour parfait. (169, 10-13)

42. Si vous analysez ma parole, vous comprendrez que l'intention du Père de vous envoyer au monde pour parcourir ses chemins pleins d'embûches et de dangers, ne fut pas pour que vous vous y perdiez, parce qu'ils avaient été préparés d'avance afin qu'en eux vous trouviez les leçons nécessaires à l'évolution de votre esprit, pour vous fournir l'expérience dont vous manquiez, et finalement pour vous rendre à Moi, pleins de lumière.

43. Votre esprit, en jaillissant de Moi, fut comme une étincelle que les vents convertiraient en flamme pour qu'en revenant vers Moi, vous fondiez votre lumière dans celle de la Divinité.

44. Je vous parle du sommet de la nouvelle montagne, et là Je vous attends et, en vérité Je vous le dis: le jour de votre arrivée sera un jour de fête dans ce royaume.

45. Vous venez par le chemin de la douleur, en assainissant vos fautes, chemin que Je n'ai pas tracé, mais que l'homme s'est forgé. Vous m'avez fait marcher sur ce chemin, mais depuis lors, le chemin du sacrifice et de la douleur fut glorifié par mon sang. (180, 64-65)

46. L'homme parviendra à comprendre que son royaume n'est pas non plus de ce monde, que son corps ou enveloppe humaine, n'est simplement qu'un instrument au travers des sens duquel son esprit se montre à ce monde d'épreuves et de restitution. Il conclura par savoir que cette vie est seulement une magnifique leçon illustrée de merveilleuses formes et images, afin que les disciples, autrement-dit toute l'humanité, puissent mieux comprendre les leçons que la vie leur donne, grâce auxquelles, à condition de les valoriser, ils atteindront l'évolution de leur esprit et comprendront la finalité de la lutte qui les forge, de la douleur qui les polit, du travail qui les ennoblit, du savoir qui les illumine et de l'amour qui les élève.

47. Si cette existence était la seule, en vérité Je vous le dis, il y a longtemps que J'en aurais écarté la douleur puisqu'il serait injuste que vous ne soyez venus à ce monde que pour boire le calice d'amertume; cependant, ceux qui aujourd'hui souffrent et pleurent, hier encore, se délectèrent en excès; mais cette douleur les purifiera et les rendra dignes de s'élever pour se réjouir de

417

la forme la plus pure dans les demeures du Seigneur. (194, 34-35)

48. L'épreuve que renferme la vie de l'homme est si difficile qu'il est impérieux de l'adoucir de tous ces plaisirs spirituels et matériels qui allègent et rendent plus agréable le poids de la croix.

49. Je bénis tous ceux qui savent trouver, dans la chaleur de leur foyer, les plus grandes joies de leur existence, en cherchant, avec leur affection de parents pour leurs enfants, d'enfants pour leurs parents, et de frères et sœurs, de former un culte, parce que cette union, cette harmonie et cette paix sont semblables à l'harmonie qui existe entre le Père Universel et sa famille spirituelle.

50. Dans ces foyers brille la lumière de l'esprit; la paix de mon Royaume y habite et, quand les peines apparaissent, elles sont plus légères et les moments d'épreuves sont moins amers.

51. Le plus méritoire est en ceux qui cherchent leur satisfaction en la communiquant aux autres et qui prennent joie dans le bonheur sain de leurs semblables. Ceux-là sont les apôtres de la joie et ils accomplissent une grande mission.

52. En vérité Je vous le dis, si vous saviez chercher des moments de satisfaction et de joie, de même que connaître des heures de paix, vous les auriez tous les jours de votre existence, mais pour cela, élevez d'abord votre esprit, élevez vos sentiments et votre façon de penser à propos de la vie.

53. Ce message que Je vous envoie par le biais de ma parole vient plein de lumière pour éclairer votre chemin et prodiguera, à votre être, l'élévation que Je vous enseignai pour vivre en paix et pour jouir sainement de tout ce avec quoi J'ai béni votre existence.

54. Cette humanité doit beaucoup lutter en combattant les ombres de la douleur et en vainquant son penchant pour les faux plaisirs et les satisfactions trompeuses. Elle devra lutter contre son fanatisme religieux qui l'empêche de connaître la vérité, elle devra lutter contre le fanatisme qui lui fait penser que tout marche vers la destruction finale de laquelle personne ne pourra se sauver, et elle devra lutter contre son matérialisme qui lui fait rechercher seulement des plaisirs passagers, des joies des sens qui précipitent l'esprit dans un abîme de vices, de douleur, de désespoir et de ténèbres.

55. Je vous donne ma lumière, afin que vous émergiez des ombres et que vous parveniez à rencontrer, sur cette planète que vous avez convertie en vallée de larmes, les véritables joies de l'esprit et du cœur, à côté desquelles tous les autres plaisirs sont petits et insignifiants. (303, 28-33)

X. MATERIALISME ET SPIRITUALISME

Chapitre 46 – L'homme mal guidé et matérialiste

Apathie de l'esprit, ignorance et orgueil de l'être humain

1. La finalité de la création de ce monde est l'homme! Les autres êtres et éléments, Je les ai mis à sa disposition, pour sa complaisance, afin qu'il puisse s'en servir pour sa conservation et son plaisir.

2. Cependant, s'il M'avait aimé et reconnu depuis le début, depuis son enfance spirituelle, aujourd'hui il ferait partie d'un monde de grands esprits où l'ignorance n'existerait pas, où il n'y aurait pas de différences, un monde dans lequel vous seriez tous égaux dans la connaissance et dans l'élévation de vos sentiments.

3. Mais, que l'homme évolue lentement! Combien de siècles se sont-ils écoulés depuis qu'il vit sur la Terre et il n'est toujours pas parvenu à comprendre sa mission spirituelle et son véritable destin! Il n'a pas pu découvrir, en lui-même, son esprit qui ne meurt jamais parce qu'il a la vie éternelle; il n'a pas su vivre en harmonie avec lui, ni lui a reconnu ses droits, et cet esprit, privé de sa liberté, n'a pas su développer ses dons et reste à stagner. (15, 24)

4. L'homme, en s'éloignant de l'accomplissement de ma loi, a créé des idées, des théories, des religions et diverses doctrines qui divisent et confondent l'humanité, attachant l'esprit au matérialisme et l'empêchant de s'élever librement. Mais la lumière de mon Saint-Esprit illumine tous les hommes, en leur indiquant le chemin de la vraie vie où il n'y a qu'un seul guide, la conscience. (46, 44)

5. Un matérialiste ne s'attache qu'à la vie humaine mais, reconnaissant que tout, en elle, est fugace, il essaie de la vivre intensément.

6. Lorsque ses plans ou ses ambitions ne se réalisent pas, ou que la douleur le surprend de quelque manière que ce soit, alors il se désespère, blasphème et défie le destin en le culpabilisant de ne pas recevoir les présents auxquels il croit avoir droit.

7. Ce sont des esprits faibles dans des matières rétives, ce sont des êtres moralement petits qui sont testés, de formes différentes, variées, pour leur faire comprendre la valeur qu'eux, dans leur matérialisme, attribuent à des actes de faible mérite.

8. Comme les matérialisés souhaiteraient modifier leur destin! Ils souhaiteraient que tout se fasse à leur idée et selon leur volonté! (258, 48-50)

9. A présent, vous pourrez comprendre que si Je me suis toujours manifesté en sagesse aux hommes, la raison en a été de libérer les esprits emprisonnés par des entendements limités.

10. Il existe même, dans cette ère, des esprits engourdis et sans inspiration. Quand les hommes devraient déjà posséder déjà un esprit lucide et éveillé par son évolution, beaucoup sont ceux qui pensent et vivent comme dans les époques primitives.

11. D'autres ont atteint un grand progrès dans la science, en s'entêtant dans leur vanité et leur égoïsme et en croyant avoir atteint le sommet du savoir, ils ont stagné sur la voie de leur progression spirituelle. (180, 32-33)

12. Si l'homme vivait éveillé à la vie supérieure qui existe et vibre au-dessus de lui, et s'il savait interroger son esprit, il éviterait de nombreux faux-pas et se sauverait de quantité d'abîmes; mais il gâche sa vie à interroger ceux qui ne pourront lui résoudre ses doutes et ses incertitudes: les hommes de science, qui ont étudié la Nature matérielle, mais qui ne connaissent pas la vie spirituelle parce que, dans leur for intérieur, leur esprit est tombé en léthargie.

13. L'esprit de l'humanité a besoin de se réveiller pour se retrouver lui-même, afin de découvrir tous les dons qui lui ont été confiés pour l'aider dans sa lutte.

14. Aujourd'hui, l'homme est comme une petite feuille sèche tombée de l'arbre de la vie et à la merci des vents, sujet à mille vicissitudes, faible face aux éléments de la Nature, fragile et petit devant la mort, alors qu'il aurait dû s'être emparé de la Terre comme un prince envoyé par Moi pour se perfectionner dans le monde. (278, 4-6)

15. Le temps du jugement est arrivé, au cours duquel Je demanderai à d'aucuns: Pourquoi m'avez-vous renié?, et à d'autres: Pourquoi m'avez-vous persécuté? Celui qui n'a pas été capable de pénétrer en lui-même a-t-il le droit de nier l'existence de mon Royaume? Le fait que ma vérité vous échappe est bien différent de celui qui consiste à ne pas savoir la concevoir, laissez-Moi vous dire que votre ignorance est grande et que votre arrogance est énorme.

16. En vérité Je vous le dis, quiconque renie Dieu et son Royaume, s'est renié lui-même. Celui qui souhaite puiser sa force en lui-même, se croyant absolu et se sentant orgueilleux de pouvoir être grand sans avoir besoin de Dieu, celui-là posera des pas très courts de par le monde, il se perdra rapidement et connaîtra des souffrances très douloureuses.

17. Où donc sont les véritables sages?

18. Savoir, c'est sentir ma présence; savoir, c'est se laisser guider par ma lumière et que s'accomplisse ma volonté; savoir, c'est comprendre la Loi; savoir, c'est aimer. (282, 19-22)

19. Aujourd'hui, votre ignorance spirituelle est si grande que, lorsque vous vous souvenez de ceux qui sont partis pour l'au-delà, vous dites: « Pauvre homme. Il est mort et a dû tout laisser et s'en est allé à tout jamais ».

20. Si vous saviez avec quelle compassion ces êtres vous considèrent, depuis le monde spirituel, lorsqu'ils vous entendent vous exprimer de la sorte. La pitié est le sentiment qu'ils ressentent pour vous face à votre ignorance, parce que si vous pouviez les apercevoir, ne fût-ce que pour un seul instant, vous demeureriez muets et stupéfiés devant la vérité! (272, 46-47)

21. Vous avez donné, aux valeurs matérielles, une plus grande importance que celle qu'elles revêtent réellement et, en revanche, vous ne souhaitez déjà rien savoir du spirituel et votre amour du monde est devenu tel que vous aller jusqu'à lutter, dans la mesure du possible, pour ignorer tout ce qui se réfère au spirituel, parce que vous croyez que cette connaissance va à l'encontre de votre progrès sur la Terre.

22. Je vous affirme que la connaissance du spirituel n'affecte pas la progression des hommes, au niveau moral comme scientifique. Au contraire, cette lumière révèle aux hommes une quantité infinie de connaissances, lesquelles représentent, à l'heure actuelle, une inconnue pour leur science.

23. Tant que l'homme résiste à s'élever par l'échelle de la spiritualité, il ne pourra pas s'approcher de la vraie grandeur qui, ici dans le sein de son Père, lui procurera le bonheur suprême d'être enfant de Dieu, Enfant digne de mon Esprit, par son amour, son élévation et son savoir. (331, 27-28)

Manque de disposition à l'abstention, effort et responsabilité

24. Si l'humanité ne s'obstinait pas dans son ignorance, son existence serait différente sur la Terre; mais les hommes se rebellent contre mes commandements, renient leur destin et, au lieu de collaborer avec Moi dans mon Oeuvre, ils recherchent la forme d'éluder mes loi, pour n'en faire qu'à leur guise.

25. Je vous dis aussi que si l'humanité observait soigneusement chacune de ses actions, elle se rendrait compte de la manière dont elle se révèle, à chaque pas, contre Moi.

26. Si Je répands mes complaisances sur les hommes, ceux-ci deviennent égoïstes; si Je leur concède de savourer le plaisir, ils commettent des excès; si Je mets leur force à l'épreuve, dans le but de leur calmer l'esprit, ils protestent; et si Je permets que le calice d'amertume arrive à leurs lèvres pour les purifier, ils renient la vie et sentent qu'ils perdent la foi. Si Je dispose, sur leurs épaules, la charge d'une famille nombreuse, ils se désespèrent et quand J'enlève de la terre l'un de

leurs êtres chers, ils m'accusent d'être injuste.

27. Jamais Je ne vous vois conformes, jamais Je ne vous entends bénir mon nom dans vos épreuves, ni ne vois que vous essayez, au long de votre vie, de travailler à mon Œuvre de Création. (117, 55-57)

28. J'ai placé de la grandeur dans l'homme, mais pas celle qu'il recherche sur la Terre. La grandeur dont Je parle est sacrifice, amour, humilité et charité. L'homme fuit continuellement ces vertus en s'éloignant de sa vraie grandeur et de la dignité que le Père lui a donnée pour être Son enfant.

29. Vous fuyez l'humilité parce que vous croyez qu'elle signifie petitesse. Vous fuyez les épreuves parce que la misère vous effraie, sans vouloir comprendre qu'elles viennent seulement pour libérer votre esprit. Vous fuyez aussi le spirituel parce que vous croyez qu'en vous immergeant dans cette connaissance, vous perdez votre temps, sans savoir que vous méprisez une lumière supérieure à toute science humaine.

30. C'est pourquoi Je vous ai dit qu'il existe beaucoup d'êtres qui, bien qu'ils jurent M'aimer, ne M'aiment pas et qui, prétendant croire en Moi, n'ont pas la foi; ils sont venus pour me dire qu'ils sont disposés à me suivre, mais ils veulent me suivre sans croix. Et Moi je leur ai dit: Que celui qui veuille me suivre prenne sa croix et me suive! Celui qui embrasse sa croix avec amour arrivera au sommet de la Montagne d'où il exhalera son dernier soupir sur cette Terre pour ressusciter à la vie éternelle. (80. 37-39)

31. Aujourd'hui, au lieu de remédier à la misère qui les entoure de partout, les hommes essaient d'en tirer le meilleur profit pour eux-mêmes.

32. Pourquoi les hommes ne se sont-ils pas élevés en quête d'un idéal qui les aide à éprouver des sentiments plus purs et à faire des efforts plus dignes de l'esprit? C'est parce qu'ils n'ont pas voulu regarder au-delà de ce que leur permettent leurs yeux de mortels, c'est-à-dire, au-delà de leurs misères, de leurs plaisirs terrestres, et de leur science matérielle.

33. Ils se sont dédiés à profiter du temps dont ils jouissent dans le monde, pour accumuler richesses et plaisirs, en pensant qu'une fois morts, tout se termina pour eux.

34. L'homme, dans son orgueil ignorant, au lieu de s'élever en se considérant enfant de Dieu, descend au niveau d'être inférieur, et si sa conscience lui parle de la Divinité et d'une vie spirituelle, sa crainte de la justice de Dieu s'empare de lui et il préfère faire taire cette voix intérieure, en détournant de sa pensée tous ces avertissements.

35. Il n'a pas médité sur l'existence en elle-même, ni sur sa condition spirituelle et matérielle. Comment pourra-t-il cesser d'être poussière et misère tant qu'il vivra et pensera de la sorte? (207, 18)

36. Ma Doctrine, qui en tout temps est l'explication de la Loi, est venue à vous comme un chemin de lumière, comme une solide brèche ouverte pour l'esprit; néanmoins, les hommes, utilisant le libre arbitre dont ils furent dotés, souhaitant suivre une direction pour leur vie, ont toujours choisi la route facile de la matérialité, quelques-uns refusant catégoriquement d'entendre les appels de la conscience qui conduisent toujours au spirituel; et d'autres, créant des cultes et des rites pour croire qu'ils marchent fermement sur le chemin spirituel, alors qu'en réalité, ils sont aussi égoïstes que ceux qui ont exclu mon nom et ma parole de leur vie. (213, 51)

37. La route est préparée et la porte ouverte pour tous ceux qui souhaitent venir à Moi.

38. Le sentier est étroit, cela il y a bien longtemps que vous le savez, personne n'ignore que ma Loi et mon Enseignement sont infiniment propres et stricts pour que quelqu'un songe à les réformer à sa convenance ou selon sa volonté.

39. La route spacieuse et la porte ample ne sont pas précisément ce qui conduit votre esprit à la lumière, à la paix et à l'immortalité. La route spacieuse est celle du libertinage, de la désobéissance, de l'arrogance et du matérialisme, route que la majorité des hommes suivent en cherchant de fuir leur responsabilité spirituelle et le jugement intérieur de leur conscience.

40. Cette route ne peut être infinie, parce qu'elle n'est ni vraie, ni parfaite. Par conséquent, en se trouvant limité à l'instar de tout ce qui est humain, l'homme arrivera, un jour, à son bout, où il s'arrêtera pour se pencher, horrifié, vers l'abîme qui marque la fin de la route. C'est alors que le chaos s'ensuivra dans le cœur de ceux qui se sont déviés, pendant longtemps, du vrai chemin.

41. Certains se repentiront et, pour autant, rencontreront suffisamment de lumière pour se sauver, quelques uns seront confondus face à une fin qu'ils considèreront injuste et illogique, et d'autres, enfin, blasphèmeront et se rebelleront, mais Je vous dis, certes, que cela signifiera le début du retour à la lumière. (333, 64-68)

La misère spirituelle de l'être humain

42. Je ne me suis pas trompé dans ce que J'ai fait. Mais l'homme, quant à lui, s'est trompé de route et de vie, il reviendra bientôt à Moi comme le fils prodigue qui gaspilla tout son héritage.

43. Avec sa science il a créé un nouveau monde: un faux royaume. Il a constitué des lois, a élevé son trône et s'est adjugé un sceptre et une couronne. Mais, que sa splendeur est éphémère et trompeuse! Il suffit d'un faible souffle de ma justice pour faire trembler ses fondations et faire s'effondrer tout son empire. Cependant, le royaume de la paix, de la justice et de l'amour, se trouve très

éloigné du cœur de l'humanité qui n'a pas su le conquérir.

44. Le plaisir et les satisfactions que leur travail fournit aux hommes, sont fictifs. Dans leur coeur existent la douleur, l'inquiétude et la déception, lesquelles se cachent derrière le masque du sourire.

45. Voilà ce qui a été fait de la vie humaine et, en ce qui concerne la vie de l'esprit et les lois qui le régissent, elles ont été déformées en oubliant qu'il existe également des forces et des éléments qui vivifient l'esprit, avec lesquels l'homme doit être en contact pour supporter les épreuves et les tentations et résister à tous les obstacles et déceptions, sur son chemin d'ascension vers la perfection.

46. Cette lumière qui, de l'infini, arrive à chaque esprit ne provient pas de l'astre roi; la force que l'esprit reçoit depuis l'Au-delà n'est pas une émanation de la Terre; la fontaine d'amour, de vérité et de santé qui calme la soif de connaissance de l'esprit n'est pas l'eau de vos mers ou de vos sources. L'environnement qui vous entoure n'est pas seulement matériel, il est l'émanation, le souffle et l'inspiration que l'esprit humain reçoit directement du Créateur de tout, de Celui qui a créé la vie et la gouverne avec ses lois parfaites et immuables.

47. Si l'homme mettait un peu de bonne volonté pour reprendre le chemin de vérité, il sentirait instantanément comme un stimulant, la caresse de la paix. Mais l'esprit, lorsqu'il se matérialise sous l'influence de la matière, succombe dans ses guerres et, au lieu d'être le seigneur de cette vie, le timonier qui gouverne son bateau, il devient esclave des inclinations et tendances humaines et un naufragé au milieu des tempêtes.

48. Je vous ai déjà dit que l'esprit existe avant la chair, comme le corps est avant le vêtement. Cette matière que vous possédez n'est seulement qu'une parure passagère de l'esprit. (80, 49-53)

49. Ah si tous les hommes souhaitaient contempler la lumière naissante de cette ère, que d'espérances y aurait-il dans leurs cœurs! Mais ils dorment. Ils ne savent même pas recevoir la lumière que le soleil leur envoie chaque jour, cette première lumière qui est comme une image de la lumière radiante et rayonnante du Créateur.

50. Il vous caresse et vous éveille à la lutte quotidienne, sans que les hommes, insensibles aux beautés de la Création, ne s'arrêtent quelques instants pour Me remercier. La gloire pourrait passer à leur côté sans qu'ils ne la remarquent, parce qu'ils se réveillent toujours préoccupés, en oubliant de prier pour chercher, en Moi, la force spirituelle.

51. Ils ne recherchent pas non plus d'énergies pour la matière dans les sources de la Nature. Tous courent précipitamment, en luttant sans savoir pourquoi, en marchant sans savoir exactement où ils vont. C'est dans cette lutte sourde et insensée, qu'ils

ont matérialisé leur esprit en le rendant égoïste.

52. Après avoir déjà oublié les lois de l'esprit, qui sont la lumière de la vie, les hommes se détruisent, se tuent et s'arrachent le pain, sans écouter la voix de leur conscience, sans entrer dans des considérations, sans s'arrêter pour méditer.

53. Mais, si quelqu'un leur demandait comment ils jugent leur vie actuelle, ils répondraient à l'instant que jamais, de par le passé, ne brilla autant de lumière dans la vie humaine que maintenant, et que jamais la science ne leur révéla tant de secrets. Mais ils devraient le dire en portant un masque de bonheur devant leur visage, parce que dans leur cœur, ils cacheraient toute leur douleur et toute leur misère spirituelle. (104, 33-34)

54. J'envoyai l'esprit s'incarner sur la Terre et se convertir en humain pour qu'il soit prince et seigneur de tout ce qui existe en elle, et non pour être esclave, ni victime ni mendiant, comme je le vois maintenant. L'homme est esclave de ses besoins, de ses passions, de ses vices et de son ignorance.

55. Il est victime de souffrances, de faux pas et de vicissitudes que son manque d'élévation spirituelle lui causent lors de son passage par la Terre. Il est mendiant, parce qu'en ignorant la part d'héritage qui lui correspond dans la vie, il ne connaît pas ses propriétés et réagit comme s'il ne possédait rien.

56. Il est nécessaire que cette humanité se réveille pour commencer à étudier le livre de la vie spirituelle et bientôt, en se transmettant cette idée de génération en génération, cette graine bénie jaillira pour que ma parole s'accomplisse.

57. Je vous ai dit que cette humanité atteindra, un jour, la spiritualité et saura vivre en harmonie avec tout ce qui a été créé; alors, les esprits, l'entendement et le cœur sauront marcher au même rythme. (305, 8 11)

Conduites terrestres erronées et leurs conséquences

58. Lorsque Je vois les hommes occupés dans des guerres, se tuant les uns les autres pour la possession des richesses du monde, Je ne peux que continuer de comparer l'humanité avec ces enfants qui se battent pour ce qui n'a aucune valeur. Les hommes sont encore des enfants qui se querellent pour un peu de pouvoir ou un peu d'or. Que signifient ces possessions en comparaison des vertus que d'autres hommes thésaurisent?

59 Vous ne pourrez comparer l'homme qui divise des peuples en semant la haine dans leurs cœurs, avec celui qui consacre sa vie à arroser la graine de la fraternité universelle. Vous ne pouvez comparer celui qui cause des souffrances à ses frères, avec celui qui dédie sa vie à soulager la douleur de ses semblables.

60. Chaque homme rêve d'un trône sur la Terre bien que, depuis le commencement, l'humanité ait pu

réaliser le peu de valeur que représente un trône dans le monde.

61. Je vous ai promis une place dans mon Royaume, mais très peu sont ceux qui ont accepté, ils ne souhaitent pas savoir que le plus petit des sujets du Roi des Cieux est plus grand que le monarque le plus puissant de la Terre.

62. Les hommes sont encore des enfants; mais la grande épreuve qui s'approche d'eux les feront passer de l'enfance à la maturité dans un temps très court, et avec le fruit de l'expérience, ils s'exclameront: Jésus, notre Père, avait raison. Allons Le rejoindre! (111, 3-7)

63. Les hommes recherchent l'immortalité dans le monde, en essayant de l'atteindre au travers d'ouvrages matériels parce que, bien que la gloire terrestre soit éphémère, elle est tangible; ils oublient la gloire de l'esprit parce qu'ils doutent de l'existence de cette vie. C'est le manque de foi et la carence de spiritualité qui ont disposé un voile de scepticisme devant les pupilles des hommes. (128, 45)

64. L'évolution humaine, ses progrès, sa science et sa civilisation n'ont jamais eu pour objectif l'élévation de l'esprit, qui est le plus haut et le plus noble de ce qui existe en l'homme; ses aspirations, ses ambitions, ses désirs ardents et ses inquiétudes ont toujours été ses priorités dans ce monde. C'est ici qu'ils ont cherché le savoir, c'est ici qu'ils ont accumulé des trésors, et c'est ici qu'ils se sont procurés plaisirs, honneurs, récompenses, pouvoirs et éloges. C'est ici qu'ils ont souhaité trouver leur gloire.

65. C'est pourquoi Je vous dis que, pendant que la Nature avance pas à pas, sans s'arrêter dans sa loi d'évolution incessante vers le subtil, vers la perfection, l'homme est resté en arrière, stationnaire, d'où ses vicissitudes sur la Terre, les épreuves, les faux pas et les coups qu'il reçoit sur son chemin. (277, 42)

66. Je souhaite que vous ayez des désirs ardents, que vous nourrissiez des ambitions et que vous rêviez d'être grands, forts et sages, mais des biens éternels de l'esprit.

67. Parce que, pour atteindre ces biens, il se requiert toutes les vertus, telles que: la charité, l'humilité, le pardon, la patience et la noblesse; en un mot: l'amour. Et toutes les vertus élèvent, purifient et perfectionnent l'esprit.

68. Dans ce petit monde, dans cette demeure passagère, l'homme, pour être grand, puissant, riche ou sage, a dû être égoïste, vindicatif, cruel, indifférent, inhumain et orgueilleux, et tout ceci a dû le mener au pôle opposé à ce qui est vérité, amour, paix et véritable sagesse et justice. (288, 32)

69. Lorsque l'homme se retrouve spirituellement à lui-même, il ressent en lui la présence de son Père; mais quand il ignore son identité et l'endroit d'où il provient, il Me

perçoit distant, étrange et inaccessible, ou demeure insensible.

70. Ce n'est qu'éveillé que l'esprit peut entrer dans le royaume de la vérité; l'homme, par sa seule science, ne pourra pas la connaître.

71. Je vois que les hommes nourrissent des ambitions de savoir, de gloire, de force, de richesse et de pouvoir, et Moi je viens leur offrir les moyens de toutes les réaliser, mais dans leur essence, et leur vérité spirituelle, non pas dans la superficialité et l'artifice du monde, pas dans le passager ni le trompeur.

72. Quand l'homme se livre au matériel, en se retirant dans le petit espace d'un monde comme le vôtre, il s'appauvrit, se limite et opprime son esprit, rien n'existe déjà plus pour lui, en dehors de ce qu'il possède et de ce qu'il connaît. Alors il devient nécessaire qu'il perde tout afin qu'il puisse ouvrir ses yeux à la vérité et que, une fois convaincu de son erreur, il regarde à nouveau vers l'éternel. (139, 40-43)

Chapitre 47 - Matérialisme et Spiritualisme

Les répercussions du matérialisme régnant

1. En vérité Je vous le dis, beaucoup fuiront ma Doctrine par crainte de se spiritualiser, mais ce ne sera ni la raison, ni l'esprit qui leur parlera sinon les basses passions de la matière.

2. Un esprit, lorsqu'il vit attaché à la vérité, fuit le matérialisme comme lorsque l'on fuit d'un milieu contaminé. L'esprit élevé trouve seulement son bonheur dans ce qui est moral, où existe la paix et où habite l'amour. (99, 41-42)

3. Analysez ma parole en profondeur jusqu'à ce que vous soyez sûrs de sa pureté et de sa vérité, ce n'est que de cette manière que vous pourrez marcher fermement et demeurer forts face à l'invasion d'idées matérialistes qui sont une menace pour l'esprit, parce que le matérialisme est la mort, l'obscurité, le joug et le poison pour l'esprit. N'échangez jamais la lumière ou la liberté de votre esprit pour le pain terrestre ou les biens matériels mesquins!

4. En vérité Je vous le dis, quiconque confie en ma Loi et persévère dans la foi jusqu'à la fin, ne manquera jamais de nourriture matérielle, et durant les instants de sa communication avec mon Esprit, il recevra toujours le pain de la vie éternelle grâce à ma charité infinie. (34, 61-62)

5. Le matérialisme s'interpose comme un immense obstacle sur la route de l'évolution de l'esprit; l'humanité s'est arrêtée devant cette muraille.

6. Vous vous trouvez dans un monde où l'homme a réussi à développer sa compréhension, appliquée à la science matérielle, mais son raisonnement quant à l'existence du spirituel demeure encore maladroit, sa connaissance de tout ce qui n'a pas exclusivement trait à la matière est retardée. (271, 37-38)

7. Les épreuves que votre monde traverse sont les signes de la fin d'une Ere, elles sont le déclin ou l'agonie d'une époque de matérialisme, parce qu'il y a eu du matérialisme dans votre science, dans vos ambitions et dans vos affections. Il y a eu du matérialisme dans le culte que vous M'avez rendu et comme dans toutes vos œuvres.

8. L'amour du monde, la convoitise de la terre, les désirs de la chair, le plaisir de tous les bas instincts, l'égoïsme, l'amour de soi-même et l'orgueil constituèrent la force avec laquelle vous créâtes une vie d'après votre intelligence et votre volonté humaine, dont Je vous ai laissé

recueillir les fruits afin que votre expérience soit absolue.

9. Mais, si cette Ere qui prend fin sera marquée dans l'histoire de l'humanité par son matérialisme, en vérité Je vous le dis, le nouveau temps se distinguera par sa spiritualité, ce seront la conscience et la volonté de l'esprit qui construiront, sur la Terre, un monde d'êtres élevés par l'amour, une vie dans laquelle l'Esprit du Père se sentira vibrer dans l'esprit de ses enfants, parce que tous les dons et les pouvoirs qui aujourd'hui vivent cachés dans votre être auront, alors, un espace pour se développer: l'infini. (305, 41-42)

L'essence du Spiritualisme

10. Le Spiritualisme n'est pas un mélange de religions, c'est la Doctrine la plus pure et la plus parfaite dans sa simplicité. Le Spiritualisme est la lumière de Dieu qui descend sur l'esprit humain en ce Troisième Temps. (273, 50)

11. J'ai appelé « Spiritualisme » la révélation qui vous parle de la vie de l'esprit, qui vous enseigne à vous communiquer directement avec votre Père, et vous élève au-dessus de la vie matérielle.

12. En vérité Je vous le dis, le Spiritualisme n'est pas nouveau et n'appartient pas à cette ère, sinon que c'est une révélation qui s'est développée progressivement, en accord avec l'évolution spirituelle de l'humanité.

13. Si le Spiritualisme est la Doctrine que Je vous donne, qui vous enseigne l'amour parfait à Dieu et à vos semblables, et qui vous offre aussi le chemin qui mène à la perfection, le Spiritualisme représenta, par ailleurs, ce que la Loi de Dieu vous enseigna au Premier Temps, et la parole du Christ au Second Temps. (289, 20-22)

14. Le Spiritualisme n'est pas une religion, c'est la même Doctrine que, dans le corps de Jésus, Je vins répandre dans le monde pour l'orientation de tous les hommes et dans tous les temps. C'est ma Doctrine d'amour, de justice, de compréhension et de pardon.

15. En ce Troisième Temps, Je vous ai parlé avec davantage de clarté, en raison de votre évolution spirituelle, matérielle et intellectuelle. (359, 60-61)

16. Le spiritualisme vient détruire les coutumes et les traditions imposées par les hommes, celles qui ont retardé l'esprit. Le spiritualisme est une évolution et une élévation continuelle de l'esprit qui, grâce à ses dons et attributs, se purifie et se perfectionne jusqu'à ce qu'il arrive à son Créateur. Le spiritualisme montre la forme sous laquelle l'esprit exprime, ressent et reçoit son Seigneur. Le spiritualisme libère et développe l'esprit.

17. Le spirituel est la force et la lumière universelle qui est en tout et appartient à tous. Mes enseignements ne seront étranges pour personne.

18. Les attributs de l'esprit sont immuables parce qu'ils sont les vertus de ma Divinité, ils sont des forces éternelles. Cependant, comprenez que, selon votre expérience vécue, vous pourrez démontrer votre grade de pureté, davantage pour certains, moins pour d'autres. (214, 57-59)

Qui a le droit de s'appeler Spiritualiste?

19. Celui qui a atteint quelque spiritualité par sa persévérance, son évolution et son amour pour les leçons du Père, sera spiritualiste, même si ses lèvres ne le disent pas.

20. Celui qui a la foi et l' élévation dans ses actions, devra refléter ce que possède son esprit. (236, 27-28)

21. Le spiritualiste sait que le Tout-Puissant est en tout, que le monde, l'univers et l'infini sont saturés de mon essence et de ma présence.

22. Celui qui Me reconnaît et Me conçoit ainsi, est un temple vivant de Dieu et ne matérialisera plus les manifestations de l'esprit avec des symboles ou des formes. (213, 31-32)

23. Le Spiritualisme est la révélation qui vous découvre et vous enseigne tout ce que vous possédez et portez en vous-mêmes. Il vous fait reconnaître que vous êtes une oeuvre de Dieu, que vous n'êtes pas uniquement matière, qu'il y a quelque chose au-dessus de la chair qui vous élève par-dessus le niveau de la nature qui vous couvre et au-dessus du caractère immonde de vos passions.

24. Quand les hommes atteignent la spiritualité, chaque précepte et chaque maxime feront partie de la lumière de leur conscience. Bien que leur mémoire ne retienne pas la moindre phrase ou le moindre mot de mon enseignement, elle portera en elle-même son essence, parce qu'elle l'aura comprise, parce qu'elle la ressentira et la mettra en pratique. (240, 17-18)

25. Le bon spiritualiste sera celui qui, dans la pauvreté de biens matériels, se sent comme un seigneur: riche et heureux, en sachant que son Père l'aime, qu'il a des frères à aimer et que les richesses du monde sont relatives comparées aux richesses de l'esprit.

26. Celui qui, étant propriétaire de richesses matérielles, sait les utiliser à bonnes fins en les considérant comme instruments que Dieu lui a donnés pour mener à bien une importante mission sur la Terre, celui-là aussi sera un bon spiritualiste.

27. Il n'est pas indispensable d'être pauvre, paria ou misérable, pour se compter parmi ceux qui Me suivent, de même qu'il n'est pas non plus nécessaire d'être pleureurs pour que Je vous aime. En vérité Je vous le dis, J'ai toujours souhaité que vous soyez forts et sains, et que vous soyez les propriétaires de tout ce que j'ai créé pour vous.

28. Quand apprendrez-vous à être les possesseurs de votre héritage, en sachant apprécier chaque grâce et

accordant, à chacune, sa place adéquate dans la vie? (87, 28-30)

Le Spiritualisme dans les religions et les confessions

29. Aujourd'hui, les hommes vivent une époque de troubles, parce qu'ils ne sont pas parvenus à comprendre que toute leur vie et toutes leurs luttes doivent les conduire au développement de l'esprit, dont le but sera la communication de leur esprit avec le Créateur.

30. Le matérialisme est le culte que la plupart des hommes pratiquent aujourd'hui.

31. Tant que les doctrines et les religions s'obstinent dans leurs différences, le monde continuera de fomenter sa haine et ne pourra pas ouvrir la voie décisive au véritable culte.

32. Mais, quand les hommes vont-ils se comprendre et s'unir, faisant ainsi le premier pas vers l'amour des uns envers les autres, s'il y a encore des hommes qui, croyant posséder la clef ou le secret du salut de l'esprit et les clefs de la vie éternelle, désavouent tous ceux qui vont par des voies distinctes, parce que dans leur jugement, ils sont indignes d'arriver à Dieu?

33. Rendez-vous compte, dès lors, de la vraie finalité du Spiritualisme, dont la Doctrine est au-dessus de toute religion, de toute idée humaine et de toute secte. (297, 38-41)

34. Le Spiritualisme n'est pas une nouvelle doctrine qui vient achever l'évolution des croyances des époques passées, non, c'est la même révélation des Premier et Second Temps. Il est la base de toutes les religions, celle qu'en ces moments de division Je suis venu rappeler à l'humanité afin qu'elle n'en n'oublie pas ses principes.

35. Les oeuvres de l'homme, ses coutumes et formes d'impressionner les sens pour se flatter et s'enorgueillir dans ses différentes religions, s'opposent à ce que mon Oeuvre vient montrer au monde. (363, 9)

36. En ce temps, Je viens vous offrir de nouveaux enseignements, que vous devez méditer, des leçons d'amour qui vous rachètent et vous élèvent, des vérités qui, bien qu'amères, constituent une lumière sur votre chemin.

37. Le Spiritualisme, en ce temps, comme le Christianisme du temps passé, sera combattu et persécuté avec colère, cruauté et rage, et au milieu de la lutte, le spirituel émergera en bâtissant des prodiges et en conquérant des coeurs.

38. Le matérialisme, l'égoïsme, l'orgueil et l'amour au monde, seront les forces qui se lèveront contre cette révélation, qui n'est ni nouvelle ni distincte de celle que Je vous ai apportée dans les temps passés. La Doctrine que Je suis venu vous révéler maintenant, et à laquelle vous donnez le nom de Spiritualisme, est l'essence de la Loi et de la Doctrine qui vous

furent révélées aux Premier et Second Temps.

39. Quand l'humanité comprendra la vérité de cet enseignement, sa justice et les connaissances infinie qu'il révèle, elle débarrassera son cœur de toute crainte, de tout préjugé et l'adoptera comme norme de sa vie. (24, 48-51)

40. En vérité Je vous le dis, les spiritualistes, hommes préparés qui contribueront à la paix de l'humanité, sont disséminés de par le monde entier.

41. Cependant, Je vous dis que l'union entre les spiritualistes du monde entier ne se fera pas par le biais de l'organisation d'une nouvelle Eglise, parce que leur force ne sera pas matérielle. Leur union sera une union de pensées, d'idéal et d'actions, et leur force, dès lors, sera invincible, parce qu'ils l'auront puisée de la source éternelle qui est en mon Esprit.

42. J'inspire ma vérité à tous et les touche aussi afin que toutes les impuretés, qui ne doivent pas se mélanger à ma lumière, disparaissent de leur coeur et de leur compréhension.

43. Tous ont le devoir de laisser s'éclairer et se définir, au travers de leurs dons, la Doctrine Spiritualiste, en veillant qu'elle ne se contamine pas de philosophies humaines. (299, 30-32)

44. Je vous dis certes que, dans l'histoire de l'humanité, l'Histoire du Spiritualisme sera écrite en lettres lumineuses.

45. Israël ne s'immortalisa-t-il pas en se libérant du joug d'Egypte? Les chrétiens ne s'immortalisèrent-ils pas dans leur conquête de l'amour? De la même manière, les Spiritualistes s'immortaliseront dans leur lutte pour la liberté de l'esprit! (8, 64-65)

Chapitre 48 - Dons spirituels et spiritualisation

Les habiletés spirituelles de l'être humain

1. Quand cette humanité sceptique, incrédule et matérialiste se trouve en présence d'une manifestation divine, ou de ce qu'ils appellent des miracles, elle recherchent, de suite, des raisons ou des preuves pour démontrer qu'il n'existe aucun fait surnaturel et qu'il n'y a eu un tel miracle.

2. Quand un homme apparaît, qui manifeste un don spirituel hors du commun, la raillerie, le doute ou l'indifférence se dressent devant lui pour faire taire sa voix; et quand la Nature, cet instrument de ma Divinité, fait entendre ses voix de justice et ses messages d'alerte aux hommes, ceux-ci attribuent tout au hasard; mais l'humanité n'a jamais été aussi insensible, sourde et aveugle à tout ce qui est divin, spirituel et éternel, comme à l'heure actuelle.

3. Des millions d'hommes se disent chrétiens, mais la majorité d'entre eux ne connaissent pas la doctrine du Christ. Ils disent aimer toutes les actions que J'ai réalisées en tant qu'homme, mais dans leur manière de croire, de penser et de concevoir, ils démontrent qu'ils ne connaissent pas l'essence de ma doctrine.

4. Je vins pour vous enseigner la vie de l'esprit, Je vins pour vous révéler les pouvoirs qu'il détient; c'est pour cela que Je vins au monde.

5. Je guérissais les malades sans aucune médecine, je parlais avec les esprits, je libérais les possédés d'influences étranges et surnaturelles, je conversais avec la nature, je me transfigurais d'homme en Esprit, et d'Esprit en homme, et chacune de ces oeuvres eut toujours pour but de vous montrer le chemin de l'évolution de l'esprit. (114, 1-4)

6. Vous portez, en vous, de véritables trésors, pouvoirs et dons que vous ne devinez même pas, et vous pleurez comme des nécessiteux, à cause de votre ignorance. Que savez-vous du pouvoir de la prière et de la force de la pensée? Que savez-vous du profond contenu de la communication d'esprit à Esprit? Rien, humanité matérialiste et charnelle! (292, 14)

7. La spiritualité est ce que J'attends du monde! Pour Moi, les noms par lesquels chaque religion ou secte se distingue n'a aucune importance, ni d'ailleurs le plus grand ou le moins splendide de leurs rites et culte externes, cela touche seulement les sens humains, mais n'arrive pas à mon Esprit.

8. Des hommes, J'attends la spiritualité, parce qu'elle signifie élévation de la vie, idéal de perfectionnement, amour du bien, culte à la vérité, pratique de la charité

et harmonie avec soi-même, ce qui entraîne une harmonie avec les autres et, par conséquent, avec Dieu. (326, 21-22)

9. La spiritualité ne veut pas dire mysticisme, elle n'implique aucune pratique de rite, elle n'est pas non plus un culte externe. La spiritualité signifie le développement de toutes les facultés de l'homme, tant celles qui correspondent à sa partie humaine, que celles qui vibrent au-delà des sens du corps et qui sont les pouvoirs, attributs, facultés et sens de l'esprit.

10. La spiritualité est l'application juste et bonne de tous les dons que l'homme possède. La spiritualité est l'harmonie avec tout ce qui vous entoure. (326, 63-66)

11. En son temps, Je vous enseignai la vertu la plus grande qu'est la charité. J'inspirai votre coeur et sensibilisai vos sentiments. Maintenant, Je viens vous révéler tous les dons dont est doté votre esprit, afin que vous les développiez et les appliquiez à faire la charité parmi vos semblables.

12. La connaissance de la vie spirituelle vous permettra de mener à bien des oeuvres semblables à celles que réalisa votre Maître. Souvenez-vous que Je vous ai dit qu'en développant vos facultés, vous accomplirez de véritables prodiges. (85, 20-21)

13. En ce Troisième Temps, tous vous possédez les dons de l'esprit, qui commencent leur développement grâce à l'évolution qu'ils ont atteinte. L'intuition, la voyance, la révélation, la prophétie, l'inspiration se manifestent clairement parmi l'humanité, et c'est ce qui annonce un nouvelle ère, c'est la lumière du Livre des Sept Sceaux, ouvert, en ce temps, en son Sixième Chapitre.

14. Mais, vous qui connaissez la raison de ces manifestations et l'époque dans laquelle vous vivez, aiguillez vos dons sur le chemin de l'amour; soyez toujours préparés à offrir votre charité et vous serez en harmonie avec ma Loi et servirez d'exemple pour vos frères. Alors vous serez mes disciples et serez reconnus comme tels. (95, 18)

15. Quand les hommes s'aimeront et sauront se pardonner, quand l'humilité existera dans leur coeur et qu'ils auront réussi à imposer l'esprit à la matière, ce ne sera pas la chair, ni le monde, ni les passions responsables de former l'épais voile qui vous empêche de regarder en arrière ou en avant du chemin; au contraire, la matière déjà spiritualisée par la pratique de ma Doctrine sera comme un serviteur docile aux ordres de la conscience, à l'inverse de ce qui existe maintenant: obstacle, piège, bandeau sur les yeux de l'esprit. (122, 32)

16. L'intuition, qui est voyance, pressentiment et prophétie, éclaire l'esprit et fait battre le coeur face aux

messages et aux voix qu'elle reçoit de l'infini.

17. Grâce au don d'intuition, dont J'ai doté tous les hommes, vous pourrez découvrir de nombreux cas cachés dans le secret des cœurs., beaucoup de tragédies qui affectent, non seulement la vie terrestre de vos frères, mais aussi leur esprit.

18. Comment pouvoir pénétrer l'intimité de ces cœurs, sans les blesser et sans profaner leurs secrets? Comment découvrir ces douleurs cachées qui assombrissent la vie de vos frères? Je vous l'ai déjà dit: L'intuition, ce don qui fait partie de la vue spirituelle et qui connaîtra, en vous, son plein développement au travers de la prière, vous montrera la manière de calmer la douleur de chacun de vos semblables. (312, 72-74)

19. Combien de mystères existent encore pour l'homme! Il est entouré d'êtres invisibles et impalpables qui devraient déjà être visibles et palpables.

20. Une vie pleine de beauté et de révélations palpite sur l'existence des hommes et ceux-ci, dans leur aveuglement, ne sont pas encore parvenus à la percevoir. (164, 56-57)

21. Un homme spirituellement préparé par ma Doctrine sera qualifié pour réaliser des oeuvres surhumaines. De son esprit et de son corps émanera une lumière, un pouvoir et une force qui lui permettront de réaliser ce que l'intelligence seule n'est pas capable d'achever. (252, 4-5)

22. C'est le temps auquel la lumière divine brillera pleinement parmi mes partisans, lesquels manifesteront les dons de l'esprit en démontrant qu'ils n'ont pas besoin des biens terrestres ni des sciences matérielles pour accomplir la charité et réaliser des prodiges. Ils guériront en mon Nom, ils guériront les malades condamnés, ils convertiront l'eau en baume curatif et lèveront les morts de leur lit. Leur prière aura le pouvoir de calmer les vents, d'apaiser les éléments et de combattre les épidémies et les mauvaises influences.

23. Les possédés se libèreront de leurs obsessions, de leurs persécuteurs et de leurs oppresseurs, devant la parole, la prière et le pouvoir de mes nouveaux disciples. (160, 28-29)

24. Spiritualité veut dire élévation des sentiments, pureté dans la vie, foi, amour envers les autres, charité, humilité devant Dieu et profond respect pour les dons reçus. Lorsque vous parvenez à atteindre une de ces vertus, vous commencez à pénétrer, avec votre regard spirituel, la mansion de l'amour et de la perfection. Ainsi, quand vous atteignez la spiritualité, depuis la Terre, vous pourrez dire que vous habitez, bien que ce soit seulement durant les instants de votre prière, dans la vallée spirituelle, et en même temps, vous recevrez la lumière qui vous révèle des faits qui appartiennent au futur, puisque pour

l'esprit, lorsqu'il commence de s'élever, l'avenir cesse d'être un mystère.

25. Oui, disciples. C'est seulement au cours de la vie humaine que l'homme ignore ce qui se passera dans le futur, ce qui arrivera demain; il méconnaît son destin, il ignore le chemin qu'il devra parcourir et quelle sera sa fin.

26. L'homme ne pourrait pas supporter la connaissance de toutes les épreuves qu'il devra traverser au cours de son existence, et dans ma charité à son égard, J'ai tendu ce voile de mystère entre son présent et son futur, empêchant, de la sorte, que son esprit se perde en contemplant ou en sachant tout ce qu'il devra vivre et ressentir.

27. En revanche l'esprit, un être revêtu de force et créé pour l'éternité, a en lui-même le pouvoir de connaître son avenir, le don de connaître son destin et la force pour comprendre et accepter ces épreuves qui l'attendent, parce qu'il sait qu'au bout du chemin, quand celui-ci aura été parcouru dans l'obéissance à la Loi, il devra arriver à la Terre promise, paradis de l'esprit, qui est l'état d'évolution, de pureté et de perfection qu'il aura enfin atteint.

28. Vous ne pouvez atteindre le niveau de spiritualité de votre Maître pour pouvoir savoir ce que vous réserve votre destin, ce que l'avenir vous prépare, mais grâce à votre élévation, Je vous ferai pressentir la proximité de quelque événement.

29. Ce pressentiment, cette voyance du futur, cette connaissance de votre destin, vous ne le réaliserez que lorsque votre être, formé de corps et d'esprit, continuera de s'élever sur la voie de la spiritualité laquelle, Je vous le répète, est foi, pureté, et amour de la vie; elle est amour et charité pour vos semblables, elle est humilité et amour devant votre Seigneur. (160, 6-9 et 13-14)

30. Soyez alerte, afin de ne pas combattre ceux qui, comme vous, se lèvent en accomplissant des missions confiées par ma Divinité, pour que vous puissiez reconnaître les vrais prophètes des faux; et afin que vous confirmiez les oeuvres des uns et que vous détruisiez celles des autres.

31. Parce que c'est le temps où toutes les forces se sont levées pour combattre: Le bien luttant contre le mal, la lumière contre les ténèbres, le savoir contre l'ignorance, la paix contre la guerre. (256, 66)

Exigences et caractéristiques du Spiritualisme authentique

32. Sachez qu'en chaque homme habite un « Judas ». Oui, disciples, parce que dans votre cas la matière est le « Judas » de l'esprit, c'est la matière qui s'oppose à ce que brille la lumière de la spiritualité, qui guette l'esprit pour le faire tomber dans le matérialisme, dans les bas instincts.

33. Mais n'allez pas condamner votre forme matérielle parce qu'elle vous mène au bord de l'abîme. Non! Parce que vous en avez besoin pour votre progression et vous la vaincrez grâce à votre spiritualité, comme Je

vainquis Judas avec amour. (150, 67-68)

34. Avant de vous lever pour enseigner mes maximes et exposer leurs concepts, il faut que vous commenciez par mettre en pratique l'enseignement que Je vous ai révélé, en aimant vos semblables, en construisant une vie élevée, en parsemant votre chemin de charité et de lumière. Si vous ne le faites pas, alors Je peux vous dire, d'ores et déjà, que vous n'aurez pas compris le spiritualisme. Il vous découvre votre essence, c'est grâce à lui que vous pouvez vous forger une juste conception de votre Père et vous connaître vous-mêmes.

35. Il est vrai que, pour atteindre la spiritualité, vous avez besoin d'une certaine renonciation, d'effort et de sacrifice; mais si un désir ardent d'élévation s'est éveillé en vous, si l'amour commence à vibrer en votre être, ou si l'idéal pour le spirituel a surgi en vous, au lieu de sacrifices ou de renonciations, ce sera, pour vous, un plaisir de vous défaire de tout ce que vous portez d'inutile, de superflu ou de mauvais. (269, 46-47)

36. Ayez toujours à l'esprit que vous êtes tous égaux devant Moi, que tous vous eûtes le même commencement et que tous avez la même finalité, bien que chaque destin se présente de forme différente.

37. N'oubliez jamais que tous vous devrez venir à Moi, ce qui veut dire que tous, bien que de distinctes formes, gagnerez les mérites nécessaires pour arriver au plus haut niveau spirituel; pour autant, ne considérez jamais personne inférieur.

38. La vanité ne devra jamais germer chez le spiritualiste, en revanche, la vraie modestie devra toujours l'accompagner, et ainsi, ses actes, au lieu d'éblouir avec une fausse lumière, auront une répercussion dans le cœur de ses frères. (322, 32-34)

39. Les bons semeurs du spiritualisme ne se distingueront jamais par l'extérieur ou le matériel. Il n'y aura, en eux, ni habitudes, ni symboles, ni aucune forme spéciale de s'exprimer. Tout, dans leurs actes, sera simplicité et humilité; mais, ils se distingueront par leur charité et leur spiritualité.

40. Les vrais prédicateurs du spiritualisme ne seront pas remarquables par leur langage fleuri, mais bien en raison de la sagesse et de la simplicité de leur parole mais, par-dessus tout, pour la vérité de leurs oeuvres et la bonté de leur vie. (194, 24-25)

41. La spiritualité est clarté, simplicité, culte à l'amour et lutte pour atteindre la perfection de l'esprit. (159, 64)

L'effet béni de la spiritualité

42. Avec la spiritualité on parvient à un degré d'élévation qui permet à l'homme de concevoir des idées au-

delà de ce que son esprit peut pressentir, et de contrôler le matériel.

43. A présent, réfléchissez, si l'élévation de l'esprit s'utilise dans l'étude de la création matérielle que vous présente la nature, ou de n'importe quel autre idéal humain, vous pouvez déjà imaginer les fruits que vous pourriez obtenir si vos découvertes n'étaient pas seulement dues à l'examen par l'esprit, sinon aussi à l'intervention de la révélation spirituelle que vous donne Celui qui a tout créé. (126, 26-27)

44. Quand les hommes atteindront la spiritualité, ils seront des créatures supérieures à tout ce qui les entoure, parce que jusqu'à présent, ils n'ont été que des êtres faibles à la merci d'éléments, de forces et d'influences qui ne doivent pas être au-dessus de l'homme, parce qu'elles ne lui sont pas supérieures. (280, 29)

45. En vérité, Je vous le dis, la spiritualité aussi, s'héritera, c'est pourquoi vous devez vous soucier de transmettre pureté et sensibilité pour le spirituel à vos enfants; ils vous en remercieront parce que vous sûtes faire preuve de charité, en leur offrant un corps avec des passions saines, un esprit clair, un coeur sensible, et un esprit éveillé à l'appel de leur conscience. (289, 65)

46. Le seul objectif que poursuit mon Oeuvre est la spiritualité de tous les hommes, parce que c'est dans la spiritualité qu'ils devront s'identifier et se comprendre. Dans la spiritualité, ils verront disparaître les noms, les formes extérieures et les symboles de leurs religions, lesquelles ont été la cause de leur éloignement spirituel, vu que chacune a interprété son Dieu de manière distincte.

47. Alors, quand tous, par leurs diverses voies, s'approcheront de la spiritualité, ils comprendront que tout ce dont ils avaient besoin consistait en se libérer de leur matérialisme pour pouvoir traduire sous forme spirituelle ce qu'ils considéraient toujours au sens matériel.

48. La spiritualité est ce que Je demande aux hommes, en ce temps, et dans le cadre de ce qui est licite, ils verront s'accomplir leurs plus grands idéaux et se résoudre leurs plus grands conflits. (321, 22-23 et 29)

XI. L'HUMANITE

Chapitre 49 - Religion et Jurisprudence sur la Terre

Aucune religion ou confession n'est l'authentique

1. Je ne viens pas pour réveiller le fanatisme religieux parmi les hommes; ma Doctrine est très loin d'enseigner des mensonges. Je souhaite la correction, la foi, la charité et la spiritualité. Le fanatisme est un bandeau d'obscurité, une passion démente qui mène aux ténèbres. Veillez afin que cette mauvaise graine ne pénètre pas votre coeur, et méfiez-vous parce que, parfois, le fanatisme a l'apparence de l'amour.

2. Sachez qu'en ces temps, ces ténèbres ont envahi l'humanité. Voyez comment, malgré que les peuples païens aient disparu de la Terre et que la plus grande part de l'humanité professe un culte au vrai Dieu, les hommes ne Me connaissent pas ni ne M'aiment, parce que leurs guerres, leurs haines et leur manque d'harmonie sont la preuve qu'ils ne Me permettent pas encore de vivre dans leur coeur.

3. Sur les obscurités de ce fanatisme religieux et de cette idolâtrie s'approchent de grands tourbillons, qui devront purifier le culte spirituel de cette humanité. Quand cette action aura été réalisée, l'arc-en-ciel de la paix brillera à l'infini. (83, 60 - 62)

4. Sur la Terre, J'ai laissé qu'existent des religions, lesquelles sont, pour l'esprit, des chemins qui conduisent à Dieu. Toute religion qui enseigne le bien et l'amour et exalte la charité est bonne, parce qu'elle renferme de la lumière de vérité. Quand, en elles, les hommes dégénèrent et convertissent en mauvais ce qui était bon à l'origine, alors le chemin se perd entre le matérialisme et le péché.

5. C'est pourquoi Je viens, en cette époque, vous montrer, à nouveau, ma venue qui est le chemin, l'essence et la loi, afin que vous recherchiez cette loi, qui est phare et étoile, au-delà des formes et des rites, au-delà de tout ce qui est humain. Celui qui me cherche ainsi sera spiritualiste. (197, 10-11)

6. Aucun ne se perdra, quelques-uns arriveront les premiers par le chemin que je vous ai indiqué, pendant que d'autres arriveront plus tard par les chemins qu'ils suivent.

7. L'homme pourra, dans toutes les religions, trouver cet enseignement qui lui est nécessaire pour se devenir bon; mais quand il n'y parvient pas, alors il blâme la religion qu'il professe et continue d'être ce qu'il a toujours été.

8. Chaque religion est une voie, quelques-unes plus parfaites que d'autres, mais toutes tendent vers le bien et essaient d'arriver au Père; s'il y a quelque chose des religions que vous connaissez et qui ne vous satisfait pas, ne perdez pas la foi en Moi; allez par le chemin de la charité et vous vous sauverez, parce que mon chemin est illuminé par la vertu de l'amour. (114, 43)

9. Les religions sont de petites vérités qui mènent les esprits vers le vrai chemin par lequel ils pourront s'élever, pas à pas, jusqu'à arriver à Moi. Tant que les hommes professeront des religions différentes sur la Terre, ils seront divisés, mais quand ils seront sur le chemin d'amour et vérité, ils se seront unis et se seront identifiés grâce à cette lumière unique, parce qu'une seule est la Vérité.

10. L'unification des religions se produira quand l'esprit de l'humanité s'élèvera par-dessus le matérialisme, les traditions, les préjugés et les fanatismes; alors les hommes se seront unis spirituellement dans un seul culte: Le bien pour amour à Dieu et au prochain. Lorsqu'il en sera ainsi, l'humanité entrera dans une période de perfectionnement.

11. La division spirituelle des hommes est due à ce que les uns et les autres aient saisi des branches différentes. Il n'existe qu'un seul arbre, en revanche, il compte beaucoup de branches; les hommes, cependant, n'ont pas voulu comprendre mes enseignements dans ce sens, et les discussions les distancient et accentuent leurs différences. Chacun croit posséder la vérité; chacun se sent dans le juste; cependant, Je vous dis que, tant que vous ne goûterez seulement que le fruit d'une seule branche et que vous méconnaîtrez celui des autres, vous ne parviendrez pas à comprendre que tous les fruits proviennent de l'arbre divin, dont l'ensemble constitue la vérité absolue.

12. En vous parlant de ces vérités, ne pensez pas que le Maître se réfère aux cultes externes des différentes religions, mais bien au principe fondamental sur lequel chacune d'elles repose.

13. Un fort vent de tempête a commencé de se faire sentir; ses rafales, en fouettant l'arbre, font se détacher ses différents fruits, lesquels seront goûtés par ceux qui ne les avaient pas connus auparavant.

14. Alors, ils diront: « Comme nous nous sommes trompés, et comme nous étions aveugles lorsque, emportés par notre fanatisme, nous refusions ces fruits que nous offraient nos frères, seulement pour les considérer inconnus! »

15. Une partie de ma lumière est en chaque multitude, dans chaque congrégation. Personne ne s'enorgueillit, par conséquent, de détenir toute la vérité. Comprenez que si vous souhaitez pénétrer plus profondément l'éternel, si vous voulez aller au-delà de l'endroit que vous avez atteint, si vous souhaitez savoir

plus à Mon propos et au vôtre, vous devez d'abord unir les connaissances de l'un à celles de l'autre, et ainsi de suite avec tous. Alors, de cette harmonie jaillira une lumière claire et très pure, qu'est celle que vous avez cherché dans le monde, sans avoir jamais réussi à la rencontrer.

16. « Aimez-vous les uns les autres ». Voilà ma maxime, mon commandement suprême pour les hommes, sans distinction de credos ou de religion.

17. Rapprochez-vous les uns des autres grâce à l'accomplissement de cette maxime et vous me trouverez présent en chacun de vous. (129, 36-41)

L'antagonisme des religions face au développement

18. L'homme s'est davantage préoccupé de sa vie humaine que de sa vie spirituelle, malgré qu'il sache que l'humain est passager et le spirituel éternel. C'est pourquoi en progressant dans sa civilisation et sa science, l'homme se retrouve, spirituellement, arrêté et endormi dans ses religions.

19. Observez les religions une à une, et vous verrez qu'aucune ne présente de preuves d'évolution, de développement ou de perfectionnement, néanmoins chacune d'elles est proclamée comme la plus haute vérité, et ceux qui la professent, croyant tout trouver et tout connaître en elle, ne font aucun effort pour aller de l'avant.

20. Les révélations divines, la Loi de Dieu, ma Doctrine et mes manifestations vous ont laissé entendre, depuis le début, que l'homme est un être sujet à évolution. Pourquoi, dès lors, aucune de vos religions ne justifie-elle ou ne démontre-t-elle pas cette vérité?

21. Je vous dis que cette doctrine qui réveille l'esprit, l'éclaire, le développe et lui révèle ce qu'il contient, qui le relève chaque fois qu'il trébuche et le fait avancer, sans s'arrêter, cette doctrine est inspirée par la vérité. Et n'est-ce pas ce que mon enseignement vous a révélé en tous temps?

22. Cependant, spirituellement vous vous êtes arrêtés depuis longtemps, parce que vous vous êtes davantage préoccupés de ce qui touche à votre vie sur la Terre, que de ce qui a trait à votre esprit. Mais pour ne pas abandonner complètement le spirituel, vous avez façonné vos religions de telle manière qu'elles ne constituent pas la moindre entrave à l'achèvement de vos tâches, devoirs et travaux sur la Terre.

23. Et donc, en respectant cette tradition religieuse, vous vous imaginez que vous accomplissez votre devoir envers Dieu; vous essayez de vous tranquilliser face à votre conscience et croyez être assurés de votre entrée dans la Gloire.

24. Quelle ignorance, humanité! Quand allez-vous vous réveiller à la réalité? Ne vous rendez-vous pas compte qu'en vous conformant avec

vos religions vous ne Me donnez rien, ni d'ailleurs à votre propre esprit?

25. Lorsque vous sortez de vos temples et dites: « J'ai accompli mon devoir envers Dieu », vous commettez une grande erreur, parce que vous croyez que vous êtes venus me donner quelque chose, quand en fait vous devriez savoir que vous n'avez rien à me donner et, en revanche, beaucoup à recevoir de Moi, et beaucoup à vous donner à vous-mêmes.

26. Vous croyez que l'obéissance à la Loi se limite à assister dans ces lieux, et c'est là une autre grave erreur, parce que ces lieux devraient être l'école où le disciple pourrait apprendre pour ensuite, sur le chemin de la vie, mettre en pratique la leçon apprise, ce qui constitue le véritable accomplissement de la Loi. (265, 22-27)

La relation entre religion et science

27. Depuis le commencement des temps, les émissaires de la Loi et de la Doctrine de l'esprit ont vu l'homme de science comme un adversaire. Et de grandes luttes ont eu lieu entre les uns et les autres. Le temps est venu pour Moi de m'exprimer au sujet de ces controverses.

28. Je fis ce monde pour qu'il serve de demeure temporaire aux esprits incarnés, mais avant qu'ils ne viennent le peupler, Je les préparai au moyen des dons de la conscience, de la compréhension et de la volonté.

29. Et Moi, Je connaissais, à l'avance, le destin et l'évolution de mes créatures, et déposai sur la Terre,

dans ses entrailles, en sa surface et dans son atmosphère, tous les éléments nécessaires à la conservation, l'alimentation, le développement et même le plaisir de l'être humain. Mais, pour que l'homme puisse découvrir les secrets de la Nature comme source de vie, Je permis que son intelligence se réveille.

30. Et c'est ainsi que le principe des sciences fut révélé à l'homme, un don que vous possédez tous, bien qu'il y ait toujours eu des hommes de plus grande capacité dont la mission a été d'arracher, de la Nature, le secret de ses forces et des éléments pour le bien-être et la joie de l'humanité.

31. J'ai aussi envoyé de grands esprits sur la Terre pour vous révéler la vie surnaturelle, celle qui se trouve au-dessus de la Nature, au-delà de la science. Et, par ces révélations, on ressentit l'existence d'un être universel, puissant, créateur, tout-puissant et omniprésent qui réserve, à l'homme, une existence après sa mort: la vie éternelle de l'esprit.

32. Cependant, depuis que quelques-uns se chargèrent de missions spirituelles, et que d'autres se chargèrent de missions scientifiques, de tout temps ils se levèrent les uns contre les autres, et toujours comme ennemis: les religions, d'une part et la science, de l'autre.

33. Aujourd'hui je vous dis que l'esprit et la matière ne sont pas des forces opposées, l'harmonie doit exister entre elles. Mes révélations

spirituelles sont lumière, de même que le sont les révélations et découvertes de la science. Mais, si vous m'avez entendu beaucoup censurer le travail des scientifiques, c'est parce que beaucoup d'entre eux ont pris, de la Nature, son énergie, ses éléments et ses forces auparavant inconnues, à des fins perverses de destruction, de haines et vengeances, de domination terrestre et d'ambition démesurée.

34. Je dois dire qu'à ceux qui ont mené à bien leur mission avec amour et bonnes fins, à ceux qui ont pénétré respectueusement et humblement mes arcanes, il m'a été agréable de leur révéler de grands mystères pour le bienfait de ma fille, l'humanité.

35. La science, depuis le commencement du monde, a fait marcher l'humanité sur le sentier du progrès matériel, sentier sur lequel, et à chaque pas, l'homme a recueilli les fruits de la science, les uns doux, d'autres amers.

36. C'est le temps où il vous faut comprendre que toute lumière appartient à mon Esprit, et que tout ce qui est vie appartient à ma Divinité, parce que c'est Moi l'arcane, la source et le commencement de toute la création.

37. Ces oppositions entre le spirituel et le scientifique disparaîtront des hommes, jusqu'à unir la spiritualité à la science dans une seule lumière qui illuminera le chemin de l'homme jusqu'à l'infini. (233, 25-34)

Dureté et injustice de la justice terrestre

38. Je viens pour annuler vos lois erronées afin que seules vous gouvernent celles qui sont formées par Mes préceptes et qui sont conformes à Ma sagesse. Mes lois sont d'amour, et en provenant de Ma Divinité, elles sont immuables et éternelles, tandis que les vôtres sont passagères et parfois cruelles et égoïstes.

39. La Loi du Père est d'amour, de bonté, elle est comme un baume qui réconforte et fortifie le pécheur, afin qu'il puisse supporter la restitution de ses fautes. La Loi d'amour du Père offre toujours une opportunité généreuse au délinquant de se régénérer, tandis que vos lois, au contraire, humilient et punissent celui qui s'est trompé, et souvent l'innocent et le faible.

40. Dans votre justice il y a de la dureté, de la vengeance et un manque de pitié. La Loi du Christ est une loi de persuasion douce, de justice infinie et de suprême droiture. Vous-mêmes êtes vos propres juges, en revanche, Je suis votre défenseur infatigable; mais il est nécessaire que vous sachiez qu'il existe deux façons de payer vos offenses: l'une avec l'amour et l'autre à travers la douleur.

41. Choisissez vous-mêmes, Vous jouissez encore du don du libre arbitre. (17, 46-48)

42. Je suis le Juge divin qui n'applique jamais de sentence plus grande que la faute. Combien ne sont-

ils pas, ceux qui s'accusent devant Moi, et que Je trouve innocents! En revanche, combien claironnent-ils leur limpidité, et que Je trouve pervers et coupables!

43. Que la justice humaine est injuste! Combien sont-elles les victimes de mauvais juges qui expient les fautes d'autrui? Combien d'innocents ont vu les barreaux de la prison se refermer devant leurs yeux, pendant que le coupable marche, libre, en portant invisiblement son fardeau de vols et de crimes? (135, 2-3)

44. C'est parce que la justice humaine est imparfaite que vos prisons sont pleines de victimes et que vos échafauds se sont tachés de sang d'innocents. Combien de criminels vois-Je jouir de liberté et de respect dans le monde, et à combien de dépravés avez-vous édifié de monuments pour vénérer leur mémoire!

45. Si vous pouviez voir ces êtres, quand demeurant déjà dans la vallée spirituelle, la lumière s'est faite en leur esprit! Au lieu d'hommages inutiles et insensés, il vaudrait mieux leur envoyer une prière pour les consoler dans leur remords. (159, 44-45)

La justice toute-puissante de l'homme

46. Que l'amour soit votre guide, afin que vous puissiez devenir de vrais messagers du Divin Consolateur. Parce que vous, qui n'êtes pas tombés dans un abîme, toujours vous blâmez, toujours vous jugez avec légèreté, vous condamnez vos semblables sans la moindre pitié; et cela, ce n'est pas ma Doctrine.

47. Si, avant de juger, vous fassiez une étude de vous-mêmes et de vos défauts, Je vous assure que votre jugement serait plus miséricordieux. Vous considérez mauvais ceux qui se trouvent dans les prisons et malchanceux ceux qui se trouvent dans les hôpitaux. Vous vous écartez d'eux, sans vous rendre compte qu'ils sont dignes d'entrer dans le Royaume de mon amour; vous ne souhaitez pas penser qu'eux aussi ont le droit de recevoir les rayons du soleil, lequel fut créé pour donner vie et chaleur à toutes les créatures, sans aucune exception.

48. Beaucoup de ces êtres, emprisonnés dans des lieux d'expiation, sont des miroirs dans lesquels l'humanité ne souhaite pas se regarder, parce qu'elle sait que l'image que ce miroir lui réfléchit sera, bien souvent, celle de l'accusation. (149, 51-53)

La justice terrestre comme un mal nécessaire

49. La justice établie sur la Terre n'agit pas justement. Je peux contempler le manque de charité, l'incompréhension et la dureté des cœurs. Mais, chacun recevra le jugement parfait.

50. J'ai permis ces épreuves, et aussi longtemps que l'humanité n'observera pas mes lois, aussi

longtemps qu'elle s'éloignera de la réalisation de ses préceptes, il y aura, sur la Terre, quelqu'un pour lui subjuguer son cœur, pour le blesser.

51. Si vous respectiez la Loi, il n'y aurait aucun besoin de juges dans le monde, il n'y aurait pas de châtiment, vous n'auriez pas besoin de gouvernements. Chacun saurait gouverner ses propres actions et tous seraient gouvernés par Moi, tous vous seriez inspirés par mes lois et vos actions seraient toujours bienfaisantes, elles tendraient à la spiritualité et à l'amour.

52. Cependant, l'humanité est tombée dans de grands abîmes: l'immoralité, le vice; le péché s'est emparé du coeur des hommes, d'où les conséquences. Vous devrez boire jusqu'à la lie des calices amers, vous devrez supporter l'humiliation des hommes qui, vu qu'ils sont vos frères, détiennent le pouvoir sur la Terre.

53. Mais, soyez humbles et supportez les jugements avec patience, souvenez-vous que Je suis le juge parfait. (341, 5)

Chapitre 50 - Cultures et sciences

Vanité et orgueil du savoir

1. J'interroge les hommes d'aujourd'hui, qui se considèrent les plus avancés dans toute l'histoire du monde. Avec tout votre talent, n'avez-vous pas trouvé une forme de faire la paix, de parvenir au pouvoir et d'obtenir la richesse, sans devoir tuer vos semblables, les détruire ou les réduire en esclavage? Croyez-vous que votre avance soit vraie et réelle, quand moralement vous vous traînez dans la boue, et que spirituellement vous errez dans les ténèbres? Je ne combats pas la science, puisque c'est Moi qui l'ai inspirée à l'homme; ce que Je censure, c'est la fin à laquelle vous l'appliquez parfois.

2. Humanité, fille de la lumière, ouvrez vos yeux, voyez que vous vivez l'Ere de l'Esprit!

3. Pourquoi M'avez-vous oublié et pourquoi avez-vous voulu comparer votre pouvoir avec le Mien? Je vous dis que, le jour où un savant, avec sa science, formera un être semblable à vous et le dotera d'esprit et de conscience, Je remettrai mon sceptre dans sa main. Mais, votre récolte, pour l'instant, sera différente.

4. Pourquoi y existe-t-il et y a-t-il encore des hommes qui, étant parvenus à connaître la science humaine avec l'usage des facultés que leur donna le Créateur, l'utilisent pour combattre et désavouer la science divine? Parce que leur vanité ne les autorise pas à entrer, avec humilité et respect, dans l'arcane du Seigneur, et qu'ils cherchent leur objectif et leur trône dans ce monde. (154, 27)

5. De nos jours, l'homme se sent grand, il exalte sa personnalité, et a honte de proclamer Dieu, l'appelant par d'autres noms pour ne pas compromettre son orgueil, pour ne pas descendre du piédestal de sa position. C'est pour cela qu'ils m'appellent: Intelligence cosmique ou architecte de l'Univers, mais Moi je vous ai appris à me dire: Notre Père! ou Mon Père!, comme Je vous l'enseignai au Second Temps. Pourquoi, en me disant Père, les hommes croient-ils se rabaisser ou amoindrir leur personnalité? (147, 7)

6. Jusqu'où l'homme va-t-il sombrer dans son matérialisme, en reniant Celui qui a tout créé! Comment l'esprit humain a-t-il pu arriver à se confondre ainsi? Comment votre science a-t-elle pu me renier et profaner la vie et la nature, comme elle l'a fait?

7. Ma présence est dans chaque œuvre que votre science découvre; en chaque œuvre, ma loi se manifeste et ma voix se laisse entendre. Comment ces hommes ne sentent-ils, ne voient-ils, et n'écoutent-ils pas? Est-ce, par hasard, une preuve de votre avance et de votre civilisation le fait de nier mon existence, mon amour et ma

justice? Vous n'êtes donc pas plus avancés que les hommes primitifs qui, eux, surent découvrir en chaque élément et dans chaque merveille de la nature, l'œuvre d'un être divin, supérieur, sage, juste et puissant, à qui ils attribuèrent tout le bien de l'existence, et c'est pour cela qu'ils l'adorèrent. (175, 72-73)

8. Je viens à nouveau offrir ma parole aux hommes pour qu'ils sachent qu'ils ne sont pas seuls, pour qu'ils se réveillent à la voix de leur conscience et qu'ils sachent qu'après cette vie, de grandes merveilles divines attendent leur esprit.

9. J'en ai parlé aux hommes, et celui qui sait prier peut le vérifier et se mettre en contact avec le spirituel, comme en témoigne celui qui approfondit les mystères de la Nature, au travers de la science. Par ces deux voies, tant l'intelligence que l'esprit, plus ils chercheront, plus ils découvriront.

10. Quand viendra-t-il le temps où l'homme s'inspirera dans l'amour, pour son étude et sa recherche? C'est seulement alors que son œuvre dans le monde sera solide; tant que le mobile de la science sera l'ambition, l'orgueil, le matérialisme ou la haine, les hommes subiront, à chaque pas, les plaintes des éléments déchaînés qui puniront leur manque de bon sens.

11. Combien se sont élevés dans le mal, dans l'orgueil, dans les vanités! Combien se sont attribués des couronnes en étant nus et misérables d'esprit! Que le contraste est grand, entre ma vérité et ce que vous croyez être la vôtre! (277, 31-32 et 36)

Les conséquences du raisonnement matérialiste

12. Si les hommes éprouvaient un amour véritable pour leurs frères, ils ne devraient pas souffrir le chaos dans lequel ils se trouvent, tout en eux serait harmonieux et paisible; mais ils ne comprennent pas cet amour Divin et veulent seulement la vérité qui arrive à l'esprit, pas celle qui touche le coeur, d'où le résultat de leur matérialisme: une humanité égoïste, fausse et pleine d'amertume. (14, 42)

13. Ne vous vantez pas des fruits de votre science, parce que c'est à présent que vous y avez tant progressé, que l'humanité souffre le plus, qu'il y a davantage de misère, d'insécurité, de maladies et de guerres fratricides.

14. L'homme n'a pas encore découvert la vraie science, celle qui se gagne par la voie de l'amour.

15. Voyez comme la vanité vous a aveuglés; chaque nation veut avoir les plus grands savants de la Terre. En vérité Je vous le dis, les scientifiques n'ont pas encore pénétré profondément les arcanes du Seigneur. Je peux vous dire que la connaissance que l'homme a de la vie est encore superficielle. (22, 16-18)

16. Que désirez-vous le plus ardemment sur la Terre, en ces instants? La paix, la santé et la vérité! Je vous dis, certes, que ces dons ne

vous seront pas donnés par votre science, comme vous l'avez imaginé.

17. Les savants interrogent la Nature et celle-ci répond à chaque question mais, derrière ces questions, il n'y a pas toujours de bonnes intentions, de bons sentiments, ni de charité. Ce sont les hommes les petits et les sots qui arrachent, de la mère, ses secrets et qui profanent son intimité, non pas dans le but de l'honorer, en prenant de ses sources les éléments utiles pour faire le bien des uns envers les autres, comme de vrais frères, sinon à des fins égoïstes et quelquefois perverses.

18. Toute la Création leur parle de Moi et sa voix est d'amour, mais bien peu ont su écouter et comprendre ce langage!

19. Si vous considérez que la Création est un temple dans lequel J'habite, ne craignez-vous pas que Jésus y apparaisse en maniant le fouet et qu'il en expulse les marchands et ceux qui la profanent? (26, 34-37)

20. J'ai révélé à l'homme le don de la science qui est lumière, et avec elle, l'homme a créé des ténèbres et a causé douleur et destruction.

21. Les hommes jugent qu'ils sont à l'apogée du progrès humain, ce à quoi Je leur demande: Avez-vous la paix sur la Terre? Existe-t-il la fraternité parmi hommes, la moralité et la vertu dans les foyers? Respectez-vous la vie de vos semblables? Montrez-vous une quelconque considération pour le faible? Je vous dis, certes, que si ces vertus existaient en vous, vous

posséderiez les valeurs les plus élevées de la vie humaine.

22. La confusion existe parmi l'humanité, parce que ceux qui vous ont mené à l'abîme, vous les avez mis sur des piédestaux. Pour cette raison, ne demandez pas pourquoi Je suis venu parmi les hommes, et ne jugez pas la raison de ma communication par le biais de pécheurs et d'ignorants, parce que pas tout ce que vous jugez imparfait, ne l'est forcément. (59, 52-54)

23. Le savant cherche la cause de tout ce qui existe et qui arrive, et espère démontrer avec sa science qu'il n'existe aucun principe ni vérité en dehors de la Nature. Mais Moi je les vois insignifiants, faibles et ignorants. (144, 92)

24. Les hommes de science, pleins de vanité, sont arrivés à considérer les révélations divines comme indignes de leur attention. Ils ne souhaitent pas s'élever spirituellement jusqu'à Dieu, et quand ils ne parviennent pas à comprendre quelque chose de leur entourage, ils le nient pour ne pas devoir confesser leur incapacité et leur ignorance. Bon nombre d'entre eux ne croient que ce qu'ils arrivent à prouver.

25. Quel réconfort ces hommes pourront-ils offrir au coeur de leurs semblables, quand eux-mêmes ne reconnaissent pas le principe de l'amour, qui est ce qui régit la Création, et que de plus, ils ignorent

le sens spirituel de la vie? (163, 17-18)

26. Que cette humanité s'est éloignée de mes enseignements! Tout en elle est superficiel, faux, extérieur, fastueux. C'est pourquoi son pouvoir spirituel est nul, et c'est pour compenser son manque de force et de développement en son esprit qu'elle s'est jetée dans les bras de la science, en développant son intelligence.
27. C'est donc ainsi, grâce à la science, que l'homme est arrivé à se sentir fort, grand, et puissant, mais Moi je vous dis que cette force et cette grandeur sont insignifiantes à côté du pouvoir de l'esprit, que vous n'avez pas laissé grandir ni se manifester. (275, 46-47)

28. Aujourd'hui, vous mangez, jour après jour, les fruits amers de l'arbre de la science, si imparfaitement cultivé par les hommes, parce que vous n'avez pas recherché le développement harmonieux de toutes vos facultés. Alors, comment pourrez-vous canaliser vos travaux et vos découvertes dans la voie du bien, si vous avez seulement développé l'intelligence, alors que vous avez abandonné l'esprit et le cœur?
29. Vous avez là des hommes qui s'assimilent aux brutes, en laissant leurs passions en complète liberté, ressentant de la haine pour leurs semblables, assoiffés de sang, et prétendant convertir les peuples frères en esclaves.

30. Si quelqu'un croit que ma Doctrine peut induire à la défaite morale de l'homme, en vérité Je vous le dis, vous vous trompez lourdement et, pour le prouver aux sceptiques, aux matérialistes et aux arrogants de ce temps, Je leur concèderai de récolter le fruit de leur science et qu'ils le mangent jusqu'à se rassasier, jusqu'à ce que la confession jaillisse de leur esprit, en Me disant: « Père, pardonnez-nous, seul votre pouvoir parviendra de faire s'arrêter les forces que, dans notre sottise, nous avons déclenchées! » (282, 15-17)

31. La science humaine est arrivée à la limite à laquelle l'homme peut la pousser en son matérialisme, parce que la science, inspirée par l'idéal spirituel de l'amour, du bien et du perfectionnement, peut s'avancer davantage au-delà du niveau où vous l'avez conduite.
32. La preuve que votre progrès scientifique n'a pas eu l'amour des uns pour les autres comme mobile, est la dégénérescence morale des peuples, les guerres fratricides, la faim et la misère qui règnent partout, dans l'ignorance du spirituel. (315, 53-54)

33. Que voulez-vous que Je vous dise de vos savants d'aujourd'hui, de ceux qui provoquent la Nature et qui défient les forces et les éléments en faisant ressembler le bon au mauvais? Il y aura une grande douleur de couper et de manger un fruit vert de l'arbre de la science, un fruit qui

aurait pu mûrir avec amour seulement. (263. 26)

34. Si l'humanité n'est pas en harmonie avec la loi universelle qui régit toute la création, il en résultera une perte de contrôle qui se manifestera dans la force des éléments.

35. L'homme a désagrégé les atomes, et son cerveau évolué profite de cette découverte pour obtenir des forces bien plus grandes encore et pour occasionner la mort.

36. Si l'homme avait évolué spirituellement de pair avec sa science et son intellect, il aurait profité de la découverte de nouveaux éléments au bénéfice de l'humanité. Mais son retard spirituel est grand; c'est pour cela que sa mentalité égoïste a canalisé sa force créative au préjudice de l'humanité, en faisant usage d'éléments de destruction, en se distanciant des principes d'amour et de charité de Jésus. C'est pourquoi, quand vous verrez la pluie de feu tomber du ciel, ce ne sera pas que le ciel s'ouvrira, ni que le feu du soleil vous torturera, non, ce sera l'oeuvre de l'homme qui sèmera la mort et la destruction. (363, 23-25)

37. Les peuples avancent, en croissant toujours plus en connaissances scientifiques, néanmoins, Je vous interroge: Quelle sagesse est celle-ci, qui plus les hommes la pénètrent, plus ils s'éloignent de la vérité spirituelle,

dans laquelle existe la source et l'origine de la vie?

38. C'est la science humaine, la sagesse, selon la conception d'un monde malade d'égoïsme et de matérialisme.

39. Alors, cette connaissance est fausse, et cette science est mauvaise, puisque avec elle vous avez créé un monde de douleur. Au lieu de lumière, ce sont les ténèbres, puisque vous poussez les peuples à la destruction.

40. La science est lumière, la lumière est vie, force, santé et paix. Est-ce cela le fruit de votre science? Non, humanité! C'est pourquoi Je vous dis que, tant que vous ne laisserez pas la lumière de la conscience pénétrer les ténèbres de votre compréhension, vos oeuvres ne pourront jamais avoir de principe élevé ou spirituel, et ne resteront jamais que des oeuvres humaines. (358, 31-34)

41. Les médecins seront aussi appelés. Je leur demanderai ce qu'ils ont fait du secret de la santé que Je leur révélai et du baume que Je leur confiai; Je leur demanderai s'ils ont vraiment senti la douleur d'autrui, s'ils ont su descendre jusqu'au lit le plus humble pour guérir, avec amour, celui qui souffre. Que me répondront-ils, ceux qui ont atteint la grandeur, le confort et le luxe au travers de la souffrance de leurs semblables, une douleur qu'ils ne surent pas toujours soulager? Tous s'interrogeront en leur coeur et, devant la lumière de leur

conscience, ils devront Me répondre. (63, 62)

42. Combien de morts de l'esprit ne doivent-ils pas errer de par le monde, dans l'attente que la mort corporelle les conduise à ma présence pour écouter la voix du Seigneur qui les élèvera à la vraie vie et les caressera! Quel ardent désir de régénération pourraient-ils avoir nourri sur la Terre, s'ils se considéraient irrémédiablement perdus pour toujours, en dépit de se sentir capables d'un véritable repentir et d'une vraie restitution de leurs fautes?

43. Si les condamnés de l'esprit sont arrivés à Moi sans espérance, ceux du corps, condamnés à mort par les hommes de science, sont aussi parvenus à Ma présence; Moi, qui possède la vie, Je les ai arrachés des griffes de la mort matérielle; mais, que font-ils dans le monde, ceux auxquels J'ai confié la santé de l'esprit de même que celle du corps? Ignorent-ils le haut destin que le Seigneur leur a confié pour son accomplissement? Moi, qui les ai envoyés avec un message de santé et de vie, dois-Je continuellement recevoir leurs victimes? (54, 13-14)

L'inspiration aux scientifiques, par Dieu et le Monde Spirituel

44. Si les hommes de science, qui meuvent et transforment votre monde, étaient inspirés par l'amour et le bien, ils auraient déjà découvert combien d'éclaircissements j'ai réservé pour la science de cette époque et non cette

infime partie grâce à laquelle elle s'est tant enorgueillie!

45. Salomon fut appelé sage parce que ses jugements, ses conseils et ses sentences étaient revêtues de sagesse, et sa réputation traversa les frontières de son royaume, pour arriver à d'autres pays.

46. Mais, bien qu'il fût roi, cet homme s'agenouillait humblement devant son Seigneur, lui demandant sagesse, pouvoir et protection, reconnaissant qu'il n'était seulement que Mon serviteur et c'est devant Moi qu'il déposait son sceptre et sa couronne. Si tous les savants et tous les scientifiques en faisaient autant, combien grande serait leur sagesse, combien d'enseignements encore inconnus leur révélerait mon Arcane! (1, 57-59)

47. Interrogez vos savants et s'ils sont sincères, ils vous diront qu'ils ont demandé l'inspiration à Dieu. Et Moi je leur donnerais davantage d'inspiration s'ils me la demandaient avec plus d'amour pour leurs frères et moins de vanité pour eux-mêmes.

48. En vérité Je vous le dis, toutes les vraies connaissances que vous avez accumulées viennent de Moi, tout ce quelles renferment de pur et d'élevé, Je l'utiliserai, en ce temps, pour votre bénéfice, car c'est pour cela que Je vous l'ai concédé. (17, 59-60)

49. L'esprit de l'homme a évolué, c'est pourquoi sa science a progressé; Je lui ai permis d'apprendre et de

découvrir ce qu'il ignorait hier encore, mais il ne doit pas se consacrer uniquement aux tâches matérielles, Je lui ai accordé cette lumière afin qu'il se façonne sa paix et son bonheur dans la vie spirituelle qui l'attend. (15, 22)

50. Si vous avez utilisé quelques-unes de vos sciences pour M'analyser et Me juger, ne vous paraît-il pas plus raisonnable de les utiliser pour vous analyser vous-mêmes jusqu'à ce que vous connaissiez votre essence et que vous puissiez détruire votre matérialisme? Croyez-vous, peut-être, que votre Père ne puisse vous aider par la voie de vos bonnes sciences? En vérité Je vous le dis, si vous étiez capable de sentir l'essence de l'amour Divin, la connaissance arriverait facilement à votre entendement sans devoir vous fatiguer l'esprit ni vous épuiser par l'étude de connaissances que vous pensez profondes et qui sont vraiment à votre portée. (14, 44)

51. Dans les grandes oeuvres humaines, il y a l'influence et le labeur d'êtres spirituels qui travaillent et vibrent dans les entendements, de façon continue, en inspirant ou en révélant l'inconnu à leurs frères incarnés.

52. C'est pourquoi, en tout temps, je dirai aux savants et aux scientifiques: Vous ne pouvez pas vous vanter de ce que vous comprenez et accomplissez, parce que tout n'est pas votre œuvre. Combien souvent servez-vous d'instrument à ces esprits dont Je vous parle! Est-ce que la portée de vos découvertes ne vous a pas souvent surpris? Ne vous êtes-vous pas confessés, intérieurement, incapables ou incompétents de tenter ce que vous avez déjà réalisé? Votre réponse est là! Alors, pourquoi vous grandissez-vous? Sachez que votre labeur est guidé par des êtres supérieurs. N'essayez jamais de modifier leurs inspirations, parce qu'elles sont toujours orientées vers le bien. (182, 21-22)

53. Pourquoi, si l'humanité a témoigné du développement de la science et a vu des découvertes qu'elle n'aurait pas crues auparavant, se résiste-t-elle à croire en l'évolution de l'esprit? Pourquoi s'obstine-t-elle dans ce qui n'avance pas et engourdit?

54. Ma Doctrine et mes révélations de ce temps sont conformes à votre évolution. Que le scientifique ne s'enorgueillisse pas de son travail matériel ni de sa science, parce qu'en elle Ma révélation a toujours été présente ainsi que l'aide des êtres spirituels qui vous inspirent depuis l'au-delà.

55. L'homme fait partie de la Création, il doit accomplir une mission, à l'instar de toutes les créatures du Créateur, mais une nature spirituelle, une intelligence et une volonté propre lui ont été données, afin qu'au travers de ses efforts, il atteigne le développement et le perfectionnement de l'esprit, qui est le plus élevé qu'il possède. Au moyen de l'esprit, l'homme peut concevoir

son Créateur, comprendre ses bienfaits, de même qu'admirer sa sagesse.

56. Si au lieu de vous enorgueillir de vos connaissances terrestres, vous vous identifiiez à toute mon Oeuvre, il n'existerait de mystères pour vous, vous vous reconnaîtriez comme frères, et vous vous aimeriez les uns les autres comme Moi je vous aime: en vous, il y aurait bonté, charité, amour, et par conséquent, union avec le Père. (23, 5-7)

Reconnaissance des scientifiques qui oeuvrent pour le bien de l'Humanité

57. La science humaine est l'expression matérialisée de la capacité spirituelle que l'homme a atteinte en ce temps. L'œuvre des hommes, dans cette ère, n'est pas seulement le produit de leur intelligence, sinon de leur évolution spirituelle. (106, 6)

58. La science matérielle vous a révélé beaucoup de mystères, cependant, n'attendez jamais que ce soit votre science qui vous révèle tout que vous devez savoir. La science des hommes de ces temps eut aussi ses prophètes, dont l'humanité se moqua et qu'elle jugea déments, mais par la suite, en vérifiant l'accomplissement de ce qu'ils prédirent, vous vous êtes émerveillés. (97, 19)

59. Vos yeux n'ont pas souhaité contempler la lumière que chacun de mes envoyés vous apporta comme un message d'amour; envoyés que vous appelez aussi prophètes, voyants, illuminés, docteurs, philosophes, scientifiques ou pasteurs.

60. Ces hommes ont brillé et vous n'avez pas souhaité voir leur lumière, ils sont allés au-devant de vous et vous n'avez pas souhaité suivre leurs pas; ils vous laissèrent l'exemple du chemin du sacrifice, de la douleur, de la charité et vous avez craint de les imiter, en ignorant que la douleur de ceux qui Me suivent est une joie de l'esprit, un chemin de fleurs et un horizon plein de promesses.

61. Ils ne vinrent pas pour sentir l'arôme des fleurs de la Terre, ni pour s'enivrer dans les plaisirs fugaces du monde, parce que l'aspiration de leur esprit ne tendait déjà plus à l'impur, mais vers l'élevé.

62. Ils souffrirent, mais ne cherchèrent pas à être consolés, car ils savaient qu'ils étaient venus pour consoler. Ils n'attendaient rien du monde, parce qu'ils attendaient, après la lutte, la joie de contempler la résurrection à la foi et à la vie des esprits, de tous ceux qui étaient morts à la vérité.

63. Qui sont-ils, ces êtres dont Je vous parle? Je vous dis qu'il s'agit de tous ceux qui vous ont apporté des messages de lumière, d'amour, d'espoir, de santé, de foi, de salut. Peu importe le nom qu'ils aient porté, ou le chemin sur lequel vous les ayez vus apparaître, ou le titre dont ils aient fait ostentation sur la Terre. (263, 20-24)

64. Je ne désavoue pas les hommes de science, puisque c'est Moi qui leur ai donné la mission qu'ils réalisent, mais beaucoup d'eux ont manqué à la prière, la charité, et l'élévation de l'esprit pour être les vrais docteurs de l'humanité. (112, 25)

65. Les hommes d'aujourd'hui ont étendu leurs territoires, ils commandent et voyagent partout dans le monde. Il n'y a déjà plus de continents, de terres ni de mers ignorés; ils ont tracé des chemins par terre, par mer, par air, et cependant, non conformes avec ce qu'ils possèdent en héritage sur leur planète, ils sondent et scrutent, à présent, le firmament à la recherche de plus grands domaines.

66. Je bénis, en mes enfants, l'ardent désir du savoir. Leur ambition d'être savants, grands et forts me plaît infiniment, mais ce que n'approuve pas ma justice, c'est la vanité où souvent ils fixent leurs ambitions ou la finalité égoïste qu'ils poursuivent parfois. (175, 7-8)

67. J'ai doté l'homme d'intelligence qui lui permet d'analyser en profondeur la composition de la nature et ses manifestations et lui ai permis de contempler une partie de l'Univers, et de sentir les manifestations de la vie spirituelle.

68. Parce que ma Doctrine n'enferme pas les esprits, et qu'elle n'arrête pas l'évolution de l'homme; mais au contraire, elle le libère et l'éclaire pour qu'il analyse, raisonne, enquête et travaille. Cependant, ce que l'homme croit être l'apogée de sa recherche intellectuelle, n'est à peine que le commencement! (304, 6)

Chapitre 51 - Les puissants; Abus de pouvoir et guerres

Le délire transitoire du pouvoir et la grandeur terrestre

1. C'est Moi qui dispose les épreuves sur votre chemin pour arrêter votre esprit quand celui-ci s'écarte du chemin de ma Loi pour n'être soumis qu'à son libre arbitre. Examinez le fond des épreuves, Je vous y autorise, afin que vous vérifiiez que chacune d'elles est comme un ciseau qui polit votre cœur. C'est une des raisons pour laquelle la douleur vous rapproche de Moi.

2. Mais l'homme a toujours recherché les plaisirs, il a poursuivi le pouvoir et la grandeur pour s'emparer de la Terre et être le roi de ses propres frères.

3. Si Je vous ai créés tous avec le même amour, pourquoi certains se sont-ils prétendus supérieurs aux autres? Pourquoi y a-t-il eu ceux qui ont conduit l'humanité sous l'humiliation et le fouet? Pourquoi y a-t-il celui qui répudie l'humble et dont le cœur ne s'émeut pas pour infliger la souffrance à ses semblables? C'est parce que ce sont des esprits qui ne M'ont pas encore reconnu comme le Père qui aime toutes ses créatures, et comme le seul propriétaire de toutes les existences.

4. Voilà pourquoi il existe des hommes qui usurpent et ne reconnaissent pas les droits sacrés de l'homme. Ils me servent d'instruments pour Ma justice et, se croyant les seigneurs et les rois, ils ne sont seulement que des serviteurs. Pardonnez-leur! (95, 7-8)

5. Observez les monarques et les seigneurs de la Terre. Que leur gloire et leur règne sont brefs! Aujourd'hui, leurs peuples les élèvent et demain ils les font chuter de leur trône.

6. Que personne ne cherche son trône dans cette vie, parce qu'en croyant progresser, il s'arrêtera, or votre destin est de marcher sans vous arrêter, jusqu'à parvenir aux portes de mon royaume. (124, 31)

7. En vérité Je vous le dis, les puissants d'aujourd'hui s'éteindront pour céder le pas à ceux qui seront grands et forts, puissants et sages grâce à l'amour et à la charité qu'ils manifesteront à l'égard de leurs semblables. (128, 50)

8. Les hommes qui, pour le moment, ne nourrissent seulement que des ambitions de pouvoir et de grandeur terrestres, savent que leur ennemi le plus puissant est la spiritualité. C'est pourquoi ils la combattent et, lorsqu'ils pressentent que la lutte se fait proche, la bataille de l'esprit contre le mal, ils craignent de perdre leurs possessions et, pour cela, résistent face à la lumière qui, sous forme d'inspiration, les surprend à chaque pas. (321, 12)

9. Qu'ils sont nécessiteux lorsqu'ils arrivent devant ma porte céleste, ceux qui furent grands et puissants sur la Terre, car ils oublièrent les joyaux spirituels et le chemin de la vie éternelle! Pendant que la vérité de mon Royaume est révélée aux humbles, elle est cachée aux savants et aux cultivés, parce qu'ils feraient de la sagesse spirituelle ce qu'ils ont fait de la science matérielle: ils rechercheraient, dans cette lumière, des trônes pour leur vanité et des armes pour leurs guerres. (238, 68)

L'exercice hautain du pouvoir sur les personnes et les peuples

10. Voyez les hommes qui gouvernent les peuples, qui créent des doctrines et les leur imposent. Chacun clame publiquement la supériorité de sa doctrine, mais Moi je vous demande: Quel en a été le fruit? Les guerres, avec leur cortège de misères, de souffrances, de destruction et de mort. Ce fut la récolte que les apôtres de telles théories, ont recueillie, ici sur la Terre.

11. Remarquez que Je n'ai pas contrarié le libre arbitre de l'humanité, encore que Je puisse vous dire que, par-dessus cette liberté, la conscience parle incessamment au cœur de celui qui s'écarte de la justice, de la charité ou de la raison. (106, 11)

12. Si le Christ revenait en cette époque, sur la Terre, en tant qu'homme, il ne dirait plus, comme sur le Calvaire: « Père, pardonnez-leur, car ils ne savent pas ce qu'ils font », parce que maintenant vous recevez, sur vous, la pleine lumière de la conscience et que l'esprit a beaucoup évolué. Qui ignore que Je suis le donneur de la vie et que, par conséquent, personne ne peut prendre celle de son frère? Si l'homme ne peut pas donner l'existence, il n'est pas non plus autorisé à prendre ce qu'il ne peut pas rendre.

13. Humanité, croyez-vous que vous observez ma Loi par le seul fait de dire que vous avez une religion et que vous réalisez un culte externe? La Loi vous dit: « Tu ne tueras point », et vous profanez ce commandement en répandant, à torrents, le sang de vos frères sur l'autel de votre péché. (119, 27-28)

14. Je propose que le monde soit en paix, mais l'orgueil des nations gonflées avec leur faux pouvoir et leur fausse splendeur repousse tout appel de la conscience, pour se laisser entraîner seulement par leurs ambitions et leurs haines.

15. L'homme ne s'incline pas encore du côté du bien, de la justice et de la raison; les hommes se lèvent encore pour juger la cause de leurs semblables; ils croient encore qu'ils peuvent rendre la justice. Ne croyez-vous pas qu'au lieu de juges, ils devraient s'appeler assassins et bourreaux?

16. Les hommes du pouvoir ont oublié qu'il existe un propriétaire de toutes les vies, et eux prennent la vie de leurs semblables comme si celle-ci

leur appartenait; les multitudes réclament du pain, de la justice, un foyer, des habits. La justice, c'est Moi qui la rendrai, pas les hommes, ni leurs doctrines. (151, 70-72)

17. Peuple béni, ces hommes, qui surgissent pleins de grandeur et de prédominance au sein des nations et peuples de la Terre, sont de grands esprits investis de pouvoir et porteurs de grandes missions.

18. Ils ne sont pas au service de ma Divinité, ils n'ont pas disposé leur grandeur et leurs dons au service de l'amour et de la charité; ils ont formé leur monde, leur loi et leur trône; leurs vassaux, leurs autorités, et tout ce qu'ils peuvent ambitionner.

19. Cependant, quand ils sentent leur trône vaciller face aux épreuves, quand ils sentent une invasion imminente d'un ennemi puissant, ou quand ils voient que leurs richesses et leurs noms sont en danger, ils se lèvent avec toute leur force, pleins de fausse grandeur, de vanité terrestre, de haine et de mauvaise volonté, et se lancent contre l'ennemi, peu importe que leur action, leur idée, ne laisse, derrière elle, que la trace de la douleur, de la destruction et du mal. Ils recherchent seulement la destruction de l'ennemi et l'érection d'un plus grand trône, pour avoir une plus grande autorité sur les peuples, sur les richesses, sur le pain quotidien et sur la vie même des hommes. (219, 25)

20. Aujourd'hui, sur la Terre, il ne devrait plus y avoir de royaumes ni de peuples forts qui humilient les faibles, et pourtant, ils existent, comme une preuve que prévalent encore, en l'homme, les tendances primitives de pouvoir dépouiller le faible par l'usage de la force, et de conquérir par la violence. (271, 58)

21. Comme les hommes sont loin de comprendre la paix spirituelle qui régnera dans le monde! Ils essaient de l'imposer au travers de la force et de menaces. Cela, c'est le fruit de leur science dont ils se vantent!

22. Ce n'est pas que Je vienne désavouer ou M'opposer aux progrès de l'humanité, car ils sont aussi une preuve d'évolution spirituelle; mais si Je vous manifeste que leur étalage de force et de puissance terrestre ne me sied pas, parce que avec elle, au lieu d'alléger la croix de l'humanité, vous outragez les principes les plus sacrés, vous attentez contre les vies qui ne vous appartiennent pas et vous engendrez la douleur, les larmes, le deuil et le sang, au lieu de paix, de santé et de bien-être. Si la source dont vous prenez votre science, laquelle est ma propre Création, est inépuisable d'amour, de sagesse, de santé et de vie, pourquoi vos actions manifestent-elles le contraire?

23. Comme Je le prêchai depuis le Second Temps, Je veux l'égalité entre mes enfants, mais pas comme la conçoivent les hommes, au niveau matériel uniquement. Je vous inspire l'égalité grâce à l'amour, en vous

461

faisant comprendre que tous, vous êtes frères, vous êtes enfants de Dieu. (246, 61-63)

Réflexions à propos de la deuxième guerre mondiale

24. Ce sont des temps d'épreuves, de détresses et d'amertumes, des temps où l'humanité souffre les conséquences de tant de haine et de mauvaise volonté des uns envers les autres.

25. Voyez les champs de bataille où s'entendent seulement le fracas des armes et les soupirs angoissés des blessés. Des montagnes de cadavres mutilés qui, hier encore, furent les corps vigoureux de jeunes hommes. Les imaginez-vous quand, pour la dernière fois, ils serrèrent dans leurs bras, leur mère, leur épouse ou leur enfant? Qui peut, sans avoir bu de ce calice, imaginer la douleur de ces adieux?

26. Des milliers et des milliers de parents, d'épouses et d'enfants angoissés ont vu partir leurs êtres aimés pour les champs de guerre, de haines et de vengeance, forcés par la convoitise et l'orgueil de quelques hommes sans lumière ni amour pour leurs semblables.

27. Ces légions d'hommes jeunes et forts n'ont pas pu regagner leur foyer, parce qu'elles furent détruites sur les champs; mais là, la terre, la mère terre, plus miséricordieuse que les hommes qui gouvernent les peuples et qui se croient les maîtres de la vie de leurs semblables, a ouvert sa poitrine pour les recevoir et les couvrir avec amour. (9, 63-66)

28. Mon Esprit veille pour chaque être, et Je reste en attente jusqu'à la dernière de vos pensées.

29. En vérité Je vous le dis, là au milieu des armées qui combattent pour des idéaux et des ambitions terrestres, J'ai découvert, pendant leurs moments de repos, les hommes de paix et de bonne volonté, convertis en soldats par la force. Les soupirs s'échappent de leur coeur quand Mon nom jaillit de leurs lèvres et les larmes coulent sur leurs joues avec le souvenir des leurs: parents, épouses, enfants ou frères. Alors leur esprit, sans autre temple que le sanctuaire de leur foi, sans autre autel que leur amour, sans autre lumière que celle de leur esprit, s'élève à Moi en demandant pardon pour les morts qu'il a causées involontairement avec ses armes. Ils Me cherchent pour me demander, avec toutes les forces de leur être, de leur permettre de regagner leur foyer ou que, du moins, s'ils doivent tomber sous l'attaque de l'ennemi, Je recouvre, de mon manteau de miséricorde, ceux qu'ils laissent sur la Terre.

30. À tous ceux qui cherchent Mon pardon de cette manière, Je leur donne Ma bénédiction car ils ne sont pas coupables de tuer, parce que ce sont d'autres, les assassins, ceux qui devront Me répondre de ce qu'ils ont fait des vies humaines, à l'heure de leur jugement.

31. Beaucoup de ceux qui aiment la paix, se demandent pourquoi J'ai permis qu'ils soient emmenés vers les mêmes champs de bataille et de mort, ce à quoi Je vous dis que si leur intelligence humaine n'est pas capable de comprendre la raison qui existe au fond de tout ceci, leur esprit, en revanche, sait qu'il est en train d'accomplir une restitution. (22, 52-55)

32. A ceux qui me suivent, Je leur laisse la paix du monde pour qu'ils veillent et prient pour lui. Les nations élèveront bientôt leurs prières pour me demander la paix, qu'à chaque instant Je leur ai proposée.

33. Auparavant, J'ai permis que les hommes goûtent le fruit de leur œuvre, qu'ils voient couler des fleuves de sang humain, qu'ils contemplent des tableaux de souffrance, des montagnes de cadavres et des villes converties en ruines. J'ai voulu que les hommes au cœur insensible voient la désolation des foyers, le désespoir parmi les innocents, les mères qui, devenues folles de douleur, embrassent les corps déchiquetés de leurs enfants. J'ai voulu qu'ils palpent tout le désespoir, l'angoisse et la lamentation de l'humanité, afin qu'ils ressentent l'humiliation en leur orgueil, et que leur conscience leur révèle que leur grandeur, leur pouvoir et leur sagesse ne sont que mensonges, et que ce qui est vraiment grand provient seulement de l'Esprit Divin.

34. Lorsque ces hommes ouvriront leurs yeux à la vérité, ils seront horrifiés, non pas des scènes observées, sinon d'eux-mêmes. Et, ne pouvant fuir le regard et la voix de leur conscience, ils sentiront dans leur for intérieur les ténèbres et le feu du remords, car ils auront à rendre compte de chaque vie, de chaque douleur et jusqu'à la dernière goutte de sang qui, à cause d'eux, a été versée. (52, 40)

35. Pas à pas, les peuples avancent en direction de la vallée où ils devront se réunir pour être jugés.

36. Et ceux qui font la guerre osent encore prononcer mon nom en levant leurs mains couvertes du sang de leurs frères. Sont-ce là, par hasard, les fleurs ou les fruits de la doctrine que Je vous ai enseignée? N'apprîtes-vous pas de Jésus comment il pardonnait et bénissait celui qui l'offensait et qu'il mourut en donnant la vie à ses bourreaux?

37. Les hommes ont douté de ma parole et manqué de foi; c'est pourquoi ils ont tout confié à leur force. Alors Je les ai laissé se tromper par eux-mêmes, et recueillir le fruit de leurs actes, parce que ce n'est qu'ainsi qu'ils ouvriront les yeux pour comprendre la vérité. (119, 31-33)

Le caractère méprisable et l'absurdité des guerres

38. Il est temps que l'amour, le pardon et l'humilité jaillissent du cœur de l'humanité comme des armes véritables pour s'opposer à la haine et

à l'orgueil. Tant que la haine rencontrera la haine et que l'orgueil se heurtera à l'orgueil, les peuples s'éteindront et les cœurs ne connaîtront pas de paix.

39. L'humanité à refusé de comprendre que son bonheur et son progrès ne peuvent se trouver que dans la paix, et elle continue de poursuivre ses idéaux de puissance et de fausse grandeur en versant le sang, en arrachant des vies et en détruisant la foi des hommes. (39, 29-30)

40. L'année 1945 emporta les dernières ombres de la guerre; la faucille faucha des milliers de vies et des milliers d'esprits retourneront à la vallée spirituelle. La science stupéfia le monde et, avec ses armes destructrices, elle fit trembler la Terre. Ceux qui triomphèrent se convertirent en juges et bourreaux des vaincus. La douleur, la misère et la faim s'étendirent en laissant, comme trace de leur passage, un sillage de veuvage, d'orphelinage et de froid. Les fléaux avancent de nation en nation, et jusqu'aux éléments font entendre leur voix de justice et de reproche pour tant de méchanceté. Un manteau de destruction, de mort et de désolation est l'empreinte que l'homme, qui se dit civilisé, laissa sur la surface de la planète. Ceci représente la récolte que M'offre cette humanité, mais Moi je vous demande: Cette récolte est-elle digne d'entrer dans mes granges? Le fruit de votre méchanceté mérite-t-il d'être reçu par votre Père? En vérité Je vous le dis,

cet arbre est très loin d'être celui que vous pourriez avoir semé si vous aviez observé ce commandement divin qui vous ordonne de vous aimer les uns les autres. (145, 29)

41. Quand parviendrez-vous à la paix de l'esprit, si vous n'avez même pas réussi à obtenir la paix du cœur? Moi Je vous dis qu'aussi longtemps que la dernière arme meurtrière n'aura pas été détruite, il n'y aura aucune paix parmi les hommes. Les armes meurtrières sont toutes celles avec lesquelles les hommes s'ôtent la vie, assassinent la morale, se privent de la liberté, se ruinent la santé, se quittent la paix ou se détruisent la foi. (119, 53)

42. Je prouverai à l'humanité que ses problèmes ne se résoudront pas par la force et qu'aussi longtemps qu'elle fera usage d'armes de destruction et de mort, aussi terribles et fortes puissent-elles paraître, celles-ci ne seront pas capables d'établir la paix entre les hommes; au contraire, elles entraîneront, en conséquence, de plus grandes haines et désirs de vengeance. Seuls la conscience, la raison et les sentiments de charité pourront être les fondations sur lesquelles une ère de paix pourra s'établir. Mais, pour que cette lumière brille à l'intérieur des hommes, il est impérieux qu'auparavant ils boivent jusqu'à la dernière goutte du calice d'amertume. (160, 65)

43. Si le coeur des hommes ne s'était pas autant endurci, la douleur de la guerre aurait suffi pour le faire réfléchir à ses erreurs et il aurait repris le chemin de la lumière; mais il garde encore l'amer souvenir de ces boucheries humaines et se prépare déjà à une nouvelle guerre.

44. Comment pourrez-vous concevoir que Moi, le Père, l'Amour Divin, Je sois capable de vous punir au travers de guerres? Croyez-vous que Celui qui vous aime d'un amour parfait et qui souhaite que vous vous aimiez les uns les autres, puisse vous inspirer le crime, le fratricide, la mort, la vengeance et la destruction? Ne comprenez-vous pas que tout ceci est dû au matérialisme que l'humanité a accumulé dans son cœur? (174, 50-51)

45. J'ai conçu l'homme libre, depuis le commencement, mais sa liberté a toujours été accompagnée de la lumière de la conscience; Malgré cela, il a fait la sourde oreille à la voix de son juge intérieur, en se distançant du chemin de la loi, jusqu'au point de créer ces guerres fratricides, sanglantes et monstrueuses au cours desquelles le fils s'est soulevé contre le Père, parce qu'il a dévié de tout sentiment d'humanité, de charité, de respect et de spiritualité.

46. Les hommes devraient déjà fuir la destruction et les guerres, et s'éviter une restitution douloureuse; sachez que s'ils ne parviennent pas à se purifier dans le bien avant d'arriver à Moi, Je devrai les renvoyer à cette vallée de larmes et de sang, car celui qui marche à contresens de la perfection ne pourra pas arriver jusqu'à Moi. (188, 6-7)

47. Tous les hommes ne se trouvent pas au même niveau de compréhension: pendant que les uns s'émerveillent à chaque pas, d'autres considèrent tout imparfait; pendant que les uns rêvent de la paix comme du faîte de la spiritualité et de la morale du monde, d'autres proclament que ce sont les guerres qui font évoluer les hommes.

48. A ce sujet, Je vous dis: Les guerres ne sont pas nécessaires pour l'évolution du monde; si les hommes les utilisent pour leurs fins ambitieuses et égoïstes, c'est à cause de l'état de matérialité où se trouvent ceux qui les promeuvent. Et entre eux, il y a ceux qui ne croient seulement qu'en l'existence de ce monde, puisqu'ils ignorent ou renient la vie spirituelle et qu'ils sont considérés comme sages pour l'Humanité; c'est pourquoi il est impérieux que cette révélation soit connue de tous! (227, 69-70)

Chapitre 52 - Injustice et effritement de l'Humanité

La soumission et l'exploitation des faibles par les puissants

1. Si les hommes comprenaient que la Terre a été créée pour tous et s'ils savaient partager, de manière juste, avec leurs frères, les trésors matériels et spirituels dont est parsemée son existence, en vérité Je vous le dis, c'est ici, dans ce monde, que vous commenceriez à ressentir la paix du Royaume spirituel. (12, 71)

2. Ne croyez-vous pas que la division de l'humanité en peuples et en races relève plutôt du primitif? Ne pensez-vous pas que, si votre progrès au sein de votre civilisation dont vous êtes si fiers, était réel, la loi de la force et de la méchanceté ne serait pas encore toujours la dominante, sinon que tous les actes de votre vie seraient régis par la loi de la conscience? Et vous, Mon peuple, ne vous placez pas en marge de ce jugement, parce que parmi vous aussi Je découvre des guerres et des divisions. (24, 72)

3. Ayez à l'esprit l'exemple du peuple d'Israël, celui dont parle l'histoire, très longtemps il dut errer dans le désert; il lutta pour fuir la captivité et l'idolâtrie d'Egypte, mais aussi pour atteindre une terre de paix et de liberté.

4. Aujourd'hui, toute cette humanité ressemble à ce peuple captif du Pharaon; des croyances, des doctrines et des lois sont imposées aux hommes; la majorité des nations sont esclaves d'autres plus fortes; la lutte âpre et le travail forcé, sous les coups de la faim et de l'humiliation, constituent le pain amer que consomme, à présent, une grande partie de l'humanité.

5. Tout ceci entraîne qu'un ardent désir de libération, de paix et d'une vie meilleure se développe dans le coeur des hommes. (115, 41-43)

6. Ce monde, qui devrait être le foyer d'une seule famille qui inclue toute l'humanité, est une pomme de discorde, et un motif d'ambitions absurdes, de trahisons et de guerre. Cette vie, qui devrait être mise à profit pour l'étude, la méditation et l'effort pour arriver à la vie éternelle grâce aux épreuves et aux leçons bénéfiques pour l'esprit, est mal interprétée par l'humanité, qui laisse son coeur s'empoisonner de rébellion, d'amertume, de matérialisme et de non-conformité. (116, 53)

7. Pauvres peuples de la Terre, les uns asservis, les autres humiliés, et le reste dépouillés par leurs propres gouvernants et représentants!

8. Votre coeur n'aime déjà plus ceux qui vous gouvernent sur la Terre, parce que votre confiance a été trahie; vous ne confiez déjà plus en la justice ou en la magnanimité de vos juges,

vous ne croyez plus aux promesses, aux mots et aux sourires. Vous avez vu que l'hypocrisie s'est emparées des cœurs et qu'elle a établi, sur la Terre, son règne de mensonges, de faussetés et de tromperies.

9. Pauvres peuples qui portent le travail sur leurs épaules comme un fardeau insupportable! Ce travail, qui n'est déjà plus cette loi bénie par laquelle l'homme obtenait ce qui lui était nécessaire pour subsister, s'est converti en une lutte désespérée et angoissé pour la vie. Et, qu'obtiennent les hommes en échange de leur force et de leur vie? Une croûte de pain et un calice d'amertume.

10. En vérité Je vous le dis, ce n'est pas cela, la nourriture que Je déposai sur la Terre pour votre plaisir et votre conservation, ceci est le pain de la discorde, des vanités, des sentiments inhumains, enfin, c'est la preuve de la médiocrité ou de l'absence totale d'élévation spirituelle de ceux qui vous conduisent par la vie humaine.

11. Je vois que vous vous arrachez le pain les uns des autres; que les ambitieux ne supportent pas de voir les autres posséder quelque chose, car ils le veulent pour eux-mêmes; je vois que les forts s'emparent du pain des faibles et que ceux-ci se contentent de regarder les puissants manger et se réjouir.

12. Alors, Je m'interroge: Quel est le progrès moral de cette humanité? Où en est le développement de ses plus nobles sentiments?

13. En vérité Je vous les dis, à l'époque où les hommes vivaient dans des cavernes et se couvraient de peaux de bêtes, ils s'arrachaient aussi la nourriture de la bouche les uns des autres; les plus forts emportaient aussi la plus grande quantité, le travail des faibles bénéficia aussi à ceux qui s'imposaient par la force, les hommes s'entretuaient aussi, de même que les tribus et les peuples.

14. Où est la différence entre l'humanité d'hier et celle d'aujourd'hui?

15. Oui, Je sais que vous me direz que vous avez atteint un certain niveau de progrès. Je sais que vous me parlerez de votre civilisation et de votre science, mais alors Je vous dirai que tout cela est précisément le masque de l'hypocrisie, derrière lequel vous cachez la vérité de vos sentiments et de vos impulsions encore primitives, parce que vous ne vous êtes pas le moins préoccupé du développement de l'esprit, pour observer ma Loi.

16. Je ne vous dis pas de ne pas explorer la science, non, bien au contraire: cherchez, analysez, grandissez et multipliez-vous en connaissance et en intelligence dans le cadre de la vie matérielle, mais soyez charitables les uns envers les autres; respectez les droits sacrés de vos semblables, comprenez qu'il n'existe aucune loi qui autorise l'homme à disposer de la vie de son frère; en résumé, humanité, faites quelque chose pour appliquer, à votre vie, mon plus grand commandement: « Aimez-vous les uns les autres! » afin de sortir de cet enlisement moral et spirituel

dans lequel vous avez sombré. Lorsque tombera de votre visage le voile du mensonge qui l'a recouvert, votre lumière jaillira, la sincérité brillera et la vérité s'établira dans votre vie. C'est alors que vous pourrez affirmer que vous avez progressé!

17. Fortifiez-vous spirituellement grâce à la pratique de mes enseignements afin que, dans le futur, vos paroles soient toujours cautionnées par de vraies actions de charité, de sagesse et de fraternité. (325, 10-20)

18. Je vous envoie ma paix mais, en vérité Je vous le dis, tant qu'il y aura des hommes qui possèdent tout ce dont ils ont besoin en oubliant ceux qui meurent de faim, il n'existera de paix sur la Terre.

19. La paix ne se trouve pas dans les grandeurs humaines, ni dans les richesses. Elle est dans la bonne volonté, dans l'amour des uns pour les autres, dans le service et le respect des uns pour les autres. Ah! Si seulement le monde pouvait comprendre ces leçons, les haines disparaîtraient et l'amour naîtrait dans le coeur humain. (165, 71-72)

La perversité de l'humanité

20. L'humanité fait naufrage au milieu d'une tempête de péchés et de vices. L'homme, quand il devient adulte, n'est pas le seul à contaminer son esprit en autorisant le développement de leurs passions; l'enfant aussi, dans sa tendre enfance,

voit chavirer la nacelle dans laquelle il navigue.

21. Ma parole pleine de révélations surgit au milieu de cette humanité, comme un immense phare qui indique la route véritable aux naufragés et ravive l'espoir de ceux qui perdaient la foi. (62, 44)

22. L'humanité s'est multipliée en même temps que son péché. Dans le monde, il ne manque pas de villes, semblables à Sodome et Gomorrhe, dont le caractère scandaleux se répercute sur toute la Terre et empoisonne les cœurs. Il ne reste, de ces villes pécheresses, aucun vestige, bien que leurs habitants n'étaient pas hypocrites vu qu'ils commettaient le péché à la lumière du jour.

23. Mais cette humanité d'aujourd'hui qui se cache dans l'ombre pour laisser déborder ses passions, et qui ensuite apparente la rectitude et la propreté, connaîtra un jugement plus sévère que Sodome.

24. C'est l'héritage funeste de toutes les générations passées qui, avec ses ambitions, ses vices et ses maladies, produit ses fruits à notre époque. C'est l'arbre du mal qui a grandi dans le coeur des hommes, un arbre qui a été fécondé de péchés dont les fruits continuent à tenter l'homme et la femme, en faisant sombrer de nouveaux cœurs, jour après jour.

25. Dans l'ombre de cet arbre gisent des hommes et des femmes sans forces qui ne peuvent se libérer de son influence; il s'y trouve des vertus

brisées, des honneurs tachés et beaucoup de vies tronquées.

26. Ce ne sont pas seulement les adultes qui courent, attirés par les plaisirs du monde et de la chair, mais aussi les adolescents et même jusqu'aux enfants; le poison accumulé à travers les âges les a tous atteints. Quant à ceux qui ont réussi à s'échapper de la funeste influence du mal, que font-ils pour ceux qui se sont perdus? Ils les jugent, les censurent et se scandalisent de leurs actes. Peu nombreux sont ceux qui prient pour ceux qui se perdent en chemin, et encore moins ceux qui consacrent une partie de leur vie à combattre le mal.

27. En vérité Je vous le dis, mon Royaume ne s'établira pas parmi les hommes, tant que vivra l'arbre du mal! Il est impérieux de détruire ce pouvoir, et pour ce faire, il faut posséder l'épée de l'amour et de la justice, la seule à laquelle ne pourra résister le péché. Comprenez que ce ne seront ni les jugements, ni le châtiment, mais plutôt l'amour, le pardon et la charité, ce qui constitue l'essence de ma doctrine, la lumière qui éclaire vos chemins, et l'enseignement qui conduiront l'humanité au salut. (108, 10-14)

28. Votre matérialisme a converti l'Eden, que Je confiai à l'homme, en un enfer.

29. Fausse est la vie que mènent les hommes, comme le sont aussi leurs plaisirs, leur pouvoir et leur richesse. Fausse sont aussi leur sagesse et leur science.

30. Riches et pauvres, vous vous inquiétez de l'argent, dont la possession est trompeuse, la douleur et la maladie vous préoccupent et l'idée de la mort vous fait trembler. Quelques-uns craignent de perdre ce qu'ils ont et d'autres s'inquiètent de posséder ce qu'ils n'ont jamais eu. Quelques-uns possèdent tout en excès, pendant que d'autres manquent de tout. Mais toutes ces luttes, ces passions, ces besoins et ces ambitions ne traitent que de la vie matérielle, de la faim du corps, de bas instincts, d'ardents désirs humains, comme s'il manquaient, en réalité, d'esprit.

31. Le monde et la matière ont vaincu temporairement l'esprit, en commençant par le réduire en esclavage et en terminant par annuler sa mission dans la vie humaine. Comment n'allez-vous pas vous rendre compte que cette faim, cette misère, cette douleur et cette angoisse qui dépriment votre vie, ne sont autres que le fidèle reflet de la misère et de la douleur de votre esprit? (272, 29-32)

32. Le monde nécessite ma parole, les peuples et les nations ont besoin de mes leçons d'amour, le gouvernant, le scientifique, le juge, celui qui guide les esprits, celui qui enseigne, tous ont besoin de la lumière de ma vérité, et c'est précisément la raison pour laquelle Je suis venu en ce Temps, pour illuminer l'homme dans son esprit, dans son cœur et dans son entendement. (274, 14)

33. Votre planète n'est pas encore une demeure d'amour, de vertu ou de paix. J'envoie des esprits propres à votre monde, et vous me les rendez impurs, parce que la vie des hommes est saturée de péché et de perversité.

34. Je contemple les vertus comme de petites lumières isolées entre les esprits, fouettées par les ouragans de l'égoïsme, des ressentiments et des haines; c'est cela le fruit que M'offre l'humanité. (318, 33-34)

Le monde fourvoyé d'une humanité immature

35. Vous avez des gouvernants dans le cœur desquels ne s'abrite ni la justice ni la magnanimité nécessaires pour gouverner leur peuple, car ils poursuivent l'idéal mesquin du pouvoir et de la richesse. Des hommes qui se prétendent Mes représentants mais qui ne pratiquent pas l'amour pour leurs semblables. Des médecins qui ne savent pas l'essence de leur mission, laquelle est la charité, et des juges qui confondent la justice avec la vengeance et qui utilisent la loi à des fins perverses.

36. Celui qui se dévie de son chemin, en déviant le regard de cette lumière qu'il portent dans le phare de sa conscience, n'imagine pas le jugement qu'il se prépare lui-même.

37. Il y a aussi ceux qui se sont accaparés de missions qui ne leur correspondent pas et qui, par leurs erreurs, fournissent la preuve de manquer, dans l'absolu, des dons indispensables pour remplir la fonction qu'ils ont assumée par eux-mêmes.

38. C'est ainsi que vous pouvez trouver des ministres de Dieu qui ne le sont pas, parce qu'ils ne furent pas envoyés dans ce dessein; des hommes qui conduisent des peuples et qui ne sont pas capables de guider leurs propres pas; des professeurs ou des maîtres qui manquent du don d'enseignement et qui, au lieu d'éclairer, créent la confusion; et des docteurs dont le cœur n'a éprouvé aucune pitié face à la douleur d'autrui, ignorant que celui qui possède vraiment ce don est un apôtre du Christ.

39. Les hommes ont profané toutes mes institutions, mais l'heure a sonné que tous leurs actes soient jugés. Ce jugement, il M'appartient de le rendre; c'est la raison pour laquelle Je vous dis de veiller et d'observer mes préceptes d'amour et de pardon. (105, 16-19)

40. Observez ce monde, hautain, provocateur, et orgueilleux de toutes les œuvres des hommes par lesquelles ils ahurissent les générations de ce siècle. La plupart ne croient ni aiment le spirituel, et par conséquent, ils ne prient ni ne pratiquent ma Loi. Néanmoins, ils sont satisfaits et fiers de pouvoir montrer un monde prodigieux, de merveilles créées grâce au pouvoir de leur science.

41. Eh bien, ce monde merveilleux des hommes, réalisé à travers des siècles de science, de luttes, de guerres et de larmes, ils vont le

détruire de leurs propres mains et avec leurs propres armes, parce que le temps est proche où l'humanité se rendra compte de l'inconsistance et de la fragilité de ses œuvres, auxquelles il manqua l'amour, la justice et le vrai désir ardent de perfectionnement.

42. Vous saurez déjà bien assez tôt que vous n'êtes rien sans Dieu, que ce n'est que de Moi que vous pouvez prendre la force, la vie et l'intelligence pour créer une coexistence harmonieuse entre l'esprit et la partie humaine de l'homme. (282, 9-11)

43. Les hommes parlent de temps passés, d'antiquité, de longs siècles et d'ères interminables, cependant Moi je vous vois toujours petits. Je vois que vous avez très peu grandi spirituellement. Je considère votre monde encore dans son enfance, bien que vous croyiez avoir atteint la maturité.

44. Non, humanité! Aussi longtemps que ce ne sera pas l'esprit qui fournisse ces preuves de maturité, d'élévation, de perfectionnement, d'avance et de progrès dans les différents ordres de votre vie, vous n'arriverez à Me présenter que des oeuvres humaines, grandes seulement en apparence, mais sans consistance morale et sans solidité, par manque d'amour. (325, 62-63)

45. C'est un temps décisif pour les esprits, un temps de combat, en vérité. Tout est combat et lutte. Cette guerre a lieu dans le coeur de chaque

homme, au sein des foyers, à la racine de toutes les institutions, dans tous les peuples, dans toutes les races.

46. La bataille ne se déroule pas seulement sur le plan matériel, mais aussi dans la vallée spirituelle. C'est la grande bataille contemplée, symboliquement, par les prophètes d'autres temps, et vue, dans des mirages, par les prophètes ou voyants de ce temps-ci.

47. Mais, ce combat qui agite et secoue tout n'est pas compris par l'humanité, bien qu'elle soit partie et témoin de cette même bataille.

48. Le pas de l'humanité est empressé, ces jours-ci, mais où va-t-elle? Où l'homme se dirige-t-il avec tant de hâte? Va-t-il, peut-être, par cette voie vertigineuse, rencontrer le bonheur, va-t-il atteindre la paix désirée, la grandeur que souhaite ardemment chaque cœur, de manière égoïste?

49. Je peux vous dire que ce que l'homme atteindra, en réalité, avec son pas pressé, c'est la fatigue totale. L'esprit et le cœur de l'Humanité avance vers le dégoût et la lassitude, et c'est l'homme lui-même qui a préparé cet abîme.

50. Il tombera dans cet abîme et dans cette fatigue totale. Et dans ce chaos de haines, de plaisirs, d'ambitions insatisfaites, de péché et d'adultère, de profanation des lois spirituelles et humaines, il trouvera une mort apparente pour l'esprit, une mort passagère pour le coeur.

51. Mais, de cette mort, Je ferai en sorte que l'homme se lève à la vie. Je

lui ferai avoir sa résurrection et que, dans cette nouvelle vie, il lutte pour la renaissance de tous les idéaux, pour la renaissance de tous les principes et de toutes les vertus, qui sont les attributs et le patrimoine de l'esprit, qui constituent son commencement, son alpha; parce que c'est de Moi que jaillît l'esprit, de Moi il prit la vie, il but de Ma perfection, et de Ma grâce il demeura saturé. (360, 6-8)

XII. JUGEMENT ET PURIFICATION DE L'HUMANITE

Chapitre 53 – Le temps du jugement est arrivé

La récolte des fruits des semailles humaines

1. Disciples bien aimés, ces temps sont de justice pour l'humanité. Le délai s'est accompli pour que vous commenciez à payer vos dettes. Vous récoltez la moisson des semailles passées, le résultat ou la conséquence de vos actes.

2. L'homme dispose d'un temps pour réaliser son œuvre, et d'un autre pour répondre de ses actes, ce dernier étant celui que vous vivez actuellement. C'est pour cela que tous, vous souffrez et pleurez. De même que vous avez un temps pour semer et un autre pour récolter, Dieu aussi dispose d'un temps, qu'Il vous concéda pour observer sa Loi, et d'un autre pour manifester sa justice.

3. Vous vivez l'étape de la justice divine. La douleur vous fait pleurer, l'humanité se purifie dans ses propres larmes, parce que personne ne reste sans payer.

4. Ce sont des temps de justice pendant lesquels vous devez méditer à propos de votre destin, afin que, au travers de la méditation et de la spiritualité, vous écoutiez la voix de la conscience, laquelle ne se confond, ni ne se trompe, mais vous conduit plutôt sur le chemin de paix. (11, 58-61)

5. Ce temps est le moment du jugement pour l'humanité. Homme par homme, peuple par peuple et nation par nation sont jugés par ma Divinité; néanmoins, les hommes ne s'en sont pas rendus compte, ni ne reconnaissent pas le temps dans lequel ils vivent. C'est pourquoi Je suis venu en Esprit, envoyant mon rayon sur l'entendement humain et, grâce à lui, Je vous ai révélé la vérité sur Celui qui vous parle, le temps que vous vivez et l'assignation de votre mission. (51, 61)

6. En vérité Je vous le dis, vous vivez le jour du Seigneur, vous êtes déjà sous l'emprise de son jugement. Les vivants et les morts sont jugés; les actes passés et ceux du présent sont pesés. Ouvrez vos yeux pour être les témoins que la justice divine se manifeste où et comme elle le souhaite. (76, 44)

7. Depuis l'antiquité, Je vous ai parlé d'un jugement et nous voici dans le temps annoncé, que les prophètes représentèrent sous la forme d'un jour.

8. La parole de votre Dieu est de Roi, et elle ne recule pas! Qu'importe que des milliers d'années aient passé

sur elle? La volonté du Père est immuable et doit s'accomplir.

9. Si les hommes, en plus de croire en ma parole, savaient veiller et prier, ils ne seraient pas surpris; mais ils sont infidèles, ingrats, incrédules et, lorsque se présente l'épreuve, ils l'assimilent au châtiment, à la vengeance ou à la colère de Dieu. Ce à quoi Je vous déclare que toute épreuve est annoncée avec anticipation, afin que vous soyez prêts, par conséquent, vous devriez toujours demeurer en vigile.

10. Le Déluge, la destruction des villes ou des cités par le feu, les invasions, les plaies, les maladies, la disette, en plus d'autres épreuves, furent prophétisés à tous les peuples de l'humanité, afin que vous vous prépariez et que vous ne soyez pas surpris. De même que maintenant, un message d'alerte, de préparation est toujours descendu de l'amour de Dieu pour que les hommes se réveillent, se préparent et se fortifient. (24, 74-77)

11. Je vous dis que, bien que de très grandes épreuves attendent ce monde, les jours de douleur lui seront écourtés, parce que son amertume sera tellement grande que cela entraînera que les hommes se réveilleront, qu'ils dirigeront leurs yeux vers Moi et qu'ils écouteront la voix de leur conscience qui leur demandera d'observer ma Loi.

12. Ma justice sera celle qui coupera tout le mal qui existe dans ce monde. Auparavant, J'analyserai tout en profondeur: Religions, sciences et institutions. Et c'est alors que passera la voix de la justice divine en sortant l'ivraie et en laissant le blé. Je laisserai toute bonne semence que Je trouve dans le cœur des hommes, afin qu'elle continue de germer dans l'esprit de l'humanité. (119, 10-11)

Purification de l'humanité lors du jugement

13. Quand l'humanité va-t-elle évoluer pour comprendre mon amour et sentir ma présence, au travers de la conscience? Lorsque l'humanité écoutera ma voix qui la conseille et observera ma Loi, ce sera l'indice que, pour elle, les ères du matérialisme appartiennent au passé.

14. Pour l'instant, les hommes devront encore être touchés par les éléments, sous de nombreuses formes, jusqu'à ce qu'ils soient convaincus qu'existent des forces supérieures face auxquelles le matérialisme de l'homme est insignifiant.

15. La Terre tremblera. L'eau lavera et le feu purifiera l'humanité.

16. Tous les éléments et les forces de la Nature se feront sentir sur la Terre, où les hommes n'ont pas su vivre en harmonie avec la vie qui les entoure.

17. La Nature ne recherche pas la destruction de ceux qui la profanent, elle contribue seulement à l'harmonie entre les hommes et toutes les créatures.

18. Si, à chaque fois, sa justice se manifeste plus fort, c'est parce que les fautes des hommes et leur manque

d'harmonie avec les lois sont aussi chaque fois plus grandes. (40, 20-25)

19. La main de l'homme a déchaîné la justice sur lui-même; un tourbillon s'agite dans son cerveau, une tempête rugit dans son cœur et tout ceci se manifeste aussi dans la Nature; ses éléments se déchaînent, les saisons deviennent inclémentes, les plaies apparaissent et se multiplient. Il faut dire que vos péchés croissent en produisant des maladies et la science, insensée et téméraire, ne reconnaît pas l'ordre de ce qui a été disposé par le Créateur.

20. Si seulement Je vous le disais, vous ne le croiriez pas, il est impérieux que vous palpiez le résultat de vos œuvres, pour que vous vous détrompiez; vous vous trouvez précisément maintenant, en ce moment de votre vie, où vous aller contempler le résultat de tout ce que vous êtes venus semer. (100, 6-7)

21. La vie sur la Terre a toujours été d'épreuve et d'expiation pour l'homme; mais ce chemin d'évolution n'avait jamais été aussi rempli d'amertume.

22. En ces temps, les hommes n'attendent pas l'âge mûr pour affronter la lutte; combien d'enfants connaissent-ils déjà, depuis leur enfance, les tromperies, le joug, le fouet, les faux-pas et les échecs! Je peux même vous ajouter qu'en ces temps, la douleur de l'homme débute avant de naître, autrement dit, dès le ventre de sa mère.

23. Grande est l'expiation des êtres qui, en ces temps, viennent sur terre! Mais, vous devez penser que toute la douleur qui existe dans le monde est l'œuvre des hommes. Quelle plus grande perfection dans ma justice que de laisser que les mêmes qui semèrent d'épines le chemin de la vie, viennent à présent les recueillir? (115, 35-37)

24. Vous ne pouvez pas comprendre Mon plan de rédemption universelle, Je ne vous en livre qu'une partie à votre connaissance, dans le dessein que vous participiez à mon Œuvre.

25. Je suis le seul à savoir la transcendance de l'instant que vit le monde, aucun humain ne parvient à comprendre la réalité de cette heure.

26. L'humanité, depuis son commencement, a accumulé une tache après l'autre jusqu'en arriver à assombrir ses sentiments et son esprit, en se créant une vie malade, agitée et triste. Mais l'heure de la purification a sonné! (274, 11-12)

27. Le temps de la récolte est venu pour tout esprit, et c'est pourquoi vous observez la confusion parmi les hommes; mais, en vérité Je vous le dis, dans ce chaos, chacun récoltera ses propres semailles.

28. Cependant, qu'en sera-t-il de mes enfants, ceux qui ont toujours manqué à ma Loi? A vrai dire, à tous ceux qui dorment sans vouloir analyser, sans étudier mes leçons, les épreuves se présenteront à eux comme un tourbillon qui les fera tomber; et pour ceux qui ont obéi à mes

477

enseignements, ce sera comme un encouragement pour leur accomplissement, comme une merveilleuse récompense que Dieu leur offre. (310, 7)

29. En ce temps, celui qui n'est pas disposé à se renouveler aura à connaître les plus grandes amertumes et devra être enlevé de la Terre, perdant en cela la précieuse opportunité d'expier ses fautes et de se réconcilier avec la Loi, avec la vérité et la vie.

30. En revanche, ceux qui, de cette vie matérielle, passent à la mansion spirituelle, avec la paix et la satisfaction du devoir accompli, se sentiront illuminés par ma lumière, et s'ils sont de ceux qui devront se réincarner une nouvelle fois, Moi je les préparerai avant de retourner à la vie humaine, afin qu'ils ressuscitent, propres, plus spiritualisés, et avec une plus grande sagesse. (91, 38-39)

L'amour de Dieu dans le jugement

31. La douleur a renversé tout son contenu sur le monde, en se faisant ressentir sous des milliers de formes différentes.

32. Que vous vivez vertigineusement, ô humanité! Que vous pétrissez péniblement le pain quotidien! C'est pour cela que les hommes se consument prématurément, que les femmes vieillissent avant l'heure, que les jeunes filles s'épuisent en pleine fleur et que les enfants s'insensibilisent dans l'âge tendre.

33. Epoque de souffrance, d'amertumes et d'épreuves, c'est celle-là que vous vivez maintenant; cependant, Je veux que vous trouviez la paix, que vous parveniez à l'harmonie, que vous repoussiez la douleur; c'est pour cela que Je me présente en Esprit et que Je vous envoie ma parole, qui est une rosée de consolation, de baume et de paix sur votre esprit.

34. Ecoutez ma parole qui est la résurrection et la vie! En elle, vous recouvrirez la foi, la santé et la joie de lutter et d'exister! (132, 43-45)

35. C'est aujourd'hui le temps de la plus grande restitution pour l'esprit. Mon jugement est ouvert et les œuvres de chacun ont été déposées sur une balance; si ce jugement est grand et pénible pour les esprits, à leur côté se trouve le Père qui, avant d'être Juge, est Père et qui vous aime. L'amour de Marie, votre médiatrice, vous enveloppe aussi. (153, 16)

36. Ma justice est arrivée, humanité! Elle vient pour humilier l'orgueil de l'homme, pour lui faire comprendre combien il est petit dans sa méchanceté et dans son matérialisme.

37. Oui, mon peuple, Je viens pour rabaisser l'homme dans sa fausse grandeur, parce que Je veux qu'il voie ma lumière et qu'il s'élève, afin qu'il puisse être véritablement grand, parce que Moi je veux que vous regorgiez de lumière, d'élévation, de bonté, de pouvoir et de sagesse. (285, 15-16)

38. L'humanité me désavoue et nie ma présence en ce temps, mais Je lui ferai reconnaître que Je manifeste ma justice avec amour et charité, que Je ne viens pas, muni du fouet, pour lui infliger la douleur, que Je viens seulement pour l'élever à la vie de la grâce et pour la purifier avec l'eau cristalline, qui est ma parole et ma vérité.

39. Le monde n'a pas appris mon enseignement et a nourri son idolâtrie et son fanatisme, c'est pourquoi il passe par le grand creuset et qu'il boit le calice d'amertume jusqu'à la lie, parce que son matérialisme l'a éloigné de Moi. (334, 29-30)

40. A présent l'humanité, divisée en peuples, en races, en langues et en couleurs, reçoit de mon Esprit divin sa part de justice, les épreuves qui correspondent à chacun, la lutte, le creuset et la restitution que Je destine à chaque homme et à chaque race.

41. Mais, vous savez que ma justice a l'amour comme principe, que les épreuves que le Père envoie aux hommes sont des épreuves d'amour; que tout conduit au salut et au bien, même lorsqu'apparemment il y a des malheurs, de la fatalité ou de la misère, dans ces épreuves.

42. Derrière tout cela, il y a la vie, la conservation de l'esprit et sa rédemption; il y a le Père attendant toujours son fils prodigue pour le serrer dans ses bras avec le plus grand amour. (328, 11)

Chapitre 54 – Luttes entre Doctrines, Religions et Eglises

Luttes spirituelles préalables au Royaume de Paix du Christ sur la Terre

1. Comme Je vous annonçai ma venue, au cours du Second Temps, de même Je vous annonce à présent la guerre de credos, d'idées et de religions, comme l'annonce précurseuse de l'établissement de mon Royaume de spiritualité parmi les hommes.

2. Ma parole, comme épée de feu, détruira le fanatisme qui a enveloppé les hommes pour des siècles, elle tirera le voile de leur ignorance et montrera le chemin blanc, lumineux, qui mène à Moi. (209, 10-11)

3. Je vous déclare que, pour que la paix de mon Royaume s'établisse parmi les hommes, il faut encore venir à bout de la guerre de doctrines, de religions et d'idées, guerre en laquelle les uns opposeront mon nom et ma vérité aux fausses déités des autres, et où l'une doctrine surgira pour combattre l'autre.

4. Celle-là sera la nouvelle lutte, la bataille spirituelle au cours de laquelle les faux-dieux tomberont de leur piédestal et toute fausseté restera à découvert, celle que vous avez considérée comme la vérité. Vous verrez comment, d'entre ce chaos de confusion et de ténèbres, surgira la vérité resplendissante. (121, 40)

5. Le spiritualisme est en train de provoquer une bataille mondiale entre les idées, les croyances et les cultes. Mais après cette lutte, cette doctrine apportera, aux hommes, la paix bénie dont ils ont tant besoin et elle fera briller le soleil de ma divine justice au-dessus de tous les esprits. (141, 11)

6. Je vous prépare et vous préviens du moment où surgira la confusion d'idées, afin que vous puissiez vous libérer de cette lutte intérieure de l'esprit et de la torture de la pensée.

7. Parce que toutes les idées, les doctrines, les théologies, les philosophies et les croyances de l'humanité s'agiteront en provoquant une tempête, une véritable tempête de l'esprit, sur les eaux agitées de laquelle Je souhaite que vous naviguiez, en demeurant à flot jusqu'à ce que passent la tourmente et les ténèbres.

8. Pour sortir en avant de cette épreuve, Je ne vous donne de meilleure formule que la prière et la pratique de ma parole, grâce auxquelles votre foi se sentira continuellement fortifiée.

9. Cette lutte d'idées, cette rencontre entre credos et idéologies, cette bataille, sont indispensables pour qu'apparaissent, à la surface, tous les vices et les erreurs qui s'accumulent au fond de chaque culte et de chaque institution.

10. Ce n'est qu'après cette tempête que pourra venir une épuration morale et spirituelle des hommes, parce qu'ils verront surgir la vérité, ils la connaîtront, ils la ressentiront en eux, et ne pourront plus s'alimenter d'apparences et de fictions.

11. De même que l'homme capte librement, et seulement pour lui, l'action nécessaire du soleil sur son corps, reconnaissant que dans sa lumière, dans sa chaleur et dans son influence il y a la vie matérielle, il prendra la lumière de la vérité, lorsqu'il aura besoin de force et d'illumination, pour alimenter son esprit.

12. Alors viendra une force jamais ressentie par l'homme, parce que sa vie commencera à s'attacher aux vrais principes, aux normes établies par ma Loi. (323, 19-22)

La dispute pour la suprématie spirituelle sur la Terre

13. Ce temps connaît la lutte d'idées et de doctrines. Chaque homme veut avoir la raison et, dans cette lutte d'égoïsmes et d'intérêts, quel est celui qui possèdera la raison? Qui sera-t-il propriétaire de la vérité?

14. Si ceux qui se considèrent être dans le chemin parfait et qui croient posséder la vérité, s'en enorgueillissent, en vérité Je vous le dis, ils ne connaissent pas encore le chemin, parce qu'en lui, il est impérieux de faire preuve d'humilité, et il suffit qu'il désavouent la vérité que renferme la croyance des autres, pour cesser d'être humbles. Et Moi, depuis le Second Temps, Je vous dis: « Bienheureux, les doux et les humbles de cœur ».

15. L'homme qui juge la foi et la croyance de ses semblables s'éloigne du salut parce que, dans son orgueil et sa sottise, il tente d'égaler son Dieu. (199, 4-6)

16. Me demandez-vous à quoi Je prétends en me manifestant spirituellement à l'humanité de ce temps? Et Moi, de vous répondre que Je cherche votre réveil à la lumière, votre spiritualité et votre unification, puisque vous avez été divisés en tous temps, parce que pendant que les uns ont recherché les trésors de l'esprit, les autres se sont consacrés à aimer les richesses du monde. Spiritualisme et matérialisme en opposition constante, spiritualistes et matérialistes qui n'ont jamais pu s'entendre.

17. Rappelez-vous qu'Israël, dans l'attente du Messie, quand il L'eut devant les yeux, se divisa en croyants et en négateurs de ma vérité. L'explication en est simple: ceux qui m'attendaient avec l'esprit crurent, quant à ceux qui m'attendaient avec les sens de la matière, ils me renièrent.

17. Ces deux forces devront, à nouveau, s'affronter, jusqu'à ce que, de cette lutte, surgisse la vérité. La lutte sera acharnée parce qu'à mesure que les temps passent, les hommes aiment davantage le terrestre, en vertu de ce que leur science et leurs découvertes les fassent se sentir dans

leur propre royaume, dans un monde créé par eux. (175, 4-6)

18. Aujourd'hui, chaque homme croit connaître la vérité dans toute sa plénitude; chaque religion prétend posséder la vérité. Les hommes de science déclarent qu'ils ont trouvé la vérité. Moi, Je vous dis que personne ne connaît la Vérité absolue, puisque l'homme n'est pas encore parvenu à comprendre, avec son intelligence, la partie qui lui a été révélée.

19. Tous les hommes portent, en eux, une part de la vérité et des erreurs qu'ils mélangent à la lumière de la vérité.

20. Le temps de cette lutte s'approche, celui où toutes ces forces combattront, chacune voulant imposer son idée; mais, au bout du compte, ce ne sera pas le triomphe d'une idée humaine, ni d'une théorie scientifique, ni d'un credo religieux qui prévaudra, mais bien l'ensemble harmonieux de toutes les bonnes idées, de toutes les croyances élevées, de tous les cultes élevés au sommet de la spiritualité, de toutes les sciences mises au service du véritable progrès humain.

21. Je permettrai que les hommes s'expriment et exposent leurs idées; que d'autres montrent publiquement leurs cultes et leurs rites, que l'on discute et qu'on lutte, que les scientifiques présentent leurs théories les plus avancées, que tout ce qui est caché en chaque esprit surgisse, jaillisse et se manifeste, parce que le jour de la moisson est proche, ce jour où la conscience, comme une faucille

inexorable, coupe à la racine tout ce qu'il y a de faux dans le cœur de l'humanité. (322, 15-18)

La lutte adversaire du Spiritualisme

22. Les ministres de ces temps s'habillent royalement pour célébrer symboliquement le sacrifice de Jésus et, malgré qu'ils prennent mon nom et ma représentation, Je découvre leur esprit troublé, leur cœur fouetté par les vents de tempête d'intrigues et de passions; il n'en existe pas un seul qui, comme prophète, annonce que Je me trouve parmi les hommes de ce temps. Ils connaîtront une grande amertume parce qu'il n'existe, parmi eux, de préparation spirituelle. Où donc est-elle cette réalisation de ce qu'ils ont juré, devant Jésus, de suivre sa trace? Où sont-ils donc, les imitateurs de mes apôtres? Y a-t-il quelqu'un qui ressemble à Jean, qui fut des premiers, ou à Paul, qui fut des seconds?

23. C'est pour cela que le Maître s'approche à nouveau de vous pour reprendre son travail d'enseignement. Je vois déjà les nouveaux pharisiens et les scribes se lancer, pleins de haine, contre Moi. Ce sera alors que Je leur demanderai: Où sont mes disciples? Et lorsque les hautains, les faux, les enrichis qui craignent de perdre leur pouvoir, les menacés par ma vérité me bafoueront et me persécuteront à nouveau, des vents impétueux souffleront, mais ce ne sera pas Moi qui tomberai sous le poids de la croix, sinon ceux qui exigèrent le sacrifice

de Celui qui leur donna la vie. (149, 32-33)

24. La vague du matérialisme se soulèvera, se convertissant en une mer démontée, en une mer de souffrances, de désespoir et d'angoisse face à l'injustice des hommes.

25. Il ne flottera qu'une seule barque sur cette mer de passions, de convoitises et de haines humaines, et cette barque sera celle de ma Loi. Bienheureux ceux qui seront forts lorsqu'arrivera ce temps!

26. Mais, malheur à ceux qui dorment! Malheur aux faibles! Malheur aux peuples qui ont construit leur foi sur des fondations de fanatisme religieux, parce qu'ils constitueront la proie facile pour ces vagues furieuses!

27. Ô humanité, ne pressentez-vous pas la bataille? Ma parole ne vous incite-t-elle pas à vous préparer pour vous défendre, une fois l'heure venue?

28. Ma lumière est en tous, mais seul la voient ceux qui prient, ceux qui se préparent. Ma lumière vous parle par pressentiment, par inspiration, par intuition, au travers de rêves et d'avertissements mais, vous êtes sourds à tout appel spirituel, vous êtes indifférents à tout signe divin.

29. Vous verrez bientôt l'accomplissement de ma parole et vous témoignerez que tout en elle renferma la vérité.

30. Ma Doctrine et mon nom seront la cible de toutes les attaques et persécutions, elles seront le motif pour lequel les ennemis de la vérité vous persécuteront; mais ma Doctrine sera aussi l'épée de lumière de ceux qui se lèvent en défendant la foi et elle sera le bouclier derrière lequel se défendent les innocents. Mon nom courra sur toutes les lèvres, béni par les uns, maudit par d'autres.

31. Toutes les facultés de l'homme seront décuplées: son intelligence, ses sentiments, ses passions, ses pouvoirs spirituels seront éveillés et préparés à lutter.

32. Que de confusion y aura-t-il alors! Combien de ceux qui croyaient avoir la foi en Moi, se convaincront que ce n'était pas la véritable foi!

33. La lampe d'amour et d'espoir sera éteinte dans de nombreux foyers et de nombreux cœurs; l'enfance et la jeunesse n'auront d'autre Dieu que le monde, ni d'autre loi que celle de la Terre. (300, 35-40)

34. Que se passera t-il lorsque les hommes se rendront compte que leur amour démesuré pour le monde et que leur culte pour le matérialisme terrestre les ont conduits à un échec douloureux? Ils essaieront de retrouver le chemin perdu, de rechercher les principes et les lois desquels ils s'étaient écartés et, c'est lors de cette recherche que se créeront des doctrines, que se suggèreront des préceptes, et que surgiront philosophies, idées et théories.

35. Tout sera le commencement d'une nouvelle et grande bataille qui ne sera déjà plus promue par de mesquines ambitions de puissance

terrestre. Ce ne seront déjà plus les armes fratricides qui aveugleront des vies, en détruisant des foyers ou en versant le sang humain; le combat sera distinct, parce qu'alors les grandes religions combattront les nouvelles doctrines et les nouvelles religions.

36. Quels seront les vainqueurs de cette bataille? Aucune religion ne sortira victorieuse de ce conflit, à l'instar de cette guerre fratricide que vous subissez aujourd'hui, aucun peuple ne sortira victorieux.

37. Ma justice régnera sur la guerre pour l'obtention de la prédominance matérielle et, plus tard, ce sera ma Vérité qui s'imposera à cette nouvelle bataille pour réussir l'imposition de quelque doctrine ou de quelque religion.

38. L'unique et suprême vérité brillera comme la lumière de l'éclair par une nuit de tempête, et chacun, de l'endroit où il se trouvera, contemplera cette divine fulguration.

39. Mon message parviendra à tous, et tous, vous parviendrez à Moi. J'ai tout préparé pour les temps à venir et ma volonté s'accomplira en tous, parce que Je suis le maître des esprits, des mondes, des races et des peuples. (288, 33-36 et 43)

Le rejet des révélations d'esprits et leurs traitements

40. La vallée spirituelle se rapprochera encore davantage des hommes, pour leur témoigner de son existence et de sa présence. Par tous les chemins surgiront signes, épreuves, révélations et messages qui parleront, avec insistance, de l'ouverture d'un nouveau temps.

41. Les peuples connaîtront la lutte et le choc parce que les religions sèmeront la peur en ceux qui accordent le crédit à ces messages, et la science niera la vérité de ces faits.

42. Alors, les humbles se lèveront en s'armant de courage pour témoigner de la véracité des preuves qu'ils ont reçues. Se lèveront aussi ceux qui, ayant été condamnés par la science, recouvrèrent spirituellement leur santé et ils rendront témoignage de cas miraculeux, révélateurs d'un pouvoir infini et d'une sagesse absolue.

43. D'entre les humbles et les ignorants surgiront des hommes et des femmes dont la parole, pleine de lumière surprendra théologiens, philosophes et scientifiques et, lorsque la lutte s'intensifiera et que les pauvres seront humiliés et que leurs témoignages seront reniés par les arrogants, alors sera l'instant où Elie appellera les savants, les seigneurs et les princes pour les mettre à l'épreuve.

44. Malheur aux vicieux et aux hypocrites, en cette heure, parce que la justice parfaite descendra jusqu'à eux!

45. Ce sera l'heure de justice; mais c'est de là que beaucoup d'esprits se lèveront à la vraie vie, que de nombreux cœurs surgiront à la foi et que beaucoup d'yeux s'ouvriront à la lumière. (350, 71-72)

Chapitre 55 – Purification du monde et de l'Humanité par le jugement

La voix d'avertissement de Dieu et de la Nature devant le jugement

1. Je vous ai dit que toute l'humanité va connaître bientôt une très grande épreuve, une épreuve si grande que, dans toute l'histoire de ses siècles et de ses âges, elle n'a eu de comparaison.

2. Vous devez comprendre, à présent, que Je m'adresse au cœur de vous tous et que Je vous fais parvenir des messages et des avertissements de formes diverses, pour que les hommes méditent et qu'ils se réveillent à ma Loi, comme les vierges prudentes de ma parabole.

3. Les peuples et les différentes nations M'écouteront-ils? Ce peuple, auquel Je me manifeste de la sorte, m'écoutera-t-il? Je suis le seul à le savoir, mais mon devoir de Père est de disposer, sur le chemin de mes enfants, tous les moyens pour le sauver. (24, 80-81)

4. En vérité Je vous le dis, si les hommes ne lavent pas, maintenant, les taches qu'ils ont laissées en leur esprit, les éléments apparaîtront comme les hérauts annonçant ma justice et ma gloire et purifiant l'humanité de toute impureté.

5. Bienheureux les hommes, les femmes et les enfants qui, comprenant la proximité de cette justice, glorifient mon Nom en percevant que le jour du Seigneur est arrivé parce que leur cœur leur indiquera que la fin du règne du mal est proche. Moi je vous vous affirme que ceux-ci, grâce à leur foi, leur espérance et leurs bonnes actions, seront sauvés. Mais combien de ceux qui vivent en ces jours vont-ils blasphémer! (64, 67-68)

6. Le paradis des premiers se transforma en vallées de larmes et n'est, maintenant, qu'une vallée de sang. C'est pourquoi, Je suis venu aujourd'hui pour accomplir la promesse que Je fis à mes disciples. Je réveille l'humanité de sa léthargie en lui prodiguant mes leçons d'amour pour la sauver et Je recherche les esprits dont le destin est de se lever, en ce temps, pour témoigner de ma manifestation et de ma parole par leurs actes.

7. Quand ceux-ci, que J'aurai marqués, se rencontreront réunis autour de ma Loi, la Terre et les astres s'émouvront et il y aura des signes dans le ciel, parce qu'en cet instant, sur toute la Terre, la voix du Seigneur sera entendue d'un confin à l'autre, et son Esprit Divin, entouré des esprits des justes, des prophètes et des martyres, jugera le monde spirituel et le monde matériel. C'est alors que le temps du Saint-Esprit atteindra sa plénitude. (26, 43-44)

8. De nombreux peuples sont tombés au fond de l'abîme de la matérialité et d'autres sont sur le point de tomber, mais la douleur de leur chute les fera se réveiller de leur profond sommeil.

9. Il s'agit de ces nations qui, après une époque de splendeur, dégringolèrent vers l'abîme, pour sombrer dans les ténèbres de la souffrance, du vice et de la misère. Il ne s'agit pas d'un peuple, mais bien de toute l'humanité qui, aveugle, se précipite vers la mort, la confusion et le chaos.

10. L'orgueil des peuples sera touché par ma justice. Souvenez-vous de Ninive, de Babylone, de la Grèce, de Rome, de Carthage; en elles vous trouverez de profondes leçons de la justice divine.

11. Quand les hommes, en se saisissant du sceptre du pouvoir, ont laissé leur cœur s'emplir d'impiété, d'orgueil et de passions malsaines, entraînant leurs peuples à la dégénération, ma justice s'est approchée pour les dépouiller de leur pouvoir.

12. Mais, en même temps, J'ai allumé, en eux, un flambeau qui illumine le chemin du salut pour leur esprit. Q'adviendrait-il des hommes si, au moment de leurs épreuves, Je les abandonnais à leurs propres moyens? (105, 45-47)

13. C'est de précipice en précipice que l'homme se mit à chuter spirituellement, jusqu'à Me renier et M'oublier, jusqu'au point extrême de se renier lui-même en désavouant son essence, son esprit.

14. Seule ma miséricorde pourra éviter aux hommes la douleur de devoir rebrousser chemin pour retourner à Moi; Je suis le seul, dans mon amour, à pouvoir disposer, au passage de mes enfants, les moyens pour qu'ils trouvent le chemin du salut. (173, 21-22)

15. Le jour où les eaux cessèrent de recouvrir la Terre, Je fis briller, au firmament, l'arc-en-ciel de la paix, comme un signe du pacte que Dieu établissait avec les hommes.

16. A présent, Je vous dis: Ô humanité du Troisième Temps, qui êtes la même qui avez traversé toutes les épreuves dans lesquelles vous vous êtes purifiés: Vous êtes près de subir un nouveau chaos.

17. Mais Je viens pour prévenir le peuple que J'ai instruit, et l'humanité en général, à laquelle Je me suis fait connaître en ce temps. Mes enfants, écoutez: Voici l'arche, entrez-y, Je vous y invite.

18. Pour vous, ô Israël, l'arche est la pratique de ma Loi! Quiconque respectera mes commandements, durant les jours les plus amers, dans les moments les plus pénibles, sera à l'intérieur de mon arche, il sera fort et sentira le manteau de mon amour.

19. Et de répéter, à toute cette humanité: L'arche est ma Loi d'amour, quiconque met en pratique l'amour et la charité à l'égard de ses semblables et de lui-même, sera sauvé. (302, 17-19)

20. Je vous ai toujours laissé le temps de vous préparer et vous ai procuré les moyens pour vous sauver. Avant de vous envoyer ma justice pour faire les comptes au terme d'une époque ou d'une étape, Je vous ai manifesté mon amour, en vous prévenant et en vous exhortant au repentir, à la correction et au bien.

21. Mais, à l'heure de la justice, Je ne me suis pas présenté pour vous demander si vous vous étiez déjà repentis, si vous vous étiez déjà préparés ou si vous étiez encore plongés dans le mal et dans la désobéissance.

22. Ma justice s'est manifestée à l'heure indiquée, et celui qui sut construire son arche, à temps, fut sauf, quant à celui qui se moqua lorsque lui fut annoncée l'heure de la justice et qui ne fit rien pour son salut, celui-là dut périr. (323, 51)

La puissance du Mal sera brisée

23. Jusqu'à présent, ce n'est pas l'amour humain qui s'impose dans le monde mais bien, comme ce fut le cas depuis le commencement de l'humanité, la force qui règne et vainc. Celui qui a aimé, a succombé, victime de la méchanceté.

24. Le mal a étendu son règne et s'est fortifié sur la Terre. Et c'est précisément en ce temps que Je viens opposer mes armes à ces forces, afin que le royaume de l'amour et de la justice s'établisse parmi les hommes.

25. Mais auparavant, Je combattrai parce que, pour vous offrir la paix de mon Esprit, il est impérieux que Je fasse la guerre et que Je détruise tout mal. (33, 32-33)

26. Les hommes arriveront au bout de leur propre chemin et retourneront pas le même, récoltant le fruit de ce qu'ils semèrent. C'est l'unique forme qui fera que, des cœurs, jaillisse le repentir, parce que celui qui ne reconnaît pas ses torts ne pourra rien pour réparer ses erreurs.

27. Un monde nouveau se prépare, les nouvelles générations sont prêtes à arriver; mais il est indispensable, auparavant, d'écarter les loups affamés pour qu'ils ne convertissent pas les brebis en proies. (46, 65-66)

28. Une lèpre immatérielle s'est répandue sur la Terre, elle ronge les cœurs et détruit la foi et la vertu. Les hommes sont en haillons spirituels, ils savent que personne ne pourra découvrir ces misères parce que les humains ne regardent pas plus loin que ce qui est matériel.

29. Cependant, l'heure de la conscience se fait proche; cela revient au même que de dire que le jour du Seigneur ou que son jugement est proche. C'est alors que surgira la honte en certains, et le remords en d'autres.

30. Ceux qui entendent cette voix interne, brûlante et inflexible ressentiront, dans leur for intérieur, le feu qui dévore, qui extermine et qui purifie. Ni le péché ni rien qui ne soit pur ne peut résister à ce feu de justice. Le seul qui puisse lui résister est l'esprit, parce qu'il est doté de force

divine; ainsi, une fois qu'il sera passé par le feu de sa conscience, il devra sortir lavé de ses erreurs. (82, 58-59)

31. Toute la souffrance causée par les hommes se concentrera dans un seul calice que boiront ceux qui la provoquèrent; et ceux qui jamais ne s'émurent face à la douleur, ceux-là frémiront en leur esprit et en leur chair. (141, 73)

32. Il est nécessaire que les yeux se ferment, pour tous, l'espace d'un instant, et qu'ils ne se rouvrent qu'au moment où un seul cri s'élèvera de la Terre, reconnaissant qu'il n'existe qu'un seul Père de tous les êtres.

33. En vérité Je vous le dis, Je soumettrai ce monde fratricide et égoïste à un jugement, et le purifierai jusqu'à voir qu'en lui surgissent l'amour et la lumière. Quant à ceux qui, maintenant, sèment et diffusent tous les vices, ceux qui ont créé leur propre royaume d'injustices, Je les chargerai, en restitution de combattre les tentations, de détruire la perversité et de couper, à la racine, l'arbre du mal. (151, 14 et 69)

34. L'homme, en utilisant son libre arbitre, a tordu la voie jusqu'à oublier de Qui il est né, et en est arrivé au point de paraître étrange à sa nature, la vertu, l'amour, le bien, la paix, la fraternité et considère le plus naturel et licite du monde, l'égoïsme, le vice et le péché.

35. La nouvelle Sodome est présente sur toute la Terre et une nouvelle purification s'impose; la bonne graine sera sauvée et, grâce à elle, une nouvelle humanité se formera. Ma semence, celle qui germera dans le cœur des générations futures, lesquelles sauront offrir à leur Seigneur un culte plus élevé, tombera sur des terres fertiles arrosées par des larmes de repentir. (161, 21-22)

36. J'autoriserai que la main de l'homme soit porteuse de destruction, de mort et de guerre, mais seulement jusqu'à une certaine limite, que la justice, la perversité, l'aveuglement et l'ambition des hommes ne pourront franchir.

37. C'est alors que viendra ma faucille et elle comblera de sagesse ce que lui dictera ma volonté, parce que ma faucille est de vie, d'amour et de véritable justice; mais vous, peuple, veillez et priez! (345, 91)

38. Hier, la Terre fut une vallée de larmes, aujourd'hui c'est une vallée de sang. Qu'en sera-t-il demain? Un champ de décombres fumants par où passa le feu de la justice, exterminant le péché et abattant l'orgueil des hommes sans amour, parce qu'ils oublièrent l'esprit.

39. Ainsi les marchands de la science seront-ils expulsés du temple du savoir, parce qu'ils tirèrent profit de la lumière, et qu'ils profanèrent la vérité. (315, 61-62)

40. Les grandes nations se lèvent, pleines d'orgueil, en claironnant leur puissance, en menaçant le monde de

leurs armes et en se vantant de leur intelligence et de leur science, sans se rendre compte combien le monde faux qu'elles ont créé est fragile, puisqu'il suffira d'un léger attouchement de ma justice pour faire disparaître ce monde artificiel.

41. Et ce sera la main de l'homme lui-même qui détruira sa propre œuvre, son intelligence inventera la forme d'exterminer ce qu'il créa auparavant.

42. Je ferai en sorte que ces œuvres humaines, positives, qui ont livré de bons fruits aux hommes, restent sur pied pour qu'elle continuent d'être cultivées au bénéfice des générations futures, par contre, tout ce qui contient une fin perverse ou égoïste sera détruit dans le feu de ma justice inexorable.

43. C'est sur les ruines d'un monde créé et détruit par une humanité matérialiste, que s'édifiera un monde nouveau, dont la fondation sera constituée par l'expérience et qui, comme finalité, l'idéal de son élévation spirituelle. (315, 55-56)

Guerres apocalyptiques, pestes, fléaux et destruction

44. Vous vivez des temps d'angoisse où les hommes se purifient en buvant jusqu'à la lie leur calice d'amertume; et pourtant, ceux qui ont analysé les prophéties en profondeur savaient déjà que le moment se faisait proche, où les guerres se déchaîneraient, de toutes parts, les nations se désavouant entre elles.

45. Il faut encore que les maladies rares et les épidémies apparaissent parmi l'humanité, confondant les scientifiques; et lorsque la douleur atteindra son comble, les hommes auront encore des forces pour crier: Châtiment de Dieu! Mais, Moi, je ne châtie pas, c'est vous-mêmes qui vous punissez en vous écartant des lois qui régissent votre esprit et votre matière!

46. Qui d'autre a déchaîné et provoqué les forces de la nature, que la sottise des hommes? Qui a défié mes lois? Les hommes de science! Mais, en vérité Je vous le dis, cette douleur servira pour déraciner la mauvaise herbe qui a poussé dans le cœur de l'humanité.

47. Les champs se couvriront de cadavres, les innocents, eux-aussi, périront, les uns mourront par le feu, d'autres par la famine, et d'autres à la guerre. La Terre tremblera, les éléments se bouleverseront, les montagnes cracheront leur lave et les mers se démonteront.

48. Je laisserai les hommes porter leur perversité jusqu'à une limite, jusqu'où le leur permet leur libre arbitre, afin que, horrifiés face à leur propre œuvre, ils ressentent, en leur esprit, le véritable repentir. (35, 22-26)

49. L'Arbre de la Science se secouera devant la furie de l'ouragan et il laissera choir ses fruits sur l'humanité. Mais, qui a défait les chaînes de ces éléments, si ce ne sont les hommes?

50. Il est bon que les premiers êtres aient connu la douleur, pour se réveiller à la réalité, naître à la lumière de la conscience et se conformer à une Loi; néanmoins, pourquoi l'homme évolué, conscient et développé de cette époque, ose-t-il profaner l'Arbre de la Vie? (288, 28)

51. Les épidémies se déclencheront dans le monde et une grande partie de l'humanité périra. Il s'agira de maladies étranges et rares face auxquelles la science sera impuissante.

52. L'univers se nettoiera de la mauvaise herbe. Ma justice séparera l'égoïsme, la haine, les infatigables ambitions. De grand phénomènes apparaîtront dans la Nature.

53. Des nations se verront rasées et des contrées disparaîtront. Dans un cri d'alerte pour votre cœur. (206, 22-24)

Catastrophes naturelles sur la Terre

54. Humanité, si vous aviez dédié à l'exécution d'œuvres humanitaires, tout ce que vous avez dédié à fomenter des guerres sanglantes, votre existence regorgerait des bénédictions du Père, mais l'homme s'en est allé utiliser les richesses qu'il a accumulées, pour semer la destruction, la souffrance et la mort.

55. Cela ne peut représenter la vraie vie, celle que doivent vivre les frères et les enfants de Dieu. Cette manière de vivre n'est pas en accord avec la Loi que J'écrivis dans votre conscience.

56. Des volcans surgiront pour vous faire comprendre l'erreur dans laquelle vous vivez; le feu jaillira de la terre pour exterminer la mauvaise herbe. Les vents se déchaîneront, la terre tremblera et les eaux raseront contrées et nations.

57. C'est ainsi que les éléments manifesteront leur ressentiment à l'égard de l'homme; ils ont rompu avec lui, parce que l'homme s'en est allé détruire, l'un après l'autre, les liens d'amitié et de fraternité qui l'unissaient avec la Nature qui l'entoure. (164, 40-42)

58. De nombreuses calamités s'abattront sur l'humanité; il se produira des bouleversements dans la Nature, les éléments se déchaîneront. Le feu dévastera des régions, les eaux des fleuves sortiront de leur lit, les mers connaîtront des changements.

59. Des contrées se trouveront ensevelies sous les eaux et de nouvelles terres apparaîtront. Beaucoup d'enfants perdront la vie et jusqu'aux êtres inférieurs à l'homme périront. (11, 77)

60. Les éléments attendent seulement l'heure de se déchaîner sur le monde pour laver et purifier la Terre. Plus une nation sera pécheresse et hautaine, plus grande sera ma justice qui s'abattra sur elle.

61. Le cœur de cette humanité est dur et sourd; il sera impérieux que lui parvienne le calice d'amertume afin qu'elle écoute la voix de la conscience, la voix de la loi et de la

justice divine. Tout sera en fonction du salut et de la vie éternelle des esprits, qui sont ceux que Je recherche. (138, 78-79)

62. Ce déluge qui lava la Terre des impuretés humaines, et le feu qui descendit sur Sodome, vous les connaissez à présent en tant que légendes; cependant, maintenant aussi, vous contemplerez combien l'humanité s'émouvra au moment où la Terre tremblera sous la force de l'air, de l'eau et du feu. Néanmoins, Je vous envoie, à nouveau, une arche, qui est ma Loi, afin que se sauve celui qui entre en elle.

63. A l'heure de l'épreuve, ce ne seront pas tous ceux qui me diront « Père, Père » qui M'aimeront, sinon ceux qui toujours mettent en pratique mon amour envers leurs semblables. Ceux-là seront sauvés. (57, 61-62)

64. Un nouveau déluge se déclenchera, qui lavera la Terre de la perversité humaine. Il fera tomber les faux dieux de leurs autels, détruira, pierre par pierre, les fondations de cette tour d'orgueil et d'iniquité et effacera toute fausse doctrine et toute philosophie absurde.

65. Mais ce nouveau déluge ne sera pas d'eau ou de pluie comme en son temps, parce que la main de l'homme a déchaîné tous les éléments, visibles comme invisibles, contre lui-même. Le même homme prononce et dicte sa sentence, se punit et se fait justice. (65, 31)

66. Les éléments feront résonner des voix de justice et, en se déchaînant, feront en sorte que disparaissent des portions de terre et qu'elles se convertissent en mers ou en océans, ou encore que disparaissent des mers pour qu'à leur place surgisse la terre.

67. Les volcans entreront en éruption pour annoncer le temps du jugement, et toute la Nature s'agitera et sera perturbée.

68. Priez, afin que vous sachiez vous comporter comme les bons disciples, parce que ce sera le temps propice auquel la Doctrine Spiritualiste Trinitaire Marianne se répandra dans les cœurs. (60, 40-41)

69. Les trois quarts de la surface de la Terre disparaîtront et une seule partie sera sauve pour se constituer en refuge de ceux qui survivront au chaos. Vous verrez l'accomplissement de nombreuses prophéties. (238, 24)

70. Ne vous confondez pas, parce qu'avant que se scelle le Sixième Sceau, de grands événements auront lieu, les astres livreront de grands signes, les nations de la Terre gémiront et, trois parties de cette planète disparaîtront. Il n'en restera qu'une seule sur laquelle la semence du Saint-Esprit surgira comme une nouvelle vie.

71. L'humanité initiera une nouvelle existence, unie par une seule Doctrine, une seule langue et un même lien de paix et de fraternité. (250, 53)

72. Je vous parle de la souffrance, celle dont vous vous faites les créanciers, celle que vous avez accumulée et qui, l'heure venue, débordera.

73. Jamais Je n'offrirais un tel calice à mes enfants mais, pour l'accomplissement de ma justice, Je peux permettre que vous recueilliez le fruit de votre méchanceté, de votre orgueil et de votre sottise, afin que vous Me reveniez repentis.

74. Les hommes ont défié mon pouvoir et ma justice en profanant, avec leur science, le temple de la Nature où tout est harmonie, et leur jugement sera inexorable.

75. Les éléments se déchaîneront, le Cosmos s'ébranlera et la Terre tremblera. Alors, les hommes seront pris de frayeur et voudront fuir, mais ne pourront orienter leurs pas; ils voudront arrêter les forces déchaînées, et ne le pourront pas, parce qu'ils se sentiront responsables et, tardivement repentis de leur témérité et de leur imprudence, ils rechercheront la mort pour échapper au châtiment. (238, 15-17)

76. Si les hommes connaissaient leurs dons, combien de souffrances allègeraient-ils! Mais, ils ont préféré demeurer aveugles ou endormis, tandis qu'ils laissent s'approcher des temps de plus grande douleur.

77. Ma Doctrine vient vous éclairer pour que vous vous libériez de ces grandes souffrances annoncées à l'humanité, par le biais des prophètes des temps passés.

78. C'est par l'élévation de votre vie que vous pourrez trouver ce pouvoir ou cette vertu pour vous libérer de l'action des éléments déchaînés, parce que ce n'est pas seulement la foi et la prière qui constituent les armes qui vous apportent le triomphe sur les vicissitudes et les malheurs de la vie; cette foi et cette prière doivent être accompagnées d'une vie vertueuse, propre et bonne. (280, 14-15 et 17)

79. Un temps de grands événements pour le monde débutera bientôt. La Terre tremblera, et le soleil laissera tomber sur ce monde des rayons incandescents qui brûleront sa surface. Les continents, d'un point à l'autre, seront touchés par la douleur, les quatre points de la Terre souffriront la purification et il n'y aura aucune créature qui ne ressente la rigueur et l'expiation.

80. Et c'est après ce grand chaos que les nations recouvreront le calme et que les éléments naturels s'apaiseront. Après cette nuit de tempête qu'aura vécue ce monde, l'arc-en-ciel de la paix apparaîtra et tout retournera à ses lois, à son ordre et à son harmonie.

81. Voue verrez à nouveau le ciel propre et les champs fertiles, les eaux, dans leur courant, redeviendront pures et la mer sera clémente; il y aura des fruits dans les arbres et des fleurs dans les prés, et les moissons et les récoltes seront abondantes. Quant à l'homme, qui aura été purifié et guéri, il se sentira digne, à nouveau, et verra

son chemin préparé pour son ascension et son retour vers Moi.

82. Tout être sera propre et lavé de toute tache depuis son commencement, afin que le monde soit digne de recevoir le temps nouveau qui s'approche, pour que Je puisse cimenter la nouvelle humanité sur des fondations solides. (351, 66-69)

La justice d'amour et la pitié de Dieu

83. L'heure approche, où le jugement se fera ressentir pleinement dans le monde. Toute action, toute parole et toute pensée seront jugées. Depuis les grands de la Terre, ceux qui gouvernent les peuples, jusqu'aux plus petits, tous seront pesés sur ma balance divine.

84. Mais, ne confondez pas justice et vengeance, ni restitution avec châtiment, parce que Je suis le seul qui permette que vous recueilliez les fruits de vos semailles et que vous les consommiez, afin que vous puissiez distinguer, par leur saveur et leur effet, s'ils sont bons ou nocifs, si vous semâtes bien ou mal.

85. Le sang innocent versé par la cruauté humaine, le deuil et les pleurs de veuves et d'orphelins, le paria qui souffre de misère et de faim réclament ma justice; et ma justice parfaite et d'amour, mais inexorable, descend sur tous. (239, 21-23)

86. Ma justice passera sur tout enfant et touchera tout être humain, comme en ce temps où l'ange du Seigneur passa au-dessus de l'Egypte en accomplissement de ma justice, n'en préservant que ceux qui avaient marqué leur porte du sang de l'agneau.

87. En vérité Je vous le dis, en cette époque, sera sauf celui qui veillera et aura la foi en la parole et dans les promesses du Sauveur, l'Agneau Divin qui s'immola pour vous enseigner à prier et à remplir, avec un amour parfait, la mission de votre restitution, parce que Mon sang, comme un manteau d'amour, le protègera. Quant à celui qui ne veille pas, qui ne croit pas, ou qui blasphème, celui-là sera touché afin qu'il se réveille de sa léthargie. (76, 6-7)

88. Quand, du plus élevé des hommes, surgira vers Moi le cri d'imploration, en ces termes: « Mon Père, notre Sauveur, venez à nous, parce que nous périssons », ma divine force leur fera sentir ma présence, Je leur manifesterai mon infinie pitié et les mettrai à l'épreuve, une fois de plus. (294, 40)

89. Le chemin routinier de votre vie se verra fouetté soudainement par une tempête de vents rétifs, mais ensuite brillera, à l'infini, la lumière d'une étoile dont les éclats offriront la paix, la lumière et la tranquillité dont l'esprit incarné a besoin pour méditer dans l'éternel. (87, 52)

L'effet du jugement

90. Et c'est au moment où tout semblera être terminé pour l'homme et que la mort sera vaincue, ou encore que ce soit le bien qui ait triomphé, c'est à ce moment-là que, des ténèbres, les êtres apparaîtront à la lumière; de la mort, ils ressusciteront à la vraie vie, et de l'abîme du mal, ils se lèveront pour pratiquer la Loi éternelle de Dieu.

91. Tous ne connaîtront pas l'abîme parce que, de même que certains ont essayé de demeurer en-dehors de cette guerre de passions, d'ambitions, de haines et ont vécu dans les environs de la Nouvelle Sodome, d'autres qui, eux si, avaient beaucoup péché, ont su s'arrêter à temps, et grâce à leur repentir opportun et à leur régénération complète, ils éviteront beaucoup de larmes et de douleur. (174, 53-54)

92. De toute cette structure morale et matérielle de cette humanité, il ne restera rien, « pas une pierre sur l'autre », car pour qu'enfin, sur cette Terre, apparaisse l' « homme nouveau », il est impérieux d'effacer toute tache, de détruire tout péché et de laisser seulement ce qui contient la bonne semence.

93. La splendeur de ma présence et de ma justice sera contemplée dans le monde entier et, les idoles tomberont face à cette lumière, les traditions routinières s'oublieront et les rites stériles seront abandonnés.

94. Une seule porte demeurera ouverte pour le salut des hommes: celle de la spiritualité. Celui qui souhaitera se sauver devra abandonner son orgueil, sa fausse grandeur, ses basses passions et son égoïsme.

95. Le calice que les hommes auront à boire durant la grande bataille sera très amer, et cependant, Je vous dis: Bienheureux ceux qui boivent de ce calice et qui, une fois purifiés, quittent la Terre, parce que lorsqu'ils reviendront à ce monde, en d'autres corps, leur message sera de lumière, de paix et de sagesse. (289, 60-61)

96. Il reste encore les ultimes combats et leurs amertumes, ainsi que les derniers tourbillons. Il faut encore que toutes les forces s'agitent et que les atomes se déplacent d'une manière chaotique pour que, par la suite, surviennent une léthargie, une fatigue, une tristesse et un dégoût qui apparentent la mort.

97. Cela représentera l'heure à laquelle s'entendra, au plus sublime des consciences, l'écho vibrant d'un clairon qui, depuis l'Au-Delà, vous annoncera que le Royaume de la Vie et de la Paix, parmi les hommes de bonne volonté, est proche.

98. Et, en présence de cette voix, les morts ressusciteront en versant des larmes de repentir, et le Père les recevra comme les enfants prodigues fatigués par la grande étape et lassés de la grande lutte, pour sceller leurs esprits du baiser d'amour.

99. A partir de ce jour, l'homme maudira la guerre, rejettera de son cœur la haine et la rancœur, persécutera le péché et commencera

une vie de restauration et de reconstruction. Beaucoup se sentiront inspirés par une lumière qu'ils ne contemplèrent pas auparavant, et se lèveront pour créer un monde de paix.

100.Ce ne sera seulement que le commencement du temps de grâce, de l'Ere de paix.

101.L'âge de la pierre est déjà loin. L'ère de la science passera et, plus tard, l'Ere de l'Esprit viendra fleurir parmi les hommes.

102.La source de la vie révélera de grands mystères pour que les hommes bâtissent un monde fort et solide sur la science du bien, dans la justice et dans l'amour. (235, 79-83)

XIII. TRANSFORMATION ET CONSECRATION DU MONDE ET DE LA CREATION

Chapitre 56 – Triomphe et reconnaissance de l'œuvre spirituelle du Christ

Diffusion du Spiritualisme par le biais d'envoyés de Dieu

1. Ma Loi sera l'arche du salut en ce temps! Quand les eaux du déluge de méchancetés, de douleurs et de misères se sont déchaînées, en vérité Je vous le dis, c'est sous forme de caravanes que les hommes d'autres nations arriveront à ce pays, attirés par sa spiritualité, son hospitalité et sa paix et, lorsqu'ils auront appris cette révélation et qu'ils auront la foi quant à ce que Je dis lors de ma nouvelle venue en tant que Saint-Esprit, Je les appellerai aussi Israélites par l'esprit.

2. Parmi ces multitudes se trouveront mes émissaires, que Je ferai retourner à leurs villages pour porter, à leurs frères, le divin message de ma parole.

3. Néanmoins, tous ne viendront pas à cette nation (*Mexique*) pour connaître l'enseignement que Je vous apportai, parce que beaucoup la recevront spirituellement. (10, 22)

4. Tous, vous recevrez la paix, comme vous l'avez façonnée, mais Je vous promets des temps meilleurs.

5. Après l'épuration qui doit avoir lieu sur la Terre, des êtres envoyés par Moi, des esprits vertueux avec de grandes missions, viendront pour former la famille obéissante.

6. Quatre générations devront passer après la vôtre, pour que ma Doctrine s'étende de par le monde entier et qu'elle recueille des fruits merveilleux. (310, 50)

La lutte pour la reconnaissance de la Nouvelle Parole

7. Aujourd'hui, ce petit groupe qui m'entoure se transformera, demain, en d'immenses multitudes; parmi elles viendront les pharisiens, les hypocrites, à la recherche d'erreurs dans ma Doctrine, pour exhorter les foules contre mon Œuvre. Ils ne savent pas qu'avant d'analyser ma parole en profondeur, c'est eux qui seront « disséqués ». (66, 61)

8. En ce temps-là, Je fus jugé par trois juges: Anas, Pilate et Hérode, et ce fut le peuple qui dicta ma sentence. A présent, Je vous affirme que mes juges sont nombreux et que plus nombreux encore sont ceux qui me feront sentir la douleur en cette époque.

9. Mais, c'est au moment où les hommes maudiront le plus ma Loi et ma Doctrine, lorsqu'ils Me

persécuteront et Me renieront le plus, que surgira la voix des hommes de foi, parce qu'il ne se reproduira plus ce qui se produisit au Second Temps. A présent, Je ne serai plus seul! (94, 67)

10. Durant un instant, la parole que Je vous livre aujourd'hui, sera apparemment effacée de la surface de la Terre.

11. Alors, les hommes se lèveront en inventant des doctrines spiritualistes, en enseignant de nouvelles lois et de nouveaux préceptes. Ils se prétendront maîtres, apôtres, prophètes et envoyés et Moi, pour un temps, Je les laisserai parler et semer, Je les laisserai cultiver leur graine, pour qu'en recueillant le fruit, ils sachent ce qu'ils semèrent.

12. Le temps et les éléments passeront sur leurs semailles et leur passage sera comme un jugement pour chacun de ces êtres.

13. Il est impérieux que le monde soit au courant de l'imposture, afin qu'il reconnaisse la vérité. Alors, la vérité et l'essence que Je vous délivrai en cette époque resurgiront, dans toute leur pureté et toute leur spiritualité, parmi l'humanité. (106, 9-10)

Le pouvoir de la Doctrine du Saint-Esprit

14. Une nouvelle ère s'est ouverte pour l'humanité, C'est l'ère de la lumière, dont la présence marquera un point culminant sur le chemin spirituel de tous les hommes, afin qu'ils se réveillent, qu'ils méditent et qu'ils se débarrassent du lourd fardeau de leurs traditions, de leur fanatisme et de leurs erreurs pour se lever ensuite à une vie nouvelle.

15. Toutes les religions et les sectes, certaines d'abord et d'autres ensuite, parviendront devant le Temple invisible, devant le Temple du Saint-Esprit qui est ferme comme une colonne s'élevant à l'infini, dans l'attente des hommes de tous les peuples et de toutes les espèces.

16. Quand tous auront pénétré l'intérieur de mon sanctuaire pour prier et méditer, les uns et les autres atteindront le même niveau de connaissance de ma vérité; pour autant qu'une fois terminée cette HALTE en chemin, tous se lèveront unis dans une même Loi et auront une même forme de rendre le culte à leur Père. (12, 94-96)

17. Moi, uni avec ce peuple que Je suis en train de former et que J'ai retiré des ténèbres et de l'obscurité, J'accomplirai les prophéties transmises aux temps passés. Devant mes preuves et mes prodiges, le monde se bouleversera et les théologiens et les interprètes des prophéties brûleront leurs livres et se prépareront à étudier cette révélation. Les nobles, les hommes de science, les têtes couronnées s'arrêteront pour écouter ma Doctrine et beaucoup s'exclameront: Le Christ, le Sauveur est revenu!

18. Je vous le dis, certes, ma parole fera changer la face de votre monde actuel et de toute votre vie!

19. Pour les hommes de cette époque, le monde et ses plaisirs constituent la raison de leur vie, mais très vite ils sauront préférer l'esprit au corps, et le corps au vêtement, et au lieu de rechercher les gloires mondaines, ils rechercheront l'immortalité de l'esprit.

20. Au début, il y aura du fanatisme pour le spirituel, l'exécution tendra à l'exagération; mais les cœurs se calmeront par la suite et la spiritualité surgira pleine de vérité et de pureté. (82, 30-31)

21. Ma Doctrine provoquera de grandes révolutions dans le monde, il y aura de grandes transformations dans les habitudes et les idées et il y aura des changements jusque dans la Nature; tout cela indiquera l'entrée d'une nouvelle ère pour l'humanité et les esprits, que J'enverrai sous peu sur Terre, parleront de toutes ces prophéties pour aider à la restauration et à l'élévation de ce monde, ils expliqueront ma parole et analyseront les faits. (152, 71)

22. De l'esprit surgira un nouveau chant, et ceux qui ne pouvaient Me contempler à la fin Me verront, parce qu'en dépit de leurs imperfections, ils me cherchaient, et vous savez déjà que celui qui me cherche Me trouve toujours.

23. Quant à ceux qui M'ont renié, ceux qui m'ont fui, ceux qui ont tu mon nom, ceux qui démentent ma présence, ils trouveront, sur leur chemin, ces épreuves qui leur feront ouvrir les yeux et contempler aussi la vérité. (292, 35-36)

24. Comme un fleuve qui coule impétueusement en entraînant tout, le torrent que formeront les multitudes spiritualistes sera comme un fleuve que personne ne pourra arrêter parce que sa force sera invincible, et celui qui, à son passage, voudra s'interposer pour lui faire obstacle, celui-là sera entraîné par le courant.

25. Qui, sur la Terre, pourra avoir le pouvoir d'arrêter l'évolution des esprits ou le cours des plans de Dieu? Personne! L'unique Etre absolu en pouvoir et en justice est votre Père et c'est Lui qui a ordonné que tout esprit progresse vers la perfection.

26. Si, par instants, mes lois ont été désobéies par les hommes, Je fais en sorte que ma voix, comme si elle était l'écho d'une cloche, soit entendue même des morts à la vie spirituelle. (256, 40-42)

27. Quand l'Humanité connaîtra mon Enseignement et en comprendra son sens, elle confiera en lui et s'affirmera dans la croyance qu'il représente le juste chemin, le guide pour tout être qui souhaite vivre dans la justice, dans l'amour et dans le respect envers ses semblables.

28. Quand cette doctrine s'installera dans le cœur des hommes, la vie du foyer s'illuminera, en fortifiant les parents dans la vertu, les ménages dans la fidélité et les enfants dans l'obéissance. Elle comblera les maîtres de sagesse, rendra les

gouvernants magnanimes et inspirera les juges pour qu'ils rendent la vraie justice; les scientifiques se verront éclairés et cette lumière leur révèlera de grands secrets pour le bien de l'Humanité et pour son évolution spirituelle. C'est ainsi que commencera une ère nouvelle de paix et de progrès. (349, 35)

L'acceptation, dans le monde entier, du retour du Christ
29. Quand l'homme sera descendu au fond de l'abîme et que, fatigué de lutter et de souffrir, il n'aura déjà plus de forces ni pour se sauver lui-même, alors il verra, émerveillé, comme surgira du fond de cette même faiblesse, de son désespoir et de sa déception, une force inconnue qui est celle qui émane de l'esprit, lequel, se rendant compte qu'est arrivée l'heure de sa libération, en battant des ailes il se lèvera des décombres d'un monde de vanités, d'égoïsme et de mensonges pour déclarer: Il est là, Jésus le renié, Il vit! C'est en vain que nous avons voulu le tuer à chaque pas et chaque jour; Il vit et vient pour nous sauver et nous offrir tout son amour! (154, 54)

30. En vérité Je vous le dis, si en son temps les rois eux-mêmes s'émerveillèrent de l'humilité dans laquelle Je naquis, en ce temps-ci il y aura aussi une surprise lorsque tous connaîtront l'humble moyen que Je choisis pour vous livrer ma parole. (307, 52)

31. L'humanité se trouve maintenant en phase de préparation. C'est Ma justice qui la prépare, sans que les hommes ne s'en rendent compte, parce que dans leur orgueil, dans leur fier matérialisme, ils attribuent au hasard tous les événements qui leur sont inexorables.
32. Mais mon appel parviendra déjà aux cœurs et alors, affligés, ils s'approcheront pour me demander que leur orgueil et leurs erreurs leur soient pardonnés.
33. Ce sera l'heure cruciale pour l'esprit de l'humanité, au cours de laquelle, l'espace d'un instant, elle fera l'expérience du vide absolu. Après ses grandes supercheries, quand elle vérifiera le caractère faux de sa grandeur, la fragilité de son pouvoir et l'aspect erroné de ses idéologies.
34. Cependant, cet état de confusion ne se prolongera pas longtemps, parce qu'alors mes émissaires avanceront en diffusant mon nouveau message.
35. Une fois encore, comme aux temps passés, où de l'Orient avançaient les missionnaires de ma Doctrine en diffusant la connaissance de ma parole vers l'Occident, de même en ce temps, le monde reverra mes émissaires, portant aux peuples et aux foyers la lumière de ce message.
36. Les hommes se surprendraient-ils que, cette fois, la lumière s'en aille d'Occident en Orient? Désavoueront-ils, pour ce motif, le message que mes émissaires leur apportent en mon nom? (334, 42-45)

37. Il existe des races entières qui ne Me reconnaissent pas, il y a des peuples qui s'entêtent à s'écarter de mes lois, à ignorer ma Doctrine, à s'y opposer, la jugeant non conforme à ce temps.

38. Ce sont ceux qui ne m'ont pas compris, les obstinés de libertés terrestres, ceux qui souvent font le bien pour convenance propre et non pour l'élévation de l'esprit.

39. Mais ma justice et les épreuves sont prêtes pour chaque peuple, et ces épreuves arrivent tous les jours pour finalement fortifier leur cœur et leur esprit, comme s'il s'agissait de terres labourables, et une fois préparées, déposer la semence dans leurs entrailles, l'éternelle graine de mon amour, de ma justice et de ma lumière.

40. Et ces peuples parleront de Moi avec amour, ces races naîtront pour l'espérance en Moi et il y aura des cantiques dans l'esprit de tous les peuples de cette humanité, des chœurs de louange et d'amour pour l'unique Seigneur de tous les hommes! (328, 12)

Chapitre 57 – Revers et transformation dans tous les secteurs

Connaissances nouvelles et plus approfondies

1. Le temps où les révélations spirituelles dévoilent, à l'humanité, le chemin lumineux pour parvenir à connaître les mystères qui se cachent dans le sein de la Création, est proche.

2. La lumière de mon Esprit vous révèlera la forme d'acquérir la véritable science qui permettra à l'homme d'être reconnu et d'être obéi par les créatures qui l'entourent et par les éléments de la Création, accomplissant ainsi ma volonté de voir l'homme s'emparer de la Terre, mais ceci seulement lorsque l'esprit de l'homme, illuminé par la conscience, aura imposé sa puissance et sa lumière aux faiblesses de la matière. (22, 19)

3. Il est proche, le jour où les hommes comprendront l'importance que revêt l'esprit, parce que beaucoup de ceux qui croient ne croient pas en réalité, et d'autres, se disant voyants, ne voient pas. Néanmoins, quand ils palperont la vérité, ils reconnaîtront qu'il serait infantile, injuste et insensé de continuer à nourrir, avec les fruits du monde, un être qui appartient à une autre vie.

4. Alors, vous rechercherez la lumière dans les religions et, anxieux et angoissés de trouver la vérité, vous abolirez la fausseté des doctrines et détruirez tout le superficiel et l'externe que vous rencontrerez dans les divers cultes, jusqu'à découvrir l'essence divine. (103, 42)

5. L'humanité, quant à elle, devra se lasser de continuer de semer la haine, la violence et l'égoïsme. Chaque semence de haine qu'elle sèmera se multipliera d'une manière telle que ses forces ne lui suffiront plus pour recueillir sa récolte.

6. Ce résultat imprévu et supérieur à son pouvoir humain arrêtera sa course vertigineuse et insensée. Ensuite, J'accomplirai un miracle dans chaque cœur en faisant surgir la charité, là où il n'y avait qu'égoïsme.

7. Les hommes reviendront s'attribuer toute perfection, tout savoir et toute justice. Ils se souviendront que Jésus dit: « La feuille de l'arbre ne se meut pas sans la volonté du Père »; parce qu'aujourd'hui, selon la perception du monde, la feuille de l'arbre, les êtres et les astres se meuvent par le hasard. (71, 30)

8. Quand ma voix se fera entendre à l'humanité sous forme spirituelle, les hommes sentiront vibrer quelque chose qui avait toujours été en eux, bien que sans pouvoir se manifester librement. Ce sera l'esprit qui, animé par la voix de son Seigneur, se lèvera en répondant à mon appel.

9. Alors commencera une ère nouvelle sur la Terre, parce que vous

cesserez de voir la vie d'en bas et que vous commencerez à la contempler, à la connaître et à en jouir depuis les hauteurs de votre élévation spirituelle. (321, 38-39)

10. Lorsque ce ne sera déjà plus l'intelligence qui conduira l'esprit à observer ou à se plonger dans la science, sinon l'esprit qui élèvera et guidera l'intelligence, alors l'homme découvrira ce qui, aujourd'hui, lui paraît insondable et qui, pourtant, est destiné à lui être révélé, dès qu'il aura spiritualisé son intelligence. (295, 37)

11. Je vous ai dit que viendra le moment où la lumière jaillira en tous lieux, dans tous les pays, sur tous les continents. Cette lumière brillera selon la préparation spirituelle de l'homme. Grâce à elle, il se formera une nouvelle et plus précise idée de la création, une nouvelle étape d'évolution spirituelle. (200, 41)

12. Quand les hommes parviendront à penser universellement à l'amour, chacun essaiera de se perfectionner, d'accomplir, de mieux servir les autres; toute crainte du châtiment sera superflue, l'homme n'accomplira pas sa mission par crainte, mais bien par conviction. C'est alors que l'humanité aura évolué spirituellement et intelligemment. (291, 25)

13. Lorsque cette semence aura germé dans le cœur des peuples qui composent l'humanité, il se produira un changement absolu dans la vie des hommes. Grande sera la différence qu'ils montreront, tant dans leur vie humaine que dans leur culte spirituel, lorsque s'établira la comparaison entre la manière de vivre, de croire, d'adorer, de lutter et de penser des hommes des temps passés, et de ceux qui pratiquent la spiritualité!

14. Il ne subsistera pas une seule pierre sur une autre, de cette époque de fanatisme, d'idolâtrie, de matérialité et de croyances absurdes; toutes les erreurs que vos ancêtres et vous-mêmes puissiez léguer à ces futures générations seront détruites; tout ce qui n'aura pas d'essence de bien et de vérité ne durera pas, mais tout le bien que vous aurez hérité, celui-là vous devrez le conserver.

15. Cette Doctrine, exposée sous une forme plus spirituelle que par le passé, devra lutter parmi les hommes, les peuples, les religions et les sectes, pour se frayer un chemin et parvenir à s'établir, cependant une fois passé le moment de confusion, la paix viendra aux hommes et ils prendront du plaisir à extraire de ma parole le contenu qu'elle a toujours gardé en elle.

16. Le concept se référant à ma divinité, à la vie spirituelle et à la finalité de votre existence empruntera la véritable voie, parce que chaque homme sera un bon interprète de ce qui vous fut conté en parabole et au sens figuré par votre Maître, par ses envoyés et ses prophètes.

17. Ce langage ne fut compris qu'en partie par les hommes; c'était la leçon qui leur était assignée en relation avec leur capacité spirituelle et mentale,

mais eux, voulant tout savoir, ne réussirent qu'à se troubler et se confondre en attribuant des interprétations matérielles à ce qui ne pouvait s'analyser que sous forme spirituelle. (329, 22-26)

Instruction au travers d'envoyés de Dieu

18. Je vous ai promis d'envoyer les esprits de grande lumière pour vivre parmi vous, ceux qui n'attendent que le moment de se rapprocher de la Terre pour s'incarner et accomplir une grande mission de restauration.

19. Quand ces êtres habiteront ce monde, qu'aurez-vous à leur enseigner? Rien! En vérité Je vous le dis, parce que ce seront eux qui viendront pour enseigner, et non pour apprendre!

20. Vous vous émerveillerez de les écouter, depuis l'enfance, parler d'enseignements profonds, soutenir des conversations avec les hommes de science et les théologiens, stupéfiant, par leur expérience, les anciens et conseillant le droit chemin à la jeunesse et à l'enfance.

21. Bienheureux le foyer qui recevra, en son sein, l'un de ces esprits. Et combien graves seront les charges à l'encontre de ceux qui tenteront d'empêcher la réalisation de la mission de mes envoyés! (238, 30-31)

22. Je vous répète que, dans le monde, il ne vous manquera pas d'hommes dotés de grande lumière

pour illuminer votre chemin et parsemer d'amour votre vie.

23. L'humanité a toujours connu la présence de ces hommes sur la Terre et des temps arrivent où viendront au monde les grandes légions d'esprits de grande lumière, qui viendront pour détruire le faux monde que vous avez créé, pour en bâtir un nouveau où l'on respirera la paix et où règnera la vérité.

24. Ils vont beaucoup souffrir en raison de la méchanceté des hommes; mais ce ne sera rien de nouveau pour eux, puisque aucun des envoyés de Dieu n'a échappé de la persécution, de la raillerie et des offenses. Ils devront venir au monde y devront l'habiter, parce que leur présence est indispensable sur la Terre.

25. Ils arriveront en appelant, avec amour, le cœur de l'humanité; leur parole, imprégnée de la justice du Père, touchera l'orgueil et la fierté de tous ceux qui ont échangé les habits de l'humilité de leur esprit pour la parure de la vanité, de l'orgueil, du faux pouvoir et de la fausse grandeur.

26. Ceux-ci seront les premiers à se lever, en pointant mes envoyés de leur index tremblant de colère; mais ce sera utile pour que, à chaque épreuve à laquelle seront soumis mes serviteurs, ils puissent rendre de grands témoignages de la vérité qu'ils ont apportée au monde.

27. Vous ignorez encore, à l'heure actuelle, sur quels chemins de la vie humaine ils devront surgir, mais Moi je vous dis que certains apparaîtront dans le sein des grandes religions, ils

lutteront pour l'unification et l'harmonie spirituelle de tous les hommes.

28. D'autres surgiront d'entre les hommes de science pour démontrer, avec le fruit de leurs inspirations, que la véritable finalité de la science est celle du perfectionnement spirituel de l'homme, et non celle de sa misère et de sa destruction.

29. Et ainsi, sur chaque sentier apparaîtront mes serviteurs qui porteront ma Loi en leur cœur et qui témoigneront, en paroles et en actes, de ce dont Je suis venu vous parler en ce temps-ci. (255, 43-47)

La métamorphose de l'être humain

30. Je vous prophétise un monde nouveau et une humanité spiritualisée et, lorsque cette parole sera connue, une fois de plus, elle ne sera pas crue.

31. Les générations passeront; l'orgueil des hommes déchaînera tempêtes et déluges, pestes et fléaux et le malheur de l'humanité ébranlera les espaces.

32. Mais, à la suite de tout cela, les nouveaux habitants commenceront une vie de réflexion et de spiritualité, en profitant de l'immense fortune d'expériences que leur léguèrent les générations antérieures, et la divine semence se mettra à germer.

33. Il existe, dans chaque esprit, le germe divin, puisque c'est de Moi qu'il a surgi. Et, de même que vos enfants héritent des traits ou du caractère de leurs parents, les esprits, eux-aussi, révéleront enfin ce qu'ils ont hérité de leur Père Céleste: l'amour! (320, 9-11)

34. Après le nouveau déluge, l'arc-en-ciel brillera comme un symbole de paix et d'un nouveau pacte que l'humanité établira spirituellement avec son Seigneur.

35. Vous devez vous attendre à une lutte de dimension, parce que vous aurez à lutter contre le dragon du mal, dont les armes sont l'ambition, la haine, le pouvoir terrestre, la luxure, la vanité, l'égoïsme, le mensonge, l'idolâtrie et le fanatisme; toutes les forces du mal, nées du cœur humain, que vous devrez combattre avec grand courage et une immense foi jusqu'à les vaincre.

36. Quand le dragon de vos passions aura été tué grâce à vos armes de lumière, un monde nouveau apparaîtra aux hommes, un monde nouveau, tout en étant le même, mais qui paraîtra plus beau, parce qu'alors les hommes sauront l'utiliser pour leur bien-être et leur progrès, en insufflant, à toutes leurs œuvres, un idéal de spiritualité.

37. Les cœurs s'ennobliront, les intelligences recevront la lumière et l'esprit saura manifester sa présence. Tout ce qui est bon prospérera, tout ce qui est élevé servira de fondations aux œuvres humaines. (352, 61-64)

38. L'homme est descendu jusqu'au fond de l'abîme et la conscience l'y a accompagné, dans l'attente de l'instant propice pour être écoutée. Cette voix se fera bientôt entendre dans le monde, avec une force

tellement grande que vous ne pouvez imaginer à l'heure actuelle.

39. Mais, qui fera sortir l'humanité de son abîme d'orgueil, de matérialisme et de péché pour se laver dans les eaux de son repentir et commencer à s'élever par la voie de la spiritualité.

40. J'aiderai tous mes enfants, parce que Je suis la Résurrection et la Vie qui vient faire se lever les morts de leur tombe.

41. Dans cette vie, que Je viens offrir aujourd'hui à l'humanité, les hommes accompliront ma volonté en renonçant au libre arbitre par amour, persuadés que celui qui accomplit la volonté du Père n'est ni un domestique, ni un esclave, mais bien un vrai enfant de Dieu. C'est alors que vous connaîtrez le véritable bonheur et la paix parfaite qui sont les fruits de l'amour et de la sagesse. (79, 32)

42. Je vous dis qu'en ce Troisième Temps, et bien que cela vous paraisse impossible, la régénération et le salut de l'humanité ne seront pas choses difficiles, puisque l'acte de rédemption est œuvre divine.

43. Mon amour sera celui qui ramènera les hommes sur le chemin de lumière et de vérité. En entrant subtilement dans chaque cœur, en caressant chaque esprit, en se manifestant au travers de chaque conscience, Mon amour transformera les roches dures en cœurs sensibles, convertira les hommes matérialistes en êtres spiritualisés et les pécheurs en

gens de bien, de paix et de bonne volonté.

44. Je vous parle de la sorte, parce que personne d'autre que Moi ne connaît l'évolution de votre esprit; et Je sais que cette humanité, malgré son grand matérialisme, son amour pour le monde et ses passions développées jusqu'à l'extrême du péché, ne vit qu'en apparence afférée à la chair et à la vie matérielle. Je sais qu'au moment où elle ressentira, en son esprit, le toucher de mon amour, elle accourra vite à Moi pour se dépouiller de son fardeau et Me suivre sur le chemin de vérité lequel, sans s'en rendre compte, elle souhaite ardemment de parcourir. (305, 34-36)

45. Soyez sur vos gardes et vous serez les témoins de la conversion de ceux qui M'avaient désavoué, de même que vous contemplerez le retour de ceux qui s'étaient éloignés du vrai chemin.

46. Des hommes de science, qui dédièrent leur vie à rechercher des éléments et de la force pour détruire et qui, pressentant la proximité de leur jugement, retourneront vers la voie de la vérité pour consacrer leurs derniers jours à la reconstruction morale et matérielle du monde.

47. D'autres qui, dans leur orgueil, avaient essayé d'occuper ma place auprès des esprits, et qui descendront de leurs fauteuils de cérémonies pour M'imiter dans l'humanité. Et aussi des hommes qui, un jour, agitèrent les peuples et fomentèrent des guerres. Ils arriveront à reconnaître leurs erreurs

et rechercheront anxieusement la paix des hommes. (108, 39)

48. Quand ma lumière aura pénétré tous les cœurs et que les hommes qui conduisent les peuples, ceux qui se chargent de l'enseignement et tous ceux qui remplissent les plus importantes fonctions, se laisseront guider et inspirer par cette lumière supérieure qu'est la conscience, alors vous pourrez compter les uns sur les autres. C'est alors que vous pourrez avoir la foi en vos frères, parce que ma lumière sera en tous, et qu'en ma lumière sera ma présence et ma justice d'amour. (358, 29)

49. L'humanité écoutera, á nouveau, mon enseignement, mais non que ma Loi soit retournée aux hommes, parce qu'elle a toujours été écrite dans leur conscience; mais ce seront plutôt les hommes qui reprendront le chemin de la Loi.

50. Ce monde sera semblable au fils prodigue de ma parabole. Il trouvera aussi le Père à sa même place qui l'attendra pour l'étreindre avec amour et l'asseoir pour manger à sa table.

51. Elle n'est pas encore arrivée, l'heure du retour de cette humanité vers Moi, elle conserve encore une part de son héritage, celle qu'elle devra gaspiller en festins et plaisirs jusqu'à ce qu'elle se retrouve nue, affamée et malade, pour élever, alors, les yeux vers son Père.

52. Il est impérieux de concéder que les hommes ambitionnent les biens de la Terre, quelques instants de plus,

pour que leur déception soit absolue; pour que, finalement, ils en arrivent à se convaincre que l'or, le pouvoir, les titres et les plaisirs de la chair ne leur procureront jamais ni la paix ni le bien-être de leur esprit.

53. L'heure de l'examen à la lumière de la conscience se fait proche pour toute l'humanité; là seront présents les savants, les théologiens, les scientifiques, les puissants, les riches et les juges, se demandant quel aura été le fruit spirituel, moral ou matériel qu'ils auront recueilli, avec lequel ils auraient pu alimenter l'humanité.

54. Après cet instant, nombreux sont ceux qui reviendront à Moi, en reconnaissant que, malgré la gloire qu'ils connurent sur la Terre, il leur manquait quelque chose pour combler le vide dans lequel avait sombré leur esprit, lequel ne peut s'alimenter que des fruits de la vie spirituelle. (173, 19-20 et 57-58)

55. C'est des hommes d'aujourd'hui, dépourvus de spiritualité et d'amour, que Je ferai naître les générations tant de fois prophétisées par ma parole; mais auparavant, Je vais préparer ces peuples qui, aujourd'hui, se désavouent, se font la guerre et se détruisent.

56. Et lorsque l'action de ma justice sera passée sur tous et que la mauvaise herbe aura été déracinée, une nouvelle humanité commencera de surgir, sans que son sang ne porte plus la graine de la discorde, de la

haine ou de l'envie, parce que le sang de ses parents se purifia dans le creuset de la douleur et du repentir.

57. Moi, Je les recevrai et leur dirai: Demandez, demandez, et cela vous sera accordé, comme Je le dis au Second Temps, mais maintenant J'ajoute: Sachez demander! (333, 54)

Transformations et révolutions dans tous les secteurs de la vie

58. Le monde matériel, la planète, n'est pas proche de sa désintégration, mais la fin de ce monde d'erreurs et de péchés, de ténèbres et de science cruelle, se produira grâce à la lumière de ma Doctrine, et c'est sur ses décombres que J'édifierai un monde nouveau de progrès et de paix. (135, 5)

59. L'humanité subira, à court terme, une grande transformation: institutions, principes, croyances, doctrines, coutumes, lois et tous les ordres de la vie humaine seront ébranlés depuis leurs fondations. (73, 3)

60. Hommes, nations, races et peuples, vous aurez tous à accourir à l'appel divin, quand l'esprit de l'homme, las de sa captivité sur la Terre, se lèvera en rompant les chaînes du matérialisme pour pousser le cri de la libération spirituelle. (297, 66)

61. Le temps viendra que se lèveront des hommes qui aiment vraiment ma Loi, ceux qui sauront unir la loi spirituelle à celle du monde, ou encore le pouvoir éternel et le pouvoir temporel.

62. Mais, ce ne sera pas dans le but de réduire les esprits en esclavage, comme ce fut le cas dans les temps passés, sinon pour leur indiquer le chemin vers la lumière, laquelle constitue la véritable liberté de l'esprit.

63. Alors, la moralité se réinstallera au sein du foyer, il y aura de la vérité dans vos institutions et de la spiritualité dans vos coutumes. Ce sera le temps où la conscience fera entendre sa voix et où mes enfants se communiqueront d'esprit à Esprit avec ma Divinité, le temps où les races se fusionneront.

64. Et tout cela détermine la disparition de nombreuses différences et de conflits parce que, jusqu'à présent, bien que votre monde soit si petit, vous n'avez pas su vivre comme une famille unie, vous n'avez même pas pu Me rendre un seul culte.

65. L'antique Babel vous condamna à cette division de peuples et de races, mais la construction de mon Temple spirituel dans le cœur de l'Humanité vous libèrera de cette restitution et vous conduira à vous aimer vraiment les uns les autres. (87, 10)

66. Un temps viendra où le désir de l'humanité d'élever son esprit sera tellement ardent qu'elle utilisera tous les moyens dont elle dispose pour transformer cette vallée de larmes en un monde dans lequel règne l'harmonie. Elle fera l'impossible et

en arrivera même au sacrifice et à l'effort surhumain pour rejeter les guerres.

67. Ces hommes seront ceux qui élèveront ce monde, ceux qui écarteront, de la vie humaine, le calice d'amertume, ceux qui reconstruiront tout ce que les générations antérieures ont détruit dans leur ambition aveugle, leur matérialité et leur manque de bon sens.

68. Ils seront ceux qui veilleront à Me rendre le vrai culte, ce culte sans fanatisme ni actes extérieurs et inutiles. Ils chercheront à ce que l'humanité comprenne que l'harmonie entre les lois humaines et les lois spirituelles et leur accomplissement sont le meilleur culte que les hommes puissent offrir à Dieu. (297, 68-69)

69. Le temps des rites, des autels et des cloches de bronze va disparaître de l'humanité. L'idolâtrie et le fanatisme religieux donneront leurs ultimes signes de vie; il viendra, ce temps de lutte et de chaos que Je vous ai annoncé.

70. Et quand la paix sera revenue dans tous les esprits, après la tempête, les hommes ne reconstruiront plus de palais en mon honneur, les foules ne seront plus appelées au moyen de la voix des bronzes et les hommes qui se sentent grands ne lèveront plus leur pouvoir au-dessus des multitudes. Le temps viendra, de l'humilité, de la fraternité, de la spiritualité, apportant avec lui l'égalité de dons pour l'humanité. (302, 37)

71. Le faucheur est présent en ce temps, avec comme mission celle de couper tout arbre qui ne produit pas de bons fruits. Et, dans cette lutte, seules la justice et la vérité prévaudront.

72. Beaucoup d'églises disparaîtront, quelques-unes demeureront. La vérité resplendira dans certaines, tandis que d'autres présenteront seulement l'imposture; mais la faucille de la justice continuera de faucher jusqu'à ce que toute la semence qui existe sur la terre ait été sélectionnée. (200, 11)

73. C'est la continuation de mes leçons, mais non la consommation des temps, selon l'interprétation de l'homme. Le monde continuera de tourner en orbite dans l'espace; les esprits continueront d'arriver sur la Terre pour s'incarner et accomplir leur destin; les hommes continueront de peupler cette planète et ce n'est que la forme de vie parmi l'humanité qui changera.

74. Grandes seront les transformations que la vie humaine souffrira, à un point tel qu'il vous semblera qu'un monde se terminera et qu'un autre naîtra. (117, 14)

75. Vous marchez tous dans cette direction, vers cette vie de sérénité et de paix, et non vers l'abîme ou la mort, comme croit le pressentir votre cœur.

76. Il est certain que vous devrez encore consommer beaucoup d'amertume avant que n'arrive le

temps de votre spiritualité; mais ce ne seront ni la mort, ni la guerre, ni la peste, ni la faim qui arrêteront le cours de la vie, ni l'évolution spirituelle de cette humanité. Je suis plus fort que la mort et, par conséquent, Je vous rendrai à la vie si vous mouriez et vous ferai retourner à la Terre si cela s'avérait nécessaire.

77. Humanité bien aimée, J'ai encore tant de révélations à vous faire. Mon arcane réserve encore de nombreuses surprises. (326, 54)

Chapitre 58 – Le Royaume de Paix du Christ et la culmination de la Création

Le pouvoir déterminant dans le Royaume de Paix du Christ

1. De même que Je vous annonçai ces temps de grande amertume, Je vous dis aussi qu'une fois la confusion passée, l'harmonie s'installera parmi l'humanité.

2. Les arrogants, les vantards, les dépourvus de charité et de justice seront retenus, un temps, dans l'au-delà, afin que le bien, la paix et la justice progressent sur la Terre et qu'y croissent la spiritualité et la bonne science. (50, 39-40)

3. Dans la vie des hommes, le mal l'a toujours emporté sur le bien; Je vous répète que le mal ne prévaudra pas, mais que ce sera ma loi d'amour qui règnera sur l'humanité. (113, 32)

4. Les esprits qui s'incarnent dans l'humanité de ces jours seront, pour la plupart, fidèles au bien, de telle manière que, lorsque apparaîtront des hommes enclins au mal, aussi forts soient-ils, ils devront s'incliner face à la lumière de la vérité que ceux-là leur présenteront. Tout le contraire de ce qui se produit aujourd'hui parce que, les pervers abondant davantage, ils ont fait du mal une force qui noie, contamine et enveloppe les bons. (292, 55)

5. En ce temps, ô disciples, la nouvelle Jérusalem sera dans le cœur des hommes! Vous atteindrez des niveaux élevés de spiritualité, et Je n'enverrai pas seulement s'incarner parmi vous des esprits de grande évolution pour qu'ils vous livrent mes messages. Je vous enverrai aussi les esprits nécessiteux de votre vertu, lesquels, en se trouvant parmi vous, se laveront de leurs péchés.

6. En ces temps, il se produira le contraire de ce qui se passe aujourd'hui, en ce que Je vous envoie des esprits propres et vous me les retournez tachés. (318, 46)

L'homme nouveau

7. Les hommes surgiront de la scorie, de la fange et du péché à la Loi et à la vertu, et marcheront sur les chemins de l'amour et de la grâce. Mon Esprit sera perçu partout, tout œil me verra, toute ouïe m'entendra et tout sentiment comprendra mes révélations et mes inspirations.

8. Des hommes considérés comme maladroits et grossiers se verront soudain illuminés et convertis en mes prophètes; de leurs lèvres jailliront des paroles qui seront comme l'eau cristalline sur les cœurs fanés.

9. Les prophètes prendront cette eau de la source de sagesse et de vérité que Je suis; en elle, ils trouveront

santé, limpidité et vie éternelle. (68, 38-39)

10. Mon Royaume est réservé aux enfants de bonne volonté qui embrassent leur croix par amour pour leur Père et leurs semblables. Ce Royaume, dont Je vous parle, ne se trouve pas en un lieu déterminé. Il peut tout aussi bien exister sur la Terre que vous habitez, qu'en n'importe quelle des demeures spirituelles, parce que ce sont la paix, la lumière, la grâce, le pouvoir et l'harmonie qui forment mon Royaume, et vous pourrez atteindre tout cela, même si ce ne sera qu'en partie, depuis cette vie-ci. Quant à la plénitude spirituelle, vous ne l'obtiendrez qu'au-delà de ce monde que vous habitez maintenant. (108, 32)

11. En vérité Je vous le dis, si les hommes, aujourd'hui, sont davantage matière qu'esprit, demain ils seront davantage esprit que matière.

12. Les hommes ont tenté de matérialiser absolument leur esprit, mais ils ne réussiront pas cette complète matérialisation, parce que l'esprit est comme un brillant. Et un brillant ne cessera jamais de l'être, même s'il tombe dans la vase. (230, 54)

13. Les hommes, sans négliger leurs devoirs et leurs missions dans le monde, mettront au service de ma cause divine leur science, leur force, leur talent et leur cœur. Ils rechercheront les plaisirs sains, ceux qui sont salutaires pour leur esprit et leur matière. Ils lutteront pour leur régénération et leur liberté, ils ne se contamineront pas et ne prendront pas plus qu'il ne leur sera nécessaire. C'est alors que disparaîtront la méchanceté et la frivolité de la Terre; c'est alors que l'esprit aura atteint le contrôle absolu sur son enveloppe et que, habitant encore dans la matière, il construira une vie spirituelle d'amour, de fraternité et de paix.

14. Ce sera le temps pendant lequel les guerres disparaîtront, quand il y aura du respect et de la charité des uns pour les autres, quand vous reconnaîtrez que vous ne pourrez déjà plus disposer de la vie d'un semblable, ni de la votre; vous saurez alors que vous n'êtes pas propriétaires de votre vie, ni de celle de vos enfants et conjoints, ni de cette Terre, mais que c'est Moi qui suis le propriétaire de toute la Création; mais que vu le fait que vous êtes mes enfants bien aimés, vous êtes aussi les possesseurs de tout ce qui est Mien.

15. Et, en étant Moi-même le propriétaire et possesseur de tout ce qui a été créé, Je suis incapable de donner la mort à mes créatures, de blesser ou de causer de la douleur à personne. Pourquoi, dès lors, ceux qui ne sont pas propriétaires de la vie ont-ils pris ce qui ne leur appartient pas pour en disposer?

16. Quand cet enseignement sera compris des hommes, ils se seront élevés dans leur évolution spirituelle

et ce monde constituera une demeure d'esprits avancés.

17. Vous ne savez pas si, après cette époque, vous habiterez nouvellement cette planète. J'indiquerai ceux qui devront voir ces temps de grâce, ceux qui devront venir pour contempler cette vallée qui, en une autre époque, était une vallée de larmes, de destruction et de mort.

18. Ces mers, ces montagnes et ces champs qui furent les témoins de tant de souffrance, seront convertis, par la suite, en une demeure de paix, en une image de l'Au-Delà.

19. Je vous ai annoncé que, lorsque les luttes cesseront, mon Royaume sera déjà proche de vous et que votre esprit fleurira de vertus; ma Doctrine sera présente dans tous les esprits et Je me manifesterai par le biais d'hommes et de femmes. (231, 28-30)

20. J'ai préparé une ère dans laquelle l'humanité se lèvera dans l'obéissance et où les enfants de vos enfants vont contempler la grandeur que Je répandrai sur cette Terre.

21. Parce que Ma volonté doit s'accomplir en ce monde que Je vous confiai comme un paradis terrestre, et le temps arrivera où viendront sur cette planète les esprits qui ont grandement évolué et qui ont lutté. Et ma lumière divine baignera la Terre, et en elle s'accomplira ma Loi. (363, 44)

Le monde comme terre de promission et reflet du Royaume des Cieux

22. Cette Terre profanée par le péché, tachée de crimes et souillée par la convoitise et la haine, devra recouvrer sa pureté. La vie humaine, qui a été une lutte incessante entre le bien et le mal, sera le foyer des enfants de Dieu, un foyer de paix, de fraternité, de compréhension et de nobles désirs; mais pour atteindre cet idéal, il est indispensable que les hommes passent par les épreuves qui les réveilleront de leur léthargie spirituelle. (169, 14)

23. Je ne lèverai pas un monde nouveau sur les péchés, les haines et les vices; Je le bâtirai sur de solides fondations de régénération, d'expérience et de repentir; Je transformerai tout en vous. La lumière surgira des ténèbres elles-mêmes et, de la mort, Je ferai jaillir la vie.

24. Si les hommes ont taché et profané la Terre, demain, grâce à leurs bonnes actions, ils rendront digne cette demeure, laquelle sera considérée comme terre de promission pour y venir réaliser de nobles missions. Qui, alors, pourra-t-il douter de la conversion du monde? (82, 44-45)

25. Je suis en train de construire le temple du Saint-Esprit; mais lorsque celui-ci aura été construit, les enceintes, les temples et les sanctuaires, avec leurs symboles, leurs rites et leurs traditions, n'existeront

plus ou auront perdu leur raison d'être; alors vous percevrez ma grandeur et ma présence, vous reconnaîtrez l'univers comme temple, et l'amour pour vos semblables, pour cultes.

26. Du sein de la mère Nature surgiront de nouvelles lumières, qui transformeront votre science en chemin de prospérité parce qu'elle sera orientée par la conscience, qui est la voix de Dieu.

27. Le cerveau ne sera déjà plus le seigneur du monde, sinon le collaborateur de l'esprit, qui le guidera et l'illuminera. (126, 35-36)

28. Quand le monde obtiendra sa nouvelle libération et que, guidé par la lumière d'Elie, il pénètrera cette vie juste et bonne, vous aurez, ici sur la Terre, un reflet de la vie spirituelle qui vous attend, au-delà de cette vie, pour jouir éternellement de la paix et de la lumière de votre Père.

29. Mais si vous demandez: Comment toutes les nations parviendront-elles à s'unir en un seul peuple, à l'instar de ces tribus qui intégrèrent le peuple d'Israël? Moi, je vous réponds: N'ayez crainte, parce qu'une fois toutes emmenées dans le désert, ce seront les épreuves qui les uniront, et lorsqu'il en sera ainsi, une nouvelle manne descendra du ciel vers chacun des cœurs nécessiteux. (160, 39)

30. De même que la Terre Promise se distribua au peuple d'Israël, toute la Terre se répartira à l'humanité.

Ceci aura lieu quand le temps sera propice, après l'épuration. Comme il est de ma volonté que s'effectue cette répartition, en cela il y aura justice et équité, afin que tous les hommes puissent travailler unis dans une même œuvre. (154, 49)

31. Pensez au progrès d'une humanité dont la morale procède de la spiritualité; imaginez une humanité sans limites ni frontières, partageant fraternellement tous les moyens de vie que la Terre offre à ses enfants.

32. Essayez d'imaginer ce que sera la science humaine lorsqu'elle aura comme idéal l'amour des uns envers les autres, lorsque l'homme obtiendra, au travers de la prière, les connaissances qu'il recherche.

33. Pensez combien il Me sera agréable de recevoir, des hommes, le culte de l'amour, de la foi, de l'obéissance et de l'humilité, au travers de leur vie, et sans qu'ils ne doivent recourir à des rites ou a des cultes externes.

34. Cela, si, sera une vie pour les hommes, parce qu'en elle, ils respireront la paix, ils jouiront de liberté et s'alimenteront exclusivement de ce qui renferme la vérité. (315, 57-58)

35. Les péchés des hommes se seront effacés et tout paraîtra neuf. Une lumière de pureté et de virginité éclairera toutes les créatures, une nouvelle harmonie saluera cette humanité, et c'est alors que commencera de s'élever, de l'esprit de

l'homme à l'adresse de son Seigneur, un hymne d'amour, que J'ai si longtemps attendu.

36. La mère Terre, qui depuis les premiers temps a été profanée par ses enfants, se revêtira à nouveau de ses plus beaux atours et les hommes ne l'appelleront plus vallée de larmes et ne la convertiront plus en champ de sang et de mort.

37. Ce monde sera comme un petit sanctuaire au milieu de l'Univers, depuis lequel les hommes élèveront leur esprit à l'infini, dans une communication regorgeant d'humilité et d'amour avec leur Père Céleste.

38. Mes enfants seront porteurs de ma Loi qui sera imprimée dans leur esprit et de ma parole dans leur cœur, et si l'humanité, au cours des temps passés, éprouva du plaisir dans la méchanceté et jouît dans le péché, elle n'aura désormais d'autre idéal que le bien et n'éprouvera d'autre plaisir que celui de suivre mon chemin.

39. Mais ne pensez pas pour autant que l'homme devra renoncer à sa science ou à sa civilisation, en se réfugiant dans les vallées et les montagnes pour mener une vie primitive. Non! Il devra encore savourer les fruits de l'arbre de la science qu'il a cultivé avec tellement d'intérêt, et comme plus grande sera sa spiritualité, plus grande aussi sera sa science.

40. Néanmoins, à la fin des temps, quand l'homme aura parcouru tout ce chemin et qu'il aura arraché le dernier fruit de l'arbre, il reconnaîtra la petitesse de ses œuvres qui, auparavant, lui parurent tellement grandes. Il sentira la vie spirituelle, et grâce à elle, admirera, comme jamais, l'œuvre du Créateur. C'est par l'inspiration qu'il recevra les grandes révélations, et sa vie constituera un retour à la simplicité, au naturel et à la spiritualité. Il faut encore du temps pour qu'arrive ce jour, mais tous mes enfants le verront. (111, 12-14)

La consommation de la Création

41. Je suis en train de préparer la vallée dans laquelle Je dois réunir tous mes enfants pour le Grand Jugement Universel. Je jugerai avec perfection, mon amour et ma charité envelopperont l'Humanité et, en ce jour, vous trouverez le salut et le baume pour tous vos maux.

42. Si, aujourd'hui, vous expiez vos fautes, laissez se purifier l'esprit, ainsi vous serez prêts pour recevoir, de Moi, l'héritage que Je destine à chacun d'entre vous. (237, 6)

43. Mon amour fondra tus les hommes et tous les mondes. Les différences de races, de langues, d'espèces et même les différences qui existent dans l'évolution spirituelle disparaîtront devant Moi. (60, 95)

44. Mon Esprit s'est répandu sur chaque esprit et mes anges sont disséminés dans l'univers, accomplissant mes instructions de tout ordonner et de le ramener à son cours normal. Et quand tous auront accompli leur mission, l'ignorance aura disparu, le mal n'existera déjà

519

plus et le bien sera le seul qui règnera sur cette planète. (120, 47)

45. Tous les mondes, dans lesquels mes enfants se perfectionnent, sont à l'image d'un jardin infini; aujourd'hui, vous êtes de tendres arbustes, mais Je vous promets que les eaux cristallines de mes enseignements ne vous feront pas défaut et que, grâce à leur irrigation, vous allez croître en sagesse et en amour, jusqu'à ce qu'un jour, dans l'éternité, quand les arbres regorgeront de fruits en pleine maturité, le Divin Jardinier pourra se réjouir de son Œuvre, en dégustant les fruits de son propre amour. (314, 34)

46. Je souhaite qu'au terme de la lutte, quand tous mes enfants se seront réunis pour une éternité dans le foyer spirituel, ils partagent mon bonheur infini comme Créateur, considérant que chacun de vous participa à l'Oeuvre Divine, en construisant ou reconstruisant.

47. Ce n'est que dans le spirituel que vous rendrez compte que, de tout ce que J'ai créé depuis le commencement, rien ne s'est perdu, qu'en Moi tout ressuscite, tout surgit et tout se renouvelle.

48. Ainsi, si tant d'êtres furent perdus pour longtemps, si beaucoup, au lieu de réaliser des actes de vie, commirent des actions destructrices, ils trouveront que le temps de leur trouble fut passager et que leurs œuvres, aussi mauvaises eussent-elles été, connaîtront la réparation dans la vie éternelle, pour être convertis en collaborateurs de mon Œuvre incessamment créatrice.

49. Que représenteront quelques siècles de péché et de ténèbres comme les a connus l'humanité sur la Terre, si vous les comparez à l'éternité, à un temps sans fin d'évolution et de paix? Vous vous éloignâtes de Moi, en vertu de votre libre arbitre et vous reviendrez induits par la conscience. (317, 17-20)

50. Ce monde n'est pas éternel, et il n'est pas nécessaire qu'il le soit. Quand cette demeure perdra la raison qu'elle a, aujourd'hui, d'exister, elle disparaîtra.

51. Une fois que votre esprit n'aura déjà plus besoin des leçons qu'offre cette vie, parce que d'autres plus élevées l'attendent dans un autre monde, alors, avec la lumière acquise dans cette lutte, il dira: Comme je comprends clairement, à présent, que toutes les vicissitudes de cette vie ne furent qu'expérience et leçons dont j'avais besoin pour mieux comprendre! Que cette étape me paraissait longue lorsque les souffrances m'épuisaient; en revanche, maintenant que tout est passé, qu'elle me semble courte et fugace face à l'éternité! (230, 47)

52. J'ai reçu le tribut de toute la Création, depuis les plus grands astres jusqu'aux êtres les moins perceptibles à votre regard.

53. Tout est sujet à évolution, tout marche, tout avance. Tout se transforme, s'élève et se perfectionne.

54. Quand il aura atteint le sommet de la perfection, mon sourire spirituel, comme une aurore infinie, sera dans tout l'Univers, duquel aura disparu toute tache, toute misère, toute douleur et toute imperfection. (254, 28)

Le chant de louange de l'harmonie retrouvée de la Création

55. Il existe, dans mon Esprit, un hymne dont personne n'a écouté les notes. Personne ne le connaît, ni dans le Ciel, ni sur la Terre.

56. Ce chant sera entendu dans tout l'Univers lorsque la douleur, la misère, les ténèbres et le péché se seront éteints.

57. Ces divines notes trouveront un écho en tous les esprits, le Père et les enfants s'unissant dans ce chant d'harmonie et de bonheur. (219, 13)

58. En vous, Je souhaite me lever en triomphateur; Je souhaite que vous contempliez le Roi des Armées comme votre Père, victorieux du mal, et que vous vous contempliez vous-mêmes comme des soldats regorgeant de dignité spirituelle, de satisfaction et de paix.

59. Alors s'écoutera l'hymne de l'harmonie universelle dans la plus grande des victoires, de ce triomphe qui doit venir, mais duquel ni votre Père, ni vous-mêmes ne vous fâcherez d'avoir vaincu par votre amour.

60. Nos vaincus ne seront pas les esprits, mais bien le mal, toutes les ténèbres, les péchés et les imperfections.

61. Le triomphe du Père sera dans le salut de tous les esprits retardés, enracinés dans les ténèbres et dans le mal.

62. Vous êtes dans l'erreur si vous croyez que l'un ou l'autre se perdra. Je cesserais d'être Dieu si un seul esprit ne trouvait pas le salut!

63. Tous ceux que vous appelez « démons » sont aussi des esprits qui ont surgi de Dieu, et si, aujourd'hui, ils se trouvent confondus, ils trouveront, eux aussi, le salut.

64. Quand la véritable lumière se fera-t-elle en eux? Lorsque vous, unis aux légions spirituelles de lumière, combattrez leur ignorance et leur péché grâce à votre prière et à vos actes d'amour et de charité.

65. Le parfait bonheur du Père et le vôtre auront lieu le grand jour du Seigneur. Le festin universel aura lieu quand tous vous vous alimenterez, à sa table, du pain de la vie éternelle. (327, 47-48)

66. Ne vous ai-Je pas dit que vous êtes les héritiers de ma Gloire? Eh bien, il ne vous reste plus qu'à gagner des mérites pour qu'elle soit vôtre et que vous en jouissiez!

67. Tout ce que J'ai créé, Je ne l'ai pas créé pour Moi, sinon pour mes enfants. Moi, je ne veux que votre joie, votre bonheur éternel. (18, 60-61)

68. Toute la force qui anima les êtres et qui donna la vie aux organismes Me reviendra; toute la lumière qui éclaira les mondes Me reviendra, et toute la beauté qui fut répandue dans les royaumes de la Création sera dans l'Esprit du Père, et une fois de plus en Moi, cette vie se transformera en essence spirituelle, laquelle sera versée sur tous les êtres, sur les enfants du Seigneur, parce que vous ne serez jamais déshérités des dons que Je vous offris.

69. Sagesse, vie éternelle, harmonie, infinie beauté, bonté, tout ceci et plus encore composera les enfants du Seigneur quand ils habiteront, avec Lui, la demeure parfaite. (18, 54-56)

XIV. LA TACHE MISSIONNAIRE

Chapitre 59 – Mission de divulguer la Nouvelle Parole de Dieu

Instructions pour la compilation de livres, d'extraits et de traductions

1. Voici le temps annoncé où Je devais m'adresser à l'humanité. Je souhaite que vous-autres, à l'aide de cette parole que je vous ai transmise, et pour l'accomplissement de Mes prophéties, vous rassembliez ces écrits en volumes, qu'ensuite des résumés et que des analyses en soient extraits afin de faire connaître mon Œuvre à vos frères. (6, 52)

2. Formez un livre, de ma parole. Extrayez l'essence de ma parole, pour parvenir à cerner le véritable concept de la pureté de ma Doctrine. Vous pouvez trouver des erreurs dans la parole transmise par le porte-parole, mais pas dans son essence.

3. Mes interprètes n'ont pas toujours été préparés; c'est pourquoi Je vous ai dit de ne pas la considérer superficiellement, sinon que vous pénétriez son sens afin de pouvoir trouver sa perfection. Priez et méditez pour que vous puissiez la comprendre. (174, 30)

4. Je vous apportai cette parole et vous la fis écouter dans votre langue, mais Je vous donne la mission de la traduire, plus tard, en plusieurs langues, afin qu'elle soit connu de tous.

5. C'est ainsi que vous commencerez à construire la véritable tour d'Israël, celle qui unifie spirituellement tous les peuples en un seul, celle qui unit tous les hommes dans cette Loi divine, immuable et éternelle que vous connûtes, dans le monde, par les lèvres de Jésus, lorsqu'Il vous dit « Aimez-vous les uns les autres ». (34, 59-60)

6. En compilant les livres qui devront se diffuser sur la Terre, Je veux que ma parole soit imprimée sans tache, mais pure comme elle jaillit de Moi.

7. Si vous la reproduisez ainsi dans vos livres, de cette parole resplendira une lumière qui illuminera l'humanité et son essence sera ressentie et comprise par tous les hommes. (19, 47-48)

8. Je vous recommande que vous transmettiez mon enseignement, à vos frères, de la même manière que Je vous le prodigue, mais que jamais vous n'en discutiez avec véhémence en enseignant, en transmettant ce savoir. Prenez garde de censurer ce que vous ne connaissez pas, mais comprenez qu'il suffira d'un exemple

propre pour convertir les hommes à la spiritualité. (174, 66)

9. Préparez-vous à porter la Bonne Nouvelle qui sera accueillie, avec allégresse, par beaucoup.

10. Je vous dis bien, par beaucoup, et non par tous, parce nombreux seront ceux qui affirmeront que les révélations de Dieu au Premier Temps et ce que le Christ apporta aux hommes leur suffisent.

11. C'est là que vos lèvres, mues et inspirées par Moi, diront aux hommes incrédules qu'il est impérieux de connaître la nouvelle révélation pour contempler toute la vérité concédée par Dieu aux hommes, dans les temps passés. (292, 67)

Le droit à la connaissance de la Nouvelle Parole de Dieu

12. Il est impérieux que vous vous leviez, ô peuple bien aimé, sur les différents chemins de la Terre, parce que notez que, même parmi la nation mexicaine, beaucoup n'ont pas encore reconnu mon Œuvre.

13. Observez que, dans le monde, se lèvent ceux qui prétendent marcher en mon nom, alors qu'ils sont les nécessiteux en esprit.

14. Vous-autres, qui avez été comblés par ma Divinité, en quoi constitue votre tâche? Faire connaître ma Doctrine! Vous ne vous cacherez pas face au monde ni lui nierez la charité dont il a besoin. (341, 16)

15. Ici, Je vous préparai en silence; ensuite viendra le jour où vous aurez à partir pour préparer les chemins afin que ma parole parvienne à tous les cœurs.

16. A ce moment-là, le monde sera purifié au travers de la douleur et ma parole ne lui paraîtra déjà plus un langage étrange, sinon quelque chose que son cœur et son esprit pourront facilement comprendre et percevoir.

17. Je vous donne le livre qui traite de vérité et d'amour pour que vous le diffusiez dans toute l'humanité.

18. Il n'existe aucun endroit peuplé, sur la Terre, auquel Je puisse vous dire de ne pas vous y rendre, parce qu'il n'a pas besoin de cette révélation. Quel peuple peut-il soutenir qu'il est vraiment chrétien, pas seulement de nom, mais bien en raison de son amour, de sa charité et de son pardon? Quelle nation peut-elle démontrer sa spiritualité? Dans quelle partie du monde les hommes s'aiment-ils les uns les autres? En quel endroit les hommes observent-ils vraiment les enseignements du Christ? (124, 15-16)

19. Au terme de ce message, Je cesserai mes communications par ces modes-ci, pour me manifester ensuite, de manière subtile, aux esprits.

20. Cependant, ma parole, gravée dans le cœur de ceux qui l'écoutèrent et écrite dans un livre nouveau, sera portée aux peuples et aux nations du monde, comme la semence de la paix, comme la lumière de la vraie science, comme le baume sur le mal qui frappe le corps et l'esprit de l'humanité.

21. Ma parole n'atteindra pas les cœurs quand le décideront mes émissaires, mais lorsque Ma volonté le décidera, parce que Je serai celui qui veille sur ma semence, qui lui prépare la terre et lui ouvre le chemin; c'est Moi qui la ferai parvenir, avec sagesse, aux peuples, aux nations et aux foyers, au moment opportun.

22. Quand le moment adéquat sera venu, quand les cœurs seront en vigile, en rappelant mes promesses, quand ils se seront réveillés de leur profond sommeil de grandeur, d'orgueil, de matérialisme et de vanité, alors ma parole arrivera. (315, 28-29)

23. Je fournirai, à mon peuple, tous les moyens pour qu'il porte mon message à toutes les nations, et lui concèderai que, sur son passage, il rencontre des hommes de bonne volonté qui l'aident à porter mes messages jusqu'aux confins de la Terre. (323, 75)

24. C'est par votre intermédiaire que la Loi se fera connaître, à nouveau, aux nouvelles générations. C'est pour cela que Je vous ai dit que vous devez vous préparer, parce que vous êtes venus pour préparer la voie, afin que demain, les nouvelles générations ne soient pas idolâtres et que, d'elles ne surgissent pas les faux prophètes qui trompent l'humanité.

25. Tout ceci, vous devrez le révéler au monde, Israël. En cette époque à laquelle ont surgi diverses idéologies, une secte se dressera contre l'autre, les religions lutteront entre elles et vous désavoueront aussi.

26. Mais, en tant qu'enfants de la lumière et de la paix, vous leur direz: La vérité existe dans le contenu du Troisième Testament, là figure le témoignage de la présence et de la venue du Seigneur en ce temps.

27. Vous montrerez ce livre à l'humanité et témoignerez de sa vérité, en accomplissement de ma Loi. (348, 42-43)

28. Le livre de mon enseignement est composé des leçons qu'en ce temps Je vous ai dictées par l'entremise de l'entendement humain; c'est grâce à ce Livre, que l'humanité reconnaîtra comme le Troisième Testament, vous défendrez ma cause divine.

29. L'humanité ne reconnaît seulement que la Loi du Premier Temps et ce qui est écrit dans le Premier et le Second Testament, mais le Troisième viendra pour unifier et corriger ce que les hommes ont altéré en raison de leur manque de préparation et de compréhension.

30. L'humanité devra étudier mon message afin qu'en allant jusqu'au fond de chaque parole elle trouve un seul idéal, une seule vérité, une même lumière qui la guidera vers la spiritualité. (348, 26)

Indications quant à la diffusion du Spiritualisme

31. Comprenez, peuple, qu'en ce Troisième Temps, en tant que témoins que vous avez été de cette

manifestation divine, vous avez comme mission celle de répandre ce message en toute fidélité et vérité. Que vous avez été appelés et élus pour rapporter la Bonne Nouvelle à l'humanité, en enseignant, à vos frères, le chemin spirituel, unique, qui vous conduit à la paix, à la véritable lumière et à la fraternité universelle. (270, 10)

32. Faites preuve de patience et de compréhension, parce que ce ne sera pas vous que l'humanité devra reconnaître, sinon mon Œuvre, ma Doctrine. Et celle-ci est éternelle! Votre mission consiste à rapporter, avec vos propres mots et vos actions propres, le message qui révèle, aux hommes, la forme de faire un pas en direction de la perfection. (84, 11)

33. Construisez sur la terre ferme, afin que les incrédules ne viennent pas détruire la spiritualité et la régénération que J'ai suscitées en vous.

34. Néanmoins, n'allez pas vous cacher par crainte du monde; cette vérité, vous devrez la montrer au monde à la lumière du jour; en ce temps, vous ne rechercherez pas de catacombes pour prier et pour pouvoir M'aimer.

35. Vous ne fléchirez pas en parlant ou en témoignant de Moi, sous quelque forme que ce soit, parce que des hommes nieront que Je me communiquai avec vous, ils douteront que les multitudes de malades et de nécessiteux guérirent et trouvèrent la consolation à leurs peines et ils renieront les prodiges que J'accomplis pour enflammer votre foi.

36. Je vous laisserai le livre de mes enseignements pour que vous disiez au monde: Voici ce que le Maître légua. Et, en vérité: En écoutant la lecture de ma parole, combien croiront et combien de pécheurs se régénèreront-ils!

37. Souvenez-vous de tous ces enseignements afin que les épreuves ne vous surprennent pas dans votre vie. (246, 69-70)

38. Que de doctrines, que de cultes à Dieu et d'idées nouvelles se référant au spirituel et à la vie humaine allez vous rencontrer! Chacune vous montrera, si vous savez la pénétrer et l'analyser, une part bonne et juste et l'autre erronée, éloignée de la vérité qui est justice, amour et perfection.

39. Là où vous trouverez des erreurs, de l'ignorance ou de la méchanceté, étendez l'essence de ma Doctrine laquelle, pour être Mienne, ne peut être porteuse de mélange d'impureté ou d'erreurs.

40. Mon Enseignement est absolu, il est intègre et il est parfait. (268, 58-60)

41. Je vous dis, dès à présent, que ceux qui sèment vraiment cette semence, avec la grâce avec laquelle Je vous l'ai confiée, marcheront en paix. Les portes, qui s'étaient scellées, réfractaires à son appel, s'ouvriront à eux et, même s'ils en arrivent à être combattus, jamais ils ne seront défaits

dans la lutte, parce que leur vertu les fera triompher dans toutes les épreuves.

42. En revanche, ceux qui n'écoutent pas la voix de leur conscience, ceux qui désobéissent à ma parole et Me trahissent seront toujours à la merci de leurs ennemis, ils vivront inquiets et craindront la mort. (252, 24-25)

43. Mon peuple, avant que les guerres ne se terminent dans le monde, ma Loi d'amour aura touché tous les esprits, bien qu'aujourd'hui vous ne puissiez savoir de quelle manière.

44. Ce message de lumière spirituelle arrivera aussi, mais il parviendra lorsque vous serez forts.

45. Personne n'ose affirmer que cette Œuvre constitue la vérité s'il n'en est pas convaincu, parce que personne ne vous croira; mais, si votre foi est absolue et votre conviction réelle, personne ne vous empêchera de porter la Bonne Nouvelle à tous les cœurs. (287, 52-53)

46. Pour cela, je vous dis que vous devez surveiller cette graine pour que vous et vos enfants soient ceux qui portent cette flamme aux peuples de la terre. Je vous concède que pour faire parvenir mon message aux différents points, vous utilisiez les meilleurs moyens possibles mis à votre disposition, à la condition que votre conscience vous dise que vous allez dans le chemin Véritable. (277, 16)

Chapitre 60 – Œuvrer en accord avec l'Esprit du Christ

Qualités et habilités nécessaires pour les nouveaux Apôtres

1. Qu'il vous paraît difficile de vous frayer un passage en accomplissant votre mission en ce temps! Mais laissez-Moi vous dire que ce n'est pas difficile, parce que l'humanité est prête à recevoir mon message.

2. De tous temps, les faibles ont eu peur de la lutte, tandis que les forts ont démontré que la foi en ma Loi peut vaincre absolument tout. Votre destin, Israël, a consisté à toujours communiquer, au monde, les nouveaux messages et les révélations, c'est pour cela que vous doutez parfois d'être crus.

3. Mais, n'ayez crainte, portez la semence que Je vous ai confiée et semez-la, et vous verrez déjà combien de terres, que vous croyiez stériles, se rencontreront fertiles par le fait d'être fécondées par la vérité de ma Doctrine.

4. Ne cessez pas d'accomplir votre mission parce que vous vous sentez indignes; certes, Je vous dis que celui qui profane la Loi en connaissance de cause commet autant de mal que celui qui est chargé d'une mission et qui cesse de l'accomplir.

5. N'oubliez pas que le Père viendra, à la fin, pour vous demander ce que vous avez fait de mal, de même que ce que vous avez cessé de faire; sachez que l'une comme l'autre faute feront souffrir votre esprit.

6. Diffusez ma Doctrine, parlez de ma parole aux hommes, convainquez-les grâce à vos œuvres d'amour, invitez-les à M'écouter et, lorsqu'ils arriveront parmi les foules et que la lumière de la foi s'allumera dans leur cœur, Je les appellerai les enfants du nouveau peuple d'Israël. (66, 14-17)

7. Ceux-là qui, de la fange, de la scorie ou de l'égoïsme, se lèvent pour une vie de services et de charité envers leurs frères, Je les montrerai comme un exemple de ce que ma Doctrine contienne lumière et grâce pour régénérer les pécheurs. Cet exemple se répandra à tous les cœurs.

8. Qui ne souhaite participer avec ceux qui témoignent de Moi? Mais, en vérité Je vous le dis, si vos actes ne jaillissent pas empreints de vérité de votre cœur, ils ne produiront pas de fruit chez vos frères et, souvent, vous entendrez que l'on vous appellera hypocrites et faux prédicateurs. Et cela, pour vous, Je ne le veux pas.

9. Il vous faut savoir qu'en ces temps, il est très difficile de tromper l'humanité; son esprit est éveillé et, bien que perdu dans le matérialisme de son existence, il est sensible à toute manifestation spirituelle. Si vous ne pouvez tromper vos frères, croyez-vous pouvoir tromper votre Père?

10. Laissez l'amour du Maître loger dans votre être afin que vous parveniez à pardonner à vos ennemis,

comme Lui vous pardonne; c'est alors que votre cœur sera, parmi l'humanité, comme une ancre de salut. (65, 44-46)

11. Ne craignez pas les hommes, parce qu'en vérité Je vous le dis, Je parlerai par l'entremise de vos bouches, J'attesterai ma parole grâce à vous et son écho aboutira aux confins de la Terre, aux grands, aux petits, aux mandataires, aux scientifiques et aux théologiens. (7, 37)

12. Je vous répète que vous ne devez pas avoir peur de la lutte. Dites à vos frères, en toute naturalité, que le Seigneur est venu parmi vous.

13. Dites-leur que Jésus fut Celui qui mourut sur la croix, le corps dans lequel se cacha le Christ, le temple vivant où vécut le Verbe de Dieu. Mais dites-leur aussi que le Christ, l'amour divin, vit et vient vers ses enfants sous forme d'Esprit, pour leur montrer le chemin qui les conduira à son Royaume spirituel. (88, 62-63)

14. Ne craignez pas les jugements ni les moqueries des sectes et des religions; elles sont celles qui, ayant que dans leurs mains les livres des prophéties, n'ont pas su les interpréter, et pour cela n'ont pas su m'attendre. En revanche, vous qui ne connaissiez pas les prophéties qui traitaient de mon retour en tant que Saint-Esprit, vous M'attendiez. Le Troisième Temps est déjà arrivé et l'humanité n'a pas su interpréter l'évangile. (33, 26)

15. De quelle manière réussirez-vous à inviter l'humanité à atteindre la spiritualité, en une époque de tant de matérialité et de confusion?

16. Pensez que votre travail est difficile, et que pour pouvoir le mener à bien, il vous faut être forts et patients dans la lutte.

17. Vous devez beaucoup travailler pour corriger l'interprétation erronée qui a été donnée à ma Loi, ainsi que la forme imparfaite de me rendre votre culte.

18. Cependant, vous devez considérer que vous ne pourrez modifier, en un instant, ses concepts et ses pratiques, sinon que pour y parvenir, vous devez vous armer de patience et de bonne volonté, et donner l'exemple d'amour dans tout vos actes. (226, 60)

19. Seuls ceux au cœur propre devront aller par les contrées et les nations pour y diffuser mon message, parce ils seront les seuls dignes de rendre témoignage de la vérité de cette Œuvre.

20. Quand ces envoyés partiront pour les terres qui les attendent, tout fanatisme religieux se sera déjà effacé de leur cœur, il n'y aura plus le moindre désir d'aller de rechercher de flatteries ou d'adulations, et leur main n'osera se tacher du paiement des autres de ce monde pour la charité qu'ils feront.

21. Eux ne vendront pas de miracles, ni n'afficheront un prix à l'amour de l'un pour l'autre. Ils seront serviteurs, mais pas seigneurs.

22. Le temps viendra où vous comprendrez la grandeur de la véritable humilité et, alors, vous verrez que celui qui a su être serviteur, en réalité a été libre, dans sa mission, de faire le bien et de semer la charité et que, dans sa vie, l'ont accompagné la foi, la confiance et la paix. (278, 11-12)

23. Je vous dis que vous saurez ressentir le moment où votre esprit sera prêt pour enseigner ma Doctrine à vos frères, parce que ce sera le moment où vous vous serez retrouvés en vous-mêmes, alors vous écouterez clairement la voix de la conscience; tant que ceci ne sera pas en vous, vous ne pourrez pas me sentir vraiment. (169, 36)

24. Ecoutez attentivement cette parole, afin qu'ensuite vous l'analysiez et la semiez dans le cœur de vos frères; ne vous limitez pas à l'entendre; parlez, donnez un exemple et enseignez avec vos propres œuvres. Soyez intuitifs afin de connaître l'instant propice pour parler et pour savoir le moment opportun pour que vos faits témoignent de ma Doctrine.

25. Je vous donne un seul langage pour diffuser ma parole, et ce langage est l'amour spirituel qui sera compris de tous les hommes.

26. Un langage doux à l'ouïe et au cœur de l'Humanité qui fera s'effondrer, pierre par pierre, la tour de Babel qu'elle a édifiée dans son cœur; c'est alors que ma justice s'arrêtera, parce que tous s'entendront comme des frères. (238, 27-28)

27. Je ne vous enverrai diffuser mon message de par le monde que lorsque vous vous serez transformé. C'est seulement quand la spiritualité sera vraie parmi les disciples, qu'ils sauront donner de la même forme qu'ils reçurent de Moi. (336, 38)

28. Observez que mon enseignement ne se limite pas à vos concepts et à votre faculté de compréhension. Ma sagesse divine ne connaît pas de fin. Personne ne peut affirmer avoir eu ou conçu une quelconque de mes révélations avant que Je la lui révèle.

29. Tandis que les scientifiques tentent de tout expliquer au travers de leurs connaissances matérielles, Moi, je révèle, aux humbles, la vie spirituelle, la vie essentielle, qui renferme le pourquoi, la raison et l'explication de tout ce qui existe.

30. De la connaissance que vous impartirez surgira le concept que les hommes se forgeront de mon Œuvre. Beaucoup, par manque de compréhension, jugeront ma Doctrine pour votre humilité, comme Jésus, le Christ, le fut aussi, au Second Temps, en raison de son apparence humble et de ses vêtements pauvres, et parce que ces douze-là, qui le suivaient, faisaient preuve de la même humilité vestimentaire. En vérité Je vous le dis, ils n'étaient pas couverts de guenilles, mais avaient seulement renoncé aux vanités matérielles parce que, au

travers de mon enseignement, ils avaient compris quelles étaient les vraies valeurs de l'esprit.

31. Disciples, Je vous dis: Quand les hommes se mettront à étudier mon Œuvre et qu'ils vous rechercheront et vous interrogeront, n'allez pas tomber dans la tentation de vous croire supérieurs en raison de la connaissance que, de Moi, vous avez reçue. Plus vous vous montrerez humbles, plus ils vous considèreront nobles et dignes de confiance.

32. C'est ainsi que, d'homme en homme, pénètrera la lumière qui dissipera le fanatisme et libérera l'esprit. Et ceux qui s'appelèrent chrétiens, sans l'être, connaîtront et interprèteront les véritables leçons du Christ grâce à cette lumière, parce qu'elle leur offrira un concept élevé de la vie spirituelle, de celle-même dont Jésus parla dans ses enseignements. (226, 17-21)

33. Vous n'auriez pas pu rencontrer l'humanité avec une préparation fausse ou apparente, parce que son esprit a évolué et que le bandeau, qui lui recouvrait les yeux, est tombé depuis bien longtemps.

34. Apportez-lui la spiritualité, offrez-lui la paix et façonnez, autour de vous, un environnement de santé et de fraternité, et vous verrez comme les hommes vous écouteront et accepteront vos paroles, par lesquelles s'exprimeront mon inspiration et mon essence.

35. Si vous allez prêcher l'enseignement de la paix, soyez vous-mêmes pacifiques; si vous parlez d'amour, ressentez-le vraiment avant de l'exprimer avec des mots; et si vos frères vous offrent aussi leurs fruits, ne les refusez pas; étudiez tout ce que vous connaissez et empruntez ce qu'il y a de licite et de juste dans leurs doctrines.

36. Vous allez trouver ceux qui, fanatisés dans leur culte, ont réduit leur entendement en matérialisant leur pratiques, ceux-là vous les aiderez patiemment à amplifier leurs connaissances; vous leur montrerez les horizons que leur esprit peut atteindre, s'ils savent pénétrer mon enseignement.

37. Vous leur parlerez de mon Esprit universel, de l'immortalité de l'esprit, de sa constante évolution. Vous leur enseignerez la véritable prière, la communication d'esprit et les libèrerez de préjugés et d'erreurs. Cela c'est l'œuvre que Je vous confie, une œuvre d'amour et de patience. (277, 6-7)

38. Guérissez tous les maux, tant ceux du corps que ceux de l'esprit, parce que vous avez la mission de consoler, de fortifier et de guérir vos semblables. Néanmoins, Je vous demande: Quelle santé pourriez-vous transmettre aux nécessiteux, si vous-mêmes étiez malades? Quelle paix pourrait-elle émaner de votre esprit s'il était troublé par des préoccupations, des souffrances, des remords ou de basses passions?

39. Vous ne pourrez offrir à vos frères que ce que vous thésaurisez dans votre cœur! (298, 1-2)

40. Je vous apporte un enseignement clair et simple pour que vous appreniez à vivre parmi les pécheurs sans vous contaminer, à passer entre les épines sans vous blesser, à voir des horreurs et des ignominies sans vous scandaliser, à habiter un monde de misères sans essayer de le fuir, sinon en désirant demeurer en son sein, pour accomplir tout le bien possible à l'égard de ceux qui en ont besoin, en semant la graine du bien sur tous les chemins.

41. Puisque cet Eden fut converti en enfer par le péché des hommes, il est impérieux qu'ils lavent leurs taches en rendant sa pureté originelle à leur vie. (307, 26-27)

42. Je n'enverrai pas, en tant qu'émissaires, ceux qui sont morts à la vie de la grâce, parce qu'ils n'auront rien à offrir, Je ne confierai pas cette mission à ceux qui n'auront pas lavé leur cœur de tout égoïsme.

43. L'émissaire de ma parole devra être mon disciple, qui par sa simple présence fera sentir ma paix dans les cœurs. Il devra avoir la vertu de savoir consoler ses frères, même dans les moments les plus pénibles, et dans sa parole il y aura toujours une lumière pour dissiper toutes ténèbres de l'esprit ou de l'entendement. (323, 60-61)

Le comportement correct lors de la divulgation de la Parole

44. Mes nouveaux disciples disposeront de nombreux moyens pour la propagation de cette semence bénie; mais n'oubliez jamais l'humilité et la simplicité parce que c'est ainsi que Je suis venu à vous et c'est de cette même manière que vous vous rapprocherez des cœurs, des foyers et des peuples. Si vous arrivez de la sorte, vous serez reconnus comme émissaires d'un message spirituel et votre lutte donnera des fruits de vraie spiritualité, de régénération et de fraternité. (82, 66)

45. Si vous souhaitez savoir ce que vous devez faire parmi l'humanité, il suffit de contempler ce que Moi j'ai réalisé avec vous, depuis le jour où, pour la première fois, vous avez entendu ma parole.

46. Je vous pardonnai, Je vous reçus avec charité et amour infini, Je vous fis vous reposer de la pénible étape, Je ne m'arrêtai pas pour juger votre condition, votre cadre ou votre classe, Je nettoyai la lèpre de votre péché et guéris vos maux.

47. Je fus compréhensif, indulgent et bienveillant en jugeant vos défauts, Je vous réintégrai à la vraie vie en vous offrant une Doctrine d'amour qui vous instruise pour vous sauver et ainsi que vous fassiez de même avers vos semblables.

48. C'est là, dans l'exemple de mes œuvres manifestées pour chacun de vous, que vous trouverez le meilleur des exemples pour le mettre en

pratique auprès des nécessiteux de corps et d'esprit, lesquels arriveront aussi en caravanes jusqu'à vous.

49. En parlant à ce peuple, Je m'adresse à l'humanité; il vous incombe de vous approcher demain du cœur des hommes et de leur transmettre fraternellement ma parole, laquelle consommera l'acte de rédemption. (258, 21-24)

50. Vous devez être humbles, il ne doit pas vous importer qu'ils vous offensent; vous serez manses; ils vous feront subir humiliations et souffrances; mais votre parole, qui sera mon message, ils ne pourront pas le refouler de leur esprit, c'est pourquoi Je vous dis que si certains vont demeurer insensibles et sourds à votre appel, d'autres en revanche se réveilleront de leur long sommeil et se lèveront pour marcher et orienter leur vie sur la voie de la régénération et du repentir.

51. Revêtissez-vous de courage, de foi et de force pour que vous puissiez affronter la lutte; mais, Je vous préviens: Ne vous effrayez pas quand vous parlerez à votre frère parce que vous le verrez bien habillé ou parce que les hommes l'appelleront prince, seigneur ou ministre.

52. Prenez en considération l'exemple de Paul et de Pierre qui élevèrent leur voix face à ceux que le monde appelait des seigneurs. Ils étaient grands en esprit et, cependant, ils ne firent, devant personne, ostentation d'être des seigneurs mais, au contraire se manifestèrent comme des serviteurs. Suivez leur exemple et témoignez de ma vérité par l'amour de vos œuvres. (131, 60-62)

53. Je vous avertis aussi que ne pourra se prétendre mon disciple, celui qui utilisera ma parole comme une épée pour blesser son frère, ou comme un sceptre pour l'humilier. Il en sera de même pour celui qui s'exaltera en parlant de cette Doctrine et qui perdra la tranquillité, parce qu'il n'élèvera aucune semence de foi.

54. Le disciple préparé sera celui qui, se voyant attaqué dans sa foi, dans le plus sacré de ses croyances, saura rester serein, parce qu'il sera comme un phare au milieu d'une tempête. (92, 9-10)

55. Quand vous essayerez d'exhorter un pécheur à faire le bien, ne le faites pas en le menaçant de ma justice, des éléments ou de la douleur dans le cas où il se régénèrerait pas, parce que vous lui inspireriez une aversion pour ma Doctrine. Montrer le vrai Dieu qui est tout amour, charité et pardon. (243, 36)

56. Vous ne vous sentirez pas offensés face à la raillerie de vos frères si vous considérez que celui qui agit de la sorte le fait parce que son ignorance ne lui permet pas de contempler la vérité. Vous obtiendrez la compensation en ceux qui, s'infiltrant parmi vous pour vous analyser en profondeur, résulteront stupéfaits de la paix intérieure qui

illumina chacun de mes véritables disciples.

57. Vous, en revanche, vous ne vous moquerez jamais de ceux qui, au milieu de leur fanatisme religieux, sont idolâtres, parce qu'en plus de me chercher sous des formes matérielles, ils m'adorent en elles.

58. Vous n'aurez pas besoin de signaler leurs erreurs à vos frères, en recherchant, de la sorte, qu'elles soient corrigées, parce qu'ainsi vous ne réussiriez qu'à provoquer leur colère et à exalter leur fanatisme. Il vous suffira de mettre ma Doctrine en pratique avec la spiritualité qu'elle exige, pour faire sortir, à la lumière de la vérité, les erreurs de vos frères.

59. Vous devrez faire preuve de beaucoup de patience, d'une grande charité et de véritable amour, si vous souhaitez que l'humanité en arrive rapidement à reconnaître ma parole et à lui rendre un vrai culte, de même qu'elle parvienne rapidement à reconnaître, en chaque créature humaine, un frère, spirituel et matériel, en Dieu. (312, 20-22)

60. Je suis venu pour vous prouver que vous pouvez ôter le bandeau d'obscurité à l'ignorant ou à l'aveugle, sans lui faire de mal, sans l'offenser ou le blesser; c'est ainsi que Je veux que vous agissiez aussi. Je vous ai prouvé, en vous-mêmes, que l'amour, le pardon, la patience et l'indulgence ont davantage de force que la dureté, les anathèmes ou la violence. (172, 63)

61. Une fois de plus, Je trace l'empreinte pour que vous me suiviez. Quand vous vous lèverez à la recherche de l'humanité, pour lui apporter la Bonne Nouvelle, ne suppliez pas les hommes pour qu'ils vous suivent. Chargez vous dignement de votre mission, et ceux qui vous croiront seront ceux que J'ai choisis pour en faire mes disciples. (10, 50)

La forme correcte de divulguer la Parole

62. Je ne vous ai pas confié ma parole pour que vous la claironniez dans les rues et sur les places; même si Jésus le fit, mais Lui savait répondre à n'importe quelle question et savait comment mettre en difficulté ceux qui tentaient de le mettre à l'épreuve.

63. Vous qui êtes encore petits et faibles, vous ne devez pas défier la colère de vos frères. N'essayez pas d'attirer l'attention, pensez que vous n'avez rien de particulier; ne prétendez pas non plus démontrer à l'humanité que tous sont dans l'erreur et que vous êtes les seuls qui connaissiez la vérité, parce que, de cette manière, vous ne récolterez rien de bon dans vos semailles.

64. Si vous souhaitez évoluer spirituellement et moralement, ne jugez pas les défauts de vos frères pour éviter de commettre la même erreur, corrigez vos imperfections priez humblement devant votre Maître pour vous inspirer dans sa mansuétude et rappelez-vous son

conseil de ne jamais rendre publiques vos bonnes actions, que votre main gauche ne sache jamais ce qu'ait pu faire la droite.

65. Je vous dis aussi qu'il ne faut pas sortir pour chercher les foules pour leur parler de ma Doctrine, parce que ma charité mettra sur votre chemin ceux qui cherchent votre aide.

66. Néanmoins, si, en certains moments observant ma Loi, vous éprouvez le besoin d'accomplir une œuvre de charité et que vous n'aviez près de vous aucun nécessiteux, ne perdez pas l'espoir pour autant et ne doutez pas de ma parole, ce sera, là, l'heure précise à laquelle vous devrez prier pour vos frères absents, ceux qui recevront ma charité si, véritablement, vous avez la foi.

67. N'ambitionnez pas de savoir davantage que vos frères, sachez que tous acquièrent la connaissance en fonction de votre évolution. Si Je vous concédais ma lumière sans que vous vous soyez forgés de mérites, vous vous enorgueilliriez et perdriez dans votre vanité, et votre sagesse serait fausse.

68. Je veux que vous soyez humbles, mais pour l'être devant Moi, il vous faut aussi le manifester devant vos semblables.

69. Disciples, l'amour et la sagesse ne sont jamais séparés, l'un fait partie de l'autre. Comment certains peuvent-ils prétendre séparer ces deux vertus? Toutes deux sont la clé qui ouvre les portes du sanctuaire qui vous permettra d'atteindre la connaissance complète de ma Doctrine.

70. Je vous ai demandé: Souhaitez-vous avoir beaucoup d'amis? Eh bien, faites usage de la bonté, de la tendresse, de la tolérance et de la miséricorde, parce que ce n'est qu'à l'aide de ces vertus que votre esprit pourra briller sur le sentier de vos semblables, étant donné que toutes constituent des expressions directes de l'amour, parce que l'esprit porte, en sa plus intime essence, l'amour, puisqu'il est étincelle divine et que Dieu est amour. (30, 29-36)

71. Je m'adresse à ceux qui doivent remplir leur mission d'apôtres et de prophètes sur d'autres terres, que les leurs pour qu'ils ne se vantent pas de la mission que Je leur ai confiée. Ceux-ci ne provoqueront aucun scandale en combattant des religions ou des croyances.

72. Laissez aux autres le soin de promouvoir le scandale contre vous, et ainsi ils vous aideront à propager la doctrine en suscitant la curiosité de nombreux, que se convertira ensuite en foi. (135, 28)

73. Mon divin message, en le déposant en vous, doit se transformer en message fraternel, mais pour qu'il impressionne et ébranle le cœur matérialiste de cette humanité, il devra être enveloppé dans la vérité que Je vous ai révélée. Si vous cachez ou taisez quoi que ce soit, vous ne rendez pas un témoignage véritable de ce qu'a été ma révélation au Troisième Temps, et par conséquent personne no vous croira. (172, 62)

74. Immense est le retard moral et spirituel dans lequel ou se trouve l'humanité! Combien grande est la responsabilité de ceux qui ont reçu la grâce et la lumière de ma parole en ce temps!

75. Disciples, convertissez-vous en maîtres, écartez de votre cœur la crainte face aux hommes, rejetez l'indifférence et la paresse; reconnaissez qu'en vérité, vous êtes les porteurs d'un message céleste. Vous êtes ceux qui fournirez l'explication de tout ce qui ce passe en ces temps, ceux qui doivent lutter pour enseigner les principes de ma Doctrine que l'humanité a oubliés.

76. N'allez pas répéter ma parole à vos frères de la même forme que Je la prononçai déjà, préparez-vous pour que vous sachiez l'expliquer. Vous ne rechercherez pas de mots, essayant de surprendre par votre éloquence fleurie; vous parlerez d'une manière simple, qui est celle qui exprime le mieux la vérité de l'esprit. (189, 11-13)

77. Vous serez infatigables, mes nouveaux disciples, en vous exprimant avec cette vérité. Lèvres maladroites qui ne prononcez pas ma parole par crainte, vous allez vous délier au moment de votre décision. Un seul mot prononcé en Mon nom peut sauver un pécheur, combler des abîmes, arrêter les entêtés sur le chemin du mal. Avez-vous, par hasard, une idée du pouvoir qu'a ma parole? Connaissez-vous la force de votre puissance?

78. Exprimez-vous avec des exemples et accomplissez cette partie de mon Œuvre, que Je vous ai confiée, quant au reste, Je m'en occuperai Moi-même. (269, 6)

79. Si vous voyez que d'autres de vos frères enseignent le nom et la parole du Christ, ne les dépréciez pas, parce qu'il était écrit que ma Nouvelle Venue se vérifierait quand la parole, que Je vous apportai au cours de ce Deuxième Temps, se serait étendue sur toute la Terre.

80. Et Je vous affirme qu'il existe encore des endroits du monde qui doivent recevoir ce message. Comment cette Doctrine, essentiellement spirituelle, pourrait-elle parvenir à ces peuples, sans avoir reçu la divine semence d'amour que le Rédempteur vous offrit dans sa parole et dans son sang? (288, 44)

81. Quand vous parviendrez à comprendre et à percevoir la vérité, vous verrez combien il est facile, pour l'esprit, de suivre les pas de son Maître, même dans les épreuves les plus pénibles. Faites ce que vous pouvez, car Moi je ne vous en demanderai pas plus; ainsi vous aurez laissé le chemin préparé pour les nouvelles générations.

82. Je vous recommande les enfants et vous charge de les conduire par le juste chemin. Réunissez-les, parlez-leur de Moi avec amour et avec tendresse.

83. Recherchez les déshérités, ceux qui vivent perdus entre misères et

vices. Je donne essence à vos paroles pour qu'elles représentent un chemin de salut lorsqu'elles jailliront de vos lèvres.

84. Ouvrez, devant les innocents, le «Livre de la Vie Véritable», afin que leur esprit se réveille et qu'il soit grand en pénétrant les révélations du Saint-Esprit; ressemblez à votre Maître et vous serez écoutés. (64, 70)

85. Je souhaite que ceux qui ont trouvé le chemin, l'enseignent et le rendent facile à leurs frères, que vous ne le parsemiez d'embûches comme beaucoup l'ont fait, empêchant ceux qui me cherchent de parvenir jusqu´à Moi. (299, 34)

86. A vous, les spiritualistes, Je vous confie la tâche d'abattre cette barrière que l'humanité éleva entre Dieu et elle-même, une barrière de fausse foi, d'apparente croyance en l'éternel, de matérialités et de cultes superflus.

87. A vous, mon peuple, Je vous livre que vous renversiez, de son piédestal, le veau d'or que les hommes n'ont cessé d'adorer, bien qu'ils se croient loin de l'idolâtrie et du paganisme. (285, 54-55)

88. Effacez, des hommes, l'impression erronée qu'ils se sont formée, basées sur l'ignorance, la supercherie et la tromperie. Présentez ma Doctrine dans toute sa pureté et toute sa majesté afin qu'elle efface l'ignorance, le fanatisme et la dureté qui ne permettent pas, à l'humanité,

de penser en son Moi spirituel, qu'ils ont privé de toute liberté d'action. (287, 42)

89. Vous-autres, qui avez reçu ces révélations, vous êtes tout indiqués pour annoncer, à l'humanité, ma nouvelle manifestation au travers de l'entendement humain. Qui voulez-vous qui rende témoignage, sinon vous-mêmes?

90. Si vous attendez que les princes ou les ministres des religions portent à l'humanité cette bonne nouvelle, vous êtes dans l'erreur parce que, en vérité Je vous le dis, même s'ils me regardaient, ils n'ouvriraient pas la bouche pour dire à l'humanité: Voici le Christ, allez à Lui! (92, 13)

91. N'allez pas vous endormir, en attendant l'arrivée de ces temps dont Je vous ai parlé, pour dire à l'humanité: Ce que vous voyez était déjà prédit.

92. Non, peuple, il est indispensable que vous l'annonciez avec anticipation, que vous le prophétisiez, que vous prépariez le chemin pour l'arrivée de tout ce que Je vous ai prédit et promis, et c'est alors que vous aurez accompli votre mission de précurseurs de la spiritualité sur la Terre.

93. De cette manière, quand commenceront d'apparaître des prodiges dans le monde, que l'Esprit du Seigneur vous parlera au travers d'événements jamais vus et que l'esprit de l'humanité commencera à manifester des dons et des pouvoirs

jamais pressentis, alors vous verrez s'agiter toutes les croyances, les théories, les normes, les institutions et les sciences, et c'est alors que l'humanité virent s'accomplir ce que leurs paroles avaient annoncé.

94. Vous verrez alors les peuples de la Terre intéressés par l'enseignement spirituel, les théologiens comparant les enseignements du Christ aux nouvelles révélations, et vous en verrez de nombreux, qui avaient toujours été indifférents au spirituel, s'intéresser vivement à l'étude des révélations de ce temps et des temps passés. (216, 16-17)

Recommandation pour la consolation et la guérison de ceux qui souffrent

95. J'ai confié, à mes élus, de grands dons, l'un d'entre eux est le don de guérir, le baume, afin que vous puissiez, grâce à ce don, accomplir l'une des plus nobles missions parmi l'humanité, puisque votre planète est la vallée de larmes dans laquelle se rencontre toujours la souffrance.

96. Par le biais de ce don, vous disposez d'un vaste champ pour semer la consolation, selon Ma volonté, et ce baume Je l'ai déposé en votre être, dans les fibres les plus sensibles et tendres de votre cœur, et c'est grâce à lui que vous vous êtes réjouis, vous avez doublé la nuque devant ses prodiges, votre cœur s'est attendri de la douleur des hommes et vous avez toujours marché par le chemin de la charité.

97. Continuez de délivrer ce baume, qui n'est pas dans vos mains, parce qu'il déborde en regards de compassion, de consolation, de compréhension, il passe au travers des bonnes pensées et se convertit en conseils sains et en paroles de lumière.

98. Le don de la guérison est illimité, n'oubliez pas que vous en êtes saturés et si vous deveniez la proie de la douleur, parce que vous êtes sujets à l'épreuve, si vous ne pouvez l'écarter à l'aide ce baume, n'oubliez pas mes leçons, oubliez votre souffrance et pensez aux autres, dont la peine est plus grande, et alors vous verrez s'accomplir des prodiges en vous-mêmes et en vos frères. (311, 18-19)

99. Combien devez-vous être préparés pour pénétrer les cœurs et savoir ce qu'ils renferment, ce qu'ils cachent et ce dont ils ont besoin!

100. Je suis venu pour vous enseigner à alimenter les esprits, à les guérir, à les éclairer et à leur montrer le chemin de leur évolution.

101. Celui qui écoute cette parole et la garde en son cœur réussira à se convertir en guide, en docteur et en conseiller; sa parole constituera une source de paix et de consolation pour ses frères nécessiteux de lumière. (294, 3-4)

102. Je vous donne une goutte de baume afin que, lorsque vous soyez persécutés, vous accomplissiez des prodiges de guérison parmi

l'humanité, parce que dans les grandes épidémies, quand surgiront des maladies étranges et inconnues pour la science, la puissance de mes disciples se manifestera.

103. Je vous confie la clé avec laquelle vous ouvrirez la plus rouillée des serrures, autrement dit, le plus réticent des cœurs, et vous ouvrirez même les portes de la prison pour rendre la liberté à l'innocent et sauver le coupable.

104. Vous marcherez toujours en paix et avec confiance en Moi, parce que où que vous alliez, vous serez protégés par mes anges. Ils s'uniront à votre mission et vous accompagneront dans les foyers, les hôpitaux, les prisons, les champs de discorde et de guerre, partout où vous vous rendrez pour déposer ma semence. (260, 37-38)

105. L'humanité viendra et, parmi elle, Thomas, représenté par la science et le matérialisme, avec ses yeux prêts à analyser en profondeur, et non seulement de cette manière mais elle viendra pour palper avec les doigts de sa main, pour toucher, et ce n'est qu'ainsi qu'elle pourra croire en mon existence et dans les événements spirituels qui se succèderont les uns aux autres parmi l'humanité, et à propos desquels les hommes rendront témoignage, afin que le Thomas du Troisième Temps puisse être vaincu, dans son doute et dans son matérialisme, par mon amour. (319, 38)

106. Je vous donnerai l'ordre de vous lever pour travailler, parce que ce sera un temps de signes si grands et si clairs, que vous entendrez la voix du Monde Spirituel et la voix de ce monde qui, par ses événements, indiquera que l'heure de votre lutte est arrivée. Moi je vous parlerai d'Esprit à esprit et vous guiderai en chemin.

107. Mais Je souhaite qu'avant que vous arriviez au devant de l'humanité en tant que maîtres, vous alliez comme docteurs, et une fois que vous aurez calmé sa douleur, elle pourra boire de la source d'eaux pures de ma parole. Recherchez auparavant la blessure, la plaie ou la maladie, et guérissez ses douleurs pour pouvoir ensuite atteindre son esprit.

108. Allez vers vos frères comme le fit Jésus au Second Temps, pour apporter, avant ma parole, le baume. Et quel est-il, ce baume, ô disciples? Par hasard, l'eau des sources, bénie et transformée en médecine pour les malades? Non, mon peuple! Ce baume, dont Je vous parle, se trouve en votre cœur, Je l'y ai déposé comme essence précieuse et l'amour est le seul à pouvoir l'ouvrir pour qu'il coule comme un torrent.

109. Quand vous voudrez le répandre sur quelque malade, ce ne seront pas vos mains qui l'oindront, sinon l'esprit inondé d'amour, de charité et de consolation, et le prodige se réalisera là où vous dirigerez votre pensée.

110. Que ce soit sur les êtres ou les éléments de la Nature, vous pourrez œuvrer sous de multiples formes pour

apporter le soulagement à tous. Mais Je vous déclare aussi: Ne craignez pas les maladies et soyez patients et miséricordieux envers tous les patients.

111. En ce qui concerne les possédés et les perturbés dans leur esprit humain, vous pourrez aussi les guérir, parce que vous possédez cette faculté et devez la mettre au service de ces êtres qui ont sombré dans le désespoir et l'oubli. Libérez-les et manifestez cette puissance face aux incrédules. C'est l'une des grandes missions de ce peuple: portez la lumière où il y a des ténèbres, briser tout esclavage et toute injustice, et préparer ce monde pour qu'il contemple son Seigneur et pour qu'il se regarde en lui-même, en son intérieur, avec la pleine connaissance de la vérité. (339, 39-41)

Le moment d'entreprendre la mission au niveau mondial

112. Si, pour le moment, le monde est aveugle au point qu'il ne peut apercevoir la lumière de la vérité, ni entendre mon appel en son for intérieur, priez et gagnez du terrain spirituellement, étant donné qu'en ces instants vous ne seriez pas écoutés, parce que tous les peuples sont affairés (se consacrent) à se préparer pour détruire et se défendre.

113. Toutefois, les hommes devront encore s'éblouir davantage, quand le désespoir, la haine, la terreur et la douleur atteindront leurs limites.

114. Ce ne serait pas non plus le moment propice pour livrer mon message, parce que vous ressembleriez à des crieurs publics au milieu d'un désert, et personne ne vous accorderait d'importance. (323, 27-29)

115. Après que la Terre ait été touchée d'un pôle à l'autre, et que chaque nation, chaque institution et chaque foyer aient été jugés jusqu'à leur racine, et que l'humanité ait lavé toute tache, vous irez, préparés, en mon nom, pour diffuser ma Doctrine entre vos frères. (42, 54)

116. Le moment venu, vous vous lèverez, peuple bien aimé, et ferez ressentir ma sainte parole auprès de vos frères, et vous vous disperserez de par le monde, comme de bons disciples, et ce nouvel Evangile, que Je vous laisse, se répandra. Cette lumière issue du Sixième Sceau illuminera l'humanité de ce temps, et avec elle s'éclaircira les mystères.

117. Ma Doctrine se consolidera dans différentes nations et tout ce que les hommes n'ont pas découvert, ils le verront grâce à la lumière que diffusent les Sept Sceaux. Et vous parlerez de ces enseignements que vous reçûtes, endoctrinant l'humanité dans l'accomplissement de mes préceptes. (49, 43)

XV. EXHORTATIONS, AVERTISSEMENTS, INSTRUCTIONS

Chapitre 61 – Exhortations et avertissements du Seigneur

Commandements et missions

1. Israël, ne vous limitez pas à accomplir vos devoirs contractés dans le monde. Observez aussi la Loi parce que, devant le Père, vous avez accepté une mission et son accomplissement doit être strict, élevé et spirituel.

2. Je vous endoctrine afin que vous vous éloigniez du matérialisme et que vous cessiez d'être les fanatiques et les idolâtres; pour que vous n'adoriez ni ne rendiez le culte à des objets matériels façonnés par les mains humaines. Je ne veux pas qu'en votre cœur existent des racines d'idolâtrie, de fanatisme, de faux cultes; ne Me présentez pas d'offrandes qui n'arriveront pas à Moi, Je ne vous demande que votre régénération et votre accomplissement dans la spiritualité.

3. Régénérez-vous, oubliez vos habitudes passées, ne regardez pas derrière vous et ne contemplez pas ce que vous avez laissé et que vous ne devez plus continuer de pratiquer, comprenez que vous êtes entré dans la voie de votre évolution et que vous ne devez pas vous arrêter. Le chemin est étroit et il vous faut bien le connaître, parce que, demain, vous aurez à guider vos frères, et Je ne veux pas que vous vous égariez.

4. Je suis le Père patient qui attend votre repentir et votre bonne volonté pour vous combler de ma grâce et de ma charité. (23, 60-63)

5. Ma parole vous conseille toujours le bien et la vertu. Ne dites jamais de mal de vos frères provocant son deshoneur; ne considérez jamais avec mépris ceux qui souffrent de maladies que vous appelez contagieuses; ne défendez pas les guerres; n'exercez aucune activité qui détruise la moralité et protège les vices; ne maudissez rien de ce qui fut créé; ne prenez rien qui ne vous appartienne sans l'autorisation de son propriétaire; ne propagez pas de superstitions.

6. Rendez visite aux malades; pardonnez à ceux qui vous offensent; protégez la vertu; donnez de bons exemples et vous M'aimerez et vous aimerez vos frères, toute ma Loi se résumant en ces deux préceptes.

7. Apprenez ma leçon et enseignez-la avec votre pratique. Si vous n'apprenez pas, comment voulez-vous prêcher ma Doctrine? Et si vous ne sentez pas ce que vous avez appris, comment voulez-vous enseigner comme le bon apôtre? (6, 25-26)

8. Peuple, si vous souhaitez avancer, abandonnez la paresse qu'il y a en vous; si vous voulez être grands, appliquez mes maximes à vos œuvres; si vous voulez vous connaître, anâlysez-vous au travers de ma parole.

9. Comprenez combien vous avez besoin que ma parole diffuse amour, sagesse, conseils et aide, mais à la fois, vous vous sentez responsables de ce que Je vous confie, parce que vous n'êtes pas les seuls nécessiteux au monde, il y en a beaucoup qui ont eu faim et soif de ces enseignements et vous devez penser à vous préparer pour aller vers eux avec le message de mon amour. (285, 50-51)

10. La responsabilité que ce peuple a devant l'humanité est très grande, il devra donner l'exemple de véritable spiritualité, il enseignera la forme d'élever le culte intérieur, l'offrande agréable, et un hommage digne de Dieu.

11. Ouvrez votre cœur et écoutez, en lui, la voix de la conscience, pour juger vos actes et savoir si vous interprétez fidèlement mes leçons ou si vous vous trompez aussi au niveau du sens de ma Doctrine. (280, 73)

12. Ma Doctrine perd tout son sens, si vous ne la mettez pas en pratique.

13. Disciple bien aimés, vous savez bien que la finalité de ma Loi et de ma Doctrine est la pratique du bien, et que, par conséquent, celui qui ne la porte que dans sa mémoire ou sur ses lèvres, sans l'appliquer à ses actes, prévarique. (269, 45)

14. Vous, les hommes, qui portez dans le cœur, la lumière de l'expérience de cette vie, et dans l'esprit, la lumière que laisse l'évolution d'existences différentes, pourquoi occupez-vous votre esprit de tout ce qui est superflu, et pourquoi pleurez-vous souvent pour des motifs qui ne méritent pas votre douleur? Recherchez la vérité dans toute chose; elle est sur tous les chemins, elle est diaphane et claire comme la lumière du jour. (121, 48-49)

15. N'oubliez pas et gardez toujours à l'esprit que, de votre vie droite et vertueuse, dépendra la foi que vous éveillerez en vos frères. Ce qui veut dire qu'ils vous analyseront en profondeur et vous observeront jusque dans votre vie intime, recherchant, dans vos actions, la confirmation de la Doctrine que vous prêchez. (300, 57)

16. Dites-Moi: Vous ai-Je répudiés quand vous avez fauté? Vous ai-Je laissés à la traîne, abandonnés, quand quelque faux-pas vous ont arrêté? Me suis-Je acharné sur vous lorsque vous êtes tombés, vaincus par la douleur?

17. Cependant, Je vois que ceux que J'appelle mes disciples, avec tant d'amour, abandonnent leurs frères dans le malheur. Qu'ils désavouent celui qui dévie, au lieu de l'attirer avec charité pour l'aider à se corriger, et que, parfois, ils se convertissent en juges, s'octroyant des procès, qu'ils

n´ont pas droit de juger, puisque ceux-ci ne sont pas de leur ressort.

18. Est-ce cela, mon Enseignement? Non!, me rétorque votre conscience! Eh bien, Je veux que vous vous jugiez minutieusement, afin de pouvoir polir tant d'aspérités dont souffrent vos sentiments et de pouvoir commencer à être mes disciples. (268, 46)

Foi, espoir, amour, humilité et confiance

19. Vous serez grands lorsque vous serez humbles! La grandeur ne réside pas dans l'orgueil ni dans la vanité, comme beaucoup le croient. Soyez manses et humbles de cœur, c'est le message que Je vous ai livré au fil des temps.

20. Reconnaissez-Moi en tant que Père et aimez-Moi, ne cherchez pas un trône pour votre enveloppe, ni un homme qui vous distingue des autres, soyez un homme parmi les hommes et portez en vous la bonne volonté. (47, 54)

21. Je souhaite voir, en vous, la foi que manifestèrent les malades qui arrivèrent à Moi au Second Temps: celle du paralytique, celle de l'aveugle et celle de la femme incurable. Je souhaite me sentir aimé comme Père, sollicité comme Docteur et écouté comme Maître. (6, 46)

22. Ne faiblissez pas dans la foi ni dans l'espoir; ayez toujours à l'esprit que la fin de cette étape arrivera; n'oubliez pas qu'en Moi vous avez eu votre principe et que vous aurez aussi la fin, et cette fin est l'éternité parce que la mort de l'esprit n'existe pas.

23. Que l'éternité soit votre idéal et ne vous évanouissez pas dans les vicissitudes! Savez-vous, peut-être, si celle-ci sera votre ultime incarnation sur la Terre? Qui pourra vous dire que, dans ce corps que vous avez aujourd'hui, vous êtes en train de solder toutes vos dettes contractées avec ma justice? C'est pourquoi Je vous dis: profitez du temps, mais ne vous empressez pas. Si vous acceptez, avec foi et conformité, vos souffrances et que vous allez patiemment jusqu'au bout du calice, en vérité Je vous le dis, vos mérites ne seront pas stériles.

24. Faites en sorte que l'esprit marche toujours en tête pour que vous ne cessiez jamais de vous perfectionner. (95, 4-6)

25. Vivez pour le Père aimant ses enfants qui sont vos frères, et vous atteindrez l'immortalité. Si vous sombrez dans l'égoïsme et que vous renfermez dans votre amour propre, la semence que vous laisserez, ainsi que votre mémoire, subsisteront difficilement.

26. Soyez manses et humbles de cœur, et vous serez toujours emplis de ma grâce. (256, 72-73)

27. Que votre destin est grand! Mais ne vous laissez pas pour autant dominer par les tristes présages, mais gonflez-vous de courage et d'espoir, en pensant que les jours d'amertume qui s'approchent, sont nécessaires

pour le réveil et la purification des hommes, sans lequel vous ne pourriez contempler l'entrée triomphale du temps de la spiritualité.

28. Apprenez à surmonter les adversités, ne permettez pas que la tristesse s'empare de votre cœur et prenez soin de votre santé. Remontez le moral de vos frères en leur parlant de Moi, en leur enseignant ma Doctrine qui enflamme la foi et l'espoir.

29. Voyez comment beaucoup d'hommes marchent tête-basse, ce sont des esprits qui se sont laissés vaincre dans la lutte, regardez les vieillir et blanchir prématurément, le visage froissé et l'expression mélancolique; ainsi ceux qui doivent être forts faiblissent et la jeunesse devra partir alors l'enfance ne verra que tristesse à son alentour.

30. Vous, peuple, ne privez pas votre cœur de toutes ces joies saines, bien que fugaces, dont vous pouvez jouir, mangez en paix votre humble pain et, en vérité Je vous le dis, vous le trouverez plus doux et plus substantiel.

31. Déduisez de mes paroles que ce que Je souhaite de vous est la confiance, la foi, l'optimisme, la tranquillité et la force, qu'en dépit de vos travaux et de vos pénalités, il n'y ait pas d'amertume dans votre cœur. Quelle douceur ou bonne saveur pourriez-vous offrir aux nécessiteux si vous aviez le cœur occupé par les peines, les préoccupations ou la non-conformité?

32. C'est précisément dans vos épreuves que vous devez donner vos meilleurs exemples d'élévation, de foi et d'humilité.

33. Celui qui parvient à doter sa vie de cette spiritualité, jamais ne cesse de ressentir la paix, même lorsqu'il dort, son sommeil est paisible et réparateur, ce dont profite l'esprit pour se projeter vers l'au-delà où il reçoit ces émanations divines dont il s'alimente et qu'il partage avec le corps. (292, 45-51)

Prière, étude, alerte, rénovation et spiritualité

34. Disciples bien aimés, une fois de plus, Je vous le dis: Veillez et priez, parce que la matière est fragile et, dans ses faiblesses, elle peut éloigner l'esprit du droit chemin.

35. L'esprit qui sait veiller ne s'écarte jamais de la route que son Seigneur lui a tracée et se trouve apte à faire usage de son héritage et de ses dons, jusqu'à atteindre son élévation.

36. Cet être devra triompher dans ses épreuves, parce qu'il vit sur ses gardes et ne se laisse jamais dominer par la matière. Celui qui veille et qui prie triomphera toujours des moments pénibles et saura marcher, d'un pas décidé, par le chemin de la vie.

37. Que la conduite de celui qui oublie de prier et de veiller est différente! Il renonce volontairement à se défendre avec les meilleures armes que J'ai déposées en l'homme, qui sont la foi, l'amour et la lumière du savoir. Il est celui qui n'écoute pas la voix intérieure qui lui parle Au

travers de l'intuition, de la conscience et des rêves; mais le cœur et l'entendement ne comprennent pas ce langage et ne croient pas au message de son propre esprit. (278, 1-3)

38. Priez pour les esprits perturbés, pour les matérialisés, pour ceux qui, dans les entrailles de la terre, ne parviennent pas encore à se détacher de leurs corps; pour ceux qui souffrent et pleurent pour le deuil ignorant qu'on leur garde sur la Terre.

39. Pardonnez aussi et cessez de juger ceux qui ont semé du mal en votre cœur; si vos yeux pouvaient les contempler à genoux implorant votre pardon, vous ne seriez pas aussi injustes envers eux. Aidez-les à voler vers l'infini, élevez-les grace à votre charité, comprenez qu'ils n'appartiennent déjà plus à ce monde. (107, 15)

40. Ne vous conformez pas avec vos premières œuvres, croyant avoir gagné des mérites suffisants pour le perfectionnement de votre esprit mais, pour que vous appreniez, chaque jour, de nouvelles leçons et que vous découvriez de plus grandes révélations, dédiez toujours un moment à l'étude de mon Œuvre.

41. Le disciple studieux écoutera toujours la réponse à ses questions et entendra toujours mon conseil paternel dans ses instants d'épreuves.

42. Le disciple appliqué sera source d'amour pour ses frères, il se sentira vraiment l'héritier de son Père et reconnaîtra le moment de se lever pour entreprendre sa grande mission spirituelle parmi les hommes. (280, 40-42)

43. A mesure que vous vous perfectionnerez, vous verrez l'objectif se rapprocher, vous ne savez si vous êtes à un pas de votre salut ou si vous avez encore un long trajet à parcourir. Je vous dis seulement de vous laisser guider, avec soumission et obéissance, par cette parole qui est la voix de mon Esprit Divin.

44. Libérez-vous de faillir à ma Loi, de commettre plusieurs fois la même erreur. Prenez soin de cet appel qui constitue une invitation à la correction, une supplication que vous adresse votre Père, parce que Je ne souhaite pas vous voir vivre inutilement sur la Terre pour vous voir pleurer votre désobéissance, ensuite. (322, 60)

45. Ne craignez pas le murmure de l'humanité, ni ses jugements. Craignez la justice de votre Dieu, souvenez-vous que Je vous ai dit que, en tant que juge, Je suis inexorable. Pour cela, recherchez-Moi toujours en tant que Père, comme Dieu, pour ne manquer de rien sur votre route. (344, 31)

46. Ne vous laissez pas surprendre, mon peuple, vivez toujours sur vos gardes et soyez les fidèles sentinelles, n'ayez pas peur des paroles que vos propres frères vous adressent pour vous convaincre que vous êtes dans l'erreur.

47. Maintenez-vous fermes, parce que Je remettrai de grandes récompenses aux soldats qui sont fidèles à ma cause, à ceux auxquels vous sachez faire face en ces temps difficiles de confusion d'idées, de credos et de religions.

48. Vous respecterez tous vos frères de la même manière que vous respectez mon Œuvre et leur montrerez l'enseignement que Je suis revenu vous laisser; si les hommes se moquent de vous, laissez-les, parce que la lumière de mon Saint-Esprit leur parviendra et le repentir sera dans leur cœur. (336, 18)

49. Ne vous arrêtez pas, ô disciples! Que votre pas, comme Je vous l'ai toujours dit, soit ferme sur le sentier du bien et du progrès, parce que viennent des temps où seul le bien aura un effet sur l'homme, où seules la vertu et la vérité le soutiendront sur le chemin de la lutte et du combat.

50. Des jours se font proches où l'imposture devra cesser, où la fausseté, l'hypocrisie, l'égoïsme et toute mauvaise graine connaîtront la même fin, au travers de grandes épreuves, de faux-pas et de revers.

51. C'est pourquoi le Maître vous dit: Affirmez-vous de plus en plus dans le bien! Soyez convaincu, mon peuple, que vous ne pouvez recevoir aucun mal pour le bien que vous faites! Si, en échange du bien que vous fassiez sur la Terre, vous recueilliez un mauvais fruit ou un mauvais traitement, ce mauvais fruit est passager, il n'est pas le fruit final.

En vérité Je vous le dis, Il faut persévérer jusqu'à récolter. (332, 31)

Avertissements dirigés aux Communautés de Révélation

52. Infortuné celui qui interprète Ma parole selon son propre gré, parce qu'il devra m'en répondre.

53. Sur la Terre, beaucoup d'hommes se sont consacrés à altérer la vérité, sans se rendre compte de la responsabilité qu'ils ont comme collaborateurs dans l'Oeuvre d'amour du Père.

54. En cette époque de jugement que beaucoup ignorent, parce qu'ils n'ont pas su interpréter les événements qu'ils vivent, la justice est présente en chaque esprit, qui considère ses actions dans le cadre ou en-dehors de la Loi d'amour, au cours de son pèlerinage en ce monde.

55. Quiconque modifierait, dans ces écritures, l'essence de mes révélations délivrées par l'inspiration, devra répondre de ses actes devant Moi.

56. Par conséquent, il vous faut procéder avec rectitude, parce que ces leçons sont mon legs d'amour pour mes enfants qui, incarnés ou sous forme d'esprit, sont en attente de plus grands enseignements. (20, 12-14)

57. Israël, Je ne veux pas voir le mensonge en vous, parce qu'un jour, ce mensonge devra être découvert et alors, le monde dira: Ce sont ceux-là, les disciples du Maître? S'ils sont de faux disciples, alors est faux le Maître qui se reput parmi eux pour leur délivrer le mensonge. (344, 10)

58. Vous êtes les chargés d'alléger la douleur de l'humanité, d'enseigner à prier aux blasphémateurs qui, longtemps, sont demeurés sans élever leur esprit dans la prière.

59. Mais, pour ce faire, il vous faudra vous spiritualiser chaque jour en écartant de vous la matérialité.

60. Parce que Je ne veux pas que vous soyez le spiritualiste exagéré. Non! Je considère le fanatisme abominable, et c'est précisément ce fanatisme que Je suis venu écarter d'entre vous. La conscience vous indiquera comment vous devez vivre en harmonie avec tout. (344, 17-18)

61. Entendez-Moi, peuple, écoutez, disciples, Je vous donne la lumière et vous libère des chaînes, des liens et des ténèbres, mais Je ne vous autorise pas à faire, de cette Œuvre, une religion de plus, ni que, selon vos convenances, vous la remplissiez de formes et de rites. Non!

62. Distinguez bien la liberté que Je suis venue vous accorder, afin que vous ne la changiez pas pour un nouveau fanatisme.

63. Ne vous êtes-vous pas encore rendus compte que votre entendement, et avec lui l'esprit, avaient été arrêtés dans leur développement? Ne vous rappelez-vous pas de l'accumulation de fausses craintes et de faux préjugés hérités de vos ancêtres, desquels vous vous êtes libérés, pour regarder la vérité en face et pouvoir recevoir la lumière? (297, 20-21)

64. La terre sera humide et ouverte dans l'attente de la graine de mes semeurs. Serait-il juste qu'après que l'humanité soit libre de fanatisme et d'adoration matérielle, ce peuple arrive avec une nouvelle idolâtrie? Non, disciples et enfants bien aimés, c'est pourquoi il y a, à chaque pas sur votre chemin, des leçons et des épreuves. (292, 44)

Avertissement à propos de la continuation des révélations postérieures à 1950, et fausses révélations du Christ

65. Après le jour choisi par ma Divinité, vous n'entendrez plus ma parole, mais elle demeurera imprimée dans votre conscience, dans votre cœur et dans les livres.

66. Celui qui se dresse comme porte-parole en invoquant mon Rayon, ne connaît pas la sentence qui pèse sur lui-même.

67. Je vous préviens pour que vous ne prêtiez l'oreille aux faux prophètes, aux faux porte-parole et aux faux christ. Je vous réveille afin que vous évitiez la confusion à temps, et que vous empêchiez l'accès d'esprits des ténèbres parmi vous. Veillez, parce que vous Me répondrez de ces enseignements si vous n'êtes pas préparés. (229, 40-41)

68. Ce sont déjà les derniers temps où Je serai présent avec vous sous cette forme. Croyez-le et croyez aussi que Je ne reviendrai pas à ce monde pour matérialiser ma parole et moins encore pour me faire homme.

69. Préparez-vous, parce que vous parviendront des rumeurs d'hommes qui affirmeront que Je suis revenu, que le Christ est venu sur la Terre. Vous-autres resterez fidèles et affirmerez fermement: Le Seigneur est en esprit avec tous ses enfants.

70. Si vous dormez et que vous ne vous spiritualisez pas, vous nierez que J'élève ma parole et, convertis en blasphémateurs et en désobéissants, vous invoquerez mon rayon sur les foules en leur disant: demandons à celui qui nous donna sa parole qu'il continue de nous parler, élevons-lui des cantiques et des hosannas pour qu'il nous écoute.

71. Mais, en vérité Je vous le dis, mon rayon ne retournera pas à l'entendement humain parce que Je ne viendrai pas alimenter votre bêtise.

72. A quoi vous exposerez-vous? Au fait que les paroles d'apparente lumière vous mènent à la confusion. N'est-ce pas ce que souhaite votre cœur? Préparez-vous pour cette épreuve, et au-dessus de votre obéissance et de votre humilité brillera la lumière de mon inspiration.

73. Je vous annonce que, si avant l'an 1950, ne se produit pas l'unification de ces multitudes en un seul peuple, la confusion règnera très vite parce qu'il y en aura qui prétendront que le Maître continue de se manifester, et alors, malheur à ce peuple! N'avez-vous pas pressenti cette menace?

74. Cet esprit de fraternité et d'union ne s'est pas encore réveillé en vous, et vous attendez que ce soient les événements qui vous unissent. Mais si c'est ce que vous espérez, vous verrez se déchaîner les fléaux, les désordres, les guerres et la justice des éléments, jusqu'à ce qu'il n'y ait plus, dans le monde, ni sur la surface de la Terre, ni dans ses entrailles, ni dans la mer, ni dans les vents, un seul endroit de paix. (146, 24-26)

75. Vous vous préparerez et, à chaque fois que vous vous trouverez réunis, que ce soit en ces lieux, dans vos foyers ou dans les vallées, c'est là, dans ces réunions, que vous percevrez spirituellement ma présence.

76. Mais veillez, parce qu'apparaîtront aussi les faux disciples, claironnant qu'ils se communiquent directement avec le Père. Et ils transmettront de faux ordres et de fausses inspirations.

77. C'est Moi qui vous ai enseigné à distinguer la vérité de l'imposture, et à connaître l'arbre par son fruit. (260, 65-66)

78. Je vous ai annoncé qu'arrivera le moment où vous verrez surgir beaucoup de « spiritualismes » et que vous devrez être préparés pour découvrir en qui existe la vérité et en qui existe l'imposture.

79. Vous verrez apparaître de fausses communications que l'on M'attribuera, des rumeurs d'envoyés divins porteurs de messages au monde, des sectes au nom des Sept Sceaux et beaucoup de doctrines confuses et indéfinies.

550

80. Tout cela sera le produit de la grande confusion spirituelle que l'humanité a été en train de préparer, mais n'ayez crainte, tâchez de vivre en veillant et en priant et vous ne succomberez pas dans la confusion, parce que ma parole, dans les moments les plus ténébreux, sera la lumière qui vous fera contempler ma vérité diaphane et éternelle. (252, 15-17)

Mauvaises habitudes, hypocrisie, vices

81. La vanité a fait son nid en ceux qui, croyant avoir atteint la complète connaissance de la vérité, en sont arrivés à se considérer sages, forts, infaillibles, grands et absolus, sans se rendre compte que souvent ils ont été confondus.

82. Je ne souhaite pas que parmi ce peuple, qui commence à peine à se former sous la lumière de ces leçons, surgissent demain les hommes qui se trouvent confondus par leur vanité, claironnant qu'ils sont la réincarnation du Christ ou qu'ils sont les nouveaux Messies.

83. Ceux qui commettront de tels actes seront ceux qui, en croyant être parvenus à la compréhension de toute ma vérité, marchent, en réalité, très loin du chemin marqué par le Christ, qui est celui de l'humilité.

84. Etudiez la vie de Jésus sur la Terre, et vous trouverez une profonde et inoubliable leçon d'humilité. (27, 3-6)

85. L'un des plus graves défauts est celui de l'hypocrisie; ne claironnez pas l'amour tant que vous n'êtes pas capable de M'aimer au travers de vos semblables.

86. Combien de ceux qui ont jugé le baiser de Judas refusent de voir qu'eux-mêmes ont offert le baiser d'apparente fraternité à leur frère, en le trahissant dans le dos! Combien de ceux qui prétendent servir les nécessiteux, je les voies troqua la lumière, la vérité et la charité pour de l'argent!

87. Pourquoi, lorsque quelqu'un vous a fait peur par ses questions, avez-vous réagi comme Pierre, dans ses instants de faiblesse, en Me reniant et en affirmant qu'en vérité vous ne M'aviez même pas connu? Pourquoi craignez-vous la justice humaine et ne craignez-vous pas la Mienne?

88. En vérité Je vous le dis, entre la justice divine et vos péchés s'interpose l'intercession de Marie, votre Mère Céleste, qui prie toujours pour vous. (75, 37)

89. Personne n'est autorisé à juger les actes de ses frères, parce que si Celui qui est immaculé ne le fait pas, pourquoi celui qui est porteur de taches en son cœur doit-il le faire?

90. Je vous le dis parce que vous passez toujours votre temps à analyser en profondeur la semence de votre frère, dans l'espoir d'y trouver des défauts, pour ensuite lui enseigner vos semailles et l'humilier en affirmant

que votre labeur est plus propre et plus parfait.

91. L'unique juge qui sait estimer vos actes est votre Père qui habite les Cieux; quand Il se présentera avec sa balance, celui qui, à ses yeux, aura le plus grand mérite ne sera pas celui qui comprenne le plus, sinon celui qui ait su être le frère de ses semblables et l'enfant de son Seigneur. (131, 55-57)

92. Apprenez et pratiquez, enseignez en ressentant ce que vous faites et que vous dites, confirmez ma Doctrine grâce à vos actions. Je ne veux pas de prévaricateurs parmi mes disciples. Pensez ce qu'il en serait de l'humanité et de vous-mêmes, si cette Œuvre, initiée avec tant d'amour et de patience, s'effondrait par manque de moralité, de vertu et de vérité dans votre vie. (165, 25)

93. N'allez plus rechercher les plaisirs et les frivolités du monde; allez en quête de l'idéal d'élever votre vie, et Moi je vous donnerai, tout au long de votre existence, les satisfactions qui seront un stimulant pour votre cœur. (111, 61)

94. Malheur à vous si les mauvais penchants sont plus puissants que les vertus que vous portez en votre esprit, et si mon enseignement ne livre pas de fruits! Si vous n'analysez pas et que vous ne méditez pas ma parole, croyant que vous accomplissez ma volonté, Ma lumière vous réveillera et, à la connaissance de toute la vérité, vous vous souviendrez que Je vous ai envoyés au monde pour réaliser des œuvres de bienfaisance. (55, 6)

95. Malheur à ceux qui, en ce temps, donnent, par leurs profanations et leur désobéissance, le mauvais exemple devant les enfants, à ceux que J'ai enviés chargés d'une mission spirituelle! Voulez-vous imiter les foules qui, entre cris et railleries, conduisirent Jésus au Golgotha, en semant la terreur dans le cœur des enfants qui ne parvenaient pas à s'expliquer pourquoi l'on martyrisait et l'on mettait à mort un homme qui ne faisait que répartir des bénédictions?

96. Chaque fois que Jésus tombait, ces innocents pleuraient; mais en vérité Je vous le dis, leurs pleurs provenaient davantage de l'esprit que de la chair. Combien d'entre eux me suivirent-il par la suite et m'aimèrent sans que, de leurs cœurs, pût s'effacer le souvenir de ce à quoi leurs yeux innocents assistèrent! (69, 50-51)

Fausses pénitences et expectatives erronées

97. Prenez garde de faire des pénitences mal comprises, ne privez pas votre corps de ce dont il a besoin, en revanche, évitez-lui ce qui lui soit préjudiciable, même si cela représente un sacrifice pour lui. Celle-ci constituera la pénitence qui bénéficiera à votre esprit et, pour autant, celle qui plaira au Père. (55, 40)

98. Vous voyez déjà en Dieu, bien avant qu'un Juge, le Père d'amour parfait et inépuisable, et laissez-Moi vous dire qu'il est bien que vous voyiez votre Père en Dieu.

99. Cependant, Je dois vous dire, pour vous mettre sur vos gardes, que vous aussi pouvez tomber, à l'instar de ce vieux peuple, dans une nouvelle erreur, et cette erreur peut être celle de ne pas vous préoccuper de votre amélioration morales et spirituellement, ou que le fait de pécher continuellement et gravement ne vous importe pas de continuer à pécher continuellement et gravement, confiant que le Père est, avant tout, amour, et qu'Il vous pardonnera.

100. Certes, Dieu est amour et il n'existe aucune faute, aussi grave soit-elle, que Je ne pardonne, mais vous devez savoir précisément que de cet amour divin procède une justice qui est inexorable.

101. Sachez tout ceci pour l'emporter avec vous comme connaissance de ma Doctrine, qui renferme la vérité; et détruisez tous les concepts erronés qu'il pourrait y avoir en vous.

102. N'oubliez pas que l'amour du Père vous pardonne, mais que la tache, malgré le pardon, reste imprimée dans votre esprit, et que vous devrez la laver avec des mérites, en compensant de la sorte à l'amour qui vous pardonna. (293, 43-44)

103. Une voix est venue vous réveiller, une voix douce et consolatrice qui vous appelle au Royaume de la Lumière et de la vie; mais qui peut se convertir en justice si vous préférez continuer de profaner votre esprit et de désobéir à la Loi.

104. A l'obéissant et à l'humble, ma parole lui dit: « Persévérez, parce que vous obtiendrez beaucoup de ma grâce, et vous ferez obtenir beaucoup à vos frères ».

105. Quant au sot, ma voix lui dit: « Si vous ne profitez pas de cette occasion bénie pour sortir de la vase du péché ou des ténèbres de l'ignorance où vous habitez, vous verrez passer les temps et les ères par-dessus de votre esprit, sans savoir le contenu que le Seigneur apporta dans son message, ni quels furent les dons qu'Il révéla à son peuple ».

106. Il est certain qu'il y aura, pour tous, un temps propice pour se sauver et pour remonter vers les hauteurs mais, malheur à celui qui retardera ce jour! Malheur à celui qui perdra les opportunités de réaliser l'évolution de son esprit pour se dédier au superflu de ce monde! Du temps qu'il aura à attendre la nouvelle occasion, il n'a aucune idée de sa longueur, ni de l'amère que sera sa restitution!

107. En cela, il n'existe pas la moindre vengeance ou le plus léger châtiment de la part du Père, par contre si, existe sa plus stricte et inexorable justice.

108. Par hasard, maintenant que Je me suis présenté parmi vous, savez-vous si vous avez perdu ou gaspillé des opportunités antérieures et les temps que votre esprit a dû attendre pour recevoir cette nouvelle chance

553

d'accomplir une mission qui lui fut confiée il y a longtemps?

109. Que sait votre cœur ou votre intelligence du passé de son esprit, de son destin, de ses dettes, de ses missions et de ses restitutions? Rien!

110. C'est pourquoi vous ne devez pas interrompre le perfectionnement de l'esprit, ni le tenter avec l'amour des biens du monde. Il doit poursuivre un autre chemin, d'autres fins, d'autres idéaux. (279, 16-19)

Avertissement aux peuples et aux puissants de la Terre

111. Malheur à l'humanité, si la miséricorde et la charité ne parviennent pas à surgir en son cœur! Malheur aux hommes s'ils ne parviennent pas à une complète connaissance de leurs mauvaises actions! Leur propre main est en train de déchaîner, sur eux-mêmes, la fureur des éléments et d'essayer de renverser le calice de la douleur et de l'amertume sur les nations. Et quand ils recueilleront le résultat de leur œuvre, il s'en trouvera encore pour s'exclamer: « C'est le châtiment de Dieu ». (57, 82)

112. Malheur aux peuples qui s'entêtent dans leur idolâtrie, leur fanatisme et leur routine! Ils ne pourront contempler ma lumière et n'éprouveront pas la joie infinie du réveil de l'esprit.

113. Ma Doctrine bouleversera certainement le monde, mais, quand la lutte aura cessé, sur la Terre on percevra la véritable paix, celle qui vient de mon Esprit. Les seuls qui continueront de souffrir sont les sots, les rétifs d'entendement et ceux au cœur dur. (272, 12-13)

114. Je me fais ressentir dans le cœur dur des hommes, de ceux qui fomentent les guerres, afin qu'ils reconnaissent que ma volonté est plus forte que leurs intentions belliqueuses. Si le cœur de ces hommes est dur et ne s'émeut pas devant ma volonté, ma justice se fera sentir dans tout l'Univers! (340, 33)

115. A nouveau, comme aux temps de Noé, les hommes se moqueront des prophéties ce n'est que lorsqu'ils sentiront les eaux couvrir déjà leurs corps, qu'ils commenceront à croire et à se repentir.

116. Ma charité s'est toujours manifestée pour vous arrêter dans votre bêtise, mais jamais vous n'avez voulu M'écouter. Sodome et Gomorrhe aussi furent averties, pour les effrayer, qu'elles commencent à se repentir et éviter leur destruction, mais elles ne voulurent pas écouter ma voix et périrent.

117. J'invitai aussi Jérusalem à prier et à revenir vers le véritable culte; mais son cœur incrédule et charnel rejeta mon avertissement paternel et attendit que les faits lui révèlent la vérité. Que ces jours furent amers pour Jérusalem!

118. Vous rendez-vous compte qu'il est vrai que vous êtes toujours les mêmes, parce que vous n'avez pas voulu laisser votre enfance spirituelle

pour grandir et vous élever par la voie de la sagesse que contient ma parole?

119. A tous, Je vous envoie ce message, qui servira de prophétie, de réveil, d'alarme aux peuples et aux nations. Bienheureux si vous pouviez croire en son contenu!

120. Méditez quant à son essence, mais, ensuite, veillez et priez, parce que si vous agissez de la sorte, une lumière intérieure vous guidera et une force supérieure vous protègera jusqu'à vous mettre à l'abri. (325, 73-77)

Chapitre 62 – Paroles pour les auditeurs actuels

1. Disciples, retournez en vous-mêmes, écoutez-Moi et ressentez-Moi comme auparavant. Souvenez-vous lorsque vous confessâtes que cette parole constituait votre vie et la lumière de votre destin. N'oubliez pas qu'aujourd'hui Je vous dis que l'on vous donnera, ainsi à l'heure précise, ce dont vous avez besoin.

2. Rajoutez de l'huile à votre lampe pour que brille à nouveau la flemme de la foi et du savoir.

3. Ne vous endormez pas, veillez et priez, pour que le Maître puisse vous surprendre en pénétrant votre demeure comme jadis, comme en ces jours d'enthousiasme spirituel où, à chaque pas, vous sentiez ma présence.

4. Vous verrez à nouveau votre vie s'illuminait de cette lumière qui, sans vous en rendre compte, cessa de vous éclairer, et elle vous rendra la confiance en un avenir plein d'abondance et de sagesse. (4, 27-29)

5. Vous êtes nombreux à vous appeler spiritualistes, parce que vous ressentez la foi en ma présence par le biais de ma communication au travers de l'entendement humain, et parce que vous assistez fréquemment à l'écoute de ma parole. Néanmoins, Je souhaite que vous soyez des spiritualistes en raison de la pratique du bien, de la connaissance de l'essence de la vie, de votre amour pour vos semblables, de votre culte à Dieu au travers d'une existence élevée, féconde et vertueuse. (269, 55)

6. A certains, Je leur ai donné une origine humble dans ce monde, pour que, dans leur vie, ils imitent le Maître; d'autres ont reçu un riche foyer, pour qu'ils imitent aussi Jésus qui, bien qu'étant Roi, sut laisser son trône pour venir servir les pauvres, les malades et les pécheurs.

7. Il est aussi grand, le mérite de celui qui sait descendre de sa position pour se mettre au service de ses semblables, quels qu'ils soient, comme de celui qui, depuis sa vie humble et ignorée, s'élève jusqu'au niveau des justes, par le chemin de l'amour. (101, 55-56)

8. Vous me demandez pourquoi Je suis venu à vous? C'est parce que Je vois que vous avez oublié le chemin que vous devez emprunter pour retourner vers le sein d'où vous jaillîtes, et je viens pour vous le tracer une nouvelle fois.

9. Le chemin c'est ma Loi, et c'est par le biais de son accomplissement que l'esprit atteindra l'immortalité. Je vous montre la porte qui est aussi étroite que le chemin que Je vous indiquai grâce à mon enseignement, et je viens pour vous le tracer une nouvelle fois. (79, 2-3)

10. Vous qui M'écoutez, vous préparerez le chemin pour ceux qui vont Me recevoir en esprit. Ce ne fut pas le hasard qui mit en Ma présence, ceux qui reçurent mon enseignement, de même que ce ne sera pas le hasard qui développera les dons spirituels en ceux qui ressentiront ma présence, sans avoir besoin du porte-parole humain. (80, 4)

11. Je vous prédestine à étendre le bien sur la Terre, ce qui représente la véritable spiritualité.

12. Vous considérez-vous incapables ou petits? Vous jugez-vous impurs pour pouvoir charger votre esprit d'une mission de cette nature? C'est que vous ne connaissez ni ma sagesse ni ma miséricorde. C'est que vous vous n'observez pas, avec pureté, les exemples que Je vous livre, à chaque pas, par le biais de la Nature.

13. Ne voyez-vous pas comment les rayons, illuminant tout, parviennent jusqu'à la plus infecte mare pour l'élever dans les airs, la purifier et pour la convertir, finalement, en nuage qui devra passer au-dessus des champs, pour les féconder? (150, 51-53)

14. Ici, devant Ma présence, débarrassez votre esprit de toutes les impuretés et laissez-le libre. N'ayez crainte, parce que vous n'avez aucun secret pour moi, je vous connais mieux que vous-mêmes. Confessez-vous intimement à Moi, Je saurai vous comprendre mieux que personne et pourrai vous absoudre de causes et de dettes parce que Je suis l'unique à pouvoir vous juger.

15. Cependant, une fois que vous vous serez réconciliés avec votre Père et qu'en votre être vous écouterez l'hymne de triomphe qu'entonne votre esprit, asseyez-vous en paix, à ma table, mangez et buvez les délices de l'Esprit, qui se trouve dans l'essence de ma parole. (39, 71)

16. Beaucoup d'entre vous arrivent en pleurs, après avoir maudit la douleur. Je vous pardonne vos erreurs, en considérant qu'elles proviennent de votre ignorance.

17. Tranquillisez le cœur et déblayez l'entendement pour que vous compreniez ce que Je vais vous déclarer, petits enfants de la vie: quand vous sentez à nouveau que la douleur pénètre votre cœur, isolez-vous quelque moment de tout ce qui vous entoure et restez seuls. Là, dans l'intimité de votre chambre, conversez avec votre esprit, prenez votre douleur et analysez-la en profondeur comme lorsque vous prenez en main quelque objet afin de l'étudier.

18. Analysez ainsi votre peine, voyez d'où elle provient et pourquoi elle survint; écoutez la voix de votre conscience et, en vérité Je vous le dis, de cette méditation, vous extrairez un trésor de lumière pour votre cœur.

19. La lumière vous dira la forme d'éloigner la douleur et la paix vous donnera la force d'attendre que passe l'épreuve. (286, 26-28)

20. Vous continuerez de lutter pour être forts d'esprit et de matière, parce que si, jusqu'à maintenant, il existe des maladies parmi vous, c'est parce que vous n'avez pas su vous élever au-dessus de la misère et de la douleur de cette vie, par manque de spiritualité et de foi.

21. Ma Doctrine n'enseigne pas seulement à avoir foi dans le pouvoir de Dieu, mais à avoir la foi en vous-mêmes.

22. Aujourd'hui, vous dites: Dieu est en nous, mais vous le dites sans le sentir ni le comprendre, parce que votre matérialité vous empêche de sentir ma présence en votre être, mais quand la spiritualité fera partie de votre vie, alors vous saurez la vérité de ma présence en chaque homme. Ma voix résonnera dans les consciences, le juge intérieur sera écouté et la chaleur du Père sera ressentie. (265, 57)

23. Cet enseignement parvient jusqu'à votre cœur, où sont nées des intentions de correction et de nobles sentiments.

24. Si vous avez beaucoup souffert et pleuré pour parvenir à M'ouvrir les portes de votre cœur, en vérité Je vous le dis, celui qui a beaucoup souffert a aussi expié ses fautes et doit être pardonné. (9, 37-38)

25. Vous pleurez, peuple, parce que vous sentez l'amour du Maître en votre cœur repenti. On vous avait dit que chacun qui se présenterait devant le Père en portant, dans son esprit, une faute grave, ne serait pas pardonné et qu'il aurait à souffrir une condamnation éternelle.

26. Mais, comment avez-vous pu concevoir ma justice divine tellement monstrueuse? Ne vous rendîtes-vous pas compte que, au travers de Jésus, Je démontrai que les plus tendres de mes paroles et les plus doux de mes regards s'adressèrent à ceux qui avaient péché le plus? Comment pourrais-Je prêcher un enseignement dans le monde et exécuter le contraire dans l'éternité? (27, 41)

27. Réconfortez-vous dans vos moments amers et pénibles en pensant que ma Loi sage et parfaite juge tout.

28. J'ai fait partie de votre douleur pour que, par son entremise, vous Me recherchiez. Je vous ai touchés avec la pauvreté pour que vous appreniez à demander, à être humbles et à comprendre les autres.

29. J'en suis arrivé à retenir le pain quotidien, afin de vous montrer que celui qui a la foi est comme les oiseaux qui ne se préoccupent pas du lendemain; ils voient apparaître l'aube comme un symbole de ma présence et, à leur réveil, la première chose qu'ils font est d'élever leurs trilles comme une action de grâce et une preuve de foi. (5, 55-57)

30. Parfois, vous Me dites: « Seigneur, si je possédais tout, si je ne manquais de rien, je travaillerais à votre Œuvre spirituelle et ferais la charité ». Mais sachez que, en tant qu'hommes, vous êtes changeants et

que toutes les intentions que vous avez aujourd'hui, du moment où vous ne possédez rien, changeraient si Je vous concédais tout ce que vous désirez.

31. Seul l'amour de Dieu est immuable pour ses enfants.

32. Si Je vous concédais l'abondance, Je sais, d'avance que vous vous perdriez, parce que Je connais vos résolutions mais aussi vos faiblesses. (9, 55-57)

33. Quand Je vous ai dit d'écarter de vous les plaisirs, vous avez mal interprété ma parole, jusqu'à penser qu'il me plaît davantage de vous voir dans la souffrance que dans le bonheur, et vous êtes dans l'erreur.

34. Si Je suis votre Père, comment concevez-vous que Je puisse préférer vous voir pleurer plutôt que rire?

35. En vous disant de vous éloigner des plaisirs, Je me réfère uniquement à ceux qui sont malsains pour l'esprit ou nocifs pour votre matière. Mais Je vous conseille d'essayer toutes ces satisfactions saines pour l'esprit et pour le cœur qui soient à votre portée. (303, 27)

36. Je n'exigeai même pas que vous croyiez en Moi; quand vous arrivâtes, Je fus celui qui s'avança pour vous fournir des preuves en guérissant les maux de votre corps, pour donner la paix à votre esprit ou quoi que ce soit que vous croyiez hors d'atteinte.

37. Par la suite, quand vous avez cru en Moi et que vous vous êtes offerts, avec foi, pour l'accomplissement de ma Loi, J'ai indiqué à chacun sa mission, afin qu'il ne se trompe pas de chemin, pour qu'il ne prenne que ce qui lui corresponde et qu'il offre, à ses frères, la charité et l'amour, de la même manière que Je suis venu l'offrir parmi vous.

38. Croyez-vous, par hasard, que tous ceux qui enseignent sont maîtres? Croyez-vous que tous ceux qui se dénomment ministres de Dieu sont Mes envoyés, ou que Je leur aie donné la mission qu'ils sont en train de développer? Croyez-vous que tous ceux qui règnent, gouvernent et dirigent le monde possèdent les dons nécessaires pour mener à bien cette mission? Non, mon peuple! Qu'ils sont peu nombreux ceux qui exécutent vraiment la charge qui leur a été confiée. Pendant que certains usurpent un poste qui ne leur correspond pas, ceux qui devraient l'entreprendre se voient humiliés et mis à l'écart. (76, 36-37)

39. Ne pensez pas que Je me sente offensé si quelqu'un ne croit pas en ma présence dans le cadre de cette manifestation, parce que ma vérité n'est en rien affectée. Combien d'hommes ont-ils douté qu'existe un Etre Divin qui a créé toutes les merveilles de l'Univers! Et ce n'est pas pour cela que le soleil ait cessé de leur donner sa lumière! (88, 7)

40. Aujourd'hui, vous ouvrez les portes de votre cœur et de votre entendement à la lumière de mon

enseignement. Avec quelles œuvres venez-vous Me glorifier?

41. Tous vous vous taisez, esprit que dans la matière, devant Moi; vous courbez la nuque et vous vous humiliez; or aussi bien en, Je ne veux pas que mes enfants s'humilient devant Moi; Je veux qu'ils soient dignes de lever leur visage et de contempler le Mien, parce que Je ne viens pas en quête de domestiques, ni d'esclaves, Je ne viens pas en quête de créatures qui se sentent proscrites, bannies. Je viens à mes enfants que J'aime tant, pour qu'en entendant ma voix de Père, ils élèvent leur esprit par le chemin de son évolution spirituelle. (130, 39-40)

42. Disciples bien aimés, soyez jaloux de mon Œuvre, respectez mes commandements et, ainsi, vous rendrez témoignage de Moi. Marie, votre douce Mère, descend aussi jusqu'à vous et vous emplit de grâce, elle vous enseigne l'amour parfait et convertit votre cœur en une source de charité, pour que vous accomplissiez de grandes œuvres d'amour parmi vos frères et que vous connaissiez la vérité. Elle est ma collaboratrice et, à côté de ma parole de Maître et de Juge se trouve sa parole de Mère et de médiatrice. Aimez-La, peuple, et invoquez son nom. En vérité Je vous le dis, Marie veille pour vous et vous accompagne, pas seulement dans les jours d'épreuve, sinon éternellement. (60, 24)

43. Je vous ai appelé le « Peuple Marial », parce que vous savez aimer et reconnaître la Mère Divine et que vous arrivez à Elle comme le petit enfant qui a besoin de tendresse ou comme le pécheur en quête d'intercession.

44. La présence de Marie dans le monde est une preuve de mon amour pour les hommes; sa pureté est un miracle céleste qui vous a été révélé. De Moi, Elle descendit sur Terre pour se faire femme et c'est en son sein que germe la semence divine, le corps de Jésus, dans lequel s'exprimerait le Verbe. Elle vient se manifester à nouveau en ce temps. (5, 9-10)

45. Il est impérieux que le cœur humain connaisse, à fond, le précieux message que son Esprit apporta au monde, et qu'alors, connaissant toute la vérité, vous effaciez, de votre cœur, tout le culte idolâtre et fanatique que vous Lui avez consacré, et qu'en revanche, vous lui fassiez l'offrande de votre amour spirituel. (140, 43)

46. Quelques-uns M'interrogent: Seigneur, pourquoi ne permettez-vous pas que nous vous regardions comme ceux nos frères qui témoignent qu'ils vous contemplent?

47. Ah, cœurs faibles, qui avez besoin de voir pour croire! Quel mérite trouvez-vous de contempler Jésus humanisé dans une vision sous forme d'homme, quand votre esprit, grâce à l'amour, la foi et la sensibilité, peut Me ressentir infini et parfait en mon essence divine?

48. Vous agissez mal, en enviant ceux qui possèdent le don de regarder le spirituel limité par des formes ou des symboles, parce que ce qu'ils voient n'est pas précisément le divin, sinon une allégorie ou image qui leur parle du spirituel.

49. Soyez conformes avec vos dons et analysez les témoignages que vous recevez, en recherchant toujours le sens, la lumière, l'enseignement, la vérité. (173, 28-30)

50. N'adultérez jamais mes enseignements, montrez mon Œuvre comme un livre qui ne renferme que pureté et, lorsque vous aurez terminé de parcourir le chemin, Je vous recevrai. Je ne regarderai pas les taches dans votre esprit et vous donnerai mon baiser divin, lequel sera la plus grande récompense quand vous arriverez à la Terre Promise. Parce que Je vous ai donné, en ce temps, une poignée de graines afin que vous appreniez à semer en des terres fertiles et que, là, vous les fassiez se multiplier. (5, 27)

51. Jugez votre responsabilité, peuple aimé, pensez qu'un jour de perdu est un jour de retard pour l'arrivée de cette Bonne Nouvelle au cœur de vos frères, qu'une leçon que vous perdez est un pain de moins que vous pourrez offrir aux nécessiteux. (121, 40)

52. Vous connaissez déjà la saveur du fruit de l'arbre et Je vous préviens pour que, demain, vous ne vous laissiez pas surprendre par de faux prophètes; mais vous veillerez aussi sur vos frères, en leur enseignant à distinguer l'essence de ma Doctrine.

53. Il est écrit que, après mon départ, de faux prophètes apparaîtront et qu'ils arriveront en disant à mon peuple qu'ils sont mes envoyés et qu'ils viennent, en mon nom, pour continuer l'œuvre que J'ai réalisée parmi vous.

54. Malheur à vous si vous vous inclinez devant de faux prophètes et de faux maîtres, ou si vous mêlez, à ma Doctrine, des mots sans essence, parce qu'il en surgira une grande confusion! C'est pourquoi Je vous répète fréquemment: « Veillez et priez ». (112, 46-47)

55. Si vous ne vous préparez pas, des murmures vous parviendront aux oreilles, qui vous confondront et, plus tard, avec ces mêmes erreures, vous confondrez vos frères.

56. Je vous mets en état d'alerte pour que, une fois terminées ces communications, vous n'essayiez pas de les pratiquer à nouveau, parce que ce ne seront pas des esprits de lumière qui se manifesteront, sinon des êtres perturbés qui viendront pour souhaiter détruire ce que vous aviez construit auparavant.

57. En revanche, celui qui saura se préparer, celui qui, au lieu de vouloir gloire tentera de se rendre utile, celui qui au lieu d'anticiper des événements attendra patiemment, celui-là écoutera clairement mon enseignement qui arrivera à son esprit, grâce aux dons

qui existent en lui et qui sont ceux de l'inspiration, de l'intuition, du pressentiment par le biais de la prière, du regard spirituel et des rêves prophétiques. (7, 13-14)

58. Aujourd'hui, vous contemplez ces porte-parole qui vous parlent en état d'extase et, aussi grande que soit l'incrédulité de certains, vous pensez que ma manifestation, au travers de ces moyens, est possible; mais quand l'humanité contemplera mes disciples qui parleront, dans leur état normal, de révélations divines, elle doutera de ceux-là.

59. Au sein de votre propre congrégation se dresseront ceux qui douteront en vous écoutant parler avec mon inspiration et vous devrez être très bien préparés et faire preuve d'une grande limpidité spirituelle pour être crus. (316, 52-53)

60. Si, sur votre route, vous arriver à observer des hommes qui, par leurs actes ou leur manière de penser, démontrent un retard spirituel devant mes révélations, ne vous confondez pas, parce qu'il vous faut savoir que tous les êtres n'ont jamais marché sur le même rythme. Soyez confiants en ce que, dès à présent, Je laisse à leur intention les paroles qui les feront se réveiller lorsque le temps sera venu.

61. Ces paroles, que vous ne pouvez comprendre pour l'instant, sont précisément celles que ces hommes comprendront. (104, 42-43)

62. Grandissez et pratiquez sans fanatisme, élevez-vous et positionnez-vous sur un plan sur lequel vous puissiez enseigner à tous vos frères, sans distinction de credos ni de doctrines.

63. Ne vous arrêtez pas pour faire preuve de charité envers un nécessiteux parce qu'il pratique un culte retardataire (retardé) ou imparfait; au contraire, laissez votre action désintéressée conquérir son cœur.

64. Ne vous retirez pas du monde en groupes et ne limitez pas, en cela, votre champ d'activités, soyez une lumière pour tout esprit et un baume sur toute tristesse. (60, 27)

65. Si vos frères critiquent à voix basse pour avoir accouru à mon appel, faites la sourde oreille et taisez-vous, ce sont des innocents; mais si vous vous empariez de cette cause pour les juger, alors, malheur à vous, parce que vous avez déjà été illuminés par la lumière de votre conscience et que vous savez ce que vous faites. (141, 27)

66. Alors, mon peuple, ne prétendez pas que tous les hommes pensent ou qu'ils croient de la même manière que vous. Vous n'anathématiserez jamais l'humanité, vous ne prononcerez pas de sentence ou de condamnation envers celui qui vous dira qu'il n'accepte pas votre proposition, votre enseignement ou vos conseils. C'est avec le plus profond respect et avec la véritable charité spirituelle que vous

contemplerez tous vos frères et qu'ainsi, vous saurez que chacun, dans son culte, dans sa doctrine, sur son chemin, a atteint la place à laquelle sa capacité spirituelle lui a donné droit; et là, en ce point d'où vous contemplez l'humanité, c'est jusqu'où est parvenue son évolution. (330, 29)

67. Dès à présent, Je vous dis que vous n'êtes pas plus que d'autres, que la croyance que vous avez nourrie d'être un peuple d'êtres privilégiés est une erreur, parce que le Créateur, dans son amour parfait pour toutes ses créatures, n'en distingue aucune.

68. Je vous le dis, parce que, demain, vous aurez à enseigner à vos frères la Doctrine que Je vous apporte en ce temps, et Je ne veux pas que vous apparaissiez, face à ces derniers, comme des êtres supérieurs, ni que ces mérites vous rendent dignes d'être les seuls et uniques à pouvoir écouter ma parole.

69. Vous serez des frères compréhensifs, humbles, simples, nobles et charitables.

70. Vous serez forts, mais pas arrogants, pour ne pas humilier les faibles. Si vous possédez de grandes connaissances quant à ma Doctrine, ne vous vantez jamais de votre savoir pour que vos frères ne se sentent pas rapetissés à côté de vous. (75, 17-19)

71. Ici même, parmi mes cultivateurs, combien sont-ils qui, sans avoir compris ma Doctrine, en se sachant dotés, se sont crus supérieurs, dignes d'admiration et d'hommages, ce à quoi Je vous demande si vous pouvez accepter qu'un esprit élevé vienne à s'enorgueillir de ses dons, vu que l'humilité et la charité sont les principaux attributs dont il doit faire preuve. (98, 15)

72. Souvenez-vous ce que Je vous ai dis une fois: Je ne vous ai pas créé pour être comme des plantes parasites. Je ne veux pas que vous vous conformiez à ne faire de mal à personne; Je veux que vous gagniez votre satisfaction pour avoir bien œuvré. Celui qui ne fait pas le bien, alors qu'il le pourrait, fait davantage de mal que celui qui, ne sachant accomplir de bonnes actions, se limita à faire le mal, parce que c'est la seule chose qu'il pouvait donner. (153, 71)

73. Oh, mes enfants très aimés, qui pleurez comme des brebis égarées, en appelant, d'une voix angoissée, votre Pasteur! Quand vous fermez vos yeux à la réalité qui vous entoure, vous arrivez à penser que c'est Moi la cause de tous vos malheurs sur la Terre; les autres, vous croyez que vos vicissitudes me sont indifférentes.

74. Que vous êtes ingrats pour penser ainsi de votre Père, et que vous êtes injustes lorsque vous valorisez ma justice parfaite!

75. Pensez-vous que Je ne vous écoute pas quand vous dites que vous ne vous alimentez que d'amertume, que le monde que vous habitez est un monde sans bonheur et que

l'existence que vous menez n'a aucune raison d'être?

76. Vous ne me sentez seulement que lorsque vous croyez que Je vous punis, que Je vous nie toute miséricorde et vous oubliez la tendresse et la bonté de votre Père; vous vous plaignez de votre vie au lieu de bénir ses bienfaits.

77. Il faut dire que vous fermez vos yeux à la vérité et que vous ne contemplez qu'amertume et larmes à votre alentour, allant jusqu'à vous désespérer parce que vous pensez que tout cela demeurera sans récompense.

78. Que votre vie serait distincte si, au lieu de non-conformité, de cette incompréhension, votre première pensée, chaque jour, serait de bénir votre Père, et vos premiers mots, pour remercier de tant de bienfaits que vous offre son amour!

79. Mais, vous ne savez déjà plus ressentir ces vertus, parce que la chair a troublé votre esprit et que vous avez oublié mon enseignement; c'est pourquoi Je viens vous parler de ces sentiments que vous avez éloignés de votre cœur. (11, 4-9)

80. Vous avez péché, commis l'adultère, commis des délits, et maintenant que vous vous trouvez face à la vérité de ma parole, qui vous indique vos erreurs, vous oubliez vos fautes et croyez que votre Seigneur est injuste quand Il vous parle d'épreuves et de restitution. (17, 33)

81. Vous avez été très éprouvés, mes très chers disciples, parce que chaque épreuve renferme un mystère pour vous; vous ne savez pas si c'est pour vous fortifier dans la lutte, pour vous révéler quelque chose que vous ne savez pas, ou pour expier quelque faute; mais, ne reculez jamais devant les épreuves, parce qu'elles ne sont pas envoyées à cette fin et elles ne sont pas supérieures à vos forces morales ou spirituelles. (47, 26)

82. Pourquoi beaucoup d'entre vous craignez que J'aie écrit votre destin avec des épreuves, des souffrances, des châtiments ou des malheurs? Comment pouvez-vous concevoir que Celui qui vous aime avec perfection, vous présente un chemin de broussailles? En vérité Je vous le dis, le chemin hasardeux et parsemé de vicissitudes est celui que vous empruntez de votre propre gré, croyant qu'en lui vous trouverez les plaisirs, la liberté, le bonheur, sans comprendre que c'est précisément sur le chemin qui vous est destiné, et duquel vous vous écartez, que se trouve la véritable paix, la sécurité, la force et la santé, le bien-être et l'abondance.

83. Ce chemin, que Je viens vous offrir avec ma Doctrine, est celui qui est destiné à votre esprit depuis votre formation, afin que, l'empruntant, vous parveniez à trouver ce que vous désirez ardemment. (283, 10-11)

84. Vous jugez superficiellement, comme si vous étiez des enfants, en ignorant que les épreuves qui vous frappent sont vos œuvres. Ainsi,

quand elles se déchaînent sur vous, vous désirez qu'elles s'éloignent, que les desseins soient changés pour ne pas souffrir, pour cesser de boire jusqu'à la lie, le calice amer.

85. Il faut dire que vous ne pouvez entrer dans la réalité avec votre regard spirituel, pour comprendre que tout ce que vous recueillez est ce que vous avez semé et que toute douleur vous touche parce que vous l'avez attirée.

86. Non! Vous n'avez pas su pénétrer la vérité et c'est pour cela que, lorsque la douleur brise votre cœur, vous vous croyez les victimes d'une injustice divine, et Moi je vous dis qu'en Dieu il ne peut exister la moindre injustice.

87. L'amour de Dieu est inaltérable, immuable et éternel. C'est pourquoi ceux qui croient que l'Esprit Divin puisse se voir possédé par l'ire, la fureur et la colère, commettent une grave erreur; ces faiblesses ne sont concevables que chez les êtres humains lorsque leur manque l'élévation de l'esprit et le contrôle de leurs passions.

88. Vous Me dites parfois: « Seigneur, pourquoi devons-nous payer les conséquences d'actes qui ne sont pas les nôtres, et pourquoi devons-nous venir pour recueillir le fruit amer que d'autres ont cultivé? Ce à quoi Je vous réponds que vous n'en savez rien, parce que vous ignorez, tout ce que vous avez été auparavant et quelles ont été vos œuvres. (290, 9-12)

89. Peuple aimé, votre cœur s'emplit de satisfaction en pensant que vous êtes mes disciples en ce Troisième Temps; mais Je vous dis de ne jamais laisser que la vanité vous aveugle, parce que si vous sombriez dans cette faiblesse, votre conscience cesserait d'entendre et elle en arriverait à se plaindre de vos fautes. Celui qui ne commence pas à épurer et à élever sa vie humaine ne peut aspirer à s'élever spirituellement, parce que ses pas s'égareront et ses actes n'auront pas la semence de vérité.

90. Pour cela, observez que, parfois, lors de mes leçons, Je vous passe l'enseignement spirituel, renforcé par des conseils, pour que vous vous comportiez avec droiture dans le cadre de la vie humaine. Je m'adresse au cœur de l'homme, l'exhortant à la régénération, en lui faisant comprendre le dommage que causent les vices sur le corps physique et le mal qu'ils occasionnent à l'esprit.

91. Je vous ai dit que l'homme qui se laisse dominer par un vice a oublié que l'esprit ne doit pas être vaincu, il a oublié que la véritable force consiste à détruire le mal par la vertu.

92. Cet homme, vaincu par la chair, s'est dénigré lui-même, il s'est manqué de respect, il est descendu de sa condition élevée d'homme à celle d'un pauvre être lâche pour lutter.

93. Cet homme, au lieu d'apporter la lumière, le pain et le vin à son foyer, apporte ombres, douleur et mort; il alourdit sa croix, celle de son épouse et celle de ses enfants et

paralyse la journée spirituelle de ceux qui l'entourent. (312, 32-35)

94. Comprenez que chacun de vous qui s'écarte d'un mauvais chemin fera en sorte que le pouvoir du mal perde une partie de sa force, que votre vie, si elle est droite dans ses actes, paroles et pensées, laissera une bonne semence sur son passage; que vos conseils, s'ils jaillissent d'un cœur préparé, auront la force de réaliser des prodiges et que la prière, si elle naît d'une pensée de pitié et d'amour, constituera un message de lumière pour celui pour lequel vous demandez. (108, 16)

95. Ici, devant Moi, vous vous lavez de toute tache. Ah, si vous pouviez conserver cette limpidité tout au long de votre vie! Mais, cette atmosphère de spiritualité et de fraternité que vous formez, en ces heures de communion et d'enseignement, ne règne pas dans le monde; l'air que vous respirez est envenimé par le péché.

96. Cependant, vous avez senti qu'à mesure que vous assimilez ma Doctrine, la chaîne qui vous attachait au monde tombe de vous, maillon après maillon. (56, 26-27)

97. Vivez toujours sur vos gardes parce que, sur votre chemin, il y en aura qui vous diront qu'ils sont avec Moi, mais ne les croyez pas au premier abord, croyez en fonction de ce qu'ils manifestent en humilité, en sagesse et en amour.

98. D'autres vous diront qu'ils sont en communion avec Moi, eux-mêmes étant les premiers trompés, c'est pourquoi vous devrez toujours veiller sur la mission que vous avez et sur le poste que vous occupez; vous avez besoin de voir, d'écouter et aussi de beaucoup pardonner. (12, 55-56)

99. Soyez actifs, ne vous endormez pas! Ou voulez-vous attendre que les persécutions vous surprennent dans votre sommeil? Souhaitez-vous tomber encore une fois dans l'idolâtrie? Attendez-vous que des doctrines étranges viennent s'imposer par la force et par la crainte?

100. Soyez en alerte parce que c'est par l'Orient que surgiront de faux prophètes qui confondront les peuples; unissez-vous afin que votre voix résonne sur tout le globe et sonnez, à temps, l'alerte pour l'humanité. (61, 25)

101. De grandes épreuves attendent l'humanité. Devant chaque douleur et chaque catastrophe, veillez et priez. De nombreuses douleurs seront atténuées, d'autres ne se produiront pas parce qu'elles seront arrêtées, en leur chemin, par ceux qui prient.

102. Quand les pratiquants d'autres religions et sectes contempleront que les multitudes accourront en quête de ce peuple, de ces religions émergeront ceux qui vous persécuteront. Mais, n'ayez crainte, parce que si vous saurez rester sereins, le Saint-Esprit déposera des paroles de lumière sur

vos lèvres qui rendront muets ceux qui vous calomnient.

103. Je ne vous laisse pas l'épée homicide pour vous défendre, mais bien l'épée d'amour; chacun de ses éclairs de lumière sera une vertu qui en jaillira.

104. Quelle grâce trouverez-vous devant le Père, si vous inclinez les multitudes des persécuteurs de mon Œuvre, avec vos paroles, et si vous les présentez converties grâce à vos actes d'amour!

105. Ceci constitue la leçon que Je vous enseignai au Second Temps, et que vous aviez déjà oubliée.

106. L'intelligence humaine souffrait de troubles en essayant de comprendre la doctrine Spiritualiste Trinitaire Marianne, parce que l'homme matérialisé est maladroit face au spirituel. (55, 58-63)

107. Combien ont laissé, à ma table, les mets que Je leur offris avec tant d'amour, sans même y avoir touché! Quand revivront-ils un temps de complaisances, comme celui présent, où ils eurent la chance de venir sur la Terre pour écouter ma parole?

108. Ils sont des roches endurcies qui ont besoin des tempêtes et du temps pour se ramollir. Leur héritage leur sera retenu, tant qu'ils ne sauront pas en prendre soin et le valoriser, mais il retournera en leur pouvoir, parce que Je vous ai dit que ce que le Père donne à ses enfants, jamais Il ne leur reprend, mais seulement le leur retient. (48, 8)

109. Quelques-uns de vous seront convertis et préparés avec ma Doctrine, pour aller à la recherche de ceux qui se sont perdus dans les déserts, parce que c'est ainsi que Je contemple la vie humaine, comme un désert. Il y en a qui se sentent seuls au milieu de millions d'esprits, et qui meurent de soif sans qu'il se trouve quelqu'un pour leur offrir un peu d'eau. C'est là que J'enverrai mes nouveaux apôtres.

110. Je souhaite que mon nom soit à nouveau prononcé avec amour par les uns et soit écouté avec émotion par les autres; Je souhaite qu'il soit connu de ceux qui l'ignorent. Il y a des hommes, des personnes âgées, des femmes et des enfants qui ne savent absolument rien de mon existence. Je souhaite que tous me connaissent et sachent qu'en Moi, ils ont le plus aimant des Pères, que tous M'écoutent et M'aiment. (50, 3)

111. Ma parole a heurté votre égoïsme, c'est pourquoi Je vous ai dit que ce que Je vous livre est destiné à ce que vous le fassiez connaître de vos frères, mais vous-autres ne souhaitez que vous réjouir de mes manifestations, sans contracter d'obligations envers les autres.

112. Cependant, le Maître ne vous a pas appelé pour vous enseigner de leçons inutiles, il est venu vous dire d'apprendre cette divine leçon afin que, plus tard, vous en tiriez parti dans votre vie en la mettant en pratique avec vos semblables.

113. En cet instant, Je vous révèle que votre esprit a une dette arriérée envers tout ceux qui vous arrivent avec une souffrance, un besoin ou une pétition. Voyez avec quel amour Je les mets sur votre route afin que vous accomplissiez votre restitution en les faisant les objets de votre charité. (76, 20)

114. Exécutez-vous, pour ne plus devoir revenir sur la Terre dans les temps de souffrance, pour recueillir le fruit de vos fautes ou celui de votre égoïsme. Menez à bien votre mission, et alors, oui, vous reviendrez, mais ce sera en temps de paix, pour vous réjouir en cultivant les semailles que vous laissâtes semées. Maintenant, Moïse ne sera plus à votre tête pour vous sauver, comme il le fut au Premier Temps, mais ce sera votre conscience qui vous guidera. (13, 17)

115. Ici se trouvent beaucoup de ceux qui, en d'autres temps, furent docteurs de la Loi ou scientifiques; à présent, ils viennent avec l'intelligence éveillée pour le savoir spirituel, convaincus qu'ils ne trouveront pas la suprême vérité dans le savoir humain limité.

116. Ici se trouvent ceux qui, en d'autres époques, furent puissants et riches sur la Terre, qui sont venus maintenant pour connaître la pauvreté et l'humilité, Je les bénis pour leur conformité et pour leur ardent désir de perfectionnement. Vous avez, là, une preuve de ma justice d'amour qui consiste en les faisant revenir sur la Terre pour leur montrer une page de plus du livre de la sagesse éternelle. (96, 16-17)

117. Le monde vous offre de nombreux plaisirs, les uns concédés par Moi et les autres créés par l'homme. A présent vous avez vu que vous n'avez pu les obtenir, ce qui a provoqué une non-conformité chez certains et de la tristesse pour d'autres.

118. Je dois vous dire qu'il n'est pas concédé à beaucoup, en ce temps, de s'endormir ou de se perdre dans les plaisirs et les satisfactions de la matière, parce que leur mission est autre et très différente.

119. En vérité Je vous le dis, il n'existe un seul esprit dans l'humanité qui n'ait connu tous les plaisirs et qui ait mangé tous les fruits. Votre esprit vint, aujourd'hui, pour jouir de la liberté de M'aimer et non pour être à nouveau esclave du monde, de l'or, de la luxure ou de l'idolâtrie. (84, 47)

120. Voyez les hommes, les peuples, les nations, voyez comme ils donnent leur vie pour un idéal; ils se consument sur le bûcher de leurs luttes, en rêvant des gloires du monde, des possessions, du pouvoir et meurent pour la gloire passagère de la Terre.

121. Quant à vous, qui commencez à enflammer, en votre esprit, un idéal divin qui a pour objectif la conquête d'une gloire qui sera éternelle, n'offrirez-vous pas, si ce n'est votre

vie, au moins une partie, pour accomplir vos devoirs de frères?

122. Une bataille invisible est en train de se déchaîner sur vous, que seuls peuvent voir ceux qui sont préparés: Tout le mal qui naît des hommes, en pensées, en paroles et en actions; tout le péché de siècles, tous les êtres humains et spirituels qui se sont troublés; toutes les confusions, les injustices, le fanatisme religieux et l'idolâtrie des hommes, les sottes ambitions et la fausseté, se sont unis en une force qui arrache, envahit et pénètre tout, pour se diriger contre Moi. Voilà le pouvoir qui s'oppose au Christ! Grandes sont ses troupes et fortes sont ses armes, mais elles ne sont pas fortes à Mes yeux, sinon aux yeux des hommes!

123. Celles-là, Je leur livrerai la bataille avec l'épée de ma justice et Je serai au cœur de la lutte avec mes armées, desquelles Je souhaite que vous fassiez partie.

124. Pendant que cette bataille agite les hommes qui vont en quête des plaisirs, vous-autres, à qui J'ai confié la faculté de percevoir ce qui vibre dans l'Au-Delà, veillez et priez pour vos frères, parce que, de cette manière, vous veillerez sur vous-mêmes.

125. Le Christ, le prince guerrier, a déjà levé son épée; il est impérieux qu'à l'instar d'une faucille, elle déracine le mal et que, grâce à ses éclairs, elle fasse la lumière dans l'Univers.

126. Malheur au monde et à vous-mêmes si vos lèvres se taisent! Vous êtes la semence spirituelle de Jacob et c'est à lui que Je promis que les nations de la Terre, en vous, seraient sauvées et bénies. Je veux vous unir comme une seule famille, pour que vous soyez forts. (84, 55-57)

127. Je sais que de grandes œuvres se sont réalisées au sein de ce peuple, mais laissez que Moi je le sache, même si vos noms sont ignorés dans le monde.

128. Je suis le seul à connaître le véritable mérite ou la vraie valeur de vos œuvres parce que ni vous-mêmes ne pourrez les jugez; une petite action vous paraîtra parfois très grande, quant à d'autres, vous ne vous rendrez même pas compte que leur mérite arriva jusqu'à Moi. (106, 49-50)

129. Quand sortirez-vous de votre retraite et de votre obscurité, foules qui M'avez écouté? Etes-vous peut-être en train de retarder délibérément votre préparation, par crainte de la lutte? En vérité Je vous le dis, seul celui qui ne s'est pas préparé, craindra, parce que celui qui connaît ma parole et aime son Seigneur et ses semblables n'a aucune crainte à avoir et, au lieu de fuir l'humanité, va à elle pour faire partager ce qu'il a reçu; après avoir analysé et étudié mes leçons, il les met en pratique. (107, 41)

130. Ce message contient de la lumière pour toutes les religions, pour toutes les sectes et croyances et pour les différentes formes de

comportement des hommes. Néanmoins, qu'avez-vous fait de ma parole, disciples? Est-ce ainsi que vous laissez l'arbre fleurir? Laissez-le donner des fleurs, parce qu'elles seront les annonciatrices des fruits qui suivront.

131. Pourquoi cachez-vous ces messages et ne donnez-vous pas, au monde, la surprise de cette nouvelle ère, avec la Bonne Nouvelle? Pourquoi n'osez-vous pas dire au monde que la voix du Christ vibre parmi vous? Parlez et témoignez de mon enseignement par le biais de vos actes d'amour, parce que si quelques-uns feront la sourde oreille pour ne pas vous écouter, d'autres seront tout ouïe, et votre voix leur sera aussi douce et harmonieuse que le chant du rossignol. (114, 46)

132. L'humanité attend mes nouveaux disciples, mais si vous, mes cultivateurs, par crainte du jugement du monde, vous abandonnez la semence et les outils, qu'en sera-t-il de cette humanité? Ne vous êtes-vous pas rendu compte de la responsabilité de votre mission?

133. Votre conscience ne vous trompe jamais et elle vous dira toujours si vous avez accompli votre tâche; cette inquiétude que vous expérimentez est un signe que vous n'avez pas observé mes préceptes. (133, 10)

134. Parfois vous vous plaignez de ce que le nombre des adeptes de ma parole augmente lentement mais, laissez-Moi vous dire que c'est de vous-mêmes que vous devez vous plaindre, parce que c'est vous qui avez comme mission de faire croître et de multiplier les multitudes qui constituent ce peuple. Mais si la foi fait défaut dans votre cœur, si vos dons manquent de développement, si la lumière des connaissances spirituelles manque dans votre entendement, de quelle manière allez-vous émouvoir ce peuple avec votre foi et votre amour, si ces vertus ne sont pas développées dans le cœur?

135. Celui qui ne comprend pas, ne pourra pas faire comprendre; celui qui ne ressent pas, ne pourra pas faire ressentir. Sachez, à présent, pourquoi vos lèvres ont tremblé et titubé lorsque vous avez eu besoin de témoigner de ma parole.

136. Celui qui aime ne peut vaciller, celui qui croit n'a pas peur; celui qui ressent a de nombreuses formes de prouver sa sincérité et sa vérité. (172, 24-26)

137. Aujourd'hui, vous voulez expliquer pourquoi vous êtes Israël, et vous n'avez pas d'arguments; vous voulez expliquer pourquoi vous êtes spiritualistes et les mots vous font défaut; vous tentez de démontrer quels sont vos dons et vous manquez de raisons et de développement spirituel pour les manifester; mais, lorsque votre élévation parviendra à être vraie, alors vous viendront les paroles nécessaires, puisque c'est par vos œuvres d'amour que vous expliquerez qui vous êtes, qui vous a

endoctriné et où vous vous dirigez. (72, 27)

138. C'est à vous que Je m'adresse: Qu'attendez-vous pour répandre la Bonne Nouvelle? Ou peut-être prétendez-vous aller prophétiser sur des ruines? Je vous dis et vous révèle tout afin que vous ayez toujours une réponse sage à toute question que vous poseront vos frères. Notez que vous serez combattus avec de grands arguments qui empliront de frayeur celui qui n'est pas préparé.

139. Gravez ma parole et n'oubliez pas les grands prodiges que Je vous ai concédés pour que chacun d'entre vous soit un témoin vivant de ma vérité; alors, celui qui vous analysera en profondeur et qui taquinera ma parole se rendra compte qu'elle ne contredit en rien, tout ce que je vous dis et prophétisai dans les temps passés.

140. La lutte sera grande, au point que certains, bien qu'ayant été mes disciples, prendront peur et me renieront en prétendant que jamais ils ne m'écoutèrent.

141. Ceux qui sauront être fidèles à mes ordres et qui sauront faire face à la lutte, Je les couvrirai d'un manteau sous lequel ils se défendront et sortiront indemnes de tout moment pénible.

142. Pour celui qui sème mal cette graine ou qui profane la pureté de cette Œuvre, ce sera le jugement, la persécution des hommes et l'inquiétude à toute heure. Il est indispensable que chacun connaisse l'arbre qu'il a cultivé par la saveur de son fruit.

143. J'ai de grands miracles en réserve pour le temps de la lutte spirituelle de mon peuple; des prodiges et des œuvres qui stupéfieront les savants et les scientifiques; jamais Je ne vous abandonnerai à vos propres forces! N'allez pas vous offusquer quand l'humanité se moquera de vous; n'oubliez pas qu'au Second Temps, les foules se moquèrent de votre Maître! (63, 42-44)

144. En vérité Je vous le dis, le monde est contre vous et c'est pour cela que Je vous prépare, afin que vous sachiez défendre la cause de votre foi, avec les armes d'amour et de charité. Je vous affirme que vous triompherez, même lorsque votre victoire ne sera pas connue.

145. Maintenant, votre sacrifice ne sera pas un sacrifice de sang, mais vous connaîtrez la calamité et le mépris. Cependant, le Maître sera là pour vous défendre et vous réconforter, parce qu'aucun disciple ne sera seul. (148, 17)

146. Peuple, ne vous familiarisez plus avec la perversité! Combattez-la sans faire étalage de pureté, ne vous scandalisez pas non plus devant les fautes de vos frères. Soyez discrets, judicieux et opportuns dans votre langage et dans vos actes, et le monde vous entendra et prêtera attention à vos enseignements. Sera-t-il impérieux que Je vous répète qu'avant

de diffuser (délivrer) cette Doctrine, il faut que vous la viviez? (89, 66)

147. Il est impérieux que mon peuple surgisse d'entre les nations en donnant l'exemple de fraternité, d'harmonie, de charité et de compréhension, comme d'un soldat de paix au milieu de ceux qui considèrent à nouveau les enseignements divins pour se quereller, pour se blesser et pour s'ôter la vie. (131, 58)

148. Concluez pour comprendre que vous aimez tous un même Dieu et ne vous disputez pour la différence de forme par laquelle les uns et les autres ont manifesté cet amour.

149. Il est impérieux que vous arriviez à comprendre qu'il y a des êtres en lesquels les croyances, les traditions et les coutumes se sont tellement enracinées qu'il ne sera pas facile de les arracher lors de votre premier endoctrinement. Soyez patients et vous y réussirez au fil des années. (141, 9)

150. A la fin de l'année 1950, l'inquiétude et le doute s'installeront dans bon nombre d'entre vous.

151. Pourquoi certains, qui jouissent d'une plus grande intelligence que ceux qui croient en ma communication, doutent-ils de mes manifestations? Parce que ce n'est ni la connaissance humaine ni l'intelligence qui peut juger ma vérité, et quand l'homme le comprend ainsi, il se laisse envahir par une crainte

envers tout ce qui est nouveau, envers tout ce qu'il juge inconnu, pour le rejeter inconsciemment.

152. Et vous, les faibles, les non-préparés, ceux qui ne pouvez arriver à la hauteur des hommes reconnus pour leur intelligence, vous êtes ceux qui croyez, ceux qui avez la foi et qui savez vous plonger dans les mystères du spirituel. Pourquoi? Parce que c'est l'esprit qui révèle la vie éternelle et ses merveilles à l'intelligence.

153. L'intelligence humaine représente une force, avec laquelle vous allez entabler la lutte, parce que c'est par son entremise que l'homme s'est forgé des idées et des concepts du spirituel, lesquels ne lui ont pas été révélés par l'esprit.

154. Pour cette lutte, vous serez forts, avec une force qui proviendra aussi de l'esprit. Votre force ne reposera jamais sur votre matière, ni sur le pouvoir de l'argent, ni sur des appuis terrestres; seule votre foi en la vérité, que vous portez en vous, vous fera vaincre dans le conflit. (249, 44-46)

155. N'ayez crainte si on vous appelle confondus; tendez la main à tous. Pensez que cette Œuvre, qui est vraie pour vous, pourra paraître fausse à d'autres, parce que selon eux, elle manquera de la consécration qu'ont obtenue les religions pour être reconnues.

156. Si vous avez la foi en Moi, si vous croyez que Je me manifeste dans la parole de ces porte-paroles, ne craignez pas le jugement de vos

frères, parce que ma Doctrine est tellement éloquente et mon message renferme tant de vérités, que si vous savez bien utiliser ces armes, vous pourrez difficilement sortir vaincus.

157. Personne ne pourra vous reprocher de chercher ardemment la vérité, ce qui est parfait. Vous avez tous un droit sacré et c'est pour cela que vous avez été dotés de liberté pour chercher la lumière. (297, 51-53)

158. Lorsque vous commencerez à accomplir votre mission et que vous arriverez devant les nations, aux endroits les plus isolés, dans la propre forêt, vous rencontrerez des êtres humains et leur ferez comprendre que vous êtes tous des frères, vous leur rendrez le témoignage de ma Doctrine Spiritualiste et vous vous émerveillerez des preuves d'amour que Je vous offrirai.

159. C'est là, parmi ces êtres isolés de la civilisation, mais aussi très éloignés de la perversité humaine, que vous trouverez de grand esprits qui viendront gonfler les rangs du peuple d'Israël.

160. A votre passage, les malades recevront le baume et guériront; les tristes pleureront pour la dernière fois, mais leurs larmes seront des larmes de réjouissance.

161. Et, devant ces preuves que vous donnerez, les multitudes béniront le Seigneur et ses disciples, vous serez acclamés comme au jour où votre Maître entra dans Jérusalem.

162. Mais, d'entre ceux qui vous acclameront, des hommes et des femmes se dresseront, qui regorgeront des dons que vous possédez. En certains, leur don de prophétie vous stupéfiera; en d'autres, mon Verbe jaillira comme l'eau cristalline et, c'est ainsi que vous verrez surgir parmi vos frères, comme une semence inépuisable, les dons du Saint-Esprit. (311, 38-40)

163. Peuple, la paix apparente s'est faite entre les nations, mais vous, ne claironnez pas que la paix est arrivée. Fermez la bouche. La véritable paix ne pourra pas se construire sur des fondations de crainte ou de convenances matérielles. La paix doit naître de l'amour, de la fraternité.

164. Les hommes sont en train de construire sur du sable et non sur de la roche, et lorsque les vagues s'agiteront à nouveau, elles fouetteront ces murs et tout l'édifice s'effondrera. (141, 70-71)

165. Depuis le Premier Temps, Je vous ai parlé par le biais de mes prophètes pour vous guider, mais non pour vous obliger à observer ma Loi.

166. Cependant, le temps s'est écoulé et l'esprit humain a évolué, il est arrivé à maturité et peut déjà comprendre sa mission en tant qu'esprit. L'humanité, qui se trouve tellement proche de l'abîme, de la perdition, a besoin de votre aide spirituelle.

167. Cette lutte, l'ultime lutte, la plus terrible et la plus formidable entre l'obscurité et la lumière. Tous les esprits dans les ténèbres s'unissent

et tous les esprits de lumière doivent faire front contre ce pouvoir.

168. Vous qui M'avez écouté, qui êtes porteurs de la lumière du Saint-Esprit, réveillez-vous, ne perdez déjà plus de temps en plaisirs matériels, en ambitions temporelles. Luttez pour l'humanité. Luttez pour l'avènement du Royaume du Père à ce monde. C'est la mission que Je confie au plus humble jusqu'au plus préparé.

169. Le Monde Spirituel est avec vous et, au-dessus de tous, est le Père, regorgeant d'amour et de miséricorde. Le Père qui, avec une infinie douleur, voit la souffrance que les propres hommes se causent les uns aux autres.

170. C'est cela, la lutte de la lumière contre les ténèbres, et chacun de vous doit lutter jusqu'à obtenir la victoire. (358, 20-23)

Chapitre 63 – Enseignements pour les congrégations et tous les disciples du Christ

L'œuvre spiritualiste du Christ

1. Réjouissez-vous de ma présence, peuple aimé, faites la fête dans votre cœur, vibrez de joie, parce qu'enfin vous avez vu la venue ce jour du Seigneur.

2. Vous aviez peur qu'arrive ce jour, parce que vous pensiez encore comme les anciens, vous croyiez que le cœur de votre Père était vindicatif, qu'il gardait de la rancœur pour les offenses reçues et que, pour autant, il apporterait la faucille, le fouet et le calice d'amertume, qu'Il avait préparés, pour exercer une vengeance sur ceux qui L'avaient offensé tant et tant de fois.

3. Mais votre surprise a été grande de vérifier que dans l'Esprit de Dieu, il ne peut exister de colère, ni de fureur, ni de haine, et que si le monde sanglote et se lamente comme jamais, ce n'est pas dû à ce que son Père lui ait fait manger de ce fruit, ni boire de ce calice, sinon qu'il s'agit de la récolte que l'humanité est en train de recueillir pour ses actes.

4. Il est certain que toutes les calamités qui se sont déchaînées, en ce temps, vous furent annoncées; mais pas le fait qu'elles vous ont été annoncées, vous pensez que votre Seigneur vous les apporta comme un châtiment; c'est tout le contraire, en tous temps, Je vous ai prévenus contre le mal, contre les tentations, et vous ai aidé à vous relever de vos chutes. De plus, J'ai mis à votre portée tous les moyens qui vous sont nécessaires pour que vous puissiez vous sauver; cependant vous devez aussi reconnaître que vous vous êtes toujours montrés sourds et incrédules à mes appels. (160, 40-41)

5. Malheur à ceux qui, en ce temps, ne luttent pas pour allumer leur lampe, parce qu'ils se perdront! Et voilà que, bien que ce temps soit celui de la lumière, les ombres règnent partout.

6. Vous savez, par ma parole, que Je choisis cette nation (*Mexique*) pour me manifester en ma troisième venue, mais quant au pourquoi, vous l'ignorez; le Maître a constitué un mystère pour vous. Lui, ne souhaite pas avoir de secrets pour ses disciples; il vient vous révéler tout ce que vous devez savoir, afin que vous répondiez, avec certitude, à ceux qui vous interrogent.

7. J'ai vu que les habitants de ce coin de la Terre M'ont toujours cherché et M'ont toujours aimé, et bien que leur culte n'ait pas toujours été parfait, J'ai reçu leur intention et leur amour comme une fleur d'innocence, de sacrifice et de douleur. Cette fleur, regorgeant de fragrance, a toujours été présente sur l'autel de ma Divinité.

8. Vous fûtes préparés pour accomplir cette grande mission au Troisième Temps.

9. Aujourd'hui, vous savez que J'ai fait réincarner le peuple d'Israël, parce que c'est Moi qui vous l'ai révélé. Vous savez que la semence qui respire en votre être et que la lumière intérieure qui vous guide, est la même que celle que Je répandis, depuis le Premier Temps, sur la maison de Jacob.

10. Vous êtes israélites par l'esprit, vous possédez spirituellement la semence d'Abraham, d'Isaac et de Jacob. Vous êtes les branches de cet arbre béni qui donneront l'ombre et le fruit à l'humanité.

11. Voici pourquoi Je vous appelle « aînés » et pourquoi Je vous ai cherché, en ce temps, pour manifester, en vous, ma troisième révélation au monde.

12. Il est de Ma volonté que le peuple d'Israël réapparaisse spirituellement parmi l'humanité, pour que celle-ci contemple la véritable résurrection de la chair. (183, 33-35)

13. Croyez-vous, par hasard, que J'allais délivrer ma parole à tous les peuples de la Terre? Non! En cela aussi, ma nouvelle manifestation est semblable à celle des temps passés, en ce qu'en M'étant manifesté à un seul peuple, celui-ci eut pour mission de se lever pour répandre la Bonne Nouvelle et pour semer la graine qu'il reçut au travers de mon message. (185, 20)

14. Laissez que d'autres peuples se réveillent pour le temps nouveau en contemplant les contrées ravagées par les eaux, les nations détruites par la guerre et la peste anéantissant des vies. Ces peuples enorgueillis dans leurs sciences et endormis dans la splendeur de leurs religions, ne reconnaîtront pas ma parole sous cette forme humble, ils ne percevront pas ma manifestation en esprit; par conséquent, la Terre devra d'abord trembler et la Nature dira aux hommes: « Le temps est arrivé et le Seigneur est venu parmi vous ».

15. Pour que l'humanité se réveille, ouvre ses yeux et accepte que c'est Moi qui suis arrivé, il faudra auparavant que le pouvoir et l'orgueil de l'homme soient touchés; mais vous, vous avec la mission de veiller, de prier et de vous préparer. (62, 53)

16. En son temps, Je vous promis de revenir parmi l'humanité et, me voici pour accomplir cette promesse, même si de nombreux siècles se sont écoulés. Votre esprit, dans son désir de paix, sa faim de vérité et son angoisse de savoir, souhaitait ardemment ma présence, et mon Esprit est descendu pour vous faire écouter un enseignement en accord avec l'époque dans laquelle vous vivez. Comment les hommes souhaitent-ils continuer à vivre comme ils l'ont fait jusqu'à présent? Ce n'est déjà plus le moment de la stagnation spirituelle, ni de languir dans la pratique de rites et de traditions. (77, 19)

17. De nombreux hommes, à la sagesse reconnue dans le monde, ne pourront Me reconnaître sous cette forme et me renieront, mais que cela ne vous surprenne pas, Je vous l'annonçai déjà il y a longtemps quand Je vous déclarai: « Père, soyez béni, parce que vous révélâtes, aux humbles, votre vérité et que vous la dissimulâtes aux sages et aux compétents »

18. Mais ce n'est pas parce que Moi je désire cacher ma vérité à personne, mais bien parce que ceux qui sont propres d'entendement, dans leur pauvreté ou leur insignifiance, peuvent mieux me ressentir, tandis que les hommes de talent, dont l'entendement est plein de théories, de philosophies et de dogmes, ne peuvent ni me comprendre ni me sentir. Mais la vérité, qui est destinée à tous, arrivera à chacun à l'instant indiqué. (50, 45)

19. Celui qui, connaissant ma Loi, la cache, ne peut s'appeler mon disciple; celui qui ne délivre ma vérité que du bout des lèvres et non avec le cœur, ne m'imite pas. Celui qui parle d'amour et qui, en actes, démontre le contraire, est un traître à mes leçons.

20. Celui qui se lève en désavouant la pureté et la perfection de Marie est maladroit, parce que, dans son ignorance, il défie Dieu en niant son pouvoir. Celui qui désavoue ma vérité au Troisième Temps et nie l'immortalité de l'esprit, est endormi et ne se souvient pas des prophéties des temps passés qui annoncèrent les révélations que l'humanité est en train de vivre en ce temps. (73, 28-29)

21. Ils viendront Me mettre à l'épreuve, en voulant démontrer que vous êtes dans l'erreur; si Je ne leur livre pas mon nom, ils diront que ce n'est pas Moi, et si Je réponds à leurs questions malintentionnées, ils me renieront avec plus d'acharnement.

22. C'est alors que Je leur dirai: Celui qui souhaite entrer au royaume de la Lumière devra le chercher avec le cœur. Mais celui qui souhaite vivre en Me reniant, celui-là aura nié le savoir divin à son propre esprit, en convertissant tout ce qui constitue une révélation claire et lumineuse en un secret et en un mystère. (90, 49-50)

23. maintenant, Je suis de passage parmi vous, comme Je le fus aussi en son temps. L'instant où Je cesserai de vous parler se fait proche, et l'humanité n'a pas ressenti ma présence.

24. Depuis cette montagne, depuis l'endroit duquel Je vous envoie ma parole et vous contemple, Je devrai m'écrier, la veille de mon départ: Humanité, humanité, qui n'avez pas reconnu celui qui était parmi vous! Comme au Second Temps, à la proximité de ma mort, Je contemplais la ville depuis un mont et, entre les larmes, m'écriai: Jérusalem, Jérusalem, vous n'avez pas compris la valeur du bien que vous avez au à votre portée!

25. Je ne pleurais pas pour le monde, mais pour l'esprit de

l'humanité qui se trouvait encore sans lumière et qui devrait encore pleurer beaucoup de larmes pour parvenir à la vérité. (274, 68-69)

26. De nombreux siècles se sont écoulés depuis le jour où Je vous livrai ma parole et mes dernières recommandations par le biais de Jésus, et J'apparais aujourd'hui devant vous comme Saint-Esprit, en vous accomplissant ma promesse.

27. Je ne suis pas venu pour m'humaniser, Je viens en Esprit et seules me contempleront q ceux qui se seront préparés.

28. Tandis que vous croyez en ma parole et me suivez, d'autres n'acceptent pas ma manifestation et la renient. J'ai dû leur fournir de grandes preuves et c'est grâce à elles que J'ai vaincu leur incrédulité.

29. L'amour et la patience, que Je vous ai toujours manifestés, vous font comprendre que seul votre Père peut vous aimer et vous enseigner de la sorte. Je veille sur vous et allège votre croix afin de vous éviter de trébucher. Je vous fais sentir ma paix pour que vous marchiez pleins de confiance en Moi. (32, 4)

30. Ma parole, ma chaire, en apparence n'est, aujourd'hui, que pour vous, mais en réalité, elle est destinée à tous, parce que sa sagesse et son amour contiennent tout l'Univers, unifient tous les mondes, tous les esprits incarnés ou désincarnés. Approchez-vous si vous avez besoin de Moi; cherchez-Moi si vous vous sentez perdus.

31. C'est Moi, votre Père, qui connaît vos peines et vient pour vous réconforter. Je viens pour vous inspirer l'amour, dont vous avez tant besoin pour vous-mêmes, et pour le répandre autour de vous.

32. Si, en vérité, vous reconnaissez vraiment ma présence au travers de la sagesse que Je manifeste par ces entendements, reconnaissez aussi que c'est le moment d'initier l'œuvre constructrice sur le chemin spirituel.

33. Ah, si tous ceux qui ont été appelés venaient, en vérité Je vous le dis, la table du Seigneur se retrouverait pléthorique de disciples et tous mangeraient le même met! Mais tous les invités ne sont pas arrivés, ils ont prétexté différentes occupations, reléguant le divin au second plan.

34. Bienheureux les empressés qui sont venus, parce qu'eux ont obtenu leur récompense. (12, 76-80)

35. Tous ceux qui, en ce temps, ont reçu des dons, ne sont pas ici en train de M'écouter; voyez combien il y a de places vides à la table, parce que beaucoup de mes petits enfants, après avoir reçu un bienfait, s'éloignèrent en fuyant les responsabilités et les charges. Ah, s'ils connaissaient, ici sur la Terre, les promesses que chaque esprit me fit avant de venir au monde! (86, 43)

36. Je vous lègue le Troisième Testament et vous n'avez pas encore compris les deux premiers. Si vous

aviez été préparés, en ce temps, il n'aurait pas été nécessaire que ma parole se matérialise, parce que Je m'exprimerais spirituellement et vous, vous me répondriez avec votre amour. (86, 49)

37. Celle-ci est la lumière du Troisième Temps; mais celui qui dirait que ce n'est pas Dieu qui vous parle, sinon cet homme, soumettez-le à l'épreuve, parce qu'en vérité Je vous le dis: Tant que mon rayon divin n'inspirera pas son entendement, même si vous le menacez de mort, vous ne pourrez en arracher aucune parole d'essence et de vérité.

38. De même que les esprits se servent de leurs corps pour parler et se manifester, il n'y a rien d'étrange à ce qu'ils se défassent d'eux pour laisser, qu'à leur place, le Père de tous les esprits se manifeste: Dieu!

39. Je viens à vous, puisque vous ne savez pas arriver à Moi, et vous enseigne que la plus agréable prière qui parvient au Père est celle qui s'élève, en silence, de votre esprit. Cette prière est celle qui attire mon rayon au travers duquel vous M'écoutez. Ce ne sont pas les cantiques ni les mots qui plaisent à ma Divinité. (59, 57-59)

40. Vous ne pourrez pas dire que ma parole n'est pas claire ou qu'elle contient des imperfections, parce que de Moi ne pourra surgir aucune confusion. Si vous trouviez en elle une quelconque erreur, attribuez-la à la mauvaise interprétation du porte-parole, ou à votre mauvaise compréhension, mais jamais à ma Doctrine! Malheur au porte-parole qui dénaturera ma parole! Malheur à celui qui transmettra mal et profanera mon enseignement, parce qu'il souffrira la plainte incessante de sa conscience et perdra la paix de son esprit! (108, 51)

41. Pour vous complaire, Je vous dis que si vous ne souhaitez pas que Je me serve de matières pécheresses pour vous offrir mon amour, montrez-Moi un juste, un propre, présentez-M'en un qui, parmi vous, sache aimer, et Je vous assure que Je me servirai de lui.

42. Comprenez que J'utilise des pécheurs pour attirer les pécheurs, parce que Je ne viens pas pour sauver les justes, ceux-là sont déjà au royaume de la Lumière. (16, 25)

43. Observez comme cette semence, bien que vous l'ayez mal cultivée, ne meurt pas, voyez comment elle a vaincu les ténèbres et les pièges, les obstacles et les épreuves, et comment, jour après jour, elle continue de germer et de se développer. Pourquoi cette semence ne meurt-elle pas? Parce que la vérité est immortelle, elle est éternelle.

44. C'est pourquoi vous verrez que, lorsque cette Doctrine semble, par moments, disparaître, ce sera précisément lorsque surgiront de nouveaux et féconds bourgeons pour aider les hommes à faire un pas en avant sur le chemin de la spiritualité. (99, 20)

45. Analysez mes leçons et dites-Moi si cette Doctrine pourrait se renfermer dans l'une de vos religions.

46. Je vous ai révélé son caractère et son essence universelle, qui ne se limite pas seulement à des parties de l'humanité ou à des peuples, sinon qu'elle traverse l'orbite de votre monde pour embrasser l'infini et toutes ses demeures dans lesquelles, comme dans ce monde, habitent des enfants de Dieu. (83, 6)

47. Voyez comme ma parole n'est pas et ne pourra pas constituer une nouvelle religion; cette Œuvre est le chemin lumineux où toutes les idées, les credos et les religions devront s'unir spirituellement pour arriver aux portes de la Terre Promise. (310, 39)

48. Mon enseignement, qui alimente votre esprit, tend à vous convertir en maîtres, en les fidèles apôtres du Saint-Esprit. (311, 12)

49. Je vous présenterai à l'humanité comme mes serviteurs, comme les Spiritualistes Trinitaires Marianos du Troisième Temps. Les Spiritualistes, parce que vous serez davantage esprit que matière; les Trinitaires, parce que vous avez reçu ma manifestation en trois temps; Marianos parce que vous aimez Marie, votre Mère Universelle, qui est celle qui a veillé sur vous pour que vous ne vous évanouissiez pas dans l'étape. (70, 36)

50. Ce ne seront pas seulement ceux qui écoutèrent ma parole au travers de l'entendement humain, qui seront appelés les enfants de ce peuple. Celui qui embrasse sa croix, celui qui aime cette Loi et propage cette semence, sera appelé cultivateur de mon champ, apôtre de mon Œuvre et enfant de ce peuple, même s'il ne m'a pas écouté par le biais de cette manifestation. (94, 12)

51. Comment pouvez-vous penser, peuple, que le fait de vous réunir dans des lieux distincts, soit le motif de vous trouver distanciés les uns des autres? Seule l'ignorance empêchera de vous rendre compte des liens spirituels qui unissent tous les enfants du Seigneur. (191, 51)

52. Quand par l'intermédiaire de leurs porte-paroles vous écoutez la même parole, votre cœur s'emplit de bonheur et de foi et vous considérez cette leçon comme une véritable preuve de ce que ces congrégations se trouvent unies par le biais de leur spiritualité, même si vous visitez un ou plusieurs endroits différents, quand vous assistez à une manifestation déficiente, vous avez la sensation d'avoir été blessé dans votre cœur et vous sentez qu'il n'y a pas, de manifestation concrète d'unité, là, une harmonie qui doit exister en ce peuple.

53. Je souhaite que vous soyez mes bons et humbles disciples, ceux qui ne prétendent pas de nominations ou d'honneurs au sein de la congrégation, sinon que votre idéal se limite seulement à parvenir au

perfectionnement grâce à la vertu, et à suivre mes enseignements afin que votre vie soit un exemple. A quoi les grades, les titres ou les noms pourront-ils vous servir, si vous n'avez de mérites pour les posséder? (165, 17)

54. Mon Œuvre n'est pas une doctrine parmi tant d'autres, elle n'est pas une secte de plus dans le monde. Cette révélation que Je vous ai apportée aujourd'hui est la loi éternelle; cependant, par manque de spiritualité et de compréhension, combien de rites lui avez-vous mêlés, que d'impuretés, jusqu'à parvenir à la déformer! Combien de pratiques avez-vous introduit dans ma Doctrine, prétendant et croyant que tout ce que vous avez fait a été inspiré ou ordonné par Moi! (197, 48)

55. Vous allez pénétrer dans le sein d'une humanité lasse de cultes externes et écœurée de son fanatisme religieux, c'est pourquoi Je vous dis que le message de spiritualité que vous allez lui apporter, lui arrivera au cœur comme la rosée fraîche et vivifiante.

56. Croyez-vous que si vous arriviez avec des cultes fanatiques et des pratiques opposées à la spiritualité, le monde pourrait vous reconnaître comme les porteurs d'un message divin? En vérité Je vous le dis, ils vous considèreraient comme des fanatiques d'une nouvelle secte.

57. Face à la clarté avec laquelle Je viens vous parler, il s'en trouve qui me disent: Maître, comment est-il possible que nous méconnaissions de nombreuses pratiques que Roque Rojas nous légua?

58. Ce à quoi Je vous dis que c'est pour cela que Je pris l'exemple du Second Temps, lorsque Je fis comprendre au peuple qu'en accomplissant des rites, des formes, des traditions et des fêtes, il avait oublié la Loi, qui est l'essentiel.

59. Je vous rappelai ce fait de votre Maître afin que vous compreniez qu'aujourd'hui aussi il vous faut oublier les traditions et les cérémonies, même si vous les ayez apprises de Roque Rojas, comme en son temps le peuple les avait héritées de Moïse.

60. Mais, Je ne veux pas vous dire qu'ils vous aient enseigné quelque chose de mal, non! Ils eurent besoin de recourir à des symboles et des actes pour aider le peuple à comprendre les divines révélations; cependant, une fois atteint cet objectif, il a été nécessaire de venir effacer toute forme ou symbolisme inutile, pour faire briller la lumière de la vérité. (253, 29-32)

61. Que les serviteurs qui n'ont pas compris ma Loi ont causé de douleur à mon cœur! Et quelle douleur provoquent ceux qui, préparés, aujourd'hui ont sombré dans le doute, l'incertitude, qui ont dit, en raison de leur incompréhension et de leur égoïsme, que Je dois demeurer encore un temps parmi le peuple, que mon Rayon Universel va descendre une

fois encore, selon leur volonté humaine, et que Je continuerai à me manifester pour longtemps.

62. C'est pourquoi Je vous ai dit: Quand ai-Je manifesté de l'indécision, de l'incertitude ou une double volonté dans ma parole? Jamais, en vérité, parce que Je cesserais d'être parfait, Je cesserais d'être votre Dieu et votre Créateur.

63. En Moi existe la décision, la volonté unique et c'est pour cela que Je parle avec la lumière du midi, afin que tous puissent me sentir en ma présence et en ma puissance, pour que l'esprit puisse reconnaître la raison et la parole que J'ai délivrées par l'intermédiaire de l'entendement humain.

64. Le Maître vous dit: L'homme a construit des maisons et les a appelées temples, et c'est dans ces lieux que le peuple entre, fait une révérence, alimente le fanatisme et l'idolâtrie et adore ce que le même homme a créé. Ceci est abominable, à mes yeux, et c'est pourquoi il m'a plut d'éloigner de vous, peuple d'Israël, tout ce que vous connûtes et écoutâtes dans un principe afin que vous vous défanatisiez.

65. Les maisons de prière du peuple Israélite seront connues de l'humanité, elles ne seront pas fermées parce qu'elles offriront l'abri au faible et à l'égaré, à celui qui est fatigué et au malade. Et, pour votre préparation, pour l'obéissance à ma volonté suprême et le respect de ma Loi, Je me ferai connaître au travers des œuvres des véritables disciples de ma Divinité.

66. Ne vous préoccupez pas si, en chemin, se dressent des mauvais porte-paroles, des mauvais guides, des mauvais cultivateurs, et que leurs lèvres blasphématrices s'adressent aux peuples et prétendent même que mon Verbe et mon Rayon Universel demeureront encore parmi le peuple qui enseigne.

67. Je ferai connaître celui qui est l'imposteur, celui qui n'observe pas la Loi conformément à ma volonté, celui qui seulement porte à la connaissance son libre arbitre et Je ferai connaître l'œuvre qu'il s'est forgée et la loi qu'il a préparée et eux étaient inconnus et bannis.

68. Parce que Moi je retiendrai la grâce et la puissance divine, et la tentation les fera tomber dans ses filets et, pour cela, celui qui les recherchera ne sentira pas la grâce de mon Saint-Esprit en son esprit. (363, 52-56)

69. Sans claironner que vous êtes mes apôtres, vous les serez. Bien que vous soyez maîtres, vous direz que vous êtes disciples.

70. Vous ne porterez pas de vêtements qui vous distinguent des autres; vous n'aurez pas de livre en main, vous ne construirez pas d'enceintes.

71. Vous n'aurez pas, sur la Terre, le centre ou le ciment de mon Œuvre, et n'aurez aucun homme, au premier rang, pour Me représenter.

72. Les guides que vous avez eus jusqu'à présent, sont les derniers. La prière, la spiritualité et la pratique de ma Doctrine guideront les multitudes par le chemin de la lumière. (246, 30-31)

73. Je demande à mes disciples: Sera-t-il juste qu'une œuvre parfaite comme l'est celle que Je suis venu vous révéler, vous l'exposiez devant l'humanité à ce qu'elle soit jugée comme imposture o à ce qu'elle soit considérée comme une doctrine de plus parmi toutes les doctrines et théories apparues en ces temps, comme fruits de la confusion spirituelle qui règne?

74. Serait-il bien que vous, que J'ai tant aimés et préparés grâce à ma parole pour que votre témoignage soit limpide, deviez tomber dans les mains de la justice de la Terre, victimes de vos erreurs ou que vous fussiez persécutés et disséminés pour vous considérer nuisibles pour vos semblables?

75. Croyez-vous que ma Doctrine bien mise en pratique puisse donner lieu à ces événements? Non, disciples!

76. Laissez-Moi vous parler de la sorte, parce que Je sais pourquoi je le fais; demain, quand j'aurai cessé de m'adresser à vous sous cette forme, vous saurez pourquoi Je vous parlai ainsi, et vous direz: « Le Maître savait bien toutes les faiblesses que nous allions souffrir, rien n'échappe à sa sagesse ». (252, 26-27)

77. Je suis en train de vous préparer pour le temps où vous n'entendrez déjà plus ma parole, parce qu'alors les hommes vont vous appeler le peuple sans Dieu, le peuple sans temple, parce que vous ne disposerez pas d'enceintes royales pour Me rendre le culte, ne célébrerez de cérémonies et ne Me chercherez pas en images.

78. Mais Je vous laisserai un livre comme testament, qui sera votre bastion dans les épreuves et le chemin par lequel vous guiderez vos pas. Ces paroles que vous écoutez, par le porte-parole, jailliront, demain, des écritures, pour que vous vous réjouissiez à nouveau et qu'elles soient écoutées par les multitudes qui arriveront en ce temps-là. (129, 24)

79. Je lègue, à l'humanité, un nouveau livre, un nouveau Testament: ma parole du Troisième Temps, la voix divine qui s'est adressée à l'homme lorsque s'est défait le Sixième Sceau.

80. Il ne sera pas impérieux que vos noms ni vos œuvres passent à la postérité. Ma parole se trouvera dans ce livre, comme une voix vibrant et claire qui parle éternellement au cœur humain, et mon peuple laissera, à l'humanité, l'empreinte de son pas sur ce chemin de spiritualité. (102, 28-29)

81. Les enceintes, dans lesquelles ma parole s'est manifestée, se sont multipliées, chacune d'elles constituant une espèce d'école du véritable savoir, où se réunissent les multitudes qui forment mes disciples,

lesquels arrivent avides d'apprendre la nouvelle leçon.

82. Si chacune de ces congrégations rendait témoignage de tous les bienfaits qu'elle a reçus de ma charité, elles n'en finiraient pas de témoigner de ces prodiges. Et si vous deviez réunir, en un livre, tout ce que J'ai dit par le biais de tous mes porte-paroles, depuis la première de mes paroles jusqu'à l'ultime, ce serait une œuvre dont vous ne pourriez venir à bout.

83. Cependant Moi je ferai parvenir à toute l'humanité, au travers de mon peuple, un livre qui contiendra l'essence de ma parole et le témoignage des œuvres que Je réalisai parmi vous. N'ayez crainte d'entreprendre cet ouvrage, parce que Je vous inspirerai afin que dans le-dit livre, figurent les enseignements qui sont indispensables. (152, 39-41)

84. L'essence de cette parole n'a jamais varié depuis le commencement de sa manifestation, où Je vous parlai par l'intermédiaire de Damiana Oviedo; le sens de ma Doctrine est resté le même.

85. Mais, où donc l'essence de ces paroles se trouve-t-elle? Qu'en est-il advenu? Ils se retrouvent occultes, les écrits de ces messages divins qui furent les premiers de ce temps, en lequel mon Verbe s'est tant répandu parmi vous.

86. Il est impérieux que ces leçons sortent à la lumière, pour que, demain, vous sachiez rendre le témoignage du commencement de cette manifestation. C'est ainsi que vous connaîtrez la date de ma première leçon, son contenu et celui de l'ultime leçon que Je vous livrai en l'an 1950, année marquée pour finaliser cette étape. (127, 14-15)

87. Il est indispensable que vous parliez à ceux qui occultèrent ma parole et qui adultèrent mes enseignements. Parlez-leur en toute clarté, Moi je vous viendrai en aide pour que vous vous manifestiez à eux, parce que ce seront les hommes qui fourniront des motifs pour que, le jour de demain, mon Œuvre soit censurée et ma Loi altérée, parce qu'eux ont ajouté, à mon Œuvre, ce qui ne lui appartient pas. (340, 39)

88. Je vous apportai cette parole et vous la fis entendre dans votre langage, mais Je vous donne la mission de la traduire, plus tard, dans plusieurs langues, afin qu'elle soit connu de tous.

89. C'est de cette manière que vous commencerez à construire la véritable tour d'Israël, celle qui unifie spirituellement tous les peuples en un seul, celle qui unit tous les hommes dans cette Loi divine, immuable et éternelle que vous connûtes dans le monde par les lèvres de Jésus quand Il vous déclara: « Aimez-vous les uns les autres ». (34, 59-60)

L'Israël spiritualiste et le peuple juif

90. J'appelle Israël le peuple que Je suis en train de rassembler autour de ma nouvelle révélation, parce que

personne ne sait mieux que Moi quel est l'esprit qui demeure en chacun des appels de ce Troisième Temps.

91. Israël a une signification spirituelle et, ce nom, Je vous le donne afin que vous ayez toujours à l'esprit que vous faites partie du peuple de Dieu, parce qu'Israël ne représente aucun peuple de la Terre, sinon un monde d'esprits.

92. Ce nom surgira de nouveau sur la Terre, mais libre d'erreurs, en sa vraie essence qui est spirituelle.

93. Vous avez besoin de connaître l'origine et le sens de ce nom, il faut que vous soyer persuadés d'être les enfants de ce peuples, votre foi doit être absolue, parce que vous avez besoin d'avoir une complète connaissance de qui et du pourquoi vous avez reçu cette dénomination, afin faire front aux attaques que, demain, vous recevrez de ceux qui donnent un autre sens au nom d'Israël. (274, 47-50)

94. Je veux de vous l'obéissance, Je veux que vous formiez un peuple fort par sa foi et sa spiritualité; parce que, de même que Je fis se multiplier les générations qui naquirent de Jacob, en dépit des grandes souffrances infligées à ce peuple, Je ferai aussi en sorte que vous portiez, dans l'esprit, cette semence, que vous subsistiez au travers de vos luttes, afin que votre peuple se multiplie à nouveau à l'instar des étoiles du firmament et des sables de la mer.

95. Je vous ai fait savoir que vous représentez spirituellement des fractions de ce peuple-là d'Israël, afin que vous ayez une plus ample connaissance de votre destin, mais Je vous ai aussi recommandé de ne pas claironner ces prophéties jusqu'à ce que l'humanité les découvre par elle-même.

96. Cependant, en raison de l'existence du peuple Israélite sur la Terre, le juif par la chair vous reniera et vous réclamera ce nom, ceci ne constituant aucun motif grave de conflit.

97. Ils ne savent encore rien de vous, en revanche vous, si, savez beaucoup à leur sujet. Je vous ai révélé que ce peuple errant sur la Terre et sans paix dans l'esprit, marche pas à pas, et sans le savoir, vers le crucifié, qu'il reconnaîtra comme son Seigneur et devant qui il implorera le pardon pour tant d'ingratitude et tant de dureté devant son amour.

98. Mon corps fut détaché de la pièce de bois, mais pour ceux qui M'ont renié au fil des siècles, Je demeure cloué, attendant l'instant de leur réveil et de leur repentir, pour leur donner tout ce que Je leur apportai et qu'ils ne voulurent pas recevoir. (86, 11-13)

99. N'allez pas, en ce temps, imiter le peuple juif du Second Temps, lequel pour être traditionaliste, conservateur et fanatique, ne put manger le pain du Royaume des Cieux que le Messie lui apporta et qu'il attendait depuis des siècles et des siècles et, à l'heure indiquée, il ne

put le reconnaître parce que sa matérialité ne lui laissa pas contempler la lumière de la vérité. (225, 19)

100. C'est de lointaines contrées et nations que vous verrez arriver vos frères, en quête de libération pour leur esprit. Ils arriveront aussi en multitudes, de cette antique Palestine, comme lorsque les tribus d'Israël traversèrent le désert.

101. Son pèlerinage a été long et douloureux, depuis qu'il rejeta, de son sein, Celui qui vint pour lui offrir son royaume comme un nouvel héritage, mais l'oasis dans laquelle il se reposera et méditera ma parole est déjà proche, pour qu'ensuite, fortifié par la reconnaissance de ma loi, il poursuive la route qui lui indique son évolution, si longtemps oubliée.

102. Alors, vous entendrez que beaucoup diront que votre nation (*Mexique*) est la nouvelle Terre de Promission, la Nouvelle Jérusalem; mais vous-autres, vous leur direz que cette terre promise se situe au-delà de ce monde, et que pour arriver à elle, c'est en esprit qu'il faudra le faire, après avoir traversé le grand désert des épreuves de ce temps. Vous leur direz aussi que cette nation (*Mexique*) n'est autre qu'une oasis au milieu du désert.

103. Cependant, il vous faut comprendre, peuple, que l'oasis devra ombrager les pèlerins fatigués, en plus d'offrir ses eaux cristallines et fraîches aux lèvres asséchées par la soif de ceux qui s'y réfugient.

104. Quelle sera cette ombre et quelles seront ces eaux cristallines des quelles Je vous parle? Ma Doctrine, peuple, mon divin enseignement de charité. Et, en qui ai-Je déposé cette fortune grâce et de bénédictions? En vous, mon peuple, pour que vous débarrassiez votre cœur de tout égoïsme et que vous puissiez le montrer comme un miroir propre dans chacun de vos actes.

105. Votre esprit et votre cœur ne s'empliraient-ils pas de bonheur, si votre amour parvenait à convertir à la Doctrine Spiritualiste Marianne, ce peuple tellement attaché à ses traditions et en stagnation spirituelle? N'éprouveriez-vous pas une grande joie si l'antique Israël se convertissait, par biais du nouvel Israël, ou encore, que le premier atteigne la gloire par le dernier?

106. Jusqu'à présent, rien n'a convaincu le peuple juif de rompre avec les anciennes traditions pour parvenir à son évolution morale et spirituelle. Il est le peuple qui croit observer les lois de Jéhovah et de Moïse mais qui, en réalité, est encore en train d'adorer son veau d'or.

107. Il est proche, le temps où ce peuple errant et disséminé de par le monde cessera de regarder vers la terre et élèvera ses yeux vers le ciel, en quête de Celui qui, depuis le début, leur fut promis comme leur Sauveur, et qu'il désavoua et mit à mort parce qu'il le crut pauvre et sans aucun bien matériel. (35, 55-58)

108. Ne considérez pas comme une distinction le fait d'avoir choisi un peuple de la Terre, d'entre les autres; J'aime d'égale manière tous mes enfants et les peuples qu'ils ont formés.

109. Chaque peuple apporte une mission sur la Terre, et le destin qu'Israël a apporté est celui d'être le prophète de Dieu, le phare de la foi et le chemin de perfection, parmi l'humanité.

110. Mes prophéties et révélations que Je vous ai faites depuis les premiers temps, ne rencontrèrent pas une juste interprétation parce que l'heure n'était pas encore arrivée pour l'humanité de les comprendre.

111. Hier, Israël était un peuple de la Terre; aujourd'hui, il représente une multitude disséminée dans le monde; demain, le peuple de Dieu sera constitué de tous les esprits, lesquels en parfaite harmonie formeront, ensemble avec leur Père, la divine famille. (221, 27-30)

Apostolat et spiritualité

112. Apprenez à vous aimer, à vous bénir, à vous pardonner les uns aux autres, à être manses et doux, bons et nobles, et comprenez que, dans le cas contraire, vous ne connaîtrez pas, dans votre vie, le plus faible reflet des œuvres du Christ, votre Maître.

113. Je m'adresse à tous, et vous invite à détruire les erreurs qui, pour tant de siècles, vous ont freinés dans votre évolution. (21, 22-23)

114. N'oubliez pas que vous trouvez votre origine dans Mon amour. Aujourd'hui, votre cœur se trouve endurci par l'égoïsme, mais quand il redeviendra sensible à toute inspiration spirituelle, il éprouvera de l'amour à l'égard de ses semblables et expérimentera la douleur d'autrui comme s'il s'agissait de la sienne. C'est alors que vous serez capables d'accomplir le précepte qui vous dit «de vous aimer les uns les autres». (80, 15)

115. Ce monde est un terrain propice pour que vous y travailliez; en lui il y a la douleur, la maladie, le péché sous toutes ses formes, le vice, la désunion, la jeunesse égarée, la vieillesse sans dignité, les mauvaises sciences, la haine, la guerre et le mensonge.

116. Celles-ci sont les terres où vous allez travailler et semer. Cependant, si cette lutte qui vous attend parmi l'humanité, vous paraît gigantesque, en vérité Je vous le dis, bien qu'étant grande, cette lutte ne peut se comparer en rien à celle que vous aurez à entabler contre vous-mêmes: lutte de l'esprit, de la raison et de la conscience, contre les passions de la matière, son amour pour elle-même, son égoïsme, sa matérialité. Et aussi longtemps que vous n'aurez pas triomphé de vous-mêmes, comment pourrez-vous parler sincèrement d'amour, d'obéissance, d'humilité et de spiritualité envers vos frères? (73, 18-19)

117. La vertu a été méprisée et considérée comme quelque chose de nocif ou d'inutile; le temps est arrivé pour vous, à présent, de comprendre que la vertu est la seule qui pourra vous sauver, qu'elles vous fera ressentir la paix et qu'elle vous comblera de satisfactions; mais la vertu souffrira encore de nombreux faux-pas et vexations pour pouvoir pénétrer dans tous les cœurs.

118. Les soldats qui la défendront devront déployer un grand effort et lutter avec foi. Où sont-ils ces soldats du bien, de la charité et de la paix? Croyez-vous être ceux-là?

119. Vous vous examinez intérieurement et me répondez que vous n'êtes pas de ceux-là; en revanche, Moi je vous dis que, avec de la bonne volonté, vous pourez, tous, être ces soldats. Pourquoi, dès lors, pensez-vous que Je sois venu parmi vous? (64, 16)

120. Aimez, exprimez-vous quand il y a lieu de le faire, taisez-vous quand il convient de vous taire, ne dites à personne que vous êtes mes élus, fuyez l'adulation et ne rendez pas publique la charité que vous accomplissez, travaillez en silence, en témoignant, par vos actes d'amour, de la vérité de ma Doctrine.

121. Votre destin est d'aimer. Aimez, parce que c'est ainsi que vous effacerez vos taches, tant de votre vie actuelle que de vies antérieures. (113, 58-59)

122. Repoussez l'adulation, parce qu'elle est une arme qui détruira vos nobles sentiments. Elle est l'épée qui peut donner la mort à cette foi que J'ai allumée en votre cœur.

123. Comment pourriez-vous permettre que les hommes détruisent l'autel que vous renfermez au fond de votre être? (106, 47-48)

124. Ne confondez pas humilité et pauvreté vestimentaire; ne croyez pas non plus qu'est humble celui qui se sous-estime, ceci constituant la raison qui l'oblige à servir les autres et à s'incliner devant eux. Laissez-Moi vous dire que vous rencontrerez la véritable humilité dans celui qui, sachant valoriser qu'il est quelqu'un et sachant qu'il possède quelque connaissance, sait descendre vers les autres et pour partager, avec eux, ce qu'il possède.

125. Quelle émotion tellement agréable ressentez-vous lorsque vous voyez un homme, notable entre les hommes, vous manifester un geste d'affection, de compréhension, d'humilité. Cette même sensation, vous pouvez la faire sentir à ceux qui sont ou qui se sentent inférieurs à vous.

126. Sachez descendre de votre piédestal, sachez tendre la main sans éprouver de supériorité, sachez vous montrer compréhensifs. Je vous affirme que, dans ces cas, celui qui reçoit la marque d'affection, l'aide ou la consolation n'est pas le seul à se réjouir, sinon aussi celui qui l'offre, parce qu'il sait qu'au-dessus de lui, il

y en a Un qui lui a offert des preuves d'amour et d'humilité, et que Celui-là est son Dieu et Seigneur. (101, 60-62)

127. Vivez avec pureté, avec humilité et avec simplicité. Accomplissez tout ce qui est juste dans le cadre de ce qui est humain, de même que tout se qui est en relation avec votre esprit. Écartez de votre vie le superflu, l'artificieux, le nocif et réjouissez-vous, en échange, de tout ce qu'il y a de bon dans votre existence. (131, 51)

128. Ne voyez jamais d'ennemis en personne, considérez tous les hommes comme des frères, c'est cela votre mission; si vous persévérez jusqu'à la fin, la justice et l'amour triompheront sur la Terre, et cela vous procurera la paix et la sécurité que vous désirez tellement. (123, 65)

129. Libérez votre cœur afin qu'il commence à ressentir la souffrance des autres, ne le maintenez pas soumis ni dédié à percevoir exclusivement ce qui concerne votre personne. Cessez d'être indifférents aux épreuves que traverse l'humanité.

130. Quand votre amour sera-t-il suffisamment grand pour embrasser beaucoup de vos semblables, pour les aimer comme vous aimez ceux qui sont de votre sang et de votre chair?

131. Si vous saviez que vous l'êtes davantage par l'esprit que par la matière, beaucoup ne le Croiraient pas, mais je vous dis que vous êtes certainement plus frères par l'esprit

que par l'enveloppe que vous portez, parce que l'esprit appartient à l'éternité tandis que la matière, en revanche, est passagère.

132. Considérez, dès lors, comme une vérité le fait que les familles, ici sur la Terre, se forment aujourd'hui pour se défaire demain, alors que la famille spirituelle existe pour toujours. (290, 39-41)

133. Vous qui écoutez ces paroles, croyez-vous que Je puisse semer en votre cœur de l'antipathie ou de la mauvaise volonté à l'égard de vos frères qui professent des religions différentes? Jamais, disciples! C'est vous qui devez commencer à donner l'exemple de fraternité et d'harmonie, en considérant et en les aimant tous avec le même sentiment qui vous anime quand vous considérez ceux qui comprennent votre façon de penser. (297, 49)

134. Je sais que plus votre connaissance sera importante, plus grand aussi sera votre amour à Mon égard. Quand Je vous dis: «Aimez-Moi», savez-vous ce que Je veux vous dire? Aimez la vérité, aimez la vie, aimez la lumière, aimez-vous les uns les autres, aimez la vraie vie. (297, 57-58)

135. Sachez, disciples, que l'objectif de votre lutte est cet état spirituel que la douleur n'atteint pas, et cet objectif se réalise par le biais de mérites, de luttes, d'épreuves, de sacrifices et de renoncements.

136. Observez ces cas de patience, de foi, d'humilité et de conformité, que vous découvrez parfois en certains de vos frères. Ils sont des esprits, envoyés par Moi, afin de donner l'exemple de la vertu parmi l'humanité. Apparemment, le destin de ces créatures est triste, cependant elles, en leur foi, savent qu'elles sont venues pour accomplir une mission.

137. Dans votre histoire, vous avez recueilli de grands exemples de mes envoyés et disciples, des noms que vous connaissez de mémoire; mais, n'allez pas pour autant désavouer les petits exemples que vous palpez sur votre chemin. (298, 30-32)

138. Ne croyez pas que seulement au sein du peuple d'Israël ont existé des prophètes, des précurseurs et des esprits de lumière. J'ai en ai envoyé aussi quelques-uns dans d'autres peuples, mais les hommes les considérèrent comme des dieux et non comme des envoyés, et créèrent, par leurs enseignements, des religions et des cultes. (135, 15)

139. Regardez toujours en premier lieu la poutre que vous portez disciples, pour avoir le droit de vous fixer dans le brin de paille que votre frère a dans l'œil.

140. Je veux vous dire en cela que vous ne ferez pas usage de ma Doctrine pour juger les actes de vos frères au sein de leurs différentes religions.

141. Certes, Je vous dis que dans tous les chemins, existent des cœurs qui me cherchent vraiment, au travers d'une vie noble et parsemée de sacrifices.

142. Néanmoins, le disciple a l'habitude de Me demander fréquemment pourquoi J'autorise cette diversité d'idées, qui parfois se contredisent et qui établissent des différences et causent des haines entre les hommes.

143. Le Maître vous dit: Cela a été permis, en vertu qu'il n'y a pas deux esprits qui possèdent exactement la même compréhension, la même lumière ou la même foi et, comme de plus, le libre arbitre vous fut concédé pour choisir le chemin, vous n'avez jamais été obligés de suivre (pénétrer) cette voie de la Loi, sinon que vous avez été invités, en vous laissant libres de gagner de véritables mérites à la recherche de la vérité. (297, 23-24)

144. Je veux que vous appreniez à ne pas être légers dans vos jugements, ni à vous laisser influencer facilement par la première impression.

145. Je vous formule cet avertissement, afin que lorsque vous analysez ma parole, de même que lorsque vous avez à opiner à propos de doctrines, religions, philosophies, cultes, révélations spirituelles ou scientifiques, vous reconnaissiez que ce que vous savez n'est pas la seule chose qui existe et que la vérité que vous connaissez est une infime partie de la Vérité absolue, qui se manifeste ici d'un certaine forme, mais qui peut se manifester sous bien d'autres

formes inconnues pour vous. (266, 33)

146. Respectez les croyances religieuses de vos frères et, lorsque vous entrez dans leurs églises, découvrez-vous avec un sincère recueillement, sachant que Je suis présent dans tout culte.

147. Ne désavouez pas le monde pour Me suivre, et ne vous éloignez pas de Moi en invoquant le prétexte que vous avez des obligations envers le monde; apprenez à fondre les deux lois en une seule. (51, 53)

148. N'est-ce pas Moi qui bénis l'humanité entière, sans distinguer à personne? C'est là, sous ce manteau de protection, que sont enveloppés tant les bons et les manses, que les orgueilleux et les criminels. Pourquoi ne M'imitez-vous pas? Ou peut-être éprouvez-vous de la répugnance pour les actions des autres?

149. N'oubliez pas que vous faites partie de l'humanité, que vous devez l'aimer et lui pardonner, mais non la rejeter, parce que cela reviendrait à éprouver du dégoût pour vous-mêmes. Tout ce que vous voyez en vos semblables, vous l'avez aussi en vous, à un niveau plus ou moins important.

150. C'est pourquoi Je souhaite que vous appreniez à analyser votre for intérieur, afin que vous connaissiez votre face spirituelle et morale. C'est ainsi que vous saurez vous juger vous-mêmes et que vous aurez le droit de vous fixer dans les autres.

151. N'allez pas rechercher de défauts en vos frères; ceux que vous avez suffisent déjà amplement! (286, 41-42)

152. Croyez-vous que vous observez mon précepte de vous aimer les uns les autres en enfermant égoïstement votre amour dans votre famille? Les religions croient-elles observer cette maxime en reconnaissant seulement leurs fidèles et en désavouant ceux qui appartiennent à une autre secte?

153. Les grands peuples de ce monde, qui claironnent civilisation et progrès, pourront-elles prétendre spirituellement avoir atteint le progrès et avoir respecté cet enseignement de Jésus, quand tout leur effort consiste à se préparer pour la guerre fratricide?

154. Ah, humanité, vous qui n'avez jamais su apprécier la valeur de ma parole et qui n'avez pas voulu vous asseoir à la table du Seigneur, parce qu'il vous a paru trop humble! Néanmoins, ma table vous attend encore toujours avec le pain et le vin de la vie pour votre esprit. (98, 50-51)

155. Ne considérez pas mon Œuvre comme une charge et ne dites pas que l'accomplissement de la merveilleuse mission d'aimer le Père et vos frères représente un lourd fardeau pour votre esprit. Ce qui est lourd, c'est la croix d'iniquités propres et d'autrui pour lesquelles vous devrez pleure, saigner et jusqu'à mourir. L'ingratitude, l'incompréhension, l'égoïsme, la calomnie seront comme un fardeau

au-dessus de vous, si vous leur offrez refuge.

156. A l'homme réticent, l'observation de ma Loi pourra paraître difficile et pénible, parce qu'elle est parfaite et qu'elle ne protège ni l'iniquité, ni le mensonge; en revanche, pour l'obéissant, la Loi constitue son bastion, son soutien, son salut. (6, 16-17)

157. Je vous déclare aussi: Les hommes doivent croire dans les hommes, avoir foi et confiance les uns en les autres, parce que vous devez vous convaincre que, sur la Terre, tous se nécessitent mutuellement.

158. Ne croyez pas que Je me flatte quand vous dites que vous avez la foi en Moi, et que Je sais que vous doutez de tout le monde, parce que ce que J'attends de vous est que vous M'aimiez au travers de l'amour que vous manifestez envers vos semblables, en pardonnant à ceux qui vous offensent, en témoignant de charité à l'égard du plus pauvre, du plus petit ou du plus faible, en aimant indistinctement vos frères et en mettant dans toutes vos œuvres du plus grand désintérêt et de la vérité.

159. Apprenez de Moi que Je n'ai jamais douté de vous, que J'ai foi en votre salut et confiance dans le fait que vous vous lèverez pour atteindre à la vraie vie. (167, 5-7)

160. Aimez votre Père, faites la charité à vos semblables, éloignez-vous de tout ce qui est nocif pour votre vie humaine ou pour votre esprit. C'est cela que ma Doctrine vous enseigne. Où voyez-vous des difficultés ou des impossibilités?

161. Non, peuple bien aimé, il n'est pas impossible d'accomplir ma parole. Ce n'est pas elle qui est difficile, sinon votre correction, votre régénération et votre spiritualité, parce que vous manquez de sentiments nobles et d'aspirations élevées. Mais, étant donné que Je sais que tous vos doutes, toutes vos ignorances et vos indécisions devront disparaître, Je continuerai de vous instruire, parce que l'impossible n'existe pas pour Moi. Je peux convertir les pierres en pain de vie éternelle et Je peux faire jaillir de l'eau cristalline des roches. (149, 63-64)

162. Je viens pour vous rappeler la Loi, celle qui ne peut être effacée de votre conscience, ni oubliée de votre cœur, ni discutée, parce qu'elle fut dictée par l'Esprit Sage, l'Esprit Universel, afin que chaque homme ait, intérieurement, la lumière pour le guider sur son chemin vers Dieu.

163. Il est nécessaire d'avoir une profonde connaissance de la Loi pour que tous les actes de la vie soient attachés à la vérité et à la justice. En ne connaissant pas la Loi, vous êtes sujets à commettre beaucoup d'erreurs, et Moi je vous demande si, par hasard, votre conscience ne vous a jamais induits à la lumière de la connaissance. En vérité Je vous le dis, la conscience n'est jamais restée inactive ou indifférente. C'est votre

cœur, et aussi votre entendement, qui rejettent la lumière intérieure, en étant fascinés par la splendeur de la lumière extérieure, c'est-à-dire par le savoir du monde. (306, 13-14)

164. Maintenant que Je viens vous fournir une plus ample explication de mon Enseignement, Je dois vous faire comprendre que tout ce que vous feriez en-dehors des lois qui régissent l'esprit ou la matière, constitue un préjudice pour tous deux.

165. La conscience, l'intuition et la connaissance sont les guides qui, en votre compagnie, iront vous indiquer le chemin juste et vous éviteront des faux-pas. Ces lumières sont celles de l'esprit, mais il est impérieux de les laisser briller. Quand cette clarté sera en chacun de vous, vous vous exclamerez: «Père, votre semence de rédemption germa en mon être et votre parole enfin fleurît dans ma vie!» (256, 37-38)

166. Je suis venu pour doter votre esprit de grandeur, grandeur qui réside dans l'observation de ma Loi qui est mon amour, mais vous devez vous rendre dignes de cette grandeur en accomplissant votre mission dans l'imitation de votre Maître. (343, 29)

167. Je vous dirai toujours de prendre les satisfactions que votre monde peut vous offrir, mais d'en profiter dans le cadre de ma Loi. C'est alors que vous serez parfaits.

168. Fréquemment, vous entendez la complainte de votre conscience,

parce que vous n'avez pas harmonisé matière et esprit avec la Loi que Je vous ai donnée.

169. Souvent, vous continuez de pécher parce que vous croyez n'avoir pas droit au pardon; ce qui est une croyance ignorante, parce que mon cœur est une porte éternellement ouverte au repentir.

170. L'espérance qui vous anime à attendre un meilleur lendemain ne vit-elle peut-être, pas à l'intérieur de vous? Ne vous laissez pas envahir par la mélancolie et le désespoir, pensez à mon amour qui est toujours avec vous. Recherchez en Moi la réponse à vos doutes, et vous verrez que vous vous sentirez bientôt illuminés par une nouvelle révélation, la lumière de la foi et de l'espérance s'allumera au plus profond de votre esprit. Alors, vous serez le bastion des faibles. (155, 50-53)

171. Vivez toujours sur vos gardes, afin de pouvoir pardonner avec le cœur à ceux qui vous offenseront; méditez à l'avance, parce que celui qui offense son frère manque de lumière; et Moi je vous affirme que le pardon est le seul qui puisse éclairer ces cœurs. La rancœur ou la vengeance amplifient les ténèbres et attirent la souffrance. (99, 53)

172. Ce sera votre conscience, celle qui vous demande et attend de vous des actions parfaites, qui ne vous laissera pas tranquille jusqu'à ce que vous sachiez pratiquer le véritable pardon à l'égard de vos frères.

173. Pourquoi devez-vous haïr ceux qui vous offensent, s'ils ne représentent que des échelons pour que vous arriviez à Moi? Vous gagnerez des mérites en pardonnant et, lorsque vous serez dans le Royaume des Cieux, vous verrez, sur la Terre, ceux qui vous aidèrent dans votre élévation; alors, vous demanderez au Père qu'eux aussi trouvent les moyens de se sauver et d'arriver jusqu'au Seigneur; et c'est votre intercession qui leur fera atteindre cette grâce. (44, 44-45)

174. Ne vous écartez pas de ceux qui, dans leur désespoir, en arrivent à blasphémer contre vous; Je vous donne, pour cela, une goutte de mon baume.

175. Préparez-vous à pardonner à tous ceux qui vous offenseraient dans ce qui vous est le plus cher; certes, Je vous dis que, chaque fois que dans l'une de ces épreuves, vous accorderez le pardon sincère et véritable, vous aurez gravi un échelon de plus sur le chemin de votre salut.

176. Allez-vous, dès lors, éprouver de la rancœur et refuser le pardon à ceux qui vous aident à vous rapprocher de Moi? Allez-vous renoncer au délice spirituel de M'imiter, en laissant la violence aveugler votre cerveau pour répondre au coup par coup?

177. En vérité Je vous le dis, cette humanité ne connaît pas encore la force du pardon et les miracles qu'il accomplit. Elle se convaincra de cette vérité lorsqu'elle aura la foi en ma parole. (111, 64-67)

178. Peuple aimé, unifiez-vous à vos frères, pour que lorsque vous êtes en communion avec Moi, vous pardonniez même les offenses les plus graves, pour l'amour que Je vous ai inspiré. Comment ne devrez-vous pas pardonner à celui qui ne sait pas ce qu'il fait? Et s'il ne le sait pas, c'est parce qu'il l'ignore car c'est à lui-même qu'il se fait ce mal. (359, 25)

179. Pardonnez autant de fois que vous fûtes offensés. Ne prenez même pas en compte le nombre de fois que vous devez pardonner. Votre destin est si haut que vous ne devez pas vous arrêter à ces obstacles du chemin, parce que de très grandes missions vous attendent plus tard.

180. Maintenez toujours l'esprit disposé à l'amour, à la compréhension et au bien, pour vous situer à des plans supérieurs.

181. Et, à l'instar de bon nombre de vos frères qui, dans les temps passés, écrivirent, grâce à leurs œuvres, des pages merveilleuses dans le Livre éternel de l'esprit, en les imitant, vous continuerez cette histoire pour l'exemple et le délice de nouvelles générations qui viendront sur la Terre. (322, 52)

182. Cultivez la paix, aimez-la et diffusez-la partout, parce que c'est d'elle que l'humanité a le plus besoin!

183. Ne vous laissez pas troubler par les vicissitudes de la vie, afin de rester toujours forts et prêts à donner ce que vous possédez.

184. Cette paix, qui est patrimoine de tout esprit, s'est enfuie, en ce temps, pour céder le pas à la guerre et torturer des nations, détruire des institutions et anéantir les esprits.

185. Il faut dire que le mal s'est emparé du cœur humain; la haine, l'ambition démente et malsaine et la convoitise effrénée se répandent en faisant des ravages, mais combien bref sera leur règne!

186. Pour votre plaisir et votre tranquillité, Je vous annonce que votre libération est déjà proche, à laquelle, en quête de cet idéal, des multitudes d'êtres travaillent, désireux de respirer une atmosphère de fraternité, de pureté et de santé. (335, 18)

187. Vous ferez la charité tout au long de votre périple, c'est votre mission. Vous disposez de nombreux dons spirituels pour faire la charité de différentes manières. Si vous savez vous préparer, vous réaliserez ce que vous appelez l'impossible.

188. La charité que vous pourriez faire au moyen d'une monnaie, bien qu'étant de la charité, sera la moins élevée que vous puissiez faire.

189. Vous devez apporter l'amour, le pardon et la paix au cœur de vos frères.

190. Je ne veux plus de pharisiens ni d'hypocrites réfugiés dans ma Loi! Je veux des disciples qui ressentent la souffrance de leurs semblables. Je pardonnerai tous ceux qui se lèveront en se repentant, qu'importe la secte ou la religion qu'ils professent, et je leur ferai contempler clairement le véritable chemin. (10, 107-107)

191. Ecoutez-Moi: Soyez humbles dans le monde et semez bien en lui, afin d'en récolter les fruits au ciel. Si, quand vous agissez mal, il ne vous plaît pas d'avoir des témoins, pourquoi vous plaît-il, dès lors, d'en avoir quand vous accomplissez de bonnes actions? De quoi pouvez-vous vous enorgueillir, si vous n'avez fait qu'accomplir votre devoir?

192. Comprenez qu'étant donné que vous êtes si petits et si humains, les flatteries sont préjudiciables à votre esprit.

193. Pourquoi, après avoir fait une bonne action, espérez-vous immédiatement que votre Père vous récompense? Celui qui pense de la sorte n'agit pas de manière désintéressée et, par conséquent, sa charité est fausse et son amour est très loin d'être vrai.

194. Permettez au monde de voir que vous accomplissez de bonnes actions, mais non dans le but de recevoir des hommages, sinon seulement de donner de bons exemples, des enseignements, et témoigner de ma vérité. (139, 56-58)

195. Quand votre esprit se présentera dans la vallée spirituelle pour rendre compte de son séjour et de ses actions sur la Terre, ce que Je vous demanderai principalement tout

ce que vous avez demandé et tout ce que vous avez fait pour vos frères. Alors vous vous rappellerez de mes paroles de ce jour. (36, 17)

196. Au Deuxième Temps, l'humanité Me donna une croix de bois, auquel martyre les hommes me condamnèrent, mais sur mon Esprit J'en portai une autre bien plus lourde et bien plus sanglante: celle de vos imperfections et de votre ingratitude.

197. Seriez-vous capable de parvenir à Ma présence en portant sur vos épaules une croix d'amour et de sacrifice pour vos semblables! Notez que c'est dans ce but que Je vous envoyai sur la Terre; et par conséquent, votre retour aura lieu quand vous vous présenterez en ayant accompli votre mission. Cette croix sera la clef qui vous ouvrira les portes du royaume promis. (67, 17-18)

198. Je ne vous demande pas de tout laisser, comme Je le demandai à ceux qui Me suivirent au Second Temps et parmi lesquels celui qui avait ses parents les laissa, celui qui avait une compagne la laissa; ils abandonnèrent leur maison, leur berge, leur bateau et leurs filets; ils abandonnèrent tout pour suivre Jésus. Je ne vous dis pas non plus qu'il faille verser votre sang en ce temps. (80, 13)

199. Comprenez que vous devez vous transformer spirituellement et matériellement, que beaucoup de vos coutumes et traditions, héritage de vos ancêtres, devront disparaître de votre vie pour céder la place à la spiritualité. (63, 15)

200. Vous n'allez pas tous comprendre, pour le moment, ce que signifie «spiritualité», ni non plus pourquoi Je vous demande de parvenir à cette élévation. Pourriez-vous être manses et obéissants à Mes commandements même si vous ne savez même pas ce que Je demande de vous?

201. Mais il y en a qui comprennent l'idéal que le Maître inspire à ses disciples, et ils s'empressent d'obéir à ses directives. (261, 38)

202. Si vous désirez vraiment ardemment parvenir à être des maîtres en spiritualité, vous devez être persévérants, patients, studieux et observateurs, parce que c'est alors que vous aurez l'occasion de récolter, sur votre passage, le fruit de vos actions, grâce auquel vous accumulerez l'expérience qui est lumière et connaissance de la vraie vie. (172, 9)

203. J'apporte une nouvelle leçon, grâce à laquelle vous apprendrez à vivre spirituellement sur la Terre, qui est la vraie vie que Dieu a destinée aux hommes.

204. Je vous ai déjà dit que «spiritualité» ne veut pas dire mysticisme, ni fanatisme religieux ou pratiques surnaturelles. Spiritualité signifie harmonie entre l'esprit et la matière, observation des lois divines et humaines, simplicité et pureté dans la vie, foi profonde et absolue dans le

Père, confiance et joie de servir Dieu en vos semblables; idéaux de perfectionnement de la moralité et de l'esprit. (279, 65-66)

205. Vous vous interrogez sur la signification des sept échelons de l'échelle, et votre Maître vous dit, certes: Le numéro sept symbolise la spiritualité, c'est la spiritualité que Je souhaite voir pour mon peuple élu d'Israël.

206. Vous devez venir à Moi avec toutes vos vertus et tous vos dons développés. Au septième échelon ou étape de votre évolution, vous arriverez à Moi et vous verrez la gloire ouvrir ses portes pour vous recevoir. (340, 6)

207. Pour l'instant, comprenez qu'aussi longtemps que les hommes n'atteindront pas la spiritualité complète, ils auront besoin de temples matériels et de disposer, devant leurs yeux, des formes ou des images qui les fassent sentir Ma présence.

208. Vous pouvez mesurer le degré de spiritualité ou de matérialisme de l'humanité à la forme de son culte. Le matérialiste Me recherche dans les choses terrestres, et s'il ne parvient pas me voir selon ses souhaits, il me représente sous une forme quelconque pour croire qu'il m'a devant lui.

209. Celui qui Me conçoit en tant qu'Esprit me sent en lui, hors de lui et dans tout ce qui l'entoure, parce qu'il s'est converti en mon propre temple.

210. Rendez-Moi le culte spirituel et ne soyez pas comme ceux qui édifient des temples et des autels brodés d'or et de pierres précieuses, qui entreprennent de grands pèlerinages et se disciplinent par de dures et cruelles flagellations, par des oraisons et des prières, à genoux, mais qui n'ont pas encore été capables de Me confier leur cœur. Je suis venu les toucher au travers de la conscience, et c'est pourquoi Je vous dis: Celui qui parle de ses actes à tout vent n'a aucun mérite devant le Père Céleste. (115, 9)

211. Pour observer ma loi, vous devez prier en élevant toujours votre esprit vers votre Père.

212. J'ai vu que, pour prier, vous préférez la solitude et le silence, et c'est la bonne manière quand vous essayez de chercher l'inspiration au travers de la prière, ou quand vous souhaitez Me rendre grâce. Mais Je vous dis aussi que vous devez pratiquer la prière dans n'importe quelle condition où vous vous trouvez, afin que vous sachiez invoquer mon aide dans les moments les plus difficiles de votre vie, sans perdre la sérénité, la maîtrise de vous-mêmes, la foi en ma présence et la confiance en vous. (40, 34-35)

213. Contez-Moi vos peines silencieusement et confiez-Moi vos plus grands souhaits. Bien que Je sache tout, Je souhaite que vous appreniez à composer votre propre prière jusqu'à parvenir à pratiquer la parfaite communication de votre esprit avec le Père. (110, 31)

214. Vous vous êtes rendus compte de la portée de la prière, et vous avez compris le pouvoir immense qu'a celle-ci quand vous l'élevez, aussi bien pour remédier à un besoin spirituel que pour demander la solution d'une détresse matérielle.

215. Souvenez-vous qu'il vous a souvent suffi de prononcer le mot «Père» pour que tout votre être s'ébranle et que votre coeur se sente envahi par le réconfort que vous donne son amour.

216. Sachez que lorsque votre coeur M'appelle avec tendresse, mon Esprit lui-aussi tremble de bonheur.

217. Quand vous m'appelez «Père», quand ce nom jaillit de votre être, votre voix est entendue dans le ciel et vous décrochez un des secrets de l'arcane. (166, 49-51)

218. Il est impérieux que vous appreniez à demander, à attendre, à recevoir, et que vous n'oubliiez jamais de offrir ce que Je vous concède, ce qui renferme le plus grand mérite. Priez pour ceux qui meurent, jour après jour, à la guerre. Je concéderai à ceux qui prient avec un coeur propre que, avant l'an 1950, tous ceux qui soient morts à la guerre ressusciteront spirituellement à la lumière. (84, 53)

219. Aujourd'hui, vous êtes de jeunes élèves, et vous ne comprenez pas toujours correctement ma leçon. Pour le moment, parlez à Dieu avec votre cœur, avec vos pensées, et Il vous répondra depuis le plus intime de votre être. Son message, qui s'exprimera dans votre conscience, sera une voix claire, sage et affectueuse que vous découvrirez peu à peu, et à laquelle vous vous familiariserez plus tard. (205, 47)

220. Ne soyez pas surpris ou scandalisés si Je vous dis que toute la splendeur, le pouvoir et le luxe de vos religions devront disparaître et que, lorsque cela se réalisera, la table spirituelle sera préparée où viendront s'alimenter les multitudes affamées d'amour et de vérité.

221. Beaucoup d'hommes, à l'écoute de ces mots, nieront qu'ils soient les miens; mais Je leur demanderai alors pourquoi ils s'indignent, et ce qu'ils défendent. Leur vie? Celle-là, c'est Moi qui la défends. Ma Loi? J'y veille aussi.

222. N'ayez crainte, personne ne mourra pour ma cause; seul mourra le mal, parce que le bien, la vérité et la justice prévaudront éternellement. (125, 54-56)

223. Pensez-vous qu'il soit difficile que ce monde scientifique et matérialiste vienne à sentir un penchant pour la spiritualité? Je vous dis que ce n'est en rien difficile, parce que mon pouvoir est infini. L'élévation, la foi, la lumière et le bien constituent, pour l'esprit, une nécessité bien plus impérieuse que ne le sont la nourriture, la boisson et le sommeil, pour votre corps.

224. Si les dons, les pouvoirs et les attributs de l'esprit ont été endormis

pour longtemps, ils se réveilleront à mon appel, et feront en sorte que la spiritualité, avec tout ses prodiges, revienne parmi les hommes, parce que maintenant vous êtes plus qualifiés pour les comprendre. (159, 7-8)

Développement

225. De même que vous voyez se développer le corps de l'homme, en lui se développe aussi l'esprit, cependant le corps rencontre une limite à son développement tandis que l'esprit requiert beaucoup d'incarnations matérielles et l'éternité pour atteindre sa perfection. C'est la raison de vos réincarnations.

226. Vous êtes nés de l'esprit paternel et maternel de Dieu, purs, simples et propres, pareils à une semence, néanmoins, ne vous confondez-pas parce qu'être purs et simples ne revient pas au même qu'être grands et parfaits.

227. Vous pouvez établir la comparaison entre un nouveau-né et un homme d'expérience qui enseigne à des enfants.

228. Ce sera votre destin à travers les âges, quand votre esprit sera développé. Mais, que votre esprit se développe lentement! (212, 57-60)

229. Etudiez et analysez, parce qu'il y en a qui se confondent en pensant que, si votre esprit est une particule de ma Divinité, comment est-ce possible qu'il souffre? Et que, si la lumière de l'esprit est une étincelle du Saint-Esprit, comment peut-il, par moments, se voir enveloppé par les ténèbres?

230. Reconnaissez que ce séjour consiste à gagner des mérites suffisants devant Dieu, grâce auxquels vous puissiez convertir votre esprit, d'innocent et simple, en un grand esprit de lumière à la droite du Père. (231, 12)

231. Je veux que vous soyez bons et en plus Je souhaite que vous arriviez à être parfaits, parce que vous, qui paraissez si petits, vous êtes bien plus grands que les objets matériels et les mondes, parce que vous avez la vie éternelle, vous êtes une étincelle de Ma lumière.

232. Vous êtes des esprits. Il est impérieux que vous reconnaissiez ce qu'est un esprit, afin de pouvoir comprendre pourquoi Je vous appelle au chemin de perfection. (174, 60)

233. Vous êtes soumis à la Loi d'évolution, voilà la raison de vos réincarnations. Seul mon Esprit n'a pas besoin d'évoluer: Je suis immuable.

234. Depuis le commencement, Je vous ai montré l'échelle que doivent gravir les esprits pour arriver jusqu'à Moi. Aujourd'hui, vous ignorez le niveau auquel vous vous trouvez, mais quand vous abandonnerez votre enveloppe physique, vous saurez votre degré d'évolution. Ne vous arrêtez pas, parce que vous constitueriez un obstacle pour ceux qui vous suivent.

235. Bien que vous habitiez des plans différents, soyez unis en esprit, et un jour vous serez réunis au

septième niveau, le plus élevé, jouissant de Mon amour. (8, 25-27)

236. Je vous ai dit que vous n'êtes pas venus qu'une seule fois sur la Terre, sinon que votre esprit a emprunté cette enveloppe matérielle autant de fois que nécessaire pour son développement et son perfectionnement; Je dois ajouter maintenant qu'il dépend aussi de vous que le temps nécessaire pour arriver au but s'écourte ou se prolonge, selon votre propre désir. (97, 61)

237. Qui parmi vous serait capable de prouver qu'il n'a pas existé avant cette vie? Qui, de ceux ont l'absolue conviction de vivre une nouvelle incarnation, pourrait prouver avoir réglé sa dette avec le Père et disposer encore de mérites?

238. Personne ne connaît le niveau de perfection auquel il se trouve; par conséquent, luttez, aimez et persévérez jusqu'au bout. (46, 58-59)

239. Pour que Je vous livre ces nouvelles révélations, il fut nécessaire que, pendant le temps qui s'écoula entre Ma manifestation à l'humanité en tant qu'homme et Ma venue en tant qu'Esprit au cours de ce temps, vous ayez connu beaucoup de réincarnations sur la Terre, afin que, lorsque Je vins vous interroger à propos de la leçon antérieure, votre esprit sache répondre et que lorsque Je lui livrerais de nouvelles révélations, il sache les comprendre. (13, 52)

240. Combien de fois devrez-vous retourner à la Terre pour porter un corps au travers duquel le message vous apportez au monde se manifeste chaque fois plus clairement?

241. Laissez votre esprit, comme une alouette, trouver son printemps dans cette vie, en jouir, et qu'au cours de son pèlerinage, il acquière l'expérience nécessaire pour revenir à Moi.

242. Pendant que les riches accumulent des trésors, qui sont trop éphémères, vous-autres devez accumuler l'expérience, le vrai savoir. (142, 72)

243. A présent, durant cette période, vous allez lutter contre l'ignorance d'une humanité qui, bien que matérialisée sous tous ses angles, est moins cruelle et plus évoluée grâce à l'expérience qu'elle a atteinte dans ses incarnations antérieures.

244. Aujourd'hui, si vous connaissez quelqu'un qui ne pense pas ou ne pratique pas son culte comme la plupart le font, bien que vous soyez surpris et scandalisés, vous ne criez déjà plus qu'on le brûle vif. (14, 21-22)

245. Craignez-vous de parler avec vos frères de la réincarnation de l'esprit? Ou n'êtes-vous peut-être pas persuadés de la justice d'amour qu'elle renferme?

246. Comparez cette forme de restitution avec celle du châtiment éternel dans les flammes perpétuelles de l'enfer, forme utilisée par les

hommes pour effrayer l'esprit de l'humanité. Dites-Moi laquelle de ces deux formes vous donne l'idée d'une justice divine, parfaite et miséricordieuse.

247. L'une révèle de la cruauté, de la rancœur illimitée, de la vengeance; l'autre ne contient que pardon, charité, et espoir d'atteindre la vie éternelle. Que mes enseignements ont souffert de déformations à cause des mauvaises interprétations!

248. Je vous prépare pour la lutte, parce que Je sais que vous serez combattus pour ce que vous allez enseigner, mais si vos frères qui s'opposeront à vous, en ces instants, étaient surpris par la mort, et qu'au moment de mourir en état de péché, Moi je leur demande ce qu'ils préféreraient: le feu éternel dans lequel ils croient, ou une occasion de se purifier dans une vie, en vérité Je vous le dis, ils manifesteraient leur préférence pour la seconde option, même si, aveuglés par leur fanatisme, ils l'ont combattue au cours de leur vie. (120, 15-17)

249. Il suffit que vous sachiez, comme Je vous le dis dans ma parole, que la réincarnation de l'esprit est vérité, afin qu'une lumière s'allume dans votre cœur et que vous admiriez davantage Ma justice d'amour.

250. Comparez les théories et les diverses interprétations que les religions ont données à ces enseignements et inclinez-vous pour celle qui renferme une plus grande

justice et qui possède une plus grande raison.

251. Mais Je vous dis, certes, que celle-ci est une des révélations qui émouvra le plus l'esprit en ce temps où l'intuition s'éveille quant à cette grande vérité. (63, 76)

252. Vous affirmerez que la réincarnation de l'esprit est l'une des grandes vérités que l'humanité doit connaître et croire.

253. Il y a ceux qui par intuition pressentent, acceptent et croient en ceci comme quelque chose qui ne pouvait manquer dans ma justice d'amour à l'égard des hommes; mais il y en aura aussi beaucoup qui vous appelleront menteurs et blasphémateurs.

254. N'ayez crainte, la même chose passa à mes apôtres quand ils prêchaient la résurrection des morts, enseignée par Jésus; les prêtres et les magistrats les emprisonnèrent pour prêcher de tels enseignements.

255. Plus tard, le monde accepta cette révélation, même si, et Je peux vous l'assurer, il ne parvint pas à comprendre toute l'importance de cet enseignement. Il fut donc impérieux que Je vienne en cette époque pour vous apprendre que la résurrection de la chair ne peut faire référence qu'à la réincarnation de l'esprit, puisque ce dernier constitue le principe et la raison de la vie, et ce qui est vraiment éternel. Quel serait le but de ressusciter les corps morts, quand ils ne représentèrent que les habits temporels de l'esprit?

256. La chair descend à la terre pour se confondre avec elle. C'est là qu'elle se purifie, se transforme et surgit de nouveau, et de manière permanente, à la vie; pendant que l'esprit, lui, continue de s'élever, de s'orienter vers la perfection, et quand il revient sur la Terre, cela constitue, pour lui, une résurrection à la vie humaine, et aussi une nouvelle résurrection au contact de l'esprit, pour sa nouvelle enveloppe.

257. Cependant le matériel, contrairement au spirituel, n'a pas de nature éternelle, c'est pourquoi Je vous dis, une fois encore, que c'est votre esprit que Je cherche, auquel J'enseigne et que Je souhaite emmener avec Moi. (151, 56-58)

258. Votre esprit traîne péniblement derrière lui une chaîne formée par les vies que Je vous ai offertes comme une opportunité de vous perfectionner, mais dont vous n'avez pas tiré profit; chaque existence constitue un maillon. Néanmoins, si vous réglez votre vie dans le cadre de mes enseignements, si vous adhérez à ma loi, vous ne viendrez plus souffrir dans ce monde.

259. Si vous laissez passer le temps sans étudier ma parole, Moi, qui suis le temps, Je vous surprendrai. Étudiez, afin que vous puissiez occuper, dans mon Œuvre, la place qui vous corresponde.

260. Je souhaite que cessent l'incompréhension et les différentes croyances au sujet de ma Divinité.

Comprenez que tous avez jailli d'un seul Dieu. (181, 63-65)

261. Contemplez et appréciez l'Univers dans toute sa perfection et toute sa beauté; il fut créé pour que s'y inspirent les enfants du Seigneur et qu'en lui ils voient une image du Père. Si vous voyez la Création de cette façon, vous élèverez votre esprit vers ma Divinité. (169, 44)

262. La lumière de cette ère vient déchirer le voile d'obscurité qui enveloppait l'esprit des hommes; il vient rompre les chaînes qui le tenaient soumis et l'empêchaient de parvenir au véritable chemin.

263. En vérité Je vous le dis, ne pensez pas que ma doctrine interdise la recherche dans toutes les sciences. Si c'est Moi qui éveille votre intérêt, votre admiration et votre curiosité; c'est la raison pour laquelle J'ai doté votre esprit du don de la pensée afin de lui permettre de se déplacer où qu'il le souhaite.

264. Je vous ai donné la lumière de l'intelligence afin que vous puissiez comprendre ce que vous voyez le long de votre chemin. C'est pourquoi Je vous dis: Enquêtez, analysez en profondeur, mais essayez de faire en sorte que votre manière de pénétrer mes arcanes soit respectueuse et humble, parce que c'est alors qu'elle sera vraiment licite.

265. Je ne vous ai pas défendu de connaître les livres que les hommes ont écrits, mais il vous faut être préparés afin de ne pas trébucher et ne

pas vous confondre. Alors, vous saurez comment l'homme commença sa vie, sa lutte et où il est arrivé.

266. Et quand il en sera ainsi, vous devrez rechercher ma source d'enseignements et de révélations, pour que Je vous montre le futur et la fin qui vous attend. (179, 22-23)

267. Je vous assure que si vous vous proposez de pénétrer, avec intérêt et amour, le sens de ces enseignements, à chaque pas vous découvrirez de vraies merveilles et des prodiges de sagesse spirituelle, d'amour parfait et de justice divine! Mais, si vous considérez ces révélations avec indifférence, vous resterez ignorants de tout ce qu'elles renferment!

268. Ne passez pas devant ma manifestation comme beaucoup passez devant la vie: en voyant sans regarder, en entendant sans écouter et en pensant sans comprendre. (333, 11-12)

269. Je ne souhaite pas que vous analysiez mon Esprit ni rien qui appartienne au spirituel comme s'il s'agissait d'objets matériels. Je ne veux pas que vous M'étudiiez selon la manière des scientifiques, parce que cela vous mènerait à de grandes et lamentables confusions. (276, 17)

270. Toute ma Doctrine a la finalité de découvrir devant vos yeux ce que renferme votre être, parce que c'est de cette connaissance que naît la lumière pour trouver le chemin qui mène à l'éternel, au parfait, à Dieu. (262, 43)

Purification et perfectionnement

271. Aujourd'hui vous M'exposez vos souffrances afin que Je les allège et, en vérité Je vous le dis, c'est Ma mission, c'est dans ce but que Je suis venu, car je suis le Divin Docteur.

272. Cependant, avant de disposer Mon baume sur votre blessure, avant que vous parvienne Ma caresse, concentrez-vous sur vous-mêmes et examinez votre douleur, analysez-la, méditez profondément aussi longtemps que nécessaire afin que, de cette méditation, vous preniez l'enseignement que renferme cette épreuve, de même que la connaissance qui s'y dissimule, et que vous devez savoir. Cette connaissance consistera en expérience, foi, regarder la vérité en face, elle sera l'explication de beaucoup d'épreuves et de leçons incomprises par vous.

273. Comme si la douleur était quelque chose de tangible, examinez-la et vous y découvrirez la merveilleuse graine d'expérience, la grande leçon de votre existence, parce que la douleur est venue pour être votre professeur au cours de votre vie.

274. Celui qui considère la souffrance comme un professeur et qui, avec mansuétude, obéit aux appels qu'elle lui adresse pour la régénération, le repentir et la correction, celui-là, par la suite, connaîtra la douceur, la paix et la santé.

275. Examinez-vous avec soin et vous verrez tout le bénéfice que vous en tirerez. Vous connaîtrez vos défauts et vos imperfections, les

corrigerez et, par conséquent, vous cesserez d'être les juges des autres. (8, 50-53)

276. Vous serez propres par le seul fait de le vouloir. Quel serait le mérite que ce soit Moi qui vous purifie? Que chacun accomplisse la restitution pour ses manquements à ma Loi, a du mérite parce que vous saurez alors éviter les chutes et les erreurs dans le futur, parce la souffrance vous le rappellera.

277. Si un repentir sincère s'interpose entre la faute commise et ses conséquences naturelles, la souffrance ne vous atteindra pas, parce qu'alors vous serez déjà forts pour supporter l'épreuve avec résignation.

278. Le monde boit jusqu'au bout un calice très amer et Moi je ne l'ai jamais puni, mais après sa souffrance, il viendra à Moi qui l'appelle. A ce moment-là, ceux qui furent ingrats sauront rendre grâce à Celui qui n'a répandu que des bontés dans leur existence. (33, 30-31)

279. Débarrassez-vous de l'amour excessif pour votre corps et soyez charitables envers votre esprit, en l'aidant à se purifier et à s'élever; quand vous y serez parvenus, vous verrez combien vous serez forts d'esprit et de corps vous serez fortifiés spirituellement et physiquement.

280. Réfléchissez au fait que, si l'esprit est malade, comment pourra-t-il y avoir la paix dans le cœur? Et s'il existe des remords dans votre esprit, pourrait-il jouir de la paix? (91, 72-73)

281. Si cette Terre satisfaisait tous vos désirs, et s'ils n'y existaient pas les grandes épreuves spirituelles, qui de vous souhaiterait-il arriver à mon Royaume?

281. Ne blasphémez ou ne maudissez pas non plus la souffrance, puisque c'est vous qui l'avez créée par vos fautes. Epuisez-la patiemment, et c'est elle qui vous purifiera et qui vous aidera à vous approcher de Moi.

282. Remarquez-vous combien profond est votre enracinement aux grandeurs et aux plaisirs terrestres? Néanmoins, le moment viendra où vous désirerez ardemment vous en séparer.

283. Quiconque réussira à accomplir ses épreuves avec élévation éprouvera la paix dans cet accomplissement. Celui qui marche sur la Terre en dirigeant son regard vers le ciel ne trébuche pas, et ne se blesse pas la plante des pieds avec les chardons parsemés sur le chemin de sa restitution. (48, 53-55)

284. Accomplissez votre destin; ne souhaitez pas revenir à Moi sans avoir, au préalable, parcouru le chemin que Je vous ai indiqué, parce que vous devriez éprouver la douleur de contempler des taches en votre esprit qu'il ne parvint pas à laver, parce qu'il n'arriva pas au bout de sa restitution.

285. Les réincarnations vous ont dépassés, et beaucoup d'entre vous n'avez pas évalué la grâce infinie et l'amour que le Père, par leur biais, vous a confiés.

286. Notez que plus grand le nombre d'occasions, plus grande sera aussi votre responsabilité, et si ces occasions ne sont pas exploitées, chacune d'entre elles connaîtra une augmentation de restitution et de justice; c'est le fardeau dont beaucoup d'êtres ne s'expliquent pas le poids insupportable, et que seule Ma Doctrine peut vous révéler. (67, 46)

287. Ces épreuves que l'humanité traverse sont le fruit qu'elle récolte, le fruit de ses propres semailles, une récolte qui, parfois, est le fruit de la semence plantée l'année antérieure et, en d'autres occasions, le fruit de ce qu'elle sema voici des années ou lors d'autres incarnations. (178, 2)

288. Ne croyez pas que les conséquences d'une désobéissance soient immédiatement palpables. Non! Ce que je vous dis est que, tôt ou tard, vous devrez répondre de vos actes. Parfois, il vous semblera que votre faute n'entraîna pas de conséquences, en fonction du temps qui passe et de ma justice qui ne se manifeste aucunement.

289. Cependant vous savez, par ma parole, qu'en tant que juge Je suis inexorable et que, à l'heure de votre jugement, vous ouvrirez vos yeux à la lumière de la conscience. (298, 48)

290. Ô vous, les esprits qui m'entendez, ne laissez pas les vicissitudes de la vie terrestre imprimer en vous leur empreinte, et moins encore vous épuiser. Cherchez la lumière que renferme chaque épreuve, et qu'elle vous soit utile pour vous fortifier et vous modérer.

291. Quand l'esprit ne réussit pas à s'imposer à la matière, cette dernière le fléchit et le domine, ce qui entraîne que les esprits s'affaiblissent et croient qu'ils meurent avec la chair. (89, 11-12)

292. Avez-vous jamais éprouvé, dans votre vie, quelque passion matérielle qui ait consumé tout votre être, vous privant d'entendre la voix de la conscience, de la moralité et de la raison?

293. C'est quand votre esprit est tombé au plus bas, c'est alors que les tentations et la force de la bête du mal, qui habite la chair, l'ont dominé.

294. N'est-il peut-être pas vrai que, lorsque vous avez réussi à vous libérer de cette passion et à vaincre son influence, vous avez ressenti un immense bonheur et une paix profonde?

295. Cette paix et cette joie sont dues au triomphe de l'esprit sur la matière, un triomphe obtenu au coût d'une immense lutte, d'une sanglante bataille intérieure. Mais il a suffi que l'esprit reprenne force et se lève, induit et conseillé par la conscience, pour qu'en dominant les impulsions de la chair, il se libère de continuer à être traîné vers l'abîme.

296. Là, dans cette lutte, dans cette renonciation, dans cette bataille contre vous-mêmes, vous avez vu mourir quelque chose qui habitait à l'intérieur de vous, sans que cela fut votre vie, mais seulement une passion insensée. (186, 18-19)

297. Observez que vous portez en vous-mêmes votre ennemi le plus puissant. Quand vous l'aurez vaincu, vous apercevrez à vos pieds le dragon aux sept têtes dont l'apôtre Jean vous a parlé. Ce sera alors que vous pourrez vraiment dire: Je peux élever mon visage vers mon Seigneur pour Lui dire: «Seigneur, je vous suivrai», parce qu'alors ce ne seront pas les lèvres qui le diront, sinon l'esprit. (73, 20)

298. Vous vous rendrez vite compte que la vie n'est pas cruelle envers vous les hommes, mais que c'est plutôt vous qui êtes cruels avec vous-mêmes. Vous souffrez et faites souffrir ceux qui vous entourent, par manque de compréhension. Vous vous sentez seuls, vous voyez que personne ne vous aime et vous devenez égoïstes au cœur endurci. (272, 34)

299. Comprenez que toutes les peines de cette vie que vous vivez sont les conséquences des fautes humaines, car Moi qui vous aime, Je ne pourrais vous offrir un calice aussi amer.

300. Je vous ai révélé, depuis les premiers temps, la Loi comme un chemin par lequel vous pouvez vous protéger des chutes, de l'abîme et de la mort. (215, 65)

301. Aujourd'hui vous ne réussissez pas à comprendre la signification de vos épreuves, vous les jugez inutiles, injustes et insensés, cependant Je vous dirai combien de justice et de précision il y eut en chacune d'elles quand vous arriverez à la vieillesse, et aux autres, quand vous aurez passé les seuils de ce monde et que vous habiterez les régions spirituelles. (301, 44)

302. Je vous répète que Je capte toute pensée et toute prière, en revanche, le monde ne sait pas recevoir mon inspiration, ni s'est préparé pour laisser briller, dans son esprit, mes divines pensées, et n'écoute pas ma voix quand Je réponds à son appel.

303. Mais J'ai la foi en vous, Je crois en vous, parce que Je vous ai formés et que Je vous ai dotés d'un esprit qui est un éclat du Mien et d'une conscience qui est Mon image.

304. Si Je vous avais dit que Je n'attends pas que vous parveniez à vous perfectionner, ce serait comme si Je déclarais avoir échoué dans la plus grande Oeuvre qui a jailli de ma volonté divine, et cela ne peut pas être concevable.

305. Je sais que vous êtes au temps où votre esprit émergera victorieux de toutes les tentations qu'il a rencontrées tout au long de son chemin, après quoi il surgira, plein de

lumière, à une nouvelle existence. (238, 52-54)

Ici et au-delà du terrestre

306. Préparez-vous, n'attendez pas que la mort vous surprenne sans préparation. Qu'avez-vous préparé pour votre retour à la vie spirituelle? Est-ce que vous voulez être surpris quand vous êtes encore enchaînés à la matière, aux passions, aux possessions terrestres? Voulez-vous entrer dans l'Au-delà, les yeux fermés, sans trouver le chemin, en emportant une imprimée dans votre esprit la lassitude de cette vie? Préparez-vous, disciples, et c'est alors que vous ne craindrez pas l'arrivée de la mort du corps.

307. Ne soupirez pas en devant quitter cette vallée, parce que si vous reconnaissez qu'en elle existent des merveilles et des grandeurs, en vérité Je vous le dis, elles ne sont seulement qu'une image des beautés de la vie spirituelle.

308. Si vous ne vous réveillez pas, qu'allez-vous faire quand vous vous retrouverez au départ d'un nouveau chemin, éclairés par une lumière qui vous paraitra inconnue?

309. Partez de ce monde sans larmes, sans laisser de souffrance dans le coeur de vos êtres chers. Détachez-vous le moment venu, en laissant sur le visage de votre corps un sourire de paix qui parle de la libération de votre esprit.

310. La mort du corps ne vous éloigne pas des êtres qui vous ont été confiés, ni vous écarte de la responsabilité spirituelle que vous avez envers ceux qui furent vos parents, vos frères ou vos enfants.

311. Comprenez que la mort n'existe pas pour l'amour, pour le devoir, pour les sentiments; en un mot, pour l'esprit. (70, 14-18)

312. Travaillez avec acharnement afin que, lorsque viendra la mort et qu'elle fermera les yeux de votre corps à cette vie, votre esprit sente s'élever de lui-même jusqu'à arriver à la demeure qu'il aura atteinte par ses mérites.

313. Les disciples de cette oeuvre contempleront, au moment de la mort corporelle, combien les liens qui unissent l'esprit à la matière se brisent facilement. Il n'y aura, en elle, aucune douleur à devoir abandonner les satisfactions du monde; son esprit n'errera pas comme une ombre parmi les hommes, frappant de porte à porte, de coeur en coeur, en quête de lumière, de charité et de paix. (133, 61-62)

314. Élevez votre esprit afin d'aimer seulement l'éternel, ce qui est beau et bon. S'il n'en était pas ainsi, votre esprit matérialisé par la vie que vous menâtes, souffrira beaucoup pour se détacher de son corps et de tout ce qu'il abandonne, et devra errer dans les espaces, pour un temps, enveloppé dans la confusion et l'amertume, jusqu'à ce qu'il termine sa purification.

315. Vivez dans ma Loi et vous ne devrez pas craindre la mort, mais ne l'appelez pas ou ne la désirez pas

avant terme; laissez-la venir, elle est toujours obéissante à mes instructions; assurez-vous qu'elle vous trouve préparés et, ainsi, vous entrerez dans la demeure spirituelle comme enfants de la lumière. (56, 43-44)

316. Vivez en paix dans vos foyers, faites-y un sanctuaire afin que les êtres invisibles, lorsqu'ils entreront, venant confus dans la vallée spirituelle, ils puissent trouver, en votre être, la lumière et la paix qu'ils recherchent, et qu'ils puissent s'élever vers l'Au-Delà. (41, 50)

317. À ceux qui vivez en esprit et qui êtes encore attachés aux idéaux matériels, Je vous dis: Eloignez-vous de ce qui ne vous appartient déjà plus, parce que si la Terre n'est pas une demeure éternelle pour l'homme, elle l'est encore beaucoup moins pour l'esprit. Plus loin, dans la vallée spirituelle, une vie pleine de lumière vous attend, laquelle vous atteindrez pas à pas, grâce au chemin du bien.

318. À ceux qui M'écoutent comme humains, Je leur dis que, tant qu'ils possèdent ce corps qui les accompagne pendant leur passage terrestre, ils doivent en prendre soin et le conserver jusqu'à l'ultime instant, parce qu'il constitue le support sur lequel l'esprit s'appuie, aussi bien que l'instrument pour lutter; c'est au travers de ses yeux matériels que l'esprit regarde cette vie et par le biais de sa bouche qu'il s'exprime et peut réconforter ses frères. (57, 3)

319. Le Maître vous demande à présent: Où vos morts se trouvent-ils, et pourquoi pleurez-vous la disparition des êtres que vous aimez? En vérité Je vous le dis, en ce qui Me concerne, aucun n'est mort, parce que J'ai donné la vie éternelle à tous. Tous ceux que vous croyiez perdus vivent, ils sont avec Moi. C'est là où vous croyez voir la mort, qu'est la vie; où vous voyez la fin, est le commencement. C'est où vous croyez que tout est mystère et arcane insondable, qu'est la lumière, avec la clarté d'une aurore interminable. Où vous croyez qu'il n'y a rien, il y a tout et là où vous percevez le silence, est le concert. (164, 6)

320. Chaque fois que la mort fauche l'existence de votre enveloppe humaine, il s'agit d'une sorte de trêve pour l'esprit, lequel en réincarnant, surgit avec des forces nouvelles et plus grande lumière, pour continuer à étudier cette leçon divine qu'il n'avait pas achevée. C'est ainsi que le blé, qui est votre esprit, mûrit au fil des ères.

321. Je vous ai beaucoup révélé à propos de la vie spirituelle, cependant Je vous dis qu'il n'est pas impérieux, pour le moment, que vous sachiez tout, sinon l'essentiel pour votre arrivée dans la demeure éternelle. Là, Je vous dévoilerai tout ce qui est destiné à votre connaissance. (99, 32)

322. Est-ce que vous pouvez imaginer le bonheur de celui qui retourne à la vie spirituelle en ayant

accompli, sur la Terre, le destin que son Père lui a tracé? Sa satisfaction et sa paix sont infiniment plus grandes que toutes les satisfactions que l'esprit peut recueillir au cours de la vie humaine.

323. Et Je vous offre cette opportunité pour que vous soyez de ceux qui se réjouissent lors de votre retour à votre royaume, et non de ceux qui souffrent et pleurent au milieu de leur confusion ou de leur repentir. (93, 31-32)

324. La fin de cette manifestation approche, pour la commencer sous une forme plus élevée, en établissant la communication d'esprit à Esprit avec votre Créateur, laquelle est celle qu'utilisent les esprits plus élevés qui habitent près de Moi. (157, 33)

325. Quand Je vous parle de mon monde spirituel, Je me réfère à ces troupes d'êtres obéissants comme de vrais serviteurs, qui n'accomplissent que ce que leur ordonne la volonté de leur Seigneur.

326. Ils sont ceux que J'ai envoyés parmi vous pour être les conseillers, les gardiens, les docteurs et les véritables frères entre tous les hommes. Ils ne viennent pas pour pleurer, car en eux ils sont porteurs de la paix; ils ne viennent pas pour questionner, parce que la lumière de leur évolution et leur expérience des longues étapes leur a donné le droit de pouvoir éclairer l'entendement de l'homme. Ils sont opportuns par leur

aide, attentionnés et humbles, face à tout appel ou nécessité.

327. C'est Moi qui leur ai ordonné de se manifester parmi vous, afin de vous prodiguer leur leçon, leur témoignage et leur encouragement. Ils marchent en avant de vous afin que vous puissiez trouver la voie propre et pour vous fournir leur aide afin de ne pas vous affaiblir.

328. Demain, vous aussi ferez partie de cette armée de lumière qui, dans le monde infini des esprits vient travailler uniquement pour l'amour à ses frères, sachant que, de cette façon, ils glorifient et aiment leur Père.

329. Si vous souhaitez leur ressembler, consacrez votre existence au bien. Partagez votre paix et votre pain, recevez le nécessiteux avec amour, rendez visite au malade et au prisonnier. Allumez la lumière sur le sentier de vos frères qui vont, à tâtons, en quête du vrai chemin. Remplissez l'infini de pensées nobles, priez pour les absents et la prière vous rapprochera d'eux.

330. Et quand la mort arrêtera les battements de votre coeur et que s'éteindra la lumière dans vos pupilles, vous vous réveillerez dans un monde merveilleux par son harmonie, son ordre et sa justice. C'est là que vous commencerez à comprendre que la charité de Dieu est celle qui peut vous dédommager de toutes vos actions, vos épreuves et vos souffrances.

331. Quand un esprit arrive à cette demeure, il commence à se sentir envahi par une paix infinie, son

souvenir retourne à l'instant vers ceux qui vivent encore loin de cette béatitude et, dans son empressement, dans son désir ardent de voir ceux qu'il aime posséder ce don divin, il se joint aux partisans spirituels qui luttent et travaillent pour le salut, le bien-être et la paix de leurs frères. (170, 43-48)

332. Qui a imaginé les batailles que ces légions de lumière soutiennent contre les invasions d'êtres perturbés qui vous menacent à chaque pas? Aucun regard humain n'a jamais découvert cette lutte que se livrent, incessamment, les uns et les autres, sans que vous vous en aperceviez. (334, 77)

333. Voici la continuation de mon Oeuvre, ma venue au Troisième Temps en tant qu'Esprit de Réconfort, entouré par mes grandes armées d'anges, comme il était écrit.

334. Ces esprit partisans du Mien font partie de cette consolation que Je vous avais promise, et vous en avez déjà eu des preuves de leur charité et de leur paix, au travers de leurs conseils sains et de leurs exemples de vertu. C'est par leur entremise que Je vous ai concédé des bienfaits, et ce sont eux qui ont été intermédiaires entre vous et mon Esprit.

335. Quand vous avez perçu la grâce et les dons dont ils sont revêtus, aussi bien que leur humilité, vous vous êtes sentis inspirés pour réaliser des actions aussi pures que celles qu'ils ont menées à bien dans votre vie. Quand ils sont entrés dans votre foyer, vous vous êtes sentis honorés par leur présence spirituelle.

336. Soyez bénis si vous avez reconnu leur élévation, mais le Maître vous demande: Croyez-vous qu'ils aient toujours été des êtres vertueux? Ne savez-vous pas qu'un grand nombre d'entre eux a habité la Terre et a connu la faiblesse et les grandes fautes?

337. Et regardez-les à présent, ils ne conservent plus aucune tache. C'est parce qu'ils entendirent l'appel de la conscience, s'éveillèrent à l'amour et se repentirent de leurs fautes passées, et c'est dans ce creuset qu'ils se sont purifiés pour s'élever dignes. Et ils me servent, aujourd'hui, en étant au service de l'humanité.

338. Leur esprit leur a imposé, par amour, la tâche d'aider leurs semblables pour restituer tout ce qu'ils ont manqué de faire lorsqu'ils habitèrent la Terre, et ils ont accepté, comme un cadeau Divin, la chance de venir semer la graine qu'ils ne semèrent pas, et de détruire toute oeuvre imparfaite qu'ils auraient façonnée.

339. C'est pourquoi, maintenant, vous contemplez avec étonnement leur humilité, leur patience, et leur mansuétude, et parfois vous les avez vus souffrir pour leur restitution. Néanmoins, leur amour et leur reconnaissance sont bien plus grands que les obstacles qui se présentent à eux parce qu'ils vainquent tout et qu'ils sont disposés à aller jusqu'au sacrifice. (354, 14-15)

340. Par hasard, percevez-vous la demeure spirituelle de laquelle vous êtes partis pour venir sur la Terre? « Non, Maître », Me dites-vous, « Nous ne percevons ni nous souvenons de rien ».

341. Oui, mon peuple, il y a tellement longtemps que vous vous éloignâtes de la pureté et de l'innocence, que vous ne pouvez même pas imaginer cette existence de paix, cet état de bien-être.

342. Cependant, à présent que vous êtes préparés pour écouter la voix de la conscience et recevoir ses révélations, vous avez à votre portée le chemin qui mène au Royaume promis à ceux qui élèvent vers Moi.

343. Ce n'est pas ce paradis de paix duquel partirent les premiers, sinon le monde infini de l'esprit, le monde de la sagesse, le paradis du vrai bonheur spirituel, le ciel de l'amour et de la perfection. (287, 14-15)

Révélations du Divin

344. C'est le Père de tous les êtres qui vous parle en cet instant; l'amour qui vous créa se laisse ressentir en chacun qui écoute cette parole. (102, 17)

345. Celui qui vous parle est l'unique Dieu qui existe, Celui que vous appelâtes Jéhovah quand il vous montra sa force et vous révéla la loi sur le Mont Sinaï; Celui que vous appelâtes Jésus, parce que mon Verbe fut en Lui, et Celui qu'aujourd'hui vous appelez le Saint-Esprit, parce que Je suis l'Esprit de la Vérité. (51, 63)

346. Quand Je vous parle comme Père, c'est le livre de la loi qui s'ouvre devant vous. Quand Je vous parle en tant que Maître, c'est le livre de l'amour que Je montre à mes disciples. Quand Je vous parle comme Saint-Esprit, c'est le livre de la sagesse qui vous éclaire de ses enseignements et qui forme une seule doctrine, parce qu'elle provient d'un seul Dieu. (141, 19)

347. Dieu est lumière, amour, justice, tous ceux qui manifestent ces attributs dans leur vie représentent et honorent leur Seigneur. (290, 1)

348. Ne dites pas Je suis le Dieu de la pauvreté ou de la tristesse, en considérant que Jésus a toujours été suivi par des multitudes de malades et d'affligés. Je recherche les malades, les tristes et les pauvres, mais c'est dans le but de les emplir de joie, de santé et d'espoir, parce que je suis le Dieu de la joie, de la vie, de la paix et de la lumière. (113, 60)

349. Oui, peuple, Je suis votre commencement et votre fin. Je suis l'Alpha et l'Omega, bien que Je ne vous dise ou ne vous révèle pas encore tous les enseignements que J'ai réservés à votre esprit, lesquels vous les connaîtrez lorsque vous serez très loin de ce monde.

350. Je vous révélerai maintenant beaucoup de nouvelles leçons et je

vous livrerai ce que vous êtes capable de posséder sans vous enorgueillir ni vous dresser devant l'humanité avec un air de supériorité; vous savez déjà que celui qui s'enorgueillit de ses actes les détruit par sa même vanité. C'est pourquoi Je vous ai appris à travailler en silence afin que vos ouvrages produisent le fruit d'amour. (106, 46)

351. Il vous faut encore comprendre beaucoup des révélations qui sont destinées à faire partie de votre savoir, mais les hommes ont supposé que leur connaissance n'appartient qu'à Dieu. Quand quelqu'un ose exprimer son désir de les interpréter, ou tente de les pénétrer, il est immédiatement appelé blasphémateur ou jugé imprudent. (165, 10)

352. Vous avez beaucoup à apprendre pour vous sensibiliser à mes inspirations et à mes appels. Que de fois sentez-vous les vibrations du spirituel sans réussir à comprendre Qui vous appelle! Ce langage est tellement confus pour vous, que vous ne parvenez pas à comprendre et que vous finissez par attribuer les manifestations spirituelles à des hallucinations ou à des causes matérielles. (249, 24)

353. Ne trouvez pas étrange que Moi, le propriétaire de tout ce qui fut créé, Je me présente parmi vous en demandant de l'amour; Je suis le Dieu de la mansuétude et de l'humilité. Je ne viens pas me vanter de ma grandeur, Je dissimule plutôt ma perfection et mes insignes royaux pour M'approcher de votre coeur. Si vous Me contempliez dans toute Ma splendeur, combien pleureriez-vous pour vos fautes! (63, 48)

354. Ressentez-Moi très proches de vous, Je vous en donne des preuves dans les moments difficiles de votre vie. J'ai voulu que vous fassiez de votre coeur Ma demeure, pour qu'en elle vous sentiez Ma présence.

355. Comment est-il possible que, étant en vous, vous ne sachiez pas sentir Ma présence? Quelques-uns me cherchent dans la Nature, d'autres me sentent au-delà de tout le matériel, mais Je vous dis, certes, que Je suis en toutes parts, en tous lieux. Pourquoi devez-vous toujours Me chercher en-dehors de vous, alors que Je me trouve aussi en votre être? (1, 47-48)

356. Même s'il n'y avait pas de religions dans le monde, il vous suffirait de vous concentrer dans le fond de votre être pour trouver Ma présence dans votre temple intérieur.

357. Je vous dis aussi qu'il suffirait d'observer ce que la vie vous offre, pour que vous y trouviez le livre du savoir, lequel, à chaque pas, vous montre ses plus belles pages et ses leçons les plus profondes.

358. Vous comprendrez alors qu'il n'est pas juste que le monde se perde quand il porte, dans son cœur, le chemin, ni qu'il se confonde dans les ténèbres de l'ignorance, alors qu'il vit dans une telle lumière. (131, 31-32)

359. Aujourd'hui, ma langue universelle se fait entendre en tous, pour leur dire que bien que Je sois en chacun de vous, personne ne doit dire que Dieu est à l'intérieur de l'homme, parce que ce sont les êtres et toute la création qui se trouvent en lui.

360. Je suis le Seigneur, et vous ses créatures. Je ne souhaite pas vous appeler serviteurs, sinon enfants, mais reconnaissez que Je suis avant vous; aimez ma volonté et respectez ma loi, en sachant que, dans ce que J'ai disposé, il n'y a aucune place pour l'imperfection ou l'erreur. (136, 71-72)

361. Je vous formai pour vous aimer et Me sentir aimé. Vous avez besoin de Moi comme J'ai besoin de vous. Celui qui affirme que Je n'ai pas besoin de vous ne dit pas la vérité, si c'était le cas, Je ne vous aurais pas créés, ni Me serais fait homme pour vous sauver grâce à ce sacrifice qui constitua une grande preuve d'amour; Je vous aurais laissé vous perdre.

362. Néanmoins, vous devez reconnaître que si vous, vous alimentez de mon amour, il est juste que vous offriez la même chose à votre Père, car Je continue de vous dire: « Je suis assoiffé, J'ai soif de votre amour ». (146, 3)

363. Comment pouvez-vous penser que J'aime moins celui qui souffre le plus? Comment pouvez-vous interpréter votre souffrance comme un signe que Je ne vous aime pas? Si vous saviez que c'est précisément par amour pour vous que Je suis venu; ne vous ai-Je pas dit que le vertueux est sauf et que celui qui est en bonne santé n'a pas besoin du médecin? Si vous vous sentez malades et que, lors de l'examen à la lumière de votre conscience, vous vous juger pécheurs, soyez certains que c'est pour vous que Je suis venu chercher.

364. Si vous croyez que Dieu a pleuré en quelque occasion, sûrement cela n'a pas été pour ceux qui jouissent de sa gloire, mais pour ceux qui sont égarés ou qui pleurent. (100, 50-51)

365. Ma demeure est préparée pour vous; quand vous y arriverez, vous vous y réjouirez vraiment. Comment un père pourra-t-il vivre dans une demeure royale, savourant des mets exquis, en sachant que ses propres enfants sont comme des mendiants aux portes de sa propre maison? (73, 37)

366. Connaissez la Loi, aimez le bien, pratiquez l'amour et la charité, concédez à votre esprit la sainte liberté de s'élever vers sa demeure, c'est alors que vous M'aimerez.

367. Est-ce que vous voulez un modèle parfait de tout ce que vous devrez faire et de ce que vous devez être pour arriver à Moi? Imitez le Christ, aimez-Moi en Lui, cherchez-Moi au travers de Lui, venez à Moi par sa Divine empreinte.

368. Mais ne M'aimez pas sous sa forme humaine ou en son image, ne changez pas la pratique de Ses

615

enseignements pour des rites ou des symboles, parce que vous vous éterniserez dans vos différences, dans votre inimitié et dans votre fanatisme.

369. Aimez-moi dans le Christ, mais dans Son Esprit, dans Sa Doctrine et vous serez conformes avec la Loi éternelle, parce que le Christ renferme la justice, l'amour et la sagesse avec lesquels J'ai manifesté, à l'humanité, l'existence et la toute-puissance de Mon Esprit. (1, 71-72)

L'être humain et son destin

370. Il y a longtemps que vous n'êtes pas avec Moi, que vous ignorez ce que vous êtes en réalité, parce que vous avez laissé dormir, en votre être, beaucoup d'attributs, de pouvoirs et de dons que votre Créateur déposa en vous. Vous dormez pour l'esprit et la conscience, et c'est précisément dans ces attributs spirituels que réside la véritable grandeur de l'homme. Vous imitez les êtres qui sont de ce monde, parce qu'ils y naissent et qu'ils y meurent. (85, 57)

371. Le Maître vous demande, ô disciples bien aimés: Que vous appartient-il dans ce monde? Tout ce que vous possédez, c'est le Père qui vous l'a donné pour votre usage au cours de votre étape sur la Terre, pendant que bat votre coeur. Oui votre esprit provient de ma Divinité, oui il est un souffle du Père Céleste, oui il est l'incarnation d'un atome de mon Esprit, oui votre corps a aussi été formé dans le cadre de mes lois et Je vous le confie comme un instrument de votre esprit. Alors, mes enfants bien aimés, rien ne vous appartient. Toute la création appartient au Père, et c'est Lui qui vous en a faits les détenteurs temporaires. Souvenez-vous que votre vie matérielle ne représente seulement qu'un pas dans l'éternité, un rayon de lumière dans l'infini, et c'est pourquoi vous devez vous occuper de ce qui est éternel, de ce qui ne meurt jamais, et cela c'est l'esprit. (147, 8)

373. Que ce soit l'esprit qui guide l'entendement, et non l'entendement, guidé seulement par un coeur ambitieux de grandeur humaine, qui gouverne votre vie.

374. Réfléchissez au fait que si vous souhaitez vous guider par les ordres de votre cerveau, vous l'épuiserez, et ne pourrez aller au-delà d'où ses forces limitées le lui permettent.

375. Je vous dis que si vous désirez ardemment savoir pourquoi vous vous êtes sentis inspirés à faire le bien et que votre coeur et votre entendement soient guidés par l'esprit et alors vous serez émerveillés devant le pouvoir de votre Père. (286, 7)

376. Il est juste que l'esprit révèle la sagesse à l'entendement humain, et non que ce soit l'entendement qui illumine l'esprit.

377. Beaucoup ne comprendront pas ce que Je vous déclare parce qu'il y a bien longtemps déjà que vous avez altéré l'ordre de votre vie. (295, 48)

378. Sachez, disciples, que la spiritualité permet à la conscience de se manifester plus clairement, et celui qui saura écouter cette voix de sagesse ne se laissera pas tromper.

379. Liez-vous d'amitié avec la conscience, elle est la voix amie, au travers de laquelle le Seigneur montre sa lumière, que ce soit comme Père, comme Maître, ou comme Juge. (293, 73-74)

380. Soyez infatigables dans la révision de ma parole, elle, à l'instar d'un ciseau invisible, se chargera de polir les aspérités de votre caractère jusqu'à ce que vous soyez préparés pour traiter les problèmes les plus délicats de vos frères.

381. En eux, vous trouverez tristesses, expiations et restitutions dont les causes peuvent être très diverses. Quelques-unes auront une origine très difficile de comprendre en revanche, il y en aura d'autres que vous découvrirez seulement par l'intuition, la révélation et la voyance, pour libérer vos frères d'un lourd fardeau.

382. Ces dons n'accompliront des prodiges que lorsque celui qui les mettra en pratique se sera inspiré dans la charité à l'égard de ses semblables. (149, 88)

383. Qu'est-ce que les hommes appellent surnaturel, si tout ce qui est Moi et mon Oeuvre sont naturels? Ne serait-ce pas plutôt les actes mauvais et imparfaits des hommes, les surnaturels, puisque le naturel serait qu'ils agissent toujours bien, procédant de Qui ils procèdent et possédant les attributs qu'ils portent en eux-mêmes? En Moi, tout a une explication simple et profonde, il n'y a rien de ténébreux.

384. Vous appelez surnaturel tout ce que vous ne connaissez pas ou que vous voyez enveloppé de mystère, mais que, lorsque votre esprit gagnera, avec des mérites, son élévation, et qu'il contemplera et découvrira ce qu'il ne pouvait pas voir auparavant, il trouvera que tout, dans la création, est naturel.

385. Si, quelques siècles en arrière, on avait annoncé, à l'humanité, les avances et découvertes que l'homme accompliraient en ces temps, même les scientifiques auraient douté et ils auraient considéré de telles merveilles comme surnaturel. Maintenant que vous avez évolué en suivant pas à pas les progrès de la science humaine, bien que vous vous en émerveilliez encore, vous les contemplez comme des oeuvres naturelles. (198, 11-12)

386. Je dois vous dire de ne pas croire qu'il est indispensable pour l'esprit d'avoir un corps humain et la vie dans le monde pour pouvoir évoluer; cependant, les leçons qu'il reçoit dans ce monde lui sont d'une grande utilité pour son perfectionnement.

387. La matière aide l'esprit dans son évolution, dans ses expériences, dans son expiation et dans ses luttes; c'est la mission qui lui correspond et vous pouvez le vérifier grâce à cette

manifestation de ma Divinité au travers du cerveau de l'homme dont Je suis venu me servir, en l'utilisant comme un instrument pour vous transmettre Mon message. Comprenez que non seulement l'esprit est destiné au spirituel, sinon que même ce qui est très petit à l'intérieur de la matière a été créé à des fins spirituelles.

388. Je suis venu rafraîchir la mémoire de votre esprit et lui lancer un appel afin qu'en vainquant l'influence du matériel qui a réussi à le dominer, il fasse parvenir sa lumière au coeur et à l'entendement, en utilisant le don de l'intuition.

389. Cette lumière signifie, pour votre esprit, le chemin de sa libération! Cette Doctrine vient lui offrir les moyens de s'élever au-dessus de la vie humaine et d'être le guide pour tous ses actes, seigneur au-dessus de ses sentiments et non pas esclave de basses passions ni victime de faiblesses et de misères. (78, 12-15)

390. Qui d'autre que Moi sera capable de régner sur les esprits et de régir leur destin? Personne! C'est pourquoi celui qui, souhaitant régner, a essayé d'usurper la place du Seigneur, crée pour lui-même un royaume en fonction de ses penchants, de ses caprices, de ses ambitions et de ses vanités; un règne de matière, de basses passions et de sentiments ignobles.

391. Vous ne pouvez pas vous imposer à la conscience, parce qu'en elle se trouve la justice parfaite. Dans les esprits la pureté est la seule qui ait le pouvoir sur les fibres nobles, et seul ce qui est bien les touche; en un mot, l'esprit ne s'alimente que de la vérité et du bien. (184, 49-50)

392. Si J'ai formé tout ce qui a été créé de la terre pour le plaisir de l'homme, utilisez-le toujours pour votre bienfait. N'oubliez pas qu'il existe, en vous, une voix qui vous indique les limites dans lesquelles vous pourrez prendre ce que la nature vous offre, et c'est à cette voix intérieure que vous devez obéir.

393. De même que vous recherchez, pour votre corps, un foyer, un manteau, des aliments et des satisfactions, pour lui rendre l'existence plus agréable, vous devez aussi concéder à l'esprit ce qui lui est nécessaire pour son bien-être et son progrès.

394. S'il se sent attiré vers des régions supérieures où trouver sa véritable demeure, laissez-le s'élever, ne l'emprisonnez pas, parce qu'il Me cherche pour s'alimenter et se fortifier. Je vous dis que, chaque fois que vous lui permettrez de se libérer de la sorte, il reviendra heureux dans son enveloppe. (125, 30)

395. L'esprit souhaite vivre, il recherche son immortalité, il souhaite s'assainir et se purifier, il a faim de savoir et soif d'amour. Laissez-le penser, sentir et travailler, concédez-lui de prendre une partie du temps dont vous disposez pour qu'il s'y

manifeste et se réjouisse dans la liberté.

396. Après cette vie, de tout ce que vous êtes ici dans le monde, il ne subsistera seulement que votre esprit. Permettez-lui d'accumuler et de thésauriser vertus et mérites afin qu'à l'heure de sa libération, il ne soit pas un nécessiteux devant les portes de la «Terre Promise». (111, 74-75)

397. Je ne souhaite plus de restitution ni de souffrances pour vous. Je souhaite que, à l'instar des étoiles qui embellissent le firmament, les esprits de tous mes enfants viennent avec leur lumière pour éclairer mon Royaume et remplir de joie le coeur de votre Père. (171, 67)

398. Ma parole viendra réconcilier l'esprit et la matière, puisqu'il y a longtemps qu'existe une inimitié entre l'un et l'autre, afin que vous sachiez que votre corps, que vous avez considéré un obstacle et une tentation au passage de l'esprit, peut être le meilleur instrument de votre accomplissement sur la terre. (138, 51)

399. Essayez qu'il existe une harmonie entre l'esprit et l'enveloppe physique, pour que vous puissiez exécuter facilement mes instructions; faites céder la matière avec amour, usez de la force si nécessaire, prenez garde de ne pas vous laisser aveugler par le fanatisme, pour ne pas agir cruellement contre elle. Faites de votre être une seule volonté! (57, 65)

400. Je ne vous dis pas seulement de purifier votre esprit, mais aussi de fortifier votre corps physique, afin que les nouvelles générations qui jailliront de vous soient saines, et que leurs esprits puissent accomplir leur délicate mission. (51, 59)

401. Je souhaite que vous formiez des foyers croyants dans le Dieu unique, des foyers qui soient des temples où pratiquer l'amour, la patience et l'abnégation.

402. En eux, il faut que vous soyez les professeurs des enfants, que vous devez entourer de tendresse et de compréhension, veillant sur eux et suivant tous leurs pas avec attention et intérêt.

403. Prodiguez votre amour autant à celui qui a été doté de beauté qu'à ceux qui, apparemment, ont une présence moins plaisante. Un beau visage n'est pas toujours le reflet d'un esprit d'égale beauté; en revanche, la laideur apparente de certaines créatures peut cacher un esprit regorgeant de vertu que vous devez apprécier. (142, 73)

404. Pensez sérieusement aux générations qui vous suivent, pensez à vos enfants, à qui vous avez le devoir de donner la vie spirituelle, celle qui est foi, vertu, et spiritualité, tout comme vous leur avez donné l'existence matérielle. (138, 61)

405. Veillez à la vertu de votre famille et à la paix de votre foyer.

Voyez comme même les plus pauvres peuvent être propriétaires de ce trésor.

406. Reconnaissez que la famille humaine est une représentation de la famille spirituelle; l'homme se trouve, en elle, converti en père, en ressemblant vraiment à son Père Céleste; la femme, avec son cœur maternel plein de tendresse, est l'image de l'amour de la Mère Divine, et la famille qu'ils forment, par leur union, est une représentation de la famille spirituelle du Créateur.

407. Le foyer est le temple dans lequel vous pourrez le mieux apprendre à observer mes lois, lorsque les parents ont su comment se préparer.

408. Le destin des parents et des enfants est en Moi, néanmoins il incombera à quelques-uns de s'aider mutuellement dans leurs missions et dans leurs restitutions.

409. Que la croix serait plus légère et plus facile à supporter si tous les parents et tous les enfants s'aimaient! Les plus grandes épreuves seraient atténuées par l'affection et la compréhension; ils verraient leur acceptation de la volonté divine récompensée par la paix. (199, 72-74)

410. Étudiez les esprits qui vous entourent et ceux qui traversent vos vies, afin d'apprécier leurs vertus, de recevoir le message qu'ils vous apportent ou de leur livrer ce qu'ils doivent recevoir de vous.

411. Pourquoi avez-vous méprisé vos semblables que le destin a disposé sur votre route? Vous leur avez fermé la porte de votre coeur en ignorant l'enseignement qu'ils venaient vous apporter.

412. Combien de fois avez-vous précisément éloigné de vous-mêmes celui qui apportait un message de paix et de consolation à votre esprit! Et vous vous plaignez, par la suite, alors que c'est vous-mêmes qui avez rempli votre calice d'amertume!

413. La vie connaît des changements inattendus et des surprises! Et que ferez-vous si vous deviez rechercher anxieusement, demain, celui que vous avez rejeté aujourd'hui avec arrogance?

414. Pensez qu'il est possible que celui, qu'aujourd'hui vous repoussez et méprisez, demain vous le cherchiez avec inquiétude, mais que ce sera souvent trop tard. (11, 26-30)

415. Quel merveilleux exemple d'harmonie vous offre le cosmos! Des astres brillants qui vibrent, pleins de vie, dans l'espace, autour desquels tournent d'autres corps en orbite. Je suis l'astre lumineux et divin qui donne vie et chaleur aux esprits, cependant, qu'ils sont peu à suivre sa trajectoire, et nombreux ceux qui tournent en dehors de leur orbite!

416. Vous pouvez me rétorquer que les astres matériels ne jouissent pas de libre arbitre et qu'en revanche, c'est cette liberté qui a fait dévier les hommes du chemin. C'est pourquoi Je vous dis combien la lutte sera méritoire pour tout esprit, puisque bénéficiant déjà du don du libre arbitre, il saura le soumettre à la Loi

de l'harmonie avec son Créateur. (84, 58)

417. Aucun de ceux qui s'appellent disciples de cet enseignement spirituel ne se plaint au Père d'être pauvre dans sa vie matérielle, de manquer de commodités que d'autres ont en abondance, ou de souffrir de disette ou de privations. Ces lamentations sont nées de la matière qui, comme vous le savez, ne possède qu'une seule existence.

418. Votre esprit n'a pas le droit de s'adresser ainsi à son Père, ni de montrer son mécontentement, ni de blasphémer contre son propre destin, parce que tout esprit, au cours de son long séjour sur la Terre, a parcouru toute la panoplie des expériences, des plaisirs et des satisfactions humaines.

419. La dématérialisation des esprits a déjà commencé il y a quelque temps, c'est pourquoi vous aidez cette douleur et cette pauvreté auxquelles votre coeur se résiste à souffrir. Tout bien spirituel et matériel revêt une importance que vous devez reconnaître afin de ne pas quitter, à l'un ni à l'autre, sa valeur. (87, 26-27)

420. Chaque créature, chaque homme, a une place assignée qu'il ne doit pas perdre, cependant, il ne doit pas non plus prendre une place qui ne lui corresponde pas. (109, 22)

421. Pourquoi craignez-vous le futur? N'allez-vous pas profiter de toute l'expérience que votre esprit a accumulée dans le passé? Allez-vous abandonner la semence sans recueillir la récolte? Non, disciples, comprenez que personne ne peut forcer son destin, il peut seulement retarder l'heure de son triomphe et au contraire augmenter les tristesses qui existent déjà sur le chemin. (267, 14)

422. Le Royaume du Père est l'héritage de tous ses enfants. Il est indispensable d'obtenir cette grâce au moyen des mérites de l'esprit. Je ne veux pas que vous considériez impossible arriver à la grâce qui vous rapproche de Moi.

423. Ne soyez pas triste en écoutant, dans ma parole, que c'est au travers de grands efforts et de grandes œuvres que vous atteindrez la terre Promise. Réjouissez-vous car celui qui oriente sa vie en direction de cette idée ne souffre pas de déceptions ni de trahisons. Il ne succèdera pas ce qui arrive à beaucoup de ceux qui vont en quête de la gloire du monde, et qui après beaucoup d'efforts, ne l'obtiennent pas, ou de ceux qui l'atteignent rapidement souffrent de la voir disparaître jusqu'à ce qu'ils n'aient plus rien. (100, 42-43)

424. Je vous donne les clefs pour ouvrir les portes de votre bonheur éternel. Ces clefs sont l'amour, d'où provient la charité, le pardon, la compréhension, l'humilité et la paix avec lesquels vous devez passer par la vie.

425. Grand est le bonheur de votre esprit quand il domine la matière et se

réjoui de la lumière du Saint-Esprit! (340, 56-57)

426. Cette terre, qui a toujours envoyé à l'au-delà une récolte d'esprits malades, fatigués, confus et perturbés ou de faible progression, bientôt sera capable de M'offrir des fruits dignes de Mon amour.

427. La maladie et la douleur iront s'exiler de votre vie, quand vous mènerez une existence saine et élevée et, lorsque surviendra la mort, elle vous trouvera préparés pour le voyage vers la demeure spirituelle. (117, 24-25)

428. Ne faiblissez pas, ô esprits, c'est à vous que Je dirige particulièrement mes paroles! Persévérez sur ma voie et vous connaîtrez la paix. En vérité Je vous le dis, vous êtes tous destinés à connaître le bonheur; Je cesserais d'être votre Père si vous n'aviez pas été créés pour partager la Gloire avec Moi.

429. Mais n'oubliez pas que, pour que votre bonheur soit parfait, il est nécessaire que vous cultiviez, pas à pas, vos mérites afin que votre esprit parvienne à Me sentir digne de cette divine récompense.

430. Observez que Je vous aide et que Je vous accompagne tout au long du chemin. Ayant pleine confiance en Moi, sachant que Ma mission et Mon destin sont unis aux vôtres. (272, 61)

Défauts, péchés, vicissitudes
431. Comprenez Ma leçon pour ne plus commettre d'erreurs pendant votre vie, parce que chaque offense que vous causez à vos frères, tant en paroles qu'en actions, sera un souvenir impérissable dans votre conscience, laquelle vous réclamera implacablement.

432. Je vous répète que vous êtes tous nécessaires pour que s'accomplisse le plan Divin et pour en finir avec tellement de misère spirituelle parmi l'humanité.

433. Aussi longtemps que l'égoïsme existera, la souffrance existera aussi. Substituez votre indifférence, votre égoïsme et votre mépris, pour l'amour, la charité et vous vous verrez combien rapidement vous arrivera la paix. (11, 38-40)

434. Cherchez votre progression dans le cadre de la vie humaine, mais ne vous laissez jamais dominer par des ambitions excessives, parce qu'alors vous perdrez votre liberté et le matérialisme vous réduira en esclavage. (51, 52)

435. Je pardonne vos fautes, mais en même temps Je vous corrige afin que vous débarrassiez votre coeur de l'égoïsme, parce ce dernier constitue l'une des faiblesses qui rabaisse le plus l'esprit.

436. Je vous touche au travers de la conscience afin que vous vous souveniez de vos devoirs entre frères, et afin que vous parsemiez votre chemin de charité et de pardon, comme Je vous l'enseignai au Second Temps. (300, 29)

437. Aujourd'hui le pouvoir de la matière et l'influence du monde vous ont rendus égoïstes. Mais la matière n'est pas éternelle, ni d'ailleurs le monde et son influence. Je suis le Juge patient dont la justice est propriétaire de la vie et du temps. Ne jugez pas ceux qui me renient, car Je vous considèrerai plus coupables qu'eux.

438. Elevai-Je jamais ma voix pour juger mes bourreaux? Est-ce que Je ne les bénis pas avec amour et mansuétude? Si seulement vous saviez que nombreux parmi ceux qui, dans le monde, se perdirent temporellement en raison de cette faute, aujourd'hui sont purifiés en esprit. (54, 47-48)

439. N'essayez pas non plus de découvrir les sentiments ocultes de vos semblables, parce qu'en chaque être existe un arcane que Je suis le seul à devoir connaître; mais si vous découvrîtes ce qui n'appartient seulement, à votre frère gardez-le, cela doit être sacré pour vous, ne le rendez pas public, ne déchirez pas ce voile, au contraire, rendez-le plus dense.

440. Souvent J'ai vu les hommes pénétrer le coeur de leur frère jusqu'à découvrir sa nudité morale ou spirituelle, pour s'en réjouir et ensuite la rendre publique.

441. Aucun de ceux qui ont ainsi profané l'intimité d'un semblable ne s'étonnera que quelqu'un, sur son chemin, le dénude et se moque de lui. Qu'il ne dise pas, alors, que c'est le bâton de justice qui le mesure, parce que ce sera le bâton d'injustice avec lequel il a mesuré ses frères.

442. Respectez les autres, couvrez ceux qui sont dénudés avec votre manteau de charité et défendez le faible des calomnies de l'humanité. (44, 46-48)

443. Tous ceux qui déambulent dans les rues et sur les chemins en parlant des événements des temps passés, en interprétant des prophéties ou en expliquer des révélations ne sont pas mes envoyés, parce que beaucoup d'entre eux, par vanité, par dépit, ou à cause d'intérêts humains, se sont emparés de ces enseignements pour offenser et juger, pour humilier ou blesser, et même pour tuer. (116, 21)

444. Levez-vous, humanité, trouvez la route, trouvez la raison de la vie! Unissez-vous entre peuples, aimez-vous tous! Combien est mince le mur qui divise un foyer d'un autre, et cependant que leurs habitants sont distanciés les uns des autres! Et aux frontières de vos peuples, quelles conditions n'imposez-vous pas pour laisser passer l'étranger! Et si vous agissez de la sorte entre humains, qu'avez-vous fait de ceux qui se trouvent dans une autre vie? Etablir entre eux et vous, quand ce n'est pas celui de l'oubli, le voile de votre ignorance qui est comme une obscurité dense! (167, 31)

445. Voyez-vous ces hommes qui ne vivent que pour satisfaire leurs ambitions démesurées, en piétinant la vie de leurs semblables, sans respecter les droits que Moi, leur Créateur, leur ai concédés? Voyez-vous comment leurs oeuvres ne parlent que d'envies, de haine et de convoitise? Eh bien, c'est pour ceux-là que vous devez prier plus que pour d'autres, qui ne sont pas aussi nécessiteux de lumière.

446. Pardonnez, à ces hommes, toute la douleur qu'ils vous causent et aidez-les, grâce à vos pensées propres, à raisonner. Ne rendez pas le brouillard encore plus dense autour d'eux, parce que lorsqu'ils auront à répondre de leurs actes, J'appellerai aussi à répondre ceux qui, au lieu de prier pour eux, ne leur a envoyèrent que des ténèbres avec leurs mauvaises pensées. (113, 30)

447. Souvenez-vous que, dans la loi, l'on vous dit: «Tu n'auras pas d'autres dieux que Moi». Néanmoins, ils sont nombreux les dieux que l'ambition humaine a façonnés pour les adorer, leur rendre le tribut, et même aller jusqu'à leur offrir la vie.

448. Comprenez que ma Loi n'a pas expiré et que, sans vous se rendre compte, elle vous parle sans cesse à travers la conscience; mais les hommes continuent d'être païens et idolâtres.

449. Ils aiment leurs corps, louent leurs vanités et cèdent à leurs faiblesses; ils aiment les richesses de la terre auxquelles ils sacrifient leur paix et leur futur spirituel. Ils rendent le culte à la chair, arrivant parfois à la dégénérescence et même jusqu'à la mort dans leur recherche des plaisirs.

450. Vous pouvez être sûr d'avoir plus aimé le monde terrestre qu' à votre Père. Quand vous êtes-vous sacrifiés pour Moi, en M'aimant et en Me servant dans la personne de vos semblables? Quand sacrifiez-vous votre sommeil ou exposez-vous votre santé pour venir soulager les tristesses qui affligent vos frères? Et quand en êtes-vous jamais venus près de la mort pour un quelconque des nobles idéaux qu'inspire ma Doctrine?

451. Vous voyez que ce n'est pas Moi que vous aimez le plus; pour vous, le culte que vous entretenez pour la vie matérielle passe avant le culte à la vie de l'esprit. Et c'est pourquoi Je vous ai dit que vous avez d'autres dieux que vous adorez et que vous servez plutôt que le vrai. (118, 24-26)

452. Vous êtes tellement habitués au péché que votre vie en vient à vous paraître la plus naturelle, normal et licite et, cependant, c'est comme si Sodome et Gomorrhe, Babylone et Rome, avaient répandu toute leur perversité et leur péché sur cette humanité. (275, 49)

453. Vous vivez, maintenant, un temps de confusion où vous appelez bon ce qui est mauvais, où vous croyez voir la lumière où il y a les ténèbres, et où vous donnez la priorité au superflu sur l'essentiel. Mais ma charité, toujours prête et opportune,

arrivera à temps pour vous sauver, en vous montrant le chemin lumineux de la vérité, un chemin duquel vous vous étiez éloignés. (358, 30)

454. Pour pouvoir triompher dans toutes les épreuves, faites ce que le Maître vous a enseigné: Veillez et priez, pour que vos yeux soient toujours alertes et que vous ne soyez pas surpris par la tentation. Notez que le mal fait preuve d'une grande subtilité pour vous tester, vous faire tomber dans la tentation, pour vous vaincre et pour profiter de votre faiblesse. Soyez perspicaces afin de savoir le découvrir quand il vous traque. (327, ex. 10)

455. Je vous dis, certes, que de ces ténèbres, l'humanité émergera à la lumière, cependant ce pas sera lent. Qu'adviendrait-il des hommes s'ils comprenaient, en un instant, de tout le mal qu'ils ont occasionné? Quelques-uns perdraient la raison, tandis que d'autres mettraient fin à leurs jours. (61, 52)

Purification et spiritualisation de l'humanité

456. Vous avez oublié la Loi et avez attendu que les éléments vous rappellent Ma justice: vents violents, eaux qui quittent leur lit, tremblements de terre, sécheresses, inondations, sont des voix qui réveillent et vous parlent de Ma justice.

457. Quel autre fruit l'humanité peut-elle M'offrir, en cette période,

qui ne soit la discorde et le matérialisme? Ce peuple qui, pendant des années a écouté Mon enseignement, n'est pas non plus capable de Me présenter une récolte agréable. (69, 54-55)

458. Est-ce que vous n'entendez pas les voix de (la) justice? Ne voyez-vous pas les éléments toucher une région après l'autre? Croyez-vous que si vous viviez une vie vertueuse il serait nécessaire que Ma justice se fasse sentir de cette manière? En vérité Je vous le dis, Je n'aurais aucune raison de vous purifier si Je vous avais trouvé propres. (69, 11)

459. Même si, pour le moment, il vous paraît impossible de cimenter la paix parmi l'humanité, Je vous dis que la paix sera faite, et qui plus est, l'homme pratiquera la spiritualité.

460. Le monde souffrira beaucoup de calamités avant l'établissement de ce temps; mais ces souffrances seront pour le bien de l'Humanité, aussi bien pour le matériel que pour le spirituel; elles constitueront comme une limite à la course effrénée de méchancetés, d'égoïsmes et de convoitise des hommes.

461. Il se produira donc un équilibre, parce que les forces du mal ne pourront pas prévaloir sur les forces du bien.

462. La purification a une apparence de punition, sans l'être toutefois, parce qu'elle vient toujours toucher le plus sensible, le plus délicat et le plus aimé; mais en réalité elle est

625

un moyen de salut pour l'esprit éloigné ou égaré.

463. Qui juge matériellement ne peut rien trouver d'utile dans la douleur; mais celui qui est porteur d'un esprit qui vit éternellement, extrait, de cette même douleur, lumière, expérience, énergie et régénération.

464. Si vous pensez spirituellement, comment pouvez-vous croire que la souffrance soit un mal pour l'Humanité, si elle vient d'un Dieu qui est tout amour?

465. Le temps passe et le moment viendra où toutes ces grandes épreuves commenceront à apparaître et que jusqu'au dernier embryon, la paix s'enfuira du monde, paix qui ne reviendra que lorsque l'Humanité aura rencontré le chemin de ma Loi, en écoutant cette voix intérieure qui, à chaque moment, lui dira: «Dieu existe! Dieu est en vous! Reconnaissez-Le, ressentez-Le, réconciliez-vous avec Lui!»

466. Ce sera alors, quand l'ordre de votre vie changera, que l'égoïsme disparaîtra et que chacun se rendra utile aux autres. Les hommes s'inspireront dans Ma justice pour élaborer de nouvelles lois et gouverner les peuples avec amour. (232, 43-47)

467. Après le nouveau déluge, l'arc-en-ciel brillera comme un symbole de paix et l'humanité conclura un nouveau pacte spirituel avec son Seigneur.

468. Vous devez vous attendre à ce que la lutte soit grande, parce que vous devrez tous lutter contre le dragon du mal, dont les armes sont l'ambition, la haine, le pouvoir terrestre, la luxure, la vanité, l'égoïsme, le mensonge, l'idolâtrie et le fanatisme; toutes les forces du mal, nées dans le cœur humain, contre lesquelles vous devrez lutter avec grand courage et foi jusqu'à les vaincre.

469. Quand le dragon de vos passions aura été tué par vos armes de lumière, un monde renové apparaîtra aux hommes, un monde qui sera nouveau bien qu'il sera le même, mais qui paraîtra plus beau parce que les hommes sauront, alors, comment le prendre pour leur bien-être et leur progression, en insufflant à toutes leurs oeuvres un idéal de spiritualité.

470. Les cœurs s'ennobliront, les entendements seront éclairés et l'esprit saura manifester sa présence. Tout ce qui est bon prospèrera, tout ce qui est élevé servira de base aux ouvrages humains.

471. Vous percevrez aussi la transformation dans le matériel: Les rivières seront abondantes, les terres stériles seront fertiles, les éléments reprendront leur cours normal parce qu'il y aura harmonie entre l'homme et Dieu, entre l'homme et les oeuvres divines, entre l'homme et les lois dictées par l'Auteur de la Vie. (352, 61-65)

472. N'ayez crainte, témoins bien-aimés, Je vous annonce que cette humanité matérialiste, qui si longtemps n'a cru que ce qu'elle pouvait toucher, va voir et comprendre avec son entendement limité et tout ce qui pouvait être prouvé par sa science, deviendra spirituelle et saura Me contempler et chercher la vérité avec son regard spirituel. (307, 56)

473. Si vous étiez préparés spirituellement, vous pourriez contempler, à l'infini, les multitudes d'êtres spirituels qui, à vos yeux, ressembleraient à un immense nuage blanc et, quand les messagers ou les envoyés en descendraient, vous les verriez s'approcher de vous comme des éclats de lumière.

474. Votre vision spirituelle n'est pas encore pénétrante, et c'est pourquoi Je dois vous entretenir de l'Au-delà, de tout ce que vous ne pouvez pas encore contempler; mais Je vous affirme que le temps viendra où tous vous serez des voyants et vous vous réjouirez devant cette vie merveilleuse, qu'aujourd'hui vous sentez distante, mais qui, en réalité, vibre près de vous, vous enveloppe et vous illumine, vous inspire et frappe sans cesse à vos portes. (71- 37-38)

475. Sensibilité, pressentiment, révélation, prophétie, inspiration, voyance, guérison, verbe, tout cela et bien d'autres dons jailliront de l'esprit, et c'est grâce à eux que les hommes confirmeront qu'une nouvelle ère s'est ouverte à l'humanité.

476. Aujourd'hui, vous doutez de l'existence de ces dons parce qu'il y en a certains qui les cachent au monde par crainte de son jugement; demain, les posséder sera la chose la plus naturelle et la plus belle.

477. Je viens à vous, en ce Troisième Temps, parce que vous êtes malades du corps et de l'esprit. Celui qui est sain n'a aucun besoin de docteur, et le juste ne requiert de purification. (80, 5-6)

478. Aujourd'hui vous avez encore besoin de ministres, de juges et de maîtres, mais quand vos conditions spirituelles et morales se seront élevées, vous n'aurez déjà plus besoin de ces soutiens, ni de ces voix. En chaque homme il y aura un juge, un guide, un maître, et un autel. (208, 41)

XVI. PROPHETIES ET PARABOLES, CONSOLATION ET PROMESSES

Chapitre 64 – Prophéties

L'accomplissement d'anciennes et de nouvelles prophéties

1. Ce dont les prophètes parlèrent s'accomplira en cette époque; Ma nouvelle parole parviendra aux philosophes et aux théologiens, et beaucoup d'entre eux s'en moqueront pendant que d'autres se scandaliseront. Cependant devant les faits, leurs yeux stupéfaits contempleront l'accomplissement des prophéties que Je vous annonce maintenant. (151, 75)

2. Ces prophètes des temps passés ne reçurent aucune consécration ou autorisation sur la Terre, ils n'étaient pas été obligés de se soumettre à aucune autorité et se limitaient seulement à obéir aux préceptes de leur Seigneur, qui était Celui qui déposait Sa parole sur les lèvres de ceux qu'Il avait choisis.

3. Pleins de foi et de courage, rien ne les arrêtait dans leur mission d'enseigner ma Loi aux hommes et de les écarter du fanatisme religieux, en leur faisant comprendre l'indolence et les erreurs des prêtres. (162, 7-8)

4. Ô Humanité, la douleur, la misère et le chaos qui vous enveloppe en cette époque vous paraissent-ils imprévus?

5. C'est parce que vous ne vous étés pas intéressés aux prophéties que Je vous avais préparées.

6. Tout était prévu et tout était annoncé, mais vous manquâtes de foi et, maintenant, vous en souffrez les conséquences, qui sont comme un calice très amer.

7. A présent, Je prophétise au travers de l'entendement humain, et quelques-unes de ces prophéties se réaliseront bientôt, d'autres sont réservées à des temps plus éloignés.

8. Ce peuple qui les écoute a la grande responsabilité de les faire connaître à l'humanité, car elles contiennent la lumière qui fera comprendre aux hommes la réalité dans laquelle ils vivent, afin qu'ils cessent leur course effrénée vers l'abîme. (276, 41-42)

9. Beaucoup de ce dont Je vous ai entretenu, en cette époque, est prophétie qui fait référence parfois à des temps qui sont proches, et parfois à d'autres à venir, c'est pourquoi beaucoup d'hommes ne souhaiteront pas attacher d'importance à ce message divin.

10. Cette parole, en revanche, surgira pleine de lumière parmi l'humanité des temps futurs, qui verra et trouvera, en elle, de grandes révélations dont l'exactitude et la perfection laisseront émerveillés les hommes de science. (216, 13)

Grande prophétie aux nations, du 10 janvier 1945

11. En cet instant, Je m'adresse aux nations de la Terre. Toutes détiennent Ma lumière, et c'est grâce à elle qu'elles réfléchiront sur le fait qu'elles sont venues prendre la vie comme si elles en étaient les propriétaires.

12. En vérité Je vous le dis, votre destruction et votre douleur ont soulevé un profond repentir en un grand nombre, et ont éveillé des millions d'êtres à la lumière, qui Me cherchent et M'invoquent, et d'eux s'élève une clameur qui arriver jusqu'à Moi, demandant: «Père, la guerre, par hasard, ne prendra-t-elle pas fin en 1945, et ne viendrez-Vous pas sécher nos larmes et nous apporter la paix?»

13. Et Me voici présent parmi vous, ô sept nations! Sept têtes qui vous êtes élevées dans le monde devant Moi!

14. **ANGLETERRE:** Je vous éclaire. Ma justice vous touchera encore fortement, cependant Je vous donne la force, Je touche votre coeur et vous dis que vos ambitions s'évanouiront, que vos pouvoirs vous seront enlevés et qu'ils ne seront répartis à personne.

15. **ALLEMAGNE:** En ce moment, Je touche votre arrogance et vous dis: Préparez vous, parce que votre graine ne périra pas. Vous M'avez demandé de nouvelles terres, et les hommes se sont interposés dans mes hauts jugements. Je touche votre nuque et vous dis de prendre ma force et de Me faire confiance, car Je vous sauverai.

16. Mais, si vous n'avez pas confiance en Moi et que vous cédez à votre arrogance, vous tomberez et serez l'esclave du monde. Cependant, cela n'est pas Ma volonté, parce que ceci est le temps où Je viens renverser les seigneurs et libérer les esclaves et les captifs. Prenez Ma lumière, et levez-vous.

17. **RUSSIE:** Mon Esprit voit tout. Le monde ne sera pas le vôtre. C'est Moi qui régnerai sur vous tous. Vous ne réussirez pas à effacer Mon nom, parce que le Christ qui vous parle régnera sur tous les hommes. Dématérialisez-vous et préparez-vous pour une nouvelle vie, parce que s'il n'en était pas ainsi, Je briserai votre orgueil. Je vous offre Ma lumière.

18. **ITALIE:** Vous n'êtes déjà plus le Seigneur des temps passés; aujourd'hui, l'outrage, l'esclavage et la guerre vous ont détruits. A cause de votre dégénérescence, vous passez par une grande purification. Mais, Je vous dis: Régénérez-vous, écartez votre fanatisme et votre idolâtrie, et reconnaissez-Moi comme le Seigneur des seigneurs. Je répandrai de

nouvelles inspirations et de la lumière sur vous. Prenez Mon baume et pardonnez-vous les uns aux autres.

19. **FRANCE:** Vous Me présentez votre douleur. Votre lamentation arrive jusqu'à Mon trône. Je vous reçois. Hier, vous vous élevâtes comme un seigneur, et à présent vous Me présentez seulement les chaînes que vous traînez.

20. Vous n'avez ni veillé ni prié; vous vous êtes livrés aux plaisirs matériels, et le dragon a fait de vous sa proie.

21. Néanmoins, Je vous sauverai, parce que le cri de vos femmes et les larmes des enfants Me parviennent. Vous souhaitez vous sauver, et Moi je vous couvre de mon manteau, mais en vérité Je vous le dis: Veillez, priez et pardonnez.

22. **ÉTATS UNIS D'AMERIQUE:** En ce moment, Je vous reçois aussi. Je contemple votre coeur, non pas de pierre, mais de métal, d'or. Je rencontre, endurci, votre cerveau de métal. Je ne trouve pas d'amour en vous, Je ne découvre aucune spiritualité, Je ne vois que grandeur, ambitions, et convoitise et cupidité.

23. Continuez, néanmoins Je vous demande: Quand Ma semence va-t-elle profondément s'enraciner en vous? Quand abattrez-vous votre «veau d'or» et votre «tour de Babel», pour édifier le véritable temple du Seigneur?

24. Je touche votre conscience du premier au dernier, et vous pardonne.

Je vous illumine afin qu'à l'heure suprême, quand l'épreuve arrive à sa culmination, votre esprit ne soit pas aveuglé, mais que vous pensiez clairement et que vous vous souveniez que Je suis avant vous.

25. Je vous donne lumière, force, et pouvoir. Ne vous intercalez pas dans mes hauts jugements, parce que si vous désobéissez à mes commandements ou si vous outrepassez la limite que Je marque, la douleur, la destruction, le feu, la peste et la mort seront avec vous.

26. **JAPON:** Je vous reçois et vous parle. J'ai pénétré votre sanctuaire et vu tout. Vous ne souhaitez pas être les derniers, mais avez toujours souhaité être les premiers et, en vérité Je vous le dis, cette semence n'est pas agréable à Mes yeux.

27. Il est impérieux que vous buviez jusqu'au fond le calice d'amertume, afin de purifier votre coeur. Il est nécessaire que votre langue se mélange aux autres langues, il est impérieux que le monde s'approche de vous. Quand le monde se rencontrera prêt et propre, il vous apportera la semence que Je lui livrerai, car Je ne vois personne qui soit préparé. Je ne contemple pas, en vous, la semence spirituelle de ma Divinité. Mais, Je préparerai le chemin.

28. Il se produira bientôt un chaos d'idées dans l'univers, une confusion de sciences et de théories, et c'est après ce chaos que la lumière vous parviendra. Je prépare toutes et vous

pardonne toutes, et fais en sorte que vous suiviez le vrai chemin.

29. Au moment indiqué et quand la paix s'installera parmi les nations, ne soyez pas réticents, ne vous opposez pas à Ma volonté. Si les nations signent, ne les trahissez pas, parce qu'alors Je déchargerai ma justice sur vous.

30. Sept nations! Sept têtes! Le Père vous a reçues. Le monde est là, devant vous, sous votre autorité. Et c'est vous qui Me répondrez de lui.

31. Il est de Ma volonté que soit la lumière du «livre des sept sceaux» en chacune des nations, afin que les hommes se préparent. (127, 50-65)

Guerres et catastrophes naturelles - Signes dans le Ciel

32. Ce même monde, que vous habitez à présent, a été longtemps un champ de bataille et, il n'a pas suffi, à l'homme, l'énorme expérience que lui ont léguée ses ancêtres, une expérience amère et douloureuse qui est comme un livre ouvert par la conscience devant les hommes de ce temps.

33. Mais le coeur de l'humanité est dur pour accepter ce fruit d'expérience, qui est comme un héritage de lumière. Tout ce qu'ils ont hérité de leurs ancêtres a été la haine, l'arrogance, le ressentiment, la cupidité, l'orgueil et la vengeance qui leur fut transmise dans le sang. (271, 65)

34. Comprenez que c'est un temps de justice, parce que, en vérité Je vous

le dis, toute faute sera expiée. La terre elle-même réclamera le mauvais usage que l'homme a fait d'elle et de ses éléments.

35. Tout ce qui a été détruit on vous le réclamera, en faisant reconnaître aux hommes qu'ils furent créés par le Créateur dans un dessein d'amour, et que cette volonté unique, qui pouvait les détruire, est Celle qui en prend soin, qui les protège et les bénit. (180, 67)

36. Je vous laisse ce message que vous porterez au-delà des mers. Ma parole traversera le vieux continent et arrivera aux hommes d'Israël, lesquels se sont soulevés dans une guerre fratricide pour une parcelle de terre, sans se rendre compte de la misère de leur esprit.

37. Vous ne pouvez pas comprendre, ni imaginer l'épreuve que le monde traversera. Tous espèrent la paix, et celle-ci ne deviendra une réalité qu'après que les éléments auront rendu témoignage de Moi. (243, 52)

38. Mes éléments se déchaîneront et ravageront les régions. Les hommes de science découvriront une nouvelle planète, et une pluie d'étoiles éclairera votre monde, mais cela n'entraînera pas de catastrophes pour l'humanité, mais seulement annoncera aux hommes l'arrivée d'un temps nouveau. (182, 38)

39. Je vous ai déjà révélé que Mon peuple se trouve disséminé de par le

Monde, ce qui revient à dire que la semence spiritualiste est disséminée sur toute la surface de la Terre.

40. Aujourd'hui vous êtes désunis, et vous en arrivez même à vous désavouer les uns les autres pour des brouilles. Cependant, quand les doctrines matérialistes viendront vous menacer de vous envahir tous, alors tous ceux qui pensez et percevez avec l'esprit parviendrez à vous identifier. Quand ce moment sera proche, Je vous donnerai un signe afin que vous puissiez vous reconnaître, quelque chose que tous serez capables de voir et d'entendre de la même manière. Ainsi, quand vous vous rendrez témoignage les uns aux autres, vous vous émerveillerez et vous exclamerez: C'est le Seigneur qui nous a visités. (156, 35-36)

Prophétie à propos du schisme des communautés mexicaines

41. Ecoutez-Moi à présent, peuple, et levez-vous pour accomplir dignement et vraiment Ma parole.

42. Je vois la tristesse dans votre coeur, parce que vous pressentez que toutes ces multitudes ne vont pas adhérer à la Loi que J'ai écrite en votre conscience, toutefois Je vous dis que maintenant, comme au Premier Temps, le peuple se divisera.

43. Je vous ai beaucoup parlé, et ai tracé un seul chemin pour tous, c'est pourquoi Je vous dis que le jugement tombera sur ce peuple, au jour marqué par la volonté de votre Père, pour mettre fin à cette manifestation, si quelques-uns de mes enfants Me désobéissent.

44. Je suis venu à vous comme un libérateur en cette époque, en vous indiquant la route dans le désert, le voyage spirituel de la lutte pour la libération et le salut, en vous promettant, au bout du chemin, la nouvelle Terre de Promission qui est la paix, la lumière et le bonheur de l'esprit.

45. Bienheureux ceux qui se lèvent pour Me suivre dans ce voyage, anxieux de libération et de spiritualité, car ils ne se sentiront jamais seuls ni faibles dans les épreuves que leur proposera le vaste désert.

46. En revanche, malheur à ceux qui manquent de foi, à ceux qui aiment davantage les choses du monde que le spirituel, à ceux qui restent attachés à leurs idoles et à leurs traditions! Ceux-là, croyant Me servir, seront les sujets du Pharaon, qui représente la chair, le matérialisme, l'idolâtrie.

47. Celui qui désire ardemment arriver à la Terre Promise, à la patrie de l'esprit, doit recourir le monde en laissant l'empreinte du bien.

48. Empruntez ce chemin, et n'ayez crainte car si vous fondez votre espoir en Moi, il est impossible que vous vous perdiez; si vous avez peur ou que vous êtes méfiants, c'est que votre foi n'est pas absolue, et Moi Je vous dis que celui qui souhaite me suivre doit être persuadé de Ma vérité. (269, 50-51)

Chapitre 65 - Paraboles

Parabole des mauvais administrateurs

1. Une foule d'affamés, de malades et de dénudés s'approchaient d'une maison, en quête de charité.

2. Les propriétaires de la maison la préparaient constamment pour servir à manger aux voyageurs.

3. Le propriétaire, seigneur et maître de ces terres, s'approchait pour présider le banquet.

4. Le temps passait et les nécessiteux trouvez toujours de quoi se sustenter et s'abriter, dans cette maison.

5. Un jour, ce propriétaire observa que l'eau à table était trouble, que les plats servis n'étaient pas sains et savoureux et que les nappes étaient tachées

6. Alors, appelant ceux qui étaient chargés de préparer la table, il leur demanda: «Avez-vous observé les tissus, goûté les plats et bu cette eau?»

7. «Oui, Monsieur», répondirent-ils.

8. Alors, avant que de donner à manger à ces gens affamés, faites manger vos enfants, et s'ils trouvent que ces mets sont bons, donnez-les à ces visiteurs.

9. Les enfants prirent le pain, les fruits, et tout ce qu'il y avait sur la table, mais le goût fut désagréable, et il y eu mécontentement et rébellion contre les responsables, et il protestèrent sévèrement.

10. Le propriétaire dit, alors, à ceux qui attendaient: Venez sous un arbre, je vais vous offrir les fruits de mon verger et des mets agréables au palais.

11. Et il s'adressa aux responsables, en ces termes: Nettoyez ce qui est taché, débarrassez-vous du goût amer que vous avez laissé dans les bouches de ceux que vous avez trompé; dédommagez-moi, car je vous ai ordonné de recevoir tous ceux qui ont faim et qui ont soif pour leur offrir les mets les plus fins et de l'eau fraîche, et vous n'avez pas accompli votre tâche; votre travail ne me sied pas.

12. Le seigneur de ces terres prépara lui-même le banquet, le pain fut substantiel, les fruits sains et mûrs, l'eau propre et rafraîchissante. Alors il invita ceux qui attendaient, les mendiants, les malades et les lépreux, et tous mangèrent avec grand plaisir. Ils se virent soudain sains et libérés de leurs maux, et décidèrent de demeurer dans la propriété.

13. Ils commencèrent à travailler les terres, se convertirent en agriculteurs, mais ils étaient faibles, et ne surent pas se guider avec les conseils du propriétaire. Ils mélangèrent des graines différentes et la récolte dégénéra. Le blé fut étouffé par la mauvaise herbe.

14. Et quand vint le temps de la moisson, le propriétaire s'approcha et leur dit: Que faites-vous, si Je ne vous chargeai que du soin de la maison

pour recevoir les visiteurs? Le champ que vous avez ensemencé n'est pas bon, d'autres sont les responsables des terres. Allez et nettoyez les champs des épines et des mauvaises herbes et retournez garder la maison. La source s'est asséchée, le pain n'alimente pas et les fruits sont amers. Faites avec les voyageurs ce J'ai fait avec vous, et quand vous aurez nourri et guéri ceux qui viennent à vous, quand vous aurez fait disparaître la douleur de vos semblables, alors Je vous ferai vous reposer dans Ma demeure. (196, 47-49)

Parabole de la traversée du désert pour arriver à la grande ville

15. Deux voyageurs marchaient d'un pas lent par un vaste désert, leurs pieds étaient endoloris par les sables brûlants. Ils se dirigeaient vers une ville lointaine, seul l'espoir d'arriver à destination les encourageait dans leur pénible voyage, le pain et l'eau se terminant. Le plus jeune des deux commença à s'affaiblir et demanda que son compagnon continu seul le voyage, parce qu'il sentait ses forces l'abandonner.

16. Le voyageur plus âgé essaya d'encourager le jeune homme, lui disant que peut-être ils rencontreraient, sous peu, une oasis où recouvrer les forces perdues, mais le plus jeune ne se réanima pas.

17. Il ne pensa pas l'abandonner dans cette solitude et, malgré qu'il fut, lui aussi, fatigué, il chargea son compagnon découragé, sur ses épaules, et poursuivit péniblement son chemin.

18. Quand le jeune homme se fut reposé, en pensant à la lassitude qu'il causait à celui qui le portait sur les épaules, il lui lâcha le cou, le prit par la main et c'est ainsi qu'ils continuèrent leur chemin.

19. Une immense foi encouragea le coeur du vieux voyageur, laquelle lui prodigua les forces nécessaires pour vaincre sa lassitude.

20. Comme il l'avait prévu, une oasis apparut à l'horizon, oasis à l'ombre de laquelle la fraîcheur d'une source les attendait. Finalement, ils arrivèrent à elle et burent de cette eau fortifiante jusqu'à se rassasier.

21. Ils dormirent d'un sommeil réparateur et, à leur réveil, sentirent que leur lassitude avait disparu, ils n'éprouvaient ni faim ni soif, et sentaient la paix dans leur coeur et les forces pour atteindre la ville qu'ils cherchaient.

22. Ils n'auraient pas voulu quitter cet endroit, mais il était impérieux de poursuivre le voyage. Ils remplirent leurs amphores de cette eau cristalline et pure, et reprirent leur chemin.

23. Le vieux voyageur qui avait été le support du jeune homme, déclara: Il serait bon de consommer modérément l'eau que nous emportons, car il est possible que nous rencontrions, en chemin, quelques pèlerins vaincus par la fatigue, mourant de soif ou malades et il faudra leur offrir celle que nous emportons.

24. Le jeune homme protesta en rétorquant qu'il serait insensé de

donner ce qui, même pour eux, pourrait ne pas leur suffire; que dans un tel cas, puisqu'il leur avait coûté tant d'efforts pour obtenir ce précieux élément, ils pourraient le vendre au prix qu'ils fixeraient.

25. Insatisfait de cette réponse, le vieux lui répliqua que s'ils souhaitaient connaître la paix dans leur esprit, ils devaient partager l'eau avec ceux qui en avaient besoin.

26. Contrarié, le jeune homme dit qu'il préférait consommer, seul, l'eau de son amphore plutôt que la partager avec quelqu'un qu'il rencontrerait sur son chemin.

27. Une nouvelle fois, le pressentiment du vieux s'accomplit, puisqu'ils aperçurent, devant eux, une caravane composée d'hommes, de femmes et d'enfants, laquelle caravane, perdue dans le désert, étaient sur le point de succomber.

28. Le bon vieil homme, empressé, s'approcha de ces gens à qui il offrit à boire. Les voyageurs se sentirent fortifiés sur-le-champ, les malades ouvrirent leurs yeux pour remercier ce vieux voyageur, et les enfants cessèrent de pleurer de soif. La caravane se leva et continua son voyage.

29. Il y avait la paix dans le coeur du généreux voyageur, tandis que l'autre, voyant son amphore vide, alarmé, il dit à son compagnon qu'ils devraient retourner en quête de la source pour récupérer l'eau qu'ils avaient consommée.

30. «Nous ne devons pas retourner sur nos pas », dit le bon voyageur, «si nous avons la foi, nous rencontrerons, plus loin, de nouvelles oasis».

31. Mais le jeune homme douta, il prit peur et préféra, ici-même, prendre congé de son compagnon, pour retourner à la recherche de la source. Ceux-là même qui avaient été des frères de lutte se séparèrent. Pendant que l'un poursuivait sa marche en avant, plein de foi en son destin, l'autre, pensant qu'il pouvait mourir dans le désert, courut en direction de la source avec, dans son cœur, l'obsession de la mort.

32. Il arriva, enfin, haletant et fatigué mais, satisfait, il but jusqu'à ce se rassasier, oubliant le compagnon qu'il laissa aller tout seul, de même que la ville à laquelle il avait renoncé, en décidant de rester vivre dans le désert.

33. Il ne tarda pas longtemps qu'une caravane passe tout près de là, composée d'hommes et de femmes épuisés et assoiffés; ils s'approchèrent anxieusement pour boire des eaux de cette source.

34. Mais, soudain, ils virent apparaître un homme qui leur interdisait de boire et de se reposer à moins qu'ils lui rétribuent ces bienfaits. C'était le jeune voyageur qui avait pris possession de l'oasis, se convertissant en seigneur du désert.

35. Ces hommes l'écoutèrent avec tristesse, car ils étaient pauvres et ne pouvaient pas acheter ce précieux trésor qui étancherait leur soif. Finalement, se dépouillant du peu qu'ils emportaient, ils achetèrent un peu d'eau pour satisfaire la soif

637

désespérante et continuèrent leur voyage.

36. Mais cet homme se convertit rapidement de seigneur en roi, parce que ceux qui passaient par cet endroit n'étaient pas toujours des pauvres, il y avait aussi des puissants qui pouvaient donner leur fortune pour un verre d'eau.

37. Cet homme n'eut plus jamais aucune pensée pour la ville qui était au-delà du désert, et moins encore pour le compagnon fraternel qui l'avait porté sur ses épaules, en lui évitant de périr dans cette solitude.

38. Un jour, il vit s'approcher une caravane qui, sûrement, se dirigeait vers la grande ville, mais à sa grande surprise, il observa que ces hommes, ces femmes et ces enfants marchaient regorgeant de force et de joie, en entonnant un hymne.

39. Cet homme ne put comprendre ce qu'il voyait et sa surprise fut plus grande encore quand il vit qu'à la tête de la caravane marchait celui qui avait été son compagnon de voyage.

40. La caravane s'arrêta devant l'oasis, pendant que les deux hommes se regardèrent l'un et l'autre, ébahis; finalement, celui qui habitait l'oasis demanda à celui qui avait été son compagnon: Dites-moi, comment est-il possible qu'il y ait des gens qui traversent ce désert sans avoir soif ni éprouver de lassitude?

41. La raison en était qu'en son for intérieur, il se demandait ce qu'il deviendrait le jour où personne ne s'approcherait plus pour lui demander à boire ou à loger.

42. Le bon voyageur dit à son compagnon: Je suis arrivé à la grande ville, mais tout au long du chemin, je n'ai pas seulement rencontré des malades, mais aussi des assoiffés, des égarés, des fatigués, et je les ai tous réanimés grâce à la foi qui m'anime moi-même, et c'est ainsi que, d'oasis en oasis, nous sommes arrivés, un jour, aux portes de la grande ville.

43. C'est là que je fus appelé par le Seigneur de ce Royaume, qui voyant que je connaissais le désert et que je faisais preuve de pitié à l'égard des voyageurs, me donna la mission de revenir pour être guide et conseiller tout le long de la difficile traversée des voyageurs.

44. Et me voici guidant une autre des caravanes que je dois emmener à la grande ville. Et vous, que faites-vous ici? demanda-t-il à celui qui était resté dans l'oasis. Celui-ci, honteux, demeura muet.

45. Alors le bon voyageur lui dit: Je sais que vous avez fait vôtre cette oasis, que vous vendez ses eaux et que vous vous faites rétribuer pour l'ombre, ces biens ne vous appartiennent pas, ils furent disposés dans le désert par un pouvoir Divin afin que les utilise celui qui en a besoin.

46. Voyez-vous ces multitudes? Elles n'ont pas besoin de l'oasis parce qu'ils n'éprouvent pas la soif, ni se fatiguent, il suffit que je leur transmette le message que le Seigneur de la grande ville leur envoie, par mon entremise, pour qu'ils se lèvent, en trouvant, à chaque pas, des forces

dans l'idéal qu'ils ont pour atteindre ce Royaume.

47. Laissez la source à ceux qui ont soif, afin que ceux qui souffrent des rigueurs du désert puissent y trouver le repos et étancher leur soif.

48. Votre orgueil et votre égoïsme vous ont aveuglé, mais à quoi vous a-t-il servi d'être le propriétaire de cette petite oasis, si vous vivez dans cette solitude et que vous vous êtes privé de connaître la grande ville qu'ensemble nous recherchions? Avez-vous déjà oublié cet idéal qui fut le nôtre?

49. Cet homme, écoutant en silence celui qui fut son fidèle et dévoué compagnon, fondit en larmes car il éprouva du repentir pour ses erreurs, et s'arrachant les faux atours, s'en alla à la recherche du point de départ qui était là où le désert commençait, pour suivre le chemin qui le mènerait à la grande ville; mais maintenant il marchait, son chemin éclairé par une nouvelle lumière, celle de la foi et de l'amour pour ses semblables.

50. Je suis le Seigneur de la grande ville et Elie est le vieux de Ma parabole, il est le «voix de celui qui crie dans le désert», c'est lui qui se manifeste, une nouvelle fois, parmi vous, dans l'accomplissement de la révélation que Je vous ai livrai, dans la transfiguration du Mont Tabor. Il est celui qui vous guide, au cours du Troisième Temps, vers la grande ville, où Je vous attends pour vous remettre la récompense éternelle de mon amour.

51. Suivez Elie, ô peuple bien-aimé, et tout changera dans votre vie; tout

sera transformé dans votre culte et dans vos idéaux!

52. Croyiez-vous que votre culte imparfait serait éternel? Non, disciples; demain, quand votre esprit contemplera la grande ville à l'horizon, il dira comme son Maître: «Mon Royaume n'est pas de ce monde». (28, 18-40)

Parabole de la magnanimité d'un Roi

53. Il était une fois un roi, entouré de ses sujets, célébrant une victoire conquise sur un peuple rebelle qui, maintenant, allait devenir son vassal.

54. Le Roi et ses sujets chantaient leur victoire. Le Roi s'adressa à son peuple, en ces termes: La force de mon bras a triomphé et fait s'agrandir mon royaume, toutefois, j'aimerai les vaincus comme je vous aime, je leur donnerai de grandes terres sur mes domaines pour qu'ils cultivent la vigne. Et de même que je les aime, je souhaite que vous les aimiez aussi.

55. Le temps s'écoula, et d'entre ce peuple conquis par l'amour et la justice de ce Roi, s'éleva un homme qui se rebella contre son Seigneur, et qui essaya de le tuer pendant son sommeil, ne réussissant qu'à le blesser.

56. Face à son délit, cet homme s'enfuit, terrifié, pour se cacher dans les forêts les plus sombres, tandis que le Roi pleurait l'ingratitude et l'absence de son sujet, parce que son cœur l'aimait beaucoup.

57. Dans sa fuite, cet homme fut prisonnier d'un peuple ennemi du Roi,

et quand il fut accusé d'être un sujet de celui dont il ne reconnaissaient pas l'autorité, celui-ci terrorisé, proclama haut et fort qu'il fuyait parce qu'il avait tué le Roi. Mais on ne le crut pas, et il fut condamné à la torture, puis au bûcher.

58. C'est quand, déjà tout ensanglanté, il allait être jeté au feu, que le Roi et ses sujets réussirent à passer par là, à la recherche du rebelle. Voyant ce qui se passait, ce seigneur leva son bras, en disant aux bourreaux: Que faites-vous, peuple rebelle? Et, à la voix majestueuse et dominante du Roi, les rebelles se prosternèrent devant Lui.

59. Le sujet ingrat, qui était attaché près du feu dans l'attente de l'exécution de sa sentence, était ébahi et surpris de voir que le roi n'était pas mort, et qu'il s'approchait, pas à pas, pour le détacher.

60. Il l'éloigna du feu et guérit ses blessures; ensuite, il approcha du vin de ses lèvres, l'habilla de nouveaux vêtements blancs de cérémonie et, après avoir déposé un baiser sur son front, il lui dit: Mon sujet, pourquoi m'avez-vous abandonné? Pourquoi m'avez-vous blessé? Ne me répondez pas par des mots, Je souhaite seulement que vous sachiez que je vous aime, et je vous dis à présent: Venez et suivez-moi.

61. Ce peuple qui assistait, émerveillé et converti, à ces scènes de charité, s'écria: Hosanna, hosanna, en se déclarant le sujet obéissant de ce roi. Ce peuple ne reçut que des bienfaits de son Seigneur, quant au sujet qui, un jour, se rebella, surpris de tant d'amour de son roi, prit la détermination de rétribuer ces preuves d'affection illimitée en aimant et en vénérant son Seigneur à tout jamais, soumis devant ses œuvres parfaites.

62. Voilà clairement ma parole, ô peuple! Les hommes luttent contre Moi, et perdent ainsi leur amitié pour Moi.

63. Quel tort ai-Je causé aux hommes? Quel préjudice ma Doctrine et ma Loi leur occasionnent-elles?

64. Sachez que toutes les fois que vous M'offensez, vous serez à chaque fois pardonnés, mais vous devrez alors aussi pardonner à vos ennemis toutes les fois qu'ils vous offenseront.

65. Je vous aime. Et si vous vous éloignez d'un pas de Moi, Je ferai ce même pas pour M'approcher de vous. Si vous Me fermez les portes de votre temple, Je frapperai à ces mêmes portes jusqu'à ce que vous les ouvriez pour M'y laisser entrer. (100, 61-70)

Bénédictions

66. Bienheureux, celui qui patiemment supporte ses peines, car il trouvera, dans sa propre mansuétude, la force de continuer à porter sa croix tout au long du chemin de son évolution.

67. Béni, celui qui supporte l'humiliation avec humilité et qui sait pardonner à ceux qui l'ont offensé, car Je le justifierai; mais, malheur à ceux qui jugent les actions de leurs frères, car à leur tour ils seront jugés!

68. Béni, celui qui, obéissant au premier précepte de la Loi, M'aime par-dessus tout ce qui a été créé.

69. Béni, celui qui Me permet de juger sa cause, juste ou injuste. (44, 52-55)

70. Béni, celui qui s'humilie sur la Terre, car Je l'exalterai dans l'Au-Delà. Bienheureux celui qui pardonne, car Je lui pardonnerai. Bienheureux, celui qui est calomnié, car Je témoignerai de son innocence. Bienheureux, celui qui rend témoignage de Moi, car Je le bénirai. Et celui qui est désavoué pour pratiquer Ma Doctrine, Je le reconnaîtrai. (8, 30)

71. Bienheureux ceux qui, tombant et se relevant, pleurent et Me bénissent, les blessés par leurs propres frères, Me font confiance au plus profond de leur cœur. Ces petits et ces affligés, déchirés, mais manses et, pour cela, forts d'esprit, sont vraiment Mes disciples. (22, 30)

72. Bienheureux celui qui bénit la volonté de son Seigneur, bienheureux celui qui bénit sa propre amertume, en sachant qu'elle lavera ses taches, car celui-là affirme ses pas pour escalader la montagne spirituelle. (308, 10)

73. Tous attendent la lumière d'un jour nouveau, l'aube de la paix qui sera le commencement d'une meilleure époque. Les opprimés attendent le jour de leur libération, pendant que les malades espèrent un baume qui leur rende la santé, la force et le bonheur.

74. Bienheureux ceux qui savent attendre jusqu'au dernier instant, parce qu'il leur sera largement rendu tout ce qu'ils ont perdu. Je bénis cette attente, parce qu'elle la preuve de leur foi en Moi. (286, 59 - 60)

75. Bienheureux les fidèles; bénis ceux qui restent fort jusqu'à la fin des épreuves. Bénis ceux qui n'ont pas gaspillé la force impartie par Mon enseignement, car, dans les temps amers qui se font proches, ils traverseront les vicissitudes de la vie avec force et lumière. (311, 10)

76. Bénis ceux qui me bénissent sur l'autel de la Création, et ceux qui savent recevoir humblement les conséquences de leurs fautes, sans les attribuer à des châtiments divins.

77. Bénis ceux qui savent accomplir ma volonté et accepter leurs épreuves avec humilité. Tous ceux-là M'aimeront. (325, 7-8)

Exhortations pour le développement

78. Bénis ceux qui, avec humilité et foi, M'adressent des pétitions pour le progrès de leur esprit, car ils recevront ce qu'ils sollicitent de leur Père.

79. Bénis ceux qui savent attendre, parce que ma charité viendra à leurs mains au bon moment.

80. Apprenez à demander et aussi à attendre, en sachant que rien n'échappe à ma charité. Confiez dans le fait que ma volonté se manifestera

dans chacune de vos nécessités et épreuves. (35, 1-3)

81. Bénis ceux qui rêvent d'un paradis de paix et d'harmonie.

82. Bénis ceux-là qui ont méprisé et vus avec indifférence les banalités du superflu, les vanités et les passions qui ne font aucun bien à l'homme, et moins encore à l'esprit.

83. Bénis ceux qui ont écarté les pratiques fanatiques qui ne mènent à rien, et qui ont éloigné des croyances antiques et erronées, pour embrasser la vérité absolue, nue et propre.

84. Je bénis ceux qui renoncent aux monde l'extérieur pour entrer dans la méditation, dans l'amour et la paix intérieure, parce qu'ils comprennent que ce n'est pas le monde qui donne cette paix, mais qu'ils peuvent la trouver à l'intérieur d'eux mêmes.

85. Soyez bénis, vous à qui la vérité n'inspire aucune peur ni scandale, parce que, certes, Je vous dis que la lumière jaillira, comme une cascade, sur votre esprit pour assouvir, éternellement, votre soif de lumière. (263, 2-6)

86. Bienheureux celui qui écoute, assimile, et met en pratique Mes enseignements, car il saura vivre dans le monde, il saura mourir pour le monde, et quand sonnera l'heure, il saura ressusciter à l'éternité.

87. Béni celui qui s'approfondit dans Ma parole, parce qu'il est parvenu à comprendre la raison de la douleur, le sens de la restitution et de l'expiation et, au lieu de se désespérer ou de blasphémer, et d'augmenter ainsi sa tristesse, il se lève plein de foi et d'espoir pour lutter, afin que le poids de ses fautes s'allège de jour en jour, et que son calice soit moins amer.

88. La sérénité et la paix appartiennent aux hommes de foi, à ceux qui acceptent la volonté de leur Père. (283, 45-47)

89. Votre progrès, ou évolution, vous permettra de trouver Ma vérité et de ressentir Ma présence divine, tant dans le spirituel que dans chacune de Mes oeuvres. Alors, Je vous dirai: «Bienheureux ceux qui savent Me voir partout, parce que ce sont ceux qui M'aimeront vraiment». «Bienheureux ceux qui savent me sentir avec l'esprit et même au travers de leur matière, parce qu'ils ont sensibilisé tout leur être, ceux qui se sont vraiment spiritualisés». (305, 61-62)

90. Vous savez que, depuis mon trône élevé, J'enveloppe l'Univers dans Ma paix et dans Mes bénédictions.

91. Tout est béni par Moi à toute heure, et en tout instant.

92. Aucune malédiction ou abomination n'a, ni ne jaillira jamais de Moi pour mes enfants; c'est pourquoi, sans distinguer les justes des pécheurs, Je fais descendre sur tous Ma bénédiction, Mon baiser d'amour et Ma paix. (319, 49-50)

L'APPEL DE DIEU

Appel aux hommes de ce temps

Humanité, humanité: Levez-vous, le temps presse, et si vous ne le faites pas aujourd'hui, vous ne vous réveillerez pas au cours de cette existence. Allez-vous rester endormis en dépit de Mon message? Souhaitez-vous que ce soit la mort de la chair qui vous réveille, par le feu vorace du repentir de votre esprit sans matière?

Soyez sincères, imaginez-vous de vous retrouver dans la vie spirituelle, face à face avec la vérité, où rien ne pourra excuser votre matérialisme, où vous vous verrez avec vos véritables guenilles, tachées, sales et déchirées, qui constitueront l'habillement de votre esprit. En vérité Je vous le dis, là en contemplant votre misère et en éprouvant une telle honte, vous expérimenterez l'immense désir de vous laver dans les eaux du plus profond repentir, en sachant que vous pourrez aller à la célébration de l'esprit que lorsque vous serez propres.

Contemplez-vous au-delà de l'égoïsme humain avec toutes ses vices qui aujourd'hui constituent votre orgueil, votre satisfaction, et dites-Moi si vous vous êtes jamais préoccupés de la douleur de l'Humanité, si les plaintes des hommes, les sanglots des femmes ou les pleurs des enfants, rencontrent un écho dans votre cœur; et dites-Moi alors: Qu'avez-vous été pour l'Humanité? Avez-vous été vie? (228, 62-63)

Appel aux intellectuels

Venez à Moi, vous les intellectuels, lassés de la mort et désabusés dans votre cœur. Venez à Moi, vous qui vous êtes confondus et qui, au lieu d'aimer, avez haï; Moi, Je vous offrirai le repos, en vous faisant comprendre que l'esprit obéissant à mes commandements ne se lasse jamais; et Je vous ferai pénétrer une science qui ne troublera jamais l'intelligence. (282, 54)

Appel à ceux qui sont fatigués et épuisés

Venez à Moi, hommes tristes, solitaires et malades. Vous qui traînez des chaînes de péché, vous les humiliés, les affamés et les assoiffés de justice, soyez avec Moi. Dans ma présence, bon nombre de vos maux disparaîtront, et vous sentirez s'alléger votre fardeau.

Si vous souhaitez posséder les biens de l'esprit, Je vous les concéderai; si vous Me demandez des possessions terrestres pour en faire bon usage, Je vous les donnerai aussi, parce que votre pétition est noble et juste. C'est alors que vous deviendrez de bons administrateurs et que Moi je vous concéderai la multiplication de ces biens afin que vous les partagiez avec vos frères. (144, 80-81)

Exhortation à l'Israël spirituel

Israël, devenez les guides de l'humanité, donnez-lui ce pain de vie éternelle, montrez-lui cette Oeuvre Spirituelle, afin que les différentes religions se spiritualisent dans ma Doctrine et qu'ainsi le Royaume de Dieu soit au-dessus de tous les hommes. (249, 66)

Écoutez-Moi, Israël bien-aimé! Ouvrez vos yeux spirituels et contemplez la Gloire de votre Père. Ecoutez Ma voix par le biais de votre conscience, écoutez avec vos oreilles spirituelles les mélodies célestes pour que votre coeur et votre esprit se réjouissent, et que vous ressentiez la paix, car Je suis la paix, et Je viens vous inviter à vivre en elle. Je viens vous révéler l'amour que j'ai éprouvé pour l'humanité en tous temps, la cause pour laquelle, au Second Temps, Jésus versa son sang le plus précieux pour vous racheter du péché, pour vous enseigner l'amour, et pour laisser imprimée, dans votre coeur et dans votre esprit, la véritable Doctrine. (283, 71)

Dirigez votre regard vers Moi, si vous aviez perdu le chemin, soyez avec Moi aujourd'hui. Élevez votre pensée jusqu'à Moi, et parlez-Moi comme un enfant parle à son père, comme on parle à un ami en toute confidentialité. (280, 31)

Transformez-vous sous Mon enseignement, sentez-vous des hommes neufs, pratiquez mes vertus et la lumière apparaîtra en votre esprit tandis que le Christ se manifestera sur votre chemin. (228, 60)

Peuple, allez à la rencontre de l'humanité, parlez-lui comme le Christ vous parla, avec la même charité, la même détermination et la même espérance. Faites-leur voir qu'il existe des chemins d'élévation qui offrent de plus grandes satisfactions que celles procurées par les biens matériels. Faites-leur voir qu'il existe une foi qui fait croire et espérer bien au-delà de ce qui est tangible. Dites-leur que leur esprit vivra éternellement et que, par conséquent, ils doivent se préparer afin de venir jouir de ce bonheur éternel. (359, 94-95)

Que Ma paix soit avec vous!

Made in the USA
Las Vegas, NV
16 June 2021